STIEG
LARSSON
Verdammnis

Aus dem Schwedischen von Wibke Kuhn

HEYNE

Die Originalausgabe erschien unter dem Titel
Flickan som lekte med elden bei Norstedts Förlag, Stockholm

Verlagsgruppe Random House FSC-DEU-0100
Das für dieses Buch verwendete
FSC-zertifizierte Papier EOS
liefert Salzer, St. Pölten.

5. Auflage

Redaktion: Knut Krüger
Herstellung: Helga Schörnig
Gesetzt aus der Sabon 10,8/14,27 pt
Satz: Leingärtner, Nabburg
Druck und Bindung: GGP Media GmbH, Pößneck
Printed in Germany 2007
ISBN 978-3-453-01360-5

www.heyne.de

Prolog

Er hatte sie mit Lederriemen auf einer schmalen, stählernen Pritsche gefesselt. Ein straff gespannter Riemen verlief über ihren Brustkorb. Sie lag auf dem Rücken. Die Hände hatte er zu beiden Seiten auf Hüfthöhe an das Stahlgestell gebunden.

Den Versuch, sich loszumachen, hatte sie schon lange aufgegeben. Obwohl sie wach war, hielt sie die Augen geschlossen, denn um sie herum war es dunkel. Nur ein schmaler Streifen Licht drang durch den Spalt über der Tür. Sie hatte einen widerlichen Geschmack im Mund und sehnte sich danach, sich die Zähne putzen zu dürfen.

Unbewusst horchte sie immer mit einem Ohr nach dem Geräusch von Schritten, mit dem er sich ankündigte. Sie hatte keine Ahnung, wie spät es schon war; es kam ihr allerdings so vor, als ob es langsam schon zu spät für seinen Besuch wäre. Als ihre Liege plötzlich leicht vibrierte, öffnete sie die Augen. Es war, als hätte man irgendwo im Haus eine Maschine angeworfen. Doch nach ein paar Sekunden war sie schon nicht mehr sicher, ob sie sich das Ganze einbildete oder ob das Geräusch tatsächlich existierte.

Im Geiste hakte sie einen weiteren Tag ab.

Heute war der dreiundvierzigste Tag ihrer Gefangenschaft.

Ihre Nase juckte, und sie drehte den Kopf zur Seite, um sich am Kissen reiben zu können. Sie schwitzte. Im Zimmer herrschte schwüle Wärme. Sie trug ein schlichtes Nachthemd, das unter ihrem Körper Falten schlug. Wenn sie die Hüften hob, konnte sie mit Zeigefinger und Mittelfinger gerade eben den Stoff zu fassen bekommen und das Hemd einen Zentimeter hinunterziehen. Dann wiederholte sie die Prozedur mit der anderen Hand. Trotzdem blieb im Kreuz eine hartnäckige Falte.

Ihre Matratze war durchgelegen und unbequem. Durch die völlige Isolation steigerte sich jeder geringfügige Reiz, den sie sonst kaum wahrgenommen hätte, um ein Vielfaches. Immerhin waren ihre Lederfesseln so locker, dass sie ab und zu ihre Stellung ändern und sich auf die Seite drehen konnte, aber das war auf die Dauer auch nicht sonderlich bequem, denn dann blieb eine Hand hinter ihrem Rücken, und der Arm schlief ihr ständig ein.

Trotz ihrer allgegenwärtigen Angst spürte sie, wie sich von Tag zu Tag mehr Wut in ihr aufstaute.

Gleichzeitig wurde sie von ihren Gedanken gequält, von unschönen Fantasien, was mit ihr geschehen würde. Sie hasste die Hilflosigkeit, in die er sie gezwungen hatte. So sehr sie auch versuchte, sich auf etwas anderes zu konzentrieren, um sich die Zeit zu vertreiben und ihre Situation zu verdrängen, so hing die Angst doch über ihr wie eine Gaswolke und drohte jeden Moment durch ihre Poren zu dringen und ihr Dasein völlig zu vergiften. Mittlerweile hatte sie jedoch eine Methode entdeckt, mit der sie ihre Angst in Schach halten konnte: Sie fantasierte sich ein Szenario zusammen, das ihr ein Gefühl von Kraft einflößte. Sie schloss die Augen und beschwor den Geruch von Benzin herauf.

Er saß in seinem Auto, das Fenster war heruntergelassen. Sie rannte zum Auto, goss das Benzin durchs Fenster und riss ein Streichholz an. Das dauerte nur einen Augenblick. Im nächsten Moment loderten auch schon die Flammen auf. Er wand sich in Todesqualen, und sie hörte seine erschrockenen, schmerzerfüllten Schreie. Der Geruch von verbranntem Fleisch drang ihr in die Nase, und dazwischen der stechende Gestank von verkohltem Plastik und der versengten Polsterung des Autositzes.

Sie musste eingenickt sein, denn sie hatte gar keine Schritte gehört. Als die Tür aufging, war sie jedoch sofort hellwach. Das Licht, das durch die Türöffnung hereinfiel, blendete sie.

Er war also gekommen.

Er war groß. Sie wusste nicht, wie alt er war, aber er war auf jeden Fall schon erwachsen. Er hatte rotbraunes, zotteliges Haar, trug eine Brille mit schwarzem Gestell und ein dünnes Kinnbärtchen. Und er roch nach Rasierwasser.

Sie hasste seinen Geruch.

Schweigend blieb er am Fußende ihrer Pritsche stehen und betrachtete sie eine geraume Weile.

Sie hasste sein Schweigen.

Im Gegenlicht sah sie nur seine Silhouette und konnte sein Gesicht nicht erkennen. Plötzlich sprach er mit ihr. Er hatte eine tiefe, klare Stimme, mit der er jedes Wort pedantisch betonte.

Sie hasste seine Stimme.

Er erzählte, dass heute ihr Geburtstag sei und er ihr gratulieren wolle. Dabei war seine Stimme weder unfreundlich noch ironisch, sondern völlig neutral. Sie konnte sein Lächeln ahnen.

Sie hasste ihn.

Er kam näher und trat ans Kopfende. Dann legte er ihr seine feuchte Hand auf die Stirn und strich ihr mit den Fingern über den Haaransatz. Wahrscheinlich sollte diese Geste freundlich wirken. Das war sein Geburtstagsgeschenk für sie.

Sie hasste seine Berührung.

Er sprach mit ihr. Sie sah, wie sich sein Mund bewegte, blendete den Ton seiner Stimme jedoch aus. Sie wollte nicht zuhören. Sie wollte nicht antworten. Sie hörte, wie er die Stimme hob. Eine Spur von Gereiztheit über ihre mangelnde Reaktion hatte sich in seine Stimme geschlichen. Er sprach von gegenseitigem Vertrauen. Nach ein paar Minuten verstummte er endlich. Sie ignorierte seinen Blick. Schließlich zuckte er die Achseln und überprüfte ihre Fesseln. Nachdem er den Lederriemen über ihrer Brust ein wenig enger geschnallt hatte, beugte er sich über sie.

In der nächsten Sekunde warf sie sich, so schnell sie konnte, nach links, so weit wie möglich von ihm weg, so weit, wie es die Riemen zuließen. Sie zog die Knie unters Kinn und stieß ihm dann mit aller Kraft ihre Füße gegen den Kopf. Eigentlich hatte sie auf seinen Adamsapfel gezielt, aber sie traf ihn nur mit der Zehenspitze irgendwo unterm Kinn. Er hatte schnell reagiert und war ausgewichen, sodass sie ihn nur ganz leicht streifte. Als sie einen zweiten Tritt versuchte, war er bereits außer Reichweite.

Sie ließ die Beine wieder auf die Liege sinken.

Ihre Decke hing auf den Boden, ihr Nachthemd war ihr bis weit über die Hüften hochgerutscht.

Eine ganze Weile blieb er wortlos stehen. Dann ging er zum Fußende und nahm die Fesseln, die dort an der Pritsche hingen. Sie versuchte, die Beine anzuziehen, doch er packte sie beim Knöchel, drückte mit der anderen Hand ihr Knie auf die Matratze und fesselte ihren Fuß mit dem Lederriemen. Dasselbe wiederholte er auf der anderen Seite mit ihrem zweiten Fuß.

Nun war sie völlig hilflos.

Er hob die Decke auf und deckte sie zu. Schweigend betrachtete er sie zwei Minuten. Auch im Dunkeln konnte sie seine Erregung spüren, obwohl er sie nicht zeigte. Ganz bestimmt hatte er eine Erektion. Sie wusste, dass er eine Hand ausstrecken und sie berühren wollte.

Doch dann drehte er sich um, ging hinaus und schloss die Tür hinter sich. Sie hörte, wie er den Riegel vorlegte, was gänzlich sinnlos war, da sie ja sowieso keine Möglichkeit hatte, sich von ihrer Liege loszumachen.

Mehrere Minuten blieb sie liegen und fixierte den schmalen Lichtstreifen über der Tür. Schließlich bewegte sie sich ein wenig, um festzustellen, wie fest die Riemen saßen. Sie konnte die Knie noch leicht anziehen, doch dann setzten die Fesseln jeder Bewegung ein Ende. Sie entspannte sich, blieb ganz still liegen, starrte ins Nichts und wartete.

Fantasierte von einem Benzinkanister und einem Streichholz.

Sie sah ihn vor ihrem inneren Auge, völlig benzingetränkt. Sie konnte die Streichholzschachtel in ihrer Hand geradezu physisch wahrnehmen. Sie schüttelte sie. Es rasselte. Sie öffnete die Schachtel und nahm ein Streichholz heraus. Sie hörte ihn etwas sagen, ohne auf seine Worte zu achten. Sie sah seinen Gesichtsausdruck, als sie das Streichholz entzündete. Sie hörte, wie der Schwefelkopf mit einem ratschenden Geräusch über die raue Fläche rieb. Es klang wie ein lang gezogener Donnerschlag. Sie sah die Flamme auflodern.

Sie lächelte und machte sich innerlich hart.

In dieser Nacht wurde sie 13 Jahre alt.

Teil I

Unregelmäßige Gleichungen

16.–20. Dezember

Eine Gleichung wird nach der höchsten Potenz (dem Wert des Exponenten) der in ihr vorkommenden Unbekannten benannt. Ist dieser Exponent 1, handelt es sich um eine Gleichung ersten Grades, ist der Exponent 2, ist es eine Gleichung zweiten Grades etc. Bei Gleichungen zweiten oder höheren Grades ergeben sich für die Unbekannten mehrere Lösungen. Die Werte nennt man Wurzeln.

Gleichung ersten Grades
(lineare Gleichung): $3x - 9 = 0$
Lösung: $x = 3$

1. Kapitel

Donnerstag, 16. Dezember – Freitag, 17. Dezember

Lisbeth Salander schob sich die Sonnenbrille auf die Nasenspitze und blinzelte unter der Krempe ihres Sonnenhutes hervor. Sie sah die Dame aus Zimmer 32 aus dem Seiteneingang des Hotels treten und auf eine der grün-weiß gestreiften Liegen am Pool zusteuern. Konzentriert heftete sie ihre Blicke auf den Boden, und es wirkte, als wäre sie etwas wackelig auf den Beinen.

Salander hatte sie zuvor nur aus der Entfernung gesehen. Sie schätzte sie auf ungefähr 35, aber bei ihrem Aussehen hätte sie jedes Alter zwischen 25 und 50 haben können. Ihr braunes Haar reichte ihr bis zu den Schultern, ihr Gesicht war etwas länglich, und ihr reifer Körper sah aus, als wäre er einem Versandkatalog für Damenunterwäsche entstiegen. Sie trug Sandalen, einen schwarzen Bikini und eine lila getönte Sonnenbrille. Ihr Amerikanisch hatte einen Südstaatenakzent. Nachdem sie ihren gelben Sonnenhut neben ihrer Liege auf den Boden hatte fallen lassen, gab sie dem Barkeeper an Ella Carmichaels Bar ein Zeichen.

Lisbeth Salander legte ihr Buch in den Schoß und nahm einen Schluck Kaffee, bevor sie ihre Hand nach den Zigaretten ausstreckte. Ohne den Kopf zu drehen, warf sie einen Blick auf den Horizont. Von ihrem Platz auf der Poolterrasse aus konnte sie durch ein paar Palmen und Rhododendronsträucher an der Hotelmauer einen Blick auf das Karibische Meer erhaschen. Weit draußen war ein Segelboot mit Wind von achtern unterwegs nach Saint Lucia oder Dominica. In noch größerer Entfernung konnte sie die Konturen eines grauen Frachters ausmachen, der Richtung Süden nach Guyana oder in ein Nachbarland fuhr. Eine schwache Brise milderte die Vormittagshitze ein wenig, dennoch spürte sie, wie ihr ein Schweißtropfen langsam über die Stirn zur Augenbraue rann. Lisbeth Salander briet nicht gern in der Sonne und verbrachte die Tage weitgehend im Schatten, indem sie sich beständig unter dem Sonnendach aufhielt. Sie trug Kaki-Shorts und ein schwarzes Top.

Sie lauschte den merkwürdigen Klängen der *steel pans*, die aus dem Lautsprecher an der Bar drangen. Für Musik hatte sie sich noch nie im Geringsten interessiert und konnte Sven-Ingvars nicht von Nick Cave unterscheiden, aber die *steel pans* faszinierten sie irgendwie. Es schien so abwegig, ein Ölfass zu stimmen, und noch abwegiger, dass man das Fass dazu bringen konnte, kontrollierbare Töne von sich zu geben, die mit nichts anderem zu vergleichen waren. Sie fand diese Klänge geradezu magisch.

Plötzlich irritierte sie irgendetwas. Sie wandte ihren Blick wieder der Frau zu, die gerade ein Glas mit einem orangefarbenen Drink bekommen hatte.

Mit dem Drink hatte Lisbeth Salander freilich kein Problem. Aber sie konnte sich nicht erklären, warum die Frau plötzlich zur Salzsäule erstarrte. Seit das Paar vor vier Nächten angekommen war, hatte Lisbeth Salander dem Terror gelauscht, der sich in ihrem Nachbarzimmer abspielte. Sie hatte Schluchzen gehört, leise, aber erregte Stimmen und zeitweilig sogar Ohrfeigen. Der Mann, der diese Schläge austeilte – Lisbeth vermutete, dass es der Ehemann war –, mochte Mitte 40 sein. Er hatte sein dunkles, glattes Haar zu etwas so Unmodischem wie einem Mittelscheitel gekämmt und schien sich aus beruflichen Gründen in Grenada aufzuhalten. Was das für ein Beruf sein könnte, hatte sich Lisbeth Salander noch nicht erschlossen, aber bis jetzt war er jeden Morgen sorgfältig gekleidet erschienen, mit Schlips und Jackett, und hatte an der Hotelbar einen Kaffee getrunken, bevor er sich seine Aktentasche griff und hinausging, um in ein Taxi zu steigen.

Lisbeth kam immer spätnachmittags ins Hotel zurück, wenn er gerade mit seiner Frau am Pool war. Das Paar aß meistens zusammen zu Abend und machte dabei einen zurückhaltenden und liebevollen Eindruck. Vielleicht trank die Frau ein, zwei Gläschen zu viel, aber ihr kleiner Schwips wirkte nicht weiter störend oder auffällig.

Der Streit im Nachbarzimmer begann routinemäßig zwischen zehn und elf Uhr abends, ungefähr um die Zeit, wenn Lisbeth gerade mit einem Buch über die Geheimnisse der Mathematik ins Bett ging. Soweit Lisbeth das durch die Wand mitverfolgen konnte, kam es zu keinen gröberen Misshandlungen, aber die beiden stritten sich mit zermürbender Ausdauer. Die Nacht zuvor hatte Lisbeth ihre Neugier nicht mehr zügeln können und war auf den Balkon gegangen, um durch die offene Balkontür ihrer Nachbarn mitzuhören, worum es eigentlich ging. Er lief über eine Stunde im Zimmer auf und ab und gab zu, dass er ein mieser Schuft war, der sie überhaupt nicht verdiente. Immer wieder hatte er wiederholt, sie müsse ihn doch für einen Betrüger halten. Und jedes Mal hatte sie geantwortet, dass sie nicht so von ihm dachte, und versucht, ihn zu beruhigen. Er wurde immer eindringlicher, und zum Schluss packte und schüttelte er sie. Schließlich antwortete sie, wie er wollte ... *ja, du bist ein Betrüger*. Kaum hatte er ihr diese Worte abgepresst, nahm er sie zum Vorwand, nun seine Frau anzugreifen, ihren Lebenswandel und ihren Charakter. Er bezeichnete sie als Hure, ein Ausdruck, gegen den Lisbeth sich zweifellos wirkungsvoll zur Wehr gesetzt hätte, wäre sie so genannt worden. Das war zwar nicht der Fall und somit war das Ganze auch nicht ihr persönliches Problem, aber sie konnte sich nicht recht entschließen, ob sie in irgendeiner Form eingreifen sollte oder nicht.

Erstaunt hatte Lisbeth seiner ständig wiederkehrenden Leier gelauscht, aber dann hörte sie plötzlich eine Ohrfeige. Als sie gerade beschlossen hatte, auf den Flur zu gehen und die Tür zum Nachbarzimmer einzutreten, wurde es nebenan still.

Während sie jetzt die Frau am Pool gründlich musterte, konnte sie einen leichten Bluterguss an der Schulter und eine Abschürfung an der Hüfte feststellen, sonst jedoch keine auffälligeren Verletzungen.

Neun Monate zuvor hatte Lisbeth einen Artikel in der Zeitschrift *Popular Science* gelesen, die jemand auf dem Leonardo-da-Vinci-Flughafen in Rom liegen gelassen hatte, und auf einmal eine vage Faszination für das obskure Fach der sphärischen Astronomie verspürt. Dem ersten Impuls folgend, ging sie in eine Universitätsbuchhandlung in Rom und kaufte sich die wichtigsten Abhandlungen zu diesem Thema. Um die sphärische Astronomie zu begreifen, musste sie sich jedoch mit einigen der heikleren Mysterien der Mathematik vertraut machen. Während ihrer Reisen in den letzten Monaten hatte sie oft Universitätsbuchhandlungen besucht, um weitere Bücher zu diesem Thema ausfindig zu machen.

Meistens lagen diese Bücher nun in ihrer Reisetasche, und ihre Studien blieben unsystematisch und relativ ziellos. Schließlich marschierte sie in die Universitätsbuchhandlung in Miami und kam mit *Dimensions in Mathematics* von Dr. L. C. Parnault (Harvard University, 1999) wieder heraus. Sie hatte das Buch kurz vor ihrer Weiterreise nach Florida Keys gefunden und nahm es nun mit zum Inselhüpfen durch die Karibik.

Sie hatte Guadeloupe abgehakt (zwei Tage in einem unfassbaren Loch), Dominica (schön und relaxed, fünf Tage), Barbados (ein Tag in einem amerikanischen Hotel, in dem sie sich schrecklich unwillkommen fühlte) und Saint Lucia (neun Tage).

Sie hätte sich durchaus vorstellen können, etwas länger in Saint Lucia zu bleiben, wäre sie nicht mit einem einheimischen Tunichtgut aneinandergeraten, der in der Bar ihres Hinterhofhotels hauste. Schließlich hatte sie die Geduld verloren und ihm mit einem Ziegelstein eins über den Schädel gezogen, hatte aus ihrem Hotel ausgecheckt und eine Fähre Richtung Saint George's bestiegen, der Hauptstadt von Grenada. Von diesem Land hatte sie vorher noch nie gehört.

Eines Novembermorgens gegen zehn Uhr ging sie bei tropischem Platzregen in Grenada an Land. Ihrem Reiseführer *The Caribbean Traveller* hatte sie entnommen, dass Grenada als »Spice Island« bekannt war und weltweit zu den größten Muskatnussproduzenten gehörte. Die Insel hatte 120 000 Einwohner, aber weitere 200 000 Grenader wohnten in den USA, Kanada oder England, was ahnen ließ, wie es auf dem Arbeitsmarkt in ihrer Heimat aussah. Die Landschaft war hügelig, und in der Mitte lag der erloschene Vulkan Grand Etang.

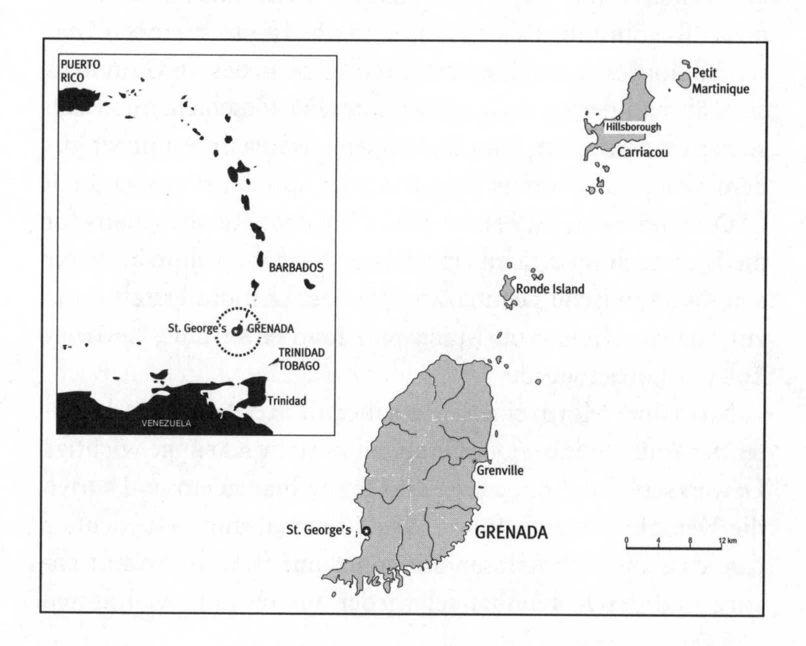

Historisch betrachtet war Grenada nichts weiter als eine der vielen unansehnlichen ehemaligen Kolonien Großbritanniens. 1795 hatte Grenada politisch für einiges Aufsehen gesorgt, als sich ein freigelassener Sklave namens Julian Fedon von der Französischen Revolution inspirieren ließ und einen Aufstand anzettelte. Daraufhin entsandte die Krone Truppen, die eine große Zahl der Rebellen erschoss, aufhängte und verstümmelte. Was das Kolonialregime erschütterte, war die Tatsache, dass sich sogar ein paar arme Weiße Fedons Bewegung angeschlossen hatten, ohne die geringsten Rücksichten auf Etikette oder Rassengrenzen. Der Aufstand wurde zerschlagen, aber Fedon wurde nie gefangen genommen und verschwand im Massiv des Grand Etang, woraufhin die Legende ihn zu einer Art Robin Hood machte.

Knapp zweihundert Jahre später, 1979, brach der Anwalt Maurice Bishop eine neue Revolution vom Zaun, laut Reiseführer »inspired by the communist dictatorships in Cuba and Nicaragua«, aber Lisbeth bekam ein ganz anderes Bild von dieser Revolution, als sie Philip Campbell kennenlernte – Lehrer, Bibliothekar und Baptistenprediger –, in dessen Gästehaus sie während der ersten Tage wohnte. Die Geschichte ließ sich so zusammenfassen, dass Bishop, ein populärer Anführer aus dem Volk, einen verrückten Diktator stürzte, der obendrein UFO-Fantast war und einen guten Teil des Staatshaushalts für die Jagd nach fliegenden Untertassen ausgab. Bishop hatte für eine ökonomische Demokratie plädiert und das erste Gesetz zur Gleichstellung von Mann und Frau eingeführt, bevor er 1983 ermordet wurde.

Nach dem Mord, einem Massaker an 120 Personen, darunter der Außenminister, der Frauenminister und einige wichtige Gewerkschaftsführer, waren die USA einmarschiert und hatten die Demokratie eingeführt. Was Grenada anging, bedeutete das, dass die Arbeitslosenrate von 6 auf fast 50 Prozent anstieg und der Kokainhandel wieder zur weitaus wichtigsten

Einkommensquelle wurde. Philip Campbell hatte den Kopf geschüttelt, als er die Beschreibung in Lisbeths Reiseführer las, und gab ihr dann ein paar gute Ratschläge, von welchen Personen und Vierteln sie sich nach Einbruch der Dunkelheit besser fernhalten sollte.

In Lisbeth Salanders Fall hätte er sich seinen Rat genauso gut schenken können. Sie bekam nämlich gar keine Gelegenheit, mit Grenadas krimineller Seite Bekanntschaft zu machen, da sie sich in Grand Anse Beach verliebt hatte, einen kilometerlangen und spärlich besuchten Sandstrand südlich von Saint George's, den sie stundenlang entlangwandern konnte, ohne mit einem anderen Menschen zu reden oder auch nur einen zu treffen. Sie zog ins Keys, eines der wenigen amerikanischen Hotels am Grand Anse, und verbrachte dort sieben Wochen, ohne viel mehr zu tun, als am Strand herumzustapfen und die einheimische Frucht Chinups zu essen, die im Geschmack an Lisbeths heiß geliebte, herbe schwedische Stachelbeeren erinnerten.

Es war Nebensaison, sodass nicht einmal ein Drittel der Zimmer im Keys Hotel belegt war. Das Einzige, was Lisbeths Frieden und ihre zerstreuten Mathematikstudien störte, war der hartnäckige Terror im Nachbarzimmer.

Mikael Blomkvist drückte mit dem Zeigefinger auf den Klingelknopf von Lisbeth Salanders Wohnung in der Lundagatan. Er erwartete nicht, dass sie öffnen würde, aber er hatte es sich zur Gewohnheit gemacht, ein paarmal im Monat bei ihrer Wohnung vorbeizufahren, um nachzusehen, ob sich irgendetwas verändert hatte. Wenn er durch ihren Briefschlitz spähte, konnte er einen Stapel Werbesendungen sehen. Es war kurz nach zehn Uhr abends und schon zu dunkel, um zu erkennen, ob der Stapel seit seinem letzten Besuch angewachsen war.

Ein Weilchen blieb er noch unschlüssig im Treppenhaus stehen, dann machte er frustriert auf dem Absatz kehrt und verließ das Haus. In gemütlichem Tempo spazierte er weiter zu seiner Wohnung in der Bellmansgatan, setzte Kaffee auf und blätterte die Abendzeitungen durch, bevor er die Spätausgabe der Nachrichten ansah. Seine Stimmung war düster, er war ein wenig besorgt. Er fragte sich zum tausendsten Mal, wo sich Lisbeth Salander aufhalten mochte und was hier eigentlich passiert war.

Letztes Jahr während der Weihnachtsferien hatte er Lisbeth Salander in seine Hütte in Sandhamn eingeladen. Sie unternahmen lange Spaziergänge und diskutierten die Nachwirkungen der dramatischen Ereignisse, in die sie im Laufe des Jahres verwickelt worden waren. Mikael hatte eine Phase durchgemacht, die er im Nachhinein als eine Lebenskrise betrachtete. Nach seiner Verurteilung zu einer dreimonatigen Gefängnisstrafe wegen Verleumdung hatte der ehemals so erfolgreiche Journalist beruflich bis zum Hals im Sumpf gesteckt. Seinen Posten als verantwortlicher Herausgeber bei *Millennium* hatte er mit eingezogenem Schwanz geräumt. Doch plötzlich änderte sich alles. Er erhielt den Auftrag, die Biografie des Großindustriellen Henrik Vanger zu schreiben, was ihm zunächst wie eine gut bezahlte Schnapsidee vorkam, sich dann aber in die desperate Jagd nach einem unbekannten, gerissenen Serienmörder verwandelte.

Während dieser Jagd hatte er Lisbeth Salander kennengelernt. Mikael tastete zerstreut nach der dünnen Narbe, die die Würgeschlinge unter seinem linken Ohr hinterlassen hatte. Lisbeth hatte ihm nicht nur bei der Jagd nach dem Mörder geholfen, sondern ihm auch im letzten Moment das Leben gerettet.

Immer wieder hatte sie ihn mit ihren seltsamen Fähigkeiten in größtes Erstaunen versetzt – ein fotografisches Gedächtnis und dazu phänomenale Computerkenntnisse. Mikael Blomkvist hätte jederzeit behauptet, sich ganz gut mit Computern auszukennen, aber Lisbeth Salander bediente Computer, als stünde sie mit dem Teufel im Bunde. Allmählich war ihm aufgegangen, dass sie eine Weltklassehackerin war. In dem exklusiven internationalen Kreis, der sich der Datenkriminalität auf höchstem Niveau widmete, war sie eine Legende. Man kannte sie dort nur unter dem Pseudonym »Wasp«.

Ihre Fähigkeit, völlig problemlos in die Computer anderer Menschen einzudringen, hatte Mikael das Material verschafft, mit dem er seine journalistische Niederlage in der Wennerström-Affäre in einen Sieg verwandeln konnte – eine Riesenstory, die auch nach einem Jahr noch internationale Ermittlungen auf dem Gebiet der Wirtschaftskriminalität in Gang hielt und Mikael mit regelmäßigem Abstand einen Platz auf den Talkshow-Sofas verschaffte.

Vor einem Jahr hatte er die Story noch mit der allergrößten Zufriedenheit betrachtet – als Rache und Rehabilitation, nachdem er schon im journalistischen Abseits gelandet war. Doch mit dieser Zufriedenheit war es schnell vorbei. Schon nach wenigen Wochen war er es leid, immer wieder auf dieselben Fragen der Journalisten und der Steuerpolizei zu antworten. *Tut mir leid, aber ich kann mit Ihnen nicht über meine Quellen sprechen.* Als sich eines Tages ein Journalist der englischsprachigen *Azerbaijan Times* die Mühe machte, nach Stockholm zu kommen, nur um ihm abermals die gleichen einfältigen Fragen zu stellen, war das Maß voll. Mikael hatte die Zahl der Interviews auf ein Minimum herabgeschraubt, und in den letzten Monaten hatte er sich nur noch zu einem Auftritt bequemt, wenn Sie von TV4 anrief und ihn überredete, und das war immer nur dann der Fall, wenn die Ermittlungen gerade in eine neue Phase eintraten.

Mikaels Zusammenarbeit mit Ihr von TV4 hatte jedoch eine ganz andere Dimension. Sie war die erste Journalistin gewesen, die bei seinen Enthüllungen angebissen hatte. Ohne ihren Einsatz an jenem Abend, als *Millennium* seine Riesenstory publik machte, hätte der Artikel nicht unbedingt eine solche Durchschlagskraft erreicht. Erst später erfuhr Mikael, dass Sie mit Zähnen und Klauen darum gekämpft hatte, mit dieser Story auf Sendung zu gehen. Sie stieß auf massiven Widerstand, weil man den »Schwindler von *Millennium*« nicht rehabilitieren wollte, und bis kurz vor der Sendung blieb es unsicher, ob das Heer der redaktionseigenen Anwälte grünes Licht geben würde. Mehrere ihrer älteren Kollegen gaben Ihr zu verstehen, dass ihre Karriere vorbei sei, wenn sich das Ganze als Fehlalarm herausstellen würde. Aber Sie war hartnäckig geblieben, und plötzlich war es die Story des Jahres.

Während der ersten Woche blieb Sie an der Story dran – Sie war ja die Einzige, die sich tatsächlich in das Thema eingearbeitet hatte –, aber irgendwann kurz vor Weihnachten bemerkte Mikael, dass sämtliche Kommentare plötzlich in die Hände ihrer männlichen Kollegen gewandert waren. Um Neujahr erfuhr Mikael über Umwege, dass man Sie hinausgedrängt hatte, mit der müden Begründung, dass eine so wichtige Story von seriösen Wirtschaftsjournalisten betreut werden müsse und nicht von irgendeinem unerfahrenen kleinen Mädchen. Als TV4 das nächste Mal anrief und um einen Kommentar bat, erklärte Mikael ihnen rundheraus, dass er sich nur von Ihr von TV4 interviewen lassen würde. Nach ein paar Tagen mürrischen Schweigens kapitulierten die Leute von TV4.

Mikaels Interesse an der Wennerström-Affäre verflüchtigte sich zum selben Zeitpunkt, als Lisbeth Salander aus seinem Leben verschwand. Ihm war immer noch nicht klar, was eigentlich geschehen war.

Sie waren am zweiten Weihnachtsfeiertag auseinandergegangen, und in der folgenden Woche hatte er sie nicht mehr gesehen. Einen Tag vor Silvester rief er sie spätabends an, aber sie ging nicht ans Telefon.

An Silvester ging er zweimal bei ihr vorbei und klingelte. Beim ersten Mal brannte Licht in ihrer Wohnung, aber sie machte nicht auf. Beim zweiten Mal waren ihre Fenster alle dunkel. Am Neujahrstag versuchte er erneut, sie anzurufen, aber niemand nahm ab. Bei späteren Versuchen wurde ihm nur noch mitgeteilt, dass der Teilnehmer nicht zu erreichen sei.

In den zwei Tagen danach hatte er sie zweimal gesehen. Nachdem er sie telefonisch nicht erreicht hatte, war er Anfang Januar noch einmal zu ihr gegangen und hatte sich vor ihrer Wohnung auf die Treppe gesetzt. Er hatte ein Buch dabei und blieb hartnäckig vier Stunden lesend dort sitzen, bis sie kurz vor elf Uhr abends das Haus betrat. Sie trug einen braunen Karton und stutzte, als sie ihn sah.

»Hallo, Lisbeth«, begrüßte er sie und schlug sein Buch zu.

Sie musterte ihn mit ausdrucksloser Miene, weder Wärme noch Freundschaft im Blick. Dann ging sie an ihm vorbei und steckte den Schlüssel in ihr Türschloss.

»Lädst du mich auf eine Tasse Kaffee ein?«, fragte Mikael.

Sie drehte sich zu ihm um und sagte leise:

»Geh weg. Ich will dich nie wieder sehen.«

Dann schlug sie einem völlig verblüfften Mikael Blomkvist die Tür vor der Nase zu, und er hörte, wie sie von innen abschloss.

Nur drei Tage später sah er sie noch einmal. Er hatte die U-Bahn von Slussen bis T-Centralen genommen, und als der Zug gerade in Gamla Stan hielt, sah er aus dem Fenster und entdeckte sie auf dem Bahnsteig, nicht einmal zwei Meter von ihm entfernt. Er erkannte sie im selben Augenblick, in dem die Türen zugingen. Fünf Sekunden lang blickte sie direkt durch ihn hindurch, als wäre er aus Luft. Dann machte sie auf dem Absatz kehrt und verschwand aus seinem Blickfeld, während sein Zug wieder anfuhr.

Die Botschaft war eindeutig. Lisbeth Salander wollte nichts mehr mit Mikael Blomkvist zu tun haben. Sie hatte ihn genauso effektiv aus ihrem Leben gelöscht wie eine Datei von ihrem Computer, ohne weitere Erklärungen. Sie änderte ihre Handynummer und beantwortete auch keine Mails mehr.

Mikael seufzte, schaltete den Fernseher aus, trat ans Fenster und betrachtete das Rathaus.

Er fragte sich, ob er einen Fehler machte, wenn er weiterhin in regelmäßigen Abständen stur bei ihr vorbeiging. Eigentlich gehörte Mikael zu den Männern, die ihrer Wege gehen, wenn ihnen eine Frau deutlich zu verstehen gibt, dass sie nichts mehr von ihnen wissen will. Eine solche Botschaft nicht zu respektieren war für ihn gleichbedeutend mit einem Mangel an Respekt.

Mikael und Lisbeth hatten miteinander geschlafen. Aber die Initiative war von ihr ausgegangen, und ihr Verhältnis hatte nur ein halbes Jahr gedauert. Wenn sie diese Geschichte also genauso abrupt beenden wollte, wie sie sie angefangen hatte, war das für ihn völlig okay. Das war ihre Entscheidung. Er hatte kein Problem damit, mit der Rolle des Exfreunds klarzukommen – wenn er es denn war –, aber Lisbeth Salanders totale Distanz verwirrte ihn.

Verliebt war er nicht in sie – sie waren ungefähr so verschieden, wie zwei Menschen nur irgend sein können –, doch er mochte sie, und diese furchtbar anstrengende Person Lisbeth Salander fehlte ihm tatsächlich. Irgendwie hatte er geglaubt, ihre Freundschaft beruhe auf Gegenseitigkeit. Kurz und gut, er kam sich vor wie der letzte Idiot.

Er blieb eine ganze Weile am Fenster stehen.

Schließlich fasste er einen Entschluss.

Wenn Lisbeth ihn wirklich auf den Tod nicht mehr ausstehen konnte und es sogar zu viel verlangt war, dass sie sich bei einer Begegnung in der U-Bahn grüßten, dann war ihre Freundschaft höchstwahrscheinlich vorbei und der Schaden nicht wiedergutzumachen. Ab jetzt würde er keinen Versuch mehr starten, wieder Kontakt mit ihr aufzunehmen.

Lisbeth Salander sah auf ihre Armbanduhr und stellte fest, dass sie völlig durchgeschwitzt war, obwohl sie die ganze Zeit nur im Schatten gesessen hatte. Es war halb elf Uhr morgens.

Sie memorierte eine dreizeilige mathematische Formel und schlug wieder ihr Buch *Dimensions in Mathematics* auf. Dann nahm sie ihren Zimmerschlüssel und die Zigarettenschachtel vom Tisch.

Ihr Zimmer war im zweiten Stock, mehr Etagen hatte das Hotel nicht. Sie zog sich aus und ging unter die Dusche. Eine zwanzig Zentimeter lange grüne Eidechse, die direkt unter der Decke an der Wand saß, glotzte auf sie herunter. Lisbeth glotzte zurück, machte aber keine Anstalten, das Tier zu verscheuchen. Diese Eidechsen waren überall auf der Insel. Sie schlüpften durch die Jalousien der offenen Fenster, krabbelten unter der Tür hindurch oder gelangten über den Lüftungsschacht vom Bad ins Zimmer. Sie fühlte sich ganz wohl mit dieser Gesellschaft, die sie im Großen und Ganzen nicht weiter belästigte. Das Wasser war kalt, aber nicht eisig, und sie blieb fünf Minuten unter der Dusche, um sich abzukühlen.

Als sie wieder ins Zimmer kam, blieb sie nackt vor dem Garderobenspiegel stehen und musterte staunend ihren Körper. Sie wog immer noch gerade mal vierzig Kilo bei einer Größe von knapp 1 Meter 50. Dagegen konnte sie nicht allzu viel ausrichten. Sie hatte puppenartig dünne Gliedmaßen, kleine Hände und schmale Hüften.

Aber jetzt hatte sie Brüste.

Sie war ihr Leben lang flachbrüstig gewesen, so wie vor ihrer Pubertät. Es sah einfach lächerlich aus, und sie war immer ein wenig befangen gewesen, wenn sie sich nackt zeigen sollte.

Aber dann hatte sie ganz plötzlich Brüste bekommen. Keine Riesenballons (die sie gar nicht haben wollte und die an ihrem ansonsten spindeldürren Körper noch lächerlicher gewirkt hätten), sondern zwei feste runde Brüste mittlerer Größe. Die Vergrößerung war vorsichtig durchgeführt worden, und die Proportionen stimmten. Aber der Unterschied war dramatisch, sowohl für ihr Aussehen als auch für ihr ganz persönliches Wohlbefinden.

Sie hatte fünf Wochen in einer Klinik in der Nähe von Genua verbracht, um sich die Implantate für ihre neue Brust auszusuchen. Sie hatte die Klinik und die Ärzte ausgewählt, die in Europa den besten und seriösesten Ruf hatten. Ihre Ärztin, eine charmante, hartgesottene Frau namens Alessandra Perrini, hatte festgestellt, dass Lisbeths Brust in der Tat unterentwickelt und eine Brustvergrößerung daher medizinisch begründbar war.

Der Eingriff war freilich nicht schmerzfrei gewesen, aber der Busen sah ganz natürlich aus und fühlte sich auch so an, und die Narbe war mittlerweile fast nicht mehr sichtbar. Sie hatte ihren Entschluss keine Sekunde bereut. Sie war zufrieden. Noch ein halbes Jahr danach konnte sie nie mit nacktem Oberkörper an einem Spiegel vorbeigehen, ohne zu stutzen und mit Freuden festzustellen, dass sich ihre Lebensqualität um einiges verbessert hatte.

Während ihrer Zeit in der Klinik in Genua hatte sie sich auch eine ihrer Tätowierungen entfernen lassen – eine zwei Zentimeter lange Wespe auf der rechten Halsseite. Sie mochte ihre Tattoos immer noch, vor allem den großen Drachen, der ihr vom Schulterblatt bis über den Po reichte, hatte aber trotzdem beschlossen, sich die Wespe entfernen zu lassen. Aus dem einfachen Grund, weil sie so gut sichtbar und auffällig war, dass man sich leicht an Lisbeth erinnern und sie identifizieren konnte. Und Lisbeth wollte nicht, dass man sich leicht an sie erinnern und sie identifizieren konnte. Die Wespe wurde mit einem Laser entfernt, und wenn sie sich jetzt mit dem Zeigefinger über den Hals fuhr, spürte sie noch eine ganz kleine Narbe. Bei näherem Hinsehen konnte man erkennen, dass ihre sonnengebräunte Haut an dieser Stelle einen Tick heller war, aber auf den ersten Blick sah man gar nichts. Insgesamt hatte ihr Besuch in Genua sie umgerechnet 190 000 Kronen gekostet.

Was sie sich durchaus leisten konnte.

Sie riss sich aus ihren Träumen vorm Spiegel los und zog Slip und BH an. Zwei Tage nachdem sie die Klinik in Genua verlassen hatte, besuchte sie zum ersten Mal in ihrem 25-jährigen Leben eine Boutique für Damenunterwäsche und kaufte sich Kleidung, die sie bis dahin nie gebraucht hatte. Inzwischen war sie 26 und trug ihren BH mit einer gewissen Befriedigung.

Darüber zog sie eine Jeans und ein schwarzes T-Shirt mit der Aufschrift *Consider this a fair warning*. Nachdem sie ihre Sandalen und den Sonnenhut gefunden hatte, hängte sie sich noch eine schwarze Nylontasche über die Schulter.

Auf dem Weg zum Ausgang bemerkte sie an der Rezeption aufgeregtes Gemurmel einer kleinen Gruppe von Gästen. Sie ging etwas langsamer und spitzte die Ohren.

»Just how dangerous is she?«, fragte eine Schwarze mit hoher Stimme und europäischem Akzent. Lisbeth erkannte sie wieder: Sie gehörte zu einer Chartergruppe aus London, die vor zehn Tagen angekommen war.

Freddie McBain, der grau melierte Empfangschef, der Lisbeth Salander sonst immer mit einem freundlichen Lächeln grüßte, wirkte bekümmert. Er erklärte, dass alle Hotelgäste Anweisungen bekommen würden und kein Grund zur Beunruhigung bestehe, wenn sie diese Anweisungen haargenau befolgten. Nach dieser Antwort wurde er neuerlich mit Fragen bestürmt.

Lisbeth Salander runzelte die Stirn und ging an die Bar, wo sie Ella Carmichael hinter der Theke fand.

»Worum geht es denn da?«, erkundigte sie sich und zeigte mit dem Daumen auf das Knäuel vor der Rezeption.

»Mathilda hat uns einen Besuch angedroht.«

»Mathilda?«

»Mathilda ist ein Wirbelsturm, der sich vor ein paar Wochen vor Brasilien gebildet hat und heute Morgen durch Paramaribo gezogen ist, die Hauptstadt von Surinam. Es ist nicht sicher, in welche Richtung der Sturm weiterzieht – wahrscheinlich nach Norden in Richtung USA. Aber wenn er der Küste in westlicher Richtung folgt, dann liegen Trinidad und Grenada mitten auf seiner Route. Könnte eine ziemlich stürmische Angelegenheit werden.«

»Ich dachte, die Saison der Wirbelstürme ist vorbei.«

»Ist sie eigentlich auch. Meistens haben wir im September und Oktober Orkanwarnungen. Aber mittlerweile spielt das Klima so verrückt, wegen des Treibhauseffekts und so weiter, da weiß man nie so genau.«

»Und wann wird Mathilda erwartet?«

»Bald.«

»Muss ich irgendwas tun?«

»Lisbeth, mit Wirbelstürmen ist nicht zu spaßen. In den Siebzigern hatten wir einen, der verheerende Schäden in Grenada angerichtet hat. Ich war damals elf Jahre alt und wohnte in einem Dorf oben am Grand Etang, an der Straße nach Grenville, und die Nacht werde ich mein Lebtag nicht mehr vergessen.«

»Hmm.«

»Aber du musst dir keine Sorgen machen. Bleib am Samstag einfach in der Nähe des Hotels. Pack dir eine Tasche mit den Dingen, die du nicht entbehren kannst – zum Beispiel diesen Computer, an dem du immer rumspielst –, und halt sie bereit, für den Fall, dass die Gäste aufgefordert werden, sich in den sturmsicheren Keller zu begeben. Das ist alles.«

»Okay.«

»Möchtest du was trinken?«

»Nein.«

Lisbeth Salander ging, ohne sich zu verabschieden. Ella Carmichael lächelte ihr kopfschüttelnd hinterher. Es hatte ein paar Wochen gedauert, bis sie sich an die seltsame Art dieses komischen Mädchens gewöhnt hatte, und sie wusste mittlerweile, dass Lisbeth nicht schnoddrig war – sie war einfach nur sehr, sehr anders. Aber sie bezahlte ihre Drinks ohne Umstände, blieb einigermaßen nüchtern und machte keinen Ärger.

Grenadas Lokalverkehr bestand vor allem aus fantasievoll dekorierten Minibussen, die sich nicht um Fahrpläne oder andere Formalitäten scherten. Tagsüber verkehrten sie regelmäßig, aber nach Einbruch der Dunkelheit war es unmöglich, sich ohne eigenes Auto fortzubewegen.

Lisbeth Salander brauchte nur ein paar Minuten an der Straße nach Saint George's zu warten, als schon ein Bus neben ihr bremste. Der Fahrer war ein Rastaman mit Dreadlocks, und aus den Lautsprechern im Bus dröhnte in voller Lautstärke »No woman, no cry«. Sie bezahlte ihren Dollar und zwängte sich in den Bus zwischen eine stattliche, grauhaarige Dame und zwei Jungen in Schuluniform.

Saint George's lag an einer u-förmigen Bucht, die *The Carenage* bildete, den Hafen. Rundherum ragten steile Hügel auf, auf denen Wohnhäuser, alte Kolonialbauten und eine Festung standen, Fort Rupert, weit draußen auf einer steilen Klippe am Ende der Landzunge.

Saint George's war eine kompakte, dicht gebaute Stadt mit schmalen Straßen und vielen kleinen Gassen. Die Häuser kletterten förmlich die Hügel hinauf, und abgesehen von einer Kombination aus Cricketplatz und Pferderennbahn, gab es im Norden der Stadt kaum eine horizontale Fläche.

Sie stieg am Hafen aus und spazierte zu MacIntyre's Electronics, die ihren Laden auf dem Gipfel eines kleinen, steilen Hügels hatten. So gut wie alle Produkte, die in Grenada verkauft wurden, waren aus den USA oder England importiert und kosteten daher doppelt so viel wie anderswo, aber dafür hatte das Geschäft eine Klimaanlage.

Die Ersatzbatterien, die sie für ihr Apple PowerBook (G4 Titanium, mit 17-Zoll-Bildschirm) bestellt hatte, waren endlich eingetroffen. In Miami hatte sie sich einen Palm mit faltbarer Tastatur zugelegt, aber das war freilich nur ein jämmerlicher Ersatz für einen 17-Zoll-Bildschirm. Die Originalbatterien waren schwächer geworden und reichten mittlerweile nur noch eine halbe Stunde, bevor man sie wieder aufladen musste. Das war übel, wenn sie mit ihrem Computer auf der Poolterrasse sitzen wollte, und außerdem ließ die Stromversorgung in Grenada einiges zu wünschen übrig – im Laufe ihres Aufenthalts hatte es zwei längere Stromausfälle gegeben.

Lisbeth zahlte mit einer Kreditkarte, die auf den Namen Wasp Enterprises ausgestellt war, stopfte die Batterien in ihre Nylontasche und ging wieder hinaus in die Mittagshitze.

Dann stattete sie Barclays Bank einen Besuch ab und hob 300 Dollar ab. Sie ging auf den Markt, kaufte sich einen Bund Karotten, ein halbes Dutzend Mangos und eine 1,5-Liter-Flasche Mineralwasser. Als sie wieder zum Hafen kam, hatte sie Hunger und Durst. Sie überlegte erst, ob sie ins »Nutmeg« gehen sollte, aber dort belagerten bereits andere Gäste den Eingang. Also ging sie weiter zum stilleren »Turtleback«, setzte sich auf die Veranda und bestellte sich einen Teller Calamares mit roh gebratenen Kartoffeln und eine Flasche Carib, die örtliche Biermarke. Dann blätterte sie zwei Minuten ein herrenloses Exemplar der Lokalzeitung *Grenadian Voice* durch. Der einzig interessante Artikel war eine dramatische Warnung vor Mathildas möglichem Besuch. Eine Illustration zeigte ein verwüstetes Haus, und man erinnerte an die Spur der Zerstörung, die der damalige große Wirbelsturm hinterlassen hatte.

Sie faltete die Zeitung wieder zusammen, nahm einen Schluck aus der Flasche und lehnte sich zurück, als sie plötzlich den Mann von Zimmer 32 von der Bar auf die Veranda treten sah. In der einen Hand trug er seine braune Aktentasche, in der anderen ein großes Glas Coca-Cola. Sein Blick streifte Lisbeth, ohne dass er sie wiedererkannt hätte, dann setzte er sich auf die andere Seite der Veranda und sah aufs Meer hinaus.

Lisbeth Salander musterte ihn im Profil. Er schien völlig geistesabwesend und blieb sieben Minuten unbeweglich sitzen, bevor er auf einmal sein Glas an den Mund hob und drei tiefe Schlucke nahm. Er stellte die Cola wieder ab und starrte weiter aufs Wasser. Nach einer Weile öffnete Lisbeth ihre Tasche und holte *Dimensions in Mathematics* heraus.

Lisbeth war ihr Leben lang von Puzzles und Rätseln fasziniert gewesen. Als sie neun war, kaufte ihre Mutter ihr einen Zauberwürfel. Daran hatte sie fast vierzig frustrierende Minuten lang ihre logischen Fähigkeiten erprobt, bis sie schließlich verstand, wie das Ganze funktionierte. Danach hatte sie keine Probleme mehr, sechs gleiche Seiten zu erzeugen. In den Intelligenztests der Zeitungen kreuzte sie niemals eine falsche Antwort an: fünf seltsam geformte Figuren mit der Frage, wie die sechste aussehen müsse – die Antwort lag für sie jedes Mal auf der Hand.

In der Grundschule hatte sie Plus und Minus kennengelernt. Multiplikation, Division und Geometrie waren nur die natürlichen Fortsetzungen davon. Sie konnte die Restaurantrechnung im Kopf addieren und die Bahn eines Artilleriegeschosses berechnen, das mit einer bestimmten Geschwindigkeit in einem bestimmten Winkel abgefeuert wurde. Das waren Selbstverständlichkeiten. Bevor sie den Artikel in *Popular Science* las, war sie jedoch niemals auch nur eine Sekunde lang von Mathematik fasziniert gewesen und hatte nie darüber nachgedacht, dass auch das Einmaleins Mathematik war. Das Einmaleins war etwas, was sie an einem Nachmittag auswendig gelernt hatte, und es ging ihr nicht in den Kopf, warum ihr Lehrer noch ein ganzes Jahr darauf herumreiten musste.

Aber dann war ihr mit einem Schlag die unbeirrbare Logik aufgegangen, die hinter den Gedankengängen und Formeln stecken musste, und sie war in der Mathematikabteilung der Universitätsbuchhandlung gelandet. Doch erst als sie *Dimensions in Mathematics* aufschlug, hatte sich eine ganz neue Welt vor ihr aufgetan. Eigentlich war die Mathematik nichts anderes als ein logisches Puzzle mit unendlichen Variationen – Rätsel, die man lösen konnte. Der Trick war nicht der, Rechenaufgaben zu lösen. Fünf mal fünf machte immer fünfundzwanzig. Der Trick lag vielmehr in der Kombination der verschiedenen Rätsel, die es ermöglichte, jedes beliebige mathematische Problem zu lösen.

Dimensions in Mathematics war genau genommen kein Lehrbuch, sondern ein 1 200 Seiten dicker Wälzer über die Geschichte der Mathematik von den alten Griechen bis zum gegenwärtigen Versuch, die sphärische Astronomie zu beherrschen. Es galt als Bibel und bedeutete nicht weniger, als die *Arithmetica* von Diophantos damals (und auch heute noch) für seriöse Mathematiker bedeutete. Als sie auf der Terrasse des Hotels am Grand Anse Beach zum ersten Mal die *Dimensions* aufschlug, war sie auf einmal in einer verhexten Welt aus Zahlen gelandet, im Buch eines Verfassers, der ebenso pädagogisch wie unterhaltsam war. Lisbeth konnte die Mathematik von Archimedes bis hin zum heutigen Jet Propulsion Laboratory in Kalifornien verfolgen. Sie begriff, wie die Methoden aussahen, mit denen sie ihre mathematischen Probleme lösten.

Der Satz des Pythagoras ($a^2 + b^2 = c^2$), den er ungefähr 500 vor Christus formuliert hatte, wurde für sie zum Aha-Erlebnis. Plötzlich verstand sie den Inhalt des Satzes, der ihr schon in der Schule – bei einer der wenigen Schulstunden, die sie besucht hatte – untergekommen war. *In einem rechtwinkligen Dreieck ist das Quadrat über der Hypotenuse gleich der Summe der Quadrate über den Katheten.* Sie war fasziniert von Euklids Entdeckung, dass eine perfekte Zahl immer *ein Vielfaches von zwei Zahlen ist, von denen die erste eine Potenz von 2 ist und die zweite die Differenz zwischen der nächsten Potenz und 1*. Damit hatte er den Satz des Pythagoras verfeinert, und Lisbeth begriff, dass die Zahl der Kombinationen unendlich groß war.

$6 = 2^1 \cdot (2^2 - 1)$

$28 = 2^2 \cdot (2^3 - 1)$

$496 = 2^4 \cdot (2^5 - 1)$

$8128 = 2^6 \cdot (2^7 - 1)$

So konnte man ewig weitermachen, ohne eine Zahl zu finden, die diese Regel brach. Diese Art von Logik kam Lisbeth Salanders Gefühl für das Absolute entgegen. Mit dem größten Vergnügen arbeitete sie sich durch Archimedes, Newton, Martin Gardner und ein Dutzend andere klassische Mathematiker hindurch.

Danach kam sie zum Kapitel über Pierre de Fermat, dessen mathematisches Rätsel, »Fermats Satz«, sie sieben Wochen lang verblüfft hatte. Immerhin ein relativ bescheidener Zeitraum, verglichen mit den fast vierhundert Jahren, in denen Fermat die Mathematiker zum Wahnsinn getrieben hatte, bis es 1993 endlich einem Engländer namens Andrew Wiles gelungen war, sein Rätsel zu lösen.

Fermats Theorem war eigentlich eine verlockend leichte Aufgabe.

Pierre de Fermat wurde 1601 in Beaumont-de-Lomagne im Südwesten Frankreichs geboren. Er war nicht einmal Mathematiker, sondern stand in Staatsdiensten und widmete sich nur in seiner Freizeit der Mathematik, als wäre sie eine Art bizarres Hobby. Dennoch galt er unter den Mathematikern als einer der begabtesten Autodidakten aller Zeiten. Wie Lisbeth Salander war auch er von kniffligen Fragen und Rätseln begeistert. Besonderen Spaß machte es ihm, andere Mathematiker zu ärgern, indem er sich eine Problemstellung ausdachte, sich dann aber nicht weiter um deren Lösung kümmerte. Der Philosoph René Descartes belegte Fermat mit einer ganzen

Reihe verächtlicher Beinamen, während sein englischer Kollege John Wallis ihn nur noch als »diesen verdammten Franzosen« bezeichnete.

Ungefähr 1630 erschien eine französische Übersetzung von Diophantos' Werk *Arithmetica*, das eine komplette Aufstellung der Zahlentheorien von Pythagoras, Euklid und anderen Mathematikern der Antike enthielt. Während Fermat nun den Satz des Pythagoras studierte, kam ihm in einem genialen Moment die Idee zu seinem unsterblichen mathematischen Problem. Er formulierte einfach eine Variante zu Pythagoras, indem er die Quadrate in Würfel verwandelte. Aus $a^2 + b^2 = c^2$ wurde $a^3 + b^3 = c^3$.

Das Problem war nur, dass es für die neue Gleichung keine ganzzahlige Lösung gab. Durch eine kleine gelehrte Veränderung hatte Fermat eine Formel, für die es eine unendliche Anzahl perfekter Lösungen gab, in eine Sackgasse verwandelt, für die es keine einzige Lösung gab. Sein Theorem bestand in genau dieser Feststellung: Fermat behauptete, dass es im unendlichen Universum der Zahlen nirgendwo eine ganze Zahl gab, deren dritte Potenz durch die Summe zweier anderer dritter Potenzen ausgedrückt werden konnte, und dies gelte darüber hinaus für alle Zahlen, die eine höhere Potenz als 2 haben.

Die anderen Mathematiker waren sich schnell einig, dass diese Behauptung ganz richtig war. Mit der »trial and error«-Methode fanden sie heraus, dass sich keine Zahl finden ließ, die Fermats Satz widerlegt hätte. Aber selbst wenn sie bis in alle Ewigkeit weitergerechnet hätten, so hätten sie niemals alle existierenden Zahlen durchprobieren können – ihre Menge ist unendlich groß –, und so konnten die Mathematiker nie hundertprozentig sicher sein, dass nicht doch die nächste Zahl Fermats Satz über den Haufen werfen würde. In der Mathematik müssen Behauptungen mathematisch bewiesen werden und sich durch eine allgemeingültige und wissenschaftlich korrekte Formel ausdrücken lassen. Ein Mathematiker muss sich auf ein Podium stellen und verkünden können: »Es verhält sich so, *weil* ...«

Wie üblich führte Fermat seine Kollegen an der Nase herum. An den Rand seines Exemplars der *Arithmetica* kritzelte das Genie seine Problemstellung und schloss mit folgenden Zeilen: *Cuius rei demonstrationem mirabilem sane detexi hanc marginis exiguitas non caperet.* Diese Zeilen erlangten in der Geschichte der Mathematik Unsterblichkeit: *Ich habe einen wahrhaft wunderbaren Beweis für diese Behauptung, aber der Rand ist allzu schmal, um ihn zu fassen.*

Sollte er vorgehabt haben, seine Kollegen in den Wahnsinn zu treiben, war ihm dies außerordentlich gut gelungen. Seit 1637 hat im Großen und Ganzen jeder Mathematiker mit einiger Selbstachtung eine gewisse Zeit, zuweilen sogar beträchtlich viel Zeit darauf verwendet, Fermats Beweis zu finden. Generationen von Denkern scheiterten, bis Andrew Wiles 1993 endlich mit dem erlösenden Beweis kam. Bis dahin hatte er fünfundzwanzig Jahre über das Rätsel nachgedacht, die letzten zehn Jahre mehr oder weniger von morgens bis abends.

Lisbeth Salander war völlig perplex.

Eigentlich interessierte sie die Antwort gar nicht. Es ging nur um die Problemlösung selbst. Wenn ihr jemand ein Rätsel vorsetzte, dann löste sie es. Bevor sie die Prinzipien verstanden hatte, dauerte es recht lange, bis sie die Zahlenrätsel lösen konnte, aber sie kam immer zur richtigen Antwort, bevor sie im Anhang mit den Lösungen nachsah.

Nachdem sie von Fermats Theorem gelesen hatte, nahm sie sich also ein Blatt Papier und fing an, Zahlen hinzukritzeln. Aber es gelang ihr nicht, Fermats Satz zu beweisen.

Sie weigerte sich hartnäckig, im Schlüssel nachzusehen, und übersprang daher den Abschnitt, in dem Andrew Wiles' Lösung vorgestellt wurde. Stattdessen las sie die *Dimensions* zu Ende und stellte fest, dass ihr keine der anderen Problemstellungen, die in diesem Buch präsentiert wurden, mathematische Schwierigkeiten bereitete. Danach kehrte sie wieder zu Fermats Rätsel zurück und grübelte mit täglich wachsender Gereiztheit nach, welchen »wunderbaren Beweis« Fermat gemeint haben könnte. Sie stolperte von einer Sackgasse in die nächste.

Als der Mann aus Zimmer 32 plötzlich aufstand und zum Ausgang ging, blickte Lisbeth auf. Sie warf einen kurzen Blick auf ihre Armbanduhr und stellte fest, dass er knapp zwei Stunden und zehn Minuten bewegungslos auf der Veranda gesessen hatte.

Ella Carmichael stellte das Glas vor Lisbeth Salander auf die Theke und wusste, dass der ganze Schickschnack mit rosaroten Drinks und albernen Papierschirmchen nichts für dieses Mädchen war. Lisbeth bestellte immer denselben Drink – Cola-Rum. Abgesehen von einem einzigen Abend, an dem sie von einer seltsamen Stimmung befallen wurde und zum Schluss so sternhagelvoll war, dass Ella einen Gehilfen bitten musste, Lisbeth nach oben auf ihr Zimmer zu tragen, trank sie normalerweise nur Caffè Latte, ab und zu einen einfachen Drink oder das heimische Bier Carib. Wie immer setzte sie sich an den äußersten rechten Rand der Theke und schlug ein Buch mit sonderbaren mathematischen Formeln auf, was Ella Carmichael als Lektüre für ein Mädchen ihres Alters höchst befremdlich fand.

Sie konnte auch feststellen, dass Lisbeth Salander anscheinend nicht das geringste Interesse daran hatte, sich aufreißen zu lassen. Die wenigen einsamen Männer, die einen Vorstoß gewagt hatten, waren freundlich, aber bestimmt abgewiesen worden. In einem Fall auch mal nicht so freundlich. Chris MacAllen, der sich eine brüske Abfuhr einhandelte, war aber auch ein ortsbekannter Schürzenjäger und konnte durchaus mal eine Tracht Prügel gebrauchen. Ella regte sich also nicht sonderlich auf, als er zufällig stolperte und in den Pool fiel, nachdem er Lisbeth Salander einen ganzen Abend lang genervt hatte. Man musste MacAllen jedoch zugutehalten, dass er nicht wirklich nachtragend war. Am nächsten Abend war er in nüchternem Zustand zurückgekommen und hatte Salander auf ein Bier eingeladen, das sie nach kurzem Zögern annahm. Bei weiteren Begegnungen an der Bar hatten sie sich dann jedes Mal höflich gegrüßt.

»Alles okay?«, erkundigte sich Ella.

Lisbeth Salander nickte und griff nach ihrem Glas.

»Neuigkeiten von Mathilda?«, wollte sie wissen.

»Immer noch auf dem Weg in unsere Richtung. Könnte ein richtig unangenehmes Wochenende werden.«

»Wann wissen wir Genaueres?«

»Eigentlich erst, wenn sie vorbeigezogen ist. Es kann gut sein, dass sie direkt auf Grenada zuhält und in letzter Sekunde beschließt, Richtung Norden abzudrehen.«

»Habt ihr hier oft Wirbelstürme?«

»Die kommen und gehen hier. Meistens ziehen sie vorbei – sonst gäbe es diese Insel schon lange nicht mehr. Aber du brauchst dir keine Sorgen zu machen.«

»Ich mach mir keine Sorgen.«

Plötzlich hörten sie ein etwas zu lautes Lachen und blickten zu der Dame aus Zimmer 32 hinüber, die sich anscheinend über eine Erzählung ihres Mannes amüsierte.

»Wer ist das eigentlich?«

»Dr. Forbes? Die beiden sind Amerikaner. Aus Austin, Texas.«

Ella Carmichael sprach das Wort »Amerikaner« mit einem gewissen Widerwillen aus.

»Ich weiß, dass sie Amerikaner sind. Aber was machen sie hier? Ist er Arzt?«

»Nein, nicht so ein Doktor. Er ist im Auftrag der Santa-Maria-Stiftung hier.«

»Was ist das denn?«

»Die bezahlen begabten Kindern hier die Ausbildung. Er ist ein netter Mann. Er verhandelt gerade mit dem Erziehungsministerium über den Bau einer neuen Oberschule in Saint George's.«

»Ein netter Mann, der seine Frau schlägt!«

Ella Carmichael verstummte und sah Lisbeth scharf an, bevor sie zum anderen Ende der Theke ging, um ein paar einheimischen Kunden ein Carib zu geben.

Lisbeth blieb noch zehn Minuten mit der Nase in den *Dimensions* an der Bar sitzen. Schon bevor sie in die Pubertät kam, hatte sie erkannt, dass sie ein fotografisches Gedächtnis besaß und sich dadurch entscheidend von ihren Klassenkameraden unterschied. Doch sie hatte niemanden von dieser besonderen Eigenschaft in Kenntnis gesetzt – nur Mikael Blomkvist in einem schwachen Moment. Sie konnte das Mathematikbuch mittlerweile schon auswendig und schleppte es nur noch mit sich herum, um eine visuelle Verbindung zu Fermat zu behalten, als wäre es eine Art Talisman.

Aber heute Abend konnte sie sich weder auf Fermat noch auf sein Theorem konzentrieren. Stattdessen sah sie vor ihrem inneren Auge Dr. Forbes, wie er unbeweglich am Hafen saß und einen Punkt auf dem Wasser fixierte.

Sie konnte sich selbst nicht erklären, warum sie plötzlich spürte, dass da etwas nicht stimmte.

Schließlich schlug sie das Buch zu und ging auf ihr Zimmer, wo sie ihr PowerBook hochfuhr. An Internetsurfen war gar nicht zu denken. Das Hotel hatte keinen Breitbandanschluss, aber sie besaß ein eingebautes Modem, das sie an ihr Panasonic-Handy anschließen konnte, um E-Mails schicken und empfangen zu können. Sie schrieb eine kurze Mail an ›plague_xyz_666@hotmail.com‹:

Habe kein Breitband. Brauche Info über einen Dr. Forbes von der Santa-Maria-Stiftung und seine Frau, wohnhaft in Austin, Texas. Bezahle 500 Dollar für die Recherche. Wasp.

Sie fügte ihren öffentlichen PGP-Schlüssel bei, verschlüsselte die Mail mit dem PGP-Schlüssel von Plague und drückte auf »Senden«. Dann sah sie auf die Uhr und stellte fest, dass es kurz nach halb acht Uhr abends war.

Sie machte ihren Computer aus, schloss ihre Zimmertür ab und ging 400 Meter den Strand hinunter, überquerte die Straße nach Saint George's und klopfte an die Tür eines Schuppens hinter dem »Coconut«. George Bland war sechzehn Jahre alt und ging noch zur Schule. Er wollte Arzt oder Rechtsanwalt werden, vielleicht auch Astronaut, war ebenso schmächtig wie Lisbeth Salander und fast genauso klein.

Lisbeth hatte ihn in der ersten Woche auf Grenada am Strand kennengelernt, einen Tag nachdem sie an den Grand Anse gezogen war. Sie ging am Strand spazieren, setzte sich unter ein paar Palmen in den Schatten und sah den Kindern am Meeressaum beim Fußballspielen zu. Dann schlug sie die *Dimensions* auf und versank völlig darin, bis er kam und sich nur wenige Meter vor sie hinsetzte, ohne ihre Gegenwart zu bemerken. Sie beobachtete ihn schweigend. Ein dünner schwarzer Junge mit Sandalen, schwarzer Hose und weißem Hemd.

Genau wie sie hatte auch er ein Buch aufgeschlagen, in das er sich vertiefte. Genau wie sie studierte auch er ein Mathematikbuch – *Basics 4*. Er las konzentriert und begann in seinem Rechenheft herumzuschmieren. Erst als Lisbeth sich nach fünf Minuten räusperte, bemerkte er sie und sprang panisch auf. Er entschuldigte sich für die Störung und wollte gerade gehen, als sie ihn fragte, ob es um komplexe Zahlen ginge.

Algebra. Nach zwei Minuten hatte sie einen grundlegenden Fehler in seinen Berechnungen gefunden. Nach dreißig Minuten hatte sie seine Hausaufgaben gelöst. Nach einer Stunde hatte sie das nächste Kapitel in seinem Buch durchgearbeitet und ihm pädagogisch geschickt den Trick bei diesen Rechenoperationen erklärt. Er betrachtete sie mit ehrfürchtigem Respekt. Nach zwei Stunden hatte er erzählt, dass seine Mutter in Toronto wohnte, sein Vater in Grenada auf der anderen Seite der Insel und er selbst in einer Hütte am Strand. Er war der Jüngste in einer Geschwisterschar mit drei älteren Schwestern.

Lisbeth Salander empfand seine Gesellschaft als außerordentlich entspannend. Normalerweise fing sie mit anderen Menschen selten oder nie ein Gespräch nur um des Gesprächs willen an. Das hatte nichts mit Schüchternheit zu tun. Für sie hatte Konversation vorrangig praktische Aspekte – wie komme ich hier zur Apotheke, und was kostet das Hotelzimmer? Daneben gab es noch einen beruflichen Aspekt. Als sie noch als Researcherin für Dragan Armanskij bei Milton Security arbeitete, hatte sie kein Problem damit gehabt, ihre Fakten auch mithilfe langer Gespräche zusammenzutragen.

Sie verabscheute jedoch persönliche Gespräche, die nur dazu führten, dass die Leute in Belangen herumstocherten, die sie als privat betrachtete. *Wie alt bist du? – Rate mal. Magst du Britney Spears? – Wen? Magst du die Bilder von Carl Larsson? – Hab ich noch nie drüber nachgedacht. Bist du lesbisch? – Das geht dich ja wohl wirklich nichts an.*

George Bland war zwar etwas linkisch, jedoch selbstbewusst und höflich und versuchte, eine intelligente Unterhaltung zu führen, ohne mit ihr zu konkurrieren oder in ihrem Privatleben zu wühlen. Er wirkte genauso einsam wie sie. Seltsamerweise schien er einfach zu akzeptieren, dass eine Mathematikgöttin am Grand Anse Beach herabgestiegen war, und schien zufrieden damit, dass sie bei ihm sitzen und ihm Gesellschaft leisten wollte. Nach ein paar Stunden am Strand brachen sie schließlich auf, als die Sonne sich langsam dem Horizont näherte. Als sie zusammen zu ihrem Hotel zurückgingen, zeigte er ihr seine Studentenbude, eine Strandhütte, und fragte sie verlegen, ob er sie noch zu einem Tee einladen dürfe. Sie nahm die Einladung an, was ihn offensichtlich überraschte.

Seine Behausung war sehr einfach: eine baufällige Hütte, in der es nur einen schwer ramponierten Tisch, zwei Stühle, ein Bett und einen Schrank für Kleider und Wäsche gab. Die einzige Beleuchtung kam von einer kleinen Schreibtischlampe, deren Kabel zum »Coconut« führte. Als Herd hatte er einen Campingkocher. Er lud sie zu einem Abendessen aus Reis und Gemüse ein, das er auf Plastiktellern servierte. Schließlich bot er ihr kühn an, mit ihm das einheimische Rauschmittel zu rauchen, was sie ebenfalls annahm.

Lisbeth erkannte sofort, dass ihre Gegenwart ihn nervös machte und er nicht recht wusste, wie er sich verhalten sollte. Spontan beschloss sie, sich von ihm verführen zu lassen. Das stellte sich allerdings als recht anstrengendes und umständliches Unterfangen heraus, denn er verstand zweifellos ihre Signale, hatte aber keine Ahnung, wie er es anstellen sollte. Er schlich so lange wie die Katze um den heißen Brei, dass sie zu guter Letzt die Geduld verlor, ihn resolut aufs Bett drückte und sich auszog.

Zum ersten Mal seit der Operation in Genua zeigte sie sich nackt. Sie hatte die Klinik damals mit einem leichten Panikgefühl verlassen und eine ganze Weile gebraucht, bis sie begriff, dass man sie nicht anstarrte. Lisbeth Salander scherte sich normalerweise nicht darum, was andere Menschen von ihr dachten, und kam ins Grübeln, warum sie sich auf einmal so unsicher fühlte.

George Bland war das perfekte Debüt für ihr neues Ich. Als es ihm endlich (nach einem gerüttelt Maß an Ermunterung) gelungen war, ihren BH zu öffnen, löschte er sofort das Licht, bevor er anfing, sich selbst auszuziehen. Lisbeth begriff, dass er schüchtern war, und schaltete die Lampe einfach wieder an. Dann beobachtete sie seine Reaktionen, während er begann, sie ungeschickt zu berühren. Erst spätabends entspannte sie sich, nachdem sie gesehen hatte, dass er ihre Brüste anscheinend als ganz natürlich ansah. Andererseits schien er nicht gerade viele Vergleichsmöglichkeiten zu haben.

Sie hatte wahrhaftig nicht vorgehabt, sich auf Grenada einen Liebhaber im Teenageralter zuzulegen. Es hatte sich ganz spontan ergeben, und als sie ihn in der Nacht verließ, hatte sie nicht vor zurückzukommen. Doch schon am nächsten Tag hatte sie ihn am Strand wiedergetroffen und gemerkt, was für eine angenehme Gesellschaft dieser linkische Junge war. Während ihrer sieben Wochen auf Grenada war George Bland ein fester Punkt in ihrem Leben. Tagsüber sahen sie sich nicht, aber er verbrachte die Nachmittage bis zum Sonnenuntergang am Strand und die Abende allein in seiner Hütte.

Als sie einmal zusammen spazieren gingen, fiel Lisbeth auf, dass sie nebeneinander wie zwei Teenager aussahen. *Sweet sixteen.*

Wahrscheinlich fand er, dass sein Leben durch sie interessanter geworden war. Er hatte eine Frau getroffen, die ihn in Mathematik und Erotik unterwies.

Er machte die Tür auf und lächelte sie verzückt an.

»Soll ich dir Gesellschaft leisten?«, fragte sie.

Lisbeth Salander verließ George Bland kurz nach zwei Uhr morgens. Mit einem warmen Gefühl im ganzen Körper ging sie am Strand entlang, statt wie sonst den Weg zum Keys Hotel einzuschlagen. Sie ging allein durch die Dunkelheit, war sich aber bewusst, dass George Bland ihr in knapp hundert Metern Abstand folgte.

Das machte er immer. Sie hatte noch nie bei ihm übernachtet, und er protestierte lebhaft dagegen, dass sie als Frau ganz allein mitten in der Nacht zu ihrem Hotel ging. Er bestand darauf, sie nach Hause zu begleiten. Besonders weil es oft sehr spät wurde. Lisbeth Salander hörte sich seinen Vortrag an und setzte der Diskussion dann mit einem schlichten Nein ein Ende. *Ich gehe, wann ich will und wohin ich will. Ende der Diskussion. Und nein, ich will nicht nach Hause begleitet wer-*

den. Als sie das erste Mal merkte, dass er ihr nachschlich, wurde sie unglaublich wütend. Aber mittlerweile fand sie, dass sein Beschützerinstinkt irgendwie doch charmant war, und tat so, als wüsste sie nicht, dass er ihr folgte und erst umkehren würde, wenn sie durch den Hoteleingang verschwunden war.

Sie fragte sich, was er eigentlich tun wollte, wenn man sie plötzlich überfiele.

Sie selbst wollte in diesem Fall den Hammer benutzen, den sie in MacIntyre's Eisenwarenladen gekauft hatte und im äußeren Fach ihrer Umhängetasche verwahrte. Lisbeth Salander konnte sich nur wenige physische Bedrohungen vorstellen, denen sich durch den Einsatz des netten, kleinen Hammers nicht abhelfen ließ.

Es war Vollmond, und die Sterne funkelten am klaren Himmel. Lisbeth blickte auf und erkannte Regulus im Sternbild Löwe am Horizont. Als sie fast schon am Hotel war, blieb sie plötzlich stehen. Auf einmal sah sie den Schatten eines Mannes unten am Strand, am Meeressaum unterhalb des Hotels. Es war das erste Mal, dass sie dort nach Einbruch der Dunkelheit einen Menschen sah. Obwohl er fast hundert Meter entfernt war, konnte Lisbeth den Mann im Mondlicht problemlos identifizieren.

Es war der ehrenwerte Dr. Forbes aus Zimmer 32.

Rasch ging sie ein paar Schritte zur Seite, um sich zwischen den Bäumen zu verbergen. Als sie sich umdrehte, war auch George Bland unsichtbar. Der Schatten am Wasser wanderte langsam auf und ab. Er rauchte eine Zigarette. In regelmäßigen Abständen blieb er stehen, als würde er den Sand untersuchen. Diese Pantomime setzte sich zwanzig Minuten fort, bis er auf einmal die Richtung änderte, mit schnellen Schritten auf den Strandeingang des Hotels zusteuerte und verschwand.

Lisbeth wartete ein paar Minuten, bevor sie zu der Stelle ging, an der Dr. Forbes auf und ab gelaufen war. Sie beschrieb langsam einen Halbkreis und suchte mit den Augen den Boden ab. Das Einzige, was sie sah, waren Sand, ein paar Steine und Muscheln. Nach zwei Minuten brach sie ihre Untersuchung ab und ging zum Hotel.

Dort trat sie auf den Balkon, beugte sich übers Geländer und spähte zu ihren Nachbarn hinüber. Es war ganz still. Die abendliche Streiterei war offensichtlich schon vorbei. Nach einer Weile holte sie ihre Tasche, zog ihre Blättchen heraus und drehte sich einen Joint von dem Vorrat, den George Bland ihr überlassen hatte. Dann setzte sie sich auf einen Balkonstuhl und blickte auf das dunkle Wasser der Karibik, während sie rauchte und nachdachte.

Sie fühlte sich wie eine Radaranlage in höchster Alarmbereitschaft.

2. Kapitel

Freitag, 17. Dezember

Nils Erik Bjurman, Rechtsanwalt, 55 Jahre alt, stellte seine Kaffeetasse ab und betrachtete den Menschenstrom vor dem Fenster des »Café Hedon« am Stureplan. Er sah die Menschen, die dort vorbeiströmten, ohne jemand Bestimmten anzuschauen.

Er dachte an Lisbeth Salander. Er dachte oft an Lisbeth Salander.

Und diese Gedanken ließen ihn innerlich kochen.

Lisbeth Salander hatte ihn zerstört. Niemals würde er jenen Augenblick vergessen. Sie hatte das Kommando übernommen und ihn erniedrigt. Sie hatte ihn auf eine Art misshandelt, die buchstäblich unauslöschliche Spuren auf seinem Körper hinterlassen hatte. Genauer gesagt auf einer mehr als zwanzig Quadratzentimeter großen Fläche auf seinem Bauch, direkt über seinem Geschlecht. Sie hatte ihn an sein eigenes Bett gekettet, ihn misshandelt und ihm eine unmissverständliche Botschaft auftätowiert, die sich nicht so einfach entfernen ließ.

ICH BIN EIN SADISTISCHES SCHWEIN, EIN WIDERLING UND EIN VERGEWALTIGER.

Lisbeth Salander war vom Gericht in Stockholm für geschäftsunfähig erklärt worden. Bjurman war mit ihrer Betreuung beauftragt worden, was sie in höchstem Grade von ihm abhängig machte. Schon bei seinem ersten Treffen mit ihr hatte er angefangen, von ihr zu fantasieren. Er konnte es nicht erklären, aber sie forderte es geradezu heraus.

Rein intellektuell gesehen, wusste Nils Bjurman freilich, dass er etwas getan hatte, was weder sozial akzeptabel noch juristisch erlaubt war. Er wusste, dass er einen Fehler begangen hatte. Er wusste auch, dass er völlig unverantwortlich gehandelt hatte.

Rein emotional gesehen, spielte dieses Wissen jedoch keine Rolle. Von dem Moment an, als er Lisbeth Salander im Dezember vor zwei Jahren das erste Mal begegnet war, hatte er ihr nicht widerstehen können. Gesetze, Regeln, Moral und Verantwortung waren völlig gleichgültig.

Sie war ein seltsames Mädchen – zwar erwachsen, aber mit einem Aussehen, dass man sie jederzeit mit einer Minderjährigen verwechseln konnte. Er hatte die Kontrolle über ihr Leben – er konnte über sie verfügen. Die Konstellation war einfach unwiderstehlich.

Sie war für geschäftsunfähig erklärt worden, und ihre Biografie war dergestalt, dass niemand ihr glauben würde, sollte es ihr in den Sinn kommen, sich zu beschweren. Er beging ja auch keine Gewalttat an irgendeinem unschuldigen Kind – aus ihrer Akte ging hervor, dass sie jede Menge sexuelle Erfahrung hatte und gut und gern als promiskuitiv bezeichnet werden konnte. Ein Sozialarbeiter hatte einen Bericht geschrieben, der die Möglichkeit erwähnte, dass Lisbeth Salander im Alter von 17 Jahren sexuelle Dienste gegen Bezahlung angeboten hatte: Eine Polizeistreife hatte damals einen unbekannten Betrunkenen in Gesellschaft eines jungen Mädchens auf einer Parkbank in Tantolunden beobachtet. Die Polizisten waren stehen geblieben und hatten die beiden einer Personenkontrolle unterzogen, wobei sich das Mädchen weigerte, auf ihre Fragen zu antworten, während der ältere Mann zu betrunken war, um sich vernünftig äußern zu können.

Für Anwalt Bjurman lag die Schlussfolgerung auf der Hand: Lisbeth Salander war eine Nutte auf der untersten Stufe der sozialen Leiter – und in seiner Gewalt. Die Sache war völlig risikofrei. Selbst wenn sie sich beim Vormundschaftsgericht beschweren sollte, würde er sie kraft seiner Glaubwürdigkeit und seiner Verdienste spielend leicht als Lügnerin hinstellen können.

Sie war das perfekte Spielzeug – erwachsen, promiskuitiv, sozial inkompetent und ihm auf Gedeih und Verderb ausgeliefert.

Es war das erste Mal, dass er eine Mandantin ausnutzte. Früher wäre ihm nicht mal in den Sinn gekommen, einen Vorstoß bei jemandem zu wagen, zu dem er in beruflichem Kontakt stand. Um seine ganz speziellen Bedürfnisse an Sexspielchen ausleben zu können, hatte er die Dienste von Prostituierten in Anspruch genommen. Er war diskret und vorsichtig und bezahlte gut; der einzige Haken war jedoch, dass die Prostituierten ja nur schauspielerten, für sie war sein Spiel kein Ernst. Er bezahlte eine Frau dafür, dass sie stöhnte und jammerte und ihre Rolle spielte, aber das war genauso falsch wie *airport art*.

In seiner Ehe hatte er versucht, diese Dominanzspielchen mit seiner Frau zu spielen, und sie hatte auch mitgemacht – aber auch da blieb es eben nur ein Spiel.

Lisbeth Salander war einfach perfekt gewesen. Sie war wehrlos. Sie hatte weder Verwandte noch Freunde. Sie war ein echtes Opfer gewesen, völlig schutzlos. Gelegenheit macht Diebe.

Und plötzlich hatte sie ihn zerschmettert.

Sie hatte mit einer Kraft und einer Entschlossenheit zurückgeschlagen, die er ihr niemals zugetraut hätte. Sie hatte ihn erniedrigt. Sie hatte ihn gequält. Sie hatte ihn beinahe vernichtet.

Während der knapp zwei Jahre, die seitdem vergangen waren, hatte sich Nils Bjurmans Leben dramatisch verändert. In der ersten Zeit nach Lisbeth Salanders nächtlicher Visite in seiner Wohnung war er wie gelähmt gewesen – unfähig, zu denken und zu handeln. Er schloss sich zu Hause ein, ging nicht ans Telefon und konnte keinen Kontakt zu seinen Mandanten halten. Erst nach zwei Wochen hatte er sich überhaupt krankschreiben lassen. Seine Sekretärin musste die laufende Korrespondenz im Büro erledigen, seine Treffen absagen und versuchen, die vielen Fragen seiner verärgerten Klienten zu beantworten.

Tag für Tag war er gezwungen, seinen Körper im Spiegel an der Badezimmertür zu sehen. Schließlich hatte er den Spiegel abgeschraubt.

Erst als der Sommer kam, kehrte er wieder in sein Büro zurück. Er hatte seine Kartei sortiert und den Großteil seiner Mandanten an Kollegen abgegeben. Die einzigen, die er behielt, waren ein paar Unternehmen, deren Geschäftskorrespondenz er betreute, ohne sich aber weiter engagieren zu müssen. Als einzige aktive Mandantin blieb Lisbeth Salander – jeden Monat schrieb er eine Aufstellung ihrer Finanzen und einen Bericht fürs Vormundschaftsgericht. Er tat, was sie ihm befohlen hatte, und verfasste frei erfundene Berichte, die dokumentierten, dass sie eigentlich überhaupt keinen Betreuer brauchte.

Jeder dieser Berichte tat ihm weh und erinnerte ihn an ihre Existenz, aber er hatte keine andere Wahl.

Bjurman verbrachte den Sommer und Herbst mit Grübeleien. Im Dezember riss er sich endlich zusammen und buchte eine Urlaubsreise nach Frankreich. Er besorgte sich einen Termin in einer Klinik für kosmetische Chirurgie in der Nähe von Marseille, wo er sich von einem Arzt beraten ließ, wie er seine Tätowierung am besten loswerden konnte.

Der Arzt hatte seinen entstellten Bauch mit einiger Verwunderung untersucht und schließlich einen Behandlungsvorschlag gemacht. Die einfachste Methode bestand in wiederholten Laserbehandlungen, aber das Tattoo war so groß und die Nadel so tief eingedrungen, dass er befürchtete, eine Reihe von Hauttransplantationen vornehmen zu müssen. Das war teuer und langwierig.

In den vergangenen zwei Jahren war Bjurman Lisbeth Salander nur ein einziges Mal begegnet.

In der Nacht, als sie ihn überfallen und das Kommando über sein Leben an sich gerissen hatte, nahm sie auch seine Zweitschlüssel für Büro und Wohnung mit. Sie kündigte ihm an, ihn zu überwachen und ihn zu besuchen, wenn er am wenigsten damit rechnete. Im Laufe der vergangenen zehn Monate hatte er fast schon angefangen zu glauben, dass es nur eine leere Drohung gewesen war, aber er hatte es nicht gewagt, die Schlösser auszutauschen. Ihre Drohung war unmissverständlich gewesen – falls sie ihn jemals mit einer Frau im Bett antreffen sollte, würde sie den neunzig Minuten langen Film veröffentlichen, auf dem festgehalten war, wie er sie vergewaltigte.

Eines Nachts im Januar vor fast einem Jahr war er plötzlich um drei Uhr aufgewacht, ohne recht zu wissen, was ihn geweckt hatte. Er schaltete die Nachttischlampe ein und schrie vor Schreck beinahe auf, als er sie am Fußende seines Bettes stehen sah. Wie ein Geist, der sich in seinem Schlafzimmer materialisiert hatte. Ihr Gesicht war bleich und ausdruckslos. Ihre verdammte Elektroschockpistole hielt sie in der Hand.

»Guten Morgen, Anwalt Bjurman«, sagte sie schließlich. »Tut mir leid, dass ich dich diesmal geweckt habe.«

Lieber Gott, ist sie etwa schon öfter hier gewesen? Während ich schlief?

Er konnte nicht erkennen, ob sie nur bluffte. Nils Bjurman räusperte sich und machte den Mund auf, doch sie brachte ihn mit einer Handbewegung zum Schweigen.

»Ich habe dich nur aus einem einzigen Grund geweckt. Demnächst verreise ich für eine Weile. Du schreibst weiterhin jeden Monat schön deine Berichte über mein Wohlergehen, aber statt die Kopie zu mir nach Hause zu schicken, schickst du sie einfach an eine Hotmail-Adresse.«

Sie nahm ein zusammengefaltetes Papier aus der Jackentasche und warf es auf sein Bett.

»Wenn das Vormundschaftsgericht Kontakt mit mir aufnehmen will oder sonst irgendetwas vorfällt, was meine Gegenwart erfordert, schreibst du ebenfalls eine Mail an diese Adresse. Hast du das verstanden?«

Er nickte.

»Ich verstehe ...«

»Sei still. Ich will deine Stimme nicht hören.«

Er biss die Zähne zusammen. Er hatte bisher nicht gewagt, Kontakt mir ihr aufzunehmen, da sie ihm gedroht hatte, den Film an die Behörden weiterzugeben. Stattdessen hatte er monatelang überlegt, was er zu ihr sagen wollte, wenn sie sich bei ihm meldete. Wohl wissend, dass er rein gar nichts zu seiner Verteidigung vorzubringen hatte, konnte er einzig und allein an ihre Großmut appellieren. Wenn sie ihm nur eine Chance gab, mit ihr zu reden, könnte er versuchen, sie zu überzeugen, dass er in vorübergehender geistiger Umnachtung gehandelt hatte – dass er es bereute und seine Tat sühnen wollte. Er war bereit, vor ihr zu Kreuze zu kriechen, um sie zu erweichen und damit die ständige Bedrohung abzuwenden, die sie für ihn darstellte.

»Ich muss reden«, fuhr er mit zittriger Stimme fort. »Ich will dich um Verzeihung bitten ...«

Abwartend hörte sie sich seine überraschende Bitte an. Schließlich lehnte sie sich gegen das Bett und warf ihm einen bösartigen Blick zu.

»Jetzt hör mal gut zu – du bist ein Kotzbrocken. Ich werde dir niemals verzeihen. Aber wenn du dich benimmst, dann lass ich dich an dem Tag laufen, an dem meine Entmündigung aufgehoben wird.«

Sie wartete, bis er die Augen niederschlug. *Sie zwingt mich, vor ihr zu kriechen.*

»Was ich damals gesagt habe, gilt weiterhin. Wenn du dich nicht an meine Vorschriften hältst, werde ich mit dem Film an die Öffentlichkeit gehen. Wenn du irgendwie mit mir Kontakt aufnimmst, ohne dass ich es will, werde ich den Film an die Öffentlichkeit geben. Wenn ich durch einen Unfall umkommen sollte, wird der Film an die Öffentlichkeit gelangen. Wenn du mich jemals wieder anfasst, werde ich dich umbringen.«

Er glaubte ihr aufs Wort. Kein Raum für Zweifel oder Verhandlungen.

»Und noch was. Ab dem Tag, an dem ich dich laufen lasse, kannst du tun und lassen, was du willst. Aber bis dahin wirst du keinen Fuß in diese Klinik in Marseille mehr setzen. Solltest du trotzdem hinfahren und eine Behandlung anfangen, werde ich dich einfach noch mal tätowieren. Aber das nächste Mal bekommst du dein Tattoo auf die Stirn.«

Verdammt. Wie hat sie herausgefunden ...

In der nächsten Sekunde war sie verschwunden. Er hörte ein schwaches Klicken von der Wohnungstür, als sie den Schlüssel drehte. Als hätte ihn ein Gespenst heimgesucht.

In diesem Moment hatte er begonnen, Lisbeth Salander mit einer Intensität zu hassen, die ihm wie rot glühender Stahl in der Seele saß und sein ganzes Dasein darauf ausrichtete, sie zu zerschmettern. Er fantasierte von ihrem Tod. Er fantasierte, wie er sie zwingen würde, vor ihm auf den Knien zu rutschen und um Gnade zu betteln. Schonungslos würde er mit ihr verfahren. Er träumte davon, ihr seine Hände um den Hals zu legen und sie zu würgen, bis sie nach Luft schnappte. Er würde ihr die Augen aus den Höhlen reißen und das Herz aus dem Leibe. Er würde sie vom Angesicht dieser Erde tilgen.

Paradoxerweise merkte er in diesem Augenblick auch, wie er zum ersten Mal wieder handlungsfähig wurde und ein seltsames seelisches Gleichgewicht erreichte. Er war immer noch besessen von Lisbeth Salander, und seine Gedanken kreisten in jeder wachen Minute um ihre Existenz. Aber er entdeckte, dass er endlich wieder rational denken konnte. Wenn es ihm gelingen sollte, sie zu zerstören, dann musste er wieder die Kontrolle über seine geistigen Fähigkeiten erlangen. Sein Leben hatte einen neuen Sinn.

An jenem Tag hörte er auf, von ihrem Tod zu fantasieren, und begann ihn stattdessen zu planen.

Mikael Blomkvist ging weniger als zwei Meter hinter Nils Bjurmans Rücken vorbei, als er im »Café Hedon« zwei glühend heiße Gläser Caffè Latte an seinen Tisch zu Chefredakteurin Erika Berger balancierte. Weder er noch Erika hatten jemals von Nils Bjurman gehört, und sie bemerkten ihn auch jetzt nicht.

Erika schob mit gerümpfter Nase einen Aschenbecher beiseite, um für die Gläser Platz zu machen. Mikael hängte seine Jacke über den Stuhlrücken, zog den Aschenbecher zu sich heran und betrachtete ihn mit gequältem Blick. Dann blies er entschuldigend den Rauch von ihr weg.

»Ich dachte, du hast aufgehört.«

»Vorübergehender Rückfall.«

»Ich will keinen Sex mehr mit Typen, die nach Rauch riechen«, erklärte sie und lächelte anmutig.

»Kein Problem. Es gibt genügend andere Frauen, die nicht so wählerisch sind«, erwiderte Mikael und lächelte zurück.

Erika Berger drehte die Augen zum Himmel.

»Worum geht's denn? Ich bin in zwanzig Minuten mit Charlie verabredet. Wir wollen ins Theater.«

Charlie war Charlotta Rosenberg, Erikas Kindheitsfreundin.

»Unsere Praktikantin geht mir auf die Nerven. Sie ist die Tochter von einer deiner Freundinnen. Seit zwei Wochen ist sie bei uns in der Redaktion und soll noch acht Wochen bleiben. Ich halte es bald nicht mehr mit ihr aus.«

»Ich habe schon gemerkt, was für lüsterne Blicke sie dir zuwirft. Natürlich erwarte ich, dass du dich wie ein Gentleman benimmst.«

»Erika, das Mädchen ist siebzehn, und ihre geistige Reife entspricht der einer Zehnjährigen. Ich kann mich gerade noch beherrschen.«

»Sie ist bloß beeindruckt, dich kennenzulernen. Wahrscheinlich bist du eines ihrer Idole.«

»Gestern Abend um halb elf stand sie bei mir vor der Haustür und hat mir über die Sprechanlage mitgeteilt, dass sie gerne mit einer Flasche Wein hochkommen würde.«

»Uuuups«, machte Erika.

»Selber uuuups«, gab Mikael zurück. »Wenn ich 20 Jahre jünger wäre, würde ich höchstwahrscheinlich keine Sekunde lang zögern. Aber komm schon – sie ist 17. Ich werde demnächst 45.«

»Erinner mich nicht daran. Wir sind gleichaltrig.«

Mikael Blomkvist lehnte sich zurück und aschte ab.

Es war Mikael Blomkvist nicht entgangen, dass die Wennerström-Affäre ihm einen seltsamen Starstatus verschafft hatte. Im Laufe des letzten Jahres hatte er von den unterschiedlichsten Seiten Einladungen zu Partys und Veranstaltungen bekommen.

Offensichtlich wollten diese Gastgeber ihn damit zu einem Mitglied ihres Bekanntenkreises machen – ein vertrauliches Bussi-Bussi von Personen, denen er früher gerade mal die Hand geschüttelt hatte, die jetzt aber als enge Freunde und Vertraute gelten wollten. In erster Linie waren es nicht Kollegen aus den Massenmedien – die kannte er schon alle und hatte entweder ein gutes oder eben ein schlechtes Verhältnis zu ihnen –, sondern sogenannte Personen des öffentlichen Lebens, Schauspieler, zweitklassige Gesellschaftskritiker und Halbprominente. Es verlieh einfach einen gewissen gesellschaftlichen Glanz,

Mikael Blomkvist auf einer Party oder bei einem privaten Abendessen zu Gast zu haben. Einladungen und Anfragen zu der einen oder anderen Veranstaltung waren im Laufe des vergangenen Jahres nur so auf ihn niedergeregnet. Allmählich hatte er sich angewöhnt, auf solche Anfragen mit einem das ist »wahnsinnig nett, aber ich habe leider schon einen Termin« zu antworten.

Zu den Kehrseiten des Ruhms gehörte auch, dass immer mehr Gerüchte über ihn in Umlauf gebracht wurden. Einer seiner Bekannten hatte sich besorgt bei ihm gemeldet, nachdem ihm das Gerücht zu Ohren gekommen war, Mikael habe sich an eine Klinik gewandt, um von den Drogen wegzukommen. Dabei bestand Mikaels gesamter Drogenkonsum seit seiner Teenagerzeit aus ein paar vereinzelten Joints. Nur ein einziges Mal vor knapp fünfzehn Jahren hatte er mit einer Holländerin, der Sängerin einer Rockband, Kokain ausprobiert. Um seinen Alkoholkonsum war es da schon anders bestellt, aber im Grunde beschränkte sich der auf die wenigen Fälle, in denen er sich bei einem Abendessen oder auf einer Party einen hinter die Binde kippte. In seiner Bar im Wohnzimmerschrank standen nur Wodka und ein paar Flaschen Single Malt, die er geschenkt bekommen hatte und von denen er so gut wie nie eine aufmachte.

Dass Mikael Single war und immer wieder kurzzeitige Beziehungen und Affären einging, war inner- und außerhalb seines Freundeskreises wohlbekannt und führte zu weiteren Gerüchten. Seine langjährige Affäre mit Erika Berger war ständiger Ausgangspunkt für verschiedenste Spekulationen. Im letzten Jahr kam die Behauptung dazu, er schlafe sich von Bett zu Bett, reiße hemmungslos Mädels auf und nutze seine Bekanntheit, um sich durch sämtliche Stockholmer Kneipen zu vögeln. Ein Journalist, mit dem er oberflächlich bekannt war, hatte ihn sogar gefragt, ob er sich nicht wegen Sexsucht in Behandlung begeben wolle. Anlass für diesen Kommentar war die

Meldung gewesen, dass ein bekannter amerikanischer Schauspieler Hilfe in einer Klinik gesucht hatte, wo man dieses Leiden professionell bekämpfte.

Mikael hatte tatsächlich viele kurze Beziehungen gehabt, manchmal auch mehrere zur selben Zeit. Er wusste selbst nicht recht, woran das lag. Zwar wusste er, dass er ganz gut aussah, aber er hatte sich noch nie als umwerfend attraktiv empfunden. Doch oft bekam er zu hören, dass er etwas besaß, was das Interesse der Frauen an ihm weckte. Erika Berger hatte ihm erklärt, dass er zugleich Selbstsicherheit und Geborgenheit ausstrahle und sich darauf verstand, den Frauen ein entspanntes Gefühl zu vermitteln. Mit ihm ins Bett zu gehen war weder anstrengend noch bedrohlich oder kompliziert – bei ihm fanden sie erotische Erfüllung statt Forderungen. Wie es ja (so dachte jedenfalls Mikael) auch sein sollte.

Der Großteil seiner Bekannten glaubte hingegen, dass Mikael nie ein Aufreißer gewesen war. Er machte sich allenfalls bemerkbar, ansonsten überließ er die Initiative den Frauen. Sex ergab sich dann oftmals nur als natürliche Folge. Die Frauen, mit denen er im Bett landete, waren selten anonyme One-Night-Stands – die hatte es freilich auch gegeben, aber sie stellten sich oft als ziemlich unbefriedigende Unternehmungen heraus. Mikael hatte die besten Beziehungen immer mit Personen gehabt, die er gern hatte. Kein Zufall also, dass er vor zwanzig Jahren eine Affäre mit Erika Berger angefangen hatte – sie waren Freunde und fühlten sich einfach voneinander angezogen.

Seit er berühmt geworden war, interessierten sich jedoch auch Frauen für ihn, die er ziemlich bizarr und undurchschaubar fand. Am meisten überraschte es ihn, dass junge Frauen ihn in den unerwartetsten Momenten so aggressiv anmachen konnten.

Doch Mikael fühlte sich von einem ganz anderen Typ Frau angezogen, nicht von enthusiastischen Teenagerpüppchen mit kurzen Miniröcken und wohlgeformten Körpern. Als er noch jünger war, waren seine Frauenbekanntschaften oft älter als er gewesen, in manchen Fällen sogar wesentlich älter und erfahrener. Je älter er wurde, umso mehr nivellierte sich dieser Altersunterschied. Die 25-jährige Lisbeth Salander war ein markanter Ausreißer nach unten auf seiner gewohnten Altersskala.

Aus diesen Gründen hatte er Erika um dieses eilige Treffen gebeten.

Millennium hatte eine Praktikantin vom Gymnasium eingestellt, um einer Bekannten von Erika einen Gefallen zu tun. Das war an und für sich noch nichts Ungewöhnliches, sie hatten jedes Jahr mehrere Praktikanten. Mikael hatte das 17-jährige Mädchen höflich begrüßt und recht bald festgestellt, dass ihr Interesse am Journalismus eher vage war. Sie wollte gern »im Fernsehen auftreten«, und (so vermutete Mikael) bei *Millennium* gearbeitet zu haben war offensichtlich gut für den Status.

Bald bemerkte er auch, dass sie keine Gelegenheit ausließ, um in näheren Kontakt mit ihm zu treten. Er tat so, als würde er ihre überdeutlichen Vorstöße nicht bemerken, womit er aber bloß bewirkte, dass sie ihre Anstrengungen prompt verdoppelte. Es war einfach nur noch anstrengend.

Erika Berger musste plötzlich loslachen.

»Du liebe Güte, du bist ein Opfer von sexueller Belästigung am Arbeitsplatz.«

»Ricky, die Sache geht mir schrecklich auf die Nerven. Ich will sie auf keinen Fall verletzen oder bloßstellen. Aber sie ist ungefähr so subtil wie eine rossige Stute. Ich mach mir schon Sorgen, was sie sich als Nächstes ausdenkt.«

»Mikael, sie ist verliebt in dich und einfach zu jung, um zu wissen, wie sie es anders ausdrücken soll.«

»Ich glaube, da täuschst du dich. Sie weiß verdammt gut, wie sie sich ausdrücken muss. Sie ist nur sauer, dass ich nicht anbeiße. Außerdem habe ich überhaupt kein Bedürfnis nach einer neuen Gerüchtewelle, die mich als geilen Mick Jagger auf der Jagd nach Frischfleisch dastehen lässt.«

»Okay. Ich verstehe das Problem. Sie hat also gestern Abend bei dir angeklopft.«

»Mit einer Flasche Wein. Sie meinte, sie sei gerade auf einer Party bei ›einem Bekannten‹ im Viertel gewesen, und tat so, als wäre es reiner Zufall, dass sie bei mir vor der Tür stand.«

»Was hast du gesagt?«

»Ich hab sie nicht reingelassen. Ich hab gelogen und behauptet, ich hätte gerade Damenbesuch.«

»Wie hat sie das aufgenommen?«

»Sie war stinksauer und ist abgezogen.«

»Und was meinst du, was ich da tun soll?«

»Halt sie mir vom Leib. Ich will am Montag mal ein ernstes Wörtchen mit ihr reden. Entweder hört sie auf damit, oder ich werfe sie aus der Redaktion.«

Erika Berger überlegte eine Weile.

»Nein«, sagte sie schließlich. »Sag nichts. Ich werde mit ihr reden.«

»Ich habe keine andere Wahl.«

»Sie sucht einen Freund, keinen Liebhaber.«

»Ich weiß nicht, was sie sucht, aber ...«

»Mikael. Ich war auch mal in diesem Alter. Ich werde mit ihr reden.«

Wie alle anderen, die fernsehen oder eine Zeitung lesen, hatte auch Nils Bjurman von Mikael Blomkvist gehört. Er erkannte ihn jedoch nicht wieder – und wenn, dann hätte er auch nicht anders reagiert. Dass es eine Verbindung zwischen der Redaktion von *Millennium* und Lisbeth Salander gab, war ihm unbekannt.

Außerdem war er zu versunken in seine eigenen Gedanken, um seiner Umgebung Aufmerksamkeit zu schenken.

Jetzt, wo sich seine geistige Lähmung endlich gelöst hatte, begann er langsam seine Situation zu analysieren und überlegte, wie er Lisbeth Salander vernichten konnte.

Bei dieser Frage kreiste alles um ein einziges Hindernis.

Lisbeth Salander verfügte über einen neunzig Minuten langen Film, den sie mit einer versteckten Kamera aufgezeichnet hatte und auf dem detailliert zu sehen war, wie er sich an ihr vergriff. Er hatte den Film gesehen. Da blieb kein Raum für wohlwollende Interpretationen. Wenn die Behörden – oder schlimmstenfalls die Massenmedien – jemals Kenntnis von diesem Film bekämen, dann war es vorbei mit seinem Leben, seiner Karriere und seiner Freiheit. Er kannte die Strafen, die auf Vergewaltigung, Missbrauch von Schutzbefohlenen und schwere Körperverletzung standen, und schätzte, dass ihm dieser Film sechs Jahre Gefängnis einbringen würde. Ein übereifriger Staatsanwalt könnte ihn sogar des versuchten Mordes bezichtigen.

Er hatte sie während der Vergewaltigung beinahe erstickt, als er ihr in seiner Erregung ein Kissen aufs Gesicht drückte. Mittlerweile wünschte er, er hätte es getan.

Sie würden nicht begreifen, dass sie die ganze Zeit ein Spiel gespielt hatte. Sie hatte ihn provoziert, mit ihren niedlichen Kinderaugen geklimpert und ihn mit einem Körper verführt, der aussah wie der einer Zwölfjährigen. Sie hatte sich von ihm vergewaltigen lassen. Es war alles ihre Schuld. Sie würden nie verstehen, dass sie in Wirklichkeit ein Theaterstück inszeniert hatte. Sie hatte geplant …

Wie auch immer er vorgehen wollte, als Erstes musste er in Besitz dieses Films kommen und sich vergewissern, dass keine Kopien existierten. Das war der Kern seines Problems.

Ganz zweifellos musste sich eine Hexe wie Lisbeth Salander im Laufe der Jahre eine gewisse Anzahl an Feinden geschaffen haben. Rechtsanwalt Bjurman hatte ihnen jedoch etwas voraus. Im Gegensatz zu allen anderen, die aus dem einen oder anderen Grund wütend auf sie waren, besaß er nämlich uneingeschränkten Zugang zu all ihren Krankenakten, Sozialarbeiterberichten und psychiatrischen Gutachten. Er war einer der wenigen Menschen in Schweden, der ihre innersten Geheimnisse kannte.

Der Bericht, den ihm das Vormundschaftsgericht gegeben hatte, als er den Auftrag annahm, ihr Betreuer zu werden, war kurz und übersichtlich gewesen – knapp fünfzehn Seiten, die hauptsächlich ihr Leben im Erwachsenenalter behandelten, eine Zusammenfassung der Diagnose, die die Rechtspsychiatrie gestellt hatte, der Gerichtsbeschluss, mit dem ein Betreuer für sie bestellt worden war, und ein Überblick über ihre Finanzen im vorangegangenen Jahr.

Er las die Zusammenfassung immer wieder durch. Danach begann er systematisch, Informationen über Lisbeth Salanders Vergangenheit zu sammeln.

Als Rechtsanwalt wusste er sehr gut, wie er es anstellen musste, Informationen aus öffentlichen Registern zu bekommen. In seiner Eigenschaft als ihr Betreuer hatte er auch keine Probleme mit der Vertraulichkeit ihrer Krankenakte. Er war einer der wenigen Menschen, der sich buchstäblich jedes Dokument beschaffen konnte, das mit Lisbeth Salander zu tun hatte.

Trotzdem hatte es Monate gedauert, bis er ihr Leben Detail für Detail zusammengesetzt hatte, von den frühesten Aufzeichnungen aus der Grundschule über Berichte von Sozialarbeitern bis hin zu polizeilichen Ermittlungen und Gerichtsprotokollen. Er hatte Dr. Jesper H. Löderman, den Psychiater, der zu ihrem 18. Geburtstag ihre Einweisung in eine psychiatrische Klinik empfohlen hatte, persönlich aufgesucht und mit ihm über Lisbeth geredet. Jedermann war ihm behilflich. Eine Frau vom Sozialamt hatte ihn sogar dafür gelobt, dass er ein so außergewöhnliches Engagement dabei zeigte, alle Aspekte von Lisbeth Salanders Leben kennenzulernen.

Als echte Goldgrube erwiesen sich zwei gebundene Notizbücher in einem Karton, der bei einem Sachbearbeiter im Vormundschaftsgericht Staub ansetzte. Diese Notizbücher stammten von Bjurmans Vorgänger, dem Rechtsanwalt Holger Palmgren, der Lisbeth Salander anscheinend besser kennengelernt hatte als irgendjemand sonst. Palmgren hatte jedes Jahr gewissenhaft einen kurzen Bericht für den Ausschuss abgegeben, doch Bjurman vermutete, dass Lisbeth nichts davon ahnte, dass ihr ehemaliger Betreuer in Form von Tagebucheinträgen auch eifrig seine eigenen Gedanken zu ihrem Fall festgehalten hatte. Es handelte sich offensichtlich um Palmgrens eigenes Arbeitsmaterial, und als er vor zwei Jahren einen Schlaganfall erlitten hatte, waren die Kladden beim Vormundschaftsgericht gelandet, wo sie bis zu diesem Moment keiner aufgeschlagen und gelesen hatte.

Es war das Original. Es gab keine Kopie.

Perfekt.

Palmgren zeichnete ein völlig anderes Bild von Lisbeth Salander als das, welches man den Berichten der Sozialarbeiter entnehmen konnte. Er beschrieb ihren mühseligen Weg vom schwierigen Teenager bis zur jungen Frau und Angestellten des Sicherheitsberatungsunternehmens Milton Security – ein Job, den sie durch Palmgrens Kontakte bekommen hatte. Mit steigender Verwunderung war Bjurman klar geworden, dass Lisbeth Salander keineswegs eine zurückgebliebene Mitarbeiterin der Poststelle gewesen war, die man mit Kopierarbeiten und Kaffeekochen betraute, sondern eine qualifizierte Tätigkeit ausgeübt hatte, in deren Rahmen sie für Miltons Geschäftsführer Dragan Armanskij Informationen zum Hintergrund bestimmter Personen einholte. Ebenso offensichtlich war, dass Armanskij und Palmgren sich kannten und zwischendurch Informationen über ihren Schützling austauschten.

Nils Bjurman merkte sich den Namen Dragan Armanskij

gut. Unter all den Menschen, die in Lisbeth Salanders Leben auftauchten, gab es nur zwei, die als ihre Freunde gelten konnten und die sie beide als ihren Schützling betrachteten. Palmgren war von der Bildfläche verschwunden. Armanskij war der einzige Mensch, von dem noch eine potenzielle Bedrohung ausging. Bjurman beschloss, sich von Armanskij fernzuhalten und ihn nicht aufzusuchen.

Die Ordner hatten vieles erklärt. Plötzlich begriff Bjurman, wie es möglich war, dass Lisbeth Salander so viel über ihn wusste. Doch blieb es ihm weiterhin ein Rätsel, wie sie herausbekommen hatte, dass er in aller Diskretion diese Klinik für plastische Chirurgie in Frankreich besucht hatte. Immerhin, ein großer Teil des Geheimnisses, das sie umgab, war gelüftet. Es war ihr Beruf, im Privatleben anderer Menschen herumzuschnüffeln. Gleichzeitig wurde er mit seinen eigenen Nachforschungen sehr vorsichtig, denn angesichts der Tatsache, dass Lisbeth Zugang zu seiner Wohnung hatte, war es ungünstig, dort Papiere über ihre Person zu verwahren. Also sammelte er sämtliche Unterlagen zusammen und brachte einen Karton in seine Sommerhütte bei Stallarholmen, wo er viel Zeit mit einsamen Grübeleien zubrachte.

Je mehr er über Lisbeth Salander las, umso mehr war er davon überzeugt, dass sie ein völlig kranker Mensch war. Er schauderte, wenn er daran dachte, wie sie ihn mit Handschellen an sein eigenes Bett gekettet hatte. Er war ihr auf Gedeih und Verderb ausgeliefert gewesen, und Bjurman zweifelte nicht daran, dass sie ihre Morddrohung wahr machen würde, wenn er sie noch einmal provozierte.

Sie kannte überhaupt keine sozialen Hemmungen. *Sie war eine kranke, lebensgefährliche Spinnerin. Eine entsicherte Handgranate. Eine Nutte.*

Holger Palmgrens Akte hatte ihm geholfen, den letzten Schlüssel zu finden. Bei mehreren Gelegenheiten hatte Palmgren ganz persönliche Tagebuchaufzeichnungen notiert, in denen er Gespräche mit Lisbeth Salander wiedergab. *Ein verrückter Alter*. In zweien dieser Gespräche hatte er den Ausdruck »als All Das Böse geschah« verwendet. Offensichtlich war das ein direktes Zitat von Lisbeth, aber was damit gemeint war, ging aus den Aufzeichnungen nicht hervor.

Bjurman vermerkte verblüfft die Worte »All Das Böse«. Die Jahre im Erziehungsheim? Irgendein besonderer Übergriff? Eigentlich sollte doch alles in der umfassenden Akte dokumentiert sein, zu der er bereits Zugang hatte.

Er schlug die Aufzeichnungen der psychiatrischen Untersuchung auf, der man Lisbeth mit 18 Jahren unterzogen hatte, und las sie zum fünften oder sechsten Mal genau durch. Da wurde ihm klar, dass es in seinem Wissen über Lisbeth Salander eine Lücke gab.

Er besaß Aufzeichnungen der Grundschule, eine Bescheinigung, die bestätigte, dass Lisbeths Mutter unfähig war, sich um sie zu kümmern, daneben Berichte von diversen Erziehungsheimen während ihrer Teenagerzeit und die Untersuchung ihres geistigen Zustands als 18-Jährige.

Irgendetwas musste ihre Verrücktheit ausgelöst haben, als sie zwölf Jahre alt war.

Aber es gab noch weitere Lücken in ihrer Biografie.

Zuerst entdeckte er zu seiner großen Überraschung, dass Lisbeth Salander eine Zwillingsschwester hatte, die in den anderen Dokumenten, die ihm zur Verfügung standen, nirgends erwähnt worden war. *Mein Gott, es gibt zwei von der Sorte*. Aber er konnte keine Hinweise darauf finden, was mit ihrer Schwester geschehen war.

Ihr Vater war unbekannt, und es fand sich auch keine Erklärung, warum ihre Mutter sie nicht länger hatte versorgen können. Bjurman war früher davon ausgegangen, dass sie krank geworden war und dass im Zusammenhang mit diesen Geschehnissen der ganze Prozess mitsamt Lisbeths Besuchen in der Kinderpsychiatrie seinen Lauf genommen hatte. Jetzt war er jedoch überzeugt davon, dass ihr irgendetwas passiert war, als sie zwölf oder dreizehn Jahre alt war. *All Das Böse.* Irgendein Trauma. Aber nirgendwo war zu erfahren, worin All Das Böse bestand.

Im psychiatrischen Untersuchungsbericht fand er schließlich einen Hinweis auf ein beigefügtes Schriftstück, das ihm fehlte – das Aktenzeichen einer polizeilichen Ermittlung vom 12.03.1991. Das Aktenzeichen war handschriftlich am Rand der Kopie vermerkt worden, die er aus den Kisten und Kästen der Sozialbehörde geholt hatte. Aber als er versuchte, dieses Schriftstück zu bestellen, stieß er auf Widerstand. Die Ermittlungen trugen einen »Geheim«-Stempel Seiner Königlichen Majestät höchstpersönlich. Er konnte also nur an höchster Stelle Einsicht in die Akten fordern.

Nils Bjurman war völlig verblüfft. Dass polizeiliche Ermittlungen, die sich mit einer Zwölfjährigen befassten, der Geheimhaltung unterlagen, war an und für sich nicht überraschend – die Integrität des Kindes wurde eben geschützt. Doch er war Lisbeth Salanders gesetzlich bestellter Betreuer und hatte das Recht, Einsicht in jedes Dokument zu fordern, das sie betraf. Es ging ihm nicht in den Kopf, warum er sich an die Regierung wenden musste, um die Unterlagen einsehen zu können.

Er reichte sofort ein Gesuch ein. Nach zwei Monaten wurde es bearbeitet. Zu seiner aufrichtigen Verblüffung wurde es abgelehnt. Es war ihm unbegreiflich, was an bald fünfzehn Jahre zurückliegenden Ermittlungen zu einer Zwölfjährigen so prekär sein konnte, dass man sie nach wie vor unter Verschluss hielt.

Er wandte sich wieder Holger Palmgrens Tagebuch zu, las es abermals Zeile für Zeile und versuchte herauszufinden, was es mit All Dem Bösen auf sich hatte. Doch im Text fanden sich keine Hinweise. Anscheinend war dieses Thema nur zwischen Holger Palmgren und Lisbeth Salander zur Sprache gekommen und niemals schriftlich festgehalten worden. Die Bemerkungen über All Das Böse kamen ganz am Ende des langen Tagebuchs. Vielleicht war Palmgren vor seinem Schlaganfall ja nicht mehr dazugekommen, entsprechende Notizen hinzuzufügen.

Was Rechtsanwalt Bjurman auf ganz neue Ideen brachte. Holger Palmgren war ab Lisbeth Salanders 13. Lebensjahr ihr Betreuer gewesen. Er war also präsent, kurz nachdem All Das Böse geschehen und Salander in die Kinderpsychiatrie eingeliefert worden war. Die Wahrscheinlichkeit war also recht groß, dass er wusste, was hier geschehen war.

Bjurman suchte noch einmal im Archiv des Vormundschaftsgerichts. Diesmal bat er aber nicht um Lisbeths Akten, sondern verlangte Palmgrens Auftragsbeschreibung – einen Beschluss des Sozialgerichts. Als er sie in Händen hielt, war sie auf den ersten Blick nichts als eine Enttäuschung. Zwei Seiten knapp gehaltene Informationen. Lisbeth Salanders Mutter war nicht mehr in der Lage, sich um ihre Töchter zu kümmern. Aufgrund besonderer Umstände mussten die Schwestern getrennt werden. Camilla Salander wurde vom Sozialdienst in einer Pflegefamilie untergebracht, Lisbeth Salander hingegen in die Kinderpsychiatrie St. Stefans eingewiesen. Alternativen waren gar nicht erst erwogen worden.

Warum? Nur eine kryptische Formulierung: *Aufgrund der Vorfälle AZ 910312 hat die Sozialbehörde beschlossen, ...* Danach abermals ein Verweis auf das Aktenzeichen der mysteriösen Ermittlungen mit dem Geheimhaltungsstempel. Aber diesmal gab es noch ein Detail – den Namen des Polizisten, der die Ermittlungen durchgeführt hatte.

Verblüfft starrte Anwalt Nils Bjurman den Namen an. Einen Namen, den er kannte. Nur zu gut.

Das ließ die Dinge doch gleich in einem ganz anderen Licht erscheinen.

Er brauchte zwei weitere Monate, um sich die Ermittlungsunterlagen auf völlig anderen Wegen zu beschaffen – einen kurzen, präzisen Ermittlungsbericht, der siebenundvierzig Seiten in einer DIN-A4-Mappe umfasste, zuzüglich knapp sechzig Seiten, die im Laufe von sechs Jahren hinzugefügt worden waren.

Zunächst ging ihm der Zusammenhang gar nicht auf.

Aber dann stieß er auf die Bilder der Gerichtsmedizin und kontrollierte erneut den Namen.

Mein Gott ... das kann doch nicht wahr sein.

Auf einmal begriff er, warum die Angelegenheit solch strenger Geheimhaltung unterlag. Nils Bjurman hatte den Jackpot geknackt.

Nachdem er den Ermittlungsbericht sorgfältig durchgelesen hatte, war ihm klar, dass es noch einen zweiten Menschen in dieser Welt gab, der Grund hatte, Lisbeth Salander mit derselben Leidenschaft zu hassen wie er selbst.

Er war nicht allein.

Er hatte einen Verbündeten. Den absurdesten Verbündeten, den er sich nur vorstellen konnte.

Langsam, aber sicher schmiedete er einen Plan.

Nils Bjurman wurde aus seinen Überlegungen gerissen, als ein Schatten über seinen Tisch im »Café Hedon« fiel. Er blickte auf und sah einen blonden ... *Riesen*. Das war das Wort, das ihm durch den Kopf schoss. Eine Zehntelsekunde lang war er perplex, aber dann gewann er schnell seine Fassung zurück.

Der Mann, der zu ihm hinunterblickte, war über zwei Meter groß und kräftig gebaut. Außergewöhnlich kräftig gebaut. Zweifellos ein Bodybuilder. Bjurman konnte nicht die kleinste Spur von Fett oder Schlaffheit an ihm entdecken. Insgesamt machte er einen erschreckend starken Eindruck.

Der Mann hatte einen kurzen Pony, rasierte Schläfen und ein ovales, seltsam weiches, fast kindliches Gesicht. Die eisblauen Augen hingegen waren alles andere als weich. Bekleidet war er mit einer kurzen schwarzen Lederjacke, einem blauen Hemd, einem schwarzen Schlips und einer schwarzen Hose. Als Letztes bemerkte Bjurman seine Hände. War der Mann ohnehin schon sehr groß gewachsen, so waren seine Hände schlichtweg riesenhaft.

»Rechtsanwalt Bjurman?«

Er sprach mit einem gewissen Akzent, doch seine Stimme war so hoch, dass Bjurman nur mit Mühe ein Grinsen unterdrücken konnte. Aber er beherrschte sich und nickte nur.

»Wir haben Ihren Brief bekommen.«

»Wer sind Sie? Ich hatte um ein Treffen mit ...«

Der Mann mit den Riesenhänden ignorierte Bjurmans Frage einfach, setzte sich ihm gegenüber und schnitt ihm das Wort ab.

»Stattdessen haben Sie jetzt ein Treffen mit mir. Erklären Sie mir, was Sie wollen.«

Anwalt Nils Bjurman zögerte kurz. Er hasste es, sich einem völlig Fremden auf diese Art ausliefern zu müssen. Aber es war nötig. Er erinnerte sich daran, dass er nicht der Einzige war, der Lisbeth Salander hasste. Jetzt ging es darum, sich Verbündete zu suchen. Mit gedämpfter Stimme begann er sein Anliegen zu erklären.

3. Kapitel

Freitag, 17. Dezember – Samstag, 18. Dezember

Lisbeth Salander erwachte um sieben Uhr morgens, duschte und ging dann zu Freddy McBain an die Rezeption, wo sie sich erkundigte, ob es einen freien Beach Buggy gab, den sie heute mieten könnte. Zehn Minuten später hatte sie die Kaution hinterlegt, Sitz und Rückspiegel richtig eingestellt, einen Probestart gemacht und nachgesehen, ob genug Benzin im Tank war. Danach ging sie in die Bar, bestellte sich zum Frühstück einen Caffè Latte und ein Käsebrot sowie eine Flasche Mineralwasser zum Mitnehmen. Während des Frühstücks kritzelte sie Zahlen auf eine Serviette und grübelte weiter über Pierre de Fermat nach ($a^3 + b^3 = c^3$).

Kurz nach acht kam Dr. Forbes an die Bar, frisch rasiert, mit dunklem Anzug, weißem Hemd und blauem Schlips. Er bestellte sich ein Ei, Toast, Orangensaft und schwarzen Kaffee. Um halb neun stand er auf und ging zum Taxi, das bereits für ihn bereitstand.

Lisbeth folgte ihm in gebührendem Abstand. Unterhalb des »Seascape«, wo *The Carenage* begann, stieg Dr. Forbes aus dem Taxi und ging am Wasser spazieren. Sie fuhr an ihm vorbei, parkte mitten auf der Hafenpromenade und wartete geduldig, bis er an ihr vorbeiging. Dann folgte sie ihm weiter.

Um eins war Lisbeth Salander schweißgebadet und ihre Füße waren geschwollen. Sie war ihm vier Stunden lang durch Saint George's hinterhergelaufen, die eine Straße hinauf, die nächste wieder hinunter. Sein Tempo war zwar gemächlich, aber er legte keine Pausen ein, und die vielen steilen Hügel strengten ihre Muskeln langsam an. Während sie ihre letzten Tropfen Mineralwasser trank, staunte sie über Forbes' Energie. Gerade wollte sie das ganze Projekt aufgeben, als er plötzlich auf das »Turtleback« zuhielt. Sie ließ ihm einen Vorsprung von zehn Minuten, bevor sie ebenfalls das Restaurant betrat und sich auf die Terrasse setzte. Sie saßen auf denselben Plätzen wie am Tag zuvor, und er trank auch heute wieder Coca-Cola, während er aufs Meer hinausstarrte.

Forbes war einer der wenigen Menschen auf Grenada, der in Jackett und Schlips herumlief. Lisbeth bemerkte, dass ihm die Hitze nichts auszumachen schien.

Um drei riss er Lisbeth aus ihren Gedanken, indem er bezahlte und das Lokal verließ. Abermals ging er am Hafen spazieren und bestieg dann einen der Minibusse, die zum Grand Anse Beach fuhren. Fünf Minuten bevor er aus dem Bus stieg, parkte Lisbeth vor dem Keys Hotel. Sie ging auf ihr Zimmer, ließ sich kaltes Wasser einlaufen und legte sich in die Wanne. Ihre Füße taten weh. Lisbeth legte die Stirn in tiefe Falten.

Die Unternehmungen dieses Tages sprachen eine deutliche Sprache. Jeden Morgen verließ Dr. Forbes das Hotel frisch rasiert und in voller Montur mit seiner Aktentasche. Und dann tat er den Tag nichts anderes, als die Zeit totzuschlagen. Was immer er wirklich auf Grenada tat, es hatte nichts mit den Planungen einer neuen Schule zu tun, doch wollte er offenbar den Anschein erwecken, aus geschäftlichen Gründen auf der Insel zu sein.

Wozu dieses Theater?

Die einzige Person, vor der er überhaupt etwas zu verbergen haben könnte, war seine eigene Frau, die annehmen sollte, dass er tagsüber schwer beschäftigt war. Aber warum? Waren seine Geschäfte schlecht gelaufen und er zu stolz, um es zuzugeben? Hatte sein Besuch auf Grenada einen ganz anderen Zweck? Wartete er auf etwas oder jemanden?

Als Lisbeth Salander ihren Posteingang überprüfte, hatte sie vier neue Mails. Die erste war von Plague, er hatte ihr sofort geantwortet. Seine Mitteilung war verschlüsselt und enthielt zwei Worte: die lakonische Frage »Lebst du?« Plague war noch nie für lange, gefühlvolle Mails gewesen – worin er mit Lisbeth übereinstimmte.

Die beiden nächsten Mails waren beide um zwei Uhr morgens gesendet worden. Die eine von Plague, der ihr die verschlüsselte Information schickte, eine Internetbekanntschaft namens Bilbo, die zufällig in Texas wohnte, habe sich bereit erklärt, ihre Rechercheanfrage zu bearbeiten. Plague gab ihr Bilbos Adresse und PGP-Schlüssel. Wenige Minuten später hatte Bilbo ihr schon geschrieben. Die Mail war kurz und enthielt nur die Ankündigung, dass er die Daten zu Dr. Forbes im Laufe des nächsten Tages übermitteln würde.

Die vierte Mail war ebenfalls von Bilbo und spätnachmittags geschickt worden. Sie enthielt die verschlüsselte Nummer eines Bankkontos und eine FTP-Adresse. Lisbeth öffnete die Adresse und fand eine ZIP-Datei mit 390 KB, die sie speicherte und öffnete. Es war ein Ordner, der vier JPG-Bilder mit niedriger Auflösung sowie fünf Word-Dokumente enthielt.

Zwei der Bilder waren Porträts von Dr. Forbes. Ein Foto war auf einer Theaterpremiere aufgenommen worden und zeigte ihn zusammen mit seiner Frau. Auf dem vierten Bild war er auf der Predigerkanzel in einer Kirche zu sehen.

Das erste Word-Dokument, Bilbos eigentlicher Bericht, bestand aus elf Seiten Text. Das zweite enthielt vierundachtzig Seiten Text, die aus dem Internet heruntergeladen worden waren. Die beiden weiteren Dokumente waren OCR-gescannte

Zeitungsausschnitte aus der Lokalzeitung *Austin American-Statesman* und das letzte eine Übersicht über Dr. Forbes' Gemeinde, die Presbyterian Church of Austin South.

Abgesehen von der Tatsache, dass Lisbeth Salander das dritte Buch Mose auswendig konnte – im Jahr zuvor hatte sie Gründe gehabt, die biblische Strafgesetzgebung eingehend zu studieren –, waren ihre Kenntnisse der Religionsgeschichte recht bescheiden. Zwar hatte sie eine vage Ahnung, worin der Unterschied zwischen einer jüdischen, einer presbyterianischen und einer katholischen Kirche bestand, und wusste, dass ein jüdisches Gotteshaus nicht Kirche, sondern Synagoge hieß. Für einen Moment befürchtete sie, sich in religiöse Details vertiefen zu müssen, aber dann wurde ihr klar, dass sie darauf pfeifen konnte, zu welcher Gemeinde Dr. Forbes gehörte.

Dr. Richard Forbes, manchmal auch als Reverend Richard Forbes bezeichnet, war 42 Jahre alt. Die Homepage der Church of Austin South ergab, dass diese Kirche sieben Angestellte beschäftigte. Ganz oben auf der Liste stand Rev. Duncan Clegg, was wohl bedeutete, dass er die führende Persönlichkeit dieser Kirche war. Ein Foto zeigte einen kräftigen Mann mit wallenden grauen Haaren und einem gepflegten grauen Bart.

Der dritte auf der Liste war Richard Forbes, er war für Ausbildungsfragen zuständig. Neben seinem Namen stand in Klammern »Holy Water Foundation«.

Lisbeth las die Einleitung mit der Grundsatzerklärung der Kirchengemeinde.

Durch Gebet und Danksagungen wollen wir dem Volk von Austin South dienen, indem wir ihm die Stabilität, die Theologie und die Ideologie der Hoffnung bringen, die die Presbyterianische Kirche von Amerika vermittelt. Als Diener Christi bieten wir eine Freistatt für Menschen in Not und geloben, uns mithilfe von Gebet und baptistischen Segnungen für die Ver-

söhnung einzusetzen. Lasset uns fröhlich sein über Gottes Liebe. Unsere Pflicht ist es, die Mauern zwischen den Menschen einzureißen und Hindernisse aus dem Weg zu räumen, die einem Verständnis von Gottes Liebesbotschaft entgegenstehen.

Unmittelbar unter dieser Einleitung folgte die Bankverbindung der Kirche und eine Aufforderung, seine Gottesliebe in Taten umzumünzen.

Bilbo hatte eine bemerkenswerte Kurzbiografie von Richard Forbes erstellt. Lisbeth konnte ihr entnehmen, dass Forbes in Cedar's Bluff in Nevada zur Welt gekommen war, als Landwirt, Geschäftsmann, Schulhausmeister, als Lokalreporter für eine Zeitung in New Mexico und Manager für eine christliche Rockband gearbeitet hatte, bevor er sich im Alter von 31 Jahren der Church of Austin South anschloss. Er war ausgebildeter Buchhalter und hatte außerdem Archäologie studiert. Einen offiziellen Doktortitel hatte Bilbo jedoch nicht in Erfahrung bringen können.

In der Gemeinde hatte Forbes Geraldine Knight kennengelernt, die einzige Tochter des Ranchbesitzers William F. Knight, ebenfalls eine tonangebende Persönlichkeit in Austin South. Richard und Geraldine hatten 1997 geheiratet, woraufhin Forbes' Karriere innerhalb der Kirche richtig in Schwung gekommen war. Er wurde Vorsitzender der Santa-Maria-Stiftung, deren Auftrag darin bestand, »Gottes Gelder in Ausbildungsprojekte für Not leidende Menschen zu investieren«.

Forbes war zweimal verhaftet worden. Im Alter von 25 Jahren, 1987, war er in Zusammenhang mit einem Autounfall der schweren Körperverletzung angeklagt gewesen. Im folgenden Prozess wurde er jedoch freigesprochen. Soweit Lisbeth den Zeitungsausschnitten entnehmen konnte, war er auch tatsächlich unschuldig. 1995 war er angeklagt worden, weil er Gelder der christlichen Rockband veruntreut haben sollte, die er managte. Auch in diesem Fall war er freigesprochen worden.

In Austin war er im Laufe der Zeit eine bekannte Persönlichkeit geworden und saß im städtischen Ausbildungsausschuss. Er war Mitglied der Demokratischen Partei, nahm fleißig an Wohltätigkeitsveranstaltungen teil und sammelte Geld, um Kindern minderbemittelter Familien den Schulbesuch zu ermöglichen. Die Church of Austin South nahm sich bei ihrer Mission zum Großteil Spanisch sprechender Familien an.

Im Jahre 2001 hatte man Forbes im Zusammenhang mit der Santa-Maria-Stiftung gewisser finanzieller Unregelmäßigkeiten beschuldigt. Laut einem Zeitungsartikel wurde er verdächtigt, einen größeren Teil der Einnahmen in Fonds angelegt zu haben, als in den Statuten der Organisation festgelegt war. Jedoch wies die Kirche diese Anklagen zurück, und Pastor Clegg stellte sich in der folgenden Debatte eindeutig hinter Forbes. Es wurde keine Anklage erhoben, und eine Untersuchung förderte keine weiteren Anhaltspunkte zutage.

Lisbeth widmete Forbes' privaten finanziellen Verhältnissen besonderes Interesse. Er verfügte über ein jährliches Einkommen von 60 000 Dollar, was schon als anständiger Lohn durchging, aber andere persönliche Einnahmen hatte er nicht. Wer in dieser Familie die ökonomische Stabilität garantierte, war vielmehr Geraldine Forbes. 2002 war ihr Vater gestorben und Geraldine als Alleinerbin knapp 40 Millionen Dollar zugefallen. Das Paar hatte keine Kinder.

Richard Forbes war also von seiner Frau finanziell abhängig. Lisbeth runzelte die Stirn. Keine gute Ausgangslage für einen Mann, der regelmäßig seine Frau misshandelte.

Lisbeth wählte sich ins Internet ein und schickte eine knappe, verschlüsselte Mail an Bilbo, in der sie sich für den Bericht bedankte. Außerdem überwies sie noch 500 Dollar auf die Kontonummer, die er angegeben hatte.

Dann betrat sie den Balkon und lehnte sich gegen das Geländer. Die Sonne ging gerade unter. Ein auffrischender Wind schüttelte die Palmen durch, die an der Mauer zum Strand standen. Mathilda war nicht mehr weit von Grenada entfernt. Lisbeth folgte Ella Carmichaels Rat und packte ihren Computer, *Dimensions in Mathematics*, ein paar persönliche Gegenstände und Kleider zum Wechseln in eine Nylontasche, die sie neben dem Bett auf den Boden stellte. Anschließend ging sie an die Bar und bestellte sich ein Fischgericht und eine Flasche Carib.

Das einzig Interessante, was es zu beobachten gab, war Dr. Forbes, der sich umgezogen hatte und jetzt Sportschuhe, einen hellen Tennispullover und kurze Hosen trug. Er stellte Ella hinterm Tresen neugierige Fragen zu Mathilda, schien aber nicht weiter beunruhigt. Er trug ein Goldkettchen mit einem Kreuz um den Hals und sah gesund und attraktiv aus.

Lisbeth Salander war nach der trostlosen Wanderung durch Saint George's erschöpft. Nach dem Essen machte sie einen kurzen Spaziergang, aber es blies bereits ein kräftiger Wind, und die Temperatur war spürbar gefallen. Da zog sie sich lieber in ihr Zimmer zurück und ging bereits um neun Uhr zu Bett. Sie hatte noch ein wenig lesen wollen, doch dann schlief sie sofort ein, während vor ihrem Fenster der Wind heulte.

Lisbeth wurde schlagartig von heftigem Lärm geweckt. Sie warf einen Blick auf ihre Armbanduhr: Viertel nach elf. Taumelnd stand sie auf und öffnete die Balkontür. Die Windstöße, die ihr sofort entgegenschlugen, ließen sie einen Schritt zurückweichen. Dann hielt sie sich mit einer Hand am Türpfosten fest, trat vorsichtig auf den Balkon und sah sich um.

Ein paar Hängelampen am Pool schaukelten hin und her und schufen ein dramatisches Schattenspiel im Hof. Lisbeth bemerkte, dass mehrere Hotelgäste aufgestanden waren und nun durch die Öffnung in der Mauer spähten, die das Hotel vom Strand trennte. Andere blieben lieber in der Nähe der Bar. Als sie nach Norden sah, konnte sie in der Ferne die Lichter von Saint George's ausmachen. Der Himmel war bewölkt, aber es regnete nicht. Lisbeth konnte das Meer in der Dunkelheit nicht erkennen, aber das Rauschen der Wellen hörte sich bedeutend lauter an als gewöhnlich. Die Temperatur war noch weiter gesunken. Zum ersten Mal, seit sie in der Karibik war, fröstelte sie.

Während sie auf dem Balkon stand, klopfte jemand kräftig gegen ihre Tür. Sie schlang sich ein Laken um den Körper und öffnete. Freddy McBain machte einen nervösen Eindruck.

»Entschuldigen Sie die Störung, aber es sieht so aus, als würde es einen Sturm geben.«

»Mathilda.«

»Genau, Mathilda«, bestätigte McBain. »Sie hat heute Abend bereits vor Tobago gewütet und verheerende Schäden angerichtet, wie wir erfahren haben.«

Lisbeth ging ihre geografischen und meteorologischen Kenntnisse durch. Trinidad und Tobago lagen ungefähr zweihundert Kilometer südöstlich von Grenada. Ein Tropensturm konnte sich ohne Weiteres in einem Radius von hundert Kilometern ausbreiten und sein Zentrum dabei mit einer Geschwindigkeit von 30 bis 40 Stundenkilometern verlegen. Was bedeutete, dass Mathilda nun jederzeit an Grenadas Tore klopfen konnte. Es hing nur noch davon ab, in welche Richtung sie sich jetzt weiterbewegte.

»Es besteht keine unmittelbare Gefahr«, fuhr McBain fort. »Aber wir wollen lieber auf Nummer sicher gehen. Ich möchte, dass Sie Ihre Wertsachen in eine Tasche packen und zur Rezeption hinunterkommen. Das Hotel stellt Kaffee und belegte Brote.«

Lisbeth befolgte seinen Rat. Sie wusch sich kurz das Gesicht, um richtig wach zu werden, dann zog sie ihre Jeans, Stiefel und ein Flanellhemd an. Ihre Nylontasche hängte sie sich über die Schulter. Bevor sie das Zimmer verließ, ging sie noch einmal zurück, machte die Badezimmertür auf und schaltete das Licht ein. Die grüne Eidechse war nicht zu sehen, anscheinend hatte sie sich in irgendein Loch verkrochen. Kluges Kerlchen.

An der Bar schlenderte Lisbeth zu ihrem angestammten Platz und sah zu, wie Ella Carmichael ihr Personal anwies, Thermosflaschen mit Heißgetränken zu füllen. Nach einer Weile kam sie zu Lisbeth herüber.

»Hallo. Sie sehen ein bisschen verschlafen aus.«

»Ich war gerade eingeschlafen. Was passiert jetzt als Nächstes?«

»Wir warten ab. Draußen auf dem Meer ist der Sturm in vollem Gange, und von Trinidad haben wir Orkanwarnung bekommen. Wenn es schlimmer wird und Mathilda in unsere Richtung zieht, gehen wir in den Keller. Können Sie uns wohl ein bisschen helfen?«

»Was soll ich tun?«

»An der Rezeption haben wir hundertsechzig Decken liegen, die in den Keller gebracht werden sollen. Und wir haben jede Menge Sachen, die wir sicher verstauen müssen.«

Lisbeth half also mit, die Decken in den Keller zu tragen und anschließend Blumentöpfe, Tische, Sonnenliegen und andere lose Gegenstände am Pool einzusammeln. Als Ella sie dankend entließ, ging Lisbeth zu der Maueröffnung, die das Hotelgelände vom Strand trennte, und wagte ein paar Schritte in die Dunkelheit hinaus. Das Meer donnerte bedrohlich, und die Windböen rissen so heftig an ihr, dass sie die Füße fest auf den Boden stemmen musste, um nicht umgeblasen zu werden. Die Palmen an der Mauer schwankten bedenklich.

Sie ging zurück an die Bar, bestellte sich einen Caffè Latte und nahm an der Theke Platz. Es war kurz nach Mitternacht. Unter den Hotelgästen und dem Personal herrschte ziemlich besorgte Stimmung. Die Leute saßen an den Tischen, unterhielten sich mit gedämpfter Stimme und schielten in regelmäßigen Abständen misstrauisch gen Himmel. Insgesamt befanden sich zweiunddreißig Gäste und ungefähr zehn Hotelangestellte im Keys Hotel. Plötzlich sah Lisbeth Geraldine Forbes an einem Tisch in der Nähe der Rezeption sitzen. Ihr Gesichtsausdruck war angespannt, und sie umklammerte einen Drink. Ihr Mann war nirgends zu sehen.

Lisbeth trank ihren Kaffee und begann gerade wieder über Fermats Theorem zu meditieren, als Freddy McBain aus seinem Büro kam und sich an die Rezeption stellte.

»Darf ich um Ihre Aufmerksamkeit bitten. Ich habe gerade Nachricht bekommen, dass ein Sturm in Orkanstärke Petit Martinique erreicht hat. Ich muss alle Anwesenden bitten, sich unverzüglich in den Keller zu begeben.«

Freddy McBain dirigierte seine Gäste zur Kellertreppe hinter der Rezeption und wehrte dabei alle Versuche ab, ihm Fragen zu stellen oder Gespräche anzuknüpfen. Petit Martinique war eine kleine Insel, die zu Grenada gehörte und ein paar Seemeilen nördlich der Hauptinsel gelegen war. Lisbeth warf Ella Carmichael einen verstohlenen Blick zu und spitzte die Ohren, als sie zu Freddy McBain ging.

»Wie schlimm ist es?«, fragte Ella.

»Ich weiß nicht. Das Telefon funktioniert nicht mehr«, antwortete McBain leise.

Lisbeth ging in den Keller und stellte ihre Tasche auf eine Decke in der Ecke. Sie überlegte einen Moment, dann bahnte sie sich gegen den Strom ihren Weg zurück zur Rezeption, hielt Ella auf und fragte, ob sie ihr noch irgendwie behilflich sein könnte. Ella schüttelte angespannt den Kopf.

»Wir müssen abwarten, was passiert. Mathilda ist ein hinterhältiges Luder.«

Lisbeth bemerkte eine Gruppe von fünf Erwachsenen und ungefähr zehn Kindern, die durch die Eingangstür hereingelaufen kamen. Freddy McBain nahm sie sofort in Empfang und führte sie auch zur Kellertreppe.

Auf einmal kam Lisbeth ein beunruhigender Gedanke.

»Ich nehme an, dass alle Leute auf der Insel jetzt in ihren Kellern Schutz suchen?«, erkundigte sie sich leise bei Ella.

Die blickte der Familie nach, die gerade an der Treppe war.

»Das ist hier leider einer der ganz wenigen Keller am Grand Anse. Es werden sicher noch mehr Leute kommen, um hier Schutz zu suchen.«

Lisbeth sah Ella scharf an.

»Und was machen die anderen?«

»Die keine Keller haben?« Ella lachte bitter auf. »Die verstecken sich in ihren Häusern oder verkriechen sich in irgendeinem Schuppen – und müssen sich auf Gott verlassen!«

Lisbeth machte auf dem Absatz kehrt und rannte durch die Lobby hinaus.

George Bland.

Sie hörte, wie Ella ihr etwas hinterherrief, blieb aber nicht stehen, um ihr zu erklären, was sie vorhatte.

Er wohnt in einer verdammten Bretterbude, die beim ersten Windstoß einstürzen wird.

Sowie sie auf die Straße von Saint George's kam, wurde sie vom Wind hin und her geschleudert. Unbeirrt setzte sie sich in Trab. Der kräftige Gegenwind ließ sie taumeln, und es dauerte fast zehn Minuten, bis sie die knapp vierhundert Meter zu Georges Behausung zurückgelegt hatte. Den gesamten Weg über bekam sie kein anderes Lebewesen zu Gesicht.

Der Regen kam aus dem Nichts, wie eine eiskalte Dusche aus einem Wasserschlauch. Als sie zu Georges Hütte abbog, sah sie das Licht seiner Schreibtischlampe durch eine Ritze im Fenster scheinen. Innerhalb weniger Sekunden war Lisbeth pitschnass und sah nur noch wenige Meter weit. Sie hämmerte an seine Tür. George Bland öffnete ihr mit schreckgeweiteten Augen.

»Was machst du hier?«, schrie er, um den Wind zu übertönen.

»Komm. Du musst mit ins Hotel. Da gibt es einen Keller.«

George Bland wirkte verdattert. Plötzlich warf eine Bö die Tür zu, und es dauerte ein paar Sekunden, bis George sie wieder aufstemmen konnte. Lisbeth packte ihn am T-Shirt und zog ihn aus der Hütte. Sie wischte sich das Wasser aus dem Gesicht, nahm ihn bei der Hand und rannte los.

Sie nahmen den Weg über den Strand, der knapp hundert Meter kürzer war als die Straße, die einen weiten Bogen landeinwärts beschrieb. Als sie die Hälfte der Strecke zurückgelegt hatten, sah Lisbeth ein, dass die Entscheidung wohl nicht besonders klug gewesen war. Am Strand waren sie völlig ungeschützt. Wind und Regen beutelten sie so heftig, dass sie mehrmals stehen bleiben mussten. Sand und Zweige flogen durch die Luft. Es donnerte fürchterlich. Eine halbe Ewigkeit schien vergangen zu sein, bis Lisbeth endlich die Mauer des Hotels vor sich auftauchen sah. Sie beschleunigte ihre Schritte. Gerade als sie am Eingang und in Sicherheit waren, warf sie einen Blick über die Schulter zurück zum Strand. Sie erstarrte.

Durch eine Wand aus peitschendem Regen hindurch sah sie plötzlich zwei helle Schemen, knapp fünfzig Meter weiter den Strand hinunter. George Bland zerrte Lisbeth am Arm, um sie durch das Tor zu ziehen, doch sie riss sich los und stützte sich an der Mauer ab, während sie versuchte zu erkennen, was dort unten vor sich ging. Ein paar Sekunden lang verlor sie im Regen die Umrisse der beiden aus den Augen, aber dann wurde der Himmel jäh von einem Blitz erleuchtet.

Sie wusste bereits, dass es sich um Richard und Geraldine Forbes handelte. Sie befanden sich ungefähr an der Stelle, wo Lisbeth am Abend zuvor beobachtet hatte, wie Richard Forbes auf und ab wanderte.

Als der nächste Blitz krachte, sah sie, wie Richard Forbes anscheinend seine Frau hinter sich herzerrte, die sich mit allen Kräften zur Wehr setzte.

Auf einmal fielen alle Puzzleteilchen an ihren Platz. Die wirtschaftliche Abhängigkeit. Die Anklagen wegen finanzieller Unregelmäßigkeiten in Austin. Seine nervöse Wanderung und das grübelnde Herumsitzen im »Turtleback«.

Er will sie umbringen. 40 Millionen sind im Jackpot. Der Sturm soll ihm Deckung geben. Das ist seine große Chance.

Lisbeth Salander schubste George Bland durch das Eingangstor. Rasch sah sie sich um und entdeckte den klapprigen Stuhl des Nachtwächters, der nicht weggeräumt worden war. Sie packte ihn, schlug ihn mit aller Kraft gegen die Mauer und bewaffnete sich mit einem abgebrochenen Stuhlbein. Während sie auf den Strand hinauslief, rief der erstaunte George Bland ihr irgendetwas hinterher.

Die Sturmböen rissen sie fast von den Füßen, aber sie biss die Zähne zusammen und kämpfte sich Schritt für Schritt voran. Als sie fast schon beim Ehepaar Forbes angelangt war, erleuchtete der nächste Blitz den Strand. Geraldine Forbes kniete am Wassersaum. Richard Forbes stand über sie gebeugt und holte mit einem Eisenrohr oder etwas Ähnlichem zum Schlag aus. Lisbeth sah, wie der Arm in einem Bogen auf den Kopf seiner Frau niederging. Sie bewegte sich nicht mehr.

Richard Forbes bemerkte Lisbeth Salander gar nicht.

Als sie ihm das Stuhlbein über den Hinterkopf zog, ging er vornüber zu Boden.

Lisbeth beugte sich zu Geraldine Forbes herab. Während der Regen auf sie herniederpeitschte, drehte sie den Körper der leblosen Frau um. Plötzlich hatte sie Blut an den Händen. Geraldine Forbes hatte eine böse Kopfwunde. Sie war bleischwer. Lisbeth sah sich fieberhaft um, während sie überlegte, wie sie den Körper zum Hotel transportieren könnte. Im nächsten Augenblick tauchte George Bland neben ihr auf und schrie ihr etwas zu, was sie im Sturm nicht verstehen konnte.

Sie warf einen kurzen Blick auf Richard Forbes. Er drehte ihr immer noch den Rücken zu, hatte sich aber auf alle viere aufgerappelt. Lisbeth nahm Geraldine Forbes' linken Arm, legte ihn sich über die Schultern und bedeutete George, dasselbe mit dem anderen Arm zu machen. Mühsam schleppten sie den Körper über den Strand.

Auf halbem Wege war Lisbeth bereits völlig erschöpft, als wäre das letzte bisschen Kraft aus ihrem Körper gewichen. Doch ihr Herzschlag überschlug sich, als sie auf einmal eine Hand auf der Schulter fühlte. Sie ließ Geraldine Forbes los, wirbelte herum und verpasste Richard Forbes einen Tritt zwischen die Beine, sodass er in die Knie ging. Lisbeth nahm kurz Anlauf und trat ihn ins Gesicht. Sie fing George Blands erschrockenen Blick auf, kümmerte sich aber nicht weiter darum, sondern fasste Geraldine Forbes wieder unter und zog sie weiter über den Strand.

Nach ein paar Sekunden wandte sie sich nochmals um. Richard Forbes stolperte ihnen mit zehn Schritten Abstand hinterher, aber er taumelte unter den Windböen hin und her wie ein Betrunkener.

Als ein weiterer Blitz den Himmel teilte, riss Lisbeth die Augen auf.

Sie war vor Schreck wie gelähmt.

Hinter Richard Forbes, hundert Meter weit draußen auf dem Meer, sah sie Gottes Finger.

Eine eingefrorene Momentaufnahme im Schein des Blitzes, eine pechschwarze Säule, die sich endlos auftürmte, bis sie aus ihrem Blickfeld verschwand.

Mathilda.

Das ist doch nicht möglich.

Ein Orkan – ja.

Ein Tornado – unmöglich.

Grenada ist kein Tornadogebiet.

Auf dem Meer können sich keine Tornados bilden.

Das ist wissenschaftlich bewiesen.

Ein einmaliges Ereignis.

Er ist gekommen, um mich zu holen.

George Bland hatte den Tornado ebenfalls entdeckt. Sie brüllten sich gegenseitig zu, sich zu beeilen, ohne dass der eine verstand, was der andere sagte.

Noch zwanzig Meter bis zur Hotelmauer. Zehn. Lisbeth stolperte und ging in die Knie. Fünf. Am Eingangstor warf sie einen letzten Blick über die Schulter. Sie konnte gerade noch einen schemenhaften Richard Forbes erkennen, der wie von Geisterhand aufs Wasser hinausgezogen wurde und verschwand. Gemeinsam schleppten George und sie ihre Last durchs Tor. Schwankend durchquerten sie den Hof, und Lisbeth hörte durch das Heulen des Sturms hindurch das Geräusch splitternder Fensterscheiben und das durchdringende gellende Kreischen sich verbiegenden Blechs. Direkt vor ihrer Nase schoss plötzlich ein Brett durch die Luft. Im nächsten Moment verspürte sie einen heftigen Schmerz, als sie irgendetwas mit voller Wucht in den Rücken traf. Die Kraft des Windes nahm ab, als sie sich der Rezeption näherten.

Lisbeth packte George am Kragen, zog seinen Kopf an ihren Mund und brüllte ihm ins Ohr.

»Wir haben sie am Strand gefunden. Ihren Mann haben wir überhaupt nicht gesehen. Kapiert?«

Er nickte.

Sie schleppten Geraldine Forbes die Treppe hinunter, wo Lisbeth gegen die Kellertür trat. Freddy McBain machte auf und starrte sie an. Dann nahm er ihnen ihre Last ab und zog sie herein, bevor er die Tür wieder zuschlug.

Das unerträgliche Dröhnen des Sturms wurde binnen einer Sekunde auf ein grollendes Hintergrundgeräusch reduziert. Lisbeth atmete tief durch.

Ella Carmichael goss ihr einen heißen Kaffee ein und reichte ihr den Becher. Lisbeth Salander war so erschöpft, dass sie kaum den Arm heben konnte. Teilnahmslos und starr saß sie auf dem Boden und lehnte sich gegen die Wand. Irgendjemand hatte ihr und George Bland Decken umgelegt. Lisbeth war völlig durchnässt und blutete heftig aus einer Platzwunde unterhalb der Kniescheibe. Woher der zehn Zentimeter lange Riss in ihrer Jeans stammte, wusste sie nicht. Desinteressiert beobachtete sie, wie Freddy McBain und ein paar Hotelgäste sich um Geraldine Forbes kümmerten und ihr den Kopf verbanden. Sie schnappte einzelne Wörter auf und begriff, dass einer in der Gruppe wohl Arzt sein musste. Wie sie bemerkte, war der Keller voll belegt, zum einen mit Hotelgästen, zum anderen mit Leuten von außerhalb, die hier Schutz gesucht hatten.

Schließlich kam Freddy McBain zu Lisbeth und ging neben ihr in die Hocke.

»Sie lebt.«

Lisbeth gab keine Antwort.

»Was ist passiert?«

»Wir haben sie vor der Hotelmauer am Strand gefunden.«

»Als ich die Gäste im Keller gezählt habe, fehlten drei Personen, nämlich Sie und das Ehepaar Forbes. Ella sagte, dass Sie wie eine Wahnsinnige losgerannt sind, als der Sturm gerade einsetzte.«

»Ich bin rausgerannt, um meinen Freund George zu holen.« Lisbeth nickte zu dem Jungen hinüber. »Er wohnt ein Stück die Straße runter. In einer Hütte, die jetzt wahrscheinlich nicht mehr steht.«

»Das war dumm, aber außerordentlich mutig«, meinte Freddy McBain und warf einen Blick auf George Bland. »Haben Sie den Mann gesehen, Richard Forbes?«

»Nein«, antwortete Lisbeth. George Bland schielte zu Lisbeth hinüber und schüttelte den Kopf.

Ella Carmichael legte den Kopf auf die Seite und sah Lisbeth scharf an. Lisbeth erwiderte ihren Blick mit ausdruckslosen Augen.

Geraldine Forbes erwachte gegen drei Uhr morgens aus ihrer Ohnmacht. Zu diesem Zeitpunkt war Lisbeth Salander schon eingeschlafen, den Kopf an George Blands Schulter gelehnt.

Wie durch ein Wunder überlebte Grenada diese Nacht. Als der Morgen dämmerte, flaute der Sturm ab und wich einem Platzregen, dem übelsten, den Lisbeth jemals erlebt hatte. Freddy McBain ließ die Gäste aus dem Keller.

Das Keys Hotel musste zwangsweise eine gründliche Renovierung vornehmen. Die Schäden am Hotel waren ebenso umfassend wie überall sonst an der Küste. Ella Carmichaels Poolbar war verschwunden, eine Veranda völlig zerstört. An der gesamten Fassade hatte der Sturm die Fensterläden abgerissen, und das Dach auf einem vorspringenden Teil des Hotels hatte nachgegeben. Die Rezeption war ein einziges Trümmerfeld.

Lisbeth taumelte auf ihr Zimmer und zog George hinter sich her. Um den Regen abzuhalten, hängte sie provisorisch eine Decke vor die klaffende Fensteröffnung. George suchte ihren Blick.

»Wir müssen weniger erklären, wenn wir ihren Mann nicht gesehen haben«, sagte Lisbeth, bevor er irgendwelche Fragen stellte.

Er nickte. Sie zog sich aus, warf ihre Kleider auf den Boden und ließ sich aufs Bett sinken. George nickte nochmals, zog sich ebenfalls aus und schlüpfte neben ihr ins Bett. Im nächsten Moment waren beide eingeschlafen.

Als sie mitten am Tag wieder aufwachten, war die Wolkendecke teilweise aufgerissen und ließ ein paar Sonnenstrahlen hindurch. Lisbeth tat jeder einzelne Muskel weh, und ihr Knie war so geschwollen, dass sie kaum das Bein anwinkeln konnte. Sie schlüpfte aus dem Bett, stellte sich unter die Dusche und entdeckte erneut die grüne Eidechse an der Wand.

Danach zog sie sich Shorts und ein Top an und humpelte aus dem Zimmer, ohne George aufzuwecken.

Ella Carmichael war immer noch auf den Beinen. Sie wirkte müde, aber die Bar in der Empfangshalle war bereits wieder in Betrieb. Lisbeth setzte sich an einen Bistrotisch und bestellte Kaffee und ein belegtes Brötchen. Sie warf einen Blick durch die leeren Fensterrahmen am Eingang und entdeckte ein parkendes Polizeiauto. Gerade hatte sie ihren Kaffee bekommen, als Freddy McBain mit einem Polizisten im Schlepp aus seinem Büro hinter der Rezeption trat. McBain erblickte Lisbeth und sagte etwas zu dem Polizisten, woraufhin sie auf Lisbeths Tisch zusteuerten.

»Das ist Mr. Ferguson von der Polizei. Er möchte Ihnen ein paar Fragen stellen.«

Lisbeth nickte höflich. Ferguson wirkte müde. Er zückte Notizblock und Kugelschreiber und notierte sich Lisbeths Namen.

»Miss Salander, wenn ich recht verstehe, haben Sie und ein Freund gestern Nacht während des Orkans Mrs. Richard Forbes gefunden.«

Lisbeth nickte.

»Wo haben Sie sie gefunden?«

»Am Strand, gleich unterhalb des Hoteleingangs«, antwortete Lisbeth. »Wir sind praktisch über sie gestolpert.«

Ferguson machte sich erneut Notizen.

»Hat sie irgendetwas gesagt?«

Lisbeth schüttelte den Kopf.

»War sie bewusstlos?«

Lisbeth nickte ernst.

»Sie hatte eine schwere Kopfverletzung.«

Lisbeth nickte abermals.

»Sie wissen nicht zufällig, wie sie zu dieser Verletzung gekommen ist?«

Lisbeth schüttelte den Kopf. Ferguson wirkte mittlerweile ein wenig irritiert wegen ihrer stummen Antworten.

»Da flogen jede Menge Trümmer durch die Luft«, erklärte sie schließlich. »Ich hätte auch fast ein Brett an den Kopf bekommen.«

Ferguson nickte ernst. »Sie sind am Bein verletzt worden?« Er zeigte auf Lisbeths Verband. »Wie ist das passiert?«

»Ich weiß es nicht. Ich habe die Verletzung erst entdeckt, als ich in den Keller kam.«

»Sie waren in Begleitung eines jungen Mannes.«

»George Bland.«

»Wo wohnt er?«

»In einer Hütte hinterm ›Coconut‹, ein Stück die Straße zum Flugplatz runter. Falls die Hütte jetzt überhaupt noch steht ...«

Lisbeth unterschlug die Tatsache, dass George Bland in diesem Augenblick in ihrem Bett im Obergeschoss schlief.

»Haben Sie ihren Mann gesehen, Richard Forbes?«

Lisbeth schüttelte den Kopf.

Da Ferguson keine weitere Frage mehr einzufallen schien, klappte er seinen Notizblock zu.

»Danke, Miss Salander. Ich muss einen Bericht über den Todesfall schreiben.«

»Ist sie denn gestorben?«

»Mrs. Forbes ...? Nein, die ist im Krankenhaus in Saint George's. Sie kann sich wohl bei Ihnen und Ihrem Freund bedanken, dass sie überlebt hat. Aber ihr Mann ist tot. Er wurde vor zwei Stunden auf einem Parkplatz am Flughafen gefunden.«

Knapp sechshundert Meter weiter südlich.

»Er war übel zugerichtet«, fuhr Ferguson fort.

»Wie traurig«, erwiderte Lisbeth Salander ungerührt.

Als McBain und Ferguson gegangen waren, näherte sich Ella Carmichael und setzte sich zu Lisbeth. Sie stellte zwei Gläser Rum auf den Tisch. Lisbeth sah sie fragend an.

»Nach so einer Nacht braucht man eine Stärkung. Den spendiere ich Ihnen – und das Frühstück natürlich auch.«

Die zwei Frauen sahen sich an. Dann hoben sie die Gläser und prosteten sich zu.

Mathilda sollte in den meteorologischen Instituten in der Karibik und den USA noch lange Gegenstand wissenschaftlicher Untersuchungen und hitziger Diskussionen bleiben. Tornados von Mathildas Stärke waren in diesem Gebiet so gut wie unbekannt. Theoretisch galt es als nahezu unmöglich, dass sie sich überhaupt über dem Wasser bilden konnten. Im Laufe der Zeit kristallisierte sich die Theorie heraus, dass in diesem Fall eine besonders außergewöhnliche Konstellation von Wetterfronten einen »Pseudotornado« geschaffen hatte – etwas, das kein richtiger Tornado war, sondern nur aussah wie einer. Viele machten den Treibhauseffekt und das gestörte ökologische Gleichgewicht dafür verantwortlich.

Lisbeth Salander kümmerte sich nicht groß um die theoretischen Diskussionen. Sie wusste, was sie gesehen hatte, und beschloss, in Zukunft jeder weiteren Begegnung mit einem von Mathildas Geschwistern aus dem Weg zu gehen.

In der Nacht waren viele Menschen verletzt worden, doch wundersamerweise war nur ein einziger Mensch ums Leben gekommen.

Keiner konnte jedoch begreifen, was Richard Forbes getrieben hatte, in den tobenden Orkan hinauszugehen – abgesehen von dem Leichtsinn, der die meisten amerikanischen Touristen auszeichnete. Auch Geraldine Forbes konnte mit keiner Erklärung aufwarten. Sie hatte eine schwere Gehirnerschütterung erlitten, und ihre Erinnerungen an die Geschehnisse jener Nacht waren völlig unzusammenhängend.

Sie war allerdings untröstlich, Witwe geworden zu sein.

Teil II

From Russia with Love

10. Januar – 23. März

Normalerweise enthält eine Gleichung eine oder mehrere sogenannte Unbekannte, oft mit x, y, z usw. bezeichnet. Die Werte dieser Unbekannten, die tatsächlich für Gleichheit auf beiden Seiten der Gleichung sorgen, erfüllen die Gleichung bzw. stellen ihre Lösung dar.

Beispiel: $3x + 4 = 6x - 2$

$x = 2$

4. Kapitel
Montag, 10. Januar – Dienstag, 11. Januar

Lisbeth Salander landete morgens um halb sieben auf dem Stockholmer Flughafen Arlanda. Sie war sechsundzwanzig Stunden ununterbrochen unterwegs gewesen. Ganze neun Stunden davon hatte sie auf dem Grantly Adams Airport auf Barbados verbracht. British Airways hatte sich geweigert, die Starterlaubnis zu erteilen, bevor eine mögliche terroristische Bedrohung abgewendet und ein arabisch aussehender Passagier zum Verhör abgeführt worden war. Als Lisbeth in London-Gatwick ankam, hatte sie den letzten Anschlussflug nach Schweden verpasst und musste stundenlang warten, bis sie endlich eine Umbuchung für den nächsten Tag erhielt.

Lisbeth fühlte sich wie eine Tüte voll Bananen, die zu lange in der Sonne gelegen hat. Sie hatte nur Handgepäck bei sich: eine Tasche mit ihrem PowerBook, den *Dimensions* und einer Garnitur Kleider zum Wechseln. Als sie den Zoll passiert hatte und zu den Shuttlebussen hinausging, wurde sie von Schneematsch bei null Grad willkommen geheißen.

Sie zögerte einen Moment. Ihr Leben lang war sie gezwungen gewesen, sich immer für die billigste Alternative zu entscheiden, und sie konnte sich immer noch nicht recht an den Gedanken gewöhnen, dass sie mittlerweile über drei Milliarden Kronen verfügte, die sie teils durch einen Internetcoup, teils durch guten konventionellen Betrug erlangt hatte. Doch dann pfiff sie auf alte Gewohnheiten und winkte sich ein Taxi heran. Sie teilte dem Fahrer die Adresse in der Lundagatan mit und schlief im nächsten Moment auf dem Rücksitz ein.

Erst als das Taxi in der Lundagatan hielt und der Fahrer sie anstupste, fiel ihr ein, dass sie ihm die falsche Adresse gegeben hatte. Sie korrigierte ihren Irrtum, bat ihn, zum Götgatsbacken weiterzufahren, und gab ihm am Ende ein dickes Trinkgeld in amerikanischen Dollars. Als sie ausstieg, setzte sie den Fuß mitten in eine Pfütze und fluchte. Nur mit Jeans, T-Shirt, einer dünnen Stoffjacke und Sandalen bekleidet, stolperte Lisbeth zum 7-Eleven-Shop hinüber und besorgte Shampoo, Zahnpasta, Seife, Sauermilch, Milch, Käse, Eier, Brot, tiefgekühlte Zimtschnecken, Kaffee, Lipton-Tee, saure Gurken, Äpfel, eine Großpackung Billys Pan Pizza sowie eine Stange Marlboro Light. Sie bezahlte mit Visacard.

Als sie wieder auf die Straße trat, zögerte sie kurz und überlegte, welchen Weg sie einschlagen sollte. Sie konnte die Svartensgatan hinaufgehen oder die Hökens gata in Richtung Slussen hinunterlaufen. Der Nachteil der Hökens gata war, dass Lisbeth direkt am Eingang der *Millennium*-Redaktion vorbeimusste und damit riskierte, Mikael Blomkvist zu begegnen. Schließlich beschloss sie, keine Umwege in Kauf zu nehmen, nur um ihm aus dem Weg zu gehen. Also ging sie Richtung Slussen und bog dann nach rechts in Richtung Mosebacke torg ab. Sie überquerte die Straße, vorbei an der Statue der Schwestern vor dem Södra teatern, und ging die Treppen zur Fiskargatan hinauf. Dort hielt sie inne und betrachtete nachdenklich das Haus, vor dem sie stand. Irgendwie fühlte es sich noch nicht so richtig wie ihr »Zuhause« an.

Sie sah sich um. Ein abgeschiedenes Eckchen mitten in Södermalm. Hier gab es keinerlei Durchgangsverkehr, was ihr ausgezeichnet gefiel. Man behielt jederzeit problemlos die

Übersicht, wer sich hier aufhielt. Im Sommer war es wahrscheinlich eine beliebte Route für Spaziergänger, aber im Winter sah man hier nur Leute, die wirklich etwas in diesem Viertel zu erledigen hatten. Im Moment war keine Menschenseele zu sehen – vor allem niemand, den sie wiedererkannte und der umgekehrt auch sie hätte wiedererkennen können. Lisbeth stellte die Tüte im Schneematsch ab, um nach ihrem Schlüssel zu kramen. Dann fuhr sie mit dem Fahrstuhl ins oberste Stockwerk und schloss die Tür mit dem Namensschild »V. Kulla« auf.

Als Lisbeth plötzlich über eine riesige Geldsumme verfügte und damit für den Rest ihres Lebens finanziell unabhängig geworden war (oder jedenfalls so lange, wie knapp drei Milliarden Kronen reichen mochten), sah sie sich zunächst nach einer neuen Wohnung um. Das war eine ganz neue Erfahrung für sie gewesen. Nie zuvor hatte sie Geld in größere Anschaffungen investiert als in einfache Gebrauchsgegenstände, die man in bar oder in Raten bezahlen konnte. Die kostspieligsten privaten Käufe bestanden in verschiedenen Computern und ihrer leichten Kawasaki. Letztere hatte sie für 7 000 Kronen erworben – der reinste Schleuderpreis. Sie hatte ungefähr dieselbe Summe noch einmal für Ersatzteile ausgegeben und mehrere Monate damit verbracht, die Maschine eigenhändig auseinanderzuschrauben und instand zu setzen.

Eine Wohnung war eine Anschaffung von anderer Größenordnung, so viel war ihr klar. Sie begann die Wohnungsanzeigen von *Dagens Nyheter* im Internet zu lesen und merkte nach kurzer Zeit, dass das eine Wissenschaft für sich war.

2 ZKB + Esszimmer, fantastische Lage Nähe Südbhf., 2,7 Mio. Kron. o. Höchstgeb., 5 510 monatl.

3 ZKB, Aussicht a. Park, Högalid. 2,9 Mio. Kron.

2,5 ZKB, 47 qm, renoviertes Bad, Gotlandsgat. 1,8 Mio. Kron., 2200 monatl.

Lisbeth kratzte sich am Kopf und rief auf gut Glück bei ein paar Verkäufern an, ohne recht zu wissen, was sie eigentlich fragen sollte. Bald kam sie sich so dämlich vor, dass sie das Unternehmen abbrach. Stattdessen war sie am ersten Sonntag im Januar zu zwei Wohnungsbesichtigungen gegangen. Die eine Wohnung lag im Vindragarvägen in Reimersholme und die andere in der Heleneborgsgatan in der Nähe von Hornstull. Das Objekt in Reimersholme war eine helle Vierzimmerwohnung in einem mehrstöckigen Wohnhaus mit Innenhof und Aussicht auf Långholmen und Essingen. Dort könnte es ihr schon gefallen. Die Wohnung in der Heleneborgsgatan hingegen war ein Loch mit Ausblick aufs Nachbarhaus.

Das Problem war nur, dass sie gar nicht wusste, wo sie eigentlich wohnen wollte, wie ihre Wohnung aussehen und was für Ansprüche ein Käufer an seine Wohnung stellen sollte. Bis jetzt hatte sie noch nie über eine Alternative zu den 45 Quadratmetern in der Lundagatan nachgedacht, in denen sie ihre Kindheit verbracht hatte und für die sie dank ihres damaligen Betreuers Holger Palmgren das Wohnrecht auch nach ihrem 18. Geburtstag behalten hatte. Sie setzte sich auf das fusselige Sofa in ihrem kombinierten Arbeits- und Wohnzimmer und dachte angestrengt nach.

Die Wohnung in der Lundagatan ging auf einen Innenhof hinaus, war eng und ungemütlich. Vom Schlafzimmer aus sah man eine Brandmauer, von der Küche die Rückseite des Vorderhauses sowie den Kellereingang. Wenn man aus dem Wohnzimmer schaute, erblickte man zumindest eine Straßenlaterne und ein paar Birkenzweige.

Die erste Anforderung an ihre neue Wohnung war also eine nette Aussicht.

Außerdem vermisste sie einen Balkon – sie hatte schon immer die wohlhabenderen Nachbarn weiter oben im Haus beneidet, die an warmen Sommertagen mit einem kühlen Bier unter ihrer Markise auf dem Balkon saßen. Die nächste Anforderung, die sie an ihre neue Wohnung stellte, war also ein Balkon.

Wie sollte die Wohnung überhaupt aussehen? Sie dachte an Mikael Blomkvists Wohnung – ein einziger großer Raum von 65 Quadratmetern in einer umgebauten Dachwohnung in der Bellmansgatan, mit Aussicht auf das Rathaus und Slussen. Dort hatte es ihr gut gefallen. Sie wollte eine gemütliche und pflegeleichte Wohnung, die sich leicht einrichten ließ. Das war der dritte Punkt auf ihrer Wunschliste.

Jahrelang hatte Lisbeth in beengten Verhältnissen gewohnt. Ihre Küche maß knapp 10 Quadratmeter, auf denen sie einen kleinen Küchentisch und zwei Stühle unterbringen konnte. Das Wohnzimmer hatte 20 Quadratmeter. Das Schlafzimmer 12. Ihre vierte Anforderung lautete, dass die neue Wohnung genügend Platz bieten sollte. Sie wollte ein richtiges Arbeitszimmer und ein großes Schlafzimmer, in dem sie sich ausbreiten konnte.

Ihr Badezimmer war eine fensterlose Kammer mit quadratischen grauen Zementplatten am Boden, einer unförmigen Sitzbadewanne und einer Kunststofftapete, die nie richtig sauber wurde, egal wie lange man daran herumschrubbte. Lisbeth wünschte sich Fliesen und eine große Badewanne. Und eine Waschmaschine direkt in der Wohnung, nicht in irgendeinem muffigen Keller. In ihrem Bad sollte es frisch riechen, und sie wollte eine Möglichkeit zum Durchlüften haben.

Danach hatte sie im Internet erneut die Angebote der Maklerfirmen durchgesehen. Am nächsten Morgen war sie früh auf den Beinen und suchte die »Nobelmakler« auf – ein Unternehmen, das manche für das angesehenste in ganz Stockholm hielten. Sie trug eine abgetragene schwarze Jeans, Stiefel und ihre schwarze Lederjacke. Als sie am Empfangstresen stand, betrachtete sie zerstreut die blonde Frau Mitte 30, die sich gerade auf der Homepage der Firma einloggte, um Bilder von Wohnungen einzustellen. Schließlich kam ein rundlicher Mann um die 40 mit dünnem, rotem Haar auf Lisbeth zu. Sie fragte ihn, was für Wohnungen er im Sortiment habe. Einen Moment lang sah er sie verblüfft an, um dann sogleich einen amüsierten, onkelhaften Ton anzuschlagen.

»Aha, junge Dame, wissen denn die Eltern, dass Sie zu Hause ausziehen möchten?«

Lisbeth Salander musterte ihn mürrisch, bis er sich ausgekichert hatte.

»Ich brauche eine Wohnung«, erklärte sie deutlich.

Er räusperte sich und warf seinem Kollegen einen verstohlenen Blick zu.

»Ich verstehe, ich verstehe. Und an was hätten Sie da gedacht?«

»Ich möchte eine Wohnung in Söder. Mit Balkon und Ausblick aufs Wasser, mindestens vier Zimmer, Badezimmer mit Fenster und Platz für eine Waschmaschine. Und ich brauche einen abschließbaren Abstellraum, in dem ich mein Motorrad unterstellen kann.«

Die Frau am Computer hatte ihre Tätigkeit unterbrochen und sich neugierig umgedreht, um Lisbeth anzustarren.

»Motorrad?«, fragte der Mann mit dem schütteren Haar.

Lisbeth Salander nickte.

»Darf ich fragen ... wie Sie heißen?«

Lisbeth Salander stellte sich vor. Dann fragte sie ihn auch nach seinem Namen, und er stellte sich als Joakim Persson vor.

»Nun, eine Wohnung in Stockholm ist natürlich nicht ganz billig ... Darf ich fragen, was Sie beruflich machen, Frau Salander?«

Lisbeth überlegte kurz. Offiziell war sie selbstständig. Praktisch gesehen arbeitete sie nur für Dragan Armanskij und Milton Security, aber diese Tätigkeit hatte sie im vorigen Jahr nur sehr unregelmäßig ausgeübt, und nun hatte sie schon seit drei Monaten keinen Job mehr für ihn übernommen.

»Ich arbeite gerade nichts Besonderes«, erklärte sie wahrheitsgemäß.

»Ach so, nein ... Sie gehen wohl noch zur Schule, nehme ich an?«

»Nein, ich gehe nicht zur Schule.«

Joakim Persson kam zu Lisbeth vor den Tresen und legte ihr freundlich den Arm um die Schultern, während er sie behutsam zur Tür dirigierte.

»Also, junge Dame, Sie sind uns in ein paar Jahren jederzeit herzlich willkommen, aber dann müssen Sie ein *bisschen* mehr Geld mitbringen als Ihre paar Kronen aus dem Sparschwein. Verstehen Sie, hier kommen Sie mit Ihrem Taschengeld nicht besonders weit.« Er kniff sie jovial in die Wange. »Kommen Sie gerne wieder, dann finden wir sicher auch für Sie eine kleine Wohnung.«

Lisbeth Salander blieb ein paar Minuten vor der Tür der »Nobelmakler« auf der Straße stehen. Sie überlegte, was Joakim Persson wohl davon halten würde, wenn ein Molotowcocktail durch sein Schaufenster flog. Dann ging sie nach Hause und fuhr ihr PowerBook hoch.

Sie brauchte zehn Minuten, um sich ins interne Netzwerk der »Nobelmakler« zu hacken. Dabei half ihr das Passwort, das die Frau am Empfang eingetippt hatte, bevor sie die Bilder ins Netz stellte. Drei Minuten später stellte Lisbeth fest, dass der Computer, an dem die Dame gearbeitet hatte, gleichzeitig der Netzwerkserver der Firma war – *wie dämlich geht's eigentlich noch?* –, und nach weiteren drei Minuten hatte sie sich bereits Zugang zu allen vierzehn Computern verschafft, die zum Netzwerk gehörten. Nach knapp zwei Stunden hatte sie Joakim Perssons Buchführung komplett durchforstet und festgestellt, dass er dem Finanzamt in den letzten zwei Jahren nahezu 750 000 Kronen Schwarzgeld unterschlagen hatte.

Sie lud alle notwendigen Dateien herunter und mailte sie über einen anonymen Mail-Account auf einem Server in den

USA ans Finanzamt weiter. Danach verbannte sie Joakim Persson aus ihren Gedanken.

Den Rest des Tages durchsuchte sie das Angebot der Maklerfirma nach preiswerten Objekten. Das teuerste war ein kleineres Schloss kurz vor Mariefred, wo sie nicht im Geringsten wohnen wollte. Aus reinem Trotz wählte sie dann das zweitteuerste Objekt aus, eine repräsentative Wohnung am Mosebacke torg.

Eine ganze Weile betrachtete sie die Bilder und sah sich den Grundriss an. Schließlich kam sie zu dem Schluss, dass die Wohnung in Mosebacke den Anforderungen auf ihrer Liste mehr als genügte. Früher hatte sie einem ehemaligen Geschäftsführer von ABB gehört, der so ziemlich in der Versenkung verschwunden war, nachdem er sich eine viel diskutierte Abfindung von einer Milliarde Kronen gesichert hatte.

Am Abend griff sie zum Telefonhörer und rief Jeremy MacMillan an, Teilhaber der Rechtsanwaltskanzlei MacMillan & Marks in Gibraltar. Mit MacMillan hatte sie schon früher Geschäfte gemacht. Gegen eine großzügige Aufwandsentschädigung hatte er eine Reihe von Briefkastenfirmen für sie gegründet, auf deren Konten das Vermögen lag, das sie im Jahr zuvor dem Großindustriellen Hans-Erik Wennerström gestohlen hatte.

Nun nahm sie MacMillans Dienste abermals in Anspruch. Diesmal instruierte sie ihn, für ihre Firma Wasp Enterprises in Verhandlungen mit den »Nobelmaklern« zu treten und die betreffende Wohnung in der Fiskargatan in Mosebacke zu kaufen. Die Verkaufsgespräche zogen sich über vier Tage hin, und die Rechnung belief sich schließlich auf eine Summe, die Lisbeths Augenbrauen in die Höhe schnellen ließ. Plus 5 Prozent Honorar für MacMillan. Noch vor Ende der Woche hatte sie zwei Kartons mit Kleidern, Bettwäsche, eine Matratze und ein paar Sachen für die Küche in die neue Wohnung hinübergeschafft. Knapp drei Wochen schlief sie auf einer Matratze auf dem Boden, während sie Kliniken für plastische Chirurgie verglich, ein paar ungeklärte bürokratische Angelegenheiten abschloss (darunter ein nächtliches Gespräch mit einem gewissen Rechtsanwalt namens Nils Bjurman) sowie Vorauszahlungen für Miete, Strom und andere laufende Abgaben leistete.

Anschließend hatte sie ihre Reise nach Italien gebucht. Nachdem die Behandlung abgeschlossen war und sie die Klinik verlassen durfte, saß sie in einem Hotelzimmer in Rom und überlegte, was sie als Nächstes tun sollte. Sie hätte nach Schweden zurückgehen und ihr Leben neu ordnen sollen, aber aus mehreren Gründen war es ihr zuwider, an Stockholm zu denken.

Sie hatte keinen richtigen Beruf. Und bei Milton Security sah sie keine Zukunft für sich. Das war sicher nicht Dragan Armanskijs Schuld, der hätte sie nur allzu gern als effektives Rädchen in seinem Unternehmen gesehen. Aber Lisbeth mit ihren 25 Jahren hatte keine Ausbildung und verspürte wenig Lust, sich mit 50 immer noch Recherchen über betrügerische Geschäftsführer zu widmen. Das war ein amüsanter Zeitvertreib – aber keine Lebensaufgabe.

Der andere Grund, warum sie sich scheute, nach Stockholm zurückzukehren, hieß Mikael Blomkvist. In Stockholm lief sie zweifellos Gefahr, *Kalle Fucking Blomkvist* über den Weg zu laufen, und das war momentan das Letzte, worauf sie Lust hatte. Er hatte ihr wehgetan – wenngleich sie sich eingestehen musste, dass er es nicht mit Absicht getan hatte. Vielmehr war es Lisbeths eigene Schuld gewesen, dass sie sich in ihn »verliebt« hatte. Allein dieses Wort war ein Widerspruch zu allem, wofür *Das Dumme Huhn Salander* sonst stand.

Es war bekannt, dass Mikael Blomkvist Erfolg bei den Frauen hatte. Für ihn war sie bestenfalls eine nette Zerstreuung gewesen. Als er sie gerade brauchen konnte und nichts Besseres zur Hand war, hatte er sich ihrer erbarmt, sich anschließend aber schnell wieder unterhaltsamerer Gesellschaft zugewandt. Sie verfluchte sich selbst dafür, ihre Deckung aufgegeben und ihn in ihr Leben gelassen zu haben.

Sobald sie wieder im Vollbesitz ihrer geistigen Kräfte war, hatte sie jeden Kontakt zu ihm abgebrochen. Leicht war es nicht gewesen, aber sie hatte sich zusammengerissen. Das letzte Mal hatte sie ihn gesehen, als sie in Gamla Stan auf dem U-Bahnsteig stand und ihn in einem Wagen Richtung Zentrum entdeckte. Sie musterte ihn eine Minute lang und beschloss, dass sie nicht mehr das Geringste für ihn empfand, denn das wäre gleichbedeutend mit Verbluten gewesen. *Fuck you.*

Es war ihr ein Rätsel, warum er so hartnäckig versuchte, Kontakt mit ihr zu halten, als wäre sie irgendein verdammtes Sozialprojekt für ihn. Es irritierte Lisbeth, wie er so ahnungslos sein konnte, und bei jeder Mail, die er ihr schickte, musste sie sich zusammenreißen, um sie ungelesen zu löschen.

Stockholm schien ihr also kein bisschen attraktiv. Abgesehen von der freien Mitarbeit bei Milton Security, ein paar alten Bettbekanntschaften und den Mädels der ehemaligen Rockband *Evil Fingers* kannte sie kaum einen Menschen in ihrer eigenen Heimatstadt.

Der Einzige, für den sie einen gewissen Respekt empfand, war Dragan Armanskij. Sie konnte ihre Gefühle für ihn nur schwer definieren. Die Tatsache, dass sie sich von ihm angezogen fühlte, hatte sie immer ein wenig erstaunt. Wenn er nicht gar so verheiratet gewesen wäre, nicht gar so alt und nicht gar so konservativ in seinen Ansichten über das Leben, hätte sie vielleicht sogar einmal einen Annäherungsversuch gestartet.

Sie zückte ihren Kalender und schlug die Seite mit der Weltkarte auf. Sie war noch nie in Australien oder Afrika gewesen. Sie hatte noch nie in der Karibik geschnorchelt oder in Thailand am Strand gesessen. Abgesehen von ein paar kurzen Reisen in Zusammenhang mit ihrem Job, war sie in ihrem ganzen Leben kaum jemals aus Schweden herausgekommen.

Das hatte sie sich nie leisten können.

Lisbeth stellte sich ans Fenster ihres römischen Hotelzimmers und blickte über die Via Garibaldi. Eine Stadt wie ein Ruinenhaufen. Dann fasste sie einen Entschluss, zog die Jacke über, ging an die Rezeption und erkundigte sich, ob es in der Nähe ein Reisebüro gab. Dort buchte sie ein einfaches Ticket nach Tel Aviv und verbrachte die folgenden Tage damit, durch die Jerusalemer Altstadt zu schlendern. Sie besichtigte die Al-Aksa-Moschee und die Klagemauer. Misstrauisch betrachtete sie die bewaffneten Soldaten, die an jeder Straßenecke standen. Danach flog sie nach Bangkok und verbrachte den Rest des Jahres mit verschiedenen Reisen.

Nur eines hatte sie zwischendurch noch zu erledigen. Sie flog zweimal nach Gibraltar. Beim ersten Mal recherchierte sie sehr genau den Hintergrund des Mannes, den sie dazu auserkoren hatte, ihre Finanzen zu verwalten. Und beim zweiten Mal kontrollierte sie, wie er mit seiner Aufgabe zurechtkam.

Es fühlte sich ganz fremd an, nach so langer Zeit den Schlüssel der eigenen Wohnung in der Fiskargatan ins Schloss zu stecken.

Lisbeth stellte die Lebensmitteltüte und ihre Tasche im Flur ab und tippte den vierstelligen Code ein, der den elektronischen Alarm ausschaltete. Dann zog sie ihre nassen Kleider aus und ließ sie einfach auf den Boden fallen. Sie ging nackt in die Küche, schaltete den Kühlschrank ein und füllte ihn mit Lebensmitteln, bevor sie ins Bad ging und die nächsten zehn Minuten unter der Dusche verbrachte. Sie aß einen Apfel und machte sich eine Pizza in der Mikrowelle warm. Auf dem Boden in einem Zimmer neben der Küche bereitete sie sich ein Matratzenlager.

Zehn Sekunden nachdem sie den Kopf aufs Kissen gelegt hatte, schlummerte sie bereits und schlief fast zwölf Stunden, bis kurz vor Mitternacht. Dann stand sie auf, kochte Kaffee, wickelte sich in eine Decke und setzte sich mit dem Kissen und einer Zigarette in einen Erker. Von dort blickte sie zum Djurgården und Saltsjön hinüber. Die Lichter faszinierten sie. Und während sie so in der Dunkelheit saß, dachte sie über ihr Leben nach.

Am Tag nach ihrer Rückkehr hatte Lisbeth Salander volles Programm. Um sieben Uhr morgens schloss sie ihre Wohnung ab. Bevor sie ihre Etage verließ, öffnete sie ein Fenster im Treppenhaus und befestigte einen Ersatzschlüssel an einem dünnen Kupferdraht, den sie wiederum an der Rückseite eines Fallrohrs befestigte. Die Erfahrung hatte sie gelehrt, wie nützlich es war, immer irgendwo einen leicht zugänglichen Reserveschlüssel zu haben.

Die Luft war eiskalt. Lisbeth trug eine alte, zerrissene Jeans mit einem Loch unter der Gesäßtasche, durch das man ihre blaue Unterhose sah. Über ihr T-Shirt hatte sie ein wärmeres Poloshirt angezogen, dem am Hals schon die Naht aufging. Außerdem hatte sie ihre alte, abgewetzte Lederjacke mit den Nieten auf der Schulter hervorgekramt. Sie merkte, dass sie demnächst zum Schneider gehen sollte, um das kaum mehr vorhandene Futter flicken zu lassen. Ihre Füße steckten in dicken Strümpfen und Stiefeln.

Sie ging die St. Paulsgatan entlang, zum Zinkensdamm und weiter bis zu ihrer alten Wohnung in der Lundagatan, wo sie erst einmal nachsah, ob ihre Kawasaki immer noch im Kellerabteil stand. Sie tätschelte den Sattel des Motorrads, bevor sie in ihre ehemalige Wohnung ging und zunächst über einen riesigen Haufen Reklamesendungen hinwegsteigen musste.

Da sie nicht sicher gewesen war, was sie mit ihrer Wohnung machen sollte, hatte sie vor ihrer Abreise im vorigen Jahr einfach einen Dauerauftrag eingerichtet, um die laufenden Abgaben zu decken. Hier standen immer noch ihre Möbel, mühselig aus diversen Sperrmüllcontainern zusammengeklaubt, ihre abgestoßenen Teetassen, zwei ältere Computer und jede Menge

Papiere. Aber nichts, was irgendeinen besonderen Wert gehabt hätte.

Sie holte einen schwarzen Müllsack aus der Küche und verbrachte fünf Minuten damit, Werbung von Post zu trennen. Der Großteil des Haufens wanderte direkt in den Müll. Die wenigen an sie persönlich gerichteten Schreiben bestanden hauptsächlich aus Kontoauszügen, Steuerfahndungsaufträgen von Milton Security oder an sie adressierten Werbesendungen. Dass sie einen rechtlichen Betreuer hatte, erwies sich insofern als Vorteil, als sie sich nie mit Steuerangelegenheiten hatte befassen müssen – solche Briefe glänzten durch Abwesenheit. Im Laufe des Jahres hatten sich unterm Strich nur drei wirklich persönliche Sendungen angesammelt.

Der erste Brief kam von einer Rechtsanwältin namens Greta Molander, die als Betreuerin von Lisbeths Mutter fungiert hatte. Das Schreiben enthielt die Information, dass Lisbeth und ihre Schwester Camilla jeweils 9312 Kronen geerbt hatten. Eine entsprechende Summe sei bereits auf Fräulein Salanders Konto eingezahlt worden – ob sie bitte den Eingang der Zahlung bestätigen könne? Lisbeth steckte den Brief in die Innentasche ihrer Lederjacke.

Der zweite Brief war von Direktorin Mikaelsson, Heimleiterin des Pflegeheims Äppelviken, die sie freundlich daran erinnerte, dass man immer noch einen Karton mit der Hinterlassenschaft ihrer Mutter aufbewahrte – ob sie wohl die Freundlichkeit hätte, sich mit Äppelviken in Verbindung zu setzen und ihnen mitzuteilen, wann sie den Karton abholen würde? Die Heimleiterin kündigte an, dass sie die Gegenstände entsorgen wolle, sollte sie nicht innerhalb eines Jahres von Lisbeth oder ihrer Schwester (deren Adresse ihr leider unbekannt sei) hören. Lisbeth warf einen Blick auf den Briefkopf, der von Juni datierte, und zückte ihr Handy. Zwei Minuten später hatte sie in Erfahrung gebracht, dass der Karton noch nicht weggeworfen worden war. Sie entschuldigte sich, dass sie sich nicht schon früher gemeldet hatte, und versprach, die Gegenstände am nächsten Tag abzuholen.

Der letzte persönliche Brief stammte von Mikael Blomkvist. Sie überlegte kurz und warf ihn dann ungeöffnet in den Müllsack.

Sie packte einen Umzugskarton mit ein paar Gegenständen und Krimskrams, den sie gern behalten wollte, und nahm ein Taxi zurück nach Mosebacke. Sie schminkte sich, setzte eine Brille und eine blonde, schulterlange Perücke auf und steckte einen norwegischen Pass ein, der auf den Namen Irene Nesser ausgestellt war. Als sie sich im Spiegel musterte, stellte sie fest, dass Irene Nesser Lisbeth Salander zwar sehr ähnlich sah, aber trotzdem ein ganz anderer Mensch war.

Nach einem hastigen Mittagessen im »Café Eden« ging sie zum Autoverleih am Ringvägen, wo sich Irene Nesser einen Nissan Micra auslieh. Sie fuhr zu IKEA und verbrachte drei Stunden damit, das Sortiment in Augenschein zu nehmen und Artikelnummern zu notieren. Sie entschied sehr schnell, was sie brauchte.

Zunächst kaufte sie zwei Sofas, Modell *Karlanda*, mit sandfarbenen Bezügen, fünf frei schwingende Sessel, Modell *Poäng*, zwei runde Tischchen aus klarlackierter Birke, den Wohnzimmertisch *Svansbo* und ein paar *Lack*-Tische. Aus der Abteilung mit Bücherregalen und Verwahrungssystemen bestellte sie zwei komplette *Ivar*-Garnituren und zwei *Bonde*-Bücherregale, eine TV-Bank sowie das Regal *Magiker* mit Türen. Sie vervollständigte das Ganze mit dem dreitürigen Kleiderschrank *Pax Nexus* und zwei kleinen Schreibtischen, Modell *Malm*.

Dann verbrachte sie eine ganze Weile mit der Auswahl des Bettes und entschied sich schließlich für das Bettgestell *Hemnes* mit Matratze und Zubehör. Sicherheitshalber kaufte sie noch ein *Lillehammer*-Bett fürs Gästezimmer. Sie rechnete zwar nicht damit, jemals Gäste zu beherbergen, doch wenn sie schon ein Gästezimmer besaß, konnte sie es auch gleich möblieren.

Das Badezimmer in ihrer neuen Wohnung war bereits komplett ausgestattet. Sie kaufte also nur noch einen billigen Wäschekorb.

Was sie hingegen unbedingt brauchte, war eine Kücheneinrichtung. Nach einigem Zögern entschied sie sich für einen *Rosfors*-Küchentisch aus massiver Buche mit einer Platte aus gehärtetem Glas sowie für vier farbenfrohe Küchenstühle.

Auch ihr Arbeitszimmer musste noch eingerichtet werden, und sie betrachtete verblüfft ein paar absurde »Arbeitsstationen« mit ausgeklügelten Schränken zum Verstauen von Computer und Tastatur. Sie schüttelte den Kopf und kaufte schließlich einen ganz gewöhnlichen Schreibtisch, *Galant*, aus Buchenfurnier mit abgerundeten Ecken, und dazu einen großen Schrank. Für die Auswahl ihres Bürostuhls nahm sie sich jede Menge Zeit – darauf würde sie schließlich diverse Stunden zubringen – und entschied sich letztlich für eine der teuersten Alternativen, das Modell *Verksam*.

Schließlich drehte sie noch eine Runde, auf der sie zahlreiche Laken, Kissenbezüge, Handtücher, Bettdecken, Wolldecken, Kissen, Besteck, Geschirr, Pfannen und Töpfe kaufte, außerdem drei große Teppiche, mehrere Schreibtischleuchten und jede Menge Büroausstattung in Form von Ordnern, Aufbewahrungselementen und so weiter.

An der Kasse bezahlte sie mit der Karte, die auf Wasp Enterprises ausgestellt war, und wies sich als Irene Nesser aus. Sie bezahlte auch gleich für Lieferung und Montage. Die Gesamtrechnung belief sich auf gut 90 000 Kronen.

Gegen fünf Uhr nachmittags war sie wieder in Söder und konnte noch schnell bei Axelssons Heimelektronik vorbeischauen, wo sie einen Fernseher mit 18-Zoll-Bildschirm und ein Radio kaufte. Kurz vor Ladenschluss schlüpfte sie noch in ein Geschäft in der Hornsgatan, wo sie einen Staubsauger erwarb. Im großen Supermarkt Mariahallen besorgte sie noch einen Wischmopp, Seife, Eimer, Waschmittel, Zahnbürsten und eine Großpackung Toilettenpapier.

Nach diesem Shoppingtaumel war sie erschöpft, aber zufrieden. Sie verstaute alle Waren in ihrem gemieteten Nissan Micra und schaffte es mit letzter Kraft in das »Café Java« in der Hornsgatan. Vom Nebentisch borgte sie sich eine Abendzeitung aus und konnte feststellen, dass die Sozialdemokraten immer noch an der Regierung waren und während ihrer Abwesenheit wohl nichts Wichtiges geschehen war.

Gegen acht Uhr abends war sie wieder zu Hause. Sie türmte ihre Einkäufe im Flur zu einem großen Haufen auf und suchte dann eine halbe Stunde lang, bis sie in einer Nebenstraße einen Parkplatz fand. Danach ließ sie Wasser in ihre Badewanne ein, in der mindestens drei Personen bequem Platz finden konnten. Ganz kurz musste sie an Mikael Blomkvist denken. Bis sie am Morgen seinen Brief gesehen hatte, hatte sie tatsächlich mehrere Monate nicht mehr an ihn gedacht. Sie fragte sich, ob er wohl zu Hause und gerade mit Erika Berger zusammen war.

Nach einem Weilchen atmete sie tief ein, drehte sich auf den Bauch und ließ sich unter Wasser sinken. Sie legte sich die Hände auf die Brüste, kniff sich fest in die Brustwarzen und hielt ganze drei Minuten die Luft an, bis ihre Lungen qualvoll schmerzten.

Die Redakteurin Erika Berger warf einen verstohlenen Blick auf die Uhr, als Mikael Blomkvist fast fünfzehn Minuten zu spät zu ihrer heiligen Planungssitzung kam, die immer am zweiten Dienstag des Monats um zehn Uhr abgehalten wurde.

Mikael Blomkvist entschuldigte sich für seine Verspätung und murmelte eine Erklärung, die allen gleichgültig war. Anwesend waren außer Erika die Redaktionssekretärin Malin Eriksson, der Teilhaber und Layoutchef Christer Malm, die

Reporterin Monika Nilsson und die Teilzeitmitarbeiter Lottie Karim und Henry Cortez. Mikael Blomkvist fiel sofort auf, dass die 17-jährige Praktikantin nicht anwesend war, ihre kleine Schar aber anderweitig Zuwachs bekommen hatte: Am kleinen Konferenztisch in Erika Bergers Zimmer entdeckte er ein Gesicht, das ihm völlig fremd war. Es war außergewöhnlich, dass Erika einen Außenstehenden an einer Planungssitzung von *Millennium* teilnehmen ließ.

»Das ist Dag Svensson«, stellte Erika Berger vor. »Freelancer. Wir werden einen Text von ihm einkaufen.«

Mikael Blomkvist nickte und schüttelte dem Mann die Hand. Dag Svensson war blond, blauäugig, hatte kurze Haare und einen Dreitagebart. Er musste knapp über 30 sein und wirkte geradezu unverschämt durchtrainiert.

»Normalerweise machen wir ein oder zwei Themenhefte pro Jahr«, fuhr Erika fort. »Dieses Thema hätte ich gerne in der Maiausgabe. Wir haben die Druckerei für den 27. April gebucht, was uns knapp drei Monate Zeit für die Artikel lässt.«

»Themenheft über welches Thema?«, fragte Mikael, während er sich Kaffee aus einer Thermoskanne einschenkte.

»Dag Svensson ist letzte Woche mit einem Konzept zu mir gekommen. Daraufhin habe ich ihn gebeten, an dieser Redaktionssitzung teilzunehmen. Vielleicht wollen Sie den anderen erzählen, worum es geht?«, wandte sich Erika an Dag Svensson.

»Mädchenhandel«, erklärte Dag Svensson. »In diesem Fall hauptsächlich aus dem Baltikum und Osteuropa. Ich schreibe ein Buch über dieses Thema und habe deswegen Kontakt zu Erika aufgenommen – Sie haben mittlerweile ja auch einen kleinen Buchverlag.«

Die Anwesenden blickten amüsiert drein. Der *Millennium Verlag* hatte bis dato nur ein einziges Buch veröffentlicht: Mikael Blomkvists Abhandlung über das Finanzimperium des Milliardärs Wennerström. Das Buch hatte in Schweden mittlerweile die sechste Auflage erreicht und war auch auf Norwegisch, Deutsch und Englisch erschienen. Derzeit wurde es sogar ins Französische übersetzt. Der Verkaufserfolg war unbegreiflich, da die Story eigentlich hinlänglich bekannt und von unzähligen Zeitungen veröffentlicht worden war.

»Unsere Aktivitäten auf dem Buchmarkt haben einen bescheidenen Umfang«, wandte Mikael vorsichtig ein. Auch Dag Svensson verzog den Mund zu einem Grinsen.

»Ich weiß schon. Aber Sie haben einen Verlag.«

»Es gibt größere«, entgegnete Mikael.

»Zweifellos«, mischte sich Erika Berger ein. »Aber wir haben das ganze Jahr über diskutiert, ob wir neben unseren normalen Tätigkeiten noch einen kleinen Fachbuchverlag betreiben sollen. Das wurde auf zwei Führungskreissitzungen angesprochen, und alle haben es positiv aufgenommen. Wir denken dabei an Veröffentlichungen in sehr begrenztem Rahmen – drei, vier Bücher pro Jahr, mehr nicht –, die im Großen und Ganzen aus Reportagen zu verschiedensten Themen bestehen. Mit anderen Worten, typisch journalistische Produkte. Dieses Buch hier wäre ein guter Anfang.«

»Mädchenhandel«, wiederholte Mikael Blomkvist. »Erzählen Sie doch mal.«

»Ich habe vier Jahre lang recherchiert. Zu dem Thema bin ich durch meine Freundin gekommen – sie heißt Mia Bergman, ist Kriminologin und spezialisiert auf Geschlechterforschung. Früher hat sie im Verband zur Verhütung von Straftaten gearbeitet und die Gesetze betreffend käuflichen Sex unter die Lupe genommen.«

»Ich habe vor zwei Jahren mal ein Interview mit ihr gemacht«, warf Malin Eriksson spontan ein. »Es ging damals darum, wie Männer und Frauen vor Gericht behandelt werden.«

Dag Svensson nickte lächelnd.

»Ihr Bericht hat für einigen Wirbel gesorgt«, sagte er. »Mia hat auch fünf, sechs Jahre zum Thema Mädchenhandel recherchiert. Sie schreibt gerade ihre Doktorarbeit, ich mache daraus eine populärwissenschaftliche Version, in die meine eigenen Recherchen mit einfließen. Die Kurzfassung hat Erika bereits bekommen.«

»Okay, worum geht es im Kern?«

»Unsere Regierung hat strenge Gesetze gegen die Prostitution erlassen, die Polizei soll die Einhaltung dieser Gesetze überwachen, und die Gerichte sollen Sexualverbrecher verurteilen. Wir bezeichnen die Freier als Sexualverbrecher, weil es mittlerweile kriminell ist, sich sexuelle Dienste zu kaufen – und dann sind da noch die Massenmedien, die indignierte moralinsaure Artikel über das Thema schreiben. Und so weiter. Derzeit ist Schweden aber das Land, das pro Kopf die meisten Huren aus Russland und dem Baltikum kauft.«

»Und das können Sie belegen?«

»Das ist kein Geheimnis. Es ist nicht mal eine Neuigkeit. Neu ist nur, dass wir uns mit einem Dutzend Mädchen getroffen und unterhalten haben. Die meisten von ihnen sind zwischen 15 und 20 Jahre alt, kommen aus dem sozialen Elend der ehemaligen Ostblockstaaten und werden mit irgendwelchen Jobangeboten nach Schweden gelockt. Stattdessen landen sie natürlich in den Klauen einer völlig skrupellosen Sexmafia. Das ist sozusagen der Schwerpunkt von Mias Doktorarbeit. Aber nicht von meinem Buch.«

Alle lauschten erwartungsvoll.

»Mia hat die Mädchen interviewt. Ich habe die Lieferanten und den Kundenkreis erforscht.«

Mikael lächelte. Dag Svensson gehörte zu der Sorte Journalist, die ihm selbst am besten gefiel – jemand, der sich auf das Wesentliche einer Story beschränkte. Für Mikael war das die goldene Regel des Journalismus: Es gibt immer welche, die tatsächlich verantwortlich sind. *The bad guys*.

»Und Sie sind dabei auf interessante Fakten gestoßen?«

»Ich kann zum Beispiel belegen, dass ein Beamter des Justizministeriums, der auch mit den Entwürfen für unsere Prostitutionsgesetze befasst war, mindestens zwei Mädchen missbraucht hat, die durch die Vermittlung der Sexmafia nach Schweden gekommen sind. Eines der Mädchen war erst 15 Jahre alt.«

»Hoppla.«

»Das Buch wird exemplarische Studien von Freiern enthalten. Da sind drei Polizisten, von denen einer bei der Sicherheitspolizei arbeitet und zwei bei der Sitte. Da sind fünf Rechtsanwälte, ein Staatsanwalt und ein Richter. Da sind auch drei Journalisten, von denen einer schon mehrere Artikel über Mädchenhandel geschrieben hat. Seine Vergewaltigungsfantasien lebt er mit einer minderjährigen Prostituierten aus Tallinn aus. Ich habe vor, die Namen zu nennen. Und meine Belege sind wasserdicht.«

Mikael Blomkvist pfiff anerkennend. Dann verschwand das Lächeln von seinem Gesicht.

»Da ich wieder verantwortlicher Herausgeber bin, möchte ich aber sämtliche Quellennachweise mit der Lupe durchgehen«, erklärte er. »Das letzte Mal, als ich mit der Kontrolle geschlampt habe, saß ich hinterher drei Monate im Gefängnis.«

»Ich stelle Ihnen gerne sämtliche Quellennachweise zur Verfügung. Aber ich verkaufe die Story nur unter einer Bedingung an *Millennium*.«

»Dag will, dass wir dann auch das Buch rausbringen«, erklärte Erika Berger.

»Genau. Ich will, dass es einschlägt wie eine Bombe, und momentan ist *Millennium* eben das glaubwürdigste und mutigste Magazin hierzulande. Ich kann mir nur schwer vorstellen, dass irgendein anderer Verlag es wagen würde, ein Buch dieser Art herauszugeben.«

»Also ohne Buch kein Artikel«, fasste Mikael zusammen.

»Ich finde, das Ganze klingt richtig gut«, meinte Malin Eriksson. Auch von Henry Cortez kam zustimmendes Gemurmel.

»Der Artikel und das Buch sind zwei Paar Stiefel«, sagte Erika Berger. »Im ersten Fall trägt Mikael als Herausgeber die Verantwortung. Beim Buch tut das der Autor.«

»Richtig«, bestätigte Dag Svensson. »Aber das macht mir keine Sorgen. In dem Moment, in dem das Buch veröffentlicht wird, erstattet Mia Anzeige gegen alle Personen, die ich namentlich nenne.«

»Dann wird hier der Teufel los sein«, stellte Henry Cortez fest.

»Das ist aber erst die halbe Story«, fuhr Dag Svensson fort. »Ich habe außerdem ein paar Netzwerke ausgekundschaftet, die Geld mit Mädchenhandel verdienen. Da geht es um organisiertes Verbrechen.«

»Und was haben Sie da herausgefunden?«

»Was ich gefunden habe, ist eine Gruppe aus brutalen und sadistischen Versagern, die kaum lesen und schreiben können und in puncto Organisation und strategischem Denken absolute Nieten sind. Es gibt zwar Verbindungen zu etwas besser organisierten Kreisen, aber im Großen und Ganzen wird dieser Mädchenhandel von ein paar Vollidioten betrieben.«

»Das geht ja auch sehr deutlich aus Ihrem Artikel hervor«, warf Erika Berger ein. »Wir haben die Gesetzgebung und die Polizei und das Rechtswesen, die wir jährlich mit Millionen von Steuergeldern finanzieren, damit sie dieses Geschäft unterbinden ... und dann schaffen sie es nicht, diese paar Vollidioten tatsächlich zu fassen.«

»Das Ganze ist ein einziger Verstoß gegen menschliche Grundrechte, und die betroffenen Mädchen stehen eben so weit unten auf der sozialen Leiter, dass sie juristisch uninteressant sind. Sie wählen nicht. Sie können kaum Schwedisch, abgesehen von dem Wortschatz, den sie für ihre Tätigkeit benötigen. 99,9 Prozent aller Verbrechen, die mit Mädchenhandel zu tun haben, werden niemals angezeigt, und noch viel seltener kommt es zu einer Anklage. Das dürfte der größte Eisberg in der Landschaft der schwedischen Kriminalität sein. Einfach undenkbar, dass man sich so verhielte, wenn es um Banküberfälle ginge. Meine These lautet, dass die derzeitige Praxis keinen einzigen Tag länger bestehen könnte, wenn unser Rechtswesen wirklich Interesse daran hätte, diesen Verbrechern das Handwerk zu legen. Missbrauch von Teenagern aus Tallinn und Riga ist einfach keine Frage, der man besondere Aufmerksamkeit widmet, Punktum. Nutte ist Nutte. Das gehört zum System.«

»Und jeder weiß es«, ergänzte Monika Nilsson.

»Also, wie entscheiden wir uns?«, fragte Erika Berger.

»Mir gefällt die Idee«, sagte Mikael Blomkvist. »Mit dieser Story lehnen wir uns zwar ganz schön weit aus dem Fenster, aber genau das war ja unser Ziel, als wir *Millennium* gegründet haben.«

»Deswegen arbeite ich auch hier«, meinte Monika Nilsson.

Alle lachten, bis auf Mikael.

»Er war der Einzige, der verrückt genug war, den Posten des verantwortlichen Herausgebers zu übernehmen«, grinste Erika Berger. »Wir bringen die Story im Mai. Und gleichzeitig wird Ihr Buch erscheinen.«

»Ist das Buch schon fertig?«, wollte Mikael wissen.

»Nein. Der Entwurf steht schon, geschrieben ist aber erst knapp die Hälfte. Wenn Sie einverstanden wären, mir für das Buch einen Vorschuss zu zahlen, könnte ich mich anschließend diesem Projekt widmen. Die Recherchen sind so gut wie abgeschlossen. Ich will nur noch ein paar Dinge verifizieren und mit jedem Freier, den ich namentlich nenne, ein persönliches Gespräch führen.«

»Wir machen es genauso wie mit dem Wennerström-Buch. Fürs Layout brauchen wir eine Woche« – Christer Malm nickte – »und zwei Wochen für den Druck. Die Gespräche führen wir im März und April. Der Artikel wird ungefähr fünfzehn Seiten umfassen. Wir möchten das Manuskript also bis zum 15. April komplett fertig haben, sodass wir noch alle Quellen überprüfen können.«

»Wie regeln wir das vertraglich?«

»Hm, ich habe noch nie einen Vertrag über ein Buch abgeschlossen, da muss ich wohl erst noch mal mit unserem Anwalt reden.« Erika Berger runzelte die Stirn. »Aber ich würde Ihnen eine projektbezogene Anstellung über vier Monate vorschlagen, von Februar bis Mai. Allzu hohe Gehälter bezahlen wir hier allerdings nicht.«

»Das geht in Ordnung für mich. Ich brauche nur einen gewissen Basislohn, damit ich mich anschließend auf den Text konzentrieren kann.«

»Ansonsten gilt als Faustregel: Fifty-fifty von den Einnahmen aus dem Buch, sobald unsere Kosten gedeckt sind. Wie finden Sie das?«

»Klingt gut«, meinte Dag Svensson.

»Die Arbeit teilen wir auf«, bestimmte Erika. »Malin, ich hätte gern, dass du die Redaktion für das Themenheft übernimmst. Ab nächstem Monat ist das deine Hauptaufgabe: Du arbeitest mit Dag Svensson zusammen und redigierst das Manuskript. Lottie, das bedeutet, dass ich dich vorübergehend als Redaktionssekretärin brauche, von März bis einschließlich Mai. Du musst also kurzfristig Vollzeit arbeiten, und je nach Bedarf können Malin oder Mikael dich unterstützen.«

Malin Eriksson nickte.

»Mikael, ich will, dass du das Buch redigierst.« Sie sah Dag Svensson an. »Mikael macht kein großes Aufhebens darum, aber er ist wirklich unglaublich stark in der Textarbeit und top im Recherchieren. Er wird jede Silbe Ihres Buches unter die Lupe nehmen und sich wie ein Habicht auf jedes Detail stürzen. Ich fühle mich sehr geschmeichelt, dass Sie das Buch bei uns herausbringen wollen, aber denken Sie daran, dass alles zu 100 Prozent wasserdicht sein muss. Alles andere können wir uns nicht leisten.«

»Und ich würde es auch gar nicht anders haben wollen.«

»Gut. Aber kommen Sie auch damit klar, dass Ihnen ständig jemand über die Schulter gucken und Sie das ganze Frühjahr hindurch nach Strich und Faden kritisieren wird?«

Dag Svensson schaute zu Mikael hinüber und grinste.

»Schießen Sie los.«

»Wenn es ein Themenheft werden soll, brauchen wir mehrere Artikel. Mikael – ich möchte, dass du über die wirtschaftlichen Aspekte des Mädchenhandels schreibst. Um wie viel Geld geht es da eigentlich jedes Jahr? Kann man Belege dafür finden, dass ein Teil dieser Gelder vielleicht in der Staatskasse landet? Monika – ich möchte, dass du dich allgemein über sexuelle Übergriffe informierst. Sprich mit Frauenhäusern, Wissenschaftlern, Ärzten und Behörden. Ihr zwei und Dag, ihr schreibt die wichtigsten Artikel. Henry – ich möchte ein Interview mit Dags Freundin Mia Bergman, das kann Dag ja schlecht selbst machen. Porträt: Wer ist sie, was erforscht sie, wie lautet ihr Fazit? Dann möchte ich noch, dass du dir die Fallstudien aus den polizeilichen Ermittlungsberichten besorgst. Christer – denk darüber nach, wie wir das Heft illustrieren können.«

»Ich hab noch einen Vorschlag«, sagte Dag Svensson. »Ein paar wenige Polizisten leisten wirklich verdammt gute Arbeit. Vielleicht sollten wir auch welche von denen interviewen.«

»Haben Sie Namen?«, erkundigte sich Henry Cortez.

»Natürlich, und Telefonnummern auch«, erklärte Dag Svensson.

»Sehr gut«, meinte Erika Berger. »Das Thema unseres Maihefts heißt also Mädchenhandel. Wir müssen herausstellen, dass Mädchenhandel ein Verbrechen gegen die Menschlichkeit ist, und dass die Menschen, die sich dieser Verbrechen schuldig machen, wie Kriegsverbrecher oder Folterer behandelt werden müssen. Also los, an die Arbeit.«

5. Kapitel

Mittwoch, 12. Januar – Freitag, 14. Januar

Äppelviken kam Lisbeth wie ein fremder, unbekannter Ort vor, als sie nach achtzehn Monaten zum ersten Mal mit ihrem gemieteten Nissan Micra in die Auffahrt einbog. Seit ihrem fünfzehnten Lebensjahr hatte sie das Pflegeheim, in dem ihre Mutter nach All Dem Bösen untergebracht worden war, regelmäßig ein paarmal im Jahr besucht. In gewisser Weise war Äppelviken ein Fixpunkt in Lisbeths Leben gewesen. Hier hatte ihre Mutter die letzten zehn Jahre ihres Lebens verbracht und war schließlich im Alter von knapp 43 Jahren an einer Gehirnblutung gestorben.

Der Name ihrer Mutter war Agneta Sofia Salander gewesen. Ihre letzten vierzehn Lebensjahre waren von wiederholten kleineren Gehirnblutungen geprägt. Schließlich konnte sie sich nicht mehr selbst versorgen oder ihren Alltag bewältigen. Zwischendurch hatte es Phasen gegeben, in denen sie nicht ansprechbar war und Lisbeth nur schwer erkannte.

Die Gedanken an ihre Mutter riefen in Lisbeth immer ein Gefühl der Hilflosigkeit hervor. Als Teenager hatte sie sich lange der Fantasie hingegeben, dass ihre Mutter wieder gesund werden könnte und sie irgendeine Beziehung zueinander finden würden. Doch im Grunde war ihr stets klar gewesen, dass das niemals geschehen würde.

Ihre Mutter war klein und zierlich, sah aber bei Weitem nicht so anorektisch aus wie Lisbeth. Offen gesagt war Agneta Salander schön und wohlproportioniert gewesen. Genau wie Lisbeths Schwester.

Camilla.

Lisbeth dachte nur ungern an ihre Schwester.

Sie betrachtete es als eine Ironie des Schicksals, dass sie so grundverschieden waren. Sie waren Zwillinge, innerhalb von zwanzig Minuten zur Welt gekommen.

Lisbeth war die Ältere, Camilla die Schönere.

Sie waren so verschieden, dass es völlig unwahrscheinlich schien, sie könnten in derselben Gebärmutter herangewachsen sein. Hätte es in Lisbeths genetischem Code keinen Fehler gegeben, dann wäre sie genauso wunderschön geworden wie ihre Schwester.

Und wahrscheinlich genauso dämlich.

Von Kindesbeinen an war Camilla kontaktfreudig, beliebt und gut in der Schule gewesen. Lisbeth war still und verschlossen und antwortete nur selten auf die Fragen der Lehrer. Das spiegelte sich natürlich in dramatisch verschiedenen Zeugnissen wider. Bereits in der Grundschule distanzierte sich Camilla so von Lisbeth, dass sie nicht einmal gemeinsam den Schulweg zurücklegten. Lehrer und Klassenkameraden stellten fest, dass die beiden Mädchen sich mieden und nie zusammen gesehen wurden. Ab der dritten Klasse besuchten sie Parallelklassen. Als sie zwölf waren und All Das Böse geschah, kamen sie in getrennte Pflegefamilien. Seit sie 17 geworden waren, hatten sie sich nicht mehr gesehen, und dieses letzte Treffen hatte für Lisbeth mit einem blauen Auge und für Camilla mit einer geschwollenen Lippe geendet. Lisbeth wusste nicht, wo sich ihre Schwester derzeit aufhielt, und hatte auch nie versucht, es in Erfahrung zu bringen.

Zwischen den Schwestern Salander gab es keine Liebe.

In Lisbeths Augen war Camilla falsch, verdorben und manipulativ. Andererseits war es Lisbeth, der ein Gericht schriftlich bestätigt hatte, dass sie nicht ganz klar im Kopf war.

Sie stellte das Auto auf dem Besucherparkplatz ab und knöpfte ihre abgeschabte Lederjacke zu, bevor sie durch den Regen zum Haupteingang ging. An einer Parkbank blieb sie kurz stehen und schaute sich um. An genau diesem Platz hatte sie ihre Mutter vor achtzehn Monaten zum letzten Mal gesehen. Damals war sie gerade auf dem Weg nach Norden gewesen, um Mikael Blomkvist bei der Jagd nach einem verrückten Serienmörder zu helfen, und hatte unterwegs einen spontanen Abstecher zum Pflegeheim Äppelviken gemacht. Ihre Mutter war unruhig gewesen und schien Lisbeth nicht wiederzuerkennen, wollte sie aber dennoch kaum gehen lassen. Sie hielt ihre Hand fest und sah ihre Tochter mit verwirrten Augen an. Lisbeth allerdings war in Eile gewesen, also hatte sie sich losgerissen, ihre Mutter umarmt und war auf ihrem Motorrad davongebraust.

Die Heimleiterin von Äppelviken, Agnes Mikaelsson, schien sich zu freuen, Lisbeth zu sehen. Sie begrüßte sie freundlich und begleitete sie zu einer Abstellkammer, wo sie den Umzugskarton hervorholten. Lisbeth hob ihn hoch. Er wog nur ein paar Kilo – keine große Hinterlassenschaft nach einem ganzen Menschenleben.

»Ich wusste nicht, was ich mit den Sachen Ihrer Mutter machen sollte«, sagte Agnes Mikaelsson. »Aber ich bin immer davon ausgegangen, dass Sie sie eines Tages abholen würden.«

»Ich war verreist«, erklärte Lisbeth.

Sie bedankte sich, dass man den Karton so lange aufbewahrt hatte, schleppte ihn zum Auto und verließ Äppelviken zum letzten Mal.

Um kurz nach zwölf war Lisbeth wieder in Mosebacke und trug den Karton ihrer Mutter in die Wohnung. Nachdem sie ihn ungeöffnet im Flur abgestellt hatte, ging sie wieder hinaus.

Als sie die Haustür öffnete, fuhr gerade in gemächlichem Tempo ein Polizeiauto vorbei.

Am Nachmittag ging sie zu H&M und ins Kaufhaus KappAhl, um sich neu einzukleiden. Sie kaufte eine komplette Basisgarderobe: Jeans, Pullover, Strümpfe. Sie interessierte sich nicht für Markenkleidung, genoss es aber, sich ein halbes Dutzend Jeans kaufen zu können, ohne mit der Wimper zu zucken. Ihren extravagantesten Kauf tätigte sie bei Twilfit, wo sie sich einen Stapel Unterhosen und BHs zulegte. Auch hier ging es um eine reine Grundausstattung, aber nachdem sie eine halbe Stunde verschämt herumgesucht hatte, schnappte sie sich noch eine Garnitur, die sie sehr »sexy«, wenn nicht gar »nuttig« fand und die für sie früher nie infrage gekommen wäre. Als sie sie am Abend zu Hause anzog, kam sie sich unglaublich dämlich vor. Was sie da im Spiegel sah, war ein mageres, tätowiertes Mädchen in völlig grotesker Aufmachung. Sie zog alles wieder aus und warf es in den Müll.

Bei Din Sko besorgte sie sich solide Winterschuhe und zwei Paar Hausschuhe. Einem jähen Impuls folgend, nahm sie noch ein Paar schwarze Stiefel mit hohem Absatz, die sie einige Zentimeter größer machten. Zu guter Letzt kaufte sie sich noch eine anständige Winterjacke aus braunem Wildleder.

Dann brachte sie ihre Einkäufe nach Hause, kochte sich Kaffee und machte sich belegte Brote, bevor sie den Mietwagen wieder zurückbrachte. Sie ging zu Fuß nach Hause, saß den Rest des Abends im Dunkeln auf dem Fenstersturz und blickte auf das Wasser des Saltsjön hinab.

Mia Bergman, Doktorandin der Kriminologie, schnitt den Käsekuchen auf und dekorierte ihn mit einer Scheibe Himbeereis. Die ersten Stücke bekamen Erika Berger und Mikael Blomkvist, dann stellte sie auch je einen Dessertteller vor Dag Svensson und sich auf den Tisch. Malin Eriksson hatte resolut jeden Nachtisch abgelehnt und begnügte sich mit einem schwarzen Kaffee in einer seltsam altmodischen, geblümten Porzellantasse.

»Ein Service von meiner Großmutter«, bemerkte Mia Bergman, als sie sah, wie Malin die Tasse musterte.

»Sie hat immer eine Todesangst, dass eine Tasse kaputtgehen könnte«, sagte Dag Svensson. »Die holt sie nur raus, wenn wir ganz besonders wichtige Gäste haben.«

Mia Bergman lächelte. »Ich habe als Kind ein paar Jahre bei meiner Großmutter gewohnt, und dieses Service ist so ziemlich das Einzige, was mir von ihr geblieben ist.«

»Es ist wunderschön«, lobte Malin. »In meiner Küche ist ja alles 100 Prozent IKEA.«

Mikael Blomkvist pfiff auf die geblümten Kaffeetassen, warf stattdessen einen begehrlichen Blick auf den Teller mit dem Käsekuchen und erwog, seinen Gürtel zu lockern. Erika Berger schien ähnliche Überlegungen anzustellen.

»O Gott, ich hätte nicht so viel essen sollen«, sagte sie und blickte entschuldigend zu Malin hinüber, bevor sie dann doch beherzt zum Dessertlöffel griff.

Eigentlich hätte es nur ein einfaches Arbeitsessen werden sollen, um die beschlossene Zusammenarbeit zu bestätigen und die Auflage des Themenheftes zu diskutieren. Dag Svensson hatte sie zu einem kleinen Imbiss zu sich nach Hause eingeladen, und dann servierte Mia Bergman das beste Hühnchen in süßsaurer Sauce, das Mikael jemals gekostet hatte. Dazu hatten sie einen unkomplizierten spanischen Rotwein getrunken, und nach dem Dessert erkundigte sich Dag Svensson, ob nicht noch jemand Lust auf ein Glas Tullamore Dew hätte. Nur Erika Berger war so dumm, dieses Angebot abzulehnen; für die anderen holte Svensson die Gläser.

Mikael spürte, dass ihm Dag Svensson und Mia Bergman sympathisch waren und er sich in ihrer Gesellschaft wohlfühlte.

Schließlich lenkte Erika Berger das Gespräch auf das eigentliche Thema des Abends. Daraufhin holte Mia einen Ausdruck ihrer Dissertation und legte sie vor Erika auf den Tisch. Der Titel war überraschend ironisch – *From Russia with Love* –, natürlich eine Anspielung auf Ian Flemings 007-Klassiker. Der Untertitel lautete *Mädchenhandel, organisiertes Verbrechen und die Gegenmaßnahmen der Gesellschaft*.

»Sie müssen unterscheiden zwischen meiner Dissertation und dem Buch, das Dag schreibt«, erklärte sie. »Dags Buch ist äußerst provokant und zielt auf die Leute ab, die von diesem Handel profitieren. Meine Arbeit basiert auf wissenschaftlichen Erhebungen und analysiert, wie Gesellschaft und Gerichte die Opfer behandeln.«

»Die Mädchen also.«

»Junge Mädchen, meistens zwischen 15 und 20, Arbeiterklasse, schlechte Ausbildung. Sie kommen oftmals aus ziemlich schwierigen Verhältnissen, und nicht selten waren sie schon in der Kindheit sexuellen Übergriffen ausgesetzt.

In dieser Hinsicht hat meine Dissertation eine geschlechtsspezifische Perspektive. Ein Forscher kann nämlich nur selten die Rollen so deutlich entlang der Geschlechtergrenzen festlegen. Mädchen – Opfer, Männer – Täter. Abgesehen von ein paar wenigen Frauen, die auch von diesem Handel profitieren, gibt es kaum eine andere Form von Kriminalität, in der die Geschlechterrollen an sich Voraussetzung für das Verbrechen sind. Es gibt auch keine andere Form von Kriminalität, bei der die soziale Akzeptanz so groß ist und die Gesellschaft so wenig unternimmt, um dem Verbrechen Einhalt zu gebieten.«

»Wenn ich das recht verstanden habe, hat Schweden doch eine ziemlich strenge Gesetzgebung in Sachen Mädchenhandel«, meinte Erika.

»Dass ich nicht lache. Jedes Jahr werden ein paar hundert Mädchen – exakte Statistiken gibt es nicht – nach Schweden gebracht, um als Prostituierte zu arbeiten. Was in diesem Fall nichts anderes bedeutet, als dass sie ihren Körper für systematische Vergewaltigungen zur Verfügung stellen müssen. Seit der Verabschiedung des neuen Gesetzes ist es zu einem einzigen Prozess gekommen, im April 2003, gegen diese verrückte Puffmutter, die eine Geschlechtsumwandlung hatte vornehmen lassen. Sie wurde selbstverständlich freigesprochen.«

»Moment – ich dachte, die wäre verurteilt worden?«

»Für ihr Bordell, ja. Aber von der Anklage wegen Mädchenhandels wurde sie freigesprochen. Es war nämlich so, dass die Mädchen, die gegen sie aussagen sollten, ganz schnell wieder im Baltikum verschwanden. Die Behörden versuchten, sie zur Verhandlung zurückzuholen, man schaltete sogar Interpol ein. Nach monatelangen Ermittlungen stellte man fest, dass sie unauffindbar waren.«

»Was ist mit ihnen passiert?«

»Nichts. Für die Sendung *Insider* hat man die Geschichte weiterverfolgt und ist nach Tallinn rübergefahren. Die Reporter brauchten nur einen Nachmittag, um zwei von den Mädchen aufzuspüren, die wieder zu Hause bei ihren Eltern wohnten. Das dritte war nach Italien gegangen.«

»Mit anderen Worten, die Polizei in Tallinn hatte also nicht sonderlich effektiv gearbeitet.«

»Seitdem hat es tatsächlich ein paar Verurteilungen gegeben, aber dabei handelte es sich durchgehend um Personen, die entweder wegen anderer Verbrechen festgenommen oder so unglaublich dämlich waren, dass man nicht umhinkonnte, sie zu fassen. Die Gesetze sind reine Kosmetik. Angewendet werden sie nicht.«

»Verstehe.«

»Das Problem ist, dass es sich bei den Verbrechen in diesem Fall um Vergewaltigung der schlimmsten Sorte handelt, oft in Verbindung mit schwerer Misshandlung und Todesdrohungen, in manchen Fällen kommt noch Freiheitsberaubung dazu«, warf Dag Svensson ein. »Für viele dieser Mädchen, die aufgetakelt in die Einfamilienhäuser der Vororte gekarrt werden, bedeuten diese Misshandlungen ihr täglich Brot. Aber sie haben ja gar keine Wahl. Entweder sie werden von hässlichen Alten gefickt oder von ihrem Zuhälter misshandelt. An Flucht ist nicht zu denken, denn sie sprechen die Sprache nicht, kennen die hiesigen Gesetze und Regeln nicht und wissen nicht, an wen sie sich wenden sollten. Außerdem nehmen ihnen die Mädchenhändler grundsätzlich den Pass ab, und im Fall dieser Puffmutter sperrte man die Mädchen obendrein in einer Wohnung ein.«

»Das klingt ja nach Sklavenhaltung. Verdienen die Mädchen überhaupt etwas mit ihrer Tätigkeit?«

»Na ja, ein bisschen«, antwortete Mia Bergman. »Als kleines Trostpflaster kriegen sie auch ein Stückchen vom Kuchen. Im Durchschnitt arbeiten sie ein paar Monate hier, bevor man sie wieder nach Hause schickt. Dann können sie durchaus ein ordentliches Geldbündel in der Tasche haben – 20 000 bis 30 000 Kronen, was in Russland ein kleines Vermögen bedeutet. Leider haben sie sich hier aber auch oft einen beachtlichen Alkohol- oder Drogenkonsum angewöhnt und einen Lebensstil, mit dem ihr Geld ziemlich schnell aufgebraucht ist. So erhält sich das System gewissermaßen von selbst, denn nach einer Weile kommen sie freiwillig zurück zu ihren Peinigern, um weiter hier zu arbeiten.«

»Wie viel Geld wird jährlich umgesetzt?«, wollte Mikael wissen.

Mia Bergman blickte zu Dag Svensson hinüber und überlegte kurz, bevor sie antwortete.

»Es ist schwierig, diese Frage genau zu beantworten, da wir teilweise auf Schätzungen angewiesen sind.«

»Nur so über den Daumen gepeilt.«

»Wir wissen zum Beispiel, dass diese Puffmutter in zwei Jahren fünfunddreißig Frauen aus dem Osten importiert hat. Die blieben jeweils ein paar Wochen oder auch ein paar Monate hier. Wie durch den Prozess bekannt wurde, haben sie knapp zwei Millionen Kronen umgesetzt. Nach meinen Berechnungen müsste dann ein Mädchen schätzungsweise 60 000 Kronen im Monat machen. Davon gehen knapp 15 000 für Reisen, Kleider, Wohnung etc. drauf. Von den verbliebenen 45 000 Kronen kassiert die Organisation zwischen 20- und 30 000. Der Boss steckt die Hälfte davon in die eigene Tasche und verteilt den Rest an seine Angestellten – Fahrer, Handlanger und andere. Die Mädchen bekommen davon 10- bis 12 000 Kronen.«

»Und pro Monat …«

»Wenn wir mal annehmen, dass eine einzelne Bande zwei oder drei Mädchen hat, die für sie schuften, dann nimmt sie knapp 200 000 Kronen pro Monat ein. Unsere Bande besteht im Schnitt aus zwei, drei Personen, die von diesen Einkünften leben. Ja, so ungefähr sieht es mit der finanziellen Seite der Vergewaltigung aus.«

»Und um wie viel geht es da … ich meine, wenn man das Ganze mal hochrechnet?«

»Sie können davon ausgehen, dass es ungefähr hundert Mädchen gibt, die hier arbeiten und Opfer von Mädchenhandel geworden sind. Das bedeutet, dass sich der monatliche Gesamtumsatz in Schweden auf knapp 6 Millionen Kronen beläuft, pro Jahr also rund 70 Millionen Kronen – wenn wir uns jetzt bloß auf die konzentrieren, die von Schlepperbanden hierhergebracht worden sind.«

»Klingt nach Peanuts.«

»Sind auch Peanuts. Und um diese bescheidene Summe zu erwirtschaften, müssen also knapp hundert Mädchen vergewaltigt werden. Das bringt mich zur Weißglut.«

»Sie klingen nicht wie eine objektive Wissenschaftlerin. Aber wenn drei Männer auf ein Mädchen kommen, dann bestreiten ungefähr fünf- bis sechshundert Männer ihren Lebensunterhalt damit.«

»In Wirklichkeit wahrscheinlich weniger. Ich würde eher auf knapp dreihundert tippen.«

»Das kann doch eigentlich kein unüberwindliches Problem sein«, meinte Erika.

»Wir verabschieden Gesetze und empören uns in den Medien, aber so gut wie niemand hat jemals mit einer Prostituierten aus dem Ostblock geredet oder auch nur einen Schimmer von ihren Lebensumständen.«

»Wie funktioniert das Ganze eigentlich in der Praxis? Es muss doch ziemlich schwierig sein, eine 16-Jährige unbemerkt aus Tallinn herauszuschleusen. Wie kommen sie hierher?«, wollte Mikael wissen.

»Als ich mit meinen Nachforschungen anfing, glaubte ich, es müsse sich um einen perfekt durchorganisierten Bereich handeln, mit einer professionellen Mafia im Hintergrund.«

»Aber dem ist nicht so?«, fragte Malin Eriksson.

»Zumindest gibt es auch viele kleine und völlig unorganisierte Banden. Vergessen Sie die Armani-Anzüge und den Porsche – eine durchschnittliche Bande hat zwei, drei Mitglieder, meistens Russen, Balten oder Schweden. Stellen Sie sich so einen Bandenanführer vor: Er ist 40 Jahre alt, sitzt im Unterhemd vor dem Fernseher und macht sich ein Bier nach dem anderen auf. Er hat keine Ausbildung und kann in gewisser Hinsicht als sozial zurückgeblieben bezeichnet werden. Wahrscheinlich hat er schon sein ganzes Leben lang Probleme gehabt.«

»Mir kommen gleich die Tränen.«

»Sein Frauenbild stammt noch aus der Steinzeit. Er ist notorisch gewalttätig, oft betrunken und verprügelt jeden, der gegen ihn aufmuckt. In der Bande gibt es eine klare Hackordnung.«

Lisbeths Möbellieferung von IKEA kam drei Tage später gegen halb zehn. Zwei kräftig gebaute Kerle schüttelten der blonden Irene Nesser mit dem munteren norwegischen Akzent die

Hand. Danach fuhren sie mit dem Miniaufzug hinauf und hinunter und verbrachten den Rest des Tages damit, Tische, Schränke und Betten zusammenzuschrauben. Sie waren atemberaubend effektiv und schienen das Ganze schon mehr als einmal gemacht zu haben. Irene Nesser ging in die Söderhallen, kaufte Essen bei einem griechischen Take-away-Imbiss und lud die beiden zum Mittagessen ein.

Gegen fünf Uhr nachmittags waren die Männer von IKEA fertig. Als sie gegangen waren, nahm Lisbeth Salander die Perücke ab, schlenderte durch die Wohnung und fragte sich, ob sie sich in ihrem neuen Heim wohlfühlen würde. Der Küchentisch sah viel zu elegant für sie aus. Im Raum neben der Küche, den man sowohl durch den Korridor wie durch die Küche betreten konnte, hatte sie ihr neues Wohnzimmer eingerichtet, mit modernen Sofas und ein paar Sesseln rund um ein Tischchen am Fenster. Mit dem Schlafzimmer war sie zufrieden. Sie setzte sich vorsichtig auf die Bettkante und testete die Matratze.

Vom Arbeitszimmer aus konnte sie zum Saltsjön hinunterblicken. *Echt effektiv. Hier kann ich richtig arbeiten.*

Was genau sie arbeiten wollte, wusste sie allerdings noch nicht, und insgesamt stand sie den Möbeln recht skeptisch gegenüber.

Okay, jetzt warten wir erst mal ab.

Lisbeth verbrachte den Rest des Abends damit, ihre Habseligkeiten auszupacken und zu sortieren. Sie legte Handtücher zusammen und räumte sie ein. Sie öffnete die Tüten mit den gekauften Kleidern und hängte alles in die Kleiderschränke. Obwohl sie stapelweise eingekauft hatte, brauchte sie nur einen Bruchteil des Platzes. Sie stellte Lampen auf und räumte Pfannen, Porzellan und Besteck in die Küchenschränke.

Als sie die leeren Wände kritisch musterte, ging ihr auf, dass sie auch Poster oder Bilder hätte kaufen sollen. So etwas hatten normale Menschen doch an den Wänden. Ein Blumentopf hätte auch nicht geschadet.

Danach öffnete sie ihre Umzugskartons aus der Lundagatan und packte Bücher, Zeitungen, Presseausschnitte und alte Rechercheunterlagen aus. Alte, abgetragene T-Shirts und löchrige Strümpfe warf sie großzügig weg. Plötzlich fiel ihr ein Dildo in die Hände, der immer noch in seiner Originalverpackung steckte. Sie grinste schief. Das war eines der verrücktesten Geburtstagsgeschenke von Mimmi gewesen, deren Existenz sie völlig vergessen hatte. Sie hatte ihn noch nicht einmal ausprobiert. Lisbeth beschloss, das zu ändern, und stellte den Dildo hochkant auf den Tisch neben ihr Bett.

Der Gedanke an Mimmi gab ihr einen Stich. Ein Jahr lang hatte sie sich mit Mimmi ziemlich regelmäßig getroffen, um sie dann sang- und klanglos für Mikael Blomkvist stehen zu lassen. Keine Verabschiedung, kein Wort darüber, dass sie Schweden verlassen wollte. Auch von Dragan Armanskij und den *Evil Fingers* hatte sie sich nicht verabschiedet oder ihnen gesagt, was sie vorhatte. Sie mussten sie alle für tot halten – oder wahrscheinlich hatten sie sie längst vergessen. Auf einmal fiel ihr ein, dass sie sich auch nicht von George Bland auf Grenada verabschiedet hatte, und fragte sich, ob er wohl am Strand umherlief und nach ihr Ausschau hielt. Sie musste daran denken, wie Mikael Blomkvist ihr erklärt hatte, dass Freundschaft auf Respekt und Vertrauen beruhe. *Durch meine Nachlässigkeit verliere ich all meine Freunde.* Sie überlegte, ob Mimmi wohl noch irgendwo da draußen war und ob sie sich bei ihr melden sollte.

Den Großteil des Abends und einen guten Teil der Nacht verbrachte sie damit, Papiere zu sortieren, ihren Computer einzurichten und im Internet zu surfen. Sie checkte ihre Investitionen und fand heraus, dass sie reicher war als vor einem Jahr.

Eine Routinekontrolle von Nils Bjurmans Rechner förderte keine interessante Korrespondenz zutage, woraus sie schloss, dass er keinerlei Risiko eingehen wollte.

Sie fand keine Anzeichen dafür, dass er noch einmal Kontakt zu der Klinik in Marseille aufgenommen hatte. Bjurman schien seine beruflichen und privaten Tätigkeiten überhaupt auf einen vegetativen Nullpunkt heruntergeschraubt zu haben. Er verschickte kaum Mails, und wenn er im Internet surfte, besuchte er hauptsächlich Pornoseiten.

Erst gegen zwei loggte sie sich aus. Sie ging ins Schlafzimmer, zog sich aus und warf ihre Kleider über einen Stuhl. Dann ging sie ins Bad, um sich zu waschen. Die Ecke neben der Tür war von oben bis unten verspiegelt. Lisbeth betrachtete sich eine ganze Weile. Sie musterte ihr kantiges, schiefes Gesicht, ihre neuen Brüste und ihr großes Tattoo auf dem Rücken. Ein schönes Tattoo, ein langer Drache, der sich in Rot, Grün und Schwarz von ihrer Schulter herabschlängelte, dessen schmaler Schwanz sich über die rechte Pobacke erstreckte und auf dem Oberschenkel auslief. Als sie im vorigen Jahr auf Reisen gewesen war, hatte sie ihre Haare schulterlang wachsen lassen, aber in der letzten Woche auf Grenada hatte sie die Schere gezückt und sie wieder kurz geschnitten. Sie standen immer noch in alle Richtungen ab.

Plötzlich hatte sie das Gefühl, dass irgendeine grundlegende Veränderung in ihrem Leben geschah oder demnächst geschehen würde. Vielleicht war es das Risiko, wenn man über Milliarden verfügte und nicht mehr jede Krone umdrehen musste. Vielleicht waren das nun doch die Auswirkungen des Luxuslebens. Vielleicht war es aber auch die Erkenntnis, dass mit dem Tod der Mutter ihre Kindheit unwiderruflich beendet war.

Während der Reisen des vergangenen Jahres hatte sie sich mehrere Piercings entfernen lassen. In der Klinik in Genua hatte ein Ring in der Brustwarze aus rein medizinischen Gründen vor der Operation dran glauben müssen. Danach hatte sie einen Ring aus der Unterlippe entfernt, und auf Grenada hatte sie den Ring aus der linken Schamlippe herausgenommen – der hatte sowieso immer gescheuert, und ihr war nicht ganz klar, warum sie sich dort überhaupt jemals hatte piercen lassen.

Sie machte den Mund weit auf und schraubte das Stäbchen heraus, das sie sieben Jahre in der Zunge getragen hatte. Sie legte es in eine Schale auf dem Regal neben dem Waschbecken. Plötzlich fühlte es sich ganz leer im Mund an. Abgesehen von ein paar Ringen in den Ohrläppchen, hatte sie jetzt nur noch zwei Piercings, einen Ring in der linken Augenbraue und einen mit Schmuckstein im Nabel.

Schließlich ging sie ins Schlafzimmer und schlüpfte unter die neue Decke. Sie merkte, dass sie sich ein gigantisch großes Bett gekauft hatte, von dem sie nur einen Bruchteil benutzte. Lisbeth fühlte sich, als würde sie am Rande eines Fußballplatzes liegen. Sie wickelte sich in ihre Decke und dachte lange nach.

6. Kapitel

Sonntag, 23. Januar – Samstag, 29. Januar

Lisbeth Salander fuhr mit dem Aufzug von der Garage in den fünften Stock, ins oberste der drei Geschosse im Bürogebäude am Slussen, wo Milton Security seine Räumlichkeiten hatte. Sie öffnete die Fahrstuhltür mit einem heimlich nachgemachten Schlüssel – den Hauptschlüssel hatte sie sich vor ein paar Jahren einmal beschafft. Automatisch warf sie einen Blick auf ihre Armbanduhr, als sie ausstieg und auf den dunklen Korridor trat. 3 Uhr 10 am Sonntagmorgen. Der Nachtwächter saß in der Zentrale im dritten Stock, und sie wusste, dass sie mit allergrößter Wahrscheinlichkeit allein sein würde.

Wie immer wunderte sie sich nur ein wenig, dass ein professionelles Sicherheitsberatungsunternehmen so offensichtliche Mängel bei den eigenen Sicherheitsvorkehrungen aufwies.

Im Flur des fünften Stocks hatte sich im Laufe des letzten Jahres nicht viel verändert. Sie begann damit, dass sie ihrem eigenen Büro einen Besuch abstattete, einem kleinen Würfel hinter einer Glaswand im Flur, den Dragan Armanskij ihr damals zugewiesen hatte. Die Tür stand offen. Lisbeth brauchte nur wenige Sekunden, um festzustellen, dass in ihrem Büro absolut nichts verändert worden war. Irgendjemand hatte nur einen Karton mit Papierabfall hinter die Tür gestellt. Ansonsten standen in diesem Zimmer ein Tisch, ein Bürostuhl, ein

Papierkorb und ein neues Bücherregal. Die technische Ausstattung bestand aus einem simplen Toshiba PC von 1997 mit einer lächerlich kleinen Festplatte.

Nichts deutete darauf hin, dass Dragan jemand anders ihr Zimmer überlassen hatte. Sie wertete das als positives Zeichen, wusste aber auch, dass es nicht viel zu bedeuten hatte.

Lisbeth verließ das Zimmer und ging lautlos den Flur hinunter. Dabei stellte sie sicher, dass ganz bestimmt kein Nachtschwärmer in seinem Zimmer saß und arbeitete. Sie war ganz allein. Am Kaffeeautomaten blieb sie stehen und zog sich einen Plastikbecher mit Cappuccino, bevor sie zu Dragan Armanskijs Zimmer weiterging und die Tür mit ihrem nachgemachten Schlüssel öffnete.

Armanskijs Büro war wie immer irritierend aufgeräumt. Sie machte eine kleine Runde durchs Zimmer und warf einen Blick in sein Bücherregal, bevor sie sich an seinen Schreibtisch setzte und den Computer anwarf.

Sie zog eine CD aus der Innentasche ihrer neuen Wildlederjacke und legte sie ein. Dann startete sie ein Programm namens *Asphyxia 1.3*. Das hatte sie selbst geschrieben, und es hatte einzig und allein die Funktion, die neueste Version des Internet Explorers auf Armanskijs Festplatte zu laden. Der Vorgang dauerte ungefähr fünf Minuten.

Als sie fertig war, entnahm sie die CD wieder, startete den Computer neu und damit auch die neue Version des Internet Explorers. Das Programm sah so aus und verhielt sich auch genauso wie die ursprüngliche Version, war aber einen Tick größer und eine Mikrosekunde langsamer. Alle Einstellungen waren identisch mit dem Original, inklusive Installationsdatum. Von einer neuen Datei war nirgendwo eine Spur zu sehen.

Sie gab die FTP-Adresse eines Servers in Holland ein, woraufhin sich auf dem Bildschirm ein Fenster öffnete. Sie klickte auf »Kopieren«, tippte den Namen »Armanskij/MiltSec« ein und ging dann auf »OK«. Der Computer begann im nächsten Moment, Dragan Armanskijs Festplatte auf den Server in Holland zu kopieren. Eine Uhr gab an, dass der Vorgang dreiundvierzig Minuten dauern würde.

Während die Daten kopiert wurden, holte sie den Reserveschlüssel zu Armanskijs Schreibtisch aus einem dekorativen Topf im Bücherregal. Die nächste halbe Stunde verschaffte sie sich einen Überblick darüber, was es Neues in den Mappen gab, die Armanskij in der obersten rechten Schreibtischschublade verwahrte – dort pflegte er aktuelle Vorgänge abzulegen. Als der Computer mit einem leisen »Pling« signalisierte, dass der Kopiervorgang abgeschlossen war, legte sie die Mappen exakt so wieder in die Schublade, wie sie sie vorgefunden hatte.

Dann schaltete sie den Computer und die Schreibtischlampe aus und griff sich den leeren Cappuccinobecher. Sie verließ Milton Security auf dem gleichen Weg, auf dem sie gekommen war. Es war 4 Uhr 12, als sie in den Fahrstuhl stieg.

Zu Hause in Mosebacke setzte sie sich vor ihr PowerBook und loggte sich auf dem Server in Holland ein, wo sie eine Kopie von *Asphyxia 1.3* startete. Ein Fenster bot ihr um die vierzig Festplatten an, aus denen sie wählen konnte, und sie scrollte nach unten. Vorbei an der Festplatte von *NilsEBjurman*, die sie ungefähr jeden zweiten Monat einmal durchsah. Sie stockte einen Moment, als sie bei den Festplatten *MikBlom/laptop* und *MikBlom/office* vorbeikam. Diese Icons hatte sie seit über einem Jahr nicht mehr angeklickt, und sie überlegte kurz, ob sie sie sogar löschen sollte. Aus Prinzip entschied sie sich jedoch dagegen – wenn sie die Computer schon einmal gehackt hatte, wäre es dumm, Informationen wieder zu löschen und das ganze Spiel eines Tages vielleicht wiederholen zu müssen. Das galt auch für ein Icon namens *Wennerström*, das sie lange schon nicht mehr angeklickt hatte. Der Besitzer dieser Festplatte war tot. Das Icon *Armanskij/MiltSec* hatte sie als Letztes angelegt, deshalb erschien es auch als Letztes in der Liste.

Sie hätte seine Festplatte schon früher klonen können, hatte sich aber nie die Mühe gemacht, da sie bei Milton arbeitete und sich sowieso Einblick in die Informationen beschaffen konnte, die Armanskij vor seiner Umwelt geheim halten wollte. Doch hinter ihrem Eindringen in seinen Computer steckten keine bösen Absichten. Sie wollte ganz einfach wissen, mit was für Projekten das Unternehmen arbeitete und wie die Dinge allgemein so standen. Sie klickte auf das Icon, und sofort öffnete sich ein Ordner, in dem ein neues Icon mit dem Titel *Armanskij HD* steckte. Sie versuchte die Festplatte zu öffnen und stellte fest, dass alle Dateien an ihrem Platz waren.

Bis sieben Uhr morgens blieb sie vor ihrem Computer sitzen und sah Armanskijs Berichte, seine Buchhaltung und seine E-Mails durch. Schließlich nickte sie nachdenklich und schaltete ihr PowerBook aus. Sie ging ins Badezimmer, putzte sich die Zähne, zog sich im Schlafzimmer aus und ließ ihre Kleider einfach auf einen Haufen fallen. Dann ging sie ins Bett und schlief bis halb ein Uhr mittags.

Am letzten Freitag im Januar hielt *Millennium* seine Führungskreissitzung ab. Zu diesem jährlichen Meeting trafen sich der Buchalter des Unternehmens, ein firmenfremder Revisor, die vier Teilhaber Erika Berger (30 Prozent), Mikael Blomkvist (20 Prozent), Christer Malm (20 Prozent) sowie Harriet Vanger (30 Prozent). Auch die Redaktionssekretärin Malin Eriksson nahm als Sprecherin des Betriebsrats an der Sitzung teil. Es war ihre erste Führungskreissitzung mit allen Geschäftsführern.

Das Treffen begann um 16 Uhr und war eine knappe Stunde später zu Ende. Einen Großteil der Zeit hatte der Revisionsbericht eingenommen. Die Versammlungsteilnehmer konnten feststellen, dass *Millennium* wirtschaftlich auf soliden Füßen stand – verglichen mit der Krise, die die Unternehmenssituation vor zwei Jahren geprägt hatte. Der Revisionsbericht zeigte, dass das Unternehmen tatsächlich einen Reingewinn von 2,1 Millionen Kronen vorweisen konnte, wovon eine Million aus dem Verkauf von Mikael Blomkvists Buch über die Wennerström-Affäre stammte.

Auf Erika Bergers Vorschlag hin beschloss man, eine Million als Polster für zukünftige Krisen beiseite zu legen und weitere 250 000 Kronen in notwendige Reparaturen des Redaktionsbüros sowie den Kauf neuer Computer und anderer technischer Ausrüstung zu investieren. 300 000 Kronen sollten für eine generelle Lohnerhöhung verwendet werden, außerdem wollte man dem Mitarbeiter Henry Cortez einen Vollzeitjob anbieten. Vom Rest der Summe sollten jeweils 50 000 Kronen an die Teilhaber ausgeschüttet und ein Bonus von insgesamt 100 000 Kronen zu gleichen Teilen an die vier Festangestellten ausgezahlt werden, egal ob Teilzeit- oder Vollzeitmitarbeiter. Der Marketingchef Sonny Magnusson bekam keinen Bonus. Sein Vertrag gewährte ihm prozentuale Anteile an seinen Anzeigenverkäufen, was ihn phasenweise zum höchstbezahlten aller Mitarbeiter machte. Der Vorschlag wurde einhellig angenommen.

Mikael Blomkvists Vorschlag, das Honorar der freien Mitarbeiter zugunsten eines weiteren teilzeitbeschäftigten Journalisten zu kürzen, führte zu einer kleinen Diskussion. Mikael hatte Dag Svensson im Sinn gehabt. Seitens Erika Bergers stieß dieser Vorschlag auf Widerstand – sie fand, dass die Zeitschrift nicht ohne eine relativ große Zahl freier Mitarbeiter zurechtkam. Sie wurde unterstützt von Harriet Vanger, während Christer Malm sich der Stimme enthielt. Man beschloss also, das Honorar für Externe unangetastet zu lassen, wollte jedoch prüfen, ob es andere Einsparungsmöglichkeiten gäbe. Alle sprachen sich dafür aus, Dag Svensson zumindest als Teilzeitmitarbeiter zu beschäftigen.

Nach einer kurzen Diskussion über zukünftige Zielsetzungen und Entwicklungen wurde Erika Berger für das nächste

Geschäftsjahr als Aufsichtsratsvorsitzende wiedergewählt. Danach wurde die Sitzung für beendet erklärt.

Malin Eriksson hatte während der gesamten Sitzung kein Wort gesagt. Sie rechnete aus, dass die Mitarbeiter einen Bonus von 25 000 Kronen bekommen würden, also mehr als einen zusätzlichen Monatslohn. Sie sah keinen Grund, Protest gegen so einen Beschluss einzulegen.

Unmittelbar nach der Jahressitzung berief Erika ein Meeting der Teilhaber ein. Das bedeutete, dass Erika, Mikael, Christer und Harriet am Tisch sitzen blieben, während die anderen den Konferenzraum verließen. Sowie sie die Tür hinter sich geschlossen hatten, erklärte Erika die Sitzung für eröffnet.

»Wir haben nur einen Punkt auf der Tagesordnung. Liebe Harriet, gemäß der Vereinbarung, die wir damals mit Henrik Vanger getroffen haben, sollte sich eine Teilhaberschaft über zwei Jahre erstrecken. Demnächst läuft dieser Vertrag aus, und wir müssen entscheiden, wie es mit deiner – besser gesagt Henriks – Teilhaberschaft weitergehen soll.«

Harriet nickte.

»Wir wissen alle, dass Henriks Teilhaberschaft sich damals spontan aus einer ganz speziellen Situation ergeben hat«, sagte Harriet. »Diese Situation ist jetzt nicht mehr gegeben. Was schlagt ihr vor?«

Christer Malm wand sich auf seinem Stuhl. Er war der einzige unter den Anwesenden, der nicht genau wusste, worin diese ganz spezielle Situation damals bestanden hatte. Vielmehr wusste er, dass Mikael und Erika ihm die Hintergründe verheimlichten. Erika hatte ihm erklärt, es gehe dabei um eine höchst persönliche Angelegenheit, die nur Mikael beträfe und über die er unter keinen Umständen reden wollte. Christer konnte durchaus zwei und zwei zusammenzählen und folgerte, dass Mikaels Schweigen irgendetwas mit Hedestad und Harriet Vanger zu tun hatte. Ihm war auch klar, dass er nicht darüber Bescheid wissen musste, um eine Entscheidung in dieser prinzipiellen Frage treffen zu können. Außerdem hatte er genügend Respekt vor Mikael, um der Sache nicht allzu große Bedeutung beizumessen.

»Wir drei haben darüber diskutiert und einen gemeinsamen Standpunkt gefunden«, erklärte Erika. Sie machte eine Pause und sah Harriet in die Augen. »Bevor wir diesen erläutern, würden wir gerne wissen, wie du darüber denkst.«

Harriet Vanger sah Erika, Mikael und Christer der Reihe nach an. Ihr Blick blieb einen Moment an Mikael hängen, aber sie konnte nichts aus den Gesichtern ablesen.

»Wenn ihr mich rauskaufen wollt, kostet das knapp drei Millionen Kronen plus Zinsen; das ist die Summe, die die Familie Vanger in *Millennium* investiert hat. Könnt ihr es euch leisten, uns auszubezahlen?«, fragte Harriet leichthin.

»O ja, das können wir«, erwiderte Mikael lächelnd.

Er hatte von Henrik Vanger fünf Millionen Kronen für die Arbeit bekommen, die er für den alten Industriekapitän durchgeführt hatte. Zu dieser Arbeit hatte es absurderweise auch gehört, Harriet Vanger aufzuspüren.

»Wenn das so ist, dann sind wir ganz in eurer Hand«, antwortete Harriet. »Laut Vertrag könnt ihr die Vangers mit dem heutigen Tag ohne Weiteres loswerden. Ich selbst hätte ja nie so einen schlampigen Vertrag formuliert wie Henrik damals.«

»Wir können dich rauskaufen, wenn wir müssen«, sagte Erika. »Die Frage ist also, was du gerne willst. Du leitest einen Konzern – zwei Konzerne eigentlich. Unser gesamtes Jahresbudget entspricht ungefähr der Summe, die ihr in einer einzigen Kaffeepause umsetzt. Was für ein Interesse solltest du daran haben, deine Zeit mit etwas so Marginalem wie *Millennium* zu verschwenden? Wir haben eine Führungskreissitzung pro Quartal, und seit du Henriks Stellvertreterin bist, hast du dir jedes Mal die Zeit genommen, pünktlich zu diesen Meetings zu erscheinen.«

Harriet Vanger betrachtete die Aufsichtsratsvorsitzende mit sanftem Blick. Erst schwieg sie lange, dann wandte sie sich an Mikael und antwortete:

»Seit meiner Geburt hat mir immer irgendetwas gehört. Und ich verbringe meine Tage damit, einen Konzern zu leiten, in dem mehr Intrigen gesponnen werden als in einem vierhundert Seiten starken Liebesroman. Als ich zu diesem Führungskreis stieß, geschah das zunächst nur, weil ich eine Verpflichtung erfüllen musste, der ich mich nicht entziehen konnte. Aber wisst ihr – in den letzten achtzehn Monaten habe ich entdeckt, dass ich in diesem Führungskreis lieber sitze als in allen anderen zusammen.«

Mikael nickte bedächtig. Harriet ließ ihre Augen zu Christer wandern.

»Die Probleme hier sind verständlich und überschaubar. Natürlich will auch dieses Unternehmen Gewinn machen und Geld verdienen – das ist Voraussetzung. Aber ihr verfolgt noch ein ganz anderes Ziel mit eurer Tätigkeit: Ihr wollt etwas bewirken.«

Sie nahm einen Schluck von ihrem Ramlösa-Mineralwasser und fixierte Erika.

»Ihr seid keine politische Partei oder eine andere Interessenorganisation. Ihr habt keine Loyalitäten, auf die ihr Rücksicht nehmen müsst. Aber ihr kritisiert die Mängel in unserer Gesellschaft und legt euch mit Personen des öffentlichen Lebens an, wenn die Zustände dies erfordern. Ihr wollt verändern und beeinflussen. Auch wenn ihr manchmal so tut, als wärt ihr Zyniker und Nihilisten, so ist es im Grunde nur eure Moral, die den Kurs der Zeitschrift bestimmt. *Millennium* hat eine Seele, und dies ist der einzige Führungskreis, in dem zu sitzen ich tatsächlich stolz bin.«

Sie verstummte und schwieg so lange, bis Erika lächelnd erwiderte:

»Danke für die Blumen. Aber du hast unsere Frage immer noch nicht beantwortet.«

»Ich fühle mich wohl in eurer Gesellschaft, und es tut mir gut, in diesem Führungskreis mitzuarbeiten. Es ist das Verrückteste, was ich jemals getan habe. Wenn ihr mich behalten wollt, werde ich mit dem größten Vergnügen bleiben.«

»Wir haben das Ganze hin und her diskutiert und sind uns einig«, meinte Christer. »Wir steigen heute aus dem Vertrag aus und kaufen dich raus.«

Harriets Augen weiteten sich ganz leicht.

»Ihr wollt mich loswerden?«

»Als wir diesen Vertrag unterschrieben, schwebte ja schon das Damoklesschwert über uns. Wir hatten gar keine andere Wahl. Seitdem haben wir die Tage gezählt, bis wir Henrik Vanger wieder rauskaufen können.«

Erika öffnete eine Mappe und legte ein Papier auf den Tisch, das sie Harriet Vanger zusammen mit einem Scheck hinüberschob, der genau auf die Summe ausgestellt war, die Harriet vorher genannt hatte. Sie sah den Vertrag durch. Wortlos griff sie sich einen Kugelschreiber und unterzeichnete.

»Na bitte«, lächelte Erika. »Das ging doch ganz schmerzlos. Ich bedanke mich bei Henrik Vanger für die gemeinsame Zeit und für seinen Einsatz für *Millennium*. Ich hoffe, dass du das so an ihn weitergibst.«

»Das werde ich tun«, versprach Harriet in neutralem Ton. Sie zeigte mit keiner Miene, was sie fühlte, doch sie war verletzt und zutiefst enttäuscht. Erst forderte man sie auf, zu sagen, dass sie gern im Führungskreis bleiben würde, und dann feuerte man sie ungerührt. *Das Ganze war so verdammt unnötig gewesen.*

»Gleichzeitig möchte ich dir einen anderen Vertrag anbieten«, fuhr Erika Berger fort.

»Vielleicht hättest du ja Lust, Teilhaberin bei *Millennium* zu werden. Der Preis dafür wäre genau die Summe, die du gerade bekommen hast. Der Unterschied besteht bloß darin, dass der Vertrag zeitlich unbegrenzt ist. Du würdest vollwertige

Teilhaberin des Unternehmens werden, mit denselben Rechten und Pflichten wie alle anderen.«

Harriet zog die Augenbrauen hoch.

»Warum denn so umständlich?«

»Weil wir deinen Vertrag ohnehin hätten umwandeln müssen«, erklärte Christer Malm.

Harriet stützte sich auf ihre Armlehne und sah ihn forschend an. Dann blickte sie zu Mikael und schließlich zu Erika hinüber.

»Den Vertrag mit Henrik haben wir ja unter wirtschaftlichen Zwängen geschlossen«, sagte Erika. »Den Vertrag mit dir schließen wir hingegen, weil wir das so wollen. Und im Unterschied zu vorher wird es mit dem neuen Vertrag nicht so leicht sein, dich rauszuwerfen.«

»Das macht einen Riesenunterschied für uns«, fügte Mikael leise hinzu.

Das war sein einziger Beitrag zu dieser Diskussion.

»Wir finden einfach, dass du einen Beitrag zu *Millennium* leistest, der nichts mit den wirtschaftlichen Garantien zu tun hat, die der Name Vanger mit sich bringt«, erläuterte Erika Berger. »Du bist klug und findest oft konstruktive Lösungen. Bis jetzt hast du dich immer sehr bedeckt gehalten, als wärst du bei uns nur zu Besuch. Aber du verleihst diesem Führungskreis eine Stabilität und Festigkeit, wie wir sie zuvor nie gekannt haben. Ich mag dich, und ich vertraue dir – wie wir alle. Wir wollen dich als Partnerin und vollwertige Teilhaberin.«

Harriet zog den neuen Vertrag zu sich herüber und ging ihn fünf Minuten lang Zeile für Zeile durch. Schließlich blickte sie auf.

»Und ihr seid euch alle drei darüber einig?«, vergewisserte sie sich.

Drei Köpfe nickten. Harriet nahm den Stift und unterschrieb. Dann schob sie den Scheck wieder über den Tisch, und Mikael riss ihn in kleine Fetzen.

Die Teilhaber von *Millennium* aßen in »Samirs Kochtopf« in der Tavastgatan. Mit gutem Wein, Couscous und Lamm feierten sie die neue Gesellschafterin. Die Konversation war entspannt, doch Harriet Vanger sichtlich benommen. Es fühlte sich ein bisschen so an wie die Befangenheit beim ersten Rendezvous.

Um halb acht brach Harriet Vanger bereits wieder auf. Sie entschuldigte sich damit, dass sie ins Hotel gehen und sich schlafen legen wolle. Erika Berger begleitete sie noch ein Stückchen. Am Slussen trennten sie sich.

Harriet nahm ein Taxi zum Hotel Sheraton und ging auf ihr Zimmer im siebten Stock. Sie zog sich aus, nahm ein Bad und schlüpfte in den Hotelbademantel. Dann setzte sie sich ans Fenster, blickte auf den Riddarholmen hinunter und zündete sich eine Zigarette an. Täglich rauchte sie ungefähr drei bis vier Zigaretten, was ihrer Ansicht nach so wenig war, dass sie als Nichtraucherin durchgehen konnte. So konnte sie das kleine Laster ohne jedes schlechte Gewissen genießen.

Um neun Uhr klopfte es an der Tür. Harriet machte auf, um Mikael Blomkvist hereinzulassen.

»Schuft!«, sagte sie.

Mikael grinste und gab ihr einen Kuss auf die Wange.

»Einen Moment lang dachte ich, ihr wollt mich tatsächlich rauswerfen.«

»Das hätten wir nie so gemacht. Verstehst du, warum wir den Vertrag umformulieren wollten?«

»Ja. Das hat schon Hand und Fuß.«

Mikael öffnete ihren Bademantel, legte ihr eine Hand auf die Brust und drückte sie vorsichtig.

»Schuft«, sagte sie nochmals.

Lisbeth Salander blieb vor der Tür mit dem Namensschild »Wu« stehen. Von der Straße aus hatte sie Licht im Fenster gesehen, und jetzt hörte sie auch Musik von drinnen. Der Name war korrekt. Also konnte Lisbeth die Schlussfolgerung ziehen, dass Miriam Wu immer noch in der Tomtebogatan am St. Eriksplan im ersten Stock wohnte. Es war Freitagabend, und Lisbeth hatte halbwegs gehofft, dass Mimmi unterwegs war und sich irgendwo amüsierte, sodass sie ihre Wohnung dunkel vorfinden würde. Das Einzige, was jetzt noch geklärt werden musste, war die Frage, ob Mimmi immer noch etwas von ihr wissen wollte und ob sie gerade allein war.

Lisbeth drückte auf die Klingel.

Als Mimmi die Tür öffnete, hob sie verblüfft die Augenbrauen. Dann lehnte sie sich gegen den Türrahmen und stützte die Hand auf die Hüfte.

»Salander. Ich dachte, du wärst tot oder so was.«

»Oder so was«, erwiderte Lisbeth.

»Was willst du?«

»Auf die Frage gäbe es viele Antworten.«

Miriam Wu sah sich im Treppenhaus um, bevor sie wieder Lisbeth anblickte.

»Versuch's doch mal mit einer von diesen Antworten.«

»Tja, ich wollte sehen, ob du immer noch Single bist und heute Nacht vielleicht Gesellschaft haben möchtest.«

Mimmi blickte ein paar Sekunden völlig verdattert drein, dann musste sie lauthals loslachen.

»Ich kenne nur einen Menschen auf der Welt, der auf den Gedanken kommt, nach anderthalb Jahren kompletter Funkstille bei mir an der Tür zu klingeln und zu fragen, ob ich ficken will.«

»Willst du lieber, dass ich gehe?«

Mimmi hörte auf zu lachen. Sie schwieg einen Moment.

»Lisbeth … mein Gott, du meinst es wirklich ernst.«

Lisbeth wartete.

Schließlich seufzte Mimmi und machte die Tür ganz auf.

»Komm rein. Ich kann dich ja zumindest auf eine Tasse Kaffee einladen.«

Lisbeth folgte ihr in die Wohnung und setzte sich auf einen der beiden Hocker, die Mimmi im Korridor gleich neben die Tür gestellt hatte. Die Wohnung war 24 Quadratmeter groß und bestand aus einem winzigen Zimmer und einem möblierten Flur. Die Küche war nichts weiter als eine Kochnische im Flur, die das Wasser durch einen Schlauch bekam, den Mimmi vom Bad aus verlegt hatte.

Während Mimmi das Kaffeewasser eingoss, musterte Lisbeth sie verstohlen. Miriam Wus Mutter war aus Hongkong und ihr Vater aus Boden. Wie Lisbeth wusste, waren ihre Eltern immer noch verheiratet und wohnten in Paris. Mimmi studierte Soziologie in Stockholm, ihre ältere Schwester studierte Anthropologie in den USA. Die Gene ihrer Mutter schlugen sich in Form orientalischer Gesichtszüge und glatter, rabenschwarzer Haare nieder, die sie kurz geschnitten trug. Der Vater hatte die hellblauen Augen beigesteuert, die ihr ein ganz eigenes Aussehen verliehen. Dazu hatte sie einen breiten Mund und Grübchen, die weder von ihrer Mutter noch von ihrem Vater stammten.

Mimmi war 31 Jahre alt. Sie donnerte sich gern mit Lackklamotten auf und ging in Klubs mit Live-Performances – manchmal trat sie in diesen Shows auch selbst auf. Lisbeth war seit ihrem 16. Lebensjahr nicht mehr in einem Klub gewesen.

Neben ihrem Studium arbeitete Mimmi einen Tag pro Woche als Verkäuferin im »Domino Fashion« in einer Seitengasse des Sveavägen. Kunden, die unbedingt Krankenschwesternuniformen aus Gummi oder Hexenoutfits aus schwarzem Leder brauchten, kamen ins »Domino«, wo man solche Kleidung designte und herstellte. Mimmi gehörte der Laden zusammen mit ein paar Freundinnen, was monatlich einen bescheidenen Zuschuss von ein paar tausend Kronen zu ihrem Studiendarlehen bedeutete. Lisbeth hatte Mimmi vor ein paar Jahren einmal in einer seltsamen Show auf dem Gay-Pride-Festival auftreten sehen und sie ein paar Stunden später in einem Bierzelt kennengelernt. Mimmi trug ein befremdliches zitronengelbes Kleid aus Plastik, das mehr zeigte, als es verhüllte. Lisbeth hatte sich zwar ein bisschen schwergetan, den erotischen Unterton dieses Outfits zu erfassen, aber sie war so betrunken, dass sie plötzlich Lust verspürte, ein als Zitrusfrucht verkleidetes Mädchen aufzureißen. Zu Lisbeths großer Überraschung warf ihr die Zitrusfrucht einen Blick zu, lachte lauthals, küsste sie ungeniert und sagte: »Dich will ich.« Danach gingen sie nach Hause zu Lisbeth und hatten die ganze Nacht Sex.

»Ich bin, wie ich bin«, erklärte Lisbeth. »Ich bin weggefahren, weil ich Abstand von allem und jedem brauchte. Aber ich hätte mich vorher verabschieden sollen.«

»Ich dachte schon, dir wäre was zugestoßen. Aber in der letzten Zeit, als du noch hier warst, hatten wir auch schon nicht mehr besonders viel Kontakt.«

»Ich war beschäftigt.«

»Warum machst du immer ein Geheimnis aus allem? Ich weiß nicht mal, was du arbeitest oder wen ich anrufen könnte, wenn du nicht ans Handy gehst.«

»Im Moment arbeite ich gar nicht, und außerdem bist du genauso wie ich. Du wolltest Sex haben, aber an einer Beziehung warst du nicht interessiert. Oder?«

Mimmi sah sie an.

»Stimmt«, gab sie schließlich zu.

»Mit mir war es nicht anders. Ich hab dir nie etwas versprochen.«

»Du hast dich verändert«, stellte Mimmi fest.

»Nicht sehr.«

»Du siehst älter aus. Reifer. Du hast andere Sachen an. Und du hast deinen BH gepolstert.«

Lisbeth schwieg und wand sich verlegen. Mimmi hatte das Thema angesprochen, das Lisbeth so peinlich und so schwer zu erklären fand. Mimmi hatte sie nackt gesehen und konnte gar nicht umhin, die Veränderung zu entdecken. Schließlich schlug sie die Augen nieder und murmelte etwas.

»Ich hab mir Brüste machen lassen.«

»Wie bitte?«

Lisbeth blickte auf und hob die Stimme, ohne zu merken, dass sie einen trotzigen Ton angenommen hatte.

»Ich bin in eine Klinik in Italien gegangen und hab mir richtige Brüste operieren lassen. Deswegen bin ich verschwunden. Seitdem bin ich durch die Gegend gereist. Und jetzt bin ich zurück.«

»Machst du Witze?«

Lisbeth sah Mimmi mit ausdruckslosem Blick an.

»Gott, bin ich dumm. Du machst ja grundsätzlich keine Witze, Dr. Spock.«

»Ich hab nicht vor, mich dafür zu entschuldigen. Ich bin nur ehrlich zu dir. Wenn du willst, dass ich gehen soll, musst du's nur sagen.«

»Hast du dir wirklich Brüste machen lassen?«

Lisbeth nickte. Plötzlich begann Mimmi Wu schallend loszulachen. Lisbeths Blick verfinsterte sich.

»Du darfst auf keinen Fall gehen, bevor ich gesehen habe, wie deine Brüste geworden sind. Bitte. *Please.*«

»Mimmi, ich hab den Sex mit dir immer genossen. Dir war egal, was ich sonst so trieb, und wenn ich zu tun hatte, hast du eben jemand anders gefunden. Außerdem pfeifst du drauf, was andere Leute über dich sagen.«

Mimmi nickte. In der Oberstufe war ihr bereits klar geworden, dass sie lesbisch war, und nach ein paar qualvollen, tastenden Versuchen wurde sie mit 17 Jahren in die Geheimnisse der Erotik eingeführt, als sie mit einer Bekannten auf ein vom RFSL, dem Reichsverband für sexuelle Gleichstellung, in Göteborg veranstaltetes Fest fuhr. Danach hatte sie nie wieder einen anderen Lebensstil in Erwägung gezogen. Einmal, mit

23, hatte sie mit einem Mann geschlafen und mechanisch das durchgeführt, was man von ihr erwartete. Aber es hatte ihr einfach nichts gegeben. Obendrein gehörte sie auch noch zu der doppelten Minderheit, die nicht im Geringsten an Ehe und Treue und Häuslichkeit interessiert ist.

»Ich bin seit ein paar Wochen zurück in Schweden. Ich möchte wissen, ob ich ausgehen muss, um jemand aufzureißen, oder ob du immer noch Interesse an mir hast.«

Mimmi stand auf und ging zu Lisbeth hinüber. Sie beugte sich zu ihr hinab und küsste sie zart auf den Mund.

»Eigentlich wollte ich heute Abend lernen.«

Sie machte den obersten Knopf von Lisbeths Bluse auf.

»Aber scheiß drauf …«

Sie küsste sie noch einmal und machte noch einen Knopf auf.

»Das muss ich einfach sehen.«

Sie küsste sie abermals.

»Willkommen zu Hause.«

Harriet Vanger schlief gegen zwei Uhr morgens ein, während Mikael Blomkvist wach lag und ihren Atemzügen lauschte. Schließlich stand er auf und nahm sich eine Dunhill aus der Schachtel in ihrer Tasche. Er setzte sich nackt auf einen Stuhl neben ihr und sah sie an.

Er hatte nie vorgehabt, Harriet Vangers Liebhaber zu werden. Im Gegenteil, nach seiner Zeit in Hedestad hatte er eher das Bedürfnis empfunden, sich die Familie Vanger vom Leib zu halten. Im vergangenen Jahr hatte er Harriet nur auf ein paar Führungskreissitzungen getroffen und sich stets höflich distanziert verhalten. Sie kannten jeweils die verfänglichsten Geheimnisse des anderen, aber abgesehen von Harriets Verpflichtungen im Führungskreis von *Millennium* hatten sie praktisch nichts mehr miteinander zu tun gehabt.

In den Pfingstferien des vergangenen Jahres fuhr Mikael zum ersten Mal seit Monaten wieder in seine Sommerhütte in Sandhamn, um einfach seinen Frieden zu haben, auf dem Bootssteg zu sitzen und einen Krimi zu lesen. Am Freitagnachmittag, ein paar Stunden nach seiner Ankunft, ging er zum Kiosk, um Zigaretten zu kaufen, und stieß dabei unerwartet auf Harriet. Sie hatte eine Pause von Hedestad gewollt und ein Wochenende in einem Hotel in Sandhamn gebucht, wo sie seit ihrer Kindheit nicht mehr gewesen war. Als sie Schweden verließ, war sie 16 Jahre alt gewesen; als sie zurückkam, war sie 53. Mikael hatte sie im Ausland aufgespürt.

Nach ein paar einleitenden Höflichkeitsphrasen hatte Harriet verlegen geschwiegen. Mikael kannte ihre ganze Geschichte, und sie wusste, dass er seinen Prinzipien Gewalt angetan hatte, um die schrecklichen Geheimnisse der Familie Vanger zu verheimlichen. Unter anderem ihretwegen.

Nach einer Weile lud Mikael sie in seine Hütte ein. Er kochte Kaffee, und sie saßen stundenlang zusammen und redeten. Es war ihr erstes ernsthaftes Gespräch seit ihrer Rückkehr nach Schweden. Dann musste Mikael sie einfach fragen.

»Was haben Sie mit dem Zeug aus Martins Keller angefangen?«

»Wollen Sie das wirklich wissen?«

Er nickte.

»Ich habe selbst aufgeräumt. Was sich verbrennen ließ, habe ich verbrannt. Dann habe ich das ganze Haus abreißen lassen. Ich konnte dort nicht wohnen, ich konnte es nicht verkaufen, und ich konnte auch niemand anders darin wohnen lassen. Für mich war es nur mit schrecklichen Erinnerungen verbunden. Jetzt möchte ich ein kleines Sommerhäuschen auf dem Grundstück bauen.«

»Hat sich keiner gewundert, als Sie das ganze Haus abreißen ließen? Das war doch eine schicke, moderne Villa.«

Sie lächelte.

»Dirch Frode hat das Gerücht in Umlauf gebracht, der Schimmel sitze so tief in den Wänden, dass eine Sanierung noch teurer ausfallen würde als Abriss und Neubau.«

Dirch Frode war der Anwalt der Familie Vanger.

»Und wie geht es Frode?«

»Er wird bald 70. Ich gebe ihm genug zu tun.«

Sie aßen zusammen zu Abend und Mikael merkte plötzlich, dass Harriet ihm die intimsten und privatesten Details ihres Lebens enthüllte. Als er sie unterbrach und sie nach dem Grund fragte, überlegte sie kurz und antwortete dann, er sei der Einzige, vor dem sie nichts zu verbergen habe. Außerdem sei es schwer, einem kleinen Kerlchen zu widerstehen, für das man vor knapp vierzig Jahren den Babysitter gespielt hatte.

In ihrem ganzen Leben hatte Harriet erst Sex mit drei Männern gehabt. Zuerst mit ihrem Vater, dann mit ihrem Bruder. Sie hatte ihren Vater getötet und war vor ihrem Bruder geflohen. Irgendwie hatte sie das Ganze überlebt, einen Mann kennengelernt und sich ein neues Leben aufgebaut.

»Er war zärtlich und liebevoll und strahlte eine große Ruhe aus. Ich war sehr glücklich mit ihm. Wir hatten knapp zwanzig Jahre zusammen, bis er krank wurde.«

»Und Sie haben nie wieder geheiratet? Warum nicht?«

Sie zuckte mit den Schultern.

»Ich war in Australien, Mutter zweier Kinder und musste mich um ein riesiges landwirtschaftliches Unternehmen kümmern. Ich hätte mich nie für ein romantisches Wochenende davonstehlen können. Und der Sex hat mir nicht gefehlt.«

Beide schwiegen eine Weile.

»Es ist spät. Ich sollte zurück ins Hotel gehen.«

Mikael nickte.

»Wollen Sie mich verführen?«, fragte Harriet.

»Ja«, antwortete er.

Dann stand er auf, nahm sie bei der Hand und führte sie in das Loft seines Sommerhäuschens. Plötzlich hielt sie ihn zurück.

»Ich weiß nicht recht, wie ich mich verhalten soll«, sagte sie. »So was mach ich nicht gerade jeden Tag.«

Sie verbrachten das Wochenende miteinander und trafen sich danach alle drei Monate, immer nach der Führungskreissitzung bei *Millennium*, für eine Nacht. Es war keine praktische oder haltbare Beziehung. Harriet Vanger arbeitete rund um die Uhr und war oft auf Reisen. Jeden zweiten Monat verbrachte sie in Australien. Doch offensichtlich hatte sie an den unregelmäßigen Treffen mit Mikael Gefallen gefunden.

Zwei Stunden später machte Mimmi Kaffee, während Lisbeth nackt und verschwitzt auf dem Bett lag. Sie rauchte eine Zigarette und beobachtete Mimmi vom Schlafzimmer aus. Sie beneidete sie um ihren Körper. Mimmi hatte imposante Muskeln. Drei Abende pro Woche trainierte sie im Fitnessstudio, einen Abend davon Thaiboxen oder irgend so einen anderen Karatescheiß. Dadurch hatte sie einen unverschämt fitten Körper.

Sie war ganz einfach zum Anbeißen. Keine Fotomodellschönheit, aber richtig attraktiv. Sie provozierte gern. Wenn sie sich für eine Party aufgestylt hatte, waren stets alle Augen auf sie gerichtet. Lisbeth kapierte nicht ganz, warum Mimmi sich überhaupt für so ein dummes Huhn wie sie interessierte.

Aber sie war froh, dass es so war. Sex mit Mimmi war so ungeheuer befreiend, dass Lisbeth sich einfach nur entspannte und genoss – ein angenehmes Nehmen und Geben.

Mimmi kam mit zwei Tassen zurück und stellte sie auf einen Hocker neben das Bett. Dann legte sie sich wieder zu Lisbeth und kniff in eine ihrer Brustwarzen.

»Okay, die sind gebongt«, meinte sie.

Lisbeth sagte nichts. Sie betrachtete Mimmis Brüste vor ihren Augen. Die waren auch ziemlich klein, sahen an ihrem Körper aber sehr natürlich aus.

»Ehrlich gesagt, Lisbeth, du siehst verdammt gut aus.«

»Es ist blöde. Die Brüste ändern im Grunde auch nichts, aber jetzt hab ich zumindest welche.«

»Du bist so körperfixiert.«

»Musst du gerade sagen, du trainierst doch wie eine Geisteskranke.«

»Das mach ich, weil ich das Training genieße. Es gibt mir einen Kick, fast wie beim Sex. Solltest du vielleicht auch mal ausprobieren.«

»Ich boxe«, erwiderte Lisbeth.

»Blödsinn – du hast höchstens alle zwei Monate mal geboxt, und auch bloß deswegen, weil du es so geil fandst, die blöden Typen zu verdreschen. Das ist nicht die Art Training, die man betreibt, damit es einem gut geht.«

Lisbeth zuckte die Achseln. Mimmi setzte sich rittlings auf sie.

»Lisbeth, du bist so ausschließlich mit dir selbst beschäftigt, so fixiert auf deinen Körper. Kapier doch einfach mal, dass ich gerne mit dir ins Bett gehe, und zwar nicht, weil du so und so aussiehst, sondern weil du dich so und so verhältst. In meinen Augen bist du einfach unglaublich sexy.«

»Du auch. Deswegen komm ich ja auch zu dir zurück.«

»Nicht aus Liebe?«, fragte Mimmi mit gespielt gekränkter Stimme.

Lisbeth schüttelte den Kopf.

»Bist du momentan mit irgendjemand zusammen?«

Mimmi zögerte kurz, dann nickte sie.

»Vielleicht. Irgendwie. Eventuell. Das ist alles ein bisschen kompliziert.«

»Du musst es mir nicht erzählen.«

»Ich weiß. Aber es macht mir nichts aus, darüber zu reden. Es ist eine Frau an der Uni, ein bisschen älter als ich. Sie ist seit zwanzig Jahren verheiratet, ihr Mann weiß nichts davon. Vorort, Einfamilienhaus und so weiter. Klassische Schranklesbe.«

Lisbeth nickte.

»Ihr Mann ist ziemlich viel unterwegs. Das Ganze läuft seit Herbst und wird langsam ein bisschen langweilig. Aber sie ist wirklich sexy. Und dann bin ich natürlich noch mit der üblichen Clique unterwegs.«

»Was ich eigentlich fragen wollte: Darf ich dich wieder besuchen?«

Mimmi nickte.

»Ich würde mir echt wünschen, dass du dich wieder meldest.«

»Auch wenn ich wieder ein halbes Jahr verschwinden sollte?«

»Dann halte doch einfach Kontakt mit mir. Und ich denke auf jeden Fall an deinen Geburtstag.«

»Keine Forderungen?«

Mimmi seufzte lächelnd.

»Weißt du, du bist echt der Typ Lesbe, mit dem ich zusammenwohnen könnte. Wenn ich meine Ruhe haben wollte, würdest du mich immer in Frieden lassen.«

Lisbeth schwieg.

»Abgesehen davon, dass du eigentlich gar keine Lesbe bist. Du bist vielleicht bisexuell. Aber vor allem bist du wohl einfach sexuell – du magst Sex, und das Geschlecht ist dir dabei relativ gleichgültig.«

»Ich weiß nicht, was ich bin«, erwiderte Lisbeth. »Aber jedenfalls bin ich wieder in Stockholm und ziemlich schlecht in zwischenmenschlichen Beziehungen. Um die Wahrheit zu sagen, kenne ich hier keinen einzigen Menschen. Du bist die erste Person, mit der ich gesprochen habe, seit ich wieder hier bin.«

Mimmi musterte sie mit ernstem Blick.

»Willst du denn wirklich Leute kennenlernen? Du bist der anonymste und unzugänglichste Mensch, den ich überhaupt kenne.«

Sie schwiegen eine Weile.

»Aber deine neuen Brüste sind wirklich sexy.«

Mimmi legte ihr einen Finger unter die Brustwarze und zog an der Haut.

»Sie stehen dir. Nicht zu groß und nicht zu klein.«

Lisbeth seufzte erleichtert.

»Und sie fühlen sich an wie echte Brüste.«

Sie drückte die Brust so kräftig, dass Lisbeth nach Luft schnappte. Sie sahen sich an. Dann beugte sich Mimmi zu ihr hinab und gab Lisbeth einen tiefen Kuss. Lisbeth erwiderte ihn und schlang ihre Arme um Mimmi. Der Kaffee wurde kalt.

7. Kapitel

Samstag, 29. Januar – Sonntag, 13. Februar

Am Samstagvormittag gegen elf bog ein blonder Riese zwischen Järna und Vagnhärad nach Svavelsjö by ein. Die Gemeinde bestand aus ungefähr fünfzehn Häusern. Er hielt vor dem letzten Gebäude, das ungefähr hundertfünfzig Meter außerhalb lag. Ein heruntergekommenes ehemaliges Industriegebäude, in dem früher eine Druckerei untergebracht war. Svavelsjö MC stand auf einem Schild. Obwohl der Verkehr kaum der Rede wert war, sah der Mann sich sorgfältig um, bevor er die Tür des Wagens öffnete und aus dem Wagen stieg. Die Luft war kalt. Er zog sich braune Lederhandschuhe an und nahm eine schwarze Sporttasche aus dem Kofferraum.

Es machte ihm nichts aus, dass ihn jeder beobachten konnte. Die alte Druckerei lag so frei, dass kaum jemand ein Auto parken konnte, ohne bemerkt zu werden. Wenn irgendeine staatliche Behörde das Gebäude überwachen wollte, müsste sie ihre Mitarbeiter mit militärischer Tarnkleidung ausrüsten und sie mit Teleskopen auf der anderen Seite des angrenzenden Feldes in einem Graben platzieren. Was man aber ebenso schnell entdecken würde, da drei der Häuser in der benachbarten Siedlung Mitgliedern des Svavelsjö MC gehörten.

Er wollte jedoch nicht ins Gebäude hineingehen. Die Polizei hatte schon mehrfach Hausdurchsuchungen im Klubhaus durchgeführt, und niemand konnte sicher sein, ob dabei nicht doch eine diskrete Abhöranlage installiert worden war. Das hatte zur Folge, dass sich die tägliche Konversation im Klubhaus vor allem um Autos, Frauen und Bier drehte. Manchmal ging es auch um Aktien, in die man am besten investieren sollte, aber nur selten besprach man Dinge, die nicht an die Öffentlichkeit gelangen durften.

Der blonde Riese wartete also geduldig, bis Carl-Magnus Lundin auf den Hof trat. Magge Lundin, 36 Jahre alt, war der Präsident des Klubs. Er war eigentlich ziemlich schmächtig gebaut, aber im Laufe der Jahre hatte er so viele Kilos zugelegt, dass er mittlerweile einen ganz schönen Bierbauch vor sich herschob. Sein hellblondes Haar band er zu einem Pferdeschwanz zusammen. Er trug Stiefel, schwarze Jeans und eine dicke Winterjacke. Sein Strafregister hatte fünf Einträge: zwei davon für kleinere Rauschgiftdelikte, einen wegen Hehlerei, einen wegen Autodiebstahls und leichter Trunkenheit am Steuer. Die fünfte Verurteilung, die schwerwiegendste, hatte ihm ein Jahr Gefängnis wegen schwerer Körperverletzung eingebracht, als er vor ein paar Jahren betrunken in einer Stockholmer Kneipe randaliert hatte.

Magge Lundin und der Riese schüttelten sich die Hand und spazierten dann langsam am Zaun des Geländes entlang.

»Hab dich schon ein paar Monate nicht mehr gesehen«, meinte Magge.

Der blonde Riese nickte.

»Wir haben da ein Geschäft laufen. 3 060 Gramm Methamphetamin.«

»Gleicher Deal wie letztes Mal?«

»Fifty-fifty.«

Magge Lundin fischte eine Zigarettenschachtel aus seiner Brusttasche. Er nickte. Mit dem blonden Riesen machte er immer gern Geschäfte. Methamphetamin brachte einen Preis zwischen 160 und 230 Kronen pro Gramm, je nach Angebot.

3060 Gramm entsprachen also knapp 600 000 Kronen. Svavelsjö MC konnte die drei Kilo über feste Wiederverkäufer in Portionen von jeweils 250 Gramm in Umlauf bringen. So würde der Preis freilich auf ungefähr 120, 130 Kronen pro Gramm sinken und damit auch den Gesamtgewinn drücken.

Für den Svavelsjö MC waren das außergewöhnlich vorteilhafte Geschäfte. Im Unterschied zu allen anderen Lieferanten redete man hier nämlich nie über Vorschüsse oder Festpreise. Der blonde Riese lieferte die Ware und forderte 50 Prozent, einen sehr vernünftigen Gewinnanteil. Sie wussten so ungefähr, was ein Kilo Methamphetamin einbringen würde. Für den exakten Preis kam es darauf an, wie geschickt Magge Lundin weiterverkaufen konnte. Das konnte 1 000 Kronen plusminus bedeuten, aber wenn das Geschäft abgeschlossen war, würde der blonde Riese kommen und eine Summe kassieren, die sich auf ungefähr 190 000 Kronen belief, und der Svavelsjö MC würde eine Summe in derselben Höhe für sich behalten.

Im Laufe der Jahre hatten die beiden eine Menge Geschäfte miteinander gemacht, immer nach demselben System. Magge Lundin wusste, dass der blonde Riese seine Einnahmen verdoppeln könnte, wenn er sich selbst um die Verteilung kümmern würde. Er wusste auch, warum der blonde Riese sich mit einem geringeren Profit zufriedengab: Er konnte im Hintergrund bleiben, während der Svavelsjö MC alle Risiken trug. So hatte der blonde Riese zwar geringere, aber relativ sichere Einnahmen. Und im Unterschied zu allen anderen Lieferanten, von denen Lundin jemals gehört hatte, baute dieser sein Geschäftsverhältnis auf Prinzipien, Kredit und Wohlwollen auf. Keine bösen Worte, kein Generve, keine Drohungen.

Der blonde Riese hatte im Zusammenhang mit einer Waffenlieferung, bei der sie um ein Haar aufgeflogen wären, einen Verlust von beinahe 100 000 Kronen geschluckt. Magge Lundin kannte keinen in der Branche, der einen derartigen Verlust einfach weggesteckt hätte. Er selbst war fast gelähmt vor Schreck gewesen, als er sich für den Verlust hatte rechtfertigen müssen. Er hatte die Details dargelegt, warum das Geschäft ins Auge gegangen war und wie es möglich sein konnte, dass ein Polizist vom Zentrum zur Verhütung von Straftaten bei einem Mitglied der Arischen Bruderschaft in Värmland zugeschlagen hatte. Aber der Riese zog nicht mal die Augenbraue hoch. Er zeigte sich fast schon mitfühlend. So etwas konnte eben passieren. Magge Lundin hatte keinen Gewinn gemacht, und 50 Prozent von nichts waren eben null.

Magge Lundin war nicht auf den Kopf gefallen. Ihm war durchaus klar, dass ein geringerer, aber dafür risikoloser Gewinn eine gute Geschäftsidee war.

Es war ihm noch nie in den Sinn gekommen, den blonden Riesen zu verpfeifen. Das wäre wahrhaftig schlechter Stil. Solange ehrlich abgerechnet wurde, akzeptierten der blonde Riese und seine Kompagnons einen geringeren Gewinn. Wenn er den Riesen hinters Licht führte, würden die anderen ihm einen Besuch abstatten, und Magge Lundin war überzeugt, dass er diesen Besuch schwerlich überleben würde. Also kam ein Betrugsversuch gar nicht infrage.

»Wann kannst du liefern?«

Der blonde Riese stellte die Sporttasche auf den Boden.

»Schon geliefert.«

Lundin machte sich nicht die Mühe, die Tasche zu öffnen und den Inhalt zu kontrollieren. Stattdessen streckte er seinem Gegenüber einfach die Hand hin und signalisierte damit, dass sie hiermit eine Absprache hatten, die er ohne große Diskussionen erfüllen würde.

»Da wäre noch etwas«, fügte der Riese hinzu.

»Und zwar?«

»Wir würden dich gerne für einen Spezialauftrag anwerben.«

»Schieß los.«

Der blonde Riese zog ein Kuvert aus der Innentasche seiner Jacke. Magge Lundin machte es auf und zog ein Passbild sowie ein Blatt mit persönlichen Daten heraus. Fragend hob er die Augenbrauen.

»Sie heißt Lisbeth Salander und wohnt in der Lundagatan in Södermalm, Stockholm.«

»Okay.«

»Vermutlich hält sie sich gerade im Ausland auf, wird aber früher oder später wieder hier auftauchen.«

»Okay.«

»Mein Auftraggeber wünscht ein persönliches und ungestörtes Gespräch mit ihr. Sie muss also lebend abgeliefert werden. Ich würde den Lagerraum bei Yngern vorschlagen. Dann brauchen wir noch jemand, der das Weitere regelt. Sie muss spurlos verschwinden.«

»Das müsste sich machen lassen. Wie erfahren wir, ob sie wieder zu Hause ist?«

»Ich werde mich melden, sobald es aktuell wird.«

»Bezahlung?«

»Was hältst du von zehntausend, alles inklusive? Das Ganze ist ein ziemlich einfacher Job. Du fährst nach Stockholm, schnappst sie dir und lieferst sie bei mir ab.«

Sie schüttelten sich noch einmal die Hand.

Bei ihrem zweiten Besuch in der Lundagatan setzte sich Lisbeth auf das fusselige Sofa und überlegte. Sie hatte einige strategische Entscheidungen zu treffen. Eine davon war, ob sie die Wohnung behalten sollte oder nicht.

Sie steckte sich eine Zigarette an, blies den Rauch zur Decke und aschte in eine leere Coladose.

Eigentlich hatte sie keinen Grund, diese Wohnung zu lieben. Im Alter von vier Jahren war sie mit ihrer Mutter und ihrer Schwester hier eingezogen. Ihre Mutter hatte das Wohnzimmer bewohnt, während Camilla und sie sich das kleine Schlafzimmer geteilt hatten. Als sie zwölf war und All Das Böse geschah, hatte man sie zunächst in einer Kinderklinik untergebracht und später, als sie 15 geworden war, bei diversen Pflegefamilien. Die Wohnung wurde in der Zwischenzeit von ihrem Betreuer, Holger Palmgren, weitervermietet. Der sorgte aber auch dafür, dass die Wohnung an sie zurückfiel, als sie 18 wurde und ein Dach über dem Kopf brauchte.

Die Wohnung war die meiste Zeit über ein Fixpunkt in ihrem Leben gewesen. Doch obwohl Lisbeth sie jetzt nicht mehr brauchte, gefiel ihr der Gedanke nicht, sie einfach aufzugeben. Das würde ja bedeuten, dass fremde Menschen auf ihrem Boden herumtrampeln würden.

Doch gab es da ein logistisches Problem: Ihre gesamte offizielle Post – wenn sie denn einmal Post bekam – ging an die Adresse in der Lundagatan. Wenn sie die Wohnung kündigte, brauchte sie im selben Moment eine neue Adresse. Lisbeth Salander hatte aber keine Lust, ein öffentlicher Mensch zu werden, der in diversen Archiven geführt wurde. Ihr Gefühlsregister war das eines Paranoikers und gab ihr wenig Veranlassung, Behörden oder auch nur einem anderen Menschen zu vertrauen.

Sie blickte aus dem Fenster und sah die Brandmauer im Hinterhof, die sie ihr ganzes Leben lang angeguckt hatte. Plötzlich war sie erleichtert über ihre Entscheidung, diese Wohnung zu verlassen. Hier hatte sie sich niemals geborgen gefühlt. Jedes Mal wenn sie in die Lundagatan einbog und auf die Haustür zuging – nüchtern oder auch betrunken –, hatte sie ihre Umgebung, parkende Autos oder Passanten, aufmerksam beobachtet. Aus gutem Grunde war sie davon überzeugt, dass es irgendwo da draußen Menschen gab, die ihr Böses wollten, und ein Angriff war wohl am wahrscheinlichsten, wenn sie ihre Wohnung gerade betrat oder verließ.

Die Angriffe waren jedoch ausgeblieben. Sie entspannte sich also. Ihre Anschrift in der Lundagatan wurde in jedem öffentlichen Verzeichnis geführt, und ihre ständige Wachsamkeit war in all den Jahren die einzige Sicherheitsmaßnahme gewesen. Nun hatte sich die Situation freilich geändert. Sie wollte um alles in der Welt vermeiden, dass jemand von ihrer neuen Adresse in Mosebacke erfuhr. Ihr Instinkt riet ihr, so anonym wie möglich zu bleiben.

Aber das löste ihr Problem immer noch nicht. Sie überlegte noch eine Weile, dann griff sie zum Handy und rief Mimmi an.

»Hallo, ich bin's.«

»Hallo, Lisbeth. Soll das heißen, dass du dich jetzt jede Woche bei mir meldest?«

»Ich bin in der Lundagatan.«

»Okay.«

»Ich frage mich gerade, ob du wohl Lust hättest, diese Wohnung zu übernehmen.«

»Zu übernehmen?«

»Du wohnst doch in einem Schuhkarton.«

»Mir gefällt es hier. Ziehst du denn um?«

»Bin ich schon. Die Wohnung steht leer.«

Mimmi zögerte.

»Ich kann mir deine Wohnung doch gar nicht leisten, Lisbeth.«

»Das Wohnrecht ist komplett bezahlt. Die Abgaben an die Verwaltung belaufen sich auf 1 480 Kronen pro Monat, das ist wahrscheinlich weniger als das, was du für deinen ganzen Schuhkarton bezahlst. Und die Abgaben sind auch schon ein Jahr im Voraus bezahlt.«

»Willst du sie verkaufen? Ich meine, die muss doch gut über eine Million wert sein.«

»Knapp anderthalb, wenn ich den Wohnungsannoncen Glauben schenken darf.«

»Das kann ich mir nicht leisten.«

»Ich will sie ja auch gar nicht verkaufen. Du kannst noch heute Abend hier einziehen. Du kannst hier wohnen, solange du willst, und brauchst ein Jahr lang keine Miete zu bezahlen. Ich darf nicht untervermieten, aber ich kann dich als meine Partnerin in den Vertrag eintragen lassen, dann kriegst du keinen Ärger mit der Hausverwaltung.«

»Sag mal, Lisbeth – willst du mich heiraten, oder was?«, lachte Mimmi.

Lisbeth war todernst.

»Mir nützt die Wohnung nichts, und ich will sie nicht verkaufen.«

»Du meinst, ich kann quasi kostenlos da wohnen? Ist das dein Ernst?«

»Ja.«

»Und wie lange?«

»So lange wie du willst. Bist du interessiert?«

»Natürlich. Ich kriege nicht jeden Tag eine kostenlose Wohnung mitten in Söder angeboten.«

»Es gibt allerdings einen Haken.«

»Das dachte ich mir fast.«

»Du kannst hier wohnen, so lange du willst, aber ich bleibe hier gemeldet und bekomme auch meine Post weiterhin an diese Adresse. Du musst dich nur um die Post kümmern und dich melden, wenn etwas Interessantes dabei ist.«

»Lisbeth, du bist das durchgeknallteste Mädchen, das ich kenne. Was machst du eigentlich? Wo wirst du in Zukunft wohnen?«

»Darüber können wir später reden«, wehrte Lisbeth ab.

Sie wollten sich am Nachmittag treffen, damit sich Mimmi die Wohnung richtig ansehen konnte. Nachdem Lisbeth aufgelegt hatte, fühlte sie sich schon viel besser. Sie warf einen Blick auf ihre Armbanduhr und stellte fest, dass ihr noch genügend Zeit blieb, bis Mimmi kam. Sie verließ die Wohnung und ging zur Handelsbank in der Hornsgatan, wo sie eine Nummer zog und geduldig wartete, bis sie aufgerufen wurde.

Sie wies sich aus, erklärte, sie sei geraume Zeit im Ausland gewesen und wolle jetzt einen Blick auf ihr Sparkonto werfen. Ihr Sparkapital belief sich auf 82 670 Kronen. Das Konto war ein Jahr lang nicht angetastet worden, nur im Herbst hatte es eine Einzahlung über 9 312 Kronen gegeben. Das war die Erbschaft ihrer Mutter gewesen.

Lisbeth Salander hob eine Summe ab, die dem Erbe entsprach. Dann überlegte sie kurz. Sie wollte das Geld für etwas verwenden, was ihrer Mutter gefallen hätte. Etwas Passendes. Schließlich ging sie zur Post in der Rosenlundsgatan und zahlte den Betrag auf das Konto eines Stockholmer Frauenhauses ein. Sie wusste auch nicht recht, warum sie das tat.

Es war Freitagabend um acht, als Erika ihren Computer ausschaltete und sich streckte. Die letzten neun Stunden hatte sie mit der Schlussredaktion der Märznummer von *Millennium* zugebracht. Da Malin Eriksson ausschließlich mit Dag Svenssons Themenheft beschäftigt war, hatte Erika den Großteil der Redaktion allein erledigen müssen. Henry Cortez und Lottie Karim unterstützten sie zwar, waren aber hauptsächlich fürs Schreiben und Recherchieren zuständig und nicht besonders erfahren im Redigieren.

Erika Berger war müde und hatte Rückenschmerzen, doch im Großen und Ganzen war sie zufrieden mit diesem Tag und mit dem Leben im Allgemeinen.

Nachdem sie eine Weile versucht hatte, sich selbst den Nacken zu massieren, stellte sie fest, dass sie eine Dusche gut gebrauchen konnte. Sie erwog zuerst, die kleine Duschkabine in der Kammer zu benutzen, aber dann fühlte sie sich doch zu träge und legte stattdessen nur die Füße auf den Schreibtisch. In drei Monaten wurde sie 45, und die viel diskutierte »Zukunft« lag immer mehr hinter ihr. An den Augen und um den Mund hatte sich ein feines Netz aus Fältchen und Linien gebildet, aber sie wusste, dass sie immer noch gut aussah. Jede Woche ging sie zweimal ins Fitnessstudio und absolvierte ein beinhartes Programm, aber sie merkte, dass es ihr immer schwerer fiel, den Mast hochzuklettern, wenn sie mit ihrem Mann segeln ging. Da Greger nicht schwindelfrei war, musste sie im Bedarfsfall die Kletterei übernehmen.

Erika stellte außerdem fest, dass ihre ersten 45 Jahre trotz einiger »ups and downs« recht glücklich verlaufen waren. Sie hatte Geld, Prestige, eine herrliche Wohnung und einen Job, den sie liebte. Sie hatte einen sensiblen Mann, der sie liebte und in den sie nach fünfzehn Jahren Ehe immer noch verliebt war. Und obendrein einen bequemen und anscheinend unverwüstlichen Liebhaber, der sie zwar nicht seelisch, ganz gewiss aber körperlich befriedigte, wenn ihr danach war.

Sie lächelte, als sie an Mikael Blomkvist dachte. Sie fragte sich, wann er wohl den Mut aufbringen würde, sie in seine geheime Liebschaft mit Harriet Vanger einzuweihen. Weder Mikael noch Harriet hatten auch nur ein Sterbenswörtchen über ihr Verhältnis verlauten lassen, aber Erika war schließlich auch kein heuriger Hase. Dass da irgendetwas im Gange war, hatte sie auf einer Führungskreissitzung im August bemerkt, als ihr ein Blick zwischen Mikael und Harriet aufgefallen war. Aus reinem Mutwillen hatte sie abends probiert, Harriet und Mikael auf ihren Handys anzurufen, und wenig überrascht festgestellt, dass beide ihr Telefon ausgeschaltet hatten. Das war natürlich kein endgültiger Beweis, doch auch nach der nächsten Führungskreissitzung konnte sie feststellen, dass Mikael am Abend nicht zu erreichen war. Es war fast schon amüsant, wie schnell sich Harriet beim Abendessen nach der Jahresabschlusssitzung aus der Runde verabschiedete – mit der vagen Begründung, sie müsse ins Hotel und sich schlafen legen. Erika spionierte ihnen nicht nach und war auch nicht eifersüchtig. Doch sie nahm sich vor, die beiden bei passender Gelegenheit damit aufzuziehen.

Sie mischte sich niemals in Mikaels Frauengeschichten ein, hoffte aber, dass seine Affäre mit Harriet keine Probleme im Unternehmen schaffen würde. Doch das war kaum zu befürchten. Mikael war mit den meisten Frauen, mit denen er einmal ein Verhältnis gehabt hatte, immer noch gut befreundet, und nur in wenigen Fällen hatte es hinterher Schwierigkeiten gegeben.

Erika Berger selbst war unsagbar froh, Mikaels Freundin und Vertraute zu sein. In mancher Hinsicht war er ein wenig schwer von Begriff, in anderer Hinsicht aber wieder so hellsichtig wie ein Orakel. Mikael wiederum hatte niemals ihre Liebe zu ihrem Mann verstehen können. Es ging ihm nicht in den Kopf, warum sie Greger so faszinierend fand, so warmherzig, spannend und großzügig. Vor allem war Greger völlig frei von vielen unangenehmen Angewohnheiten, die sie bei Männern zutiefst verabscheute. Greger war der Mann, mit dem zusammen sie alt werden wollte. Sie hatte auch Kinder mit ihm haben wollen, doch es hatte nicht geklappt, und jetzt war es zu spät. Doch was die Wahl ihres Lebensgefährten betraf, hätte sie sich keine bessere und stabilere Alternative denken können – ein Mensch, dem sie vorbehaltlos vertraute und der immer für sie da war, wenn sie ihn brauchte.

Mikael war ganz anders. Er war ein Mann, dessen Charakterzüge so veränderlich waren, dass man ihn manchmal für eine multiple Persönlichkeit halten konnte. Beruflich war er stur und verbiss sich fast krankhaft in seine Aufgabe. Er machte sich an eine Story und arbeitete sich bis zu dem Punkt vor, an dem sie perfekt war und alle losen Fäden zusammenliefen. In Hochform war er brillant und ansonsten immer noch um Längen besser als der Durchschnitt. Er schien über eine intuitive Begabung zu verfügen, das Potenzial einer großen Story zu wittern. Erika Berger hatte noch nie bereut, dass sie mit Mikael zusammenarbeitete.

Sie hatte auch nie bereut, seine Liebhaberin geworden zu sein.

Der Einzige, der Erika Bergers Leidenschaft für den Sex mit Mikael Blomkvist verstand, war ihr Mann. Er verstand sie, weil sie sich traute, mit ihm über ihre Bedürfnisse zu reden. Hier ging es nicht um Untreue, sondern um Begehren. Sex mit Mikael Blomkvist verschaffte ihr einen Kick, den ihr kein anderer Mann – Greger eingeschlossen – geben konnte.

Sex war für Erika Berger sehr wichtig. Sie hatte ihre Unschuld im Alter von 14 Jahren verloren und den Großteil ihrer Teenagerjahre damit verbracht, frustriert nach Befriedigung zu suchen. In dieser Zeit probierte sie alles aus, von wildem Rumgeknutsche mit Klassenkameraden über eine heikle Affäre mit einem älteren Lehrer bis hin zu Telefonsex mit einem Neurotiker. Auf dem Gebiet der Erotik hatte sie fast alles durchprobiert, was sie interessierte. Sie hatte mit Bondage geliebäugelt und war Mitglied im »Club Xtreme« geworden, der Partys außerhalb des sozial Akzeptierten veranstaltete. Sie hatte mehrmals Sex mit Frauen ausprobiert und enttäuscht festgestellt, dass das nicht ihr Ding war, weil Frauen sie nicht halb so erregten wie ein Mann. Oder zwei. Mit Greger hatte sie auch einmal Sex mit zwei Männern ausprobiert – einer von ihnen war ein angesehener Galerist gewesen – und dabei entdeckt, dass ihr Mann eine stark bisexuelle Neigung hatte und dass sie es über alle Maßen genoss, von zwei Männern gleichzeitig liebkost und befriedigt zu werden. Ebenso empfand sie ein schwer zu erklärendes Lustgefühl, wenn sie beobachtete, wie ihr Mann von einem anderen Mann gestreichelt wurde. Diesen Kick verschafften sich Greger und sie regelmäßig mit ein paar festen Partnern und immer wieder mit demselben Erfolg.

Ihr Sexleben mit Greger war also weder langweilig noch unbefriedigend. Nur war der Sex mit Mikael Blomkvist eben ein ganz anderes Erlebnis.

Er hatte Talent. Es war ganz einfach VGS. Verdammt geiler Sex.

So geil, dass sie meinte, mit Greger als Mann und Mikael als gelegentlichem Liebhaber das optimale Gleichgewicht gefunden zu haben. Sie konnte auf keinen von beiden verzichten und wollte nicht zwischen ihnen wählen müssen.

Und ihr Mann hatte verstanden, dass sie Bedürfnisse hatte, die er auch mit den akrobatischsten Verrenkungen im Whirlpool nicht befriedigen konnte.

Was Erika an dem Verhältnis mit Mikael am besten gefiel, war sein nicht vorhandenes Kontrollbedürfnis. Er war nicht im Geringsten eifersüchtig, und obwohl sie selbst zu Beginn ihrer Beziehung vor zwanzig Jahren mehrere Eifersuchtsanfälle bekommen hatte, war ihr irgendwann aufgegangen, dass sie in seinem Fall überhaupt nicht eifersüchtig sein musste. Ihre Beziehung gründete auf Freundschaft, und in Sachen Freundschaft war seine Loyalität grenzenlos. Ihr Verhältnis konnte die schwersten Prüfungen bestehen.

Erika Berger wusste, dass sie zu einem Kreis von Menschen gehörte, deren Lebensstil beim Christlichen Hausfrauenverband wahrscheinlich nicht besonders gut ankommen würde. Aber das störte sie nicht. Schon als Teenie hatte sie beschlossen, dass ihr Lebensstil niemanden etwas anging. Es irritierte sie nur manchmal, dass so viele ihrer Bekannten regelmäßig über ihr Verhältnis mit Mikael Blomkvist tuschelten.

Mikael war ein Mann. Er konnte von einem Bett ins nächste hüpfen, ohne dass jemand eine Miene verzog. Doch sie als Frau …

Fuck you all. Sie überlegte kurz und nahm dann den Hörer ab, um ihren Mann anzurufen.

»Hallo, Schatz. Was machst du gerade?«

»Bin am Schreiben.«

Greger Backman war nicht nur Künstler, er war vor allem Dozent für Kunstgeschichte und Autor mehrerer Sachbücher.

Er beteiligte sich an öffentlichen Kunstdebatten und wurde von großen Architekturfirmen engagiert. Zurzeit arbeitete er an einem Buch, das die Bedeutung der künstlerischen Ausgestaltung von Gebäuden behandelte und die Frage aufwarf, warum Menschen sich in dem einen Gebäude wohlfühlten und in dem anderen nicht. Das Buch geriet ihm langsam, aber sicher zu einer Streitschrift gegen den Funktionalismus (diesen Verdacht hegte zumindest Erika), und es würde wohl für einigen Wirbel im ästhetischen Diskurs sorgen.

»Wie kommst du voran?«

»Ausgezeichnet. Und du?«

»Ich bin in diesem Moment mit dem nächsten Heft fertig geworden. Es geht am Donnerstag in Druck.«

»Gratuliere.«

»Ich fühl mich total leer.«

»Das klingt, als hättest du was im Sinn?«

»Hast du heute Abend schon Pläne für uns gemacht, oder wärst du sehr böse, wenn ich heute Nacht nicht nach Hause komme?«

»Schöne Grüße an Blomkvist, er fordert sein Schicksal heraus«, meinte Greger.

»Ich glaube, das ist ihm ziemlich egal.«

»Okay. Richte ihm aus, dass du eine Hexe bist, die man niemals befriedigen kann, und dass er vorzeitig altern wird.«

»Das weiß er schon.«

»Wenn das so ist, bleibt mir nur noch der Selbstmord. Ich werde einfach weiterschreiben, bis ich einschlafe. Viel Spaß.«

Anschließend rief Erika bei Mikael an. Er war gerade zu Hause bei Dag Svensson und Mia Bergman in Enskede, wo er ein paar heikle Details in Dags Buch diskutiert hatte. Sie fragte ihn, ob er für die Nacht schon etwas vorhabe oder ob er sich vorstellen könne, ihr den schmerzenden Rücken zu massieren.

»Du hast ja meine Schlüssel«, erwiderte Mikael. »Fühl dich wie zu Hause.«

»Werd ich tun«, versprach sie. »Dann sehen wir uns in einer Stunde oder so.«

Bis zur Bellmansgatan brauchte sie zehn Minuten zu Fuß. Sie zog sich aus, duschte und machte sich einen Espresso mit Mikaels Kaffeemaschine. Dann schlüpfte sie nackt in sein Bett und wartete voller Vorfreude.

Die optimale Befriedigung würde sie wahrscheinlich aus einer Dreierbeziehung mit ihrem Mann und Mikael Blomkvist ziehen, doch diese Idee ließ sich mit hundertprozentiger Sicherheit niemals verwirklichen. Das Problem war, dass Mikael so eindeutig heterosexuell war, dass sie ihn manchmal damit aufzog, er sei in seinem Innersten wohl homophob. Anscheinend konnte man auf dieser Welt eben nicht alles haben.

Der blonde Riese runzelte irritiert die Augenbrauen, als er sein Auto vorsichtig über einen knapp fünfzehn Kilometer langen, miserablen Waldweg lenkte. Zwischendurch glaubte er kurz, die Wegbeschreibung falsch verstanden zu haben. Es fing gerade zu dämmern an, da wurde der Weg breiter, und er sah endlich die Hütte vor sich auftauchen. Er parkte, stellte den Motor ab und sah sich um. Noch fünfzig Meter.

Er befand sich in der Nähe von Stallarholmen, nicht weit von Mariefred. Die schlichte Hütte war in den 50er-Jahren erbaut worden und stand mitten im Wald. Durch ein paar Bäume konnte er einen hellen Streifen Eis auf dem Mälaren-See erkennen.

Es wollte ihm einfach nicht in den Kopf, wie jemand seine Freizeit nur in so einem abgelegenen Wäldchen verbringen konnte. Plötzlich war ihm sehr unwohl, als er die Autotür hinter sich zuwarf. Der Wald wirkte bedrohlich und zudringlich. Er fühlte sich beobachtet. Während er auf die Hütte zuging, hörte er auf einmal ein Rascheln, das ihn zusammenzucken ließ.

Er starrte in den Wald. In der Abenddämmerung war es leise und windstill. Zwei Minuten blieb er mit zum Zerreißen gespannten Nerven stehen, bevor er aus dem Augenwinkel einen Schatten erkannte, der sich vorsichtig zwischen den Bäumen bewegte. Als er die Gestalt fixierte, blieb sie in dreißig Metern Entfernung vom Waldrand stehen und starrte zurück.

Der blonde Riese verspürte einen Anflug von Panik. Er versuchte, Details zu erkennen, sah aber nur ein dunkles, hageres Gesicht. Das Wesen sah aus wie ein Zwerg, ungefähr einen Meter groß, und trug Tarnkleidung, die aussah, als wäre sie aus Moos und Tannenzweigen. Ein bayrischer Waldwichtel? Ein irischer Leprechaun? Wie gefährlich waren die eigentlich?

Der blonde Riese hielt den Atem an. Er spürte, wie sich seine Nackenhärchen aufstellten.

Dann blinzelte er kräftig und schüttelte den Kopf. Als er wieder hinsah, hatte sich das Wesen ungefähr zehn Meter weiter nach rechts bewegt. Bildete er sich alles nur ein? Nein, er konnte das seltsame Wesen ganz deutlich zwischen den Bäumen ausmachen. Plötzlich bewegte es sich und kam näher. Es lief mit ruckartigen Schritten in einem Halbkreis auf ihn zu, um den besten Angriffswinkel zu haben.

Der blonde Riese rannte das letzte Stück bis zur Hütte. Er klopfte ein wenig zu laut und ein wenig zu eindringlich an die Tür. Sobald er das Geräusch menschlicher Schritte aus der Hütte hörte, legte sich seine Panik wieder. Er warf einen verstohlenen Blick zurück. *Da war doch gar nichts*.

Aber er atmete erst auf, als die Tür aufging. Rechtsanwalt Nils Bjurman begrüßte ihn höflich und bat ihn einzutreten.

Miriam Wu atmete kräftig aus, nachdem sie den letzten Müllsack mit Lisbeths Habseligkeiten aus der Wohnung in den Keller gebracht hatte. Die Wohnung war klinisch sauber und roch nach Seife, Wandfarbe und frisch aufgebrühtem Kaffee. Für Letzteren zeichnete Lisbeth verantwortlich. Sie saß auf einem

Hocker und betrachtete nachdenklich die nackte Wohnung, aus der die Gardinen, Teppiche, die Rabattmarken auf dem Kühlschrank und ihr gewohnter Gerümpelhaufen im Flur auf magische Weise verschwunden waren. Sie staunte, wie groß die Wohnung auf einmal wirkte.

Miriam Wu und Lisbeth Salander hatten in jeder Hinsicht einen unterschiedlichen Geschmack. Besser gesagt: Miriam hatte Geschmack und klare Vorstellungen, wie ihre Wohnung aussehen sollte. Lisbeth hingegen hatte überhaupt keinen Geschmack, fand Mimmi.

Nachdem sie zu Lisbeth gekommen war, um ihre Wohnung in der Lundagatan mit Spekulantenaugen in Augenschein zu nehmen, hatten sie eine Weile hin und her diskutiert. Mimmi hatte schließlich verlangt, dass das meiste aus der Wohnung verschwinden musste, besonders dieses elende kackbraune Sofa aus dem Wohnzimmer. Ob Lisbeth irgendetwas behalten wolle? *Nein.* Danach hatte Mimmi sich zwei Wochen lang von früh bis spät damit beschäftigt, alte Möbel wegzuschaffen, Schränke sauber zu machen, die Badewanne zu schrubben, die Wände in Küche, Wohnzimmer und Flur neu zu streichen und das Parkett zu lackieren.

Lisbeth hatte kein Interesse an derartigen Tätigkeiten, war aber ab und zu vorbeigekommen, um Mimmi fasziniert zu beobachten. Schließlich war die Wohnung leer bis auf einen kleinen, ramponierten Küchentisch aus Massivholz, den Mimmi abschleifen und neu streichen wollte, zwei stabile Hocker, die Lisbeth sich einmal geschnappt hatte, als man den Dachboden des Hauses entrümpelte, sowie ein robustes Regal im Wohnzimmer, mit dem Mimmi vielleicht noch etwas anfangen konnte.

»Am Wochenende ziehe ich ein. Bist du sicher, dass du das nicht irgendwann bereust?«

»Ich brauche die Wohnung nicht.«

»Aber das ist doch eine Bombenwohnung. Ich meine, es gibt sicher größere und bessere, aber sie liegt mitten in Söder, und die Miete ist ein Witz. Lisbeth, du lässt dir ein Vermögen entgehen, wenn du sie nicht verkaufst.«

»Ich habe genug Geld.«

Mimmi schwieg. Sie wusste nicht, wie sie Lisbeths einsilbige Kommentare deuten sollte.

»Und wo willst du wohnen?«

Lisbeth antwortete nicht.

»Darf man dich da mal besuchen?«

»Im Moment nicht.«

Lisbeth öffnete ihre Umhängetasche und zog ein Papier heraus, das sie Mimmi gab.

»Ich habe das mit dem Vertrag bei der Hausverwaltung geregelt. Das Einfachste ist, dich als meine Partnerin einzutragen, der ich die Hälfte der Wohnung verkaufe. Die Kaufsumme beläuft sich auf eine Krone. Du musst den Vertrag nur noch unterschreiben.«

Mimmi nahm den Kugelschreiber und unterschrieb mit Namen und Datum.

»Ist das alles?«

»Das ist alles.«

»Lisbeth, ich habe an und für sich schon immer gefunden, dass du ein bisschen verrückt bist, aber ist dir klar, dass du mir gerade die Hälfte dieser Wohnung geschenkt hast? Ich möchte gerne eine Wohnung, aber ich möchte nicht, dass du es eines Tages bereust und es dann Ärger zwischen uns gibt.«

»Es wird keinen Ärger geben. Ich möchte, dass du hier wohnst. Mir geht es gut damit.«

»Aber gratis? Ohne Entschädigung? Du bist doch nicht ganz richtig im Kopf.«

»Du kümmerst dich um meine Post. Das ist die Bedingung.«

»Die mich wahrscheinlich vier Sekunden pro Woche kostet. Kommst du zumindest ab und zu mal vorbei, um Sex mit mir zu haben?«

Lisbeth fixierte Mimmi. Sie schwieg eine Weile.

»Gerne, aber das gehört nicht zum Vertrag. Du kannst jederzeit Nein sagen, wenn du willst.«

Mimmi seufzte.

»Wo ich doch grade anfing, mich wie eine *kept woman* zu fühlen. Du weißt schon, ich kriege eine Wohnung, jemand zahlt meine Miete und schleicht sich ab und zu hierher, um sich mit mir im Bett zu vergnügen.«

Sie blieben ein Weilchen schweigend sitzen. Dann stand Mimmi auf, ging ins Wohnzimmer und schaltete die nackte Deckenlampe ein.

»Komm her.«

Lisbeth folgte ihr.

»Ich habe noch nie Sex auf dem Boden einer frisch gestrichenen Wohnung gehabt, in der keine Möbel stehen. Kennst du den Film mit Marlon Brando in Paris? Die haben das gemacht.«

Lisbeth warf einen Blick auf den Boden.

»Ich will spielen. Hast du Lust?«

»Ich hab fast immer Lust.«

»Heute Abend will ich das dominante Luder spielen. Ich geb die Befehle. Zieh dich aus.«

Lisbeth lächelte schief. Sie zog sich aus, was mindestens zehn Sekunden dauerte.

»Leg dich auf den Boden. Auf den Bauch.«

Lisbeth tat, was Mimmi befohlen hatte. Das Parkett war kühl, und sie bekam sofort eine Gänsehaut. Mimmi nahm Lisbeths T-Shirt mit dem Aufdruck *You have the right to remain silent* und band ihr damit die Hände auf den Rücken.

Lisbeth dachte kurz daran, dass Rechtsanwalt *Nils Arschloch Lustgreis Bjurman* sie vor knapp zwei Jahren genauso gefesselt hatte.

Aber damit hörten die Ähnlichkeiten auch schon auf.

Bei Mimmi fühlte Lisbeth nichts als lustvolle Vorfreude. Willig ließ sie zu, dass Mimmi sie auf den Rücken drehte und ihre Beine spreizte. Sie beobachtete im Zwielicht, wie Mimmi ihr eigenes T-Shirt auszog, und war fasziniert von ihren Brüsten. Dann verband Mimmi Lisbeth mit ihrem T-Shirt die Augen. Sie hörte Kleider rascheln. Kurz darauf spürte sie Mimmis Zunge auf ihrem Bauch und ihre Finger auf der Innenseite ihrer Schenkel. Sie war so erregt wie schon lange nicht mehr. Unter ihrer Binde kniff sie die Augen zusammen und überließ es ganz Mimmi, den Takt anzugeben.

8. Kapitel

Montag, 14. Februar – Samstag, 19. Februar

Dragan Armanskij sah auf, als jemand leicht an den Türrahmen klopfte, und erblickte Lisbeth Salander. Sie hielt zwei Becher aus dem Kaffeeautomaten in den Händen. Langsam senkte er seinen Stift und schob den Bericht beiseite, mit dem er gerade beschäftigt war.

»Hallo«, sagte sie.

»Hallo«, erwiderte Armanskij.

»Das hier soll ein Besuch unter Freunden sein«, erklärte sie. »Darf ich reinkommen?«

Dragan Armanskij schloss kurz die Augen. Dann wies er auf seinen Besucherstuhl und warf einen Blick auf die Uhr. Es war halb sieben Uhr abends. Lisbeth Salander gab ihm einen Becher und setzte sich. Sie musterten sich eine Weile.

»Über ein Jahr ...«, begann Dragan.

Lisbeth nickte.

»Sind Sie sauer?«

»Sollte ich sauer sein?«

»Ich habe mich nicht verabschiedet.«

Dragan schürzte die Lippen. Er war schockiert, doch gleichzeitig erleichtert über die Erkenntnis, dass Lisbeth Salander zumindest nicht tot war. Plötzlich fühlte er sich aber auch sehr gereizt und müde.

»Ich weiß nicht, was ich sagen soll«, gab er zurück. »Sie haben keine Verpflichtung, mir zu berichten, womit Sie sich beschäftigen. Was wollen Sie?«

Seine Stimme klang kühler, als er selbst beabsichtigt hatte.

»Ich weiß auch nicht so richtig. Ich wollte wohl vor allem Hallo sagen.«

»Brauchen Sie einen Job? Ich habe nicht vor, Sie hier noch weiter zu beschäftigen.«

Sie schüttelte den Kopf.

»Arbeiten Sie irgendwo anders?«

Sie schüttelte abermals den Kopf. Anscheinend suchte sie gerade nach den richtigen Worten. Dragan wartete.

»Ich war verreist«, verkündete sie schließlich. »Ich bin erst vor Kurzem nach Schweden zurückgekommen.«

Armanskij nickte nachdenklich und musterte sie. Lisbeth Salander hatte sich verändert. Es lag eine neue Art von ... Reife in der Wahl ihrer Kleider und in ihrem Auftreten. Und sie hatte sich den BH mit irgendetwas ausgepolstert.

»Sie haben sich verändert. Wo sind Sie gewesen?«

»Ein bisschen hier, ein bisschen dort ...«, antwortete sie ausweichend, fuhr aber fort, als sie seinen gereizten Blick auffing. »Ich bin nach Italien gereist, dann weiter in den Nahen Osten und über Bangkok nach Hongkong. Ich war eine Weile in Australien und Neuseeland und bin dann im Stillen Ozean von Insel zu Insel gehüpft. Einen Monat war ich auf Tahiti. Dann bin ich durch die USA gefahren, und die letzten Monate hab ich in der Karibik verbracht.«

Er nickte.

»Ich weiß nicht, warum ich mich nicht verabschiedet habe.«

»Weil Sie sich ehrlich gesagt einen Scheiß um andere Menschen scheren«, stellte Dragan Armanskij sachlich fest.

Lisbeth Salander biss sich auf die Unterlippe. Sie überlegte kurz. Was er sagte, stimmte vielleicht, doch fand sie seinen Ton trotzdem unpassend.

»Normalerweise ist es so, dass sich die Menschen keinen Deut um mich scheren.«

»Blödsinn«, schnaubte Armanskij. »Sie behandeln Leute, die Ihre Freunde sein wollen, wie Dreck. So einfach ist das.«

Schweigen.

»Wollen Sie, dass ich gehe?«

»Das können Sie halten, wie Sie wollen. Das haben Sie ja immer so gemacht. Aber wenn Sie jetzt hier rausgehen, dann will ich Sie in meinem Leben nie wieder sehen.«

Auf einmal bekam Lisbeth Salander Angst. Ein Mensch, den sie tatsächlich respektierte, war bereit, sie zu verstoßen. Sie wusste nicht, was sie sagen sollte.

»Vor zwei Jahren hatte Holger Palmgren einen Schlaganfall. Sie haben ihn nicht ein einziges Mal besucht«, fuhr Armanskij ungerührt fort.

Lisbeth starrte ihn schockiert an.

»Ist Palmgren noch am Leben?«

»Sie wissen also noch nicht mal, ob er tot oder am Leben ist.«

»Die Ärzte haben gesagt, dass …«

»Die Ärzte haben so einiges über ihn gesagt«, unterbrach Armanskij. »Es hatte ihn böse erwischt. Er konnte überhaupt nicht mehr mit seiner Umwelt kommunizieren. Letztes Jahr hat sich sein Zustand dann gebessert. Er kann nur unter großen Schwierigkeiten sprechen, und man muss gut hinhören, um ihn zu verstehen. Bei vielen Dingen braucht er Hilfe, aber er kann allein auf die Toilette gehen. Die Leute, denen etwas an ihm liegt, besuchen ihn.«

Lisbeth verschlug es die Sprache. Sie selbst hatte Palmgren vor zwei Jahren gefunden, als er seinen Schlaganfall gehabt hatte. Sie hatte den Krankenwagen gerufen, und die Ärzte stellten fest, dass die Diagnose wenig Anlass zur Hoffnung gab. Während der ersten Woche hatte sie sich im Krankenhaus einquartiert, bis ein Arzt ihr erklärte, Palmgren liege im Koma, und es sei äußerst unwahrscheinlich, dass er je wieder aufwachen würde. In dem Augenblick hatte sie aufgehört, sich um ihn zu sorgen, und hatte ihn aus ihrem Leben gestrichen. Sie war aufgestanden und hatte das Krankenhaus wortlos verlassen.

Sie runzelte die Stirn. Zur gleichen Zeit hatte sie Nils Bjurman an den Hals gekriegt, der einen Großteil ihrer Aufmerksamkeit in Anspruch genommen hatte. Doch niemand, nicht einmal Armanskij, hatte ihr erzählt, dass Palmgren noch lebte, geschweige denn, dass er sich vielleicht auf dem Weg der Besserung befand. Sie selbst hatte diese Möglichkeit nicht einmal in Betracht gezogen.

Plötzlich spürte sie, wie ihr Tränen in die Augen stiegen. Sie hatte sich nie zuvor wie ein jämmerliches, egoistisches Stück Dreck gefühlt. Sie senkte den Kopf.

Schließlich brach Armanskij das Schweigen.

»Wie geht es Ihnen denn?«

Lisbeth zuckte die Schultern.

»Wovon leben Sie? Haben Sie eine Arbeit?«

»Nein, ich habe keine Arbeit, und ich weiß nicht, was ich arbeiten möchte. Aber ich habe genug Geld, ich komme zurecht.«

Armanskij musterte sie forschend.

»Ich bin nur vorbeigekommen, um Hallo zu sagen … ich suche keine Arbeit. Ich weiß nicht … vielleicht würde ich einen Job für Sie übernehmen, wenn Sie mich irgendwann mal wieder brauchen, aber dann muss es was sein, was mich wirklich interessiert.«

»Ich nehme an, Sie wollen mir nicht erzählen, was letztes Jahr da oben in Hedestad passiert ist?«

Lisbeth schwieg.

»Irgendetwas ist doch passiert. Martin Vanger hat sich totgefahren, kurz nachdem Sie hier unten waren und sich die Überwachungsausrüstung ausgeliehen haben, weil sie lebensgefährlich bedroht wurden. Und dann ersteht seine Schwester auch noch von den Toten auf. Das Ganze war gelinde gesagt eine Sensation.«

»Ich habe versprochen, nichts zu erzählen.«

Armanskij nickte.

»Und ich nehme mal stark an, Sie wollen mir auch nicht erzählen, welche Rolle Sie bei der Wennerström-Affäre gespielt haben.«

»Ich habe Kalle Blomkvist bei seiner Recherche geholfen.« Auf einmal klang ihre Stimme bedeutend kühler. »Das war alles. Ich will da nicht weiter mit reingezogen werden.«

»Mikael Blomkvist hat Sie verzweifelt gesucht. Er hat sich mindestens einmal pro Monat bei mir gemeldet und nachgefragt, ob ich etwas von Ihnen gehört hätte. Dem liegt auch etwas an Ihnen.«

Lisbeth blieb stumm, doch Armanskij bemerkte, dass ihr Mund sich jetzt in einen schmalen Strich verwandelt hatte.

»Ich weiß nicht recht, ob ich ihn mag«, fuhr Armanskij fort. »Aber ihm liegt tatsächlich etwas an Ihnen. Er will übrigens auch nicht über Hedestad sprechen.«

Lisbeth hatte keine Lust, über Mikael Blomkvist zu diskutieren.

»Ich bin nur vorbeigekommen, um Hallo zu sagen und Ihnen mitzuteilen, dass ich wieder in der Stadt bin. Ich weiß nicht, ob ich hierbleiben werde. Hier sind meine Handynummer und meine neue Mailadresse – für den Fall, dass Sie mich brauchen.«

Sie reichte Armanskij einen Zettel und stand auf. Er nahm ihn entgegen. Erst als sie schon an der Tür war, rief er ihr hinterher.

»Warten Sie mal kurz. Was haben Sie vor?«

»Ich gehe jetzt Holger Palmgren besuchen.«

»Okay. Aber ich meinte eigentlich … was wollen Sie jetzt arbeiten?«

Sie betrachtete ihn nachdenklich.

»Ich weiß nicht.«

»Sie müssen doch Ihren Lebensunterhalt verdienen.«

»Ich hab Ihnen doch schon gesagt, ich hab genug Geld, um auch so klarzukommen.«

Armanskij lehnte sich zurück und überlegte. Bei Lisbeth Salander war er nie ganz sicher, wie er ihre Worte deuten sollte.

»Ich war so sauer über Ihr Verschwinden, dass ich fast schon beschlossen hatte, Sie nie wieder zu engagieren.« Er zog eine Grimasse. »Sie sind so unzuverlässig. Aber Sie sind ein schrecklich guter Researcher. Vielleicht habe ich da einen Job für Sie, der gut zu Ihnen passen würde.«

Sie schüttelte den Kopf, ging jedoch zurück zu seinem Schreibtisch.

»Ich will keinen Job von Ihnen. Ich meine, ich brauche kein Geld. Das ist mein voller Ernst. Ich bin wirtschaftlich unabhängig.«

Dragan Armanskij runzelte skeptisch die Stirn. Schließlich nickte er.

»Okay, Sie sind wirtschaftlich unabhängig, was immer das heißen mag. Ich glaube Ihnen das. Aber wenn Sie einmal einen Job brauchen ...«

»Dragan, Sie sind der Zweite, den ich aufgesucht habe, seit ich zurück bin. Ich brauche Ihr Geld nicht. Aber mehrere Jahre waren Sie einer der wenigen Menschen, die ich wirklich respektiert habe.«

»In Ordnung. Aber alle Menschen müssen Ihren Lebensunterhalt verdienen.«

»Tut mir leid, aber ich habe kein Interesse mehr daran, den persönlichen Hintergrund von irgendwelchen Personen für Sie auszuleuchten. Melden Sie sich bei mir, wenn Sie wirklich mal auf ein Problem stoßen.«

»Was für ein Problem?«

»Ein unlösbares Problem. Wenn Sie sich völlig festgefahren haben und nicht mehr wissen, was Sie noch tun sollen.

Wenn ich für Sie arbeiten soll, müssen Sie mit etwas kommen, was mich interessiert. Vielleicht ein Einsatz auf operativem Gebiet.«

»Auf operativem Gebiet? Sie? Wo Sie jederzeit spurlos verschwinden, wenn es Ihnen passt?«

»Blödsinn. Ich habe noch nie einen Job in den Sand gesetzt, wenn ich einmal zugesagt hatte.«

Dragan Armanskij sah sie hilflos an. Der Ausdruck »operatives Gebiet« war Fachjargon, dabei ging es um Außeneinsätze. Das konnte von Personenschutz bis zu speziellen Bewachungsaufträgen bei Kunstausstellungen gehen. Sein operatives Personal bestand aus ruhigen und ausgeglichenen Veteranen, die oft eine Vergangenheit bei der Polizei hatten. Zudem waren es zu 90 Prozent Männer.

»Tja ...«, meinte er zögernd.

»Bemühen Sie sich nicht. Ich nehme nur Aufträge an, die mich wirklich interessieren. Die Chance, dass ich Nein sage, ist also groß. Melden Sie sich, wenn Sie mal ein echtes Problem haben. Im Rätsellösen bin ich gut.«

Sie drehte sich auf dem Absatz um und verschwand durch die Tür. Dragan Armanskij schüttelte den Kopf. *Sie ist verrückt. Sie ist total verrückt.*

Im nächsten Moment stand Lisbeth wieder auf der Schwelle.

»Übrigens ... Sie haben da zwei Typen, die sich um die Bewachung dieser Schauspielerin Christine Ruterford kümmern, weil sie ständig anonyme Drohbriefe von diesem Verrückten bekommt. Sie glauben, dass es sich um einen Menschen aus ihrem Umfeld handeln muss, da er über so viele Details aus ihrem Leben Bescheid weiß.«

Dragan Armanskij starrte Lisbeth Salander an. Ihm war, als hätte er gerade einen elektrischen Schlag gekriegt. *Sie macht es immer wieder*. Sie kommentierte ein Thema, von dem sie eigentlich nicht das Geringste wissen konnte. *Sie kann davon nichts wissen*.

»Ja …?«

»Vergessen Sie's. Das Ganze ist der totale Fake. Die Ruterford und ihr Freund stecken dahinter, sie wollen bloß Aufmerksamkeit erregen. Sie wird in den nächsten Tagen einen neuen Brief bekommen, und nächste Woche sickert was in die Massenmedien durch. Das Risiko ist ziemlich hoch, dass sie anschließend Milton wegen dieser Indiskretion verklagt. Streichen Sie sie am besten gleich von der Kundenliste.«

Bevor Dragan Armanskij etwas sagen konnte, war sie verschwunden. Er starrte auf den leeren Türrahmen. Sie konnte nicht das Geringste von diesem Fall wissen. Sie musste einen Insider bei Milton haben, der Informationen an sie weitergab und sie auf dem Laufenden hielt. Aber nur vier, fünf Angestellte im Haus hatten Kenntnis von dieser Angelegenheit – Armanskij selbst, der operative Chef und die wenigen Personen, die den Drohbriefen nachgingen … und das waren alles alte, zuverlässige Profis. Armanskij rieb sich das Kinn.

Er blickte auf seinen Schreibtisch. Die Mappe mit dem Fall Ruterford lag in einer verschlossenen Schreibtischschublade. Das Büro war alarmgesichert. Er warf noch mal einen Blick auf die Uhr und stellte fest, dass Harry Fransson, der Chef der technischen Abteilung, für heute schon gegangen war. Armanskij fuhr sein Mailprogramm hoch und schickte Fransson eine Nachricht, dass er am nächsten Tag in sein Büro kommen und eine versteckte Überwachungskamera installieren sollte.

Lisbeth Salander ging auf direktem Weg nach Hause. Sie hatte das Gefühl, dass Eile geboten war, und beschleunigte ihre Schritte.

Zu Hause rief sie das Söder-Krankenhaus an, wurde diverse Male verbunden, bis sie zu guter Letzt Holger Palmgren ausfindig gemacht hatte. Dieser befand sich seit vierzehn Monaten in der Reha-Klinik Erstaviken in Älta. Plötzlich sah sie wieder Äppelviken vor sich. Als sie anrief, teilte man ihr mit, dass der Patient schliefe, sie ihn aber am nächsten Tag gern besuchen könne.

Lisbeth wanderte den ganzen Abend in ihrer Wohnung auf und ab. Ihr war sehr unbehaglich zumute. Schließlich ging sie früh zu Bett und schlief fast sofort ein. Um sieben Uhr wachte sie auf, duschte und frühstückte im 7-Eleven-Shop. Gegen acht ging sie zur Mietwagenfirma am Ringvägen. *Ich muss mir ein eigenes Auto zulegen.* Sie mietete denselben Nissan Micra, mit dem sie vor ein paar Wochen nach Äppelviken gefahren war.

Auf einmal wurde sie ganz nervös, als sie vor der Klinik parkte, aber dann fasste sie Mut und erklärte an der Rezeption, sie wolle Holger Palmgren besuchen.

Eine Frau mit dem Namensschild »Margit« schaute in ihre Unterlagen und erklärte, dass er gerade bei der Krankengymnastik sei und nicht vor elf fertig sein würde. Lisbeth könne im Wartezimmer Platz nehmen oder später wiederkommen. Sie ging also wieder auf den Parkplatz und rauchte im Auto drei Zigaretten, während sie wartete. Um elf ging sie zurück an die Rezeption. Man schickte sie in den Speisesaal.

Sie blieb auf der Schwelle stehen und sah Holger Palmgren in einem halb leeren Raum sitzen. Er saß mit dem Gesicht zu ihr, konzentrierte sich aber ausschließlich auf den Teller, der vor ihm stand. Seine Gabel hielt er ungeschickt mit der ganzen Faust umklammert. Obwohl er das Essen hoch konzentriert zum Mund führte, scheiterte er jedes dritte Mal und verlor alles von der Gabel.

Er war völlig in sich zusammengefallen und sah aus, als wäre er hundert Jahre alt. Sein Gesicht war seltsam starr. Er saß im Rollstuhl. Erst in diesem Moment begriff Lisbeth, dass er wirklich lebte und Armanskij sie nicht angelogen hatte.

Holger Palmgren fluchte im Stillen, als er zum dritten Mal versuchte, sich eine Portion Nudelauflauf auf die Gabel zu laden.

Er akzeptierte ja, dass er nicht richtig laufen und viele Dinge nicht selbst tun konnte. Aber dass er nicht ordentlich essen konnte und zeitweilig sabberte wie ein Baby, das machte ihn wütend.

Er wusste genau, wie er alles machen musste. Die Gabel im richtigen Winkel senken, nach vorn schieben, hochheben und zum Mund führen. Das Problem war jedoch die Koordination. Seine Hand schien ein Eigenleben zu führen. Wenn er Anheben befahl, wanderte sie plötzlich zur Seite. Wenn er sie zum Mund führte, änderte seine Hand im letzten Moment die Richtung und traf die Wange oder das Kinn.

Aber er wusste auch, dass die Reha Resultate zeigte. Vor sechs Monaten noch hatte seine Hand derart gezittert, dass er keinen Bissen in den Mund bekam. Mittlerweile brauchte er zwar lange für eine Mahlzeit, aber zumindest konnte er sie selbstständig zu sich nehmen. Er wollte nicht aufgeben, bis er die volle Kontrolle über seine Gliedmaßen wiedererlangt hatte.

Als er erneut die Gabel auf den Teller senkte, kam eine Hand schräg von hinten und nahm ihm sanft das Besteck aus der Hand. Er sah, wie sie eine Portion Nudelauflauf aufspießte und ihm das Essen zum Mund führte. Die schmale, puppenartige Hand erkannte er sofort wieder. Palmgren wandte den Kopf und blickte in Lisbeth Salanders Augen, nur knapp zehn Zentimeter von seinem Gesicht entfernt. Ihr Blick war abwartend, sie wirkte ängstlich.

Eine ganze Weile blieb Palmgren unbeweglich sitzen und starrte ihr ins Gesicht. Plötzlich klopfte sein Herz wie verrückt. Dann machte er den Mund auf.

Sie fütterte ihn Bissen für Bissen. Normalerweise hasste Palmgren es, wenn man ihm beim Essen half, aber er verstand Lisbeths Bedürfnis, das für ihn zu tun. Sie fütterte ihn in einer Art Demutsgeste – eine Regung, die sie ansonsten äußerst selten überfiel. Sie gabelte immer genau die richtige Menge auf und wartete, bis er fertig gekaut hatte. Als er mit dem Strohhalm auf das Milchglas deutete, hob sie es ruhig hoch, sodass er daraus trinken konnte.

Die ganze Zeit über wechselten sie kein Wort. Als er den letzten Bissen hinuntergeschluckt hatte, legte sie die Gabel beiseite und sah ihn fragend an. Er schüttelte den Kopf. *Nein, ich möchte keinen Nachschlag.*

Holger Palmgren lehnte sich in seinem Rollstuhl zurück und atmete tief durch. Lisbeth nahm die Serviette und trocknete ihm den Mund ab. Auf einmal fühlte er sich wie der Mafiaboss in einem amerikanischen Film, dem ein Untergebener seine Ehrerbietung erweist. Er sah es förmlich vor sich, wie sie ihm die Hand küsste, und musste über seine dumme Fantasie grinsen.

»Glauben Sie, hier kann man irgendwo eine Tasse Kaffee kriegen?«, fragte sie.

Er lallte. Seine Lippen und die Zunge wollten die Laute einfach nicht korrekt bilden.

»Tsch mm decke.« *Tisch um die Ecke.*

»Möchten Sie auch welchen? Mit Milch, ohne Zucker, so wie früher?«

Er nickte. Sie räumte das Tablett weg und kam nach ein paar Minuten mit zwei Kaffeetassen wieder. Er bemerkte, dass sie ungewohnterweise schwarzen Kaffee trank. Als er sah, dass sie den Strohhalm aus seinem Milchglas für seinen Kaffee aufbewahrt hatte, lächelte er. Schweigend saßen sie beisammen. Holger Palmgren lagen tausend Dinge auf der Zunge, doch er konnte sie nicht artikulieren. Aber sie sahen sich in die Augen. Lisbeth Salander, die schrecklich schuldbewusst wirkte, brach schließlich das Schweigen.

»Ich dachte, Sie wären tot«, sagte sie. »Ich wusste nicht, dass Sie noch leben. Wenn ich das gewusst hätte, wäre ich niemals ... ich hätte Sie schon längst besucht.«

Er nickte.

»Verzeihen Sie mir.«

Er nickte nochmals und lächelte. Sein Lächeln war schief, er konnte nur seine Lippen verzerren.

»Sie lagen im Koma, und die Ärzte meinten, dass Sie innerhalb weniger Tage sterben würden. Da bin ich einfach gegangen. Es tut mir leid. Verzeihen Sie mir.«

Er hob die Hand und legte sie auf ihre. Sie drückte seine Hand ganz fest und atmete aus.

»Du sst veschwnn.« *Du warst verschwunden.*

»Haben Sie mit Dragan Armanskij gesprochen?«

Er nickte.

»Ich war verreist. Ich musste verschwinden. Haben Sie sich Sorgen gemacht?«

Er schüttelte den Kopf.

»Sie brauchen sich niemals Sorgen um mich zu machen.«

»Hb mnie Song macht. Sie kmm kla. Aba Mnnski zch Song macht.« *Ich hab mir nie Sorgen gemacht. Sie kommen immer klar. Aber Armanskij hat sich Sorgen gemacht.*

Zum ersten Mal lächelte sie, und Holger Palmgren entspannte sich. Es war ihr gewohntes schiefes Grinsen. Er musterte sie, verglich das Mädchen, das vor ihm saß, mit dem Bild in seiner Erinnerung. Sie hatte sich verändert. Sie war sauber und gut gekleidet. Sie hatte sich den Ring aus der Lippe genommen und … hm … ihre Wespentätowierung am Hals war auch verschwunden. Sie wirkte erwachsen. Er musste richtig lachen, zum ersten Mal seit Wochen. Es klang freilich eher wie ein Hustenanfall.

Lisbeth grinste noch schiefer und merkte, wie sich in ihrem Herzen plötzlich eine Wärme ausbreitete, die sie schon lange nicht mehr verspürt hatte.

»Ssnd gut klakmm.« *Sie sind gut klargekommen.* Er deutete auf ihre Kleidung. Lisbeth nickte.

»Ich komme prima klar.«

»Wss dnooj Betroa?« *Wie ist der neue Betreuer?*

Holger Palmgren sah, wie sich Lisbeths Gesicht verfinsterte und sie die Lippen zusammenkniff. Gleichzeitig sah sie ihn aber ganz treuherzig an.

»Der ist okay … ich komme mit ihm zurecht.«

Palmgrens Augenbrauen zogen sich zu einem Fragezeichen zusammen. Lisbeth sah sich im Speisesaal um und wechselte dann das Thema.

»Wie lange sind Sie schon hier?«

Palmgren war nicht von gestern. Er hatte zwar einen Schlaganfall gehabt, aber sein Geist war völlig intakt, und sein Radar erspürte sofort einen falschen Ton in Lisbeths Stimme. In den Jahren ihrer Bekanntschaft hatte er gelernt, dass sie ihn nie direkt anlog, aber auch nicht ganz offen mit ihm sprach. Ihre Art des Lügens bestand darin, dass sie vom Thema ablenkte. Offensichtlich gab es da ein Problem mit ihrem neuen Betreuer. Was Holger Palmgren nicht weiter verwunderte.

Plötzlich überkam ihn tiefe Reue. Wie viele Male hatte er mit seinem Kollegen Nils Bjurman Kontakt aufnehmen wollen, um sich nach Lisbeth zu erkundigen, hatte es dann aber doch nie getan? Und warum hatte er sich nicht darum gekümmert, dass sie ihre Mündigkeit wiedererlangte, als er noch die Kraft dazu hatte? Er wusste, warum – aus egoistischen Gründen. Er liebte dieses verdammte schwierige Mädchen, als wäre sie die Tochter, die er nie gehabt hatte, und er suchte einen Grund, ihr Verhältnis zu bewahren. Er fühlte sich, als hätte er Lisbeth Salander verraten.

Aber sie überlebt immer … sie ist der tüchtigste Mensch, den ich je kennengelernt habe.

»Gch.«

»Das hab ich nicht verstanden.«

»Grchcht.«

»Gericht? Was meinen Sie?«

»Mssn Ihe B… Btrr… Betrrn…«

Holger Palmgren wurde ganz rot im Gesicht, und seine Züge verkrampften sich, als ihm die Worte nicht über die Zunge wollten. Lisbeth legte ihm eine Hand auf den Arm und drückte ihn behutsam.

»Holger … machen Sie sich keine Sorgen um mich. Ich habe vor, in nächster Zeit die Klärung meines Betreuungsbedarfs in Angriff zu nehmen. Es ist nicht mehr Ihre Aufgabe, sich darüber den Kopf zu zerbrechen, aber höchstwahrscheinlich werde ich Ihre Hilfe brauchen. Wäre das in Ordnung? Können Sie mein Anwalt sein, wenn ich Sie brauche?«

Er schüttelte den Kopf.

»Zaalt.« Er klopfte mit den Fingerknöcheln gegen den Tisch. »Dmm aalt Mn.«

»Ja, allerdings sind Sie ein dummer alter Mann, wenn Sie so eine Einstellung an den Tag legen. Ich brauche einen Anwalt. Und ich will Sie. Sie können vielleicht kein Schlussplädoyer im Gerichtssaal halten, aber Sie können mich beraten, wenn es nötig wird. Einverstanden?«

Er schüttelte erneut den Kopf.

»Rbt?«

»Ich versteh Sie nicht.«

»Wrrbtn Sie? Nch Rmmski?« *Wo arbeiten Sie? Nicht bei Armanskij?*

Lisbeth zögerte kurz und überlegte, wie sie ihre Lebenssituation erklären sollte.

»Ich arbeite nicht mehr bei Armanskij, Holger. Ich brauche nicht mehr bei ihm zu arbeiten, um meinen Lebensunterhalt zu verdienen. Ich habe mein eigenes Geld, und es geht mir gut.«

Palmgrens Augenbrauen zogen sich wieder zusammen.

»Ich werde Sie ab jetzt ganz oft besuchen. Ich werde Ihnen alles erzählen … aber wir wollen uns doch keinen Stress machen. Im Moment habe ich auf etwas anderes Lust.«

Sie bückte sich, hob eine Tasche auf den Tisch und zog ein Schachbrett heraus.

»Ich habe Sie seit zwei Jahren nicht mehr in Grund und Boden gespielt.«

Er resignierte. Sie hatte da irgendwas im Kopf, was sie ihm nicht erzählen wollte. Er war überzeugt, dass ihm das Ganze nicht gefallen würde, aber er vertraute ihr genug, um zu wissen, dass sie vielleicht juristisch fragwürdige Dinge tat, aber keine Verbrechen gegen Gottes Gesetze beging. Im Gegensatz zu den meisten anderen Menschen war Holger Palmgren nämlich davon überzeugt, dass Lisbeth Salander im Grunde ein wirklich moralischer Mensch war. Das Problem war nur, dass ihre Moral nicht immer mit dem übereinstimmte, was das Gesetz vorschrieb.

Als sie die Schachfiguren vor ihm aufstellte, stellte er erschrocken fest, dass es sich um sein eigenes Brett handelte. *Sie muss es aus meiner Wohnung gestohlen haben, als ich krank war. Als Erinnerung?* Sie gab ihm Weiß. Mit einem Mal war er glücklich wie ein kleines Kind.

Lisbeth Salander blieb zwei Stunden bei Holger Palmgren. Sie hatte ihn dreimal vernichtend geschlagen, als eine Krankenschwester ihr Gekabbel am Schachbrett unterbrach und verkündete, es sei Zeit für die nachmittägliche Krankengymnastik. Lisbeth sammelte die Schachfiguren ein und klappte das Brett zusammen.

»Können Sie mir sagen, wie die Krankengymnastik funktioniert?«, bat sie die Krankenschwester.

»Sie besteht aus Krafttraining und Konditionstraining. Und wir machen Fortschritte, nicht wahr?«

Die letzte Frage war an Holger Palmgren gerichtet. Er nickte.

»Jetzt können Sie schon ein paar Meter zurücklegen. Bis zum Sommer können Sie alleine im Park spazieren gehen. Ist das Ihre Tochter?«

Lisbeth und Holger Palmgren tauschten einen Blick.

»Pffltchta.« *Pflegetochter.*

»Wie schön, dass Sie ihn mal besuchen kommen.« *Übersetzung: Wo zum Teufel waren Sie die ganze Zeit?* Lisbeth überhörte die unterschwellige Kritik. Sie beugte sich vor und küsste Palmgren auf die Wange.

Er hievte sich mühsam aus seinem Rollstuhl und begleitete sie noch bis zum Fahrstuhl. Lisbeth begab sich sofort zur Rezeption und bat, den verantwortlichen Arzt sprechen zu dürfen. Man verwies sie an Dr. A. Sivarnandan, den sie in einem Büro am Ende des Korridors fand. Sie stellte sich als Holger Palmgrens Pflegetochter vor.

»Ich hätte gern gewusst, wie es ihm geht und was weiter mit ihm passieren wird.«

Dr. A. Sivarnandan schlug Palmgrens Krankenakte auf und überflog die ersten Seiten. Er hatte ein pockennarbiges Gesicht und einen dünnen Schnurrbart, den Lisbeth irritierend fand. Schließlich blickte er auf. Zu ihrer Überraschung sprach er mit stark finnischem Akzent.

»Hier ist nichts darüber verzeichnet, dass Herr Palmgren eine Tochter oder Pflegetochter hätte. Vielmehr scheint seine einzige Verwandte eine 86-jährige Cousine in Jämtland zu sein.«

»Er hat sich von meinem 13. Lebensjahr an um mich gekümmert, bis er den Schlaganfall bekam. Da war ich 24.«

Sie fummelte in der Innentasche ihrer Jacke herum und warf dann einen Kugelschreiber vor Dr. A. Sivarnandan auf den Tisch.

»Ich heiße Lisbeth Salander. Tragen Sie meinen Namen bitte in seine Akte ein. Ich bin die nächste Angehörige, die er auf der Welt hat.«

»Das ist schon möglich«, erwiderte A. Sivarnandan gelassen. »Aber wenn Sie seine nächste Angehörige sind, dann haben Sie sich ganz schön lange Zeit gelassen, bis Sie sich gemeldet haben. Soviel ich weiß, hat Holger Palmgren bis jetzt nur ein paar Besuche von einem Mann gehabt, der nicht mit ihm verwandt ist, der aber benachrichtigt werden soll, wenn sich sein Gesundheitszustand verschlechtert oder er versterben sollte.«

»Das dürfte wohl Dragan Armanskij sein.«

Dr. A. Sivarnandan zog die Augenbrauen hoch und nickte nachdenklich.

»Stimmt. Sie kennen ihn also.«

»Sie können ihn anrufen und meine Angaben überprüfen.«

»Das ist nicht nötig. Ich glaube Ihnen. Man hat mir berichtet, dass Sie zwei Stunden lang mit Herrn Palmgren Schach gespielt haben. Aber ohne sein Einverständnis kann ich trotzdem nicht mit Ihnen über seinen Gesundheitszustand sprechen.«

»Und dieses Einverständnis werden Sie von diesem bockigen Kerl niemals bekommen. Er leidet nämlich unter der Wahnvorstellung, dass er mich nicht mit seinen Leiden belasten darf und immer noch Verantwortung für mich trägt, nicht umgekehrt. Ich habe Holger Palmgren tatsächlich zwei Jahre lang für tot gehalten. Erst gestern habe ich erfahren, dass er noch am Leben ist. Wenn ich gewusst hätte, dass er ... das ist alles ziemlich schwierig zu erklären, aber ich würde gerne wissen, wie seine Prognose aussieht und ob er sich wieder ganz erholen wird.«

Dr. A. Sivarnandan nahm den Stift und vermerkte Lisbeth Salanders Namen sorgfältig in Palmgrens Krankenakte. Er fragte sie nach ihrer persönlichen Kennnummer und ihrer Telefonnummer.

»In Ordnung, ich habe Sie als seine Pflegetochter vermerkt. Das ist hier vielleicht nicht ganz nach den Regeln, doch angesichts der Tatsache, dass Sie die Erste sind, die ihn besucht, seit Herr Armanskij letzte Weihnachten hier war ... Sie haben ihn heute selbst gesehen und konnten feststellen, dass ihm das Sprechen und die Koordination seiner Bewegungen Probleme bereitet. Er hatte einen Schlaganfall.«

»Ich weiß. Ich habe ihn damals gefunden und den Notarzt verständigt.«

»Aha. Dann müssen Sie wissen, dass er drei Monate lang auf der Intensivstation lag. Er war lange bewusstlos. Die meisten Patienten wachen aus so einem Koma nicht wieder auf, aber manche eben doch. Er war anscheinend noch nicht bereit zu sterben. Zuerst wurde er in die Abteilung für chronisch Demenzkranke verlegt, die sich überhaupt nicht selbst versorgen können. Obwohl eigentlich alles dagegen sprach, zeigte er Anzeichen der Besserung und wurde vor neun Monaten in die Reha-Klinik überwiesen.«

»Was hat er für eine Zukunft?«

Dr. A. Sivarnandan hob ratlos die Hände.

»Haben Sie eine bessere Kristallkugel als ich? Um ehrlich zu sein – ich habe keine Ahnung. Er könnte noch heute Nacht an einem weiteren Schlaganfall sterben oder noch zwanzig Jahre lang ein ganz normales Leben führen. Ich weiß es nicht. Man könnte wohl sagen, es liegt in Gottes Hand.«

»Und wenn er noch zwanzig Jahre lebt?«

»Die Reha war sehr anstrengend für ihn, und erst in den letzten sechs Monaten konnten wir deutliche Fortschritte verzeichnen. Vor einem halben Jahr konnte er noch nicht mal ohne Hilfe essen. Erst seit einem Monat gelingt es ihm so gerade, vom Stuhl aufzustehen, weil seine Muskeln durch die lange Bettlägerigkeit verkümmert waren. Jetzt kann er zumindest schon kurze Strecken zurücklegen.«

»Wird er sich weiter erholen?«

»Ganz bestimmt. Der erste Schritt war sehr mühselig, aber jetzt beobachten wir fast täglich neue Fortschritte. Er hat fast zwei Jahre seines Lebens verloren. Ich hoffe, dass er in ein paar Monaten, im Sommer, hier im Park spazieren gehen kann.«

»Und das Sprechen?«

»Sein Problem war, dass sowohl das Sprachzentrum als auch das Bewegungszentrum betroffen waren. Doch allmählich gewinnt er die Kontrolle über seinen Körper und seine Sprache zurück. Er hat Schwierigkeiten, sich an die richtigen Wörter zu erinnern, aber es ist nicht so wie bei einem kleinen Kind, das erstmals sprechen lernt – er versteht die Bedeutung der Wörter, er kann nur nicht selbst formulieren. Geben Sie ihm noch ein paar Monate Zeit, dann werden Sie sehen, dass sich sein Sprechvermögen im Gegensatz zu heute deutlich verbessert hat. Dasselbe gilt für sein Orientierungsvermögen. Vor neun Monaten konnte er nur sehr schwer rechts und links auseinanderhalten oder sagen, ob der Fahrstuhl nach oben oder nach unten fährt.«

Lisbeth Salander nickte nachdenklich und überlegte zwei Minuten. Sie spürte, dass ihr dieser Dr. A. Sivarnandan mit dem indischen Aussehen und dem finnischen Akzent richtig sympathisch war.

»Wofür steht denn das A?«, fragte sie plötzlich.

Er sah sie amüsiert an.

»Anders.«

»Anders?«

»Ich bin in Sri Lanka geboren, wurde aber von einem Paar in Åbo adoptiert, als ich erst ein paar Monate alt war.«

»Was kann ich tun, um ihm zu helfen?«

»Besuchen Sie ihn. Verschaffen Sie ihm geistige Anregungen.«

»Ich kann jeden Tag kommen.«

»Ich möchte nicht, dass Sie jeden Tag hier sind. Schließlich soll er sich richtig auf Ihre Besuche freuen.«

»Könnte eine spezielle Therapie seine Chancen verbessern? Ich übernehme die Kosten.«

Er musste plötzlich lächeln, aber Lisbeth Salander war auf einmal sehr ernst.

»Diese spezielle Therapie bekommt er bereits. Ich würde mir freilich wünschen, dass man uns nicht dauernd das Budget kürzte, aber ich versichere Ihnen, dass wir sehr kompetent sind, was Pflege und Therapiemaßnahmen angeht.«

»Und was könnten Sie ihm bieten, wenn Ihr Budget höher wäre?«

»Für einen Patienten wie Holger Palmgren wäre natürlich ein persönlicher Ganztagstrainer ideal. Aber es ist schon lange her, dass wir uns in Schweden so etwas leisten konnten.«

»Stellen Sie einen ein.«

»Bitte?«

»Stellen Sie einen persönlichen Trainer für Holger Palmgren ein. Suchen Sie den besten, den Sie kriegen können. Und zwar gleich morgen. Und sorgen Sie dafür, dass jegliche technische Ausrüstung, die er braucht, bereitsteht. Ich werde mich darum kümmern, dass bis Ende dieser Woche das Geld da ist, damit Sie das Gehalt und die Geräte bezahlen können.«

»Machen Sie Witze?«

Lisbeth warf ihm einen entschlossenen, unnachgiebigen Blick zu.

Mia Bergman bremste mit ihrem Fiat an der Bordsteinkante neben der U-Bahn-Station Gamla Stan. Dag Svensson machte die Tür auf und glitt auf den Beifahrersitz. Dann beugte er sich zu ihr hinüber und gab ihr einen Kuss, während sie sich hinter einem Bus wieder in den Verkehr einordnete.

»Hallo«, sagte sie, ohne den Blick von der Straße zu wenden. »Du siehst so ernst aus, ist irgendwas?«

Dag Svensson schnallte sich seufzend an.

»Nein, nichts Ernstes. Nur ein bisschen Ärger mit meinem Artikel.«

»Und?«

»Noch einen Monat bis zur Deadline, und ich habe erst neun von den zweiundzwanzig Personen sprechen können, die wir uns vorgenommen hatten. Außerdem habe ich ein Problem mit Björck von der Sicherheitspolizei. Der Mistkerl ist seit Ewigkeiten krankgeschrieben und geht nicht ans Telefon.«

»Liegt er vielleicht im Krankenhaus?«

»Weiß ich nicht. Er ist unverheiratet ... hat einen Bruder, der in Spanien lebt. Ich weiß einfach nicht, wie ich an ihn rankommen soll.«

Mia Bergman warf ihrem Freund einen Blick zu, während sie in Richtung Nynäsvägen fuhr.

»Schlimmstenfalls müssen wir den Abschnitt mit Björck eben rausnehmen. Blomkvist verlangt, dass alle, die wir anklagen, sich verteidigen können, bevor wir an die Öffentlichkeit gehen.«

»Und es wäre natürlich sehr schade um einen Vertreter der Geheimpolizei, der Prostituierte besucht. Was willst du unternehmen?«

»Ihn suchen natürlich. Wie geht's dir denn eigentlich? Du bist doch bestimmt schon total nervös.«

Er stupste sie vorsichtig mit dem Finger in die Seite.

»Überhaupt nicht. Nächsten Monat ist meine Disputation, und bis jetzt bin ich völlig ruhig. Guck mal auf den Rücksitz.«

Dag Svensson drehte sich um und sah eine Kiste.

»Mia – die ist ja schon gedruckt«, platzte er heraus.

Er hielt eine gedruckte Doktorarbeit hoch.

From Russia with Love.

Mädchenhandel, organisiertes Verbrechen und die Gegenmaßnahmen der Gesellschaft

Von Mia Bergman

»Ich dachte, die kommt nicht vor nächster Woche. Wahnsinn ... wir müssen gleich eine Flasche aufmachen, wenn wir nach Hause kommen. Meinen herzlichsten Glückwunsch, Frau Doktor!«

Er beugte sich vor und gab ihr einen Kuss auf die Wange.

»Immer mit der Ruhe, Doktor bin ich erst in drei Wochen. Und lenk mich bitte nicht vom Fahren ab.«

Dag Svensson lachte. Dann wurde er wieder ernst.

»Übrigens, um die gute Laune gleich wieder zu zerstören ... du hast vor ein paar Jahren ein Mädchen namens Irina P. interviewt.«

»Irina P., 22, aus Sankt Petersburg; sie ist 1999 zum ersten Mal hierhergekommen. Warum fragst du?«

»Ich hab heute Gulbrandsen getroffen. Den Polizisten, der die Geschichte mit dem Bordell in Södertälje untersucht hat. Hast du letzte Woche gelesen, dass sie ein totes Mädchen aus dem Södertälje-Kanal gefischt haben? Das war Irina P.«

»O Gott, wie schrecklich. Sie kommt auch in meiner Doktorarbeit vor. Unter dem Pseudonym Tamara.«

Dag Svensson schlug den Interviewteil der Doktorarbeit auf und las konzentriert, während Mia am Gullmarsplan und Globen vorbeifuhr.

»Sie wurde von einem Mann hergebracht, den du Anton nennst.«

»Ich kann die richtigen Namen nicht verwenden. Man hat mich gewarnt, dass ich mir damit vielleicht Kritik an meiner Dissertation einhandele, aber ich kann die Mädchen nicht bei ihrem richtigen Namen nennen. Das würde sie in Lebensgefahr bringen. Also kann ich die Freier auch nicht nennen, denn die hätten gleich raus, mit welchen Mädchen ich da gesprochen habe.«

»Wer ist Anton?«

»Wahrscheinlich heißt er Zala. Ich habe ihn nie ganz identifizieren können, aber ich glaube, er ist Pole oder Jugoslawe. Ich habe vier-, fünfmal mit Irina P. gesprochen, und erst im letzten Gespräch hat sie seinen Namen genannt. Sie wollte in ihrem Leben endgültig aufräumen und aussteigen, aber sie hatte wahnsinnige Angst vor ihm.«

»Hmm …«, machte Dag Svensson.

»Was denn?«

»Ich überleg gerade … Ich bin vor ein paar Wochen auch auf den Namen Zala gestoßen.«

»Wo?«

»Als ich mit Sandström geredet habe – diesem Ekelpaket. Eigentlich ist er gar kein richtiger Journalist. Er macht Reklamezeitungen für Unternehmen und hat völlig gestörte Vergewaltigungsfantasien, die er mit diesem Mädchen auslebt …«

»Ich weiß. Ich habe sie ja selbst interviewt.«

»Aber wusstest du auch, dass er das Layout für einen Folder über sexuell übertragbare Krankheiten für das Gesundheitsamt gemacht hat?«

»Nein, das wusste ich nicht.«

»Ich habe letzte Woche mit ihm geredet. Er war total fertig, als ich ihm die ganze Dokumentation vorlegte und ihn fragte, warum er ausgerechnet zu Babynutten aus dem Ostblock rennt, um seine Vergewaltigungsfantasien auszuleben. Nach einer Weile kriegte ich sogar eine Art Erklärung aus ihm heraus.«

»Tatsächlich?«

»Sandström war irgendwie in eine Situation geraten, in der er nicht mehr nur Kunde der Sexmafia war, sondern anfing, kleine Aufträge für sie zu erledigen. Er hat mir die Namen genannt, die er kannte, darunter auch Zala. Er hat nichts Genaueres über ihn erzählt, aber das ist ein ziemlich ungewöhnlicher Name.«

Mia Bergman warf ihm einen vielsagenden Blick zu.

»Du weißt nicht zufällig, wer das ist?«

»Nein. Ich konnte ihn wie gesagt nie identifizieren. Es ist nur ein Name, der immer wieder auftaucht. Die Mädchen scheinen schreckliche Angst vor ihm zu haben. Keine wollte mir irgendwas über ihn erzählen.«

9. Kapitel
Sonntag, 6. März – Freitag, 11. März

Dr. A. Sivarnandan blieb stehen, als er Holger Palmgren und Lisbeth Salander erblickte. Sie saßen über ein Schachbrett gebeugt. Lisbeth hatte es sich zur Gewohnheit gemacht, einmal pro Woche zu Besuch zu kommen, meistens am Sonntag. Sie kam immer gegen drei und spielte ein paar Stunden Schach mit Palmgren. Gegen acht Uhr abends, wenn er ins Bett musste, fuhr sie wieder weg. Der Arzt bemerkte, dass Lisbeth seinen Patienten nicht mit übertriebener Rücksichtnahme oder wie einen Kranken behandelte – ganz im Gegenteil. Ständig schienen sie sich zu kabbeln, und sie ließ sich gern von ihm verwöhnen, indem er Kaffee holen ging.

Dr. A. Sivarnandan runzelte die Stirn. Er wurde nicht recht klug aus dem seltsamen Mädchen, das sich als Holger Palmgrens Pflegetochter ausgab. Sie sah sehr ausgefallen aus und schien ihre Umgebung ständig mit größtem Misstrauen zu beobachten. Es war so gut wie unmöglich, einen Scherz mit ihr zu machen.

Ebenso unmöglich schien es, eine normale Unterhaltung mit ihr zu führen. Als er sie einmal fragte, was sie beruflich mache, gab sie ihm nur eine ausweichende Antwort.

Ein paar Tage nach ihrem ersten Besuch hatte sie mehrere Papiere dabei, die belegten, dass eine Stiftung ins Leben gerufen worden war, mit dem erklärten Ziel, dem Krankenhaus bei

Holger Palmgrens Rehabilitation zu helfen. Der Vorsitzende der Stiftung war ein Rechtsanwalt mit einer Adresse auf Gibraltar. Der Aufsichtsrat bestand aus einem einzigen Mitglied, ebenfalls ein Rechtsanwalt auf Gibraltar, sowie einem Revisor namens Hugo Svensson mit einer Stockholmer Adresse. Die Stiftung stellte 2,5 Millionen Kronen zur Verfügung, über die Dr. A. Sivarnandan nach eigenem Gutdünken verfügen konnte, aber der ausdrückliche Verwendungszweck für die Gelder war die denkbar beste Pflege für Holger Palmgren. Um das Geld abrufen zu können, musste Sivarnandan sich an den Revisor wenden, der sich dann um die Ausbezahlung der Summe kümmerte.

Das Ganze war gelinde gesagt ein ungewöhnliches, um nicht zu sagen einmaliges Arrangement.

Sivarnandan überlegte tagelang, ob er es moralisch vertreten konnte. Doch als er keine unmittelbaren Einwände fand, entschied er, die 39-jährige Johanna Karolina Oskarsson als Holger Palmgrens persönliche Assistentin und Trainerin einzustellen. Sie war ausgebildete Krankengymnastin, die außerdem mehrere Semester Psychologie und umfassende Erfahrung in der Reha-Pflege vorweisen konnte. Sie wurde formal von der Stiftung angestellt, und zu Sivarnandans großer Verblüffung wurde der erste Monatslohn im Voraus ausbezahlt, sobald der Arbeitsvertrag unterschrieben war. Bis dahin hatte er noch den vagen Verdacht gehegt, das Ganze könne ein irrwitziger Bluff sein.

Das intensive Training schien sich auszuzahlen. In den vergangenen Monaten hatten sich Holger Palmgrens Koordinationsfähigkeit und sein Allgemeinzustand wesentlich verbessert, was sich an den wöchentlichen Tests ablesen ließ. Sivarnandan fragte sich allerdings, was auf das Konto des Trainings ging und wie viel Lisbeth Salander zu verdanken war. Es konnte keinen Zweifel geben, dass Holger Palmgren sich bis zum Äußersten ins Zeug legte und sich auf Lisbeths Besuche mit der Begeisterung eines Kindes freute. Anscheinend gefiel es ihm, beim Schachspielen nicht den Hauch einer Chance zu haben.

Dr. Sivarnandan hatte den beiden dabei einmal Gesellschaft geleistet. Es war eine seltsame Partie gewesen. Holger Palmgren hatte Weiß, spielte die Sizilianische Eröffnung und machte eigentlich alles richtig. Vor jedem Zug überlegte er lange und gründlich. Was für Behinderungen der Schlaganfall bei ihm auch hinterlassen haben mochte, sein Scharfsinn hatte nicht gelitten.

Lisbeth Salander saß am Tisch und las ein Buch über das eigenartige Thema der Frequenzkalibrierung von Radioteleskopen in der Schwerelosigkeit. Sie hatte sich ein Kissen untergelegt, um höher zu sitzen. Sobald Palmgren seinen Zug getan hatte, blickte sie kurz auf und zog, anscheinend ohne nachzudenken, mit einer ihrer Figuren, woraufhin sie sich wieder ihrem Buch zuwandte. Palmgren kapitulierte nach dem siebenundzwanzigsten Zug. Salander blickte auf und musterte das Brett ein paar Sekunden mit gerunzelter Stirn.

»Nein«, widersprach sie. »Sie haben noch eine Chance auf ein Remis.«

Palmgren seufzte und musterte das Brett fünf Minuten. Schließlich sah er Lisbeth Salander an.

»Beweisen Sie es mir.«

Sie drehte das Brett um und spielte mit seinen Figuren weiter. Beim neununddreißigsten Zug hatte sie ihr Remis.

»Du lieber Gott«, sagte Sivarnandan.

»So ist sie eben. Spielen Sie nie um Geld mit ihr«, scherzte Palmgren.

Sivarnandan hatte seit Kindertagen selbst Schach gespielt und als Teenager bei der Schulmeisterschaft in Åbo den zweiten Platz belegt. Er betrachtete sich also als kompetenten Amateur. Ihm war klar, dass Lisbeth eine ungeheuer gute Schachspielerin war. Wie es aussah, hatte sie nie im Verein gespielt, und als der Arzt erwähnte, dass ihre Partie wohl die Variante einer klassischen Partie von Lasker gewesen sei, sah sie ihn nur verständnislos an. Anscheinend hatte sie noch nie im Leben von Emanuel Lasker gehört. Sivarnandan fragte sich, ob ihr

Talent angeboren war und ob sie wohl noch über andere Talente verfügte, die einen Psychologen interessieren konnten.

Aber er fragte sie nicht. Er stellte nur fest, dass es Holger Palmgren besser ging als je zuvor.

Anwalt Nils Bjurman kam spätabends nach Hause. Er hatte vier Wochen am Stück in seiner Sommerhütte in der Nähe von Stallarholmen verbracht. Er war niedergeschlagen, denn an seiner miserablen Lebenssituation hatte sich im Grunde nichts verändert. Der blonde Riese hatte ihm nur ausgerichtet, dass man Interesse an seinem Vorschlag habe – es sollte ihn 100 000 Kronen kosten.

Ein Stapel Postsendungen hatte sich auf dem Boden unter seinem Briefschlitz angesammelt. Er hob sie auf und legte sie auf den Küchentisch. Alles, was mit seiner Arbeit oder seiner sonstigen Umwelt zu tun hatte, interessierte ihn kaum noch, und so fiel sein Blick erst später wieder auf den Poststapel. Zerstreut sah er ihn durch.

Ein Brief war von der Handelsbank. Er riss das Kuvert auf und erlitt fast einen Schock, als er die Kopie eines Kontoauszugs sah, auf dem eine Auszahlung von 9 312 Kronen von Lisbeth Salanders Konto verzeichnet war.

Sie war zurück.

Er ging in sein Arbeitszimmer und legte das Dokument auf seinen Schreibtisch. Mit hasserfülltem Blick betrachtete er das Papier, während er seine Gedanken zu sammeln versuchte. Er musste die Telefonnummer heraussuchen. Dann tippte er die Nummer auf einem Handy mit Prepaidkarte ein. Der blonde Riese antwortete mit seinem leichten Akzent.

»Ja?«

»Hier ist Nils Bjurman.«

»Was wollen Sie?«

»Sie ist wieder in Schweden.«

Am anderen Ende blieb es einen Moment lang still.

»Gut. Rufen Sie diese Nummer nicht mehr an.«

»Aber …«

»Sie bekommen bald Nachricht von uns.«

Zu seinem großen Ärger wurde das Gespräch unterbrochen. Bjurman fluchte innerlich. Dann ging er zu seiner Minibar im Wohnzimmerschrank und goss sich ungefähr einen Deziliter Kentucky Bourbon ein. Mit zwei Schlucken leerte er das Glas. Ich darf nicht mehr so viel trinken, dachte er. Dann goss er sich noch mal zwei Deziliter ein und nahm das Glas mit an den Schreibtisch, wo er erneut den Bescheid von der Handelsbank betrachtete.

Miriam Wu massierte Lisbeth Salander den Rücken und den Nacken. Sie knetete sie zwanzig Minuten intensiv durch, während Lisbeth sich mit dem einen oder anderen zufriedenen Seufzer begnügte. Eine Massage von Mimmi war wunderbar, und sie fühlte sich wie ein Katzenbaby, das nur noch schnurren und mit den Pfoten in der Luft strampeln will.

Sie unterdrückte einen enttäuschten Seufzer, als Mimmi ihr auf den Hintern klatschte und meinte, das sei jetzt genug. Eine Weile blieb sie noch liegen, in der Hoffnung, Mimmi könnte doch noch weitermachen, aber als Mimmi sich nach ihrem Weinglas reckte, drehte sie sich auf den Rücken.

»Danke«, sagte sie.

»Ich glaube, du sitzt den ganzen Tag nur bewegungslos vor dem Computer. Deshalb hast du auch Rückenschmerzen.«

»Ich hab mir nur einen Muskel gezerrt.«

Die beiden lagen nackt auf Mimmis Bett in der Lundagatan, tranken Rotwein und waren in ziemlich alberner Stimmung. Seit Lisbeth das Verhältnis mit Mimmi wieder aufgenommen hatte, schien sie nicht genug von ihr bekommen zu können. Mittlerweile hatte sie die Unsitte angenommen, Mimmi jeden oder jeden zweiten Tag anzurufen – viel zu oft also. Sie betrachtete Mimmi und dachte daran, dass sie sich eigentlich nicht noch einmal so sehr an jemanden binden wollte. Das konnte damit enden, dass jemand verletzt wurde.

Plötzlich lehnte sich Miriam rückwärts über die Bettkante und zog die Schublade ihres Nachttischchens auf. Sie holte ein kleines flaches Paket mit geblümtem Geschenkpapier und einer goldenen Schleife heraus. Sie warf es Lisbeth in den Schoß.

»Was ist denn das?«

»Dein Geburtstagsgeschenk.«

»Ich habe aber erst in über einem Monat Geburtstag.«

»Dein Geburtstagsgeschenk vom letzten Jahr. Da konnte ich dich nirgends erreichen. Ich hab es wiedergefunden, als ich meine Umzugskartons gepackt habe.«

Lisbeth schwieg eine Weile.

»Soll ich es aufmachen?«

»Tja, wenn du Lust hast.«

Lisbeth Salander stellte ihr Weinglas ab, schüttelte das Paket und machte es vorsichtig auf. Sie zog ein schönes Zigarettenetui aus schwarzer und blauer Emaille heraus, das mit ein paar kleinen chinesischen Schriftzeichen dekoriert war.

»Eigentlich solltest du ja aufhören zu rauchen«, meinte Miriam Wu. »Aber wenn du weiterrauchst, kannst du deine Zigaretten zumindest ästhetisch verpacken.«

»Danke«, sagte Lisbeth. »Du bist die Einzige, die mir jemals Geburtstagsgeschenke gemacht hat. Was bedeuten denn die Schriftzeichen?«

»Woher zum Teufel soll ich das wissen? Ich kann kein Chinesisch. Das ist bloß so ein Teil vom Flohmarkt.«

»Das ist ein schönes Etui.«

»Ist doch nur billiger Schund. Aber es sah aus wie für dich gemacht. Wir haben übrigens keinen Wein mehr. Wollen wir nicht irgendwo ein Bier trinken gehen?«

»Bedeutet das, dass wir uns aus dem Bett quälen und uns was anziehen müssen?«

»Sieht ganz so aus. Wozu wohnt man denn schließlich in Söder, wenn man nicht ab und zu auch mal in die Kneipe geht?«

Lisbeth seufzte.

»Jetzt komm schon«, drängelte Miriam Wu und tippte den Schmuckring in Lisbeths Nabel an. »Wir können danach ja wieder hierherkommen.«

Lisbeth seufzte nochmals, setzte einen Fuß auf den Boden und angelte sich ihre Hose.

Dag Svensson saß an seinem Schreibtisch in einer Ecke der *Millennium*-Redaktion, als er plötzlich hörte, wie jemand die Tür aufsperrte. Er warf einen Blick auf die Uhr und entdeckte, dass es bereits neun Uhr abends war. Auch Mikael Blomkvist schien überrascht, dass noch jemand in der Redaktion war.

»Ich bin heute extrafleißig. Hallo, Micke. Ich habe an meinem Buch weitergebastelt und die Zeit vergessen. Was machst du denn hier?«

»Wollte nur ein Buch holen, das ich im Büro vergessen habe. Und, wie läuft's bei dir?«

»Geht so ... Ich versuche seit drei Wochen, diesen verdammten Björck von der Sicherheitspolizei aufzuspüren. Sieht so aus, als hätte ihn irgendein ausländischer Geheimdienst gekidnappt. Er ist wie vom Erdboden verschwunden.«

Dag erzählte ihm von seiner mühseligen Suche. Mikael zog sich einen Stuhl heran, setzte sich zu ihm und überlegte ein Weilchen.

»Hast du es schon mit dem Lotterietrick versucht?«

»Bitte?«

»Leg dir irgendeinen erfundenen Namen zu und schreib einen Brief, in dem du ihm mitteilst, dass er ein Handy mit GPS-Navigationssystem oder sonst was gewonnen hat. Schick einen sauberen Ausdruck an seine Adresse – in diesem Fall eben diese Postfachadresse. Er hat also schon ein Handy gewonnen. Außerdem ist er eine von zwanzig Personen, die in die nächste Runde aufrücken und 100 000 Kronen gewinnen können. Alles, was er dafür tun muss, ist, sich für eine Marktforschungsumfrage zu verschiedenen Produkten zur Verfügung zu stellen. Die Umfrage, die eine Stunde dauert, wird von einem professionellen Interviewer durchgeführt. Und dann … tja …«

Dag Svensson starrte Mikael mit offenem Mund an.

»Meinst du das im Ernst?«

»Warum denn nicht? Alles andere hast du doch schon probiert, und sogar ein kleiner Mitarbeiter der Sicherheitspolizei sollte sich ausrechnen können, dass seine Chancen auf einen Gewinn von 100 000 Kronen ziemlich gut stehen, wenn er einer von zwanzig ausgewählten Teilnehmern ist.«

Dag Svensson brach in lautes Lachen aus.

»Du bist ja verrückt. Ist das denn legal?«

»Ich kann mir nicht vorstellen, dass es illegal sein könnte, ein Handy zu verschenken.«

»Wahnsinn, du bist echt verrückt.«

Dag Svensson lachte immer noch. Mikael zögerte kurz. Er war eigentlich schon auf dem Heimweg und ging selten in die Kneipe, aber er schätzte Svenssons Gesellschaft.

»Hättest du Lust, ein Bier trinken zu gehen?«, fragte er spontan.

Dag Svensson sah auf die Uhr.

»Klar«, antwortete er. »Gerne auf ein schnelles Bier. Lass mich nur eben noch Mia anrufen. Sie ist mit ein paar Mädels unterwegs und soll mich auf dem Heimweg mitnehmen.«

Sie gingen in die »Mühle«, vor allem weil es so bequem und nah war. Dag Svensson gluckste, während er im Kopf den Brief an »Björck c/o RPS/Sicherheitspolizei« verfasste. Mikael warf seinem leicht zu erheiternden Kollegen einen zweifelnden Blick zu. Die beiden hatten Glück und bekamen einen Tisch direkt beim Eingang. Sie bestellten sich ein großes Bier, steckten die Köpfe zusammen und redeten weiter über das Thema, das Dag Svensson derzeit komplett in Anspruch nahm.

Mikael sah nicht, dass Lisbeth Salander mit Miriam Wu an der Bar stand. Lisbeth trat sofort einen Schritt zurück, sodass sie von Mimmi verdeckt wurde. Dann betrachtete sie Mikael über Mimmis Schulter hinweg.

Kaum ging sie das erste Mal nach ihrer Rückkehr in die Kneipe, schon stolperte sie über ihn. *Kalle Fucking Blomkvist.*

Sie sah ihn zum ersten Mal seit über einem Jahr wieder.

»Was ist denn los?«, wollte Mimmi wissen.

»Nichts«, erwiderte Lisbeth Salander.

Sie redeten weiter. Besser gesagt, Mimmi erzählte weiter ihre Geschichte über eine Lesbe, die sie vor ein paar Jahren in London auf einer Kunstausstellung getroffen hatte. Als Mimmi versucht hatte, sie aufzureißen, hatte sich eine urkomische Situation ergeben. Lisbeth nickte ab und zu und verpasste wie immer die Pointe.

Mikael Blomkvist hatte sich nicht wesentlich verändert, stellte sie fest. Er sah unverschämt gut aus, locker und entspannt, aber mit einem seriösen Gesichtsausdruck. Er hörte dem Mann zu, der mit ihm am Tisch saß, und nickte in regelmäßigen Abständen. Es schien ein ernstes Gespräch zu sein.

Lisbeth wandte ihre Aufmerksamkeit Mikaels Bekanntem zu. Ein Typ mit kurzen blonden Haaren, ein paar Jahre jünger als Mikael, der konzentriert sprach und irgendetwas zu erklären schien. Sie hatte ihn noch nie gesehen.

Plötzlich kam eine ganze Gruppe zu Mikaels Tisch, und sie schüttelten ihm der Reihe nach die Hand. Eine Frau gab Mikael einen Klaps auf die Wange und sagte etwas, worüber alle lachen mussten. Mikael wirkte verlegen, lachte aber mit.

Lisbeth Salander runzelte die Stirn.

»Du hörst mir ja gar nicht zu«, beschwerte sich Mimmi.

»Tu ich doch.«

»Mit dir kann man einfach nicht in die Kneipe gehen. Ich geb's auf. Sollen wir lieber heimgehen und ficken?«

»Gleich«, wehrte Lisbeth ab.

Sie stellte sich ein klein wenig näher an Mimmi und legte ihr eine Hand auf die Hüfte. Mimmi blickte zu ihr hinunter.

»Ich würde dich gerne auf den Mund küssen.«

»Tu das nicht.«

»Hast du Angst, dass die Leute dich für eine Lesbe halten?«

»Ich will nur jetzt im Moment die Aufmerksamkeit nicht auf uns lenken.«

»Dann gehen wir nach Hause.«

»Nicht jetzt. Warte kurz.«

Sie brauchten nicht lange zu warten. Zwanzig Minuten nach ihrer Ankunft wurde der Mann, der mit Mikael zusammensaß, auf dem Handy angerufen. Sie tranken ihr Bier aus und standen gleichzeitig auf.

»Guck mal«, sagte Mimmi. »Das da drüben ist Mikael Blomkvist. Nach der Wennerström-Affäre ist er bekannter geworden als jeder Rockstar.«

»Echt?«, sagte Lisbeth lahm.

»Hast du das denn gar nicht mitgekriegt? Das war ungefähr zu der Zeit, als du ins Ausland gegangen bist.«

»Ich hab davon gehört.«

Lisbeth wartete noch fünf Minuten, dann blickte sie Mimmi plötzlich an.

»Du wolltest mich auf den Mund küssen.«

Mimmi sah sie verblüfft an.

»Ich hab doch nur Spaß gemacht.«

Lisbeth stellte sich auf die Zehenspitzen, zog Mimmis Gesicht zu sich herunter und gab ihr einen langen Zungenkuss. Als sie sich voneinander lösten, gab es Applaus.

»Du hast sie echt nicht mehr alle«, stellte Mimmi fest.

Lisbeth Salander war nicht vor sieben Uhr morgens zu Hause. Sie zog am Halsausschnitt ihres T-Shirts und schnupperte. Zuerst überlegte sie kurz, ob sie noch duschen sollte, aber dann pfiff sie drauf, ließ ihre Kleider auf den Boden fallen und legte sich ins Bett. Sie schlief bis vier Uhr nachmittags und ging dann zum Frühstück in die Söderhallen.

Sie dachte an Mikael Blomkvist und ihre Reaktion, als sie plötzlich mit ihm in einem Raum war. Seine Anwesenheit hatte sie aus dem Tritt gebracht, aber sie stellte auch fest, dass es ihr nicht mehr wehtat, ihn zu sehen. Er war nur noch ein kleines Pünktchen am Rande ihres Radarschirms, ein minimaler Störfaktor in ihrem Dasein.

Es gab bedeutend größere Störfaktoren in ihrem Leben.

Doch auf einmal wünschte sie sich, sie hätte den Mut gehabt, zu ihm zu gehen und Hallo zu sagen.

Oder ihm vielleicht auch einfach nur die Knochen zu brechen, sie konnte sich nicht recht entscheiden.

Wie auch immer, sie war plötzlich neugierig geworden, womit er gerade beschäftigt war. Nachdem sie am Nachmittag ein paar Erledigungen gemacht hatte, kam sie gegen sieben nach Hause, fuhr ihr PowerBook hoch und startete *Asphyxia 1.3*. Das Icon *MikBlom/laptop* war immer noch auf dem Server in Holland. Sie doppelklickte darauf und öffnete eine identische Kopie von Mikael Blomkvists Festplatte. Sie besuchte seinen Computer zum ersten Mal, seit sie Schweden vor mehr als einem Jahr verlassen hatte. Zufrieden stellte sie fest, dass er das neueste Update von Mac OS noch nicht heruntergeladen hatte, denn damit wäre *Asphyxia* unschädlich gemacht worden. Sie musste das Programm demnächst unbedingt umschreiben, damit es durch Updates nicht weiter gestört werden konnte.

Die Datenmenge auf der Festplatte war seit ihrem letzten Besuch um fast 6,9 GB angewachsen. Ein Teil der neuen Dateien bestand aus PDF-Dateien und Quark-Dokumenten. Die Dokumente nahmen nicht viel Platz weg, umso mehr aber die Bilddateien, obwohl die Bilder bereits komprimiert waren. Seit Mikael wieder verantwortlicher Herausgeber war, hatte er anscheinend angefangen, eine Kopie von jedem *Millennium*-Heft zu archivieren.

Sie sortierte die Dateien auf der Festplatte aufsteigend nach Datum und stellte fest, dass Mikael in den letzten Monaten vor allem an einem Ordner mit dem Titel »Dag Svensson« gearbeitet hatte, allem Anschein nach ein Buchprojekt. Dann öffnete sie Mikaels Mailprogramm und las sich die Adressenliste sorgfältig durch.

Bei einer Adresse stutzte Lisbeth. Am 26. Januar hatte Mikael eine Mail von *Harriet Fucking Vanger* bekommen. Lisbeth öffnete die Mail und las ein paar kurze Zeilen über die kommende Jahressitzung bei *Millennium*. Die Mail schloss mit der Erklärung, dass Harriet wieder dasselbe Hotelzimmer gebucht hatte wie voriges Mal.

Lisbeth brauchte erst einmal einen Moment, um die Information zu verdauen. Dann zuckte sie die Schultern und lud sich den Inhalt von Mikael Blomkvists Mailbox herunter sowie Dag Svenssons Manuskript mit dem Arbeitstitel *Die Igel* und dem Untertitel *Die Stützen der Hurenindustrie*. Sie fand sogar die Kopie einer Dissertation mit dem Titel *From Russia with Love*, verfasst von einer Frau namens Mia Bergman.

Lisbeth loggte sich aus, ging in die Küche und machte sich Kaffee. Dann setzte sie sich mit ihrem PowerBook auf ihr neues Wohnzimmersofa. Sie klappte das Zigarettenetui auf, das sie von Mimmi bekommen hatte, und steckte sich eine Marlboro Light an. Den Rest des Abends verbrachte sie mit Lesen.

Gegen neun war sie mit Mia Bergmans Doktorarbeit fertig. Nachdenklich nagte sie an ihrer Unterlippe.

Gegen halb elf war sie auch mit Dag Svenssons Buch durch. Ihr war klar, dass *Millennium* schon bald wieder für Schlagzeilen sorgen würde.

Gegen halb zwölf hatte sie Mikael Blomkvists gesamte Mailbox durchgearbeitet. Plötzlich setzte sie sich jedoch auf, und ihre Augen weiteten sich.

Ein eiskalter Schauer lief ihr den Rücken hinunter.

Nur eine Mail von Dag Svensson an Mikael Blomkvist.

In einem Nebensatz erwähnte Svensson, dass er Überlegungen zu einem osteuropäischen Gangster namens Zala anstellte, die vielleicht in ein eigenes Kapitel münden könnten – wenngleich die Deadline näher rückte. Mikael hatte die Mail nicht beantwortet.

Zala.

Lisbeth Salander saß regungslos vor ihrem Computer und überlegte, bis der Bildschirmschoner aktiviert wurde.

Dag Svensson legte seinen Notizblock beiseite und kratzte sich am Kopf. Nachdenklich betrachtete er das einzelne Wort, das ganz oben auf der aufgeschlagenen Seite stand. Vier Buchstaben.

Zala.

Drei Minuten lang malte er zerstreut ein paar verschlungene Kringel rund um den Namen. Dann stand er auf und holte sich eine Tasse Kaffee. Mit einem Blick auf die Armbanduhr stellte er fest, dass er besser nach Hause gehen und sich schlafen legen sollte, aber er hatte mittlerweile entdeckt, dass er sich in der *Millennium*-Redaktion pudelwohl fühlte und gern spätabends arbeitete, wenn es ganz still im Büro war. Die Deadline rückte unerbittlich näher. Er hatte das Manuskript schon im Griff, aber zum ersten Mal, seit er dieses Projekt begonnen hatte, verspürte er vage Zweifel. Er fragte sich, ob er nicht doch ein wesentliches Detail übersehen hatte.

Zala.

Bisher hatte er es kaum abwarten können, das Manuskript endlich abzuschließen und sein Buch publiziert zu sehen. Jetzt wünschte er sich auf einmal, er hätte noch mehr Zeit.

Er dachte über das Obduktionsprotokoll nach, das Kriminalinspektor Gulbrandsen ihn hatte lesen lassen. Irina P. war im Södertälje-Kanal gefunden worden. Man hatte sie brutal geschlagen, sie hatte Quetschungen im Gesicht und am Brustkorb. Die Todesursache war ein gebrochenes Genick, aber zumindest zwei der anderen Verletzungen wurden ebenfalls als tödlich eingeschätzt. Sechs Rippen waren gebrochen, die Lunge punktiert. Ihre Milz war infolge der schweren Misshandlungen gerissen. Die Verletzungen waren schwer zu interpretieren. Der Pathologe hatte die Theorie aufgestellt, dass man eventuell einen mit Stoff umwickelten Baseballschläger verwendet haben könnte. Warum ein Mörder seine Mordwaffe in Stoff einwickeln sollte, konnte man nicht erklären, aber die Verletzungen waren für konventionelle Waffen nicht charakteristisch.

Der Mord war bis heute ungelöst, und Gulbrandsen meinte, die Aussichten, den Fall noch zu lösen, seien nicht allzu groß.

Der Name Zala tauchte in dem Material, das Mia Bergman in den letzten Jahren zusammengetragen hatte, viermal auf, aber immer nur am Rande. Niemand wusste, wer er war oder ob er überhaupt existierte. Ein paar Mädchen hatten ihn wie eine undefinierbare Bedrohung geschildert, eine Gefahr für die Ungehorsamen. Dag Svensson hatte eine Woche lang versucht, mehr über Zala herauszubekommen, und hatte Polizisten, Journalisten und mehrere andere Quellen befragt.

Er hatte auch noch einmal mit dem Journalisten Per-Åke Sandström Kontakt aufgenommen, den er in seinem Buch gnadenlos an den Pranger stellen wollte. Sandström hatte mittlerweile den Ernst der Situation erfasst und Svensson auf Knien um Erbarmen angefleht. Er hatte ihm Geld geboten. Dag Svensson hatte jedoch nicht die geringste Absicht, von der Veröffentlichung abzusehen. Doch er benutzte seine ganze Macht, um Sandström Informationen über Zala abzupressen.

Das Resultat war niederschmetternd. Sandström war ein verfluchter Scheißkerl, der für die Sexmafia den Handlanger gespielt hatte. Er war Zala nie begegnet, hatte aber mit ihm telefoniert. Nein, eine Telefonnummer habe er nicht. Nein, er könne nicht sagen, wer den Kontakt hergestellt hatte.

Dag Svensson erkannte, dass Per-Åke Sandström Angst hatte. Eine Angst, die stärker war als die Drohung, ihn in der Presse als Kinderschänder bloßzustellen. Er hatte geradezu Todesangst. *Warum?*

10. Kapitel

Montag, 14. März – Sonntag, 20. März

Mit den öffentlichen Verkehrsmitteln waren die Fahrten zu Holger Palmgrens Reha-Klinik eine zeitraubende Angelegenheit, doch ebenso umständlich war es, sich für jeden Besuch ein Auto zu mieten. Mitte März beschloss Lisbeth daher, sich ein eigenes Auto zu kaufen. Sie begann mit der Suche nach einem Parkplatz – ein bedeutend größeres Problem als der Autokauf selbst.

In der Tiefgarage unter ihrem Haus in Mosebacke hatte sie zwar einen Parkplatz, aber sie wollte nicht, dass irgendjemand das Auto mit der Wohnung in der Fiskargatan in Verbindung brachte. Sie hatte sich jedoch schon vor mehreren Jahren von ihrer alten Hausverwaltung auf die Warteliste für einen Tiefgaragenplatz in der Lundagatan setzen lassen. Als sie dort anrief, um sich zu erkundigen, erfuhr sie, dass ab dem nächsten Monat ein Platz für sie frei würde. Glück gehabt. Sie rief Mimmi an und bat sie, sofort einen Vertrag mit der Hausverwaltung abzuschließen. Am nächsten Tag machte sie sich auf die Jagd nach einem Auto.

Sie hatte genügend Geld, sich jeden exklusiven mandarinenfarbenen Rolls Royce oder Ferrari zu kaufen, aber an solchen aufsehenerregenden Gefährten war sie nicht interessiert. Stattdessen besuchte sie zwei Autohändler in Nacka und schoss sich schließlich auf einen vier Jahre alten weinroten Honda mit Automatik ein. Eine geschlagene Stunde lang ging sie mit dem Verkäufer – sehr zu dessen Leidwesen – jedes Detail des Motors durch. Rein aus Prinzip handelte sie schließlich den Preis noch um ein paar Tausender herunter und zahlte in bar.

Dann fuhr sie den Honda in die Lundagatan und klingelte bei Mimmi, um die Reserveschlüssel bei ihr zu hinterlegen. Natürlich durfte Mimmi das Auto gern ausleihen, wenn sie sich vorher mit Lisbeth absprach. Da der Tiefgaragenplatz erst zum Monatsende frei wurde, parkten sie vorläufig auf der Straße.

Mimmi war gerade auf dem Weg zu einem Date mit einer Freundin, von der Lisbeth noch nie gehört hatte. Da Mimmi sich grell geschminkt, schreckliche Klamotten angezogen und überdies eine Art Hundehalsband angelegt hatte, schätzte Lisbeth, dass sie mit einer ihrer Flammen ausgehen wollte. Als Mimmi fragte, ob sie nicht mit ins Kino kommen wollte, lehnte sie ab. Sie hatte nicht die geringste Lust, in einem Dreiecksverhältnis zu landen, bei dem die Dritte eine von Mimmis langbeinigen Freundinnen war – neben der würde sich Lisbeth vorkommen wie der letzte Idiot. Sie hatte sowieso noch etwas in der Stadt zu erledigen, also fuhren sie gemeinsam mit der U-Bahn bis zum Hötorget, wo sich ihre Wege trennten.

Lisbeth ging zu OnOff am Sveavägen und schlüpfte gerade noch zwei Minuten vor Ladenschluss durch die Türen. Sie kaufte Toner für ihren Laserdrucker und bat den Verkäufer, ihr die Patrone ohne Verpackung zu geben, damit sie sie in ihrem Rucksack unterbringen konnte.

Als sie aus dem Geschäft trat, hatte sie Hunger und Durst. Sie ging zum Stureplan, wo sie sich rein zufällig für das »Café Hedon« entschied, ein Lokal, das sie noch nie zuvor besucht hatte. Obwohl sie ihn nur schräg von hinten sah, erkannte sie Nils Bjurman sofort. Sie stellte sich sichtgeschützt hinter eine

Theke in der Nähe des Panoramafensters und reckte den Hals, um ihren Betreuer beobachten zu können.

Der Anblick von Bjurman weckte eigentlich keine dramatischen Gefühle bei Lisbeth, weder Wut noch Hass oder Angst. Ihrer Meinung nach wäre die Welt ohne ihn zweifellos eine bessere, aber er lebte noch, weil sie beschlossen hatte, dass er ihr auf diese Art nützlicher sein konnte. Sie musterte den Mann, der Bjurman gegenübersaß. Ihre Augen weiteten sich, als er aufstand. *Klick*.

Er hatte kurzes blondes Haar, war bemerkenswert groß gewachsen, mindestens zwei Meter, und gut gebaut. Sogar außergewöhnlich gut gebaut. Zwar hatte sein Gesicht eher weiche Züge, aber insgesamt machte er einen sehr kraftvollen Eindruck.

Lisbeth sah, wie sich der blonde Riese vorbeugte und ein paar leise Worte zu Bjurman sagte. Der nickte. Sie gaben sich die Hand und Lisbeth sah, dass Bjurman seine Hand sehr schnell wieder zurückzog.

Was bist du für ein Typ, und was hast du mit Bjurman zu schaffen?

Lisbeth Salander ging ein Stück die Straße hinunter und stellte sich vor den Eingang eines Tabakladens. Sie betrachtete einen Aushang, während der Blonde aus dem »Hedon« trat und sogleich nach links abbog. Er ging in einem Abstand von weniger als dreißig Zentimetern an Lisbeths Rücken vorbei. Sie gab ihm einen Vorsprung von fünfzehn Metern, bevor sie ihm folgte.

Es wurde kein langer Spaziergang. Der blonde Riese ging an der Birger Jarlsgatan direkt zur U-Bahn hinunter und kaufte sich ein Ticket. Dann stellte er sich auf den Bahnsteig in Richtung Süden – die Richtung, in die Lisbeth fahren musste – und bestieg den Zug nach Norsborg. Am Slussen stieg er um in die grüne Linie nach Farsta. Bei Skanstull stieg er aus und ging zu »Blombergs Café« in der Götgatan.

Lisbeth Salander blieb vor dem Café stehen. Nachdenklich musterte sie den Mann, zu dem sich der blonde Riese an den Tisch gesetzt hatte. *Klick*. Lisbeth merkte schnell, dass hier irgendetwas Verdächtiges im Gange war. Der Mann war übergewichtig, hatte ein hageres Gesicht und einen ansehnlichen Bierbauch. Er trug einen Pferdeschwanz und einen blonden Schnurrbart. Seine Kleidung bestand aus einer schwarzen Jeans, Jeansjacke und Stiefeln mit hohen Absätzen. Auf dem rechten Handrücken trug er ein Tattoo, dessen Motiv Lisbeth nicht erkennen konnte. Ums Handgelenk baumelte ein goldenes Kettchen. Er rauchte Lucky Strike. Seinem starren Blick nach zu urteilen, war er wohl regelmäßig high. Lisbeth bemerkte auch, dass er eine Lederweste unter seiner Jeansjacke trug. Ohne die Weste ganz erkennen zu können, ging ihr auf, dass er ein Biker war.

Der blonde Riese bestellte nichts. Er schien dem anderen etwas zu erklären. Der Mann mit der Jeansjacke nickte in regelmäßigen Abständen, schien sonst aber nichts zum Gespräch beizutragen. Lisbeth nahm sich vor, sich demnächst endlich einmal ein Distanzmikrofon zuzulegen.

Schon nach knapp fünf Minuten stand der blonde Riese wieder auf und verließ »Blombergs Café«. Lisbeth trat vorsichtshalber ein paar Schritte zurück, aber er sah nicht einmal in ihre Richtung. Er ging vierzig Meter weiter, stieg in einen weißen Volvo, startete und fuhr langsam davon. Lisbeth konnte sich gerade noch die Autonummer merken, bevor er an der nächsten Kreuzung um die Ecke bog.

Sie drehte sich um und hastete zum Café zurück. Obwohl sie weniger als drei Minuten fort gewesen war, war der Tisch schon leer. Sie drehte sich um und suchte den Bürgersteig in beide Richtungen ab, ohne den Mann mit dem Pferdeschwanz ausmachen zu können. Dann blickte sie über die Straße und entdeckte ihn, als er gerade die Tür zu McDonald's aufdrückte.

Sie musste hineingehen, um ihn weiter beobachten zu können. Er saß am hintersten Rand in Gesellschaft eines anderen Mannes, der ganz ähnlich gekleidet war. Er trug eine Weste über der Jeansjacke. Lisbeth las die Aufschrift: *Svavelsjö MC*. Darunter das stilisierte Rad eines Motorrads, wie ein keltisches Kreuz mit einer Axt.

Lisbeth verließ das Restaurant und blieb einen Moment unentschlossen auf der Götgatan stehen, bevor sie sich in Richtung Norden aufmachte. Sie hatte das Gefühl, ihr gesamtes inneres Alarmsystem sei plötzlich in allerhöchste Bereitschaft versetzt worden.

Lisbeth blieb am 7-Eleven-Shop stehen und tätigte ihren Wocheneinkauf: eine Großpackung Billy Pan Pizza, drei tiefgefrorene Fischgratins, drei Quiches mit Speck, ein Kilo Äpfel, zwei Brote, ein halbes Kilo Käse, Milch, Kaffee, eine Stange Marlboro Light und die Abendzeitungen. Sie bog in die Svartensgatan nach Mosebacke ein und sah sich genau um, bevor sie vor der Wohnung in der Fiskargatan ihren Zahlencode eingab. Zu Hause stellte sie eine von den Speckquiches in die Mikrowelle und trank ein wenig Milch direkt aus der Packung. Dann warf sie die Kaffeemaschine an, setzte sich vor ihren Computer, wo sie auf *Asphyxia 1.3* klickte und sich in die Kopie von Bjurmans Festplatte einloggte. Die nächste halbe Stunde verbrachte sie damit, sehr sorgfältig den Inhalt seines Computers durchzugehen.

Sie fand absolut nichts, was für sie von Interesse gewesen wäre. Bjurman schien nur selten E-Mails zu schreiben, sie fand bloß ein Dutzend kurze, persönliche Nachrichten an oder von Bekannten. Keine der Mails stand irgendwie mit Lisbeth Salander in Verbindung.

Sie fand einen neu angelegten Ordner mit Hardcore-Pornobildern, die darauf schließen ließen, dass er sich immer noch für Frauen interessierte, die sadistischen Erniedrigungen ausgesetzt waren. Technisch gesehen stellte das aber keinen Verstoß gegen ihre Regel dar, dass er keinen Kontakt mit Frauen pflegen durfte.

Sie öffnete den Ordner mit den Dokumenten, die Bjurmans Betreueraufgaben für Lisbeth Salander betrafen, und las sorgfältig alle Monatsberichte durch. Sie entsprachen bis aufs i-Tüpfelchen den Kopien, die er getreu ihrer Anweisung regelmäßig an eine ihrer vielen Hotmail-Adressen schickte.

Alles völlig normal.

Oder doch nicht? Als sie sich die Eigenschaften dieser Word-Dateien ansah, konnte sie feststellen, dass er die Briefe immer zu Anfang des Monats verfasste, jedem von ihnen durchschnittlich vier Stunden widmete und sie pünktlich am 20. jedes Monats an das Vormundschaftsgericht sandte. Jetzt war schon Mitte März, und er hatte die Arbeit am nächsten Bericht noch nicht begonnen. *Schlamperei? Spät dran? Mit anderen Dingen beschäftigt? Dummheiten im Kopf?* Auf Lisbeth Salanders Stirn bildete sich eine Falte.

Sie machte ihren Computer aus, setzte sich aufs Fensterbrett und öffnete das Zigarettenetui, das sie von Mimmi bekommen hatte. Sie steckte sich eine Zigarette an und blickte hinaus in die Dunkelheit. Sie hatte Bjurmans Überwachung vernachlässigt. *Er ist aalglatt.*

Sie spürte wachsende Besorgnis. *Zuerst Kalle Fucking Blomkvist, dann der Name Zala und nun auch noch Nils Der Beschissene Lustmolch Bjurman in Gesellschaft eines anabolikastrotzenden Alphamännchens mit Kontakten zu Outlaw-Klubs.* Im Laufe weniger Tage hatte es mehrere Störungen in dem geordneten Dasein gegeben, das Lisbeth Salander sich aufzubauen versuchte.

Um halb drei Uhr nachts stand Lisbeth Salander vor der Tür zu Nils Bjurmans Wohnung in der Upplandsgatan, in der Nähe des Odenplan. Vorsichtig klappte sie den Briefschlitz auf und schob ein extrem empfindliches Mikrofon hindurch, das sie im Counterspy Shop in Mayfair in London gekauft hatte. Sie hatte noch nie von Ebbe Carlsson gehört, aber der hatte seine berühmte Abhöranlage, die den schwedischen Justizminister Ende der 80er-Jahre überstürzt zum Rücktritt gezwungen hatte, ebenfalls hier gekauft. Lisbeth positionierte den Kopfhörer richtig und stellte die Lautstärke ein.

Zunächst hörte sie nur das dumpfe Brummen eines Kühlschranks und das deutliche Ticken mindestens zweier Uhren, von denen eine an der Wohnzimmerwand links neben der Tür hing. Lisbeth justierte noch einmal die Lautstärke und horchte mit angehaltenem Atem. Sie hörte Knacken und Rauschen aus der Wohnung, aber kein Geräusch, das auf menschliche Aktivität deutete. Sie brauchte eine Minute, bis sie das schwache Geräusch seiner regelmäßigen Atemzüge hören und von den anderen Geräuschen unterscheiden konnte.

Nils Bjurman schlief.

Sie zog das Mikrofon wieder heraus und steckte es in die Innentasche ihrer Lederjacke. Sie trug eine dunkle Jeans und Sportschuhe mit Gummisohlen. Lautlos schob sie den Schlüssel ins Schloss und drückte die Tür einen Spalt weit auf. Bevor sie sie ganz öffnete, zog sie eine Elektroschockpistole aus der Tasche. Sie hatte keine andere Waffe mitgenommen. Um mit Bjurman fertig zu werden, musste sie kein größeres Geschütz auffahren, fand sie.

Sobald sie im Flur stand, schloss sie die Tür hinter sich und schlich auf Zehenspitzen zu seinem Schlafzimmer. Als sie dort ein Licht sah, hielt sie abrupt inne, aber nun konnte sie ihn schon schnarchen hören. Also schlich sie weiter. Er hatte eine brennende Lampe im Fenster stehen. *Was denn, Bjurman? Angst vor der Dunkelheit?*

Sie stellte sich neben sein Bett und betrachtete ihn ein paar Minuten. Er war sichtlich gealtert und wirkte ungepflegt.

Nach dem Geruch im Zimmer zu urteilen, schien er auch seine persönliche Hygiene zu vernachlässigen.

Doch Lisbeth empfand keine Spur Mitleid. Eine Sekunde blitzte der gnadenlose Hass in ihren Augen auf. Sie bemerkte ein Glas auf dem Nachttisch und beugte sich hinunter, um daran zu riechen. Schnaps.

Schließlich verließ sie das Schlafzimmer, drehte eine kleine Runde durch die Küche, wo ihr nichts Bemerkenswertes auffiel, ging dann durchs Wohnzimmer und blieb an der Tür zum Arbeitszimmer stehen. Sie steckte die Hand in die Jackentasche und holte ein paar Brösel Knäckebrot heraus, die sie im Dunkeln vorsichtig auf dem Parkett auslegte. Sollte sich jemand durchs Wohnzimmer anschleichen, würde sie durch das Knirschen gewarnt werden.

Sie setzte sich an Bjurmans Schreibtisch und legte die Elektroschockpistole griffbereit vor sich hin. Dann begann sie, systematisch seine Schubladen zu durchsuchen. Sie ging die Korrespondenz durch, die seine privaten Finanzen betraf. Obwohl er sichtlich schlampiger und sporadischer arbeitete als früher, stieß sie auf nichts wirklich Interessantes.

Die unterste Schublade war abgeschlossen. Lisbeth Salander runzelte die Stirn. Bei ihrem Besuch vor einem Jahr waren alle Schubladen unverschlossen gewesen. Sie blickte ins Leere, während sie sich an den Inhalt der verschlossenen Schublade erinnerte. Darin hatte eine Kamera gelegen, ein Teleobjektiv, ein kleines Olympus-Diktiergerät, ein in Leder gebundenes Fotoalbum sowie eine kleine Schachtel mit einer Kette, Schmuck und einem Goldring, in den *Tilda und Jacob Bjurman – 23. April 1951* eingraviert war. Lisbeth wusste, dass es die Namen seiner Eltern waren, die beide nicht mehr lebten. Sie nahm an, dass es ein Trauring war, den er zur Erinnerung aufbewahrte.

Er schließt also Sachen ein, die für ihn wertvoll sind.

Sie wandte sich dem Schrank hinter dem Schreibtisch zu, aus dem sie zwei Ordner zog, die seine Aufgaben als ihr Betreuer betrafen. Fünfzehn Minuten lang ging sie Seite für Seite sorgfältig durch. Die Berichte waren untadelig und suggerierten, dass Lisbeth Salander ein nettes und pflichtbewusstes Mädchen war. Vor vier Monaten hatte er zu verstehen gegeben, dass sie in seinen Augen so vernünftig wirke, dass man die Betreuung im nächsten Jahr möglicherweise aufheben könne.

Der Ordner enthielt sogar handschriftliche Notizen, die zeigten, dass Ulrika von Liebenstaahl vom Vormundschaftsgericht Kontakt mit Bjurman aufgenommen hatte, um ein generelles Gespräch über Lisbeths Allgemeinzustand zu führen. Die Worte »psychiatrisches Gutachten« waren unterstrichen.

Lisbeth schürzte die Lippen, stellte die Ordner zurück und sah sich um.

Bei oberflächlicher Betrachtung fiel ihr nichts ins Auge. Bjurman schien sich genauestens an ihre Anweisungen zu halten. Sie biss sich auf die Unterlippe. Trotzdem hatte sie das Gefühl, dass da irgendwas nicht stimmte.

Gerade war sie vom Stuhl aufgestanden und wollte die Schreibtischlampe ausknipsen, da hielt sie plötzlich inne. Sie zog die Ordner noch einmal hervor und blätterte sie abermals durch. Verblüfft.

In diesen Ordnern fehlte etwas. Vor einem Jahr war eine Zusammenfassung des Vormundschaftsgerichts über ihre Entwicklung seit der Kindheit dabei gewesen. Die fehlte. *Warum sollte Bjurman Papiere aus einem aktuellen Vorgang entfernen?* Sie runzelte die Stirn. Ihr wollte kein plausibler Grund einfallen. Es sei denn, er sammelte woanders auch noch Unterlagen. Ihr Blick schweifte über das Regal mit der Jalousie und blieb noch einmal an der untersten Schreibtischschublade hängen.

Sie hatte keinen Dietrich dabei, also schlich sie sich noch einmal in Bjurmans Schlafzimmer und angelte seinen Schlüsselbund aus der Jacke, die über einem Garderobenständer aus Holz hing. In der Schublade fand sie zunächst dieselben Gegenstände wie letztes Jahr. Die Sammlung war jedoch um einen flachen Karton ergänzt worden, auf dessen Deckel ein Colt 45 Magnum abgebildet war.

Sie dachte an die Recherchen, die sie vor knapp zwei Jahren zu Bjurman angestellt hatte. Er war Hobbyschütze und Mitglied in einem Schützenverein. Laut öffentlichem Waffenregister hatte er eine Lizenz für einen Colt 45 Magnum.

Widerwillig kam sie zu dem Schluss, dass es nicht außergewöhnlich war, wenn er diese Schublade abschloss.

Das Ganze gefiel ihr nicht, aber sie konnte leider keinen unmittelbaren Anlass entdecken, Bjurman zu wecken und ihm einen Denkzettel zu verpassen.

Mia Bergman wachte um halb sieben auf. Aus dem Wohnzimmer hörte sie leise das Frühstücksfernsehen und roch den Duft von frisch gebrühtem Kaffee. Sie hörte die Tastatur von Dags Computer klappern und lächelte.

So akribisch hatte sie ihn noch nie an einer Story arbeiten sehen. *Millennium* war ein Volltreffer gewesen. Er neigte ein wenig zur Überheblichkeit, und es sah so aus, als würde ihm der Umgang mit Mikael Blomkvist und Erika Berger und den anderen ganz guttun. Immer öfter kam er kleinlaut nach Hause, wenn Blomkvist ihn auf Mängel hingewiesen oder eine ganze Argumentationskette aus den Angeln gehoben hatte. Danach arbeitete Dag immer doppelt so hart wie vorher.

Sie fragte sich, ob dies der geeignete Moment war, seine Konzentration zu stören. Sie war seit drei Wochen überfällig. Doch da sie noch keinen Schwangerschaftstest gemacht hatte, war sie sich nicht sicher.

Demnächst wurde sie 30. In weniger als einem Monat hatte sie ihre Disputation. Doktor Bergman. Sie musste wieder lächeln und beschloss, Dag nichts zu sagen, bis sie Gewissheit hatte. Vielleicht würde sie sogar warten, bis er mit seinem Buch fertig war und sie ihre Promotionsfeier veranstaltete.

Nach zehn Minuten stand sie schließlich auf, warf sich ihre Decke über und ging ins Wohnzimmer. Er blickte auf.

»Es ist noch nicht mal sieben«, bemerkte sie.

»Blomkvist hat mal wieder gemeckert«, erklärte er.

»Och, war er böse zu dir? Geschieht dir ganz recht – du magst ihn gerne, stimmt's?«

Dag lehnte sich zurück und sah sie an. Nach einer Weile nickte er.

»*Millennium* ist ein toller Arbeitsplatz. Als wir in der ›Mühle‹ waren, bevor du mich abgeholt hast, habe ich mit Mikael gesprochen. Er hat mich gefragt, was ich nach diesem Projekt vorhabe.«

»Aha. Und, was hast du geantwortet?«

»Dass ich es noch nicht weiß. Ich hab jetzt jahrelang freiberuflich gearbeitet. Ich hätte gerne mal was Festeres.«

»*Millennium.*«

Er nickte.

»Micke hat das Terrain sondiert und gefragt, ob ich mich für einen Halbtagsjob interessieren würde. Derselbe Vertrag, wie ihn Henry Cortez und Lottie Karim haben. Ich bekomme einen Schreibtisch und ein Grundgehalt von *Millennium* und muss mir das restliche Geld eben auf eigene Faust verdienen.«

»Willst du das denn?«

»Wenn sie mir ein konkretes Angebot machen, sage ich Ja.«

»Okay, aber es ist immer noch nicht sieben Uhr und außerdem Samstag.«

»Ach, ich wollte bloß ein bisschen am Text feilen.«

»Ich würde sagen, du kommst jetzt zurück ins Bett und widmest dich anderen Dingen.«

Sie lächelte ihn an und lüpfte die Decke ein wenig. Woraufhin er den Computer auf Standby schaltete.

Lisbeth Salander verbrachte den Großteil des nächsten Tages damit, an ihrem PowerBook Recherchen anzustellen. Die Suche ging in verschiedenste Richtungen, und sie wusste nicht mal so recht, was sie eigentlich suchte.

Ein Teil der Fakten war leicht zu beschaffen. Aus einem Medienarchiv holte sie sich eine Übersicht über die Geschichte des Svavelsjö MC. Zum ersten Mal tauchte der Klub unter dem Namen Tälje Hog Riders 1991 in den Zeitungsspalten auf. Die Polizei hatte einen Einsatz im Klubhaus gehabt, das damals in einem ehemaligen Schulgebäude in der Nähe von Södertälje untergebracht war. Beunruhigte Nachbarn hatten die Polizei alarmiert, als sie Schüsse bei der alten Schule hörten, woraufhin die Polizei in voller Einsatzstärke ausgerückt war. Man platzte mitten in ein bierseliges Fest, das zu einem Schießwettbewerb mit einer AK 4 ausgeartet war. Wie sich herausstellte, war diese Waffe zu Beginn der 80er-Jahre vom Regiment I 20 in Västerbotten gestohlen worden.

Den Angaben einer Abendzeitung zufolge hatte der Svavelsjö MC sechs oder sieben Mitglieder und ungefähr ein Dutzend Hangarounds. Alle vollwertigen Mitglieder waren vorbestraft, hauptsächlich für Vergehen ziemlich amateurhafter, zuweilen aber gewalttätiger Natur. Zwei Persönlichkeiten stachen besonders hervor. Der Anführer des Svavelsjö MC war ein gewisser Carl-Magnus »Magge« Lundin, der in der Internetausgabe des *Aftonbladet* porträtiert worden war, als die Polizei 2001 gegen das Klublokal vorging. Lundin war Ende der 80er und Anfang der 90er fünfmal verurteilt worden. Bei drei dieser Prozesse war es um Diebstahl, Hehlerei und Verstöße gegen das Betäubungsmittelgesetz gegangen. In einem Fall ging es um schwerwiegendere Verbrechen, darunter schwere Körperverletzung, was ihm achtzehn Monate Gefängnis eingebracht hatte. Lundin war 1995 entlassen worden und kurz danach zum Vorsitzenden der Tälje Hog Riders aufgestiegen, die sich mittlerweile Svavelsjö MC nannten.

Die Nummer zwei im Klub war ein gewisser Sonny Nieminen, 37 Jahre alt, der nach den Angaben der Abteilung für

Organisiertes Verbrechen nicht weniger als zweiunddreißig Einträge im Strafregister vorweisen konnte. Seine kriminelle Karriere hatte er als 16-Jähriger begonnen, als er wegen Körperverletzung und Diebstahls zu einer Bewährungsstrafe verurteilt worden war. In den folgenden zehn Jahren war Sonny Nieminen fünfmal wegen Diebstahls verurteilt worden, einmal wegen schweren Diebstahls, in zwei Fällen für Bedrohungen, zweimal für Verstöße gegen das Betäubungsmittelgesetz, für Erpressung und Widerstand gegen die Staatsgewalt, in zwei Fällen für illegalen Waffenbesitz, einmal für illegalen Waffenbesitz in schwerem Fall, leichte Trunkenheit am Steuer und in nicht weniger als sechs Fällen wegen Körperverletzung. Es war Lisbeth unbegreiflich, wie er so lange damit durchkommen konnte, aber man hatte ihn immer wieder unter Bewährungsaufsicht gestellt, ihm Geldbußen auferlegt oder ihm ein oder zwei Monate Gefängnis aufgebrummt, bis er 1989 plötzlich wegen schwerer Körperverletzung und Raub zu zehn Monaten Gefängnis verurteilt wurde. Ein paar Monate später war er wieder auf freiem Fuß und riss sich bis zum Oktober 1990 zusammen, als er bei einem Kneipenbesuch in Södertälje in eine Schlägerei geriet, die mit Totschlag und einer sechsjährigen Gefängnisstrafe endete. Nieminen wurde 1995 entlassen, zu diesem Zeitpunkt bereits Magge Lundins engster Freund.

1996 wurde er wegen Beteiligung an einem bewaffneten Raubüberfall auf einen Geldtransport festgenommen. Er hatte zwar selbst nicht daran teilgenommen, die drei jungen Täter jedoch mit den nötigen Waffen versorgt. Es hatte ihn also zum zweiten Mal so richtig erwischt. Er wurde zu vier Jahren Gefängnis verurteilt und 1999 entlassen. Danach hatte Nieminen es wundersamerweise vermeiden können, wegen weiterer Verbrechen von der Polizei festgenommen zu werden. Nach einem Zeitungsartikel von 2001, in dem Nieminen nicht namentlich genannt wurde, der Hintergrund aber so detailliert geschildert war, dass es nicht sonderlich schwer zu erraten war, um wen es hier ging, wurde er der Beihilfe zu mindestens einem Mord verdächtigt.

Lisbeth bestellte sich Passfotos von Nieminen und Lundin. Nieminen hatte ein bildschönes Gesicht mit dunklen, lockigen Haaren und gefährlichen Augen. Magge Lundin hingegen sah aus wie ein Vollidiot. In Lundin konnte Lisbeth problemlos den Mann erkennen, der sich in »Blombergs Café« mit dem blonden Riesen getroffen hatte, und in Nieminen den Mann, der bei McDonald's gewartet hatte.

Über das Kfz-Register spürte sie den Halter des weißen Volvo auf, mit dem der blonde Riese weggefahren war: Es handelte sich um die Mietwagenfirma Auto-Expert in Eskilstuna. Lisbeth griff zum Hörer und bekam den Mitarbeiter Refik Alba an den Apparat.

»Mein Name ist Gunilla Hansson. Gestern ist mein Hund von einer Person überfahren worden, die danach Fahrerflucht begangen hat. Der Mistkerl fuhr ein Auto, das laut Nummernschild auf Sie zugelassen ist. Es handelte sich um einen weißen Volvo.«

Sie gab das Kennzeichen an.

»Tut mir leid.«

»Damit kann ich mich nicht zufriedengeben. Ich will den Namen von diesem Mistkerl; der soll mir Schadenersatz zahlen.«

»Haben Sie Anzeige erstattet?«

»Nein, ich will das lieber im Guten regeln.«

»Tut mir leid, aber ich kann die Namen unserer Kunden nicht herausgeben, wenn keine Anzeige vorliegt.«

Lisbeth Salanders Stimme verdunkelte sich. Sie fragte, ob er sie allen Ernstes zu einer Anzeige gegen einen Kunden zwingen wolle, statt ihr die Möglichkeit zu geben, die Sache im Guten zu regeln. Refik Alba drückte nochmals sein Bedauern aus und meinte, er könne in dieser Angelegenheit leider nichts machen. Sie argumentierte noch ein paar Minuten weiter, bekam den Namen des blonden Riesen jedoch nicht heraus.

Der Name Zala war noch so eine Sackgasse. Mit zwei Unterbrechungen für Billys Pan Pizza verbrachte Lisbeth Salander den Großteil des Tages vorm Computer. Nur eine 1,5-Liter-Flasche Cola leistete ihr dabei Gesellschaft.

Zwar fand sie Hunderte von Menschen namens Zala – von einem italienischen Spitzensportler bis zu einem argentinischen Komponisten. Was sie suchte, fand sie jedoch nicht.

Sie versuchte es mit Zalatschenko, fand aber auch nichts Brauchbares.

Frustriert legte sie sich ins Bett und schlief zwölf Stunden durch. Als sie aufwachte, war es elf Uhr vormittags. Sie setzte Kaffee auf und ließ sich Wasser in ihre Jacuzzi-Wanne laufen. Dann goss sie Badeessenz dazu, holte sich Kaffee und belegte Brote ins Bad und frühstückte in der Wanne. Plötzlich wünschte sie sich, sie hätte Gesellschaft von Mimmi. Aber sie hatte ihr ja noch nicht einmal gesagt, wo sie wohnte.

Gegen zwölf Uhr stieg sie aus dem Bad, trocknete sich ab und zog einen Morgenrock an. Dann setzte sie sich wieder vor den Computer.

Die Namen Dag Svensson und Mia Bergman führten zu besseren Resultaten. Über Google konnte sie sich rasch ein Bild davon machen, was die beiden in den letzten Jahren getan hatten. Sie lud sich Kopien von Dags Artikeln herunter und fand auch ein Bild von ihm. Sie war nicht sonderlich überrascht festzustellen, dass es sich um den Mann handelte, den sie vor ein paar Tagen mit Mikael Blomkvist in der »Mühle« gesehen hatte. Der Name hatte ein Gesicht bekommen und umgekehrt.

Über und von Mia Bergman fand sie auch mehrere Beiträge. Vor ein paar Jahren hatte sie mit einem Bericht über die Ungleichbehandlung von Männern und Frauen vor Gericht einige Aufmerksamkeit erregt. Ihre Arbeit zog sowohl eine ganze Reihe von Leitartikeln als auch rege Diskussionen in den Internetforen von Frauenrechtsorganisationen nach sich. Einige dieser Beiträge hatte Mia Bergman selbst ins Netz gestellt. Lisbeth Salander las sie aufmerksam durch.

Gegen zwei Uhr nachmittags öffnete sie *Asphyxia 1.3*, klickte diesmal jedoch nicht *MikBlom/laptop*, sondern *MikBlom/office* an, Mikael Blomkvists Computer in der *Millennium*-Redaktion. Aus Erfahrung wusste sie, dass er dort kaum etwas speicherte, was wirklich von Interesse war. Er benutzte ihn manchmal, um damit im Internet zu surfen, aber ansonsten arbeitete er fast ausschließlich auf seinem iBook. Er hatte jedoch Administratorrechte für die gesamte *Millennium*-Redaktion. Schnell bekam sie alle nötigen Informationen und Passwörter für das interne *Millennium*-Netzwerk.

Um auf die anderen Computer in der Redaktion zugreifen zu können, reichte die kopierte Festplatte auf dem Server in Holland nicht aus; Mikael Blomkvists Computer musste dafür angeschaltet und an das interne Netzwerk angeschlossen sein. Sie hatte Glück. Mikael befand sich offensichtlich an seinem Arbeitsplatz und hatte seinen Bürocomputer in Betrieb. Sie wartete zehn Minuten, konnte aber keine Anzeichen von Aktivität feststellen.

Sie musste vorsichtig zu Werke gehen. Während der nächsten Stunde hackte sich Lisbeth Salander vorsichtig von Computer zu Computer und speicherte E-Mails von Erika Berger, Christer Malm und einer ihr unbekannten Mitarbeiterin namens Malin Eriksson. Schließlich fand sie auch Dag Svenssons Bürocomputer, laut Systeminformation ein älterer Macintosh PowerPC G3 mit nur 750 MB Festplatte, also ein Überbleibsel aus grauer Vorzeit, der wahrscheinlich nur von vorübergehenden Mitarbeitern für die Textverarbeitung genutzt wurde. Er war eingeloggt, was bedeutete, dass Dag Svensson in diesem

Augenblick in der *Millennium*-Redaktion saß. Sie speicherte sich seine E-Mails und durchsuchte die Festplatte. Dabei stieß sie auf einen Ordner, der schlicht und einfach »Zala« hieß.

Dem blonden Riesen war unbehaglich zumute. Er hatte genau 203 000 Kronen in bar bekommen, unerwartet viel für die drei Kilo Methamphetamin, die er Magge Lundin Ende Januar geliefert hatte. Ein ziemlich guter Verdienst für die paar Stunden Arbeit – das Amphetamin vom Kurier holen, es eine Weile aufbewahren, an Magge Lundin liefern und danach 50 Prozent des Gewinns einkassieren. Es stand außer Zweifel, dass der Svavelsjö MC jeden Monat so eine Summe umsetzen könnte, und Magge Lundins Bikergang war nur eins von drei ähnlichen Geschäften. Die anderen beiden wickelte er in der Gegend von Göteborg beziehungsweise Malmö ab. Insgesamt konnte die Bande jeden Monat mehr als eine halbe Million Kronen Reingewinn einstreichen.

Trotzdem war ihm unwohl, als er am Straßenrand parkte und den Motor abstellte. Seit fast dreißig Stunden hatte er keinen Schlaf mehr gekriegt und fühlte sich benommen. Er machte die Tür auf, streckte seine Beine und urinierte in den Straßengraben. Es war eine kühle und sternklare Nacht. Er stand an einem Feld unweit von Järna.

Die Nachfrage auf dem schwedischen Markt war unglaublich groß. Es war alles eine Frage der Logistik: Wie transportierte man das gewünschte Produkt von A nach B oder genauer gesagt: von einem Laborkeller in Tallinn zum Freihafen von Stockholm?

Das war sein stets wiederkehrendes Problem: Wie organisiert man den regelmäßigen Transport von Estland nach Schweden? Das war der Kernpunkt und das schwache Glied in der Kette, denn nach mehrjährigen Anstrengungen hatten sie immer noch nicht mehr auf die Beine stellen können als ständige Improvisationen und vorübergehende Lösungen.

Leider hatte es in der letzten Zeit allzu oft Schwierigkeiten gegeben. Der blonde Riese war eigentlich stolz auf sein Organisationstalent. Im Laufe weniger Jahre hatte er eine gut geölte Maschinerie von Kontakten geschaffen, die er mit wohldosiertem Einsatz von Zuckerbrot und Peitsche pflegte. Er hatte die Fußarbeit geleistet, die Partner gefunden, Abmachungen ausgehandelt und dafür gesorgt, dass die Lieferungen am richtigen Ort ankamen.

Das Zuckerbrot war der Anreiz, den man Unterhändlern wie Magge Lundin bot – ein guter und ziemlich risikofreier Gewinn. Ein unfehlbares System. Magge Lundin brauchte keinen Finger zu rühren, um die Waren geliefert zu bekommen – keine langwierigen Akquisitionsreisen oder erzwungenen Verhandlungen mit Personen, die genauso gut von der Rauschgiftpolizei wie von der russischen Mafia kommen und ihn jederzeit auffliegen lassen konnten. Lundin wusste, dass der blonde Riese ihn belieferte und danach seine 50 Prozent kassierte.

Die Peitsche war unentbehrlich, weil es in letzter Zeit immer öfter zu Komplikationen gekommen war. Ein schwatzhafter Straßendealer, der zu viel wusste, hatte den Namen des Svavelsjö MC ins Spiel gebracht. Der Blonde hatte eingreifen und ihn bestrafen müssen.

Der blonde Riese wusste, wie man Leute bestraft.

Er seufzte.

Er merkte, dass das ganze Geschäft immer undurchschaubarer wurde. Es war einfach zu vielseitig.

Methamphetamin war eine erstklassige, diskrete und praktisch zu handhabende Einkommensquelle – großer Gewinn bei kleinen Risiken. Auch die Waffengeschäfte warfen einiges ab, sofern man nicht auf gefährliche Nebengleise geriet. Doch wenn man das Risiko mit einkalkulierte, war es wirtschaftlich kaum zu verantworten, einigen verrückten Rotzlöffeln, die den Kiosk an der Ecke überfallen wollten, für ein paar Tausender zwei Handfeuerwaffen zu besorgen.

Einzelne Fälle von Industriespionage oder der Schmuggel von Elektronikbauteilen nach Osten lohnten sich da schon eher – wenngleich dieser Markt in den letzten Jahren auch dramatisch geschrumpft war.

Nutten aus dem Baltikum waren vom wirtschaftlichen Standpunkt her gänzlich unverantwortlich. Nutten brachten Kleingeld und ansonsten nur Komplikationen, die jederzeit heuchlerische Artikel in den Massenmedien nach sich ziehen konnten. Der Vorteil an Nutten war, dass sie zumindest in juristischer Hinsicht keine Risiken mit sich brachten. Alle mochten Nutten – Staatsanwälte, Richter, Bullenschweine und auch das eine oder andere Mitglied des Reichstags. Niemand würde allzu hartnäckig graben, um diesen Geschäften Einhalt zu gebieten.

Nicht einmal eine tote Nutte stellte eine sonderlich große Gefahr dar. Wenn die Polizei innerhalb weniger Stunden einen dringend Tatverdächtigen ergriff und dieser noch Blutflecken auf seiner Kleidung hatte, kam es rasch zu einer Verurteilung. Ein paar Jahre Gefängnis oder Verwahrung in irgendeiner obskuren Anstalt. Doch wenn ein Verdächtiger nicht innerhalb von achtundvierzig Stunden ergriffen wurde, das wusste der Blonde aus Erfahrung, dann wandte sich die Polizei schnell wieder anderen Dingen zu.

Aber der blonde Riese mochte das Geschäft mit den Huren nicht. Ihm missfielen die Nutten mit ihren verspachtelten Gesichtern und ihrer grellen, besoffenen Lache. Sie waren unrein. Sie waren Humankapital – aber von der Sorte, die ebenso viel kostete, wie sie einbrachte. Und da es sich um Humankapital handelte, bestand immer das Risiko, dass eine von ihnen durchdrehte und sich einbildete, sie könnte abspringen oder mit der Polizei, Journalisten oder anderen Außenstehenden quatschen. Dann war er wieder gezwungen, einzugreifen und sie zu bestrafen. Waren ihre Enthüllungen detailliert genug, mussten Staatsanwalt und Polizei handeln – ansonsten gab es nämlich tatsächlich Zunder in diesem verfluchten Reichstag. Nein, das Geschäft mit den Nutten bedeutete nichts als Ärger.

Die Brüder Atho und Harry Ranta waren das Paradebeispiel für solchen Ärger. Sie waren nutzlose Parasiten, die ein bisschen zu viel vom Geschäft wussten. Am liebsten hätte er sie gleich mit einer Kette verschnürt und sie im Hafen versenkt. Stattdessen hatte er sie zur Estlandfähre begleitet und geduldig gewartet, bis das Schiff ablegte. Sie verdankten ihre Ferien der Tatsache, dass irgendwo ein verdammter Journalist angefangen hatte, in ihren Angelegenheiten herumzuschnüffeln, und man hatte beschlossen, dass sie am besten unsichtbar blieben, bis wieder Gras über die ganze Sache gewachsen war.

Er seufzte erneut.

Vor allem missfielen dem blonden Riesen Nebenaufträge wie diese Lisbeth Salander. Sie war für ihn völlig uninteressant. Sie warf nicht einmal Gewinn ab.

Ihm missfiel auch der Anwalt Nils Bjurman, und es war ihm unbegreiflich, warum man sich entschieden hatte, seinen Auftrag anzunehmen. Aber jetzt war die Sache eben schon ins Rollen gekommen. Die Anweisungen waren ergangen, und der Auftrag war mittlerweile beim Svavelsjö MC ausgeschrieben.

Das Ganze gefiel ihm überhaupt nicht. Er hatte böse Vorahnungen.

Er hob den Blick, schaute über das dunkle Feld und warf seine Kippe in den Straßengraben. Plötzlich nahm er aus dem Augenwinkel eine Bewegung wahr und erstarrte. Angestrengt stierte er ins Dunkel. Nur eine schwache Mondsichel beleuchtete den Schauplatz, aber er konnte trotzdem deutlich die Konturen eines schwarzen Schattens ausmachen, der ungefähr dreißig Meter vom Straßenrand entfernt war und jetzt auf ihn zukroch. Das Wesen bewegte sich ganz langsam und machte immer wieder kurze Pausen.

Auf einen Schlag stand dem blonden Riesen der kalte Schweiß auf der Stirn.

Er hasste dieses Wesen da draußen auf dem Feld.

Über eine Minute lang stand er reglos da und starrte wie verhext auf die Bewegungen des Schattens, der langsam, aber zielsicher näher kam. Als die Augen des Wesens in der Dunkelheit aufglänzten, drehte er auf dem Absatz um und rannte zurück zu seinem Auto. Er riss die Tür auf und fummelte mit wachsender Panik an den Schlüsseln. Zu guter Letzt bekam er den Motor an und schaltete das Fernlicht ein. Das Wesen hatte mittlerweile die Straße erreicht, und der blonde Riese konnte im Licht der Autoscheinwerfer endlich Details erkennen. Es sah aus wie ein riesiger Stachelrochen, der sich voranschleppte. Sein Stachel erinnerte an einen Skorpion.

Eines war völlig klar. Das Wesen stammte nicht von dieser Welt. Es war ein Monster, emporgestiegen aus der Unterwelt.

Er legte den Gang ein und fuhr mit quietschenden Reifen los. Als er an dem Wesen vorbeifuhr, sah er, wie es noch einen Angriff versuchte, aber es konnte das Auto nicht erreichen. Erst nach mehreren Kilometern legte sich sein Zittern.

Lisbeth verbrachte die Nacht damit, die Recherchen nachzuvollziehen, die Dag Svensson und *Millennium* gerade durchführten. Allmählich bekam sie einen relativ guten Überblick, auch wenn sie nur kryptische Bruchstücke hatte, die sie mithilfe der E-Mails zusammensetzen musste.

Erika Berger fragte Mikael Blomkvist, wie die Gespräche mit den Betroffenen verliefen. Er antwortete knapp, dass sie Probleme hatten, den Mann von der Tscheka aufzuspüren. Sie deutete das so, dass eine der Personen, die in der Reportage bloßgestellt werden würde, bei der Sicherheitspolizei arbeitete. Malin Eriksson schickte die Zusammenfassung einer kleineren Recherche an Dag Svensson, mit Kopien an Mikael Blomkvist und Erika Berger. Sowohl Svensson als auch Blomkvist antworteten mit Kommentaren und Vorschlägen, wie man die Recherchen vervollständigen könnte. Mikael und

Dag tauschten mehrmals am Tag E-Mails aus. Dag Svensson berichtete von einem Gespräch mit einem Journalisten namens Per-Åke Sandström.

Dag Svenssons E-Mails konnte sie auch entnehmen, dass er mit einer Person namens Gulbrandsen in Kontakt stand. Sie brauchte eine Weile, bis ihr aufging, dass dieser Gulbrandsen vermutlich bei der Polizei war und der Meinungsaustausch *off the record* – über eine inoffizielle Yahoo-Adresse statt seiner Mailadresse bei der Polizei – lief. Bei Gulbrandsen musste es sich also um eine der Quellen handeln.

Der Ordner mit dem Titel »Zala« war frustrierend kurz gehalten und enthielt nur drei Word-Dokumente. Das längste, das 128 KB umfasste, trug den Namen »Irina P.« und enthielt die fragmentarische Schilderung eines Prostituiertenlebens. Sie war allem Anschein nach ermordet worden. Aufmerksam studierte Lisbeth Dag Svenssons Zusammenfassung des Obduktionsberichts.

Sie begriff, dass Irina P. das Opfer außergewöhnlich brutaler Gewalt geworden war, denn angeblich wäre jede ihrer drei schwersten Verletzungen tödlich gewesen.

Lisbeth erkannte im Text eine Formulierung wieder, die wortwörtlich Mia Bergmans Dissertation entnommen war. In der Dissertation ging es um eine Frau namens Tamara. Lisbeth ging davon aus, dass es sich bei Irina P. und Tamara um ein und dieselbe Person handelte, und las sich die Interviewpassage der Doktorarbeit mit größter Aufmerksamkeit durch.

Das zweite Dokument trug den Namen »Sandström« und war bedeutend kürzer. Es enthielt die Zusammenfassung, die Dag Svensson an Blomkvist gemailt hatte. Aus ihr ging hervor, dass ein Journalist namens Per-Åke Sandström zu den Freiern gehörte, die ein Mädchen aus dem Baltikum missbraucht hatten. Er hatte kleinere Aufträge für die Sexmafia erledigt und war mit Drogen oder Sex dafür bezahlt worden. Es faszinierte Lisbeth besonders, dass Sandström nicht nur Firmenzeitungen erstellt, sondern auch Artikel geschrieben hatte, in denen er den Mädchenhandel empört verurteilte und unter anderem enthüllte, dass ein nicht namentlich genannter schwedischer Geschäftsmann ein Bordell in Tallinn besucht hatte.

Der Name Zala kam weder im Dokument »Sandström« noch in »Irina P.« vor, aber Lisbeth schloss, dass es eine Verbindung geben musste, sonst hätte man die beiden Dateien nicht im Ordner »Zala« abgespeichert. Das dritte und letzte Dokument hieß »Zala«, war aber sehr knapp und in Stichpunkten gehalten.

Laut Svensson war der Name Zala seit Mitte der 90er-Jahre in neun Fällen im Zusammenhang mit Rauschgift, Waffen oder Prostitution aufgetaucht. Niemand schien zu wissen, wer Zala war, doch verschiedene Quellen bezeichneten ihn als Jugoslawen, Polen oder Tschechen. Alle Angaben stammten aus zweiter Hand. Keine der Personen, mit denen Svensson gesprochen hatte, war Zala jemals begegnet.

Besonders ausführlich hatte Dag Svensson mit der *Quelle G* (Gulbrandsen?) über Zala gesprochen. Svensson hatte die Theorie aufgestellt, dass Zala für den Mord an Irina P. verantwortlich zeichnen könnte, doch es war nicht ersichtlich, was *Quelle G* über diese Theorie dachte. Seinen Angaben zufolge war Zala jedoch ein paar Jahre zuvor Gegenstand einer Diskussion gewesen, die auf einem Treffen »verschiedener Ermittlungsgruppen auf dem Gebiet des organisierten Verbrechens« stattgefunden hatte.

Soweit Dag Svensson herausfinden konnte, war der Name Zala zum ersten Mal im Zusammenhang mit einem Raubüberfall auf einen Geldtransport gefallen, der 1996 in Örkelljunga verübt worden war. Die Räuber hatten 3,3 Millionen Kronen erbeutet, sich aber so dämlich angestellt, dass die Polizei die Bande innerhalb von vierundzwanzig Stunden identifizieren und festnehmen konnte. Nach weiteren vierundzwanzig Stunden war noch eine Person festgenommen worden: Der Berufsverbrecher Sonny Nieminen, Mitglied des Svavelsjö MC, hatte die Waffen für den Überfall zur Verfügung gestellt und wurde dafür zu einer vierjährigen Gefängnisstrafe verurteilt.

Im Laufe der Woche waren drei weitere Beteiligte geschnappt worden. Der verzwickte Fall betraf also acht Personen, von denen sich sieben hartnäckig weigerten, mit der Polizei zu reden. Der achte, ein gerade mal 19 Jahre alter Junge namens Birger Nordman, brach während des Verhörs zusammen und sagte, was er wusste. Der Staatsanwalt trug einen mühelosen Sieg davon, was damit endete (so vermutete jedenfalls Svenssons Quelle bei der Polizei), dass Birger Nordman zwei Jahre später in einer Sandgrube in Värmland gefunden wurde, nachdem er bei seinem Hafturlaub auf Abwege geraten war.

Laut *Quelle G* hegte die Polizei den Verdacht, dass Sonny Nieminen in der Bande die Fäden zog. Man argwöhnte sogar, Nordman könnte im Auftrag von Sonny Nieminen ermordet worden sein, aber es gab keine Beweise. Nieminen galt jedoch als besonders gefährlich und skrupellos. Im Knast war der Name Nieminen im Zusammenhang mit der Arischen Bruderschaft aufgetaucht, einer nazistischen Gefängnisorganisation, die wiederum mit der Bruderschaft Wolfspack und anderen gewaltbereiten nazistischen Organisationen in Verbindung stand.

Was Lisbeth Salander interessierte, war jedoch etwas ganz anderes. Der verstorbene Birger Nordman hatte in seinem Verhör ausgesagt, dass die Waffen für den Raubüberfall von Sonny Nieminen gestellt worden waren, welcher die Waffen seinerseits von einem unbekannten Jugoslawen namens Zala bezogen hatte.

Dag Svensson folgerte daraus, dass es sich um eine nicht näher bekannte Person im Verbrechermilieu handelte. Da jedoch keine Person mit dem Namen Zala bekannt war, auf die die Angaben gepasst hätten, vermutete Dag, dass es nur ein Spitzname beziehungsweise Deckname war.

Der letzte Punkt enthielt eine kurze Zusammenfassung der Angaben, die der Journalist Sandström über Zala gemacht hatte. Und das waren nicht allzu viele. Laut Dag Svensson hatte Sandström einmal am Telefon mit einer Person dieses Namens gesprochen. Aus den Notizen ging aber nicht hervor, worum es in diesem Telefonat gegangen war.

Gegen vier Uhr morgens schaltete Lisbeth Salander ihr PowerBook aus, setzte sich aufs Fensterbrett und blickte auf den Saltsjön hinunter. Zwei Stunden lang verharrte sie so und rauchte nachdenklich eine Zigarette nach der anderen. Sie musste ein paar strategische Entscheidungen treffen und die möglichen Konsequenzen analysieren.

Schließlich kam sie zu dem Schluss, dass sie Zala aufspüren und ihm ein für alle Mal das Handwerk legen musste.

Eine Woche vor Ostern besuchte Mikael Blomkvist am Samstagabend eine alte Freundin in der Slipgatan bei Hornstull. Entgegen seiner Gewohnheit hatte er ihre Einladung zu einer Party angenommen. Sie war zwar mittlerweile verheiratet und nicht mehr im Geringsten an einem intimen Umgang mit Mikael interessiert, aber sie arbeitete in der Medienbranche, und sie grüßten sich freundlich, wenn sie sich zufällig über den Weg liefen. Nach zehnjähriger Arbeit hatte sie gerade ein Buch über das Frauenbild in den Massenmedien abgeschlossen. Mikael hatte ein wenig Material dazu beigesteuert, weswegen sie ihn jetzt zu ihrem Fest eingeladen hatte.

Mikael hatte sich für ihr Buch die Gleichstellungspläne vorgeknöpft, mit denen sich *TT, Dagens Nyheter, Rapport* und andere Medien brüsteten, und dann untersucht, wie viele Männer beziehungsweise Frauen in den Führungsetagen saßen. Das Resultat war ziemlich peinlich. Geschäftsführender Direktor – Mann. Aufsichtsratsvorsitzender – Mann. Chefredakteur – Mann. Chef der Auslandsabteilung – Mann. Redaktionschef – Mann. Und so weiter. Frauen in verantwortlichen Positionen waren die Ausnahme, wie zum Beispiel Christina Jutterström, die Geschäftsführerin des Schwedischen Fernsehens war, oder Amelia Adamo, Chefredakteurin mehrerer erfolgreicher Zeitschriften.

Das Fest war privat, und als Gäste hatte sie hauptsächlich die Leute eingeladen, die ihr bei ihrem Buch geholfen hatten.

Es wurde ein ausgelassener Abend mit gutem Essen und entspannter Konversation. Mikael wollte eigentlich relativ früh nach Hause gehen, aber die meisten Gäste waren alte Freunde, die man nur selten traf. Außerdem hängte sich keiner allzu sehr an der Wennerström-Affäre auf. Die Party zog sich hin, und erst gegen zwei Uhr am Sonntagmorgen brach der harte Kern der Gäste endlich auf. An der Långholmsgatan trennten sie sich.

Da die Nacht mild war, beschloss Mikael, zu Fuß nach Hause zu laufen, statt auf den nächsten Nachtbus zu warten. Er ging die Högalidsgatan bis zur Kirche entlang und bog dann in die Lundagatan, was sofort Erinnerungen weckte.

Mikael hatte sein Versprechen vom Dezember gehalten und seine Hoffnungen begraben, Lisbeth Salander könnte wieder am Horizont auftauchen. In dieser Nacht blieb er auf der anderen Straßenseite. Einen Moment lang spürte er den Impuls, doch hinüberzugehen und bei ihr zu klingeln, doch im nächsten Augenblick gestand er sich ein, wie gering seine Chancen waren, sie tatsächlich dort anzutreffen. Noch unwahrscheinlicher war die Annahme, sie könnte wieder mit ihm sprechen wollen.

Schließlich zuckte er die Schultern und setzte seinen Weg in Richtung Zinkensdamm fort. Er war kaum sechzig Meter weit gekommen, da hörte er ein Geräusch und sah sich um. Sein Herz setzte prompt einen Schlag aus. Lisbeth Salander war gerade auf die Straße getreten und ging in die andere Richtung davon. Vor einem parkenden Auto blieb sie stehen.

Mikael öffnete den Mund, um nach ihr zu rufen, aber die Worte blieben ihm im Halse stecken. Denn plötzlich sah er einen Schatten, der sich von einem der anderen parkenden Autos löste. Ein Mann, der sich von hinten an Lisbeth anschlich. Mikael konnte nur erkennen, dass er sehr groß war und einen beachtlichen Bierbauch hatte. Und einen Pferdeschwanz.

Als Lisbeth Salander gerade die Autotür ihres weinroten Honda aufschließen wollte, hörte sie ein Geräusch und nahm aus dem Augenwinkel eine Bewegung wahr. Er näherte sich schräg von hinten, und eine Sekunde bevor er sie erreichte, wirbelte sie herum. Sie identifizierte ihn augenblicklich als Carl-Magnus »Magge« Lundin, 36 Jahre, Svavelsjö MC, der sich vor ein paar Tagen mit dem blonden Riesen in »Blombergs Café« getroffen hatte.

Sie registrierte, dass er um die 120 Kilo wiegen mochte und ziemlich aggressiv war. Sie zögerte keine Mikrosekunde, bevor sie, mit den Schlüsseln als Schlagring, eine reptilienartig schnelle Bewegung ausführte und Lundin eine tiefe Schnittwunde zufügte, die von der Nase bis zum Ohr verlief. Er selbst hieb in die Luft, denn Lisbeth Salander war im nächsten Moment wie vom Erdboden verschluckt.

Mikael Blomkvist sah, wie Lisbeth Salander zuschlug. Kaum hatte sie ihren Angreifer getroffen, ließ sie sich auf den Boden fallen und rollte sich unters Auto.

Wenige Sekunden später kam Lisbeth auf der anderen Seite des Autos hervor, bereit, entweder anzugreifen oder zu flüchten. Als sie den Blick ihres Gegners über die Motorhaube auffing, entschloss sie sich zu Letzterem. Seine Wange blutete. Bevor er sie auch nur richtig fixieren konnte, lief sie schon die Lundagatan Richtung Högalidskirche hinunter.

Mikael stand wie angewurzelt mit offenem Mund auf der Straße. Plötzlich setzte sich der Angreifer in Bewegung und rannte Lisbeth Salander hinterher. Es sah aus, als würde ein Panzer ein Spielzeugauto jagen.

Lisbeth lief die Treppen zur oberen Lundagatan hinauf, immer zwei Stufen auf einmal nehmend. Als sie oben angekommen war, warf sie einen Blick über die Schulter und sah, wie ihr Verfolger gerade den Fuß auf die erste Stufe setzte. *Er ist schnell.* Beinahe wäre sie gestolpert, doch dann bemerkte sie in letzter Sekunde das Chaos aus Warndreiecken und Sandhaufen – dort, wo das Straßenbauamt den Asphalt aufgerissen hatte.

Magge Lundin war schon fast oben, als er Lisbeth Salander erblickte. Er sah gerade noch, dass sie einen Gegenstand nach ihm warf, konnte jedoch nicht mehr reagieren. Der Pflasterstein traf ihn seitlich an der Stirn und schlug ihm eine zweite Wunde im Gesicht. Er spürte, wie er den Halt verlor und die Welt taumelte, als er rücklings die Treppe hinunterfiel. Zwar konnte er den Fall abfangen, indem er mit der Hand das Geländer umfasste, aber er verlor kostbare Sekunden.

Mikaels Lähmung löste sich, als der Mann auf der Treppe verschwand. Er brüllte ihm hinterher, er solle Lisbeth in Ruhe lassen.

Lisbeth war schon halb über den Hof gelaufen, da hörte sie Mikaels Stimme. *Was zum Teufel sollte denn das bedeuten?* Sie änderte ihre Laufrichtung und schielte über das Geländer am Treppenabsatz. Da entdeckte sie Mikael Blomkvist drei Meter weiter unten auf der Straße. Nachdem sie den Bruchteil einer Sekunde gezögert hatte, rannte sie weiter.

Als Mikael auf die Treppe zulief, bemerkte er, dass ein Dodge Van vor Lisbeth Salanders Hauseingang gestartet wurde, ganz in der Nähe des Autos, das sie hatte aufschließen wollen. Das Fahrzeug fuhr an Mikael vorbei in Richtung Zinkensdamm. Er konnte ein Gesicht erkennen, als ihn das Fahrzeug überholte. Das Nummernschild war im schwachen Licht der Straßenlaternen jedoch nicht lesbar.

Unentschlossen sah Mikael dem Fahrzeug nach, aber dann heftete er sich wieder an die Fersen von Lisbeths Verfolger. Er holte ihn am obersten Treppenabsatz ein. Der Mann blieb mit dem Rücken zu Mikael stehen und sah sich um.

In dem Moment, als Mikael bei ihm angekommen war, fuhr er herum und verpasste Mikael einen kräftigen Schlag ins Gesicht. Mikael war völlig unvorbereitet und stürzte kopfüber die Treppe hinunter.

Als Lisbeth Mikaels halb erstickten Ruf hörte, wäre sie beinahe stehen geblieben. *Was zum Teufel geht hier vor?* Sie warf einen Blick zurück und sah, wie Magge Lundin, der knapp vierzig Meter hinter ihr lag, auf sie zulief. *Er ist schneller. Er wird mich einholen.*

Sie zögerte also nicht weiter, sondern rannte mit voller Kraft ein paar Treppen hoch, die zu den Hinterhöfen der Häuser führten. Sie erreichte einen Hof, der allerdings nicht das geringste Versteck bot. Also legte sie die Strecke bis zur nächsten Ecke in einem Tempo zurück, das sogar einer Carolina Klüft, der schwedischen Siebenkämpferin, imponiert hätte. Als sie nach rechts abbog, erkannte sie, dass sie in eine Sackgasse geraten war, und machte sofort einen 180-Grad-Schwenk. Sie erreichte gerade die Schmalseite des nächsten Hauses, als sie Magge Lundin auftauchen sah. Bevor er sie entdecken konnte, sprang sie kopfüber in die Rhododendronhecken, die sich an der gesamten Hauswand entlangzogen.

Sie hörte Magge Lundins schwere Schritte, ohne ihn zu sehen. Mucksmäuschenstill blieb sie in den Büschen hocken und schmiegte sich an die Hauswand.

Lundin kam an ihrem Versteck vorbei und blieb in einer Entfernung von weniger als fünf Metern von ihr stehen. Dann hörte sie seine Schritte über den Hof verschwinden.

Mikael taten Kiefer und Nacken weh, als er sich mühsam und verwirrt aufrappelte. Er schmeckte das Blut, das aus seiner aufgeschlagenen Lippe quoll. Als er ein paar Schritte zu machen versuchte, geriet er ins Stolpern.

Schließlich hatte er sich wieder die Treppe hinaufgeschleppt und schaute sich um. Er sah den Angreifer in hundert Meter Entfernung die Straße entlanglaufen. Der Mann mit dem Pferdeschwanz blieb stehen, spähte zwischen die Häuser und lief weiter die Straße hinunter. Mikael beobachtete, wie er über die Lundagatan lief und in den Dodge Van stieg, der vor wenigen Minuten vor Lisbeths Haustür weggefahren war. Das Auto verschwand sofort um die Ecke in Richtung Zinkensdamm.

Mikael suchte den oberen Teil der Lundagatan ab, konnte Lisbeth aber nirgendwo entdecken. Er wunderte sich, wie leer so eine Straße in Stockholm an einem Sonntagmorgen um drei doch sein konnte. Nach einer Weile machte er kehrt und ging zurück zu Lisbeths Hauseingang im unteren Teil der Lundagatan. Als er an dem weinroten Honda vorbeikam, trat er auf einen Gegenstand: Lisbeths Schlüsselbund. Er bückte sich, um ihn aufzuheben, und entdeckte dabei ihre Handtasche unter dem Auto.

Eine geraume Weile blieb er dort stehen und wartete, denn er wusste nicht recht, was er unternehmen sollte. Schließlich ging er zur Tür und probierte die Schlüssel der Reihe nach aus. Sie passten nicht.

Lisbeth Salander blieb fünfzehn Minuten in den Büschen und bewegte sich nur, um auf ihre Armbanduhr zu schielen. Um kurz nach drei hörte sie, wie eine Tür geöffnet und wieder geschlossen wurde und jemand zu den Fahrradständern ging.

Als die Geräusche verklungen waren, kam sie auf alle viere und streckte den Kopf aus den Büschen. Sie scannte jeden Winkel auf dem Hof mit ihren Blicken, aber Magge Lundin war nirgends zu sehen. So schlich sie zur Lundagatan zurück, bereit, jederzeit umzudrehen und zu flüchten. Als sie mit den Augen die Straße absuchte, entdeckte sie Mikael vor ihrer Haustür. Er hatte ihre Tasche in der Hand.

Sie blieb unbeweglich hinter einem Laternenpfahl stehen. Als Mikael Blomkvist sich umdrehte, sah er sie nicht.

Er blieb fast dreißig Minuten vor ihrer Haustür stehen. Sie wartete geduldig, bis er aufgab.

Mikael Blomkvist.

Sie konnte beim besten Willen nicht begreifen, wie er einfach so aus dem Nichts auf der Bildfläche erschienen war. Ansonsten ließ der Angriff ja wenig Raum für Interpretationen.

Carl Fucking Magnus Lundin.

Magge Lundin traf sich mit dem blonden Riesen, den sie zusammen mit Nils Bjurman beobachtet hatte.

Nils Fucking Lustmolch Bjurman.

Dieser verfluchte Loser hat irgend so ein verdammtes Alphamännchen angeheuert, um mir wehzutun. Obwohl ich ihm verdammt deutlich gesagt habe, was das für Konsequenzen hat.

Plötzlich fing Lisbeth Salander an, innerlich zu kochen. Sie war so wütend, dass sie Blutgeschmack auf der Zunge hatte. Jetzt würde sie ihn wohl oder übel bestrafen müssen.

Teil III

Absurde Gleichungen

23. März – 2. April

Unwahre Gleichungen, also Gleichungen,
für die es keine Lösung gibt, heißen absurd.

$$(a + b)(a - b) \neq a^2 - b^2 + 1$$

11. Kapitel

Mittwoch, 23. März – Donnerstag, 24. März

Mikael Blomkvist setzte am Rand von Dag Svenssons Manuskript den Rotstift an und machte ein Ausrufezeichen. Er malte einen Kreis darum und schrieb darunter »Fußnote« – hier wollte er also einen Quellennachweis für Dags Behauptung.

Es war Mittwoch, der Abend vor Gründonnerstag, und bei *Millennium* waren nahezu alle in den Osterferien. Monika Nilsson war ins Ausland gereist, Lottie Karim mit ihrem Mann in die Berge gefahren. Henry Cortez war ins Büro gekommen und hatte ein paar Stunden Telefondienst verrichtet, bis ihn Mikael schließlich nach Hause geschickt hatte. Er selbst würde ja auf jeden Fall noch in der Redaktion bleiben. Henry verschwand mit glücklichem Grinsen und machte sich auf den Weg zu seiner neuesten Freundin.

Dag Svensson war nicht aufgetaucht. Mikael saß allein in der Redaktion und feilte an seinem Manuskript. Sie hatten sich darauf geeinigt, dass das Buch zwölf Kapitel und zweihundertneunzig Seiten umfassen sollte. Dag hatte die endgültige Version der Kapitel eins bis neun abgeliefert, und Mikael prüfte jedes Wort kritisch, bevor er die Texte mit seinen Anmerkungen an Dag zurückgab.

Mikael fand, dass Dag sehr gut schreiben konnte, und beschränkte seine Redaktion hauptsächlich auf Randbemerkungen. Er musste sich schon anstrengen, um überhaupt etwas Kritikwürdiges zu finden. Während der Manuskriptstapel auf Mikaels Schreibtisch im Laufe der letzten Wochen angewachsen war, hatten die beiden sich nur ein einziges Mal nicht einigen können. Mikael wollte eine bestimmte Seite unbedingt streichen, um die Dag hart kämpfte. Doch das waren im Grunde genommen nur Kleinigkeiten.

Kurz gesagt hatte *Millennium* mit diesem Buch einen echten Knaller in der Hand. Für Mikael bestand kein Zweifel daran, dass dieses Buch für dramatische Schlagzeilen sorgen würde. Dag Svensson stellte die Freier so unbarmherzig an den Pranger und präsentierte seine Story so stringent, dass niemand um die Schlussfolgerung herumkam, dass hier ein Fehler im System vorlag. Dieser Part ging auf das Konto seines schriftstellerischen Geschicks. Das eigentliche Fundament seines Buches waren jedoch die akribisch recherchierten Fakten. Mikael lächelte still in sich hinein. Dag Svensson war ungefähr 15 Jahre jünger als er, aber Mikael erkannte in ihm die Leidenschaft wieder, die er selbst einmal gehabt hatte, als er gegen lausige Wirtschaftsjournalisten zu Felde zog und ein Skandalbuch verfasste, das man ihm in gewissen Redaktionen bis heute nicht verziehen hatte.

Allerdings musste Dag Svenssons Buch vollkommen wasserdicht sein. Ein Reporter, der sich so aus dem Fenster lehnt, muss sich seiner Sache hundertprozentig sicher sein oder gleich von einer Veröffentlichung Abstand nehmen. Svensson lag bei 98 Prozent. Es gab Schwachpunkte, die man noch einmal kritisch durchleuchten musste, und Behauptungen, die nicht zu Mikaels vollster Zufriedenheit belegt waren.

Gegen halb sechs zog er seine Schreibtischschublade auf und nahm sich eine Zigarette. Erika Berger hatte zwar totales Rauchverbot in der Redaktion erlassen, aber er war ja allein, und über die Feiertage würde auch niemand ins Büro kommen. Er arbeitete noch vierzig Minuten weiter, bis er schließlich den ganzen Papierstoß nahm und Erika das Kapitel zum Durchlesen auf den Schreibtisch legte. Dag Svensson hatte versprochen, die endgültige Version der fehlenden drei Kapitel am nächsten Morgen zu mailen, sodass Mikael Gelegenheit haben würde, das Material über die Feiertage durchzugehen. Am Dienstag nach Ostern war ein Treffen angesetzt, bei dem Dag, Erika, Mikael und die Redaktionssekretärin Malin Eriksson zusammenkommen wollten, um sich über die endgültige Fassung des Buches und der Artikel für das Themenheft abzustimmen. Stand nur noch das Layout aus, über das sich Christer Malm allein den Kopf zerbrechen musste, und dann konnte das Ganze in Druck gehen. Mikael hatte nicht einmal Angebote von verschiedenen Druckereien eingeholt – er hatte einfach beschlossen, den Auftrag wieder an Hallvigs Reklam in Morgongåva zu geben. Sie hatten schon sein Buch über die Wennerström-Affäre gedruckt und boten einen Preis sowie einen Service, mit dem nur wenig andere Druckereien konkurrieren konnten.

Mikael sah auf die Uhr und gönnte sich noch eine heimliche Zigarette. Er setzte sich ans Fenster und blickte auf die Götgatan hinab. Nachdenklich befühlte er mit der Zungenspitze die Wunde an der Innenseite seiner Lippe. Sie heilte bereits. Zum tausendsten Mal fragte er sich, was vor Lisbeth Salanders Haustür in der Lundagatan nur geschehen sein mochte.

Er wusste nur, dass Lisbeth Salander am Leben und zurück in Stockholm war.

In den Tagen, die seit dem Überfall vergangen waren, hatte er täglich versucht, sie anzurufen. Er hatte Mails an die Adresse geschickt, die sie letztes Jahr benutzt hatte, bekam jedoch keine Antwort. Er war wieder in die Lundagatan gegangen. Langsam, aber sicher begann er zu verzweifeln.

Das Namensschild an der Tür lautete jetzt »Salander – Wu«. Insgesamt waren zweihundertdreißig Personen mit dem Nachnamen Wu gemeldet, von denen knapp einhundertvierzig in Stockholm wohnten. Allerdings keiner in der Lundagatan. Mikael hatte keine Ahnung, welcher dieser Wus nun bei Salander eingezogen war, ob sie sich einen Freund zugelegt oder die Wohnung einfach untervermietet hatte. Als er an die Tür klopfte, machte niemand auf.

Schließlich setzte er sich hin und schrieb ihr wie in der guten alten Zeit einen Brief.

Liebe Sally,
ich weiß nicht, was letztes Jahr vorgefallen ist, aber mittlerweile hat sogar ein begriffsstutziger Idiot wie ich kapiert, dass Du den Kontakt zu mir abgebrochen hast. Es ist Dein gutes Recht, selbst zu entscheiden, mit wem Du zu tun haben willst, und ich beschwere mich nicht. Ich möchte Dir nur sagen, dass ich Dich noch immer als eine Freundin betrachte, dass ich Deine Gesellschaft vermisse und gerne einen Kaffee mit Dir trinken würde, wenn Du Lust hast.
Ich weiß nicht, in was Du gerade wieder verstrickt bist, aber dieser Tumult in der Lundagatan hat mir Sorgen gemacht. Solltest Du Hilfe brauchen, kannst Du mich jederzeit anrufen. Wie wir alle wissen, stehe ich zutiefst in Deiner Schuld.
Außerdem habe ich Deine Tasche. Wenn Du sie zurückhaben willst, brauchst Du Dich bloß zu melden. Wenn Du mich nicht treffen willst, kannst Du mir einfach eine Adresse nennen, an die ich sie schicken kann. Ich werde Dich bestimmt nicht mehr aufsuchen, nachdem Du mir so deutlich zu verstehen gegeben hast, dass Du nichts mehr mit mir zu tun haben willst.

Mikael

Natürlich hatte er nichts von ihr gehört.

Als er am Morgen nach dem Überfall in der Lundagatan nach Hause kam, hatte er den Inhalt ihrer Tasche auf dem Küchentisch ausgebreitet. Eine Brieftasche mit einem Ausweis von der Post, ungefähr 600 Kronen und 200 Dollar in bar sowie eine Monatskarte für die öffentlichen Verkehrsmittel in Stockholm. Außerdem eine angebrochene Schachtel Marlboro Light, drei Bic-Feuerzeuge, eine Schachtel Halsbonbons, eine offene Packung Papiertaschentücher, eine Zahnbürste, Zahnpasta und drei Tampons in einem Seitenfach, eine ungeöffnete Packung Kondome mit einem Plastiketikett, auf dem »Gatwick Airport« stand, ein Notizbuch mit steifem, schwarzem Einband im DIN-A5-Format, fünf Kugelschreiber, eine Tränengaspatrone, ein kleines Täschchen mit Lippenstift und Make-up, ein FM-Radio mit Kopfhörern, allerdings ohne Batterien, und das *Aftonbladet* vom Vortag.

Der faszinierendste Gegenstand in der Tasche war jedoch ein Hammer, der leicht greifbar in einer Außentasche verstaut war. Die Attacke war jedoch so überraschend gekommen, dass Lisbeth weder Hammer noch Tränengas hatte einsetzen können. Offensichtlich hatte sie ihre Schlüssel als Schlagring benutzt – es befanden sich nämlich noch Spuren von Blut und Haut daran.

Ihr Schlüsselbund bestand aus sechs Schlüsseln. Drei davon waren typische Wohnungsschlüssel – Hausschlüssel, Wohnungsschlüssel und Schlüssel für das Sicherheitsschloss. Sie passten jedoch nicht an der Wohnungstür in der Lundagatan.

Mikael hatte das Notizbuch aufgeschlagen und Seite für Seite durchgeblättert. Er erkannte ihre ordentliche, zierliche Handschrift wieder und konnte feststellen, dass es sich bei diesem Büchlein nicht um das heimliche Tagebuch eines Mädchens handelte. Ungefähr drei Viertel der Seiten waren mit mathematischen Notizen gefüllt. Ganz oben auf der ersten Seite stand eine Gleichung, die sogar Mikael kannte:

$a^3 + b^3 = c^3$.

Mikael Blomkvist hatte nie Probleme mit dem Rechnen gehabt. Das Gymnasium hatte er mit der Bestnote in Mathematik abgeschlossen, was aber nicht bedeutete, dass er ein guter Mathematiker war, sondern nur, dass er anwenden konnte, was er in den Schulstunden gelernt hatte. Aber die Seiten in Lisbeths Buch enthielten Gekritzel von der Sorte, die Mikael nicht begriff und nicht einmal versuchen wollte zu begreifen. Eine Gleichung erstreckte sich über eine ganze Doppelseite. Überall hatte Lisbeth etwas wieder durchgestrichen oder geändert. Er konnte kaum erkennen, ob es sich dabei überhaupt um ernst gemeinte Formeln und Berechnungen handelte, aber da er mit Lisbeths Eigenheiten vertraut war, nahm er an, dass die Gleichungen korrekt waren und sicherlich auch irgendeine konkrete Bedeutung besaßen.

Er blätterte lange vor und zurück. Die Gleichungen waren ihm ebenso verständlich, als hätte man ihm ein Heft mit chinesischen Schriftzeichen in die Hand gedrückt. Aber er begriff, was sie versucht hatte. $a^3 + b^3 = c^3$. Fermats Rätsel hatte sie in seinen Bann gezogen, ein Klassiker, von dem sogar ein Mikael Blomkvist schon mal gehört hatte. Er stieß einen tiefen Seufzer aus.

Die allerletzte Seite enthielt ein paar äußerst knappe und kryptische Notizen, die absolut nichts mit Mathematik zu tun hatten, trotzdem aber wie eine Formel aussahen.

Blondie + Magge = NEB.

Diese Gleichung hatte sie unterstrichen und eingekringelt, aber deswegen blieb sie trotzdem unverständlich. Ganz unten stand die Telefonnummer der Mietwagenfirma Auto-Expert in Eskilstuna.

Mikael versuchte erst gar nicht, die Notizen zu deuten. Er vermutete, dass sie diese Notizen nur hingeschmiert hatte, während sie über irgendetwas nachdachte.

Mikael Blomkvist drückte seine Zigarette aus, zog die Jacke an, aktivierte die Alarmanlage in der Redaktion und ging zum Terminal am Slussen, wo er den Bus zum Yuppiereservat bei Stäket in Lännersta nahm. Er war zu einem Abendessen bei seiner Schwester Annika eingeladen, die heute ihren 42. Geburtstag feierte.

Erika Berger begann ihre Ferien mit einem langen, wütenden Dreikilometerlauf, der sie bis zum Dampferanleger in Saltsjöbaden führte. Sie hatte das Fitnessstudio in letzter Zeit vernachlässigt und fühlte sich steif und untrainiert. Ihr Mann hielt zu dieser Zeit einen Vortrag im Museum für Moderne Kunst, würde also nicht vor acht nach Hause kommen. Erika hatte vor, am Abend eine Flasche Wein aufzumachen, die Sauna anzuwerfen und ihren Mann zu verführen. Damit würde sie jedenfalls kurzfristig die Gedanken an das Problem verscheuchen, das sie gerade beschäftigte.

Vor vier Tagen hatte sie sich mit dem geschäftsführenden Direktor eines der größten Medienkonzerne Schwedens zum Mittagessen getroffen. Beim Salat hatte er ihr mit ernster Stimme seine Absicht eröffnet, sie als Chefredakteurin für die größte Tageszeitung des Konzerns anzustellen. *In der Führungsetage wurden mehrere Namen diskutiert, und wir sind uns einig, dass Sie ein großer Gewinn für unsere Zeitung wären. Wir wollen Sie und niemand anders.* Mit diesem Jobangebot verband sich ein Gehalt, das ihren Verdienst bei *Millennium* wie einen schlechten Witz aussehen ließ.

Das Angebot war wie ein Blitz aus heiterem Himmel gekommen. Sie war völlig ratlos. Warum gerade ich?

Zunächst war er ziemlich vage geblieben, hatte ihr dann jedoch gesagt, dass die Art, wie sie *Millennium* letztes Jahr aus dem Sumpf gezogen hatte, sehr eindrucksvoll gewesen sei. Außerdem hatte Der Große Drache eine Verjüngungskur dringend nötig. Die Zeitung litt unter ihrer Vergreisung und einer dicken Schicht Patina, was zur Folge hatte, dass man immer weniger jüngere Abonnenten gewinnen konnte. Erika war als provokante Journalistin bekannt. Sie hatte Drive. Eine bekennende Feministin an die Spitze der konservativsten schwedischen Zeitung zu setzen sei zwar ein gewisses Wagnis, räumte er ein, doch diejenigen, deren Stimme wirklich zählte, hielten große Stücke auf sie.

»Aber ich teile die politische Grundhaltung dieser Zeitung doch gar nicht.«

»Das spielt keine Rolle. Sie sind auch nicht als ihr Gegner bekannt. Sie sollen als Chefin fungieren – nicht als Politkommissar –, und die Leitartikel schreiben sich ganz von selbst.«

Er hatte es zwar nicht gesagt, aber es ging auch um ihre Klassenzugehörigkeit. Erika hatte den richtigen Hintergrund, kam aus dem passenden Milieu.

Sie erklärte, dass sie sich von seinem Vorschlag sehr geehrt fühle, ihm aber nicht gleich eine Antwort geben könne. Sie müsse die Sache gründlich durchdenken, und man einigte sich darauf, dass sie ihm in der nächsten Zeit Bescheid geben würde. Der Geschäftsführer fügte noch hinzu, wenn es das Gehalt sei, das sie zögern ließe, so sei das letzte Wort in dieser Angelegenheit sicher noch nicht gesprochen. Außerdem versprach man ihr eine außergewöhnlich hohe Abfindungssumme für den Fall ihres Ausscheidens. *Es wird langsam Zeit, an die Altersversorgung zu denken.*

Demnächst wurde sie 45. Sie hatte als Anfängerin und Urlaubsvertretung schwere Zeiten durchgestanden. Sie hatte *Millennium* gegründet und war Chefredakteurin geworden. Der Augenblick, in dem sie zum Hörer greifen und entweder Ja oder Nein sagen musste, rückte unbarmherzig näher, und sie wusste immer noch nicht, wie ihre Antwort lauten sollte. Im Laufe der letzten Woche hatte sie immer wieder mit Mikael über die Sache sprechen wollen, es aber nicht übers Herz gebracht. Stattdessen spürte sie, dass sie nicht mehr offen zu ihm war, und das verursachte ihr ein schlechtes Gewissen.

Die Nachteile lagen auf der Hand. Ein Ja würde bedeuten, dass auch ihre Geschäftspartnerschaft mit Mikael ein Ende nahm. Er würde niemals mit ihr zum Großen Drachen wechseln, egal mit welchen Angeboten sie ihn lockten. Er brauchte kein Geld und fühlte sich wie ein Fisch im Wasser, wenn er in aller Ruhe an seinen eigenen Artikeln herumbasteln konnte.

Erika gefiel ihre Rolle als Chefredakteurin bei *Millennium*. Sie hatte ihr einen Status in der Medienbranche verschafft, den sie fast schon für unverdient hielt. Ihre redaktionellen Fähigkeiten stufte sie selbst nur als mittelmäßig ein. Hingegen war sie eine begabte Rednerin, sobald es um Auftritte im Radio oder im Fernsehen ging.

Aber Erika Berger war schwer in Versuchung. Nicht so sehr wegen des Gehalts, sondern auch, weil dieser Job sie definitiv zu einem der Schwergewichte der Medienbranche machen würde. *So ein Angebot bekommen Sie kein zweites Mal*, hatte der Geschäftsführer gemeint. Womit er wohl recht hatte.

Irgendwo unterhalb des Grand Hotel in Saltsjöbaden kam sie in ihrer Verzweiflung zu dem Schluss, dass sie unmöglich Nein sagen konnte. Sie zitterte jetzt schon vor dem Augenblick, in dem sie Mikael Blomkvist diese Neuigkeit eröffnen musste.

Wie immer fand das Abendessen bei der Familie Giannini in gelindem Chaos statt. Annika hatte zwei Kinder, Monica, 13, und Jennie, 10 Jahre alt. Ihr Mann Enrico Giannini, Chef der schwedischen Abteilung eines internationalen Biotechnologieunternehmens, besaß außerdem das Sorgerecht für den 16-jährigen Antonio, der aus einer früheren Ehe stammte. Die anderen Gäste waren Enricos Mutter Antonia, sein Bruder Pietro, dessen Frau Eva-Lotta sowie deren Kinder Peter und Nicola. Außerdem wohnte noch Enricos Schwester Marcella mit ihren vier Kindern im selben Viertel. Man hatte auch Enricos Tante Angelina eingeladen, die in der gesamten Verwandtschaft als völlig verrückt galt oder zumindest als sehr exzentrisch. Sie brachte ihren neuen Freund mit.

Der Chaosfaktor am großzügig bemessenen Tisch war also ziemlich hoch. Die Konversation war eine schnatternde Mischung aus Schwedisch und Italienisch, und die Situation wurde nicht besser, als Angelina an diesem Abend unbedingt darüber diskutieren wollte, warum Mikael immer noch Junggeselle war. Sie schlug diverse geeignete Kandidatinnen aus den Reihen der Töchter in ihrem Bekanntenkreis vor. Schließlich erklärte Mikael kurz und bündig, er würde ja gern heiraten, aber leider sei seine Geliebte schon verheiratet. Damit konnte er sogar eine Angelina kurzfristig zum Schweigen bringen.

Um halb acht klingelte Mikaels Handy. Er hatte eigentlich geglaubt, es ausgeschaltet zu haben, und hätte den Anruf beinahe verpasst, während er in der Innentasche seiner Jacke, die jemand auf die Hutablage im Flur gelegt hatte, nach dem Handy kramte. Es war Dag Svensson.

»Störe ich?«

»Nicht besonders. Ich bin gerade zum Abendessen bei meiner Schwester und einer ganzen Schar von Verwandten ihres Mannes. Was gibt's denn?«

»Zwei Dinge. Ich habe versucht, Christer Malm zu erreichen, aber er geht leider nicht ans Telefon.«

»Der ist heute Abend mit seinem Freund im Theater.«

»Verdammt. Ich hatte versprochen, mich morgen Vormittag mit ihm in der Redaktion zu treffen, um ihm die Bilder und Illustrationen vorbeizubringen, die wir im Buch haben wollen. Christer wollte sie sich über die Feiertage mal ansehen. Aber jetzt ist Mia plötzlich eingefallen, dass sie über Ostern zu ihren Eltern nach Dalarna hochfahren will, um ihnen ihre Dissertation zu zeigen. Eigentlich wollen wir gleich morgen früh aufbrechen.«

»Ist schon in Ordnung.«

»Es sind ausgedruckte Bilder, ich kann sie ihm also nicht mailen. Könnte ich sie heute Abend bei dir vorbeibringen?«

»Ja ... aber weißt du, ich bin draußen in Lännersta und werde hier noch eine ganze Weile bleiben, bevor ich in die Stadt zurückfahre. Enskede ist ja nicht weit weg. Ich kann genauso gut bei dir vorbeifahren und die Bilder holen. Wäre es okay für dich, wenn ich gegen elf komme?«

Dag Svensson hatte nichts dagegen.

»Und das andere ... wird dir nicht besonders gefallen, fürchte ich.«

»Schieß los.«

»Ich bin da über eine Sache gestolpert, der ich gerne noch mal nachgehen würde, bevor das Buch in Druck geht.«

»Worum geht's?«

»Zala, mit Z geschrieben.«

»Was ist denn ein Zala?«

»Zala ist ein Gangster, wahrscheinlich aus dem Ostblock, vielleicht aus Polen. Ich habe ihn vor ein paar Wochen einmal in einer Mail an dich erwähnt.«

»Sorry, das hab ich ganz vergessen.«

»Er taucht in meinem Material des Öfteren auf. Die Leute haben anscheinend unglaubliche Angst vor ihm, und keiner will über ihn reden.«

»M-hm.«

»Vor ein paar Tagen bin ich noch mal über ihn gestolpert. Ich glaube, er hält sich in Schweden auf und gehört eigentlich auch auf die Liste der Freier im siebten Kapitel.«

»Dag – drei Wochen bevor wir das Buch in Druck geben, kannst du nicht anfangen, neues Material auszugraben.«

»Ich weiß. Aber das hier könnte ein echter Hammer sein. Ich habe mit einem Polizisten gesprochen, der auch von Zala gehört hat und ... ich glaube wirklich, es könnte sich lohnen, nächste Woche noch ein bisschen nachzuforschen.«

»Aber du hast doch schon genügend Schweinehunde in deinem Artikel.«

»Das hier scheint aber ein ganz besonders mieser Schweinehund zu sein. Niemand weiß richtig, wer er eigentlich ist. Ich hab da so ein Gefühl ...«

»Man sollte immer seiner Intuition trauen«, gab Mikael zu. »Aber ehrlich gesagt ... wir können die Deadline jetzt nicht mehr aufschieben. Die Druckerei ist gebucht, das Buch muss gleichzeitig mit dem Themenheft erscheinen.«

»Ich weiß«, erwiderte Dag Svensson kleinlaut.

Mia Bergman hatte gerade Kaffee gekocht und in die Thermoskanne gegossen, da klingelte es an der Tür. Es war kurz vor neun. Da Dag Svensson glaubte, dass es Mikael Blomkvist war, der früher kam als geplant, öffnete er die Tür, ohne zuerst durch den Spion zu gucken. Statt Mikael erblickte er jedoch ein schmales Mädchen mit puppenhaftem Aussehen, das wie ein Teenager wirkte.

»Ich will zu Dag Svensson und Mia Bergman«, erklärte sie.

»Ich bin Dag Svensson«, entgegnete er.

»Ich möchte mit Ihnen reden.«

Dag warf automatisch einen Blick auf die Uhr. Mia Bergman war auch auf den Flur gekommen und stellte sich neugierig neben ihren Freund.

»Ist es nicht ein bisschen spät für einen Besuch?«, fragte Dag.

Das Mädchen betrachtete ihn geduldig und schwieg.

»Worüber wollen Sie denn mit uns reden?«, erkundigte er sich.

»Ich will mit Ihnen über das Buch reden, das Sie bei *Millennium* veröffentlichen wollen.«

Dag und Mia tauschten einen Blick.

»Und wer sind Sie?«

»Ich interessiere mich für das Thema. Darf ich reinkommen, oder sollen wir das hier im Treppenhaus besprechen?«

Dag Svensson zögerte kurz. Das Mädchen war zwar eine wildfremde Person und der Zeitpunkt ihres Besuches reichlich ungewöhnlich, aber sie schien ihm doch so harmlos, dass er die Tür ganz aufmachte. Er führte sie an den Esstisch im Wohnzimmer.

»Möchten Sie Kaffee?«, fragte Mia.

Dag warf seiner Freundin einen verwirrten Blick zu.

»Was halten Sie davon, uns erst mal zu verraten, wer Sie sind?«, schlug er Lisbeth vor.

»Ja, gerne. Ich meine, ich hätte gern einen Kaffee. Und ich heiße Lisbeth Salander.«

Mia zuckte die Achseln und schraubte die Thermoskanne auf. Da sie Mikael erwarteten, hatte sie schon Tassen auf den Tisch gestellt.

»Und wie kommen Sie darauf, dass wir bei *Millennium* ein Buch veröffentlichen wollen?«, erkundigte sich Dag Svensson.

Er war plötzlich zutiefst misstrauisch, doch das Mädchen ignorierte ihn einfach und richtete ihre Blicke stattdessen auf Mia Bergman. Sie zog eine Grimasse, die man als schiefes Grinsen interpretieren konnte.

»Interessante Doktorarbeit«, bemerkte sie.

Mia Bergman wirkte verblüfft.

»Woher wissen Sie denn bitte von meiner Doktorarbeit?«, wollte sie wissen.

»Ich habe zufällig eine Kopie in die Hände bekommen«, war die kryptische Antwort des Mädchens.

Dag Svensson wurde zusehends gereizter.

»Jetzt erklären Sie mir aber bitte mal, was Sie eigentlich wollen«, verlangte er.

Das Mädchen sah ihn an. Plötzlich fiel ihm auf, dass ihre Iris so dunkelbraun war, dass ihre Augen im Licht fast schon schwarz aussahen. Gleichzeitig bemerkte er, dass er sich bei ihrem Alter verschätzt hatte – sie war älter, als er anfangs gedacht hatte.

»Ich will wissen, warum Sie rumlaufen und Fragen zu Zala stellen, Alexander Zala«, erklärte Lisbeth Salander. »Und vor allem will ich wissen, was genau Sie über ihn wissen.«

Alexander Zala, dachte Dag Svensson schockiert. Er hörte den Vornamen zum ersten Mal.

Er musterte das Mädchen, das vor ihm saß. Sie hob die Kaffeetasse und nahm einen Schluck, ohne die Augen von ihm zu wenden. In ihrem Blick lag nicht ein Funken Wärme. Auf einmal war ihm sehr unbehaglich zumute.

Im Gegensatz zu Mikael und den anderen Erwachsenen hatte Annika Giannini, obwohl sie das Geburtstagskind war, nur leichtes Bier getrunken und auf Wein und Schnaps verzichtet. Gegen halb elf war sie also noch immer nüchtern, und da sie ihren großen Bruder in mancher Hinsicht als Vollidioten einstufte, um den man sich kümmern musste, bot sie ihm großzügig an, ihn via Enskede nach Hause zu fahren. Sie hatte sowieso vorgehabt, ihn zur Bushaltestelle am Värmdövägen zu bringen, und es würde nicht wesentlich länger dauern, ihn bis in die Stadt zu fahren.

»Warum legst du dir kein eigenes Auto zu?«, beklagte sie sich, als Mikael den Sicherheitsgurt anlegte.

»Weil ich im Gegensatz zu dir zu Fuß in die Arbeit gehe und ungefähr einmal im Jahr ein Auto brauche. Außerdem könnte ich heute sowieso nicht fahren, weil dein Schatz Schnaps aus Skåne ausgeschenkt hat.«

»Der wird langsam zum Schweden. Vor zehn Jahren hätte er noch Grappa angeboten.«

Sie nutzten die Fahrt für ein Bruder-und-Schwester-Gespräch. Der Altersunterschied von drei Jahren bedeutete, dass sie als Teenager nicht besonders viel gemeinsam gehabt hatten, aber dafür begannen sie sich im Erwachsenenalter umso besser zu verstehen.

Annika hatte Jura studiert, und für Mikael war sie eindeutig die Begabtere von ihnen beiden. Sie hatte ihr Studium mit links absolviert, ein paar Jahre am Gericht gearbeitet und war danach Assistentin eines der bekanntesten Anwälte in Schweden gewesen. Schließlich hatte sie gekündigt und eine eigene Kanzlei eröffnet. Annika hatte sich auf Familienrecht spezialisiert, was nach und nach zu einem Gleichstellungsprojekt wurde. Sie engagierte sich als Anwältin für misshandelte Frauen und hatte ein Buch über dieses Thema geschrieben. Obendrein engagierte sie sich auch noch bei den Sozialdemokraten, woraufhin Mikael sie damit aufzog, dass sie langsam zum Politkommissar wurde. Er selbst hatte bereits früh beschlossen, dass sich eine Parteizugehörigkeit schlecht mit journalistischer Glaubwürdigkeit vereinbaren ließ. Er vermied es sogar, zu den Wahlen zu gehen, und wenn er es doch tat, verriet er nicht einmal Erika Berger, für wen er gestimmt hatte.

»Wie geht es dir?«, fragte Annika, als sie an der Skurubron vorbeikamen.

»Ach, ganz gut.«

»Und wo liegt dein Problem?«

»Mein Problem?«

»Ich kenn dich doch, Micke. Du warst den ganzen Abend über so nachdenklich.«

Mikael schwieg eine Weile.

»Das ist eine komplizierte Geschichte. Ich habe momentan zwei Probleme. Das eine ist ein Mädchen, das ich vor zwei Jahren kennengelernt habe. Sie hat mir im Zusammenhang mit der Wennerström-Affäre geholfen und ist danach ohne jede Erklärung aus meinem Leben verschwunden. Seitdem habe ich sie über ein Jahr nicht mehr gesehen – bis letzte Woche.«

Mikael erzählte von dem Überfall in der Lundagatan.

»Hast du Anzeige erstattet?«, fragte Annika sofort.

»Nein.«

»Warum denn nicht?«

»Dieses Mädchen hält extrem viel auf ihre Privatsphäre. Sie ist diejenige, die überfallen wurde, also muss sie auch selbst Anzeige erstatten.«

Mikael hatte den Verdacht, dass etwas Derartiges nicht besonders hoch auf Lisbeth Salanders Tagesordnung rangierte.

»Dickschädel«, sagte Annika und tätschelte Mikael die Wange. »Und dein zweites Problem?«

»Wir planen bei *Millennium* gerade eine Story, die hohe Wellen schlagen wird. Ich habe schon den ganzen Abend überlegt, ob ich dich konsultieren soll. Als Anwältin, meine ich jetzt.«

Annika warf ihrem Bruder einen verblüfften Blick zu.

»Mich konsultieren«, platzte sie heraus. »Das ist ja mal was ganz Neues.«

»Bei der Geschichte geht es um Mädchenhandel und Gewalt gegen Frauen. Das Thema dürfte dir ja bekannt sein. Pressefreiheit ist zwar nicht dein Spezialgebiet, aber ich würde dich furchtbar gern bitten, den Text einmal durchzulesen, bevor er in Druck geht.«

Annika bog schweigend in den Hammarby fabriksväg ein und passierte Sickla sluss. Durch diverse Nebenstraßen fuhr sie parallel zum Nynäsvägen, bis sie schließlich auf den Enskedevägen einbiegen konnte.

»Weißt du, Mikael, ein einziges Mal in meinem ganzen Leben war ich richtig sauer auf dich.«

»Tatsächlich?« Mikael war überrascht.

»Als du von Wennerström verklagt und wegen Verleumdung zu drei Monaten Gefängnis verurteilt wurdest. Ich war so wütend auf dich, dass ich fast krepiert wäre.«

»Warum denn? Ich hatte eben einen Fehler gemacht.«

»Du hast schon öfter Fehler gemacht. Aber damals hättest du einen Anwalt gebraucht, und die Einzige, an die du dich nicht gewandt hast, war ich. Stattdessen hast du dir in den Massenmedien und in der Gerichtsverhandlung diesen ganzen Mist reingezogen. Du hast dich nicht mal verteidigt. Ich hätte sterben können vor Wut.«

»Das waren besondere Umstände. Du hättest da auch nichts ausrichten können.«

»Doch, aber das ging mir erst ein Jahr später auf, als *Millennium* wieder in den Ring stieg und Wennerström vernichtend schlug. Bis dahin war ich nur enttäuscht von dir.«

»Du hättest nichts machen können, um diesen Prozess zu gewinnen.«

»Du verstehst einfach nicht, worauf es mir ankommt, großer Bruder. Mir ist auch klar, dass das ein hoffnungsloser Fall war. Ich habe das Urteil gelesen. Aber der Punkt ist der, dass du nicht zu mir gekommen bist, um mich um Hilfe zu bitten. Hallo Schwesterchen, ich bräuchte einen Anwalt. Deswegen bin ich auch nicht im Gericht aufgetaucht.«

Mikael dachte über ihre Worte nach.

»Sorry. Das hätte ich wohl machen sollen, schätze ich.«

»Ja, das hättest du wahrhaftig.«

»Ich war damals völlig aus dem Gleichgewicht geraten. Ich konnte mit überhaupt niemandem mehr reden. Ich wollte mich einfach hinlegen und sterben.«

»Was du dann aber doch nicht getan hast.«

»Tut mir leid.«

Plötzlich musste Annika Giannini lächeln.

»Eine Entschuldigung nach zwei Jahren ... na immerhin. Ist es eilig mit dem Text?«

»Sehr. Wir gehen bald in Druck. Hier musst du links abbiegen.«

Annika parkte auf der gegenüberliegenden Straßenseite am Björneborgsvägen, wo Dag Svensson und Mia Bergman wohnten. »Es dauert nur ein paar Minuten«, versprach Mikael, trabte über die Straße und gab an der Haustür den Code ein. Als er das Haus betrat, hörte er aufgeregte Stimmen durchs Treppenhaus hallen und ging die drei Stockwerke zu Dag und Mia hinauf. Erst als er im dritten Stock stand, sah er, dass sich der Tumult vor der Wohnung der beiden abspielte. Im Treppenhaus standen fünf Nachbarn. Die Tür zu Dags und Mias Wohnung war nur angelehnt.

»Was ist denn hier los?«, erkundigte sich Mikael, eher neugierig als besorgt.

Die Stimmen verstummten. Fünf Augenpaare richteten sich auf ihn. Drei Frauen und zwei Männer, samt und sonders im Rentenalter. Eine der Frauen war im Nachthemd.

»Es hat sich wie ein Schuss angehört.« Der Mann, der ihm antwortete, war über 70 und trug einen braunen Bademantel.

»Schuss?«, wiederholte Mikael mit dümmlichem Gesichtsausdruck.

»Gerade eben. Vor einer Minute ist in dieser Wohnung geschossen worden. Die Tür stand offen.«

Mikael schob sie beiseite, klingelte und ging, ohne weiter abzuwarten, in die Wohnung.

»Dag? Mia?«, rief er.

Keine Antwort.

Plötzlich lief es ihm eiskalt über den Nacken. Er roch Schwefel. Dann war er an der Wohnzimmertür. Das Erste, was er sah, war Dag Svensson, der bäuchlings in einer riesigen Blutlache lag – vor den Esszimmerstühlen, auf denen er und Erika vor ein paar Monaten noch gegessen hatten.

Mikael hastete zu Dag, zog sein Handy aus der Tasche und rief die Notrufzentrale 112 an. Sofort meldete sich eine Stimme.

»Ich heiße Mikael Blomkvist. Ich brauche einen Krankenwagen und Polizei.«

Er nannte die Adresse.

»Worum geht es?«

»Ein Mann ... sieht so aus, als wäre er in den Kopf geschossen worden ... er rührt sich nicht.«

Mikael bückte sich und versuchte, am Hals den Puls zu fühlen. Dann entdeckte er den riesigen Krater an Dags Hinterkopf und erkannte, dass das, worin er gerade stand, der Großteil von Dag Svenssons Gehirnmasse sein musste. Langsam zog er seine Hand zurück.

Kein Krankenwagen der Welt konnte Dag Svensson noch retten.

Plötzlich entdeckte er die Scherben einer der Kaffeetassen,

die Mia Bergman von ihrer Großmutter geerbt und so ängstlich gehütet hatte. Schnell stand er auf und sah sich um.

»Mia!«, schrie er.

Der Nachbar im braunen Morgenrock war nach ihm in den Flur gekommen. Mikael drehte sich zur Wohnzimmertür um und deutete auf ihn.

»Nicht reinkommen«, brüllte er. »Gehen Sie wieder zurück ins Treppenhaus.«

Der Nachbar schien zuerst protestieren zu wollen, aber dann gehorchte er. Mikael blieb fünfzehn Sekunden wie angewurzelt stehen. Dann ging er um die Blutlache herum und vorsichtig an Dag vorbei zur Schlafzimmertür.

Mia Bergman lag rücklings auf dem Boden vor dem Fußende des Bettes. Man hatte ihr direkt ins Gesicht geschossen. Die Kugel war unter dem linken Ohr in den Unterkiefer eingedrungen. Die Austrittswunde an der Schläfe war so groß wie eine Orange, und ihre rechte Augenhöhle war leer. Sie hatte noch mehr Blut verloren als ihr Freund, falls das überhaupt möglich war. Die Kugel hatte solche Durchschlagskraft gehabt, dass die Wand am Kopfende des Bettes voller Blutspritzer war.

Mikael merkte, dass er das Handy krampfhaft umklammerte und immer noch mit der Notrufzentrale verbunden war. Er hatte die ganze Zeit die Luft angehalten. Jetzt atmete er ein und hob das Telefon ans Ohr.

»Wir brauchen die Polizei. Hier sind zwei Personen erschossen worden. Ich glaube, sie sind tot. Beeilen Sie sich.«

Er hörte, dass die Stimme in der Notrufzentrale noch etwas sagte, aber er nahm die Worte nicht mehr wahr. Plötzlich schien irgendetwas mit seinem Gehör nicht mehr in Ordnung zu sein. Um ihn wurde es ganz still, er konnte nicht einmal mehr seine eigene Stimme hören, als er etwas zu sagen versuchte. Er steckte das Handy ein und verließ die Wohnung. Als er ins Treppenhaus trat, spürte er, dass er am ganzen Körper zitterte und sein Herz wie wild pochte. Ohne ein Wort drängelte er sich durch die versteinerte Schar der Nachbarn und setzte sich auf den Treppenabsatz. Wie aus weiter Ferne hörte er, wie sie ihm Fragen stellten. *Was ist passiert? Sind die beiden verletzt?* Ihre Stimmen hörten sich an, als kämen sie durch einen Tunnel.

Mikael saß da wie betäubt. Ihm war klar, dass er einen Schock erlitten hatte. Er senkte den Kopf zwischen die Knie und begann zu denken. *O Gott – jemand hat sie umgebracht. Sie sind gerade eben erschossen worden. Der Mörder könnte immer noch in der Wohnung sein … nein, dann hätte ich ihn gesehen. Die Wohnung ist nur 55 Quadratmeter groß.* Er wollte einfach nicht aufhören zu zittern. Dags Gesicht hatte er nicht gesehen, weil er auf dem Bauch lag, aber das Bild von Mias zerfetztem Gesicht war ihm wie in die Netzhaut gebrannt.

Ganz plötzlich konnte er wieder hören, als hätte jemand den Lautstärkeregler hochgedreht. Rasch stand er auf und sah den Nachbarn mit dem braunen Bademantel an.

»Sie«, sagte er. »Stellen Sie sich hierhin und passen Sie auf, dass niemand die Wohnung betritt. Die Polizei und der Krankenwagen sind unterwegs. Ich gehe runter und lasse sie rein.«

Mikael rannte die Treppe hinunter. Im Erdgeschoss warf er einen kurzen Blick zur Kellertreppe und blieb stehen. Mitten auf der Treppe lag gut sichtbar ein Revolver. Mikael sah, dass es sich vermutlich um einen Colt 45 Magnum handelte – die Waffe, mit der auch Präsident Palme ermordet worden war.

Er bezwang seinen Impuls, die Waffe aufzuheben. Stattdessen öffnete er die Haustür und blieb in der Nachtluft stehen. Erst als er die Sirenen hörte, fiel ihm ein, dass seine Schwester im Auto saß und auf ihn wartete. Er ging über die Straße.

Annika wollte gerade eine spitze Bemerkung über die Saumseligkeit ihres Bruders machen, als sie seinen Gesichtsausdruck sah.

»Hast du jemand gesehen, während du gewartet hast?«, fragte Mikael.

Seine Stimme klang heiser und unnatürlich.

»Nein. Wer sollte das denn gewesen sein? Was ist passiert?«

Mikael schwieg ein paar Sekunden, während er sich aufmerksam umsah. Auf der Straße war alles ruhig. Er griff in seine Jackentasche und fand eine zerknitterte Zigarettenschachtel, in der noch genau eine Zigarette war. Als er sie ansteckte, hörte er das Geräusch von Polizeisirenen in der Ferne, das langsam näher kam. Er sah auf die Uhr. 23 Uhr 17.

»Annika – das wird eine lange Nacht«, sagte er.

Die Polizisten Magnusson und Ohlsson waren als Erste vor Ort. Sie befanden sich nach einem blinden Alarm gerade auf dem Nynäsvägen. Ihnen folgte ein Wagen mit Kommissar Oswald Mårtensson, der gerade am Skanstull war, als der Ruf von der Leitzentrale erging. Sie kamen beinahe gleichzeitig aus verschiedenen Richtungen und sahen einen Mann in Jeans und dunkler Jacke auf der Straße stehen, der die Hand hob, um sie anzuhalten. Gleichzeitig stieg ein paar Meter entfernt eine Frau aus einem parkenden Auto.

Alle drei Polizisten warteten ein paar Sekunden ab. Laut den Angaben der Notrufzentrale waren zwei Personen erschossen worden, und der Mann hielt einen dunklen Gegenstand in der linken Hand. Sie brauchten ein paar Sekunden, bis sie sicher waren, dass es sich nur um sein Handy handelte. Sie stiegen gleichzeitig aus dem Auto und sahen sich die beiden näher an. Mårtensson übernahm sofort das Kommando.

»Haben Sie angerufen wegen der Schüsse?«

Der Mann nickte. Er wirkte sehr mitgenommen. Er rauchte eine Zigarette, und seine Hand zitterte auffällig, wenn er sie zum Mund führte.

»Wie heißen Sie?«

»Ich heiße Mikael Blomkvist. Vor ein paar Minuten sind in diesem Haus zwei Personen erschossen worden. Sie heißen Dag Svensson und Mia Bergman. Im dritten Stock. Vor ihrer Tür stehen ein paar von den Nachbarn.«

»O Gott«, sagte die Frau.

»Wer sind Sie?«, erkundigte sich Mårtensson.

»Ich heiße Annika Giannini.«

»Wohnen Sie hier?«, fragte er den Mann.

»Nein«, antwortete Mikael Blomkvist. »Ich wollte das Paar, das gerade erschossen worden ist, nur besuchen. Das ist meine Schwester, sie hat mich hierhergefahren.«

»Sie behaupten also, dass zwei Personen erschossen wurden. Haben Sie die Tat beobachtet?«

»Nein. Ich habe die Toten gefunden.«

»Dann müssen wir jetzt nach oben gehen und uns die Sache ansehen.«

»Warten Sie«, hielt Mikael ihn auf. »Nach den Angaben der Nachbarn fielen die Schüsse, unmittelbar bevor ich ankam. Ich habe innerhalb einer Minute nach meiner Ankunft die Notrufzentrale angerufen. Seitdem sind weniger als fünf Minuten vergangen. Das bedeutet, dass der Mörder sich immer noch in unmittelbarer Nähe befinden muss.«

»Aber Sie können ihn nicht beschreiben?«

»Wir haben niemand gesehen. Es ist möglich, dass einer der Nachbarn etwas gesehen hat.«

Mårtensson machte Magnusson ein Zeichen, der daraufhin sein Funkgerät hob und mit leiser Stimme eine Meldung an die Kommandozentrale durchgab. Er wandte sich an Mikael.

»Können Sie uns den Weg zeigen?«, bat er.

Als sie ins Haus gingen, blieb Mikael stehen und deutete stumm auf die Kellertreppe. Mårtensson bückte sich und musterte die Waffe. Dann ging er die Treppe ganz hinunter und probierte die Kellertür. Sie war verschlossen.

»Ohlsson, Sie bleiben hier und behalten die Treppe im Auge«, sagte Mårtensson.

Vor Dags und Mias Wohnung hatte sich die Versammlung der Nachbarn schon etwas aufgelöst. Zwei Nachbarn waren wieder in ihre Wohnung gegangen, aber der Mann im braunen

Bademantel stand immer noch auf seinem Posten. Er schien erleichtert, als er die Uniformen sah.

»Ich habe niemand reingelassen«, sagte er.

»Sehr gut«, entgegneten Mikael und Mårtensson.

»Hier sind anscheinend Blutspuren auf der Treppe«, bemerkte Magnusson.

Alle blickten zu Boden und suchten nach Fußspuren. Mikael warf einen Blick auf seine italienischen Slipper.

»Das waren vermutlich meine Schuhe«, erklärte Mikael. »Ich war in der Wohnung.«

Mårtensson sah Mikael forschend an. Mit einem Kugelschreiber drückte er die Wohnungstür auf und stellte weitere Blutspuren im Flur fest.

»Nach rechts. Dag Svensson liegt im Wohnzimmer und Mia Bergman im Schlafzimmer.«

Mårtensson inspizierte rasch die Wohnung und kam schon nach wenigen Sekunden wieder heraus. Über Funkgerät forderte er Verstärkung an. Während er sprach, trafen die Notärzte ein. Mårtensson beendete das Gespräch und hielt sie auf.

»Zwei Personen, vermutlich tot. Könnte einer von Ihnen hineingehen und versuchen, den Tatort so wenig wie möglich in Unordnung zu bringen?«

Es dauerte nicht lange, bis man festgestellt hatte, dass die Notärzte überflüssig waren. Plötzlich verspürte Mikael starke Übelkeit und wandte sich an Mårtensson.

»Ich geh mal kurz raus. Ich brauche frische Luft.«

»Ich kann Sie leider nicht gehen lassen.«

»Keine Sorge«, versicherte Mikael. »Ich setze mich einfach auf die Treppe vorm Haus.«

»Dürfte ich bitte mal Ihren Ausweis sehen?«

Mikael zückte seine Brieftasche und drückte sie Mårtensson in die Hand. Dann drehte er sich wortlos um, ging hinunter und setzte sich auf die Vortreppe, wo Annika noch immer mit Ohlsson stand. Sie setzte sich neben ihn.

»Micke, was ist denn passiert?«, fragte sie ihn.

»Zwei Menschen, die ich furchtbar gern hatte, sind ermordet worden. Dag Svensson und Mia Bergman. Das Manuskript, das du für mich lesen solltest, war von ihm.«

Annika Giannini verstand sofort, dass dies nicht der richtige Zeitpunkt war, um weitere Fragen zu stellen. Stattdessen legte sie ihrem Bruder den Arm um die Schultern. Eine Handvoll neugieriger Abendspaziergänger blieb auf der anderen Straßenseite auf dem Bürgersteig stehen. Mikael betrachtete sie stumm, während weitere Polizisten eintrafen und ihre Absperrungen aufstellten. Die Mordermittlungen nahmen ihren Lauf.

Es war kurz nach drei Uhr morgens, als Mikael und Annika das Polizeirevier endlich verlassen durften. Sie hatten eine Stunde lang in Annikas Auto vor dem Haus in Enskede gesessen und darauf gewartet, dass der diensthabende Staatsanwalt eintraf, um die Vorbereitungen für die Voruntersuchung zu treffen. Danach wurden sie gebeten, mit nach Kungsholmen zu kommen, um die Ermittlungen zu unterstützen, wie es hieß.

Dort mussten sie eine ganze Weile warten, bis sie von einer Kriminalinspektorin namens Anita Nyberg vernommen wurden. Sie hatte weizenblondes Haar und sah aus wie ein Teenager.

Ich werde langsam alt, dachte Mikael.

Gegen halb drei Uhr morgens hatte er so viele Tassen abgestandenen Filterkaffee getrunken, dass ihm übel war. Von einer Sekunde auf die andere musste er das Verhör unterbrechen und eine Toilette aufsuchen, wo er sich heftig übergab. Die ganze Zeit hatte er das Bild von Mia Bergmans zerfetztem Gesicht auf der Netzhaut. Dann trank er ein paar Becher Wasser und wusch sich gründlich das Gesicht, bevor er wieder zum Verhör zurückkehrte. Er versuchte, seine Gedanken zusammenzuhalten und so ausführlich wie möglich auf Anita Nybergs Fragen zu antworten.

Hatten Dag Svensson und Mia Bergman Feinde?

Nicht dass ich wüsste.

Sind sie bedroht worden?

Das weiß ich nicht.

Wie war ihr Verhältnis?

Sie schienen sich zu lieben. Dag hat einmal erzählt, dass sie ein Kind haben wollten, sobald Mia ihre Promotion abgeschlossen haben würde.

Haben sie Drogen genommen?

Keine Ahnung. Ich glaube es aber nicht, allenfalls mal einen Joint auf einer Party.

Wie kam es, dass Sie sie so spät am Abend noch besuchen wollten?

Mikael erklärte den Zusammenhang.

Ist das nicht ein ungewöhnlicher Zeitpunkt?

Doch, natürlich. Es war das erste Mal.

Woher kannten Sie sie?

Durch die Arbeit. Mikael erklärte und erklärte.

Die Schüsse hatte man im ganzen Haus gehört. Sie waren in einem Abstand von weniger als fünf Sekunden abgegeben worden. Der 70-jährige Mann im braunen Bademantel, der direkt nebenan wohnte, war ein pensionierter Major der Küstenartillerie. Er war nach dem zweiten Schuss von seinem Fernsehsofa aufgestanden und sofort ins Treppenhaus gegangen. In Berücksichtigung der Tatsache, dass er ein Hüftproblem hatte und nicht so schnell aufstehen konnte, schätzte er selbst, dass es vielleicht dreißig Sekunden gedauert hatte, bis er an der Wohnungstür war. Weder er noch einer der anderen Nachbarn hatten einen Täter gesehen.

Nach Einschätzung aller Nachbarn war Mikael weniger als zwei Minuten nach dem zweiten Schuss angekommen.

Wenn man bedachte, dass Annika und er die Straße sicherlich dreißig Sekunden lang im Blick gehabt hatten, bevor Mikael die Straße überquerte und die Treppe hochging, gab es ein Zeitfenster von gerade mal dreißig bis vierzig Sekunden. In dieser Zeit hatte ein Doppelmörder die Wohnung verlassen, die Treppen zurückgelegt, im Erdgeschoss die Waffe weggeworfen, das Haus verlassen und sich außer Sichtweite gebracht.

Mikael spürte, dass Kriminalinspektorin Anita Nyberg anfangs mit dem Gedanken spielte, er selbst könne der Täter sein. Doch Mikael hatte ein Alibi durch seine Schwester. Außerdem konnten seine Angaben bis hin zum Telefonat mit Dag Svensson von diversen Mitgliedern der Familie Giannini bekräftigt werden.

Schließlich protestierte Annika. Mikael hatte jede erdenkliche Hilfe geleistet. Er war sichtlich müde, und es ging ihm nicht gut. Es war an der Zeit, das Verhör abzubrechen und ihn nach Hause gehen zu lassen. Sie erinnerte die Beamtin daran, dass sie die Anwältin ihres Bruders sei, und er gewisse von Gott oder doch zumindest vom schwedischen Reichstag garantierte Rechte hatte.

Als sie auf die Straße traten, blieben sie eine Weile schweigend vor Annikas Auto stehen.

»Geh nach Hause und leg dich schlafen«, sagte sie.

Mikael schüttelte den Kopf.

»Ich muss zu Erika«, widersprach er. »Sie kannte die beiden auch. Ich kann sie nicht einfach anrufen, und ich will auch nicht, dass sie aufwacht und das Ganze in den Nachrichten zu hören kriegt.«

Annika Giannini zögerte, sah jedoch ein, dass ihr Bruder recht hatte.

»Also nach Saltsjöbaden«, meinte sie.

»Schaffst du das denn noch?«, fragte er.

»Wozu sind kleine Schwestern denn da?«

»Wenn du mich bis Nacka Zentrum fährst, dann kann ich von dort aus ein Taxi nehmen.«

»Blödsinn. Spring rein, ich fahr dich schon.«

12. Kapitel

Gründonnerstag, 24. März

Da auch Annika sehr müde war, konnte Mikael sie doch davon überzeugen, ihn in Nacka Zentrum abzusetzen. Er gab ihr ein Küsschen auf die Wange, bedankte sich für ihre Hilfe und wartete, bis sie das Auto gewendet hatte und in der anderen Richtung verschwunden war. Dann rief er sich ein Taxi.

Es war über zwei Jahre her, dass Mikael Blomkvist zum letzten Mal in Saltsjöbaden gewesen war. Er hatte Erika und ihren Mann nur selten besucht, was, wie er annahm, wohl ein Zeichen seiner Unreife war.

Wie Erikas und Gregers Ehe genau funktionierte, war Mikael schleierhaft. Er kannte Erika seit den frühen 80ern. Und er hatte vor, das Verhältnis mit ihr fortzusetzen, bis er eines Tages zu alt war, um sich noch aus dem Rollstuhl zu stemmen. Ihr Verhältnis war nur Ende der 80er für eine Weile unterbrochen gewesen, während Erika und er verheiratet gewesen waren. Diese Unterbrechung währte über ein Jahr, bevor sie beide ihre Ehepartner betrogen.

Bei Mikael endete das Ganze mit einer Scheidung. Bei Erika endete es damit, dass ihr Mann Greger feststellte, eine solch langjährige sexuelle Leidenschaft müsse wohl so stark sein, dass es unrealistisch war, zu glauben, Konventionen oder die allgemeine gesellschaftliche Moral könnten die beiden davon abhalten, weiter miteinander ins Bett zu gehen. Er erklärte, dass er nicht riskieren wolle, Erika auf dieselbe Art zu verlieren, wie Mikael seine Frau verloren hatte.

Nachdem Erika ihm ihre Untreue gestanden hatte, lud Greger Mikael zu einer Kneipentour ein. Sie arbeiteten sich durch drei Pubs in Södermalm, bis sie beschwipst genug für eine seriöse Unterhaltung waren, die gegen Sonnenaufgang auf einer Parkbank am Mariatorget stattfand.

Mikael konnte kaum glauben, was Greger Backman ihm zu sagen hatte. Er erklärte, für den Fall, dass Mikael tatsächlich versuchen sollte, seine Ehe mit Erika zu sabotieren, würde er ihn nächstes Mal in nüchternem Zustand mit einer Keule in der Hand besuchen. Sollte es sich aber nur um reine Fleischeslust handeln, dann sei die Sache für ihn in Ordnung.

Mikael und Erika hatten ihr Verhältnis also fortgeführt, mit Greger Backmans Einverständnis und ohne ihm etwas vorzulügen. Soweit Mikael wusste, waren Erika und Greger immer noch glücklich in ihrer Ehe. Er akzeptierte, dass Greger ihr Verhältnis klaglos hinnahm, sodass Erika nur zum Hörer greifen und Greger Bescheid sagen musste, dass sie die Nacht bei ihm verbringen würde, wann immer es ihr gerade einfiel. Und es fiel ihr regelmäßig ein.

Greger Backman schien sogar der Meinung zu sein, dass dieses Verhältnis von Nutzen war und seine eigene Liebe zu Erika nur tiefer wurde, weil er sie nie als selbstverständlich betrachten konnte.

Mikael hingegen hatte sich in Gregers Gegenwart nie wohlgefühlt, was ihn daran erinnerte, dass auch ein noch so emanzipiertes Verhältnis seinen Preis hat. Daher hatte er Saltsjöbaden nur selten besucht, und auch meist nur dann, wenn Erika ein größeres Fest gab, wo seine Abwesenheit etwas Demonstratives gehabt hätte.

Jetzt blieb er vor ihrer 250-Quadratmeter-Villa stehen. Trotz seines Widerwillens, so furchtbare Nachrichten zu überbringen, legte er entschlossen den Finger auf die Klingel und hielt den Knopf fast vierzig Sekunden lang gedrückt, bis er Schritte hörte. Greger Backman öffnete. Er hatte sich ein Handtuch um die Hüften geschlungen, sein Gesicht war zugleich schlaftrunken und wütend. Dieser Ausdruck ging aber schnell in hellwache Verblüffung über, als er den Liebhaber seiner Frau auf der Treppe erblickte.

»Hallo, Greger«, grüßte Mikael.

»Morgen, Blomkvist. Wie spät ist es, verdammt noch mal?«

Greger Backman war blond und dünn. Er hatte furchtbar viele Haare auf der Brust, dafür so gut wie keine auf dem Kopf. Über seiner rechten Augenbraue verlief eine markante Narbe, die er vor ein paar Jahren bei einem Segelunfall davongetragen hatte. Offensichtlich hatte er sich seit einer Woche nicht mehr rasiert.

»Kurz nach fünf«, antwortete Mikael. »Könntest du Erika bitte wecken? Ich muss mir ihr reden.«

Greger Backman wusste, dass etwas Außergewöhnliches vorgefallen sein musste, wenn Mikael um diese Zeit bei ihnen auftauchte. Außerdem wirkte Mikael, als könnte er dringend einen Longdrink oder zumindest ein Bett zum Ausschlafen gebrauchen. Greger machte die Tür ganz auf und ließ Mikael herein.

»Was ist passiert?«, fragte er.

Bevor Mikael antworten konnte, kam Erika Berger die Treppe herunter und band sich im Gehen den Gürtel ihres weißen Frotteebademantels zu. Als sie Mikael im Flur erblickte, erstarrte sie auf halbem Wege.

»Was …?«

»Dag Svensson und Mia Bergman«, sagte Mikael nur.

Sein Gesicht verriet ihr sofort, was für eine Nachricht er zu überbringen hatte.

»Nein!« Sie legte sich die Hand vor den Mund.

»Ich komme direkt von der Polizei. Dag und Mia sind gestern Nacht ermordet worden.«

»Ermordet?«, riefen Erika und Greger wie aus einem Munde.

»Jemand hat sie in ihrer Wohnung in Enskede erschossen. Ich habe sie gefunden.«

Erika setzte sich auf die Treppe.

»Ich wollte nicht, dass du es aus den Morgennachrichten erfährst«, erklärte Mikael.

Es war eine Minute vor sieben am Gründonnerstagmorgen, als Mikael und Erika in der *Millennium*-Redaktion eintrafen. Erika hatte Christer Malm und Malin Eriksson mit einem Anruf geweckt und ihnen eröffnet, dass Dag und Mia in der Nacht ermordet worden waren. Die beiden wohnten sehr viel näher am Büro und hatten schon Kaffee gemacht, als Erika und Mikael dort eintrafen.

»Was zum Teufel ist denn passiert?«, wollte Christer Malm wissen.

Malin Eriksson machte »Pst!« und drehte die 7-Uhr-Nachrichten im Radio lauter:

Zwei Personen, ein Mann und eine Frau, sind gestern spätabends in ihrer Wohnung in Enskede erschossen worden. Nach Angaben der Polizei handelt es sich um einen Doppelmord. Keiner der Toten war polizeilich bekannt. Die Hintergründe dieser Tat sind bisher ungeklärt. Unsere Reporterin Hanna Olofsson befindet sich vor Ort:

»Es war kurz vor Mitternacht, als die Polizei alarmiert wurde, weil man in einem Haus im Björneborgsvägen in Enskede Schüsse gehört hatte. Ein Nachbar behauptet, dass mehrere Schüsse abgegeben wurden. Ein Motiv ist nicht bekannt, und der Täter konnte bis jetzt noch nicht gefasst werden. Die Polizei hat die Wohnung abgesperrt und eine kriminaltechnische Untersuchung eingeleitet.«

»Das war ja recht kurz gefasst«, meinte Malin und stellte wieder leiser. Dann fing sie an zu weinen. Erika ging zu ihr und legte ihr den Arm um die Schultern.

»Verdammt!«, murmelte Christer Malm.

»Setzt euch«, forderte Erika Berger die anderen mit entschlossener Stimme auf. »Mikael …«

Mikael berichtete noch einmal, was in der Nacht passiert war. Er sprach monoton und beschrieb in sachlichem Ton, wie er Dag und Mia gefunden hatte.

»Verdammt«, wiederholte Christer. »Das ist ja völliger Wahnsinn.«

Malin wurde ein zweites Mal von ihren Gefühlen überwältigt. Sie fing wieder an zu weinen und gab sich keine Mühe, ihre Tränen zu verbergen.

»Tut mir leid«, schluchzte sie.

»Mir ist auch nicht anders zumute«, erklärte Christer.

Mikael fragte sich, warum er nicht weinen konnte. Er fühlte nur eine große Leere in sich, als hätte man ihn betäubt.

»Heute Morgen wissen wir also noch nicht besonders viel«, fasste Erika zusammen. »Wir müssen zwei Dinge besprechen. Erstens, in drei Wochen sollen wir mit Dag Svenssons Material in Druck gehen. Wollen wir es immer noch veröffentlichen? Können wir es veröffentlichen? Das ist das eine. Die zweite Frage haben Mikael und ich auf dem Weg in die Stadt schon besprochen.«

»Wir wissen nicht, warum der Mord geschehen ist«, sagte Mikael. »Es könnte mit Dags und Mias Privatleben zu tun haben, es könnte auch einfach die Tat eines Geisteskranken gewesen sein. Aber wir können nicht ausschließen, dass es mit ihrer Arbeit zu tun hat.«

Stille breitete sich am Tisch aus. Schließlich räusperte sich Mikael.

»Wie gesagt, wir stehen kurz davor, eine verdammt heiße Story zu publizieren, in der wir mehrere Personen namentlich nennen, die auf keinen Fall in diesem Zusammenhang genannt werden wollen. Dag hat vor zwei Wochen damit angefangen, diese Personen mit dem Material zu konfrontieren und ihnen Gelegenheit zu einem Gespräch zu geben. Mir kam also der Gedanke, dass einer von ihnen ...«

»Moment mal!«, unterbrach Malin Eriksson. »Wir stellen drei Polizisten bloß, von denen einer bei der Sicherheitspolizei arbeitet und einer bei der Sitte, daneben mehrere Anwälte, einen Staatsanwalt, einen Richter und ein paar Schweinigel von Journalisten! Sollte einer von denen tatsächlich einen Doppelmord begangen haben, um die Veröffentlichung zu verhindern?«

»Na ja, ich weiß auch nicht«, meinte Mikael nachdenklich. »Spontan würde ich eher sagen, die müssten ganz schön beschränkt sein, wenn sie annehmen, sie könnten diese Story unterdrücken, indem sie einen Journalisten ermorden. Aber wir outen ja auch eine ganze Menge Zuhälter. Obwohl wir die Namen geändert haben, dürfte es nicht besonders schwerfallen, sie zu identifizieren. Ein paar von denen sind schon wegen Gewaltverbrechen vorbestraft.«

»Okay«, mischte sich Christer ein. »Aber so wie du die Morde beschrieben hast, waren das ja die reinsten Hinrichtungen. Wenn ich das alles richtig verstanden habe, geht es in Dags Story nicht gerade um die hellsten Typen. Sind die wirklich fähig, einen Doppelmord zu begehen und damit davonzukommen?«

»Wie klug muss man sein, um zwei Schüsse abzugeben?«, wandte Malin ein.

»Wir wissen nichts, wir spekulieren ja nur«, unterbrach Erika Berger. »Aber wir müssen uns die Frage trotzdem stellen. Wenn Dags Artikel oder Mias Abhandlung der Grund für diesen Mord war, dann müssen wir hier in der Redaktion verstärkte Sicherheitsmaßnahmen ergreifen.«

»Da wäre aber noch eine dritte Frage«, bemerkte Malin.

»Sollen wir mit den Namen zur Polizei gehen? Was hast du ihnen denn heute Nacht erzählt, Mikael?«

»Ich habe auf all ihre Fragen geantwortet. Ich habe erzählt, an was für einer Story Dag gerade arbeitete, aber man hat mich nicht nach Details gefragt, und ich habe auch keine Namen genannt.«

»Das sollten wir vielleicht tun«, schlug Erika Berger vor.

»Ich bin mir da nicht so sicher«, entgegnete Mikael. »Wir können ihnen vielleicht eine Namensliste geben, aber was machen wir, wenn die Polizei nachfragt, woher wir diese Namen haben? Die Quellen, die anonym bleiben wollten, dürfen wir nicht preisgeben. Das betrifft mehrere Mädchen, mit denen Mia gesprochen hat.«

»Da hast du natürlich recht«, sagte Erika. »Aber zurück zur ersten Frage – sollen wir mit dem Material an die Öffentlichkeit gehen?«

Mikael hob die Hand.

»Moment. Wir können über die Sache abstimmen, aber ich bin immer noch der verantwortliche Herausgeber, und zum allerersten Mal werde ich jetzt eine Entscheidung ganz alleine treffen. Die Antwort lautet Nein. Wir können nicht einfach stur nach Plan weitermachen, so als sei nichts geschehen.«

Wieder Schweigen am Tisch.

»Ich möchte das Material nach wie vor veröffentlichen, aber wahrscheinlich müssen wir eine ganze Menge umformulieren. Dag und Mia verfügten über sämtliche Quellenangaben und Belege, und die Story baute ja auch darauf auf, dass Mia Anzeige gegen die Personen erstatten wollte, die namentlich genannt werden. Sie hatte Expertenwissen. Haben wir dieses Wissen auch?«

Die Bürotür schlug zu, und plötzlich stand Henry Cortez im Türrahmen.

»Sind es Dag und Mia?«, fragte er atemlos.

Alle nickten.

»Oh, mein Gott!«

»Wie hast du's erfahren?«, erkundigte sich Mikael.

»Ich war mit meiner Freundin unterwegs, und auf dem Heimweg haben wir es im Taxifunk gehört. Die Polizei hat nach einer Wegbeschreibung gefragt. Ich hab die Straße wiedererkannt. Ich musste einfach kommen.«

Henry Cortez wirkte so erschüttert, dass Erika aufstand und ihn umarmte, bevor sie ihn aufforderte, sich zu ihnen zu setzen. Sie fuhr mit der Besprechung fort.

»Ich glaube, Dag würde auch wollen, dass wir seine Story bringen.«

»Das finde ich ja auch«, stimmte Mikael zu. »Aber in der derzeitigen Situation müssen wir die Veröffentlichung des Buches verschieben.«

»Und was machen wir mit dem Themenheft?«, wollte Malin wissen. »Es geht ja nicht nur um einen Artikel, den wir austauschen müssen – wir müssen die gesamte Ausgabe neu stricken.«

Erika schwieg einen Moment. Dann lächelte sie zum ersten Mal, wenn auch ziemlich erschöpft.

»Ich hoffe, du wolltest über Ostern nicht freihaben, Malin«, sagte sie. »Wir machen es so ... du und Christer und ich setzen uns zusammen und planen eine ganz neue Nummer ohne Dag. Wir müssen mal sehen, ob wir ein paar Texte von der Juninummer einfach vorziehen können. Mikael, wie viel Material hattest du schon von Dag gekriegt?«

»Ich habe die endgültige Fassung von neun der insgesamt zwölf Kapitel, außerdem die vorletzte Fassung von Kapitel zehn und elf. Dag wollte mir die endgültige Version mailen – ich muss noch mal in meiner Mailbox nachgucken –, aber ich hab nur einen Bruchteil vom letzten Kapitel. In dem wollte er alles zusammenfassen und seine Schlussfolgerungen ziehen.«

»Aber ihr hattet schon alle Kapitel durchgesprochen?«

»Ich weiß, was er schreiben wollte, wenn du das meinst.«

»Okay, ich möchte wissen, wie viel noch fehlt und ob wir es rekonstruieren können. Könntest du da heute noch zu einer Einschätzung kommen?«

Mikael nickte.

»Außerdem möchte ich, dass du darüber nachdenkst, was wir der Polizei erzählen. Was unbedenklich ist, und ab welchem Punkt wir unsere Quellen gefährden. Keiner aus der Redaktion darf sich dazu äußern, bevor du es nicht abgesegnet hast.«

»Klingt gut«, stimmte Mikael zu.

»Glaubst du wirklich, dass Dags Story hinter den Morden stecken könnte?«

»Oder Mias Doktorarbeit ... ich weiß nicht. Aber wir können die Möglichkeit nicht außer Acht lassen.«

Erika Berger überlegte kurz.

»Nein, das können wir wohl nicht ... aber du musst weitermachen.«

»Weitermachen womit?«

»Mit der Untersuchung.«

»Welcher Untersuchung?«

»Na, unserer Untersuchung, verdammt noch mal.« Erika Berger wurde plötzlich laut. »Dag Svensson war Journalist und arbeitete für *Millennium*. Wenn er wegen dieser Arbeit ermordet wurde, dann will ich das wissen. Also werden wir uns genauer ansehen, was da passiert ist. Das ist dein Job. Geh zunächst das gesamte Material durch, das Dag uns gegeben hat.«

Sie warf Malin Eriksson einen Blick zu.

»Malin, wenn du mir hilfst, heute eine ganz neue Ausgabe zu planen, dann übernehmen Christer und ich den Großteil der weiteren Arbeit. Aber du hast eben so furchtbar viel mit Dag und an den anderen Artikeln für das Themenheft gearbeitet. Deswegen möchte ich, dass du gemeinsam mit Mikael die Entwicklung der Mordermittlungen im Auge behältst.«

Malin Eriksson nickte.

»Henry, kannst du heute arbeiten?«

»Natürlich.«

»Dann ruf doch bitte alle anderen Mitarbeiter an, und erzähl es ihnen. Du müsstest auch bei der Polizei anrufen und herausfinden, was dort so vor sich geht. Hör dich um, ob es eine Pressekonferenz geben wird. Wir müssen am Ball bleiben.«

»Okay. Ich ruf zuerst die anderen an, dann fahre ich nach Hause, nehme eine Dusche und frühstücke. In einer Dreiviertelstunde bin ich zurück, wenn ich nicht direkt nach Kungsholmen fahre.«

»In Ordnung, wir bleiben in Verbindung.«

Kurzes Schweigen am Tisch.

»Wär's das?«, fragte Mikael schließlich.

»Ich denke schon«, erwiderte Erika. »Hast du's eilig?«

»Ja. Ich muss einen Anruf erledigen.«

Harriet Vanger frühstückte im Wintergarten von Henrik Vangers Haus in Hedeby gerade Kaffee und Toast mit Käse und Orangenmarmelade, als ihr Handy klingelte. Sie ging ran, ohne aufs Display zu gucken.

»Guten Morgen, Harriet«, sagte Mikael Blomkvist.

»Du lieber Himmel. Ich dachte, du gehörst zu den Leuten, die grundsätzlich nicht vor acht aus dem Bett kommen.«

»Tu ich auch nicht. Vorausgesetzt, dass ich es überhaupt ins Bett schaffe. Was mir heute Nacht nicht gelungen ist.«

»Ist was passiert?«

»Hast du schon Nachrichten gehört?«

Mikael fasste kurz die Ereignisse der letzten Nacht zusammen.

»Das ist ja schrecklich!«, sagte Harriet. »Wie geht's dir denn?«

»Danke der Nachfrage. Es ging mir schon mal besser. Ich habe dich gleich angerufen, weil du im Führungskreis von *Mil-*

lennium sitzt und informiert sein solltest. Sobald durchsickert, dass Dag an einer Riesenenthüllungsstory für uns gearbeitet hat, wird man uns ein paar neugierige Fragen stellen.«

»Was soll ich ihnen sagen?«

»Sag einfach die Wahrheit. Dass du selbstverständlich schockiert bist über die brutalen Morde, mit der redaktionellen Arbeit jedoch nichts zu tun hast und dich an den Spekulationen nicht beteiligen willst. Die Polizei muss diesen Mord aufklären, nicht *Millennium*.«

»Ich danke dir. Kann ich sonst noch irgendwas tun?«

»Im Moment nicht. Aber wenn mir was einfällt, rühr ich mich.«

»Gut. Und Mikael, bitte … halt mich auf dem Laufenden.«

13. Kapitel
Gründonnerstag, 24. März

Schon um sieben Uhr morgens am Gründonnerstag war die offizielle Verantwortung für die Voruntersuchung des Doppelmordes von Enskede auf Staatsanwalt Richard Ekström übertragen worden. Der diensthabende Staatsanwalt, der in der Nacht zum Tatort gekommen war, ein relativ junger und unerfahrener Jurist, hatte gleich gemerkt, dass der Mordfall von Enskede alle Voraussetzungen hatte, sich über ein alltägliches Maß hinaus zu entwickeln. Also rief er den stellvertretenden Bezirksstaatsanwalt an, der wiederum den stellvertretenden Chef der Bezirkspolizei aus dem Bett holte. Gemeinsam beschlossen sie, die Arbeit einem eifrigen und erfahrenen Staatsanwalt zu übertragen. Ihre Wahl fiel auf Richard Ekström, 42 Jahre alt.

Ekström war ein schmaler und drahtiger Mann, 1 Meter 67 groß, mit dünnen, blonden Haaren und Kinnbärtchen. Er war stets tadellos gekleidet und trug aufgrund seiner geringen Körpergröße Schuhe mit hohen Absätzen. Seine Karriere hatte er als stellvertretender Staatsanwalt in Uppsala begonnen, woraufhin er in eine Untersuchungskommission des Justizministeriums berufen wurde, die sich um die Anpassung der schwedischen Gesetzgebung an die EU-Gesetze kümmerte. Diese Aufgabe erledigte er so gut, dass er eine Zeit lang sogar die ganze Kommission leitete. Weitere Aufmerksamkeit erregte er mit einem Bericht über organisatorische Mängel auf dem Gebiet der Rechtssicherheit. Er forderte eine größere Effektivität statt eine Erhöhung der Mittel, wie sie manche Polizeibehörden wünschten. Nach vier Jahren stieg er zum Staatsanwalt in Stockholm auf, wo er es des Öfteren mit aufsehenerregenden Raubüberfällen oder Gewaltverbrechen zu tun hatte.

In den höheren Etagen hielt man ihn für einen Sozialdemokraten, doch in Wirklichkeit war Ekström parteipolitisch völlig indifferent. Er hatte es allmählich zu einer gewissen Popularität in den Medien gebracht, und auf den Fluren der Macht war er ein Mann, auf den die Obrigkeit immer öfter die Augen richtete. Mithin war er definitiv ein potenzieller Kandidat für höhere Posten, und dank seiner vermuteten ideologischen Neigung hatte er in politischen und polizeilichen Kreisen ein breites Kontaktnetz. In der Polizei gingen die Meinungen über Ekströms Fähigkeiten freilich auseinander. Seine Berichte fürs Justizministerium hatten sich gegen die Kreise gerichtet, die behaupteten, dass eine Verbesserung der Rechtssicherheit am ehesten durch Personalaufstockungen zu erreichen sei. Doch andererseits hatte Ekström gezeigt, dass er nicht viel Federlesens machte, wenn er einen Fall vor Gericht bringen wollte.

Nachdem Ekström eine schnelle Zusammenfassung über die Ereignisse der Nacht in Enskede bekommen hatte, stellte er fest, dass diese Angelegenheit ein großes Potenzial an kinetischer Energie barg und ohne Zweifel für allerlei Turbulenzen in den Massenmedien sorgen würde. Das war kein 08/15-Mord. Die zwei Toten waren eine promovierende Kriminologin und ein Journalist – Letzteres ein Wort, das er, je nach Situation, hasste oder liebte.

Kurz nach sieben hielt Ekström bereits eine hastige Telefonkonferenz mit dem Chef der Kriminalpolizei ab. Um viertel nach sieben griff Ekström zum Hörer und weckte Kriminalinspektor Jan Bublanski, bei seinen Kollegen besser bekannt unter dem Spitznamen »Kommissar Bubbla«. Bublanski hatte über Ostern eigentlich frei, um den Überstundenberg abzutragen, der sich im Laufe des letzten Jahres angehäuft hatte, doch nun wurde er gebeten, seinen Urlaub zu unterbrechen und sich umgehend auf dem Präsidium einzufinden, um die Ermittlungen im Enskede-Fall zu leiten.

Bublanski war 52 Jahre alt und arbeitete seit seinem 23. Lebensjahr für die Polizei, mehr als die Hälfte seines Lebens also. Sechs Jahre lang war er Streife gefahren, hatte dann im Waffen- und im Diebstahlsdezernat gearbeitet, bis er schließlich in die Abteilung für Gewaltverbrechen der Bezirkspolizei aufgestiegen war. In den letzten zehn Jahren hatte er an dreiunddreißig Mord- oder Totschlagsermittlungen teilgenommen. Dabei hatte er siebzehn Ermittlungen selbst geleitet, von denen wiederum vierzehn restlos aufgeklärt waren und zwei als gelöst galten, was bedeutete, dass die Polizei den Mörder kannte, aber nicht genügend Beweise beibringen konnte, um die fragliche Person Recht und Gesetz zuzuführen. In einem einzigen Fall, der mittlerweile sechs Jahre zurücklag, hatten Bublanski und seine Mitarbeiter keinen Erfolg gehabt. Dabei ging es um einen notorischen Alkoholiker und Unruhestifter, der in seiner Wohnung in Bergshamra erstochen worden war. Der Tatort war ein einziger Albtraum aus Fingerabdrücken und DNA-Spuren mehrerer Dutzend Personen, die im Laufe der Jahre in dieser Wohnung gesoffen und randaliert hatten. Bublanski und seine Kollegen waren überzeugt davon, dass der Täter im weitläufigen Bekanntenkreis aus Alkoholikern und Rauschgiftsüchtigen zu suchen war, aber der Mörder hatte die Polizei trotz intensiver Ermittlungsarbeit immer wieder täuschen können. Schließlich war der Fall zu den Akten gelegt worden.

Insgesamt hatte Bublanski eine glänzende Aufklärungsstatistik vorzuweisen und galt unter seinen Kollegen als äußerst verdienstvoller Inspektor.

Er stand aber auch im Ruf, ein wenig seltsam zu sein, was teilweise darauf beruhte, dass er Jude war und zu gewissen

Feiertagen mit der Kippa in den Fluren des Polizeigebäudes gesichtet wurde. Das hatte einen früheren Kollegen zu dem Kommentar verleitet, dies sei genauso unpassend, als wenn ein Polizist mit Turban herumlaufen würde. Weitere Debatten wurden jedoch im Keim erstickt, als ein Journalist den Kommentar aufschnappte und nachhakte, woraufhin der Kollege sich hastig in sein Büro zurückzog.

Bublanski gehörte zur Gemeinde von Söder und bestellte sich vegetarisches Essen, wenn kein koscheres zu bekommen war. Er war jedoch nicht so orthodox, dass er am Sabbat nicht gearbeitet hätte. Auch Bublanski erkannte recht bald, dass der Doppelmord in Enskede keine Routineermittlung werden würde. Als er nun kurz nach acht durch die Tür trat, nahm Richard Ekström ihn sofort beiseite.

»Sieht nach einer üblen Geschichte aus«, sagte Ekström statt einer Begrüßung. »Ein Journalist und eine Kriminologin ... entdeckt von einem anderen Journalisten.«

Bublanski nickte. Das allein dürfte garantieren, dass die ganze Sache von den Massenmedien mit Argusaugen überwacht werden würde.

»Und um noch mehr Salz in die Wunden zu reiben – der Journalist, der das Paar gefunden hat, war Mikael Blomkvist von der Zeitschrift *Millennium*.«

»Uups«, machte Bublanski.

»Nur zu bekannt vom ganzen Zirkus um die Wennerström-Affäre.«

»Wissen wir irgendetwas über das Motiv?«

»Derzeit überhaupt nichts. Keines der Opfer war uns bekannt. Schien ein ganz anständiges Pärchen zu sein. Das Mädchen sollte in ein paar Wochen promovieren. Diese Sache muss höchste Priorität erhalten.«

Bublanski nickte. Für ihn hatte jeder Mord höchste Priorität.

»Wir stellen ein Team zusammen. Sie müssen so schnell arbeiten, wie Sie nur können, und ich werde dafür sorgen, dass

Ihnen alle erforderlichen Mittel zur Verfügung stehen. Sie bekommen Hans Faste und Curt Svensson zur Seite. Jerker Holmberg auch. Er arbeitet zwar gerade am Rinkeby-Totschlag, aber es sieht so aus, als hätte sich der Täter sowieso ins Ausland abgesetzt. Holmberg ist einfach großartig, wenn es darum geht, einen Tatort zu untersuchen. Bei Bedarf können Sie auch Personal von der Reichskriminalbehörde anfordern.«

»Ich will Sonja Modig.«

»Ist die nicht ein bisschen jung?«

Bublanski hob die Augenbrauen und sah Ekström verwundert an.

»Sie ist 39, also gerade mal drei Jahre jünger als Sie. Außerdem sehr intelligent.«

»Nun gut, Sie entscheiden, wen Sie in Ihrem Team haben wollen, solange es nur schnell geht. Wir haben jetzt schon Druck von oben gekriegt.«

Was Bublanski für leicht übertrieben hielt. Zu dieser frühen Morgenstunde war die Führungsspitze der Polizei wahrscheinlich noch nicht mal vom Frühstückstisch aufgestanden.

Die polizeilichen Ermittlungen begannen mit der Sitzung um kurz vor neun, für die Kriminalinspektor Bublanski sein Team in einem Konferenzraum versammelte. Ganz zufrieden war er eigentlich nicht mit der Zusammensetzung.

Sonja Modig war die Person im Raum, der er am meisten vertraute. Sie war seit zwölf Jahren bei der Polizei, von denen sie vier in der Abteilung für Gewaltverbrechen verbracht hatte. In dieser Zeit hatte sie an vier Ermittlungen unter Bublanskis Leitung mitgearbeitet. Sie war sorgfältig und methodisch, aber Bublanski hatte schon bald festgestellt, dass sie über die Eigenschaften verfügte, die er in kniffligen Ermittlungen für die wichtigsten hielt: Sie hatte Fantasie und Assoziationsvermögen. In mindestens zwei verzwickten Fällen hatte Sonja Modig bemerkenswerte und lange vergeblich gesuchte Zusammenhänge gefunden, die schließlich zu einem Durchbruch in den Ermittlungen geführt hatten. Außerdem besaß sie einen trockenen, intellektuellen Humor, den Bublanski sehr schätzte.

Bublanski freute sich auch, Jerker Holmberg in seinem Team zu haben. Er war 55 Jahre alt und kam ursprünglich aus Ångermanland. Ein vierschrötiger, langweiliger Mensch, dem die Fantasie abging, die Sonja Modig so unschätzbar wertvoll machte. Dafür war er nach Bublanskis Ansicht der beste Mann im ganzen schwedischen Polizeikorps, wenn es einen Tatort zu untersuchen galt. Sie hatten im Laufe der Jahre bei verschiedenen Ermittlungen zusammengearbeitet, und Bublanski war der festen Überzeugung, wenn es am Schauplatz des Verbrechens irgendetwas zu finden gab, dann würde Holmberg es auch finden. Seine primäre Aufgabe bestand also darin, das Kommando über alle Arbeiten in der Wohnung in Enskede zu übernehmen.

Der Kollege Curt Svensson war Bublanski relativ unbekannt. Er war ein eckiger und kräftig gebauter Mann, der sein blondes Haar so kurz geschnitten trug, dass er auf die Entfernung kahl aussah. Svensson war 38 Jahre alt und erst vor Kurzem zu ihnen gestoßen. Zuvor war er bei der Polizei in Huddinge gewesen, wo er jahrelang gegen Bandenkriminalität ermittelt hatte. Ihm ging der Ruf voraus, einen etwas groben Humor und eine harte Hand zu haben, womit man zu umschreiben versuchte, dass er bei einer gewissen Klientel mitunter Methoden anwandte, die nicht ganz mit dem Gesetz vereinbar waren. Vor zehn Jahren war Curt Svensson einmal wegen Körperverletzung angezeigt, bei der folgenden Untersuchung jedoch in allen Punkten freigesprochen worden.

Curt Svenssons Ruf ging aber auf einen ganz anderen Vorfall zurück. Im Oktober 1999 war er zusammen mit einem Kollegen nach Alby gefahren, um einem stadtbekannten Randalierer auf den Zahn zu fühlen. Der Mann war der Polizei durchaus nicht unbekannt. Er hielt seine Nachbarn im Haus jahrelang in Angst und Schrecken, und man hatte sich mehrfach über sein drohendes Auftreten beklagt. Nun hatte die Polizei einen Tipp bekommen, dass er eine Videothek in Norsborg überfallen haben könnte. Der Routineeinsatz lief jedoch völlig aus dem Ruder, als der Mann sein Messer zog. Der Kollege wurde an den Händen verletzt, als er versuchte, den Angriff abzuwehren, und verlor dabei schließlich den linken Daumen. Dann ging der Gewalttäter auf Curt Svensson los, der zum ersten Mal in seiner Laufbahn seine Dienstwaffe benutzen musste. Er gab drei Schüsse ab. Der erste war ein Warnschuss. Der zweite war ein gezielter Schuss, der den Mann aber nicht traf, was an und für sich eine echte Leistung war, denn der Abstand betrug weniger als drei Meter. Der dritte Schuss traf ihn jedoch so unglücklich in den Bauch, dass er die Aorta verletzte, was dazu führte, dass der Mann innerhalb weniger Minuten verblutete. Die folgende Untersuchung hatte Curt Svensson schließlich von jeder Verantwortung freigesprochen, was in den Medien eine Debatte über das staatliche Gewaltmonopol nach sich zog. Curt Svensson wurde in einem Atemzug mit den zwei Polizisten genannt, die Osmo Vallo getötet hatten.

Bublanski hatte anfangs gewisse Zweifel an Curt Svensson gehegt, die nach einem halben Jahr aber vollkommen verflogen waren. Im Gegenteil, Bublanski hatte mittlerweile sogar einen gewissen Respekt vor Curt Svenssons schweigsamer Kompetenz.

Das letzte Mitglied in Bublanskis Team war Hans Faste, 47 Jahre alt und mit seinen 15 Dienstjahren ein Veteran in der Abteilung für Gewaltverbrechen. Faste war der eigentliche Grund für Bublanskis Unzufriedenheit. Soll und Haben hielten sich bei ihm die Waage. Auf der Habenseite stand zweifellos seine große Erfahrung, die er sich in vielen komplizierten Ermittlungen erworben hatte. Andererseits war Faste ein Egozentriker, der mit seinem anstrengenden Humor jeden normalen Menschen auf die Palme bringen konnte, vor allem Bublanski. Nun gut, wenn man ihn an der Kandare hielt, war er ein kompetenter Ermittler. Außerdem war er eine Art Mentor für Curt Svensson geworden, der sich an seinem anstrengenden Humor nicht zu stören schien. Bei den Ermittlungen arbeiteten sie oft zusammen.

Auch Kriminalinspektorin Anita Nyberg war zum Treffen bestellt worden, um über das Verhör zu berichten, das sie in der Nacht mit Mikael Blomkvist geführt hatte. Des Weiteren Kommissar Oswald Mårtensson, der von seinem gestrigen Notrufeinsatz berichten sollte. Beide waren todmüde und wollten nach Hause, um so schnell wie möglich schlafen zu gehen, doch Anita Nyberg hatte bereits Bilder vom Tatort organisiert, die sie herumgehen ließ.

Nach dreißig Minuten war der Ablauf der Tat klar. Bublanski fasste zusammen:

»Unter dem Vorbehalt, dass die technische Untersuchung des Tatorts noch nicht abgeschlossen ist, scheint sich die Tat folgendermaßen abgespielt zu haben: Eine unbekannte Person, die von keinem der Nachbarn oder anderen Zeugen gesehen wurde, hat sich Zugang zu einer Wohnung in Enskede verschafft und das dort lebende Paar Dag Svensson und Mia Bergman getötet.«

»Wir wissen noch nicht, ob die gefundene Waffe mit der Mordwaffe identisch ist; sie wird zurzeit im Kriminaltechnischen Labor untersucht«, ergänzte Anita Nyberg. »Wir haben auch ein relativ intaktes Stück einer Kugel gefunden – diejenige, die Dag Svensson getroffen hat –, und zwar in der Wand zwischen Wohn- und Schlafzimmer. Die Kugel, die Mia Bergman traf, ist in so viele Einzelteile zersplittert, dass ich bezweifle, dass man hier Verwendbares finden wird.«

»Danke für den Hinweis. Ein Colt Magnum ist eine verdammte Cowboypistole, die verboten gehört. Haben wir eine Seriennummer?«

»Noch nicht«, sagte Oswald Mårtensson. »Ich habe die Waffe und das Kugelfragment direkt vom Tatort per Kurier ins Kriminaltechnische Labor geschickt. Ich hielt es für besser, wenn die sich der Sache annehmen, als wenn ich anfange, daran herumzufummeln.«

»Sehr gut. Ich hatte noch keine Zeit, rauszufahren und den Tatort in Augenschein zu nehmen, aber Sie waren beide dort. Was haben Sie für Schlüsse ziehen können?«

Anita Nyberg und Oswald Mårtensson tauschten einen Blick. Nyberg überließ es ihrem älteren Kollegen, für sie beide zu sprechen.

»Zunächst einmal glauben wir, dass es ein Einzeltäter war. Es war die reinste Hinrichtung. Ich habe das Gefühl, dass es sich um eine Person handelt, die massive Gründe hatte, Svensson und Bergman zu töten, und daher mit größter Entschlossenheit zu Werke gegangen ist.«

»Und worauf gründet sich dieses Gefühl?«, fragte Hans Faste.

»Die Wohnung war ordentlich und aufgeräumt. Ein Raubmord scheint nicht in Betracht zu kommen. Es wurden nur zwei Schüsse abgegeben. Beide trafen die Opfer mit großer Präzision in den Kopf. Da kann also jemand mit einer Waffe umgehen.«

»Okay.«

»Wenn wir uns die Skizze ansehen ... wir haben es so rekonstruiert, dass der Mann, Dag Svensson, aus allernächster Nähe erschossen wurde – vermutlich wurde ihm die Mündung sogar direkt an den Kopf gehalten. Rund um die Eintrittswunde finden sich deutliche Versengungen. Schätzungsweise wurde er als Erster erschossen. Svensson wurde gegen die Esszimmermöbel geschleudert. Der Mörder müsste auf der Schwelle zum Flur gestanden haben oder kurz hinter dem Türrahmen zwischen Flur und Wohnzimmer.«

»Okay.«

»Nach den Angaben der Zeugen fielen die Schüsse innerhalb weniger Sekunden. Mia Bergman wurde vom Flur aus erschossen. Vermutlich stand sie in der Tür zum Schlafzimmer und versuchte sich noch wegzudrehen. Die Kugel traf sie unter dem linken Ohr und trat direkt über dem rechten Auge wieder aus. Die Wucht des Schusses schleuderte sie ins Schlafzimmer, wo sie ja auch gefunden wurde. Sie fiel gegen das Fußende des Bettes und blieb dort liegen.«

»Ein erfahrener Schütze«, stimmte Faste zu.

»Mehr als das. Es gibt keine Fußspuren, die darauf hindeuten, dass der Mörder ins Schlafzimmer ging, um sicherzugehen, dass er sie wirklich getötet hat. Er wusste, dass er sie getroffen hatte, drehte sich auf dem Absatz um und verließ die Wohnung. Zwei Schüsse, zwei Tote, raus. Außerdem ...«

»Ja?«

»Ohne der technischen Untersuchung vorgreifen zu wollen, vermute ich, dass der Täter Jagdmunition verwendet hat. Der Tod dürfte augenblicklich eingetreten sein. Beide Opfer hatten schreckliche Verletzungen.«

Am Tisch breitete sich für einen Moment unbehagliches Schweigen aus. Es gibt zwei Arten von Munition – zum einen harte Vollmantelgeschosse, die direkt durch den Körper dringen und vergleichsweise geringfügige Verletzungen hinterlassen, zum anderen Teilmantelgeschosse, die sich im Körper ausdehnen und massive Schäden anrichten. Es ist ein enormer Unterschied, ob ein Mensch von einer Kugel mit neun Millimeter Durchmesser getroffen wird oder von einer Kugel, die sich auf zwei bis drei Zentimeter ausdehnt. Letzterer Typ nennt sich auch Jagdmunition und hat den Zweck, massive Blutungen auszulösen. Das gilt bei der Elchjagd als human, weil man damit die Beute so schnell und schmerzfrei wie möglich erlegen kann. Internationales Recht verbietet jedoch die Anwendung von Jagdmunition im Krieg, da ein Soldat, der von einer expandierenden Kugel getroffen wird, fast unvermeidlich stirbt, ganz egal, an welcher Stelle sie ihn getroffen hat.

Die schwedische Polizei in ihrer unermesslichen Weisheit

hatte jedoch vor zwei Jahren Jagdmunition in das polizeiliche Waffenarsenal eingeführt. Die Gründe hierfür waren unklar. Zweifellos hätte jedoch der landesweit bekannte Demonstrant Hannes Westberg, der während der Krawalle in Göteborg 2001 in den Bauch geschossen worden war, nicht überlebt, wenn man Jagdmunition verwendet hätte.

»Das Ziel war also eindeutig, die beiden zu töten«, stellte Curt Svensson fest.

Anita Nyberg und Oswald Mårtensson nickten.

»Und dann wäre da noch der sehr unwahrscheinliche zeitliche Ablauf«, lieferte Bublanski das nächste Stichwort.

»Genau. Unmittelbar nach dem Schuss verließ der Mörder die Wohnung, ging die Treppen hinunter, warf seine Waffe weg und verschwand in der Nacht. Kurz darauf – es kann sich nur um Sekunden gehandelt haben – kamen Blomkvist und seine Schwester mit dem Auto an.«

»Hmm«, machte Bublanski.

»Eine Möglichkeit wäre, dass der Mörder durch den Keller verschwunden ist. Es gibt einen Seiteneingang, den er benutzt haben könnte, hinaus auf den Hinterhof und über ein Rasenstück auf die Parallelstraße. Aber das würde voraussetzen, dass er einen Schlüssel zur Kellertür hatte.«

»Deutet denn irgendwas darauf hin, dass der Mörder auf diesem Weg verschwunden ist?«

»Nein.«

»Dann haben wir also nicht den geringsten Fingerzeig«, meinte Sonja Modig. »Aber warum hat er die Waffe weggeworfen? Hätte er sie mitgenommen – oder in einiger Entfernung von der Wohnung weggeworfen –, dann hätten wir sie erst viel später gefunden.«

Alle zuckten die Achseln. Das war eine Frage, die niemand beantworten konnte.

»Was ist von diesem Blomkvist zu halten?«, fragte Hans Faste.

»Er war offensichtlich schockiert«, sagte Mårtensson. »Aber

ansonsten hat er ganz korrekt und überlegt gehandelt und machte einen glaubwürdigen Eindruck. Seine Schwester bestätigte seine Angaben zu dem Telefongespräch und der Autofahrt. Ich glaube nicht, dass er etwas mit den Morden zu tun hat.«

»Er ist ein sehr bekannter Journalist«, bemerkte Sonja Modig.

»Das wird einen Riesenmedienrummel geben«, stimmte Bublanski zu. »Umso mehr Grund für uns, diese Geschichte so schnell wie möglich aufzuklären. Okay ... Jerker, du musst dich natürlich um den Tatort und die Nachbarn kümmern. Faste, Sie und Curt beschäftigen sich mit den Opfern. Wer sind sie, woran arbeiten sie, wie sieht ihr Bekanntenkreis aus, wer könnte ein Motiv haben, sie zu töten? Sonja, du und ich gehen die Zeugenaussagen der letzten Nacht durch. Danach müsstest du ein Zeitschema erstellen, was Dag Svensson und Mia Bergman in den letzten vierundzwanzig Stunden vor ihrer Ermordung gemacht haben. Um 14 Uhr 30 setzen wir uns wieder zusammen.«

Mikael Blomkvist begann damit, dass er sich an den Schreibtisch setzte, den Dag Svensson während des Frühjahrs in der Redaktion benutzt hatte. Zuerst blieb er eine Weile reglos sitzen, bis er sich in der Lage fühlte, seine Aufgabe in Angriff zu nehmen. Dann schaltete er den Computer ein.

Dag Svensson hatte größtenteils zu Hause an seinem Laptop gearbeitet, aber zwei Tage pro Woche war er in die Redaktion gekommen, in der letzten Zeit sogar noch öfter. Bei *Millennium* stand ihm ein älterer PowerMac G3 zur Verfügung, ein Computer, der von vorübergehenden Mitarbeitern benutzt wurde. Mikael fand jede Menge Material, mit dem Dag Svensson gearbeitet hatte. Er hatte den G3 hauptsächlich dazu verwendet, im Internet zu surfen, aber es gab auch vereinzelte Ordner, die er von seinem Laptop hinüberkopiert hatte. Ein komplettes Back-up in Form zweier ZIP-Discs hatte er in seiner Schreibtischschublade eingeschlossen. Jeden Tag machte er eine Kopie vom neuen Material. Da er in den letzten Tagen nicht mehr in der Redaktion gewesen war, stammte die letzte Sicherungskopie vom Sonntagabend. Drei Tage fehlten also.

Mikael machte eine Kopie der ZIP-Disc und schloss sie in seinem eigenen Schreibtisch ein. Dann verbrachte er eine Dreiviertelstunde damit, den Inhalt der Original-CD kurz durchzugehen. Sie enthielt ungefähr dreißig Ordner und unzählige Unterordner. Das waren die vier Jahre Recherche zu Dags Mädchenhandel-Projekt. Mikael las die Namen der Dokumente und suchte nach solchen, die eventuell geheimes Material enthalten könnten – Namen von Dag Svenssons geschützten Quellen. Er merkte, dass Dag sehr sorgfältig mit seinen Quellen umgegangen war – das gesamte Material befand sich in einem Ordner, der »Quellen/geheim« hieß. Er enthielt einhundertvierunddreißig Dokumente unterschiedlicher Länge, die meisten ziemlich kurz. Mikael markierte sie alle und löschte sie. Dann warf er sie nicht in den Papierkorb, sondern zog sie auf das Icon mit dem Namen »Burn«, das die Dokumente nicht nur wegwarf, sondern sie tatsächlich Byte für Byte löschte.

Danach nahm er Dag Svenssons Mailbox in Angriff. Er hatte vorübergehend eine eigene E-Mail-Adresse bei *millennium.se* bekommen, die er sowohl in der Redaktion als auch von seinem Laptop aus nutzte. Er besaß auch ein privates Passwort, was aber kein Problem darstellte, da Mikael Administratorrechte hatte und schnell auf den ganzen Mailserver zugreifen konnte. Er lud eine Kopie von Dag Svenssons gesamten E-Mails herunter und brannte sie auf CD.

Schließlich kümmerte er sich um den Papierberg aus Referenzmaterial, Notizen, Zeitungsausschnitten, Urteilen und Korrespondenz, den Dag im Laufe der Zeit angesammelt hatte. Mikael ging auf Nummer sicher, stellte sich an den Kopierer und machte eine Kopie von allem, was ihm wichtig erschien. Bei knapp zweitausend Seiten dauerte diese Prozedur geschlagene drei Stunden.

Er sortierte jegliches Material aus, das irgendeine Verbindung mit einer geheimen Quelle haben könnte. Das ergab einen Stapel von knapp vierzig Seiten, hauptsächlich Notizen aus einem DIN-A4-Block, die Dag auch in seiner Schublade eingeschlossen hatte. Danach trug Mikael das verbliebene Material zu seinem eigenen Schreibtisch.

Erst jetzt konnte er wieder durchatmen. Er ging zum 7-Eleven-Shop, trank einen Kaffee und aß ein Stück Pizza. Fälschlicherweise nahm er an, dass die Polizei jeden Moment ankommen würde, um Dag Svenssons Schreibtisch zu durchforsten.

Schon kurz nach 10 Uhr morgens gelang Bublanski ein unerwarteter Durchbruch bei den Ermittlungen, als Lennart Granlund vom SKL, dem Staatlichen Kriminaltechnischen Labor in Linköping, anrief.

»Es geht um den Doppelmord in Enskede.«

»Na, das ging aber schnell.«

»Wir haben die Waffe heute Morgen bekommen, und ich bin mit der Analyse noch nicht ganz fertig, aber ich habe eine Information, die Sie vermutlich interessieren wird.«

»Erzählen Sie!«, bat Bublanski.

»Die Waffe ist ein Colt 45 Magnum, hergestellt 1981 in den USA.«

»Aha.«

»Wir haben Fingerabdrücke und vielleicht auch DNA-Spuren sichern können – aber die Analyse wird noch ein bisschen dauern. Wir haben uns auch die Kugeln angesehen, mit denen das Paar erschossen wurde. Wie zu erwarten, stammen die Kugeln aus dieser Waffe. Sie sind in viele kleine Einzelteile zersplittert, aber wir haben ein Stück zum Vergleich. Es ist sehr wahrscheinlich, dass es sich um die Mordwaffe handelt.«

»Eine illegale Waffe, schätze ich. Haben Sie eine Seriennummer?«

»Die Waffe ist völlig legal. Sie gehört einem Rechtsanwalt

namens Nils Erik Bjurman und wurde 1983 gekauft. Er ist Mitglied im Schützenverein der Polizei. Seine Anschrift ist die Upplandsgatan am Odenplan.«

»Wie war das bitte?«

»Wir haben wie gesagt auch mehrere Fingerabdrücke auf der Waffe sichergestellt. Die Abdrücke stammen von mindestens zwei verschiedenen Personen.«

»Aha.«

»Wir können wohl davon ausgehen, dass die einen zu Bjurman gehören, falls die Waffe nicht gestohlen oder verkauft wurde, aber darüber liegen mir keine Informationen vor. Bei den anderen Fingerabdrücken haben wir einen Treffer im Register gelandet. Der Abdruck des rechten Daumens und Zeigefingers.«

»Von wem?«

»Eine Frau, geboren am 30.04.78. Sie wurde 1995 wegen Körperverletzung in Gamla Stan festgenommen, bei der Gelegenheit hat man die Fingerabdrücke genommen.«

»Hat sie auch einen Namen?«

»Ja. Sie heißt Lisbeth Salander.«

Bublanski hob die Augenbrauen und notierte sich Namen und Personenkennnummer auf einem Block.

Als Mikael Blomkvist nach seinem späten Mittagessen wieder in die Redaktion zurückkehrte, ging er direkt in sein Arbeitszimmer und schloss die Tür, ein Zeichen, dass er nicht gestört werden wollte. Er hatte noch keine Zeit, sich mit all den zusätzlichen Informationen in Dag Svenssons Mailbox und Notizen zu beschäftigen. Er musste sich zuerst hinsetzen und Buch und Artikel noch einmal mit ganz neuen Augen lesen, im Hinterkopf immer die Tatsache, dass der Verfasser tot war und nicht mehr auf schwierige Fragen antworten konnte.

Er musste eine Entscheidung treffen, ob dieses Buch überhaupt noch veröffentlicht werden konnte. Er musste herausfinden, ob sich in all dem Material irgendetwas fand, das ein Mordmotiv geliefert haben könnte. Mikael machte seinen Computer an und begann zu arbeiten.

Jan Bublanski führte ein kurzes Gespräch mit dem Leiter der Voruntersuchung, Richard Ekström, um ihn über die Ergebnisse der Laboruntersuchung zu unterrichten. Man beschloss, dass Bublanski und seine Kollegin Sonja Modig ein Gespräch mit Anwalt Bjurman führen sollten – das unter Umständen in ein Verhör oder eine Festnahme münden konnte –, während die Kollegen Hans Faste und Curt Svensson sich von Lisbeth Salander erklären ließen, wie ihre Fingerabdrücke auf die Mordwaffe gekommen waren.

Die Suche nach Bjurman bereitete keinerlei Probleme. Seine Adresse stand im Steuerregister, im Waffenregister und im Kfz-Register – und noch dazu im öffentlichen Telefonbuch. Bublanski und Modig fuhren also zum Odenplan, doch der Anwalt schien nicht zu Hause zu sein. Also fuhren sie weiter zu Bjurmans Büro am St. Eriksplan, hatten aber auch dort kein Glück.

»Vielleicht ist er ja im Gericht«, schlug Kriminalinspektorin Sonja Modig vor.

»Vielleicht hat er sich auch nach Brasilien abgesetzt«, meinte Bublanski.

Sonja Modig nickte und warf ihrem Kollegen einen verstohlenen Blick zu. Sie fühlte sich wohl in seiner Gesellschaft. Sie hätte auch nichts dagegen gehabt, mit ihm zu flirten, wären sie nicht beide glücklich verheiratet und sie obendrein Mutter zweier Kinder. Dann betrachtete sie die Messingschilder an den anderen Türen desselben Stockwerks und stellte fest, dass die Nachbarn der Zahnarzt Norman, ein Unternehmen namens N-Consulting sowie ein Rechtsanwalt namens Rune Håkansson waren.

Sie klopften bei Håkansson.

»Guten Tag, mein Name ist Modig, und das ist Kriminalinspektor Bublanski. Wir sind von der Polizei und haben etwas mit Ihrem Kollegen Bjurman von nebenan zu besprechen. Sie wissen nicht zufällig, wie wir ihn erreichen können?«

Håkansson schüttelte den Kopf.

»Ich sehe ihn nur noch selten. Vor zwei Jahren ist er schwer krank geworden und hat seine Tätigkeit fast ganz eingestellt. Das Schild ist immer noch an der Tür, aber er ist nur jeden zweiten Monat mal hier.«

»Schwer krank?«, echote Bublanski.

»Ich weiß nichts Genaueres. Er war immer so voller Energie, und dann wurde er krank. Krebs oder so, schätze ich. Ich kenne ihn aber auch nur oberflächlich.«

»Glauben Sie, dass er Krebs hat, oder wissen Sie es?«, hakte Sonja Modig nach.

»Na ja ... ich weiß es nicht. Er hatte eine Sekretärin, Britt Karlsson oder Nilsson oder so. Eine ältere Dame. Er hat ihr gekündigt, und da hat sie mir erzählt, dass er krank geworden sei, aber Genaues weiß ich nicht. Das war im Frühjahr 2003. Ich habe ihn erst Ende des Jahres wieder gesehen, und da sah er zehn Jahre älter aus, ausgemergelt und grauhaarig ... da hab ich eben so meine Schlüsse gezogen. Warum? Hat er was angestellt?«

»Soweit wir wissen, nicht«, erwiderte Bublanski. »Trotzdem müssen wir ihn in einer dringenden Angelegenheit sprechen.«

Sie gingen zurück zur Wohnung am Odenplan und klopften noch einmal an Bjurmans Tür. Immer noch keine Antwort. Schließlich zog Bublanski sein Handy aus der Tasche und wählte Bjurmans Handynummer. Ohne Erfolg.

Er versuchte es über das Festnetz. Im Treppenhaus konnten sie schwach das Klingeln aus der Wohnung hören, bis ein Anrufbeantworter ansprang und den Anrufer bat, eine Nachricht zu hinterlassen. Sie sahen sich an und zuckten mit den Schultern.

Es war ein Uhr mittags.

»Kaffee?«

»Lieber einen Hamburger.«

Sie gingen zu Burger King am Odenplan. Sonja Modig aß einen Whopper und Bublanski einen vegetarischen Burger, bevor sie zum Präsidium zurückfuhren.

Um zwei Uhr nachmittags berief Staatsanwalt Ekström ein Treffen in seinem Dienstzimmer ein. Bublanski und Modig nahmen nebeneinander am Konferenztisch Platz. Curt Svensson kam zwei Minuten später und setzte sich ihnen gegenüber. Jerker Holmberg brachte ein Tablett mit Kaffee in Pappbechern mit. Er war schon kurz in Enskede gewesen und wollte am späteren Nachmittag wieder dorthin fahren, sobald die Techniker mit ihrer Arbeit fertig waren.

»Wo ist Faste?«, fragte Ekström.

»Auf dem Sozialamt, er hat vor fünf Minuten angerufen und gesagt, dass er sich ein bisschen verspäten wird«, antwortete Curt Svensson.

»Okay. Dann fangen wir an. Was haben wir bis jetzt?«, begann Ekström ohne umständliche Einleitungen. Er zeigte als Erstes auf Bublanski.

»Wir haben vergeblich Rechtsanwalt Nils Bjurman zu erreichen versucht. Er ist weder zu Hause noch in seiner Kanzlei anzutreffen. Nach Angaben eines Anwaltskollegen ist er vor zwei Jahren krank geworden und hat seine Tätigkeit mehr oder weniger eingestellt.«

Sonja Modig fuhr fort.

»Bjurman ist 56 Jahre alt, keine Einträge im Strafregister. Er ist vor allem Firmenanwalt. Mehr habe ich über seinen Hintergrund noch nicht herausfinden können.«

»Aber ihm gehört auf jeden Fall die Waffe, die in Enskede benutzt wurde.«

»Das ist richtig. Er hat eine Waffenlizenz und ist Mitglied im Schützenverein der Polizei«, bestätigte Bublanski. »Ich habe mich mit Gunnarsson von der Waffenabteilung unterhalten –

er ist ja Vorsitzender des Vereins und kennt Bjurman sehr gut. Er ist dem Verein 1978 beigetreten und war von 1984 bis 1992 Schatzmeister. Gunnarsson beschreibt Bjurman als exzellenten Schützen, ruhig und besonnen, keine Auffälligkeiten.«

»Interesse für Waffen?«

»Gunnarsson kam es immer so vor, als wäre Bjurman mehr am Vereinsleben interessiert als am Schießen selbst. Er nahm zwar gerne an Wettkämpfen teil, schien aber kein Waffenfetischist zu sein. 1983 hat er an den Schwedischen Meisterschaften teilgenommen und den dreißigsten Platz belegt. In den letzten zehn Jahren ist er dann nur noch auf den jährlichen Versammlungen aufgetaucht.«

»Besitzt er mehrere Waffen?«

»Seitdem er dem Schützenverein beigetreten ist, hatte er Lizenzen für insgesamt vier Handfeuerwaffen. Neben dem Colt noch eine Beretta, eine Smith & Wesson und eine Wettkampfpistole der Marke Rapid. Alle drei wurden vor zehn Jahren an den Verein verkauft, die Lizenzen gingen später auf andere Mitglieder über. Keine Auffälligkeiten.«

»Aber Sie wissen nicht, wo er sich derzeit aufhält.«

»Stimmt. Aber wir haben erst um 10 Uhr vormittags angefangen, nach ihm zu suchen. Vielleicht geht er nur spazieren oder liegt im Krankenhaus.«

In diesem Augenblick kam Hans Faste durch die Tür. Er schien außer Atem.

»Entschuldigen Sie die Verspätung. Darf ich gleich erzählen?«

Ekström machte eine einladende Handbewegung.

»Lisbeth Salander ist ein richtig interessanter Name. Ich war bis gerade eben im Sozialamt und am Vormundschaftsgericht.« Er zog seine Lederjacke aus und hängte sie über die Rückenlehne seines Stuhls, bevor er sich setzte und einen Notizblock aufschlug.

»Vormundschaftsgericht?«, wiederholte Ekström mit gerunzelter Stirn.

»Sie scheint eine ziemlich gestörte Persönlichkeit zu sein«, erklärte Hans Faste. »Sie ist nicht geschäftsfähig und hat einen rechtlichen Betreuer.« Er legte eine Kunstpause ein. »Den Rechtsanwalt Nils Bjurman, dem die Waffe gehört, die in Enskede benutzt wurde.«

Alle im Raum zogen die Brauen hoch.

Hans Faste brauchte fünfzehn Minuten, um zu berichten, was er über Lisbeth Salander in Erfahrung gebracht hatte.

»Alles zusammengenommen«, sagte Ekström, als Faste fertig war, »befinden sich auf der Mordwaffe also die Fingerabdrücke einer Frau, die als Teenager regelmäßig in der Psychiatrie war, die ihren Lebensunterhalt wahrscheinlich als Nutte verdient, vom Vormundschaftsgericht für geschäftsunfähig erklärt wurde und erwiesenermaßen eine gewalttätige Veranlagung hat. Warum zum Teufel läuft die überhaupt frei herum?«

»Sie zeigte seit ihrer Grundschulzeit gewalttätige Tendenzen«, ergänzte Faste. »Wie es aussieht, ist sie total gestört.«

»Aber wir haben noch nichts, was sie direkt mit unserem Paar in Enskede in Verbindung bringen würde.« Ekström trommelte mit den Fingerspitzen auf der Tischplatte. »Dieser Doppelmord wird sich vielleicht doch leichter aufklären lassen als gedacht. Haben wir die Adresse von dieser Salander?«

»Sie ist in der Lundagatan in Södermalm gemeldet. Das Finanzamt gibt an, dass sie in unregelmäßigen Abständen ein Honorar von der Sicherheitsfirma Milton Security bekommt.«

»Wofür?«

»Das weiß ich nicht. Aber ihr Jahreseinkommen ist ziemlich bescheiden. Vielleicht arbeitet sie als Putzfrau oder so was.«

»Hmm«, überlegte Ekström. »Das wird sich ja wohl überprüfen lassen. Aber ich habe das Gefühl, wir sollten Frau Salander schleunigst ausfindig machen.«

»Das glaube ich auch«, pflichtete Bublanski ihm bei. »Um die Details kümmern wir uns später. Wir haben jetzt immerhin schon eine Verdächtige. Faste, Sie und Curt fahren in die Lundagatan und versuchen, diese Salander zu holen. Aber seien Sie vorsichtig – wir wissen ja nicht, ob sie noch mehr Waffen hat und wie verrückt sie wirklich ist.«

»Geht klar.«

»Bubbla«, unterbrach Ekström. »Der Chef von Milton Security heißt Dragan Armanskij. Ich habe ihn vor ein paar Jahren im Zusammenhang mit einer Ermittlung kennengelernt. Er ist vertrauenswürdig. Fahren Sie gleich zu ihm und führen Sie mit ihm ein persönliches Gespräch über Lisbeth Salander. Das müssten Sie noch schaffen, bevor er das Büro verlässt.«

Bublanski wirkte irritiert, teils deswegen, weil Ekström seinen Spitznamen verwendet hatte, teils, weil er diesen Vorschlag wie einen Befehl formuliert hatte. Aber dann nickte er nur kurz und blickte Sonja Modig an.

»Sonja, du machst mit der Suche nach Bjurman weiter. Ich glaube, den sollten wir auch so schnell wie möglich finden.«

»In Ordnung.«

»Wir müssen die Verbindung zwischen Salander und dem Paar in Enskede herausbekommen. Und wir müssen beweisen, dass Salander zur Tatzeit in Enskede war. Jerker, du besorgst dir Bilder von der Frau und gehst damit bei den Nachbarn rum. Kleines Klinkenputzen am Abend. Nimm dir ein paar Polizisten zur Unterstützung mit.«

Bublanski machte eine Pause und kratzte sich im Genick.

»Verdammt, mit ein klein wenig Glück haben wir diesen elenden Fall schon bis heute Abend gelöst. Ich dachte ja, das würde eine ganz langwierige Geschichte werden.«

»Da wäre noch was«, sagte Ekström. »Ich habe für drei Uhr eine Pressekonferenz angekündigt. Wenn Sie mir noch jemand von der Presseabteilung geben, übernehme ich das. Ich schätze, dass ein paar Journalisten auch direkt hier anrufen werden. Die Namen Salander und Bjurman bleiben so lange wie möglich geheim.«

Alle nickten.

Dragan Armanskij hatte eigentlich früher gehen wollen. Es war Gründonnerstag, und seine Frau und er wollten über die Osterfeiertage in ihr Ferienhäuschen auf Blidö fahren. Als er gerade seine Aktentasche zumachte und seine Jacke anzog, rief der Empfang an und meldete, dass ihn ein Kriminalinspektor namens Jan Bublanski sprechen wolle. Seufzend hängte Armanskij seine Jacke wieder über den Bügel. Er hatte keine Lust, den Besucher zu empfangen, aber Milton Security konnte es sich nicht leisten, die Polizei links liegen zu lassen. Er holte Bublanski am Fahrstuhl im Flur ab.

»Danke, dass Sie sich die Zeit genommen haben«, sagte Bublanski. »Ich soll schöne Grüße von Staatsanwalt Ekström ausrichten.«

Sie gaben sich die Hand.

»Ekström, ja, mit dem hatte ich ein paarmal zu tun. Das ist aber schon ein paar Jahre her. Möchten Sie einen Kaffee?«

Armanskij blieb am Kaffeeautomaten stehen und füllte zwei Becher, bevor er die Tür zu seinem Zimmer öffnete und Bublanski den bequemen Besuchersessel am Fenstertisch anbot.

»Armanskij ... ist das russisch?«, erkundigte sich Bublanski neugierig. »Ich hab ja auch so einen Namen auf -ski.«

»Meine Familie kommt aus Armenien. Und Ihre?«

»Aus Polen.«

»Womit kann ich Ihnen behilflich sein?«

Bublanski zückte einen Notizblock und schlug ihn auf.

»Es geht um den Doppelmord von Enskede. Ich nehme an, Sie haben heute schon die Nachrichten gehört.«

Armanskij nickte kurz.

»Ekström meinte, Sie könnten schweigen.«

»In meiner Position ist das eine Selbstverständlichkeit. Ich kann ein Geheimnis für mich behalten, falls Sie das meinten.«

»Gut. Wir suchen gerade nach einer Person, die früher für Sie gearbeitet hat. Ihr Name ist Lisbeth Salander. Kennen Sie sie?«

Armanskij spürte, wie sich ein Zementklumpen in seinem Magen bildete. Äußerlich verzog er keine Miene.

»Aus welchem Grund suchen Sie Frau Salander?«

»Sagen wir mal, wir haben allen Grund, uns im Rahmen dieser Ermittlungen für sie zu interessieren.«

Der Zementklumpen in Armanskijs Magen wuchs. Es tat fast körperlich weh. Seit er Lisbeth Salander zum ersten Mal begegnet war, hatte er das untrügliche Gefühl gehabt, dass ihr Leben unaufhaltsam auf eine Katastrophe zulief. Aber er hatte sie immer als Opfer betrachtet, nicht als Täterin. Er verzog immer noch keine Miene.

»Sie verdächtigen Lisbeth Salander also des Doppelmordes in Enskede? Habe ich das richtig verstanden?«

Bublanski zögerte einen Augenblick, dann nickte er.

»Was können Sie mir über Frau Salander erzählen?«

»Was wollen Sie denn wissen?«

»Zuerst einmal ... wie können wir sie erreichen?«

»Sie wohnt in der Lundagatan. Die genaue Adresse müsste ich selbst nachschlagen. Ich habe eine Handynummer.«

»Die Adresse haben wir schon. Ihre Handynummer wäre interessant.«

Armanskij trat an seinen Schreibtisch und suchte die Nummer heraus. Er las sie laut vor, während Bublanski mitschrieb.

»Sie arbeitet für Sie?«

»Sie hat ein eigenes Unternehmen. Ich habe ihr ab und zu Aufträge gegeben, seit 1998 bis ungefähr vor anderthalb Jahren.«

»Was für Aufträge waren das?«

»Recherchen.«

Bublanski blickte von seinem Notizblock auf und zog verblüfft die Augenbrauen hoch.

»Recherchen?«, echote er.

»Untersuchungen zum persönlichen Hintergrund verschiedener Objekte, um es genauer auszudrücken.«

»Moment mal … reden wir von demselben Mädchen?«, fragte Bublanski. »Die Lisbeth Salander, nach der wir fahnden, hat nicht einmal einen Hauptschulabschluss und ist unter Vormundschaft gestellt worden.«

»Das heißt nicht mehr Vormundschaft«, korrigierte Armanskij sanft.

»Spielt doch keine Rolle, wie das heißt. Das Mädchen, das wir suchen, wird in ihrer Akte als extrem gestört und gewaltbereit geschildert. Außerdem liegt uns ein Bericht des Sozialamts vor, nach dem sie sich Ende der 90er-Jahre auch prostituiert hat. In ihren Papieren gibt es keinen Hinweis darauf, dass sie eine qualifizierte Arbeit ausüben könnte.«

»Papier ist eine Sache. Menschen eine andere.«

»Sie meinen also, sie war qualifiziert genug, um Recherchen für Milton Security durchzuführen?«

»Und nicht nur das. Sie ist mit Abstand die beste Researcherin, die mir jemals begegnet ist.«

Langsam ließ Bublanski seinen Stift sinken und runzelte die Stirn.

»Das hört sich fast so an, als hätten Sie … Respekt vor ihr.«

Armanskij blickte auf seine Hände. Er hatte immer gewusst, dass Lisbeth Salander eines Tages ganz böse in die Klemme geraten würde. Er konnte beim besten Willen nicht begreifen, warum sie in den Doppelmord in Enskede verwickelt sein sollte – ob nun als Täterin oder anderweitig –, aber er musste auch zugeben, dass er eigentlich nicht besonders viel über ihr Privatleben wusste. *Wo ist sie da reingezogen worden?* Armanskij erinnerte sich an ihren überraschenden Besuch in seinem Büro und ihre rätselhafte Versicherung, sie habe genug Geld, um zurechtzukommen, und brauche daher keinen Job.

In diesem Augenblick wäre es sicher das Klügste gewesen, sich selbst und vor allem Milton Security völlig von Lisbeth Salander zu distanzieren. Armanskij dachte bei sich, dass Lisbeth wohl der einsamste Mensch auf der ganzen Welt war.

»Ich habe Respekt vor ihrer Kompetenz. Davon steht nichts in ihren Zeugnissen und ihrem Lebenslauf.«

»Sie kennen also ihren Hintergrund?«

»Dass sie einen rechtlichen Betreuer hat und als Jugendliche schwere Zeiten hatte, ja.«

»Und Sie haben sie trotzdem beschäftigt?«

»Gerade deswegen habe ich sie beschäftigt.«

»Könnten Sie das bitte erläutern?«

»Ihr ehemaliger Betreuer, Holger Palmgren, war früher der Anwalt von J. F. Milton. Er hat sich ihrer angenommen, als sie noch ein Teenager war, und er hat mich überredet, ihr einen Job zu geben. Ich habe sie also zuerst zum Postsortieren und Kopieren eingestellt. Dann stellte sich aber heraus, dass sie ungeahnte Talente besaß. Und diesen Bericht, dem zufolge sie eventuell eine Prostituierte gewesen sein soll, können sie schlicht und einfach vergessen. Lisbeth Salander hatte als Teenager eine schwierige Phase und war zweifellos ein wenig außer Rand und Band geraten – aber Prostitution ist das Letzte, was ihr einfallen würde.«

»Ihr neuer Betreuer heißt Nils Bjurman.«

»Den habe ich nie kennengelernt. Palmgren hat vor ein paar Jahren einen Schlaganfall erlitten. Danach hat Lisbeth Salander immer weniger für mich gearbeitet. Im Oktober vor anderthalb Jahren hat sie zum letzten Mal einen Job für mich übernommen.«

»Warum haben Sie sie nicht weiter beschäftigt?«

»Das war nicht meine Entscheidung. Sie hat die Verbindung abgebrochen und verschwand ohne ein Wort ins Ausland.«

»Verschwand ins Ausland?«

»Sie war ein knappes Jahr weg.«

»Das kann nicht ganz stimmen. Bjurman hat das ganze letzte Jahr über monatliche Berichte über sie geschickt. Wir haben Kopien davon in Kungsholmen.«

Armanskij zuckte die Achseln und lächelte sanft.

»Wann sind Sie ihr das letzte Mal begegnet?«

»Vor ungefähr zwei Monaten, Anfang Februar. Sie tauchte wie aus dem Nichts auf und machte einen Anstandsbesuch bei mir. Zu diesem Zeitpunkt hatte ich seit über einem Jahr nichts mehr von ihr gehört. Sie war das ganze letzte Jahr im Ausland und ist durch Asien und die Karibik gereist.«

»Entschuldigen Sie, aber ich bin ein bisschen verwirrt. Ich kam hierher in der Meinung, dass Lisbeth Salander ein psychisch krankes Mädchen ist, das nicht mal die Hauptschule abgeschlossen und einen rechtlichen Betreuer hat. Dann erzählen Sie mir, sie als hoch qualifizierte Researcherin beschäftigt zu haben, dass sie ein eigenes Unternehmen hat und genügend Geld verdient, um ein Jahr lang durch die Welt zu reisen – und all das, ohne dass ihr Betreuer Alarm schlägt. Da stimmt doch irgendwas nicht.«

»Wenn es um Lisbeth Salander geht, stimmt vieles nicht.«

»Darf ich fragen … wie Sie sie einschätzen?«

Armanskij überlegte kurz.

»Sie gehört zu den irritierendsten und unerschütterlichsten Menschen, die mir in meinem ganzen Leben über den Weg gelaufen sind«, antwortete er schließlich.

»Unerschütterlich?«

»Sie macht absolut niemals Dinge, die sie nicht machen möchte. Sie kümmert sich nicht im Geringsten darum, was andere Menschen von ihr denken. Sie ist unglaublich kompetent. Und sie ist … anders.«

»Verrückt?«

»Wie definieren Sie verrückt?«

»Ist sie imstande, zwei Menschen zu ermorden?«

Armanskij schwieg lange.

»Tut mir leid«, sagte er. »Ich kann Ihre Frage nicht beantworten. Meiner Meinung nach haben fast alle Menschen die Kraft, einen anderen umzubringen. Aus Verzweiflung oder aus Hass oder zumindest aus Notwehr.«

»Das bedeutet, dass Sie es jedenfalls nicht ausschließen könnten.«

»Lisbeth Salander tut nichts ohne Grund. Darf ich fragen ... aus welchen Gründen Sie sie verdächtigen, in die Morde von Enskede verwickelt zu sein?«

Bublanski zögerte kurz. Er sah Armanskij an.

»Ganz vertraulich.«

»Absolut.«

»Die Mordwaffe gehört ihrem Betreuer. Und wir haben ihre Fingerabdrücke darauf gefunden.«

Armanskij biss die Zähne zusammen. Das waren tatsächlich schwerwiegende Gründe.

»Was war denn der Hintergrund für die Tat? Drogen?«

»Hat sie mit Drogen zu tun gehabt?«

»Nicht dass ich wüsste. Aber sie hatte wie gesagt eine schwierige Jugend und wurde mehrmals wegen Trunkenheit festgenommen. Ich nehme an, dass ihre Akte darüber Auskunft geben kann, ob andere Rauschgifte mit im Spiel waren.«

»Wir wissen nicht, was für ein Motiv hinter den Morden stecken könnte. Es war ein ganz normales, anständiges Paar. Sie war Kriminologin und stand kurz vor der Promotion. Er war Journalist. Dag Svensson und Mia Bergman. Sagt Ihnen das was?«

Armanskij schüttelte den Kopf.

»Wir versuchen herauszufinden, was für eine Verbindung es zwischen Lisbeth Salander und den beiden gegeben hat.«

»Ich habe noch nie von ihnen gehört.«

Bublanski stand auf. »Vielen Dank, dass Sie sich die Zeit genommen haben. Das war ein interessantes Gespräch. Allerdings weiß ich nicht, ob ich wirklich so viel klüger geworden bin. Ich hoffe, das Ganze kann unter uns bleiben.«

»Kein Problem.«

»Wenn nötig, komme ich noch mal vorbei. Und wenn Lisbeth Salander sich bei Ihnen melden sollte, dann ...«

»Selbstverständlich«, versicherte Dragan Armanskij.

Sie gaben sich die Hand. Bublanski war schon an der Tür, als er sich noch einmal zu Armanskij umdrehte.

»Sie wissen nicht zufällig, mit was für Leuten Lisbeth Salander Umgang pflegt? Freunde, Bekannte ...«

Armanskij schüttelte den Kopf.

»Ich weiß nicht das Geringste über ihr Privatleben. Eine der wenigen Personen, die ihr etwas bedeuten, ist Holger Palmgren. Sie dürfte auch mit ihm Kontakt aufgenommen haben. Er befindet sich in der Reha-Klinik Erstaviken in Älta.«

»Hat sie nie Besuch gehabt in der Zeit, als sie hier arbeitete?«

»Nein. Sie arbeitete von zu Hause aus und kam fast nur ins Büro, um über ihre Ergebnisse zu berichten. Von wenigen Ausnahmen abgesehen hat sie niemals einen Kunden getroffen. Vielleicht ...«

Plötzlich kam ihm ein Gedanke.

»Was denn?«

»Es könnte möglicherweise noch eine andere Person geben, mit der sie Kontakt aufgenommen hat. Ein Journalist, mit dem sie vor zwei Jahren regelmäßig zu tun hatte und der auch nach ihr gesucht hat, als sie im Ausland war.«

»Ein Journalist?«

»Sein Name ist Mikael Blomkvist. Erinnern Sie sich noch an die Wennerström-Affäre?«

Bublanski ließ die Klinke los und ging langsam zurück zu Armanskij.

»Ebendieser Mikael Blomkvist hat die Toten in Enskede gefunden. Sie haben soeben die Verbindung zwischen Salander und den Mordopfern aufgedeckt.«

Armanskij schnürte es den Magen zusammen.

14. Kapitel

Gründonnerstag, 24. März

Sonja Modig versuchte innerhalb einer halben Stunde dreimal Nils Bjurman anzurufen. Jedes Mal wurde ihr mitgeteilt, der Teilnehmer sei vorübergehend nicht erreichbar.

Gegen halb vier setzte sie sich ins Auto, fuhr zum Odenplan und klingelte an seiner Tür. Das Resultat war genauso entmutigend wie bei den früheren Versuchen. Zwanzig Minuten lang ging sie im Haus von Tür zu Tür, um vielleicht von einem der Nachbarn zu erfahren, wo Bjurman sich aufhielt.

In elf der neunzehn Wohnungen war niemand zu Hause. Sie warf einen Blick auf die Uhr. Es war natürlich die falsche Zeit, um an privaten Wohnungstüren zu klingeln. Die anderen Mieter waren allesamt sehr hilfsbereit. Fünf von ihnen wussten, wer Bjurman war – ein höflicher, netter Herr aus dem vierten Stock. Niemand konnte jedoch sagen, wo er sich derzeit aufhielt. Modig fand jedoch heraus, dass Bjurman mit einem seiner Nachbarn eventuell privaten Kontakt pflegte, einem Geschäftsmann namens Sjöman. Bei Sjöman ging jedoch niemand an die Tür, als Sonja Modig klingelte.

Frustriert griff sie zu ihrem Handy und rief erneut Bjurmans Anrufbeantworter an. Sie stellte sich vor, hinterließ ihre Handynummer und bat Bjurman, sie umgehend zurückzurufen.

Dann ging sie zu seiner Tür, schlug ihren Notizblock auf und schrieb einen Zettel, auf dem sie ihn ebenfalls bat, sie zurückzurufen. Sie steckte ihre Visitenkarte dazu und warf beides durch den Briefschlitz. Als sie den Briefschlitz gerade wieder schließen wollte, hörte sie das Telefon in der Wohnung klingeln, bückte sich und horchte auf die vier Klingeltöne. Sie hörte, wie der Anrufbeantworter ansprang, konnte aber keine Nachricht hören.

Dann ließ sie den Briefschlitz wieder zufallen und starrte die Tür an. Warum genau sie eigentlich die Hand ausstreckte und die Klinke hinunterdrückte, konnte sie nicht erklären, aber zu ihrer großen Überraschung entdeckte sie, dass die Tür unverschlossen war. Sie schob sie auf und warf einen Blick in den Korridor.

»Hallo!«, rief sie vorsichtig und lauschte. Nichts zu hören.

Sie trat einen Schritt in den Flur und zögerte wieder. Was sie gerade tat, konnte man womöglich als Hausfriedensbruch bezeichnen. Sie hatte keinen Durchsuchungsbefehl und auch sonst keinerlei Recht, sich in Bjurmans Wohnung aufzuhalten, auch wenn die Tür unverschlossen war. Sie warf einen Blick nach links, wo sie einen Teil des Wohnzimmers sah. Als sie gerade beschlossen hatte, sich wieder aus der Wohnung zurückzuziehen, fiel ihr Blick auf ein Flurregal. Sie sah eine Schachtel für einen Revolver der Marke Colt Magnum.

Plötzlich war ihr äußerst unbehaglich zumute. Sie machte ihre Jacke auf und zog ihre Dienstwaffe, was sie fast noch nie zuvor gemacht hatte.

Sie entsicherte sie und hielt die Mündung auf den Boden gerichtet, während sie sich zum Wohnzimmer vorpirschte. Als sie hineinblickte, konnte sie nichts Bemerkenswertes entdecken, aber ihr ungutes Gefühl verstärkte sich. Sie ging zurück und blickte in die Küche. Leer. Schließlich öffnete sie die Schlafzimmertür.

Nils Bjurman lag bäuchlings auf dem Bett. Seine Knie ruhten auf dem Boden. Er sah aus, als hätte er sich vors Bett gekniet, um sein Abendgebet zu sprechen. Er war nackt.

Sie sah ihn von der Seite an. Schon von der Tür aus hatte ihr seine Position verraten, dass er nicht mehr lebte. Außerdem war seine halbe Stirn von einem Schuss in den Hinterkopf weggerissen worden.

Sonja Modig wich zurück und verließ die Wohnung. Sie hielt immer noch ihre Dienstwaffe in der Hand, als sie im Treppenhaus mit ihrem Handy bei Kriminalinspektor Bublanski anrief. Er war jedoch nicht zu erreichen. Dann rief sie Staatsanwalt Ekström an. Er notierte sich die Uhrzeit: Es war 16 Uhr 18.

Hans Faste betrachtete die Haustür in der Lundagatan, wo Lisbeth Salander gemeldet war und höchstwahrscheinlich wohnte. Er warf einen Blick zu Curt Svensson hinüber und dann einen auf seine Armbanduhr. Zehn nach vier.

Nachdem er sich vom Hausmeister den Code für die Haustür beschafft hatte, waren sie bereits einmal hineingegangen und hatten an der Wohnungstür mit dem Namensschild »Salander – Wu« gelauscht. Sie konnten kein Geräusch hören, und als sie klingelten, öffnete ihnen niemand. Daraufhin waren sie wieder zu ihrem Auto zurückgegangen und hatten von dort aus die Haustür im Auge behalten.

Wie sie telefonisch erfuhren, war die Person, die vor Kurzem in den Wohnrechtsvertrag in der Lundagatan mit aufgenommen worden war, eine gewisse Miriam Wu, geboren 1974, die früher am St. Eriksplan gewohnt hatte.

Sie hatten ein Passbild von Lisbeth Salander mit Klebestreifen über ihrem Funkgerät befestigt. Faste dachte laut darüber nach, dass sie aussah wie ein Drache.

»Verdammt, die Nutten sehen ja immer übler aus. Bevor man die hier aufgabelt, müssten sie einen schon lange bitten.«

Curt Svensson sagte nichts.

Um zwanzig nach vier wurden sie von Bublanski angerufen, der ihnen mitteilte, dass er gerade auf dem Weg von Armanskij zu *Millennium* sei. Er bat Faste und Svensson, in der Lundagatan zu warten. Lisbeth Salander sollte zu einem Verhör mitgenommen werden, aber der Staatsanwalt fand, dass man sie noch nicht zweifelsfrei mit den Morden in Enskede in Verbindung bringen konnte.

»Alles klar«, sagte Faste. »Bubbla sagt, der Staatsanwalt will erst ein Geständnis, bevor jemand festgenommen wird.«

Curt Svensson sagte immer noch nichts. Teilnahmslos beobachteten sie die Leute, die sich auf der Straße bewegten.

Zwanzig Minuten später rief Staatsanwalt Ekström auf Hans Fastes Handy an.

»Wir haben Bjurman erschossen in seiner Wohnung gefunden. Er ist seit mindestens vierundzwanzig Stunden tot.«

Hans Faste setzte sich auf.

»Verstanden. Was sollen wir tun?«

»Ich habe beschlossen, dass Lisbeth Salander im ganzen Bezirk zur Fahndung ausgeschrieben wird. Sie ist in Abwesenheit verhaftet als dringend Tatverdächtige in drei Mordfällen. Wir müssen sie als gefährlich einschätzen, eventuell ist sie bewaffnet.«

»Verstanden.«

»Ich schicke gleich ein Einsatzkommando in die Lundagatan. Die gehen rein und sichern die Wohnung.«

»Verstanden.«

»Haben Sie in der Zwischenzeit Kontakt zu Bublanski gehabt?«

»Er ist bei *Millennium*.«

»Und hat offensichtlich sein Handy ausgeschaltet. Können Sie versuchen, ihn anzurufen und zu informieren?«

Faste und Svensson tauschten einen Blick.

»Und was sollen wir tun, wenn sie plötzlich hier auftaucht?«, wollte Curt Svensson wissen.

»Wenn sie allein ist, nehmen wir sie fest. Wenn sie es in die Wohnung schafft, überlassen wir das dem Einsatzkommando. Die Tussi ist völlig verrückt, die mordet sich hier munter durch die Gegend. Kann sein, dass sie noch mehr Waffen in ihrer Wohnung hat.«

Mikael Blomkvist war todmüde, als er den Manuskriptstapel auf Erikas Schreibtisch legte und sich in ihren Besucherstuhl am Fenster zur Götgatan sinken ließ. Er hatte den ganzen Nachmittag überlegt, was mit Dag Svenssons unvollendetem Buch geschehen sollte.

Das Thema war heikel. Dag Svensson war erst seit ein paar Stunden tot, und schon überlegte sein Arbeitgeber, wie er mit seiner journalistischen Hinterlassenschaft verfahren sollte. Mikael wusste, dass das für jeden Außenstehenden zynisch und gefühllos aussehen musste. Er selbst empfand es anders. Er fühlte sich fast schwerelos. Ein ganz spezielles Syndrom, das jeder Nachrichtenjournalist kennt und das in Krisenzeiten zum Leben erwacht.

Wenn andere trauern, wird der Nachrichtenjournalist aktiv. Und trotz des betäubenden Schocks, der die Mitglieder der *Millennium*-Redaktion an diesem Gründonnerstagmorgen ergriffen hatte, gewannen die beruflichen Erfordernisse die Oberhand und führten zu geschäftiger Arbeit.

Für Mikael war das eine Selbstverständlichkeit. Dag Svensson war vom selben Schrot und Korn gewesen und hätte genau dasselbe getan, wären die Rollen umgekehrt verteilt gewesen. Er hätte sich gefragt, was er für Mikael tun könnte. Dag hatte ein Erbe in Form eines explosiven Buchmanuskripts hinterlassen. Er hatte mehrere Jahre lang Material gesammelt und Fakten sortiert, eine Aufgabe, in die er seine ganze Seele gelegt hatte und die er jetzt nicht mehr zu Ende bringen konnte.

Vor allem aber hatte er für *Millennium* gearbeitet.

Der Mord an Dag Svensson und Mia Bergman war kein nationales Trauma wie zum Beispiel der Mord an Ministerpräsident Olof Palme. Es würde keine landesweite Trauer ausgerufen werden. Aber für die Mitarbeiter von *Millennium* war der

Schock wahrscheinlich noch größer – sie waren persönlich betroffen, und Dag hatte ein großes Kontaktnetz mit vielen Journalisten, die nun Antwort auf ihre Fragen verlangen würden.

Jetzt war es also an Mikael und Erika, sowohl Dag Svenssons Arbeit an seinem Buch abzuschließen als auch die Frage nach dem Wer und Warum zu beantworten.

»Ich kann den Text rekonstruieren«, sagte Mikael. »Malin und ich müssen das Buch Zeile für Zeile durchgehen und die Recherchen vervollständigen, sodass wir eventuelle Fragen beantworten können. Zum größten Teil müssen wir uns einfach nur an Dags Notizen halten, aber wir haben Probleme mit dem vierten und fünften Kapitel, die vor allem auf Mias Interviews aufbauen, sodass wir manchmal ganz einfach nicht wissen, wer die Quellen sind. Doch abgesehen von wenigen Ausnahmen können wir vermutlich die Referenzen in ihrer Doktorarbeit als Primärquellen angeben.«

»Das letzte Kapitel fehlt uns.«

»Stimmt. Aber ich habe Dags Entwurf, und wir haben ihn so oft durchgesprochen, dass ich genau weiß, was er sagen wollte. Ich schlage vor, dass ich im Nachwort erkläre, wie er argumentiert hat.«

»In Ordnung. Ich möchte das aber vorher noch mal sehen, damit ich es absegnen kann. Wir dürfen ihm nichts in den Mund legen.«

»Keine Sorge. Ich werde ganz deutlich machen, dass ich das geschrieben habe und nicht er. Ich werde die Entstehungsgeschichte dieses Buches erzählen und Dag aus meiner Sicht charakterisieren. Am Schluss werde ich rekapitulieren, was er in den letzten Monaten in einem guten Dutzend Gesprächen mit mir gesagt hat. Aus seinem Entwurf kann ich einiges direkt zitieren. Ich glaube, das wird ihm auf jeden Fall gerecht.«

»Verdammt ... ich will dieses Buch dringender veröffentlichen als je zuvor«, sagte Erika.

Mikael nickte. Er verstand genau, was sie meinte.

»Hast du dir schon was Neues ausgedacht?«, erkundigte er sich.

Erika Berger legte ihre Lesebrille auf den Schreibtisch und schüttelte den Kopf. Sie stand auf, goss aus der Thermoskanne zwei Tassen Kaffee ein und setzte sich Mikael gegenüber.

»Christer und ich haben ein Konzept für das nächste Heft entwickelt. Wir nehmen zwei Artikel, die eigentlich für die übernächste Nummer gedacht waren, und haben ein paar Aufträge an freie Mitarbeiter vergeben. Es wird ein ziemlich heterogenes Heft ohne einen richtigen roten Faden.«

Sie schwiegen eine Weile.

»Hast du die Nachrichten gehört?«, fragte Erika.

Mikael schüttelte den Kopf.

»Nein. Ich weiß, was sie sagen werden.«

»Die Morde sind im Moment die Topnachricht. Gefolgt von einer Initiative der Zentrumspartei.«

»Was bedeutet, dass ansonsten nicht viel im Lande passiert ist.«

»Die Polizei hat die Namen von Dag und Mia noch nicht rausgegeben. Sie werden als ›anständiges junges Paar‹ beschrieben. Sie haben auch noch nichts davon verlauten lassen, dass du sie gefunden hast.«

»Ich schätze, dass die Polizei alles tut, um das geheim zu halten. Aber das ist ja immerhin auch ein Vorteil für uns.«

»Warum sollten sie das denn geheim halten?«

»Weil die Polizei grundsätzlich keinen Medienrummel mag. Ich habe einen gewissen Nachrichtenwert, also ist es der Polizei nur zu recht, wenn niemand weiß, dass ich sie gefunden habe. Ich würde mal sagen, bis heute Nacht oder morgen früh wird diese Information dann auch endlich durchgesickert sein.«

»So jung und schon so abgeklärt.«

»So jung sind wir nicht mehr, Ricky. Ich hab es mir gedacht, als ich in der Nacht von dieser Polizistin verhört wurde. Für mich sah sie aus, als ginge sie noch aufs Gymnasium.«

Erika lachte matt. Sie hatte zwar ein paar Stunden geschlafen, doch allmählich spürte auch sie die Müdigkeit. Bald würde sie die Chefredakteurin einer der größten Zeitungen des Landes sein. *Nein – das war jetzt nicht der richtige Zeitpunkt, um Mikael diese Neuigkeit mitzuteilen.*

»Henry Cortez hat vorhin angerufen. Der Leiter der Voruntersuchung, ein gewisser Ekström, hat um drei eine Pressekonferenz gegeben«, sagte sie.

»Richard Ekström?«

»Ja. Kennst du ihn?«

»Politikheini. Medienzirkus garantiert. Hier sind schließlich keine zwei Marktfrauen umgebracht worden. Diese Sache wird eine Mordspublicity kriegen.«

»Er behauptet jedenfalls, die Polizei verfolge gewisse Spuren und habe Hoffnung, den Fall rasch zu lösen. Aber im Großen und Ganzen hat er eigentlich gar nichts gesagt. Dafür war das Konferenzlokal aber voll bis unters Dach.«

Mikael zuckte die Achseln. Er rieb sich die Augen.

»Ich werde einfach Mias Bild nicht mehr los. Verdammt, ich hatte sie doch gerade erst kennengelernt.«

Erika nickte finster.

»Mir müssen abwarten. Irgend so ein beschissener Irrer ...«

»Ich weiß nicht. Ich hab schon den ganzen Tag darüber nachgedacht.«

»Was meinst du?«

»Mia wurde von der Seite erschossen. Ich hab das Eintrittsloch der Kugel seitlich am Hals gesehen ... und die Austrittswunde an der Stirn. Dag wurde frontal in die Stirn geschossen, die Austrittswunde ist am Hinterkopf. Soweit ich sehen konnte, wurden nur zwei Schüsse abgegeben. Das sieht mir nicht wirklich nach der Tat eines Wahnsinnigen aus.«

Erika betrachtete ihren Partner nachdenklich.

»Was willst du damit sagen?«

»Wenn es nicht die Tat eines Wahnsinnigen war, dann muss

es ein Motiv geben. Und je mehr ich darüber nachdenke, umso mehr hab ich das Gefühl, dass dieses Manuskript ein verdammt gutes Motiv abgibt.«

Mikael zeigte auf den Papierstapel auf Erikas Schreibtisch. Erika folgte seinem Blick. Dann sahen sie sich an.

»Das muss gar nichts mit dem Buch selbst zu tun haben. Vielleicht hatten sie einfach zu viel geschnüffelt und dabei Dinge herausgefunden ... ich weiß nicht. Irgendjemand fühlte sich vielleicht bedroht ...«

»... und hat einen Killer engagiert? Ach, Micke – so was gibt es nur in amerikanischen Filmen. In diesem Buch geht es um Freier. Dag nennt die Namen von Polizisten, Politikern und Journalisten. Sollte allen Ernstes einer von denen Dag und Mia ermordet haben?«

»Ich weiß es nicht, Ricky. Aber wir wollten in drei Wochen mit der radikalsten Veröffentlichung zum Thema Mädchenhandel in Druck gehen, die jemals in Schweden erschienen ist.«

In diesem Moment steckte Malin Eriksson ihren Kopf zur Tür herein und verkündete, ein Kriminalinspektor Bublanski wolle mit Mikael Blomkvist sprechen.

Bublanski schüttelte Erika Berger und Mikael Blomkvist die Hand und setzte sich auf den dritten Stuhl am Fenstertischchen. Er musterte Mikael und sah einen hohläugigen, unrasierten Menschen vor sich.

»Hat sich schon etwas Neues getan?«, wollte Mikael wissen.

»Vielleicht. Wenn ich das richtig verstanden habe, waren Sie es, der gestern Nacht das Paar in Enskede gefunden und auch die Polizei gerufen hat.«

Mikael nickte müde.

»Ich weiß, dass Sie in der Nacht schon eine Aussage gemacht haben, aber könnten Sie mir noch ein paar Details genauer erläutern?«

»Was wollen Sie wissen?«

»Wie kam es, dass Sie das Paar so spät am Abend noch besuchen wollten?«

»Das ist kein Detail, das ist ein ganzer Roman«, lächelte Mikael müde. »Ich war bei meiner Schwester zum Abendessen eingeladen – sie wohnt in dem Neubaugebiet am Stäket. Dag Svensson hat mich auf dem Handy angerufen und erklärt, dass er es am Gründonnerstag, also heute, nicht mehr in die Redaktion schaffen würde, wie wir vorher vereinbart hatten. Er sollte Bilder für meinen Kollegen Christer Malm abliefern. Der Grund war der, dass Mia und er beschlossen hatten, über Ostern zu ihren Eltern zu fahren, und sie wollten schon frühmorgens starten. Er fragte mich deshalb, ob es in Ordnung wäre, wenn er stattdessen morgens bei mir zu Hause vorbeifahren würde. Ich meinte, ich sei sowieso in der Nähe, also könnte ich auf dem Heimweg auch einfach bei ihm vorbeikommen und die Bilder mitnehmen.«

»Sie fuhren also nach Enskede, um Bilder abzuholen.«

Mikael nickte.

»Können Sie sich ein Motiv vorstellen, warum jemand das Paar Svensson und Bergman ermordet hat?«

Mikael und Erika tauschten einen Blick. Beide schwiegen.

»Was ist?«, hakte Bublanski nach.

»Wir haben heute natürlich schon über diese Frage gesprochen und sind uns uneinig. Oder eigentlich nicht uneinig – nur unsicher. Wir wollen nicht spekulieren.«

»Erzählen Sie's mir.«

Mikael setzte ihm den Inhalt von Dag Svenssons Buch auseinander. Bublanski schwieg eine Weile.

»Dag Svensson wollte in diesem Buch also Polizisten namentlich nennen?«

Ihm gefiel die Wendung, die dieses Gespräch genommen hatte, ganz und gar nicht. Er sah bereits vor sich, wie sich die Medien auf eine mögliche Verwicklung der Polizei förmlich stürzen würden.

»Nein«, berichtigte Mikael. »Dag Svensson wollte Verbrecher namentlich nennen, von denen einige zufällig Polizisten sind. Es gibt da durchaus auch ein paar Personen, die meiner Berufsgruppe angehören, nämlich Journalisten.«

»Und diese Informationen wollen Sie jetzt veröffentlichen?«

Mikael warf Erika einen Blick zu.

»Nein«, beschwichtigte sie. »Wir haben die laufenden Arbeiten für unser nächstes Heft heute komplett gestoppt. Wir werden höchstwahrscheinlich Dag Svenssons Buch veröffentlichen, aber das wird erst geschehen, wenn wir genau wissen, was passiert ist. Wie die Dinge momentan liegen, muss das Buch teilweise umgearbeitet werden. Wir haben nicht vor, die polizeilichen Ermittlungen im Mord an zwei Freunden zu sabotieren, wenn es das ist, was Ihnen Sorgen macht.«

»Ich muss einen Blick auf Dag Svenssons Schreibtisch werfen. Es könnte ein bisschen heikel werden mit einem Durchsuchungsbefehl, das ist hier ja immerhin eine Zeitungsredaktion.«

»Sie finden das gesamte Material in Dag Svenssons Laptop«, bemerkte Erika.

»Aha«, sagte Bublanski.

»Ich habe Svenssons Schreibtisch schon durchgesehen«, erklärte Mikael. »Ich habe ein paar Notizen entfernt, die anonyme Quellen identifizieren. Alles andere steht Ihnen zur vollen Verfügung, ich habe auch extra einen Zettel an den Tisch gehängt, dass nichts bewegt oder angefasst werden darf. Doch der Inhalt von Dag Svenssons Buch muss bis zur Veröffentlichung geheim bleiben. Wir möchten also nur sehr ungern, dass das Manuskript an die Polizei weitergegeben wird, vor allem weil ja auch der eine oder andere Polizist an den Pranger gestellt wird.«

Verdammt noch mal, dachte Bublanski. *Warum habe ich nicht gleich heute Morgen jemand hergeschickt?* Aber dann nickte er nur und ließ das Thema wieder fallen.

»In Ordnung. Wir haben da eine Person, die wir im Zusammenhang mit den Morden verhören wollen. Ich habe Grund zu der Annahme, dass Sie diese Person kennen. Ich würde gerne von Ihnen hören, was Sie über eine Frau namens Lisbeth Salander wissen.«

Mikael Blomkvist sah im ersten Moment aus wie ein personifiziertes Fragezeichen. Bublanski bemerkte, dass Erika Berger Mikael einen scharfen Blick zuwarf.

»Ich versteh gerade überhaupt nichts.«

»Sie kennen Lisbeth Salander?«

»Ja, ich kenne Lisbeth Salander.«

»Woher kennen Sie sie?«

»Warum fragen Sie?«

»Wie ich schon sagte, wir wollen sie im Zusammenhang mit den Morden vernehmen. Woher kennen Sie sie?«

»Aber ... das kann doch gar nicht sein. Lisbeth Salander hat überhaupt keine Verbindung zu Dag Svensson und Mia Bergman.«

»Das müssen wir in aller Ruhe klären«, antwortete Bublanski geduldig. »Aber zurück zu meiner Frage: Woher kennen Sie Lisbeth Salander?«

Mikael fuhr sich über die Bartstoppeln und rieb sich die Augen, während sich die Gedanken in seinem Kopf überschlugen. Schließlich sah er Bublanski in die Augen.

»Ich habe Lisbeth Salander vor zwei Jahren einmal für eine Recherche in einer ganz anderen Angelegenheit eingestellt.«

»Worum ging es da?«

»Glauben Sie mir einfach, dass es nicht das Allergeringste mit Dag Svensson und Mia Bergman zu tun hatte. Das war eine ganz andere Geschichte, die heute abgeschlossen ist.«

Bublanski mochte es überhaupt nicht, wenn jemand behauptete, es gebe Geheimnisse, die auch in Anbetracht von Mordermittlungen nicht gelüftet werden dürften, aber er entschied sich, die Sache bis auf Weiteres auf sich beruhen zu lassen.

»Wann haben Sie Lisbeth Salander zuletzt gesehen?«

Mikael überlegte.

»Im Herbst vor zwei Jahren hatte ich mit Lisbeth Salander regelmäßigen Umgang. Und zwar bis Weihnachten desselben Jahres, dann verschwand sie aus der Stadt. Danach habe ich sie überhaupt nicht mehr gesehen, bis letzte Woche.«

Erika Berger zog die Brauen hoch. Bublanski nahm an, dass ihr diese Tatsache neu war.

»Erzählen Sie mir von dieser Begegnung.«

Mikael holte tief Luft und beschrieb danach in knappen Worten die Geschehnisse vor ihrer Haustür in der Lundagatan. Bublanski lauschte ihm mit wachsender Verwunderung. Er fragte sich, ob Mikael fantasierte oder tatsächlich die Wahrheit sagte.

»Sie haben also nicht mit ihr gesprochen?«

»Nein, sie verschwand zwischen den Häusern im oberen Teil der Lundagatan. Ich habe ziemlich lange gewartet, aber sie ist nicht wieder aufgetaucht. Ich habe ihr einen Brief geschrieben und sie gebeten, sich bei mir zu melden.«

»Und Ihnen ist keine wie auch immer geartete Verbindung zwischen ihr und dem Paar in Enskede bekannt?

»Nein.«

»Können Sie die Person beschreiben, die sie überfallen hat?«

»Ich glaube nicht. Er griff sie an, sie wehrte sich und floh. Ich habe ihn aus zirka vierzig, fünfzig Metern Entfernung gesehen. Es war mitten in der Nacht und es war dunkel.«

»Waren Sie betrunken?«

»Nur ein klein wenig beschwipst. Der Mann war blond und hatte einen Pferdeschwanz. Er trug eine dunkle, kurze Jacke und hatte einen ziemlichen Bierbauch. Als ich die Treppen in der Lundagatan hochlief, hab ich ihn nur von hinten gesehen, aber als er mir den Schlag versetzte, glaube ich gesehen zu haben, dass er ein hageres Gesicht und helle, dicht beieinanderstehende Augen hatte.«

»Warum hast du mir das nicht früher erzählt?«, unterbrach Erika Berger.

Mikael zuckte mit den Schultern.

»Es lag ein Wochenende dazwischen, und du bist für diese blöde Talkrunde nach Göteborg gefahren. Bis Montag warst du weg, und am Dienstag haben wir uns nur ganz kurz gesehen. Es ist einfach unter den Tisch gefallen.«

»Aber im Licht der Ereignisse von Enskede ... Sie haben auch der Polizei nichts gesagt«, stellte Bublanski fest.

»Warum hätte ich das tun sollen? Genauso gut hätte ich Ihnen erzählen können, dass ich vor einem Monat diesen Taschendieb erwischt habe, der mich in der U-Bahn beklauen wollte. Es gibt nicht die geringste Verbindung zwischen der Lundagatan und den Ereignissen in Enskede.«

»Aber Sie haben auch keine Anzeige erstattet?«

»Nein.« Mikael zögerte kurz. »Lisbeth Salander legt großen Wert auf ihre Privatsphäre. Ich hatte zwar überlegt, ob ich zur Polizei gehen soll, fand dann aber, dass es ihre Sache war, den Überfall anzuzeigen. Ich wollte auf jeden Fall zuerst mit ihr reden.«

»Was Sie aber nicht getan haben.«

»Wie gesagt, ich hatte sie schon lange nicht mehr gesprochen.«

»Warum ist Ihr ... wenn Verhältnis das richtige Wort ist, warum ist es zu Ende gegangen?«

Mikael wählte seine Worte mit Bedacht.

»Sie ist ein sehr einsamer und eigenwilliger Mensch. Sozial sehr zurückhaltend. Sie spricht äußerst ungern über sich selbst. Gleichzeitig ist sie aber auch ein Mensch mit einem starken Willen. Sie hat Moral.«

»Moral?«

»Ja. Eine ganz eigene Moral. Sie könnten sie niemals dazu bringen, irgendetwas gegen ihren Willen zu tun. In ihrer Welt sind die Dinge sozusagen entweder richtig oder falsch.«

Bublanski dachte, dass Mikael Blomkvist sie genauso beschrieb wie Dragan Armanskij. Zwei Männer, die sie näher gekannt hatten, schätzten sie genau gleich ein.

»Kennen Sie Dragan Armanskij?«, wollte Bublanski wissen.

»Wir sind uns ein paarmal begegnet. Ich bin letztes Jahr mal ein Bier mit ihm trinken gegangen, als ich rausfinden wollte, wohin Lisbeth verschwunden ist.«

»Sie kann gut recherchieren?«, vergewisserte sich Bublanski.

»Besser als jeder andere«, versicherte Mikael.

Bublanski trommelte mit den Fingern auf die Tischplatte und blickte durchs Fenster auf den Menschenstrom in der Götgatan hinunter. Er war hin und her gerissen. Die rechtspsychiatrischen Unterlagen, die Hans Faste vom Vormundschaftsgericht mitgebracht hatte, behaupteten, Lisbeth Salander sei ein psychisch gestörter und gewaltbereiter Mensch. Die Antworten, die er von Dragan Armanskij und Mikael Blomkvist bekommen hatte, wichen von dem Bild, das die Psychiater nach mehrjährigen Studien in ihren Gutachten gezeichnet hatten, gewaltig ab. Beide beschrieben sie als sonderbaren Menschen, aber beide hatten auch eine Spur von Bewunderung in der Stimme.

Außerdem verwendete Blomkvist den Ausdruck, er habe eine ganze Weile mit ihr »Umgang gehabt« – was auf eine sexuelle Verbindung hindeutete. Bublanski überlegte, was für Regeln diesbezüglich für Personen mit rechtlicher Betreuung galten. Hatte Blomkvist sich am Ende irgendeines Übergriffs schuldig gemacht, als er diese in einem Abhängigkeitsverhältnis stehende Person missbrauchte?

»Und wie haben Sie ihr soziales Handicap erlebt?«, fragte er weiter.

»Handicap?«, wiederholte Mikael ungläubig.

»Ihre rechtliche Betreuung und ihre psychischen Probleme.«

»Rechtliche Betreuung?«, echote Mikael.

»Psychische Probleme?«, echote Erika Berger.

Bublanski blickte verblüfft zwischen Mikael und Erika hin und her. *Sie wissen es nicht. Sie wissen es wirklich nicht.* Bublanski verspürte auf einmal eine Spur von Gereiztheit gegenüber Armanskij und Blomkvist und vor allem Erika Berger mit ihrer eleganten Kleidung und ihrem mondänen Büro mit Aussicht auf die Götgatan. Aber er ließ seine Gereiztheit an Mikael aus.

»Es will mir einfach nicht in den Kopf, warum Sie und Armanskij mich für dumm verkaufen wollen«, sagte er.

»Wie bitte?«

»Lisbeth Salander ist seit dem Teenageralter Dauergast in der Psychiatrie«, erklärte Bublanski. »Eine rechtspsychiatrische Untersuchung und ein Gerichtsbeschluss haben daraufhin festgestellt, dass sie nicht in der Lage ist, sich selbst um ihre Angelegenheiten zu kümmern. Sie wurde unter rechtliche Betreuung gestellt. Sie hat erwiesenermaßen eine gewalttätige Veranlagung und schon ihr ganzes Leben Ärger mit den Behörden. Jetzt ist sie in höchstem Maße verdächtig ... in diesen Doppelmord verwickelt zu sein. Und Sie und Armanskij sprechen von ihr wie von einer Prinzessin.«

Mikael Blomkvist starrte Bublanski schweigend an.

»Ich will es so ausdrücken«, fuhr Bublanski fort. »Wir haben eine Verbindung zwischen Lisbeth Salander und dem Paar in Enskede gesucht. Wie sich herausgestellt hat, sind Sie diese Verbindung, denn Sie haben die beiden ja gefunden. Wollen Sie das irgendwie kommentieren?«

Mikael lehnte sich zurück. Er schloss die Augen und versuchte, die Neuigkeiten zu ordnen. Lisbeth Salander verdächtig im Mordfall Dag und Mia. *Das kann nicht sein. Das passt überhaupt nicht zusammen. War sie zu einem Mord fähig?* Plötzlich sah er vor seinem inneren Auge ihren Gesichtsausdruck, als sie vor zwei Jahren mit einem Golfschläger auf Martin Vanger losgegangen war. *Sie hätte ihn ohne zu zögern getötet. Sie hat es nur nicht getan, weil sie mein Leben retten musste.* Er fasste sich automatisch an den Hals, wo Martin Vangers Würgeschlinge gesessen hatte. Aber Dag und Mia ... *das passt einfach nicht zusammen.*

Er war sich der Tatsache bewusst, dass Bublanski ihn scharf beobachtete. Wie schon Armanskij musste auch er sich entscheiden. Früher oder später war er dazu gezwungen, wenn Lisbeth Salander des Mordes angeklagt wurde. Schuldig oder unschuldig?

Bevor er etwas sagen konnte, klingelte das Telefon auf Erikas Schreibtisch. Sie meldete sich und reichte den Hörer dann an Bublanski weiter.

»Irgendein Hans Faste will Sie sprechen.«

Bublanski griff nach dem Hörer und hörte aufmerksam zu. Mikael und Erika konnten verfolgen, wie sich sein Gesichtsausdruck veränderte.

»Wann gehen sie rein?«

Stille.

»Wie ist die Adresse noch mal ...? Lundagatan ... Okay, ich bin ganz in der Nähe, ich komme gleich hin.«

Bublanski stand hastig auf.

»Entschuldigen Sie, ich muss das Gespräch abbrechen. Salanders derzeitiger Betreuer ist erschossen aufgefunden worden. Sie ist jetzt offiziell zur Fahndung ausgeschrieben und in Abwesenheit verhaftet wegen Mordverdachts in drei Fällen.«

Erika Berger bekam den Mund nicht mehr zu. Mikael Blomkvist sah aus, als hätte ihn gerade der Blitz getroffen.

Taktisch gesehen war es relativ unkompliziert, die Wohnung in der Lundagatan zu stürmen. Hans Faste und Curt Svensson lehnten sich gegen den Kühler ihres Autos und warteten, während das Einsatzkommando in voller Bewaffnung das Treppenhaus besetzte und das Hinterhaus einnahm.

Zehn Minuten später hatte man festgestellt, was Faste und

Svensson auch schon wussten: Wenn man an der Tür klingelte, machte niemand auf.

Hans Faste blickte die Lundagatan hinunter, die zum großen Ärger der Insassen des 66er-Busses vom Zinkensdamm bis zur Högalidskirche gesperrt war. Ein Bus war innerhalb der Straßensperren gefangen und konnte nicht vor und nicht zurück. Schließlich ging Faste hinüber und befahl einem Polizisten, zur Seite zu treten und den Bus passieren zu lassen. Eine Schar neugieriger Zuschauer beobachtete die Geschehnisse vom oberen Abschnitt der Lundagatan aus.

»Das muss doch auch einfacher gehen«, meinte Faste.

»Einfacher als was?«, fragte Svensson.

»Als ein ganzes Sonderkommando einzusetzen, um einen Bus aufzuhalten.«

Curt Svensson enthielt sich eines Kommentars.

»Und das alles wegen einer 1 Meter 50 großen Tussi, die um die 40 Kilo wiegt«, fuhr Faste fort.

Man hatte beschlossen, dass es nicht nötig war, die Tür einzuschlagen. Bublanski stieß zum Einsatzkommando hinzu, als sie auf den Schlosser warteten, der das Schloss aufbohren und die Truppe in die Wohnung lassen sollte. Es dauerte ungefähr acht Sekunden, die 45 Quadratmeter große Wohnung in Augenschein zu nehmen und festzustellen, dass Lisbeth Salander sich weder unter dem Bett noch im Badezimmer oder in irgendeinem Kleiderschrank versteckte. Bublanski bekam grünes Licht und trat ebenfalls ein.

Die drei Polizisten sahen sich neugierig in der tadellos aufgeräumten und geschmackvoll eingerichteten Wohnung um. Die Möbel waren einfach. Die Küchenstühle waren in verschiedenen Pastelltönen lackiert. An den Wänden hingen gerahmte schwarz-weiße Kunstfotografien. Im Flur stand ein Regal mit einem CD-Player und einer großen CD-Sammlung. Bublanski stellte fest, dass von Hardrock bis Oper alles vertreten war. Alles wirkte dekorativ und geschmackvoll.

Curt Svensson inspizierte die Küche, ohne jedoch etwas Bemerkenswertes zu finden. Er sah einen Zeitungsstapel durch und untersuchte die Spüle, den Küchenschrank und das Gefrierfach im Kühlschrank.

Faste öffnete Kleiderschränke und Schreibtischschubladen im Schlafzimmer. Er pfiff leise, als er Handschellen und Sexspielzeug fand. In einem Schrank stieß er auf eine Garnitur Latexkleider von der Sorte, die seiner Mutter beim bloßen Anblick die Schamesröte ins Gesicht treiben würde.

»Hier geht's ja lustig zu«, sagte er laut und hielt ein Lackkleid hoch, das laut Etikett von »Domino Fashion« designt war – was auch immer das sein mochte.

Bublanski überprüfte die Kommode im Flur und fand einen kleinen Stapel ungeöffneter Briefe, die an Lisbeth Salander adressiert waren. Er sah sie durch und stellte fest, dass es sich um Rechnungen und Kontoauszüge sowie einen einzigen persönlichen Brief handelte. Er stammte von Mikael Blomkvist. Dann stimmte Blomkvists Geschichte also womöglich. Bublanski bückte sich und hob die Post auf, über die das Einsatzkommando vorher hinweggetrampelt war: die Zeitschrift *Thai Pro Boxing*, das kostenlose Anzeigenblatt *Södermalmsnytt* und drei Briefe, die samt und sonders an Miriam Wu adressiert waren.

Bublanski kam ein unguter Verdacht. Er ging ins Bad und machte den Badezimmerschrank auf. Darin fand er eine Schachtel Alvedon und eine halb volle Tube Citodon. Citodon war rezeptpflichtig. Auf dem Aufkleber der Apotheke war der Name Miriam Wu vermerkt. Und daneben noch eine einzelne Zahnbürste.

»Faste, warum steht da eigentlich ›Salander – Wu‹ an der Tür?«, fragte er.

»Keine Ahnung«, gab Faste zurück.

»Okay, dann frage ich anders: Warum liegt im Flur Post, die an eine Miriam Wu adressiert ist, und warum haben wir hier eine rezeptpflichtige Tube Citodon im Badezimmerschrank, die einer Miriam Wu verschrieben worden ist? Und warum – wenn man bedenkt, dass Lisbeth Salander ausgesprochen klein ist – sehen diese Lederhosen, die Sie da in der Hand halten, so aus, als könnten sie einer Person passen, die mindestens 1 Meter 75 groß ist?«

In der Wohnung machte sich kurzes, verlegenes Schweigen breit. Curt Svensson brach es schließlich.

»Mist«, sagte er.

15. Kapitel

Gründonnerstag, 24. März

Christer Malm fühlte sich müde und elend, als er nach dem unerwarteten Arbeitstag endlich nach Hause kam. Er roch den Duft von stark gewürztem Essen, ging in die Küche und umarmte seinen Freund.

»Wie fühlst du dich?«, fragte Arnold Magnusson.

»Wie ein Haufen Scheiße«, gab Christer zu.

»Ich hab's den ganzen Tag über in den Nachrichten gehört. Die Namen haben sie noch nicht genannt. Aber das klingt ja wirklich übel.«

»Ist auch wirklich übel. Dag hat für uns gearbeitet. Er war ein Freund, und ich mochte ihn furchtbar gerne. Seine Freundin Mia kannte ich zwar nicht, aber Micke und Erika haben sie kennengelernt.«

Christer sah sich in der Küche um. Sie hatten die Wohnung in der Allhelgonagatan erst vor drei Monaten gekauft, doch plötzlich kam sie ihm ganz fremd vor.

Das Telefon klingelte. Christer und Arnold tauschten einen Blick und beschlossen, den Anruf zu ignorieren. Der Anrufbeantworter sprang an, und sie hörten eine wohlbekannte Stimme.

»Christer? Bist du da? Geh doch bitte ran!«

Es war Erika Berger, die Christer mitteilen wollte, dass die

Polizei nun Mikael Blomkvists ehemalige Researcherin wegen der Morde an Dag und Mia jagte.

Christer kam alles unwirklich vor.

Henry Cortez hatte den Tumult in der Lundagatan völlig verpasst, weil er die ganze Zeit vor dem Pressezentrum der Polizei in Kungsholmen gewartet hatte. Doch seit der kurzen Pressekonferenz am früheren Nachmittag hatte sich nichts Neues ergeben. Henry war müde, hungrig und mürrisch, weil er von allen Leuten, mit denen er zu reden versucht hatte, abgewiesen worden war. Erst gegen sechs, als man Lisbeth Salanders Wohnung bereits gestürmt hatte, kam ihm das Gerücht zu Ohren, die Polizei habe mittlerweile einen Verdächtigen. Schmählicherweise bekam er diese Information vom Kollegen einer Abendzeitung, der in engerem Kontakt mit seiner Redaktion stand. Wenig später gelang es Henry endlich, die private Handynummer von Richard Ekström herauszufinden.

»Von welcher Zeitung, sagten Sie?«, fragte Richard Ekström zurück.

»Von der Zeitschrift *Millennium*. Ich kannte eines der beiden Mordopfer. Eine meiner Quellen hat mir mitgeteilt, dass die Polizei nach einer ganz bestimmten Person fahndet. Was geht da vor?«

»Das kann ich Ihnen leider noch nicht sagen.«

»Wann können Sie es mir sagen?«

»Wir werden heute Abend vielleicht noch eine Pressekonferenz abhalten.«

Der Staatsanwalt hörte sich vage an. Henry Cortez zupfte an seinem goldenen Ohrring.

»Die Pressekonferenzen sind für die Journalisten der Tageszeitungen, die unmittelbar in Druck gehen können. Ich arbeite für eine Monatszeitschrift, und außerdem haben wir ein persönliches Interesse daran, zu erfahren, was geschehen ist.«

»Ich kann Ihnen nicht weiterhelfen. Sie müssen sich gedulden, so wie alle anderen.«

»Laut meinen Quellen fahndet man nach einer Frau. Wer ist sie?«

»Ich kann darüber nicht sprechen.«

»Können Sie dementieren, dass nach einer Frau gefahndet wird?«

»Ich dachte, ich hätte mich deutlich genug ausgedrückt!«

Kriminalinspektor Jerker Holmberg stand auf der Schwelle zum Schlafzimmer und betrachtete nachdenklich den riesigen Blutfleck auf dem Boden – an der Stelle, wo Mia Bergman gefunden worden war. Wenn er sich umdrehte, konnte er von der Tür aus den entsprechenden Blutfleck sehen, wo Dag Svensson gelegen hatte. Er dachte über den großen Blutverlust der Opfer nach. In Anbetracht der Schussverletzungen war das wesentlich mehr Blut, als zu erwarten gewesen wäre, was darauf hindeutete, dass die Munition, die hier verwendet worden war, schreckliche Verletzungen verursacht hatte. Vermutlich hatte Kommissar Mårtensson mit seiner Annahme recht gehabt, dass der Mörder Jagdmunition verwendet hatte. Das Blut war zu einer schwarzen und rostbraunen Masse geronnen, die so viel vom Boden bedeckte, dass die Notärzte und die Leute von der Spurensicherung es gar nicht vermeiden konnten, hineinzutreten und in der ganzen Wohnung ihre Spuren zu hinterlassen. Holmberg selbst trug Sportschuhe mit blauen Plastiküberziehern.

Seiner Meinung nach ging erst jetzt die richtige Untersuchung des Tatorts los. Die sterblichen Überreste der beiden Opfer waren aus der Wohnung getragen worden. Nachdem zwei Techniker ihm eine gute Nacht gewünscht hatten und gegangen waren, war Jerker Holmberg allein. Sie hatten die Opfer fotografiert, die Blutspritzer an den Wänden vermessen und sich über die *splatter distribution areas* und die *droplet velocity* unterhalten. Holmberg wusste, was diese Ausdrücke bedeuteten, aber er schenkte der technischen Untersuchung nur zerstreutes Interesse. Die Arbeit der Kriminaltechniker würde zu einem umfassenden Bericht führen, in dem detailliert aufgeführt war, wo und in welchem Abstand der Mörder und die Opfer gestanden hatten, in welcher Reihenfolge die Schüsse gefallen waren und welche Fingerabdrücke von Interesse sein könnten. Aber für Jerker Holmberg war das alles uninteressant. Die kriminaltechnische Untersuchung würde keine Silbe über das Motiv und die Identität des Mörders enthalten. Das waren die Fragen, um deren Beantwortung er sich bemühen musste.

Jerker Holmberg ging ins Schlafzimmer. Er legte eine abgewetzte Aktentasche auf einen Stuhl und zog ein Diktiergerät, eine Digitalkamera und einen Notizblock heraus.

Er begann seine Arbeit damit, die Schubladen der Kommode hinter der Schlafzimmertür aufzuziehen. Die zwei obersten enthielten Unterwäsche, Pullis und ein Schmuckkästchen, das wohl Mia Bergman gehört haben musste. Er breitete alle Gegenstände auf dem Bett aus und untersuchte auch das Schmuckkästchen sorgfältig, stellte jedoch bald fest, dass sich nichts wirklich Wertvolles darin fand. In der untersten Schublade stieß er auf zwei Fotoalben und zwei Ordner mit Papieren, die die finanziellen Angelegenheiten der Opfer betrafen. Er schaltete sein Diktiergerät ein.

»Beschlagnahmungsprotokoll Björneborgsvägen 8b. Schlafzimmer, unterste Kommodenschublade. Zwei gebundene Fotoalben in DIN-A4-Format. Ein Ordner mit schwarzem Rücken mit der Beschriftung ›Haushalt‹ und ein Ordner mit blauem Rücken mit der Beschriftung ›Käufe‹, die Angaben zu Krediten und Ratenzahlungen für die Wohnung enthalten. Ein kleiner Karton mit handgeschriebenen Briefen, Postkarten und persönlichen Gegenständen.«

Er trug die Gegenstände in den Flur und legte sie in einen

Koffer. Dann arbeitete er sich durch die Schubladen der Nachtkästchen, fand aber nichts von Interesse. Er öffnete die Kleiderschränke, sah die Kleider durch und fühlte in jeder Tasche und auch in den Schuhen nach, ob jemand etwas darin vergessen oder versteckt haben könnte. Dann wandte er sein Interesse den oberen Fächern des Kleiderschranks zu. Er öffnete sämtliche Kartons und Schächtelchen. In regelmäßigen Abständen stieß er dabei auf Papiere oder Gegenstände, die er aus unterschiedlichen Gründen ins Beschlagnahmungsprotokoll aufnahm.

In eine Ecke des Schlafzimmers hatte man noch einen Schreibtisch gequetscht. Ein winziger Heimarbeitsplatz mit einem Computer der Marke Compaq und einem alten Monitor. Unter dem Tisch stand ein kleiner Rollcontainer, daneben befand sich eine niedrige Ablage. Jerker Holmberg wusste, dass er die wichtigsten Funde höchstwahrscheinlich am Arbeitsplatz machen würde – wenn es denn überhaupt etwas zu finden gab – und hob sich den Schreibtisch bis zum Schluss auf. Stattdessen ging er ins Wohnzimmer und setzte dort seine Untersuchung des Tatorts fort. Er machte den Wohnzimmerschrank auf und ging jede Schublade und jedes Fach durch. Dann wandte er sich dem großen Bücherregal in der Ecke zu. Er holte sich einen Stuhl und sah erst mal nach, ob oben auf dem Bücherregal irgendetwas versteckt war. Danach ging er jedes Fach einzeln durch und zog die Bücher stoßweise heraus, um zu prüfen, ob man etwas dahinter gesteckt hatte. Nach fünfundvierzig Minuten stellte er das letzte Buch ins Regal zurück. Auf dem Wohnzimmertisch lag ein kleiner Stapel Bücher. Er schaltete sein Diktiergerät wieder ein.

»Ein Buch von Mikael Blomkvist, *Der Bankier der Mafia*. Ein Buch auf Deutsch mit dem Titel *Der Staat und die Autonomen*, ein Buch auf Schwedisch mit dem Titel *Revolutionärer Terrorismus* sowie das englische Buch *Islamic Jihad*.«

Das Buch von Mikael Blomkvist nahm er allein deswegen

auf, weil der Verfasser eine Person war, die schon in der Voruntersuchung aufgetaucht war. Die drei anderen kamen ihm verdächtig vor. Jerker Holmberg hatte keine Ahnung, ob die Morde politisch motiviert sein könnten – er besaß keine Informationen, ob Dag Svensson und Mia Bergman überhaupt politisch engagiert gewesen waren oder ob die Bücher nur ihr allgemeines politisches Interesse widerspiegelten. Er stellte jedoch fest, dass es zumindest der Erwähnung wert war, wenn in einem Zimmer mit Literatur über politischen Terrorismus zwei Menschen tot aufgefunden wurden. Also legte er die Bücher ebenfalls in den Koffer mit den beschlagnahmten Gegenständen.

Danach sah er ein paar Minuten die Schubladen einer abgestoßenen antiken Kommode durch. Darauf stand ein CD-Player, und in den Schubladen fand sich eine große CD-Sammlung. Jerker Holmberg verbrachte eine halbe Stunde damit, jede einzelne Hülle aufzumachen und zu überprüfen, ob der Inhalt mit dem Booklet übereinstimmte. Er fand ungefähr zehn CDs ohne Aufdruck, die vermutlich selbst gebrannt waren. Er hörte sie der Reihe nach an, stellte aber fest, dass nur Musik darauf war. Eine geraume Weile konzentrierte er sich dann auf das Fernsehtischchen neben der Schlafzimmertür, das auch eine große Videosammlung enthielt. Er spielte mehrere Kassetten an. Hier fand sich alles Mögliche vom Actionfilm über aufgezeichnete Nachrichtensendungen bis hin zu Reportagen diverser Nachrichtenmagazine. Er nahm 36 Kassetten in sein Beschlagnahmungsprotokoll auf. Anschließend ging er in die Küche, goss sich einen Kaffee aus seiner Thermoskanne ein und machte eine kurze Pause, bevor er weiterarbeitete.

Einem Fach im Küchenschrank entnahm er mehrere Dosen und Fläschchen, die anscheinend die Hausapotheke darstellten. Er steckte sie allesamt in eine Plastiktüte, die er zu den anderen beschlagnahmten Gegenständen legte. Er nahm Lebensmittel aus Speisekammer und Kühlschrank und machte jede Dose, jedes Paket Kaffee und jede geöffnete Flasche auf.

In einem Blumentopf auf dem Fensterbrett fand er 1 220 Kronen und verschiedene Quittungen. Er nahm an, dass hier das Geld für Lebensmitteleinkäufe und andere alltägliche Besorgungen verwahrt wurde. Aus dem Badezimmer nahm er nichts mit. Er bemerkte jedoch, dass der Wäschekorb randvoll war, und sah die Kleidungsstücke durch. An der Flurgarderobe nahm er sich die Jacken und Mäntel vor und kontrollierte jede Tasche.

In der Innentasche eines Sakkos fand er Dag Svenssons Brieftasche und fügte sie seinem Beschlagnahmungsprotokoll hinzu. Darin fanden sich eine Jahreskarte des Fitnesscenters Friskis & Svettis, eine Kreditkarte der Handelsbank und knapp 400 Kronen in bar. Dann sortierte er ein paar Minuten lang den Inhalt von Mia Bergmans Handtasche. Auch sie besaß eine Jahreskarte für Friskis & Svettis, eine EC-Karte, eine Kundenkarte der Supermarktkette Konsum sowie eine Mitgliedskarte des sogenannten Klub Horisont, der eine Erdkugel als Logo führte. Außerdem entdeckte er 2 500 Kronen in bar – ziemlich viel Geld, aber durchaus erklärbar, da sie ja am nächsten Tag in Urlaub fahren wollten. Da das Geld noch in der Brieftasche steckte, verringerte sich die Wahrscheinlichkeit, es könnte sich um einen Raubmord gehandelt haben.

»Aus Mia Bergmans Handtasche von der Garderobe im Flur. Ein Taschenkalender vom Typ ProPlan, ein separates Adressbuch und ein gebundenes schwarzes Notizbuch.«

Holmberg gönnte sich noch eine Kaffeepause und merkte, dass er seltsamerweise (noch) nichts Peinliches oder Intimes im Zuhause des Paares Svensson-Bergman gefunden hatte. Keine versteckten Sexhilfsmittelchen, keine sündige Unterwäsche oder eine Kommodenschublade mit Pornofilmen. Er hatte keine verborgenen Joints oder irgendein Zeichen für kriminelle Tätigkeiten entdeckt. Die beiden schienen ein ganz gewöhnliches Vorortpaar gewesen zu sein, vielleicht (aus polizeilicher Sicht) ein bisschen langweiliger als normal.

Schließlich kehrte Holmberg ins Schlafzimmer zurück und setzte sich an den Schreibtisch. Er zog die oberste Schublade auf und sortierte eine Stunde lang Papiere. Schnell stellte er fest, dass der Schreibtisch und das Regal umfassendes Quellen- und Referenzmaterial für Mia Bergmans Doktorarbeit *From Russia with Love* enthielt. Alles war fein säuberlich geordnet, wie in einem guten Ermittlungsbericht, und in gewissen Textabschnitten las er sich prompt eine Weile fest. Mia Bergman hätte gut in unsere Abteilung gepasst, dachte er sich. Ein Teil des Bücherregals war halb leer und enthielt anscheinend Material, das Dag Svensson gehörte. Es waren vor allem Zeitungsausschnitte mit eigenen Artikeln oder Ausschnitte zu Themen, die ihn interessiert hatten.

Er beschäftigte sich eine ganze Weile mit dem Inhalt des Computers und stellte fest, dass er fast 5 GB umfasste: von Software über Briefe bis hin zu gespeicherten Artikeln und PDF-Dateien. Mit anderen Worten, nichts, was er heute Abend lesen wollte. Er beschlagnahmte den ganzen Computer und die verstreuten CDs sowie ein ZIP-Drive mit ungefähr dreißig ZIP-Discs.

Danach blieb er eine Weile vor dem Schreibtisch sitzen und grübelte vor sich hin. Der Computer enthielt, soweit er das beurteilen konnte, nur Material von Mia Bergman. Dag Svensson war Journalist gewesen und brauchte einen Computer als wichtigstes Arbeitswerkzeug, doch dieser Compaq im Schlafzimmer hatte nicht einmal E-Mail. Also musste Svensson noch einen anderen Computer benutzt haben. Jerker Holmberg stand auf und schritt nachdenklich durch die Wohnung. Im Korridor stand ein schwarzer Rucksack von Dag Svensson mit ein paar Notizbüchern und einem leeren Fach für einen Laptop. Doch einen Laptop konnte er nirgends in der Wohnung entdecken. Er nahm die Schlüssel und ging auf den Hof, wo er Mia Bergmans Auto untersuchte. Danach sah er sich das Kellerabteil der beiden an. Auch dort kein Laptop zu finden.

Das Merkwürdige an diesem Hund war, dass er nicht bellte, mein lieber Watson.

Er stellte fest, dass im Beschlagnahmungsprotokoll wohl bis auf Weiteres kein Laptop auftauchen würde.

Bublanski und Faste trafen Staatsanwalt Ekström gegen halb sieben in seinem Arbeitszimmer, kurz nachdem sie von der Lundagatan zurückgekommen waren. Curt Svensson hatte man angerufen und ihm aufgetragen, Mia Bergmans Doktorvater an der Universität Stockholm aufzusuchen. Jerker Holmberg war immer noch in Enskede und Sonja Modig für die Untersuchung des Tatorts am Odenplan verantwortlich. Es waren knapp zehn Stunden vergangen, seit man Bublanski zum Fahndungsleiter ernannt hatte, und sieben Stunden, seit die Jagd auf Lisbeth Salander eröffnet worden war. Bublanski fasste zusammen, was sich in der Lundagatan abgespielt hatte.

»Und wer ist Miriam Wu?«, wollte Ekström wissen.

»Wir wissen noch nicht viel von ihr. Im Strafregister taucht sie jedenfalls nicht auf. Hans Faste soll sie bis morgen früh ausfindig machen.«

»Und Salander hält sich nicht in der Lundagatan auf?«

»Es gibt nichts, was darauf hindeutet, dass sie dort wohnen würde. Jedenfalls hat alles, was dort im Kleiderschrank hängt, die falsche Größe.«

»Und was für Klamotten!«, fügte Hans Faste hinzu.

»Was meinen Sie damit?«, erkundigte sich Ekström.

»Das sind nicht unbedingt die Kleider, die man zum Muttertag verschenken würde.«

»Wir wissen momentan noch nichts über Miriam Wu«, sagte Bublanski.

»Zum Teufel noch mal, was müssen wir da schon groß wissen? Sie hat einen ganzen Schrank voller Nuttenuniformen.«

»Nuttenuniformen?«, echote Ekström verblüfft.

»Leder und Lack und Korsetts und Fetischklamotten und

Sexspielzeug und so weiter. Das Zeug sah auch nicht gerade billig aus.«

»Sie meinen also, dass Miriam Wu eine Prostituierte ist?«

»Wir wissen momentan noch gar nichts über Miriam Wu«, wiederholte Bublanski mit Nachdruck.

»Der Bericht des Sozialamts vor ein paar Jahren deutete an, dass Lisbeth Salander als Prostituierte tätig war«, entgegnete Ekström.

»Und die Leute vom Sozialamt wissen normalerweise, wovon sie reden«, ergänzte Faste.

»Dem Bericht des Sozialamts liegen weder Verhaftungen noch Ermittlungen zugrunde«, protestierte Bublanski. »Salander wurde im Alter von 16, 17 Jahren in Tantolunden aufgegriffen, wo sie sich in Gesellschaft eines bedeutend älteren Mannes befand. Im selben Jahr wurde sie noch einmal wegen Trunkenheit verhaftet. Auch da in Gesellschaft eines älteren Mannes.«

»Sie meinen, wir sollten keine übereilten Schlüsse ziehen«, sagte Ekström. »Okay. Aber es springt doch ins Auge, dass es in Mia Bergmans Doktorarbeit um Mädchenhandel und Prostitution geht. Es besteht also durchaus die Möglichkeit, dass sie durch ihre Arbeit Kontakt mit Lisbeth Salander und dieser Miriam Wu bekommen hat. Vielleicht ging irgendeine Provokation dem Mord voraus.«

»Bergman hat vielleicht Kontakt zu ihrem Betreuer aufgenommen und dabei einiges in Bewegung gesetzt«, schlug Faste vor.

»Schon möglich«, sagte Bublanski. »Aber das müssen die Ermittlungen ans Tageslicht bringen. Das Wichtigste ist jetzt, dass wir Lisbeth Salander finden. Offensichtlich wohnt sie ja nicht mehr in der Lundagatan. Das bedeutet, dass wir auch Miriam Wu ausfindig machen und fragen müssen, wie sie in der Wohnung gelandet ist und was sie für eine Beziehung zu Lisbeth Salander hat.«

»Und wie finden wir Salander?«

»Sie ist irgendwo da draußen. Dummerweise ist die Lundagatan die einzige Adresse, wo sie jemals gemeldet war. Es liegt keine Adressänderung vor.«

»Sie vergessen, dass sie auch schon in St. Stefans und bei diversen Pflegeeltern gewohnt hat.«

»Das vergesse ich nicht.« Bublanski sah in seinen Papieren nach. »Als sie 15 war, hatte sie drei verschiedene Pflegefamilien. Das lief nicht besonders gut. Vom 16. bis zum 18. Lebensjahr wohnte sie bei einem Paar in Hägersten. Fredrik und Monika Gullberg. Curt Svensson besucht die beiden heute Abend noch, sobald er mit Mias Doktorvater fertig ist.«

Um sieben Uhr abends herrschte finstere Stimmung in Erika Bergers Büro. Mikael Blomkvist saß schweigend und fast reglos auf seinem Stuhl, seit Kriminalinspektor Bublanski gegangen war. Malin Eriksson war mit dem Rad in die Lundagatan gefahren, um die Aktion des Einsatzkommandos im Auge zu behalten. Als sie zurückkam, berichtete sie, dass anscheinend niemand festgenommen worden und die Straße wieder für den Verkehr freigegeben war. Henry Cortez meinte gehört zu haben, dass die Polizei nach einer nicht namentlich bekannten Frau fahndete. Erika erklärte ihm, um welche Frau es sich handelte.

Dann besprach sie mit Malin, was als Nächstes zu tun war, aber sie kamen zu keinem vernünftigen Ergebnis. Die Situation wurde noch komplizierter, weil Mikael und Erika wussten, was für eine Rolle Lisbeth Salander in der Wennerström-Affäre gespielt hatte – sie war in ihrer Eigenschaft als Weltklassehackerin Mikaels anonyme Quelle gewesen. Malin Eriksson wusste von alldem nichts. Sie hatte den Namen Lisbeth Salander bis jetzt noch nie gehört. Weshalb im Gespräch immer wieder geheimnisvolle Pausen entstanden.

»Ich gehe nach Hause«, verkündete Mikael plötzlich und stand auf. »Ich bin so müde, dass ich nicht mehr klar denken kann. Ich muss schlafen.«

Er sah Malin an.

»Wir haben viel zu tun. Morgen ist Karfreitag, da möchte ich bloß ausschlafen und ein paar Papiere sortieren. Malin, kannst du über Ostern arbeiten?«

»Habe ich denn eine Wahl?«

»Nein, eigentlich nicht. Am Samstag um zwölf fangen wir an. Was hältst du davon, wenn wir uns bei mir zu Hause hinsetzen statt hier in der Redaktion?«

»Okay.«

»Ich würde die Auftragsbeschreibung von heute Morgen gerne erweitern. Es reicht nicht mehr, dass wir nur herauszufinden versuchen, ob Dag Svenssons Enthüllungsreport etwas mit dem Mord zu tun hatte. Jetzt müssen wir auch herausfinden, wer Dag und Mia umgebracht hat.«

Malin fragte sich, wie sie das schaffen sollten, sagte aber nichts. Mikael winkte ihr und Erika zum Abschied zu und verschwand ohne weiteren Kommentar.

Um Viertel nach sieben betraten Fahndungsleiter Bublanski sowie der Leiter der Voruntersuchung, Ekström, das Podium des Pressezentrums. Die Pressekonferenz war für sieben Uhr angesetzt worden, begann aber mit viertelstündiger Verspätung. Im Gegensatz zu Ekström war Bublanski überhaupt nicht daran gelegen, vor einem Dutzend Fernsehkameras im Rampenlicht zu stehen. Ihm war fast panisch zumute, wenn er im Mittelpunkt dieser Art von Aufmerksamkeit stand. Er würde sich niemals daran gewöhnen oder es gar genießen, sich selbst im Fernsehen zu sehen.

Ekström hingegen bewegte sich völlig nonchalant vor den Kameras, rückte sich die Brille zurecht und setzte eine ernste Miene auf, die ihm vorzüglich stand. Er ließ erst eine Weile das Blitzlichtgewitter der Pressefotografen über sich ergehen, bevor er die Hände hob und um Ruhe im Saal bat. Dann fing er an zu sprechen, als läse er von einem Manuskript ab.

»Herzlich willkommen zu dieser kurzfristig einberufenen Pressekonferenz. Wir können Ihnen zu den Morden in Enskede von gestern Abend neue Informationen mitteilen. Mein Name ist Richard Ekström, ich bin der zuständige Staatsanwalt, und das ist Kriminalinspektor Jan Bublanski von der Bezirkspolizei, der die Ermittlungen leitet. Ich werde zunächst eine Mitteilung verlesen. Danach haben Sie die Möglichkeit, uns Fragen zu stellen.«

Ekström verstummte und betrachtete die Presseleute, die sich binnen dreißig Minuten hier eingefunden hatten. Die Morde in Enskede waren große Nachrichten und würden noch größer werden. Er stellte zufrieden fest, dass sowohl die Nachrichtenmagazine *Aktuellt* und *Rapport* als auch TV4 vertreten waren. Er erkannte Reporter von der Nachrichtenagentur TT und von verschiedenen Abend- und Morgenzeitungen wieder. Insgesamt befanden sich mindestens fünfundvierzig Journalisten im Raum.

»Wie Sie wissen, wurden gestern Abend um kurz vor Mitternacht zwei ermordete Personen in Enskede aufgefunden. Bei der Untersuchung des Tatorts wurde eine Waffe sichergestellt, ein Colt 45 Magnum. Das Staatliche Kriminaltechnische Labor hat im Laufe des Tages bestätigt, dass es sich um die Mordwaffe handelt. Der Besitzer der Waffe ist bekannt und wurde heute von uns gesucht.«

Ekström legte eine Kunstpause ein.

»Gegen 17 Uhr wurde der Besitzer der Waffe tot in seiner Wohnung in der Nähe des Odenplan aufgefunden. Er ist erschossen worden und war zur Zeit des Doppelmordes in Enskede wahrscheinlich schon tot. Die Polizei« – an dieser Stelle wandte sich Ekström an Bublanski – »glaubt, dass es sich um ein und denselben Täter handelt, der damit also wegen dreifachen Mordes gesucht wird.«

Hektisches Gemurmel brach aus, als die meisten Reporter mit gedämpften Stimmen in ihre Handys sprachen. Ekström hob seine Stimme etwas.

»Gibt es einen Verdächtigen?«, rief ein Radioreporter.

»Dazu komme ich gleich. Heute Abend gibt es bereits eine namentlich bekannte Person, die die Polizei im Zusammenhang mit diesen drei Morden verhören will.«

»Wie heißt er?«

»Es ist eine Sie. Die Polizei sucht eine 26-jährige Frau, die mit dem Besitzer der Waffe in Verbindung gebracht werden kann, welche sich, wie wir wissen, am Tatort in Enskede befunden hat.«

Bublanski runzelte die Stirn. Er wirkte verbissen. Jetzt kamen sie zu dem Punkt der Tagesordnung, über den Ekström und er sich nicht einig geworden waren, nämlich zu der Frage, ob die Fahndungsleitung die Person, die sie des dreifachen Mordes verdächtigten, namentlich nennen sollte. Bublanski wollte noch abwarten, Ekström war jedoch der Meinung, dass man nicht länger warten durfte.

Seine Argumente waren unanfechtbar. Die Polizei suchte eine namentlich bekannte psychisch kranke Frau, die aus guten Gründen dreier Morde verdächtigt wurde. Im Laufe des Tages war erst bezirksweit und danach landesweit eine Fahndung eingeleitet worden. Ekström behauptete, dass Lisbeth Salander als gefährlich betrachtet werden müsse und es daher im allergrößten Interesse der Allgemeinheit war, sie so schnell wie möglich festzunehmen.

Bublanskis Argumente hingegen standen auf wackligen Füßen. Er meinte, man solle zunächst die technische Untersuchung von Bjurmans Wohnung abwarten, bevor sich die Fahndungsleitung auf eine einzige Alternative festlegte.

Dagegen argumentierte Ekström, dass Lisbeth Salander laut Aktenlage eine psychisch kranke und gewaltbereite Frau sei. Irgendetwas habe offensichtlich ihre mörderische Raserei ausgelöst, und es gäbe keine Garantien, dass die Gewalttaten schon aufhören würden.

»Was machen wir, wenn sie in weitere Wohnungen geht und

noch mehr Leute erschießt?«, lautete Ekströms rhetorische Frage.

Darauf konnte Bublanski ihm keine befriedigende Antwort geben, und Ekström fügte noch hinzu, dass es jede Menge Präzedenzfälle gäbe. Als der dreifache Mörder Juha Valjakkala aus Åmsele landesweit gesucht wurde, war die Polizei mit einer Fahndungsmeldung an die Öffentlichkeit gegangen, da man ihn als Gefahr für die Allgemeinheit betrachtete. Das gleiche Argument konnte man auch bei Lisbeth Salander vorbringen, und somit beschloss Ekström, dass ihr Name genannt werden sollte.

Ekström hob eine Hand, um sich im Stimmengewirr der Reporter Gehör zu verschaffen. Die Neuigkeit, dass wegen dreifachen Mordes nach einer *Frau* gefahndet wurde, hatte eingeschlagen wie eine Bombe. Er gab Bublanski ein Zeichen zu übernehmen. Bublanski räusperte sich zweimal, rückte seine Brille zurecht und starrte auf das Papier mit der vereinbarten Formulierung.

»Die Polizei sucht eine 26-jährige Frau namens Lisbeth Salander. Ein Bild aus dem Ausweisregister wird demnächst verteilt. Wir haben bis dato keine Kenntnis von ihrem Aufenthaltsort, aber wir glauben, dass sie sich im Bezirk Stockholm befinden könnte. Die Polizei bittet die Öffentlichkeit um Hilfe, um diese Frau so schnell wie möglich zu finden. Lisbeth Salander ist 1 Meter 50 groß und schmächtig gebaut.«

Bublanski atmete tief durch. Er schwitzte vor Nervosität und spürte, dass er unter den Achseln schon ganz nass war.

»Lisbeth Salander wurde früher in einer psychiatrischen Klinik betreut und stellt unserer Meinung nach eine Gefahr für sich und die Allgemeinheit dar. Wir wollen unterstreichen, dass wir derzeit nicht mit Sicherheit sagen können, dass sie die Morde begangen hat. Dennoch besteht ein dringendes Interesse, sie so schnell wie möglich ausfindig zu machen.«

»Was soll das heißen?«, rief der Reporter einer Abendzeitung. »Wird sie jetzt der Morde verdächtigt oder nicht?«

Hilflos sah Bublanski Staatsanwalt Ekström an.

»Die Polizei hat ihre Ermittlungen sehr breit angelegt, und wir haben stets mehrere Möglichkeiten im Auge. Im Moment liegt ein gewisser Verdacht gegen die genannte Frau vor, und der Polizei ist es ein äußerst dringendes Anliegen, sie festzunehmen. Der Verdacht gegen sie gründet auf technische Beweise, die bei der Untersuchung des Tatorts gefunden wurden.«

»Was sind das für Beweise?«, kam es sofort von unten.

»Auf die Details der technischen Untersuchung können wir noch nicht eingehen.«

Jetzt redeten alle durcheinander. Ekström hob erneut die Hand und zeigte dann auf einen Reporter vom *Dagens Eko*, den er für einen besonnenen Menschen hielt.

»Kriminalinspektor Bublanski sagte, sie sei in einer psychiatrischen Klinik gewesen. Warum?«

»Diese Frau hatte eine ... eine problematische Jugend und in späteren Jahren auch noch einige Probleme. Sie steht unter rechtlicher Betreuung, und die Person, der die Waffe gehörte, war ihr Betreuer.«

»Wie heißt er?«

»Es handelt sich um die Person, die in der Wohnung am Odenplan erschossen wurde. Wir möchten den Namen zu diesem Zeitpunkt nicht nennen, aus Rücksicht auf die Angehörigen, die bis jetzt noch nicht benachrichtigt werden konnten.«

»Was für ein Motiv hatte sie für die Morde?«

»Wir wollen zu diesem Zeitpunkt noch nichts über die Motive sagen«, antwortete Bublanski.

»Hat sie bereits Einträge im Strafregister?«

»Ja.«

Es folgte die Frage eines Reporters, dessen kraftvolle, charakteristische Stimme in der Menge gut zu hören war.

»Können Sie präzisieren, warum sie eine Gefahr für die Allgemeinheit darstellt?«

Ekström zögerte kurz. Dann nickte er.

»Uns liegen Informationen vor, dass sie als gewaltbereit gelten muss, wenn sie in die Enge getrieben wird. Wir geben diese Fahndungsmeldung heraus, weil wir sie so schnell wie möglich finden wollen.«

Bublanski biss sich auf die Unterlippe.

Um neun Uhr abends war Kriminalinspektorin Sonja Modig immer noch in Bjurmans Wohnung. Sie hatte zu Hause angerufen und ihrem Mann die Situation erklärt. Nach elfjähriger Ehe hatte ihr Mann akzeptiert, dass ihre Arbeit niemals ein Nine-to-five-Job sein würde. Sie setzte sich in Bjurmans Arbeitszimmer hinter den Schreibtisch und sortierte die Papiere, die sie in den Schubladen fand. Auf einmal hörte sie ein Klopfen am Türrahmen, blickte auf und sah Bublanski mit zwei Kaffeetassen und einer Tüte Zimtschnecken in der Hand. Sie winkte ihn müde herein.

»Was darf ich nicht anfassen?«, erkundigte sich Bublanski automatisch.

»Die Techniker sind hier drinnen so weit fertig. Sie sind immer noch mit Schlafzimmer und Küche zugange. Die Leiche ist noch hier.«

Bublanski zog einen Stuhl heran und setzte sich seiner Kollegin gegenüber. Modig machte die Tüte auf und nahm sich eine Schnecke.

»Danke. Ich hatte so einen Kaffeedurst, ich hätte sterben können.«

Sie knabberten schweigend an ihrem Gebäck.

»Ich hab gehört, in der Lundagatan lief es nicht so toll«, sagte Modig, als sie das letzte Stückchen Zimtschnecke hinuntergeschluckt und sich die Finger abgeleckt hatte.

»Es war niemand zu Hause. Es lag ungeöffnete Post für Salander herum, aber wohnen tut dort eine gewisse Miriam Wu. Wir haben sie noch nicht ausfindig machen können.«

»Und wer ist diese Miriam Wu?«

»Faste versucht das herauszukriegen. Sie ist vor einem knappen Monat in den Vertrag mit aufgenommen worden, aber es sieht so aus, als würde nur eine Person in der Wohnung leben. Ich glaube, Salander ist umgezogen, ohne sich umzumelden.«

»Vielleicht hat sie das Ganze ja geplant.«

»Was? Den dreifachen Mord?« Bublanski schüttelte resigniert den Kopf. »Ekström bestand auf seiner Pressekonferenz, und jetzt haben wir in der nächsten Zeit erst mal massiv die Presse auf dem Hals. Hast du etwas gefunden?«

»Abgesehen von Bjurman im Schlafzimmer ... eine leere Schachtel für eine Magnum. Sie wird gerade auf Fingerabdrücke untersucht. Bjurman hat eine Mappe mit Kopien der monatlichen Berichte über Salander, die er an das Vormundschaftsgericht geschickt hat. Wenn man den Berichten Glauben schenken darf, ist Salander der absolute Engel.«

»Der nicht auch noch!«, platzte Bublanski heraus.

»Der nicht auch noch was?«

»Noch ein Bewunderer von Lisbeth Salander.«

Bublanski fasste kurz zusammen, was er von Dragan Armanskij und Mikael Blomkvist erfahren hatte. Sonja Modig hörte ihm zu, ohne ihn ein einziges Mal zu unterbrechen. Als er fertig war, fuhr sie sich mit den Fingern durchs Haar und rieb sich die Augen.

»Das klingt ja total verrückt«, meinte sie schließlich.

Bublanski nickte nachdenklich und sog die Unterlippe nach innen. Sonja Modig musterte ihn verstohlen und musste ein Grinsen unterdrücken. Sein Gesicht war eher grob geschnitten und ließ ihn fast brutal aussehen. Wenn er jedoch verwirrt oder unsicher war, nahm er einen schmollenden Ausdruck an. In solchen Augenblicken nannte sie ihn heimlich auch Inspektor Bubbla. Sie hatte diesen Spitznamen noch nie benutzt und wusste nicht recht, wie er dazu gekommen war. Aber er passte hervorragend.

»Okay«, sagte sie. »Wie sicher sind wir?«

»Der Staatsanwalt scheint sich seiner Sache sehr sicher zu sein. Heute Abend wurde landesweiter Alarm ausgelöst«, erzählte Bublanski. »Salander hat das vergangene Jahr im Ausland verbracht, und es wäre möglich, dass sie versucht, heimlich das Land zu verlassen.«

»Wie sicher sind wir?«

Er zuckte die Achseln.

»Wir haben schon Leute festgenommen, gegen die wir bedeutend weniger Beweise hatten«, antwortete er.

»Ihre Fingerabdrücke wurden auf der Mordwaffe von Enskede sichergestellt. Ohne vorgreifen zu wollen, würde ich tippen, dass nebenan dieselbe Waffe verwendet wurde. Morgen wissen wir es genau – die Techniker haben in der Matratze ein ziemlich gut erhaltenes Kugelfragment gefunden.«

»Sehr gut.«

»In der untersten Schreibtischschublade liegen Patronen für den Revolver. Kugeln mit Urankern und Goldspitze.«

»Okay.«

»Wir haben außerdem eine ziemlich umfangreiche Akte über Lisbeth Salander, aus der hervorgeht, dass sie psychisch gestört ist. Bjurman war ihr rechtlicher Betreuer, und die Waffe gehörte ihm.«

»Mmm …«, brummte Bublanski mürrisch.

»Wir haben mit Mikael Blomkvist eine Verbindung zwischen Salander und dem Paar in Enskede.«

»Mmm …«

»Du scheinst Zweifel zu haben.«

»Ich kann mir einfach kein richtiges Bild von Salander machen. Die Akte sagt dies und Armanskij und Blomkvist sagen das. Der Akte nach zu urteilen, ist sie eine verhaltensgestörte Psychopathin. Den Aussagen dieser Männer nach zu urteilen, ist sie kompetent und zuverlässig. Die beiden Versionen gehen meilenweit auseinander. Für Bjurman fehlt uns jedes Motiv, und wir wissen auch noch nicht sicher, ob sie das Paar in Enskede wirklich kannte.«

»Wie viele Motive braucht eine durchgeknallte Psychopathin?«

»Ich war noch nicht im Schlafzimmer. Wie sieht es aus?«

»Ich habe Bjurman bäuchlings auf dem Bett gefunden, die Knie auf dem Boden, als hätte er gerade sein Abendgebet sprechen wollen. Er ist nackt ... und wurde ins Genick geschossen.«

»Ein einziger Schuss? Genau wie in Enskede.«

»Soweit ich das erkennen konnte, war es nur ein Schuss. Der Täter hat ihn womöglich gezwungen, sich vors Bett zu knien, bevor er den Schuss abgab. Die Kugel durchschlug den Hinterkopf und trat im Gesicht wieder aus.«

»Genickschuss, wie bei einer Hinrichtung.«

»Genau.«

»Ich dachte ... irgendjemand müsste den Schuss doch gehört haben.«

»Sein Schlafzimmer geht auf den Hof hinaus, und die Nachbarn über und unter ihm sind über Ostern verreist. Das Fenster war zu. Außerdem hat der Täter ein Kissen als Schalldämpfer benutzt.«

»Ganz schön gerissen.«

In diesem Augenblick streckte Gunnar Samuelsson von der technischen Abteilung den Kopf durch die Tür.

»Hallo, Bubbla«, grüßte er und wandte sich dann an seine Kollegin. »Wir wollten gerade die Leiche abtransportieren und haben sie umgedreht. Da ist etwas, das du dir anschauen solltest.«

Sie folgten ihm ins Schlafzimmer. Nils Bjurmans Leiche war auf eine Rollbahre gelegt worden – die erste Station auf dem Weg zum Pathologen. Die Todesursache bezweifelte niemand. Seine Stirn war eine riesige, zehn Zentimeter breite Fleischwunde, und ein großer Teil des vorderen Schädelknochens hing nur noch an einem Hautfetzen. Das Muster der Blutspritzer auf dem Bett und an der Wand sprach eine deutliche Sprache.

Bublanski machte einen Schmollmund.

»Was sollen wir uns ansehen?«, fragte Modig.

Gunnar Samuelsson hob das Leichentuch und entblößte Bjurmans Unterleib. Bublanski setzte seine Brille auf, als Modig und er näher herantraten und den eintätowierten Text auf Bjurmans Bauch lasen. Die Buchstaben waren ungeschickt und ungleichmäßig – ganz offensichtlich war es kein geübter Tätowierer gewesen, der diese Worte geschrieben hatte. Aber die Botschaft ließ an Deutlichkeit nichts zu wünschen übrig: ICH BIN EIN SADISTISCHES SCHWEIN, EIN WIDERLING UND EIN VERGEWALTIGER.

Modig und Bublanski tauschten einen verblüfften Blick.

»Haben wir da eventuell ein Motiv?«, fragte Modig schließlich.

Auf dem Heimweg kaufte sich Mikael Blomkvist im 7-Eleven-Shop ein Fertiggericht und schob es sogleich in die Mikrowelle, während er sich auszog und drei Minuten unter die Dusche stellte. Dann holte er sich eine Gabel und aß im Stehen direkt aus der Plastikschale. Er hatte Hunger, aber keinen Appetit, und wollte das Essen so schnell wie möglich hinter sich bringen. Als er fertig war, machte er sich ein Bier auf, das er direkt aus der Flasche trank.

Ohne das Licht anzuschalten, stellte er sich ans Fenster mit der Aussicht über die Altstadt und blieb mehr als zwanzig Minuten so stehen, während er versuchte, einmal nicht nachzugrübeln.

Vor ziemlich genau vierundzwanzig Stunden war er immer noch auf dem Fest bei seiner Schwester gewesen, als Dag Svensson ihn auf dem Handy anrief. Zu diesem Zeitpunkt waren er und Mia noch am Leben gewesen.

Mikael war seit sechsunddreißig Stunden auf den Beinen, aber die Zeit, zu der er ungestraft auf seinen Nachtschlaf verzichten durfte, war definitiv vorbei. Er wusste aber auch, dass er nicht einschlafen würde, ohne ständig die Bilder vor Augen zu haben, die er in Enskede gesehen hatte. Es kam ihm so vor, als wären sie ihm für immer und ewig in die Netzhaut eingebrannt.

Schließlich schaltete er sein Handy aus und ging zu Bett. Um elf war er jedoch immer noch nicht eingeschlafen. Also stand er wieder auf, machte sich einen Kaffee, schaltete den CD-Player an und hörte zu, wie Debbie Harry von *Maria* sang. Er wickelte sich in eine Decke, setzte sich auf das Wohnzimmersofa und trank Kaffee, während er über Lisbeth Salander nachdachte.

Was wusste er eigentlich von ihr? So gut wie gar nichts.

Er wusste, dass sie ein fotografisches Gedächtnis hatte und eine mörderisch gute Hackerin war. Er wusste, dass sie eine seltsame und verschlossene Frau war, die ungern über sich selbst sprach und nicht das geringste Vertrauen in Behörden hatte.

Er wusste, dass sie zu brutaler Gewalt fähig war. Nur deswegen war er ja noch am Leben.

Aber er hatte keinen blassen Schimmer davon gehabt, dass sie nicht geschäftsfähig war, unter rechtlicher Betreuung stand und einen Teil ihrer Jugend in der Psychiatrie verbracht hatte.

Er musste sich für eine Seite entscheiden.

Irgendwann nach Mitternacht beschloss er, dass er an die Schlussfolgerung der Polizei, die Lisbeth für die Mörderin hielt, nicht glauben wollte. Bevor auch er sie verurteilte, musste er ihr eine Chance zu geben, die Dinge zu erklären. Das war er ihr schuldig.

Er konnte sich nicht entsinnen, wann er eingenickt war, aber um halb fünf Uhr morgens wachte er auf dem Sofa auf. Schlaftrunken wankte er zu seinem Bett und schlief sofort wieder ein.

16. Kapitel

Karfreitag, 25. März – Ostersamstag, 26. März

Malin Eriksson lehnte sich in Mikael Blomkvists Sofa zurück. Gedankenlos legte sie die Füße auf den Couchtisch – wie sie es auch zu Hause gemacht hätte –, zog sie aber im nächsten Moment erschrocken zurück. Mikael lächelte sie freundlich an.

»Ist schon okay«, sagte er. »Entspann dich und fühl dich ganz wie zu Hause.«

Sie lächelte zurück und legte die Füße wieder auf den Tisch.

Am Karfreitag hatte Mikael alle Kopien von Dag Svenssons journalistischer Hinterlassenschaft aus der *Millennium*-Redaktion in seine Wohnung verfrachtet. Dort hatte er das Material auf dem Wohnzimmerboden sortiert. Am Samstag sahen Malin und er sich acht Stunden lang genauestens seine E-Mails durch, seine Notizen und vor allem die Texte für sein Buch.

Am Morgen hatte Mikael noch kurz Besuch von seiner Schwester Annika gehabt. Sie brachte Abendzeitungen mit, deren Titelseiten von fetten Schlagzeilen und Lisbeth Salanders Passfoto im Großformat geziert wurden. Nur eine einzige Zeitung blieb sachlich.

GESUCHT WEGEN
DREIFACHEN MORDES

Die zweite Zeitung hatte die Überschrift schon etwas reißerischer formuliert.

Polizei jagt
PSYCHOTISCHE MASSENMÖRDERIN

In ihrem einstündigen Gespräch erklärte Mikael ihr sein Verhältnis zu Lisbeth Salander und warum er an ihrer Schuld zweifelte. Schließlich fragte er seine Schwester, ob sie sich vorstellen könne, Lisbeth vor Gericht zu verteidigen, sollte sie gefasst werden.

»Ich habe schon Frauen in verschiedenen Vergewaltigungs- und Misshandlungsprozessen vertreten, aber ich bin keine Fachanwältin für Strafrecht«, gab Annika zu bedenken.

»Du bist die scharfsinnigste Anwältin, die ich kenne, und Lisbeth wird jemand brauchen, auf den sie sich verlassen kann. Ich glaube, sie würde dich akzeptieren.«

Annika überlegte eine ganze Weile, bevor sie zögernd einwilligte, mit Lisbeth Salander darüber zu reden, sobald die Frage aktuell wurde.

Am Ostersamstag hatte auch noch Kriminalinspektorin Sonja Modig angerufen und gebeten, sofort vorbeikommen und Lisbeth Salanders Handtasche abholen zu dürfen. Wie es aussah, hatte die Polizei Mikaels Brief an Lisbeth gelesen.

Zwanzig Minuten später war Sonja Modig bei ihm, und Mikael bat sie, sich zu Malin Eriksson an den Esstisch im Wohnzimmer zu setzen. Dann ging er in die Küche, um Lisbeths Tasche zu holen, die er auf ein Regal neben der Mikrowelle gestellt hatte. Er zögerte einen Moment, ehe er die Tasche öffnete und den Hammer sowie das Tränengas herausnahm. *Unterschlagung von Beweismaterial.* Das Tränengas galt als illegale Waffe und würde eine Strafe nach sich ziehen. Der

Hammer würde zweifellos Anlass zu gewissen Spekulationen über Lisbeths gewalttätige Veranlagung geben. Das war völlig unnötig, befand Mikael.

Er bot Sonja Modig einen Kaffee an.

»Darf ich Ihnen ein paar Fragen stellen?«, fragte die Kriminalinspektorin.

»Bitte.«

»In Ihrem Brief an Frau Salander, den wir in der Lundagatan gefunden haben, schreiben Sie, dass Sie ihr zu tiefstem Dank verpflichtet sind. Was meinen Sie damit?«

»Dass Lisbeth Salander mir einen großen Dienst erwiesen hat.«

»Worum ging es da?«

»Einen Gefallen rein privater Natur, über den ich nicht sprechen möchte.«

Sonja Modig musterte ihn aufmerksam.

»Es geht hier immerhin um die Ermittlungen in einem Mordfall.«

»Und ich für meinen Teil hoffe, dass sie so bald wie möglich dieses Schwein fassen, das Dag und Mia auf dem Gewissen hat.«

»Sie glauben nicht, dass Frau Salander schuldig ist?«

»Nein.«

»Und was glauben Sie, wer Ihre Freunde dann erschossen hat?«

»Ich weiß es nicht. Aber Dag Svensson wollte in seinem Buch eine Reihe von Leuten namentlich an den Pranger stellen, Leute, die eine ganze Menge zu verlieren haben. Einer von denen könnte der Schuldige sein.«

»Und warum sollte so eine Person plötzlich den Anwalt Nils Bjurman erschießen?«

»Ich weiß es nicht. Noch nicht.«

Sein Blick war fest und voll unerschütterlicher Überzeugung. Auf einmal musste Sonja Modig lächeln. Sie wusste, dass er den Spitznamen »Kalle Blomkvist« trug. Und jetzt verstand sie plötzlich auch, warum.

»Aber Sie wollen es herausfinden?«

»Wenn ich kann. Das können Sie Bublanski gerne ausrichten.«

»Werd ich machen. Und wenn sich Frau Salander rühren sollte, hoffe ich, dass Sie uns davon Mitteilung machen.«

»Ich rechne nicht damit, dass sie sich bei mir meldet und die Morde gesteht, aber wenn sie es doch tun sollte, werde ich versuchen, sie zu überreden, dass sie aufgibt und zur Polizei geht. Und dann werde ich auch versuchen, ihr beizustehen – sie wird einen Freund brauchen.«

»Herr Blomkvist, ganz unter uns und ohne das Ganze hier unnötig aufzublasen: Ich hoffe, Sie sehen ein, dass Lisbeth Salander gefasst werden muss und dass Sie keine Dummheiten machen sollten, wenn sie sich bei Ihnen rührt. Falls Sie sich irren und sie schuldig ist, könnte es lebensgefährlich sein, die Situation nicht ernst zu nehmen.«

Mikael nickte.

»Ich hoffe, wir müssen Sie nicht überwachen lassen. Sie sind sich doch der Tatsache bewusst, dass es gesetzwidrig ist, einer polizeilich gesuchten Person zu helfen. Wenn Sie eine Verbrecherin schützen, kommt eine Strafe wegen Beihilfe auf Sie zu.«

»Und ich für meinen Teil hoffe sehr, dass Sie auch ein paar Minuten darauf verwenden, über alternative Täter nachzudenken.«

»Das werden wir. Nächste Frage: Wissen Sie, mit was für einem Computer Dag Svensson gearbeitet hat?«

»Er hatte ein gebrauchtes Mac iBook 500, weiß, mit 14-Zoll-Bildschirm. Sah genauso aus wie meines, nur mit größerem Monitor.«

Mikael zeigte auf seinen Mac, der auf dem Wohnzimmertisch stand.

»Wissen Sie, wo er den Laptop aufbewahrt hat?«

»Dag hatte ihn immer in so einem schwarzen Rucksack. Ich gehe davon aus, dass er bei ihm zu Hause ist.«

»Ist er leider nicht. Könnte er noch an seinem Arbeitsplatz stehen?«

»Nein. Ich habe Dags Schreibtisch schon durchgesehen, da ist er nicht.«

Sie schwiegen eine Weile.

»Kann ich daraus schließen, dass Dag Svenssons Laptop nicht auffindbar ist?«, erkundigte sich Mikael schließlich.

Mikael und Malin arbeiteten eine beträchtliche Anzahl von Personen heraus, die theoretisch ein Mordmotiv gehabt haben könnten. Jeder Name wurde auf einem großen Zettel notiert, den Mikael mit Klebeband an der Wohnzimmerwand befestigte. Auf dieser Liste standen nur Männer – entweder Freier oder Zuhälter –, die im Buch vorkamen. Um acht Uhr abends hatten sie bereits eine Liste mit siebenunddreißig Namen erstellt, von denen neunundzwanzig identifiziert werden konnten und nur acht ein Pseudonym trugen. Zwanzig der Identifizierten waren Freier, die bei verschiedenen Gelegenheiten Mädchen missbraucht hatten.

Mikael und Malin diskutierten auch, ob man Dag Svenssons Buch in dieser Form noch drucken konnte. Das praktische Problem bestand darin, dass viele der Behauptungen auf dem Wissen basierten, das sich Dag und Mia im Laufe vieler Jahre erworben hatten. Aber ein Journalist, der über dieses Detailwissen nicht verfügte, musste sich erst einmal von Grund auf in die Materie einarbeiten.

Sie stellten fest, dass ungefähr 80 Prozent des vorliegenden Manuskripts problemlos veröffentlicht werden konnten, aber um auch die Veröffentlichung der restlichen 20 Prozent wagen zu können, musste *Millennium* noch einiges an Recherchearbeit erledigen. Sie bezweifelten zwar keinesfalls die Richtigkeit der Angaben, aber sie waren im Thema eben nicht gut genug zu Hause. Wären Dag und Mia noch am Leben gewesen, hätten sie sich selbst mit eventuellen Einwänden oder Kritik auseinandersetzen können.

Mikael blickte aus dem Fenster. Es war dunkel geworden und regnete. Er fragte, ob Malin noch mehr Kaffee wollte. Sie wollte nicht.

»Also ...«, fasste Malin zusammen. »Über das Manuskript haben wir jetzt eine gute Übersicht. Aber gibt es irgendeine Spur von Dags und Mias Mörder?«

»Es könnte einer von den Namen an der Wand sein«, meinte Mikael.

»Es könnte aber auch jemand sein, der nicht das Geringste mit dem Buch zu tun hat. Vielleicht deine Freundin.«

»Lisbeth«, sagte Mikael.

Malin warf ihm einen scheuen Blick zu. Sie arbeitete jetzt seit achtzehn Monaten bei *Millennium* und hatte damals im wüstesten Chaos der Wennerström-Affäre angefangen. Nach jahrelangen Urlaubsvertretungen und Volontariaten war die Arbeit bei *Millennium* die erste Festanstellung ihres Lebens. Sie gefiel ihr hervorragend. Bei *Millennium* zu arbeiten bedeutete auch ein gewisses Prestige. Sie hatte ein vertrautes Verhältnis zu Erika Berger und den anderen Mitarbeitern, doch in Mikael Blomkvists Gesellschaft war ihr immer ein wenig unbehaglich zumute. Es gab keinen konkreten Grund, aber sie empfand Mikael einfach als den verschlossensten und unzugänglichsten ihrer Kollegen.

Im Laufe des vergangenen Jahres war er immer erst spät in die Redaktion gekommen und war entweder in seinem Büro oder bei Erika Berger gewesen. Oftmals kam er auch gar nicht, und in den ersten Monaten war es Malin so vorgekommen, als sähe sie ihn öfter auf irgendeinem Talkshow-Sofa im Fernsehen als im wirklichen Leben. Zudem war er oft auf Reisen oder hatte anderswo etwas zu erledigen. Für ein geselliges Beisammensein war er definitiv der Falsche, und Malin hatte den

Kommentaren der Kollegen entnommen, dass Mikael sich verändert hatte. Er war stiller und unzugänglicher geworden.

»Wenn ich bei der Suche nach Dags und Mias Mörder mitarbeiten soll, muss ich mehr über Lisbeth wissen. Ich weiß nicht recht, wo ich anfangen soll, wenn ich nicht ...«

Sie ließ den Satz unvollendet in der Luft hängen. Mikael warf ihr einen Blick zu. Schließlich setzte er sich auf einen Sessel, der in einem 90-Grad-Winkel zu ihr stand, und legte seine Füße neben ihre auf den Tisch.

»Gefällt es dir eigentlich bei *Millennium*?«, erkundigte er sich plötzlich. »Ich meine, du bist seit anderthalb Jahren bei uns, aber ich bin so viel durch die Gegend gerast, dass wir uns noch gar nicht richtig kennenlernen konnten.«

»Es gefällt mir wahnsinnig gut«, beteuerte Malin. »Seid ihr denn auch zufrieden mit mir?«

Mikael lächelte.

»Erika und ich stellen immer wieder fest, dass wir noch nie so eine kompetente Redaktionssekretärin gehabt haben. Wir halten dich für einen absoluten Glücksgriff. Und entschuldige bitte, dass ich das nicht schon mal früher gesagt habe.«

Malin lächelte zufrieden. Lob vom großen Mikael Blomkvist war ihr mehr als willkommen.

»Aber das war eigentlich gar nicht meine Frage«, bemerkte sie.

»Du fragst dich, was für eine Beziehung Lisbeth Salander zu *Millennium* hat.«

»Erika Berger und du, ihr rückt nicht gerade viel Information darüber heraus.«

Mikael nickte und sah Malin an. Erika und er vertrauten Malin vollkommen, aber es gab Dinge, die er nicht mit ihr besprechen konnte.

»Ich stimme dir zu«, sagte er. »Wenn wir diesen Mordfall untersuchen wollen, musst du mehr Informationen haben. Ich bin das Bindeglied zwischen Dag und Mia und Lisbeth, und außerdem bekommst du die Informationen aus erster Hand, wenn du mich nach Lisbeth fragst. Also, schieß los und stell mir Fragen, dann beantworte ich sie dir, so weit es geht. Und wenn ich sie nicht beantworten kann, dann sag ich dir Bescheid.«

»Warum denn diese ganze Heimlichtuerei? Wer ist Lisbeth Salander, und was hat sie mit *Millennium* zu tun?«

»Es ist folgendermaßen: Vor zwei Jahren habe ich Lisbeth für einen extrem komplizierten Job als Researcherin engagiert. Und da beginnt auch schon das Problem. Ich kann dir nicht erzählen, was für einen Job Lisbeth für mich erledigt hat. Erika ist eingeweiht, aber auch sie ist an ihre Schweigepflicht gebunden.«

»Vor zwei Jahren ... da hast du doch gerade Wennerström fertiggemacht. Kann ich davon ausgehen, dass sie in diesem Zusammenhang recherchiert hat?«

»Nein, davon kannst du nicht ausgehen. Ich werde es weder bestätigen noch bestreiten. Aber so viel kann ich sagen, dass ich Lisbeth für eine völlig andere Aufgabe engagiert hatte, die sie perfekt gelöst hat.«

»Du hast ja damals in Hedestad gewohnt und wie ein Eremit gelebt, wenn ich das richtig verstanden habe. Und in dem Sommer war Hedestad auf der medialen Landkarte nicht unbedingt ein blinder Fleck. Harriet Vanger erstand von den Toten auf und so weiter. Nur wir bei *Millennium* haben aber kein Wort über Harriets Wiederauferstehung geschrieben.«

»Du kannst bis in alle Ewigkeit weiterraten, aber die Wahrscheinlichkeit, dass du irgendwann ins Schwarze triffst, geht gegen null, würde ich sagen.« Er grinste. »Dass wir nichts über Harriet geschrieben haben, ist darauf zurückzuführen, dass sie in unserem Führungskreis sitzt. Und was Lisbeth angeht ... glaub mir eines: Die Arbeit, die sie damals für mich gemacht hat, lässt sich nicht im Entferntesten mit den Geschehnissen von Enskede in Verbindung bringen. Es gibt ganz einfach keine Verbindung.«

»Okay.«

»Ich möchte dir einen Rat geben. Belass es einfach dabei, dass sie für mich gearbeitet hat und ich nicht darüber sprechen kann. Und du kannst ruhig wissen, dass sie noch etwas anderes für mich getan hat. Sie hat mir damals das Leben gerettet. Buchstäblich. Ich bin ihr zu tiefstem Dank verpflichtet.«

Malin zog verblüfft die Augenbrauen hoch. Davon hatte sie bei *Millennium* noch nie ein Wort gehört.

»Wenn ich das richtig verstanden habe, kennst du sie also ziemlich gut.«

»So gut, wie ein Mensch Lisbeth Salander eben kennen kann, würde ich sagen«, erwiderte Mikael. »Sie ist wahrscheinlich der verschlossenste Mensch, der mir jemals begegnet ist.«

Plötzlich stand Mikael auf und sah aus dem Fenster in die Dunkelheit hinaus.

»Ich weiß nicht, wie du dazu stehst, aber ich werde mir jetzt einen Wodka Lime machen«, verkündete er.

Malin lächelte.

»Gern. Ist mir auch lieber als noch mehr Kaffee.«

Das ganze Osterwochenende über dachte Dragan Armanskij in seinem Häuschen auf Blidö über Lisbeth Salander nach. Seine Kinder waren schon erwachsen und hatten sich entschieden, Ostern nicht mit ihren Eltern zu verbringen. Seine Frau Ritva, mit der er seit fünfundzwanzig Jahren verheiratet war, konnte unschwer erkennen, dass er in Gedanken immer wieder ganz woanders war. Er versank in schweigenden Grübeleien und gab nur zerstreute Antworten, wenn sie ihn ansprach. Jeden Tag fuhr er mit dem Auto zum Laden und besorgte sich die Tageszeitungen. Dann setzte er sich ans Verandafenster und las die Artikel über die Jagd auf Lisbeth Salander.

Dragan Armanskij war von sich selbst enttäuscht. Er war enttäuscht, dass er Lisbeth Salander so völlig falsch eingeschätzt hatte. Dass sie psychische Probleme hatte, war ihm jahrelang bewusst gewesen. Er konnte sich auch durchaus vorstellen, dass sie gewalttätig werden und jemanden verletzen konnte, wenn man sie bedrohte. Dass sie ihren Betreuer umgebracht hatte – den sie zweifellos als einen Menschen betrachtet hatte, der sich in ihre ganz persönlichen Angelegenheiten mischte –, war auf einer gewissen rationalen Ebene durchaus verständlich. Sie fasste jeden Versuch, in ihr Leben einzugreifen, als Provokation auf, möglicherweise sogar als feindlichen Angriff.

Doch konnte er beim besten Willen nicht begreifen, was sie dazu veranlasst haben mochte, nach Enskede zu fahren und zwei Personen zu erschießen, die sie, wenn man den Aussagen glauben durfte, überhaupt nicht gekannt hatte.

Dragan Armanskij erwartete die ganze Zeit, dass eine Verbindung zwischen Salander und dem Paar in Enskede gefunden würde – dass einer von den beiden schon mit ihr zu tun gehabt oder sich ihr gegenüber so verhalten hatte, dass sie völlig durchdrehte. Aber nirgendwo in den Zeitungen war von so einer Verbindung die Rede. Vielmehr spekulierte man, die psychisch kranke Lisbeth Salander müsse eine Art Zusammenbruch erlitten haben.

Zweimal rief er Kriminalinspektor Bublanski an und erkundigte sich nach der Entwicklung der Ermittlungen, aber auch der Fahndungsleiter konnte ihm keine Verbindung zwischen Salander und Enskede präsentieren – außer Mikael Blomkvist selbst. Doch dort traten die Ermittlungen auf der Stelle. Mikael Blomkvist kannte sowohl Salander als auch das ermordete Paar, aber es gab keinen Beweis, dass Lisbeth Salander ihrerseits Dag Svensson und Mia Bergman gekannt oder auch nur von ihnen gehört hatte. Folglich tat sich die Polizei auch schwer, den Handlungsverlauf zu rekonstruieren. Wäre da nicht die Mordwaffe mit ihren Fingerabdrücken gewesen und die unbestreitbare Verbindung zu ihrem ersten

Opfer, Anwalt Bjurman, hätte die Polizei völlig im Dunkeln getappt.

Nach einem Besuch in Mikaels Badezimmer kam Malin Eriksson zurück zum Sofa.

»Also, fassen wir das Ganze noch mal zusammen«, begann sie. »Wir müssen feststellen, ob Lisbeth Salander Dag und Mia ermordet hat, wie die Polizei behauptet. Ich habe keine Ahnung, wo wir anfangen sollen.«

»Betrachte es einfach als Recherchearbeit. Wir sollen hier ja keine polizeilichen Ermittlungen anstellen. Aber wir müssen ihre Ermittlungen im Auge behalten und herausfinden, was sie wissen. Genauso wie bei jedem anderen Job, nur mit dem Unterschied, dass wir nicht unbedingt alles veröffentlichen, was wir finden.«

»Aber wenn Lisbeth Salander die Mörderin ist, muss es eine Verbindung zwischen ihr und Dag und Mia geben. Und die einzige Verbindung bist nun mal du.«

»Diese Verbindung besteht doch gar nicht. Ich habe Lisbeth seit über einem Jahr nicht gesehen. Ich weiß nicht mal, wie sie von der Existenz der beiden erfahren haben sollte.«

Plötzlich verstummte Mikael. Im Unterschied zu allen anderen wusste er, dass Lisbeth Salander eine Weltklassehackerin war. Schlagartig kam ihm zu Bewusstsein, dass sein ganzes iBook voll war mit der Korrespondenz mit Dag Svensson und mit mehreren Versionen von seinem Buch. Außerdem fand sich dort eine elektronische Kopie von Mias Doktorarbeit. Er wusste nicht, ob Lisbeth Salander seinen Computer gecheckt hatte oder nicht, aber auf diesem Wege hätte sie herausfinden können, dass er Dag Svensson kannte.

Das Problem war nur, dass Mikael sich kein Motiv vorstellen konnte, das Lisbeth veranlasst haben könnte, wegen dieser Geschichte nach Enskede zu fahren und Dag und Mia zu erschießen. Im Gegenteil – sie arbeiteten an einer Reportage, in der es um Gewalt gegen Frauen ging und die Lisbeth in jeder Hinsicht unterstützt hätte. Wenn Mikael sie denn überhaupt ein bisschen kannte.

»Du siehst aus, als wäre dir gerade was eingefallen«, stellte Malin fest.

Mikael hatte nicht vor, ein einziges Wort über Lisbeths Computertalent fallen zu lassen.

»Nein, ich bin nur vor Müdigkeit schon ganz wirr im Kopf«, wehrte er ab.

»Jetzt ist sie ja nicht mehr nur des Mordes an Dag und Mia verdächtig, sondern auch an ihrem Betreuer, und da ist die Verbindung dann wieder sonnenklar. Was weißt du von ihm?«

»Überhaupt nichts. Ich habe noch nie von einem Rechtsanwalt Bjurman gehört – ich wusste ja nicht einmal, dass sie einen Betreuer hatte.«

»Aber die Wahrscheinlichkeit, dass ein anderer alle drei ermordet hat, ist verschwindend gering. Selbst wenn jemand Dag und Mia wegen ihrer Story ermordet haben sollte, hätte der doch keinen Grund, auch noch Lisbeths Betreuer umzubringen.«

»Ich weiß, und darüber hab ich mir ja auch schon den Kopf zerbrochen. Aber ich könnte mir zumindest ein Szenario vorstellen, in dem ein Außenstehender sowohl Dag und Mia als auch Lisbeths Betreuer umbringen könnte.«

»Und zwar?«

»Sagen wir mal, Dag und Mia wurden ermordet, weil sie Nachforschungen im Zusammenhang mit Mädchenhandel betrieben haben, und Lisbeth ist irgendwie als Dritte daran beteiligt. Lisbeth könnte Bjurman als ihrem Betreuer eventuell etwas anvertraut haben, und dieses Wissen führte dann dazu, dass er auch umgebracht wurde.«

Malin überlegte eine Weile.

»Ich weiß, was du meinst«, erwiderte sie zögernd. »Aber du hast nicht den geringsten Beweis für deine Theorie.«

»Nein. Gar keinen.«

»Was glaubst du selbst? Ist sie schuldig oder nicht?«

Mikael überlegte lange, bevor er antwortete.

»Wenn die Frage lauten würde: ›Ist Lisbeth zu einem Mord fähig?‹, dann wäre meine Antwort Ja. Lisbeth Salander ist gewaltbereit. Ich habe sie schon in Aktion erlebt, als ...«

»Als sie dir das Leben gerettet hat?«

Mikael nickte.

»Ich kann nicht erzählen, worum es damals ging. Aber ein Mann wollte mich töten, und es fehlte nicht mehr viel, dann wäre es ihm gelungen. Sie ging dazwischen und verprügelte ihn brutal mit einem Golfschläger.«

»Und davon hast du der Polizei nichts erzählt?«

»Absolut nichts. Das muss unter uns bleiben.«

»In Ordnung.«

Er sah sie scharf an.

»Malin, ich muss mich in dieser Angelegenheit hundertprozentig auf dich verlassen können.«

»Ich werde nichts von dem weitererzählen, was wir hier besprechen. Nicht mal Anton. Du bist nicht nur mein Chef – ich mag dich auch, und ich will dir nicht schaden.«

Mikael nickte.

»Tut mir leid«, entschuldigte er sich.

»Hör auf, mich immer um Entschuldigung zu bitten.«

Er musste lachen, wurde aber sogleich wieder ernst.

»Wenn sie ihn hätte töten müssen, um mein Leben zu retten, dann hätte sie es auch getan, davon bin ich überzeugt.«

»Verstehe.«

»Aber gleichzeitig habe ich sie als vollkommen rationalen Menschen erlebt. Seltsam, ja, das schon, aber im Rahmen ihrer eigenen Beweggründe eben völlig rational. Sie wendete Gewalt an, weil es in diesem Moment nötig war, nicht, weil sie es wollte. Um zu töten, muss sie schon einen Grund haben – man müsste sie extrem bedrohen oder provozieren.«

Er dachte weiter nach. Malin beobachtete ihn geduldig.

»Über ihren Betreuer kann ich nichts sagen. Ich weiß überhaupt nichts über ihn. Aber ich kann mir einfach nicht vorstellen, dass sie Dag und Mia erschossen haben könnte. Ich glaube es einfach nicht.«

Sie schwiegen eine geraume Weile. Malin warf einen Blick auf die Uhr und stellte fest, dass es schon halb zehn war.

»Es ist spät. Ich sollte langsam mal nach Hause gehen«, meinte sie.

Mikael nickte.

»Wir haben den ganzen Tag durchgearbeitet. Morgen können wir weiter überlegen. Nein, lass den Abwasch stehen, ich mach das schon.«

In der Nacht auf Ostersonntag lag Armanskij schlaflos im Bett und horchte auf Ritvas ruhige Atemzüge. Er konnte einfach keine logische Erklärung für dieses Drama finden. Schließlich stand er auf, zog sich Pantoffeln und Bademantel an und ging ins Wohnzimmer. Es war kühl, also legte er ein paar Scheite Holz in den Kachelofen. Dann machte er sich eine Flasche Bier auf, setzte sich hin und starrte in die Dunkelheit.

Was weiß ich?

Dragan Armanskij konnte mit Sicherheit behaupten, dass Lisbeth Salander verrückt und unberechenbar war. Daran bestand kein Zweifel.

Er wusste, dass im Winter 2003 irgendetwas passiert sein musste, als sie plötzlich aufgehört hatte, für ihn zu arbeiten, und für ihr einjähriges Sabbatjahr ins Ausland verschwunden war. Er war überzeugt, dass Mikael Blomkvist irgendetwas mit ihrer Abwesenheit zu tun haben musste – aber Mikael wusste auch nicht, was vorgefallen sein könnte.

Sie war zurückgekommen und hatte ihm einen Besuch abgestattet. Und sie hatte behauptet, »finanziell unabhängig« zu sein, was Armanskij so verstanden hatte, dass sie genug Geld hatte, um erst einmal eine Weile zurechtzukommen.

Das ganze Frühjahr über hatte sie Holger Palmgren regelmäßig besucht. Mit Blomkvist hatte sie keinen Kontakt aufgenommen.

Sie hatte drei Menschen erschossen, von denen ihr zwei anscheinend völlig unbekannt waren.

Das stimmt doch alles nicht. Das ist doch völlig unlogisch.

Armanskij nahm einen Schluck Bier direkt aus der Flasche und zündete sich einen Zigarillo an. Er hatte ein schlechtes Gewissen, was nur noch mehr zu seiner miesen Laune an diesem Wochenende beitrug.

Als Bublanski ihn aufsuchte, hatte er ihm so viele Informationen gegeben, wie er konnte, damit Lisbeth so schnell wie möglich gefasst werden konnte. Dass sie gefasst werden musste, stand für ihn außer Frage – je schneller, desto besser. Aber er hatte ein schlechtes Gewissen, weil er so schlecht von ihr dachte – weil er die Nachricht von ihrer Schuld akzeptierte, ohne sie im Mindesten zu hinterfragen. Armanskij war Realist. Die Polizei musste gute Gründe für ihren Verdacht haben. Vermutlich war Lisbeth Salander tatsächlich schuldig.

Was die Polizei jedoch nicht berücksichtigte, war die Frage, ob Lisbeth Salander vielleicht einen Grund für ihre Tat gehabt haben könnte – ob es mildernde Umstände gab oder zumindest eine einleuchtende Erklärung für ihre Raserei. Die Polizei musste nur beweisen, dass sie die Schüsse abgegeben hatte – sie musste nicht ihre Seele erforschen und erklären, warum sie es getan hatte. Die Polizei war schon zufrieden, wenn sie ein leidlich logisches Motiv für die Tat finden konnte; und gab es keine Erklärung, war sie durchaus bereit, das Ganze als Tat einer Wahnsinnigen hinzustellen. *Lisbeth Salander als wirre Serienmörderin.* Armanskij schüttelte den Kopf.

Diese Erklärung gefiel ihm ganz und gar nicht.

Lisbeth Salander machte niemals etwas, was sie nicht wollte, und sie analysierte vorher immer sämtliche Konsequenzen ihres Handelns.

Außergewöhnlich – ja. Wahnsinnig – nein.

Also musste es eine Erklärung geben, wie obskur und unwahrscheinlich sie für Außenstehende auch wirken mochte.

Irgendwann gegen zwei Uhr morgens fasste er einen Entschluss.

17. Kapitel

Ostersonntag, 27. März – Dienstag, 29. März

Nach einer durchgrübelten Nacht stand Dragan Armanskij am Sonntagmorgen früh auf. Er schlich sich ganz leise nach unten, um seine Frau nicht zu wecken, kochte Kaffee und schmierte sich ein paar Brote. Dann nahm er seinen Laptop und begann zu schreiben.

Er benutzte dasselbe Formular, das auch Milton Security für die Untersuchung des persönlichen Hintergrundes eines Objekts benutzte. Er füllte es mit so vielen wichtigen Basisfakten aus, wie ihm zu Lisbeth Salanders Persönlichkeit nur einfielen.

Gegen neun kam Ritva herunter und nahm sich Kaffee von der Warmhalteplatte. Als sie ihn fragte, was er da machte, gab er ihr nur eine ausweichende Antwort und schrieb verbissen weiter. Sie kannte ihren Mann gut genug, um zu wissen, dass an diesem Tag nichts mehr mit ihm anzufangen war.

Mikael hatte sich geirrt, was höchstwahrscheinlich daran lag, dass Osterferien waren und es im Präsidium relativ leer war. Erst am Morgen des Ostersonntags kamen die Massenmedien dahinter, dass er es war, der Dag und Mia gefunden hatte. Der Erste war ein Reporter vom *Aftonbladet*, ein alter Bekannter von Mikael.

»Hallo, Blomkvist. Hier ist Nicklasson.«

»Hallo, Nicklasson«, sagte Mikael.

»Du hast also das Paar in Enskede gefunden.«

Mikael bestätigte es.

»Ich habe eine Quelle, die behauptet, die beiden hätten für *Millennium* gearbeitet.«

»Deine Quelle hat halb recht, halb unrecht. Dag Svensson hat eine freiberufliche Reportage für *Millennium* geschrieben. Mia Bergman nicht.«

»Das ist ja die totale Hammerstory.«

»Da hast du wohl recht«, meinte Mikael müde.

»Warum habt ihr denn bei *Millennium* gar nichts darüber gebracht?«

»Dag Svensson war ein guter Freund und Arbeitskollege. Wir fanden es unseriös, gleich vorzupreschen.«

»Woran hat Dag denn gearbeitet?«

»An einer Story für *Millennium*.«

»Und worüber?«

»Erzähl doch mal – was für eine Sensationsstory bringt ihr beim *Aftonbladet* denn als Nächstes?«

»Es war also eine Sensationsstory?«

»Nicklasson, du kannst mich mal.«

»Ach, jetzt komm schon, Blümchen. Glaubst du wirklich, dass die Morde etwas mit der Story zu tun hatten, an der Dag Svensson arbeitete?«

»Wenn du mich noch einmal Blümchen nennst, lege ich sofort auf und spreche ein Jahr lang kein Wort mehr mit dir.«

»Entschuldige. Glaubst du, dass Dag Svensson wegen seiner journalistischen Arbeit ermordet wurde?«

»Ich habe keine Ahnung, warum Dag ermordet wurde.«

»Hatte seine Story etwas mit Lisbeth Salander zu tun?«

»Nein, nicht das Geringste.«

»Weißt du, ob Dag diese Wahnsinnige kannte?«

»Nein.«

»Dag hat früher sehr viele Artikel über Datenkriminalität geschrieben. Ging seine Story für *Millennium* auch in diese Richtung?«

Der lässt einfach nicht locker, dachte Mikael. Er war drauf und dran, Nicklasson zu sagen, er solle sich zum Teufel scheren, da hielt er plötzlich inne und setzte sich im Bett auf. Ihm kamen gerade zwei Gedanken gleichzeitig. Nicklasson sagte noch irgendetwas.

»Warte mal kurz, Nicklasson. Bleib dran. Ich bin sofort wieder da.«

Mikael stand auf und legte die Hand über die Sprechmuschel. Mit einem Mal war er auf einem ganz anderen Planeten.

Seit den Morden hatte Mikael sich den Kopf zermartert, wie er einen Weg finden konnte, mit Lisbeth Kontakt aufzunehmen. Die Wahrscheinlichkeit, dass sie lesen würde, was er in diesem Interview sagte, war sehr groß, egal, wo sie gerade sein mochte. Wenn er leugnete, sie zu kennen, könnte sie glauben, er habe sie verraten und verkauft. Wenn er sie verteidigte, würden die anderen annehmen, dass er mehr über die Morde wusste, als er erzählt hatte. Aber wenn er das Richtige sagte, könnte das Lisbeth vielleicht den Anstoß geben, mit ihm Kontakt aufzunehmen. Die Gelegenheit war zu gut, als dass er sie verschenken durfte. Er musste etwas sagen. *Aber was?*

»Entschuldige, da bin ich wieder. Was hattest du als Letztes gesagt?«

»Ich hab gefragt, ob Dag Svensson für euch auch etwas über Datenkriminalität schrieb?«

»Wenn du ein offizielles Statement von mir willst, kannst du eins kriegen.«

»Schieß los.«

»Du musst mich aber ganz exakt zitieren.«

»Wie sollte ich dich denn sonst zitieren?«

»Diese Frage möchte ich jetzt nicht beantworten müssen.«

»Was möchtest du sagen?«

»Ich maile es dir in fünf Minuten.«

»Was?«

»Guck in fünf Minuten in deine Mailbox«, gab Mikael zurück und legte auf.

Dann ging er an seinen Schreibtisch, fuhr sein iBook hoch und öffnete Word. Dann dachte er zwei Minuten konzentriert nach, bevor er zu schreiben begann.

Die Chefredakteurin von Millennium, *Erika Berger, ist zutiefst erschüttert über den Mord an ihrem Mitarbeiter, dem freien Journalisten Dag Svensson. Sie hofft, dass die Morde bald aufgeklärt werden.*
Der verantwortliche Herausgeber der Zeitschrift, Mikael Blomkvist, hatte seinen Kollegen und dessen Freundin in der Nacht zum Gründonnerstag ermordet aufgefunden.
»Dag Svensson war ein fantastischer Journalist und ein Mensch, den ich sehr geschätzt habe. Er hatte mehrere Ideen für interessante Reportagen. Unter anderem arbeitete er an einer großen Reportage über Datenklau«,
erklärte Mikael Blomkvist gegenüber dem Aftonbladet.
Weder Mikael Blomkvist noch Erika Berger wollen Spekulationen anstellen, wer der Schuldige ist und welches Motiv hinter der Tat stecken könnte.

Dann griff Mikael wieder zum Hörer und rief Erika Berger an.

»Hallo, Ricky. Du bist soeben vom *Aftonbladet* interviewt worden.«

»Aha.«

Er las ihr die kurzen Zitate rasch vor.

»Und warum?«, wollte Erika wissen.

»Weil jedes Wort davon wahr ist. Dag hat zehn Jahre als

freiberuflicher Journalist gearbeitet, und eines seiner Spezialgebiete war Datensicherheit. Ich habe mehrmals mit ihm über dieses Thema gesprochen, und wir hatten auch angedacht, einen entsprechenden Artikel von ihm zu bringen, sobald wir mit der Mädchenhandel-Story fertig waren.«

Er schwieg fünf Sekunden.

»Kennst du jemanden, der sich ebenfalls für Datenklau interessiert?«, half er nach.

Erika Berger brauchte eine Weile. Dann begriff sie, was Mikael vorhatte.

»Schlaues Kerlchen, Micke. Richtig clever. Okay, lass das so drucken.«

Nicklasson rief innerhalb einer Minute zurück, nachdem er Mikaels Mail bekommen hatte.

»Das ist aber nicht gerade ein großartiges Statement.«

»Das ist alles, was du kriegst, und das ist mehr, als alle anderen Zeitungen kriegen werden. Entweder du bringst das ganze Zitat genau so, wie ich es dir gemailt habe, oder du bringst gar nichts.«

Sobald Mikael seine Mail an Nicklasson geschickt hatte, setzte er sich wieder vor sein iBook. Er überlegte kurz und schrieb dann einen kurzen Brief.

Liebe Lisbeth,
ich schreibe diesen Brief und speichere ihn auf der Festplatte, weil ich sicher bin, dass Du ihn dann früher oder später lesen wirst. Ich kann mich erinnern, wie Du Dich vor zwei Jahren auf Wennerströms Festplatte gehackt hast, und ich habe den Verdacht, dass Du damals auch die Gelegenheit genutzt hast, meinen Computer zu hacken. Im Moment ist es ganz offensichtlich, dass Du nichts mit mir zu tun haben willst. Ich weiß immer noch nicht, warum Du die Verbindung zu mir auf diese Art abgebrochen hast, aber ich

werde nicht weiter fragen, und Du musst es mir auch nicht erklären.
Leider haben uns die Ereignisse der letzten Tage wieder zusammengeführt, ob Du das nun willst oder nicht. Die Polizei behauptet, Du hättest kaltblütig zwei Menschen ermordet, die ich sehr mochte. Dass die Morde brutal waren, steht außer Frage – ich habe Dag und Mia nämlich gefunden, wenige Minuten nachdem sie erschossen worden waren. Allerdings glaube ich nicht, dass Du sie erschossen hast. Zumindest hoffe ich es. Wenn Du eine psychotische Mörderin bist, wie die Polizei behauptet, dann müsste das heißen, dass ich Dich entweder total falsch eingeschätzt habe oder dass Du Dich im Laufe des letzten Jahres ganz dramatisch verändert hast. Und wenn Du nicht die Mörderin bist, dann jagt die Polizei die falsche Person.
Wahrscheinlich sollte ich Dich jetzt auffordern, aufzugeben und zur Polizei zu gehen. Damit stoße ich aber auf taube Ohren, befürchte ich. Doch Deine Situation ist wirklich völlig unhaltbar, und früher oder später werden sie Dich kriegen. Wenn Du gefasst wirst, wirst Du einen Freund brauchen können. Falls Du mit mir nichts zu tun haben willst, habe ich da noch eine Schwester. Sie heißt Annika Giannini und ist Rechtsanwältin. Ich habe mit ihr geredet, und sie ist bereit, Dich zu vertreten, wenn Du mit ihr Kontakt aufnimmst. Du kannst ihr vertrauen.
Wir von Millennium *haben unsere eigene Untersuchung eingeleitet, um herauszufinden, warum Dag und Mia ermordet wurden. Ich stelle derzeit eine Liste der Personen zusammen, die gute Gründe gehabt hätten, Dag Svensson zum Schweigen zu bringen. Ich weiß nicht, ob ich damit auf der richtigen Fährte bin, aber ich werde diese Liste Name für Name abarbeiten.*
Mein Problem ist, ich kapiere nicht ganz, was Nils Bjurman eigentlich mit der ganzen Geschichte zu tun hat. In Dags

Material taucht er nirgendwo auf, und ich kann auch keinerlei Verbindung zwischen ihm und Dag und Mia entdecken.
Hilf mir. Please. Wo ist die Verbindung?
Mikael
P. S.: Du solltest mal neue Passbilder machen lassen. Dieses wird Dir echt nicht gerecht.

Er überlegte kurz, dann nannte er das Dokument »An Sally«. Anschließend legte er einen Ordner an, den er »LISBETH SALANDER« nannte, und legte ihn gut sichtbar auf den Desktop seines Computers.

Am Dienstagmorgen berief Dragan Armanskij eine Sitzung am runden Konferenztisch in seinem Büro ein. Er bestellte drei Personen zu sich.

Johan Fräklund, 62 Jahre alt, ehemaliger Kriminalinspektor der Polizei von Solna, leitete die operative Einheit von Milton Security. Fräklund hatte die übergreifende Verantwortung für Planung und Analyse. Armanskij hatte ihn vor zehn Jahren aus dem Staatsdienst abgeworben und betrachtete Fräklund als einen der größten Aktivposten seiner Firma.

Armanskij hatte auch Sonny Bohman, 48, und Niklas Eriksson, 29, zu sich rufen lassen. Bohman war ebenfalls Polizist gewesen. Er hatte in den 80er-Jahren seine Erfahrungen in der Eingreiftruppe von Norrmalm gesammelt und war dann ins Dezernat für Gewaltverbrechen gewechselt, wo er Dutzende von dramatischen Ermittlungen geleitet hatte. Als Anfang der 90er-Jahre der Lasermann wütete, agierte Bohman als eine der Schlüsselfiguren. 1997 ging er dann zu Milton, was Armanskij einiges an Überredungskünsten und das Versprechen eines wesentlich höheren Gehalts gekostet hatte.

Niklas Eriksson galt als Senkrechtstarter. Er war an der Polizeihochschule gewesen und hatte erst im allerletzten Moment vor seinem Examen erfahren, dass er einen angeborenen

Herzfehler hatte, der nicht nur eine größere Operation erforderlich machte, sondern auch seine angestrebte Polizeikarriere verhinderte.

Fräklund – der ein Kollege von Erikssons Vater gewesen war – hatte Armanskij vorgeschlagen, dem Jungen eine Chance zu geben. Da in der Analyseeinheit eine Stelle frei war, gab Armanskij seine Zustimmung – und musste es nicht bereuen. Eriksson arbeitete nun schon seit fünf Jahren für Milton. Im Gegensatz zu den meisten anderen Mitarbeitern der operativen Abteilung hatte Eriksson zwar keine praktischen Erfahrungen, aber dafür war er ein scharfsinniger Denker.

»Guten Morgen zusammen, setzen Sie sich, lesen Sie das bitte durch«, sagte Armanskij.

Er teilte drei Mappen aus, die jeweils um die fünfzig Seiten kopierte Zeitungsausschnitte von der Jagd auf Lisbeth Salander enthielten sowie einen dreiseitigen Bericht über ihren Hintergrund. Armanskij hatte den Ostermontag damit verbracht, die Personalakte zu durchforsten. Eriksson war als Erster fertig und legte die Mappe auf den Tisch. Armanskij wartete, bis auch Bohman und Fräklund fertig waren.

»Ich nehme an, keinem der Herren sind am Wochenende die Schlagzeilen der Abendzeitungen entgangen«, stellte Dragan Armanskij fest.

»Lisbeth Salander«, sagte Fräklund düster.

Sonny Bohman schüttelte den Kopf.

Niklas Eriksson blickte mit unergründlicher Miene und der Andeutung eines Lächelns in die Luft.

Dragan Armanskij betrachtete das Trio mit forschendem Blick.

»Eine unserer Angestellten«, fuhr er fort. »Wie gut haben Sie sie kennengelernt in den Jahren, als sie hier arbeitete?«

»Ich habe einmal versucht, einen Scherz zu machen«, erzählte Niklas Eriksson mit vagem Lächeln. »Ging leicht daneben. Ich dachte, die beißt mir gleich den Kopf ab. Sie war ein absoluter Griesgram, mit dem ich wahrscheinlich insgesamt nicht mehr als zehn Sätze gewechselt habe.«

»Sie war ziemlich eigen«, bestätigte Fräklund.

Bohman zuckte mit den Schultern. »Sie war völlig verrückt und unausstehlich, wenn man mit ihr zu tun hatte. Ich wusste, dass sie einen Schaden hat, aber nicht, dass sie total durchgeknallt ist.«

Dragan Armanskij nickte.

»Sie ist immer ihren eigenen Weg gegangen«, stimmte er zu. »Sie war nicht leicht im Umgang. Aber ich habe sie engagiert, weil sie die beste Researcherin war, die mir jemals begegnet ist. Die Arbeit, die sie abgeliefert hat, lag immer weit über dem Durchschnitt.«

»Das hab ich nie verstanden«, meinte Fräklund. »Ich konnte einfach nicht begreifen, wie sie so unglaublich kompetent sein konnte und gleichzeitig sozial so völlig unfähig.«

Alle drei nickten.

»Die Erklärung ist natürlich in ihrem psychischen Zustand zu suchen«, erklärte Armanskij und tippte auf eine der Mappen. »Man hatte sie für nicht geschäftsfähig erklärt.«

»Davon wusste ich überhaupt nichts«, sagte Eriksson. »Ich meine, sie hatte ja auch kein Schild umhängen, auf dem stand, dass sie einen rechtlichen Betreuer hatte. Und Sie haben nie etwas davon erwähnt.«

»Nein«, gab Armanskij zu. »Weil ich fand, dass sie nicht noch mehr stigmatisiert werden musste, als sie es sowieso schon war. Alle Menschen verdienen eine Chance.«

»Das Ergebnis dieses Experiments haben wir in Enskede gesehen«, kommentierte Bohman.

»Vielleicht«, meinte Armanskij.

Armanskij zögerte kurz. Seine Schwäche für Lisbeth Salander wollte er vor diesen drei Männern nicht eingestehen, die ihn jetzt so erwartungsvoll ansahen. Bis jetzt war der Ton des Gesprächs ganz neutral gewesen, aber Armanskij wusste sehr wohl, dass alle drei Lisbeth Salander gehasst hatten, wie jeder andere Mitarbeiter bei Milton Security auch. Er durfte nicht schwach oder verwirrt aussehen. Er musste die Sache so vorbringen, dass er ein gewisses Maß an Enthusiasmus und Professionalität in ihnen weckte.

»Ich habe zum ersten Mal in meiner Karriere beschlossen, dass wir Miltons Ressourcen für eine interne Angelegenheit einsetzen«, verkündete er. »Das darf natürlich kein unverhältnismäßig großer Posten im Budget werden, aber ich möchte Sie beide, Bohman und Eriksson, von Ihren anderen Aufgaben entbinden. Ihre einzige Aufgabe soll sein – ein wenig vage ausgegedrückt – ›die Wahrheit über Lisbeth Salander‹ herauszufinden.«

Bohman und Eriksson sahen Armanskij zweifelnd an.

»Ich möchte, dass Sie, Fräklund, diese Untersuchung leiten. Ich will wissen, was passiert ist und was Lisbeth Salander möglicherweise dazu trieb, ihren rechtlichen Betreuer und das Paar in Enskede umzubringen. Es muss eine logische Erklärung geben.«

»Entschuldigen Sie, aber das hört sich doch wohl eher nach einer rein polizeilichen Aufgabe an«, wandte Fräklund ein.

»Zweifellos«, erwiderte Armanskij sofort. »Aber wir sind der Polizei gegenüber leicht im Vorteil. Wir kannten Lisbeth Salander und haben einen gewissen Einblick gewonnen, wie sie tickt.«

»Na ja«, meinte Bohman in zweifelndem Ton. »Ich glaube, niemand in der Firma kannte Salander wirklich oder hatte eine Ahnung, was in ihrem kleinen Kopf vorging.«

»Das spielt keine Rolle«, gab Armanskij zurück. »Salander hat für Milton Security gearbeitet. Ich finde, wir haben eine gewisse Verantwortung, die Wahrheit herauszufinden.«

»Salander arbeitet schon seit ... wie lange ist das jetzt schon her, seit fast zwei Jahren nicht mehr für uns«, gab Fräklund zu bedenken. »Ich finde nicht, dass wir eine besondere Verantwortung für das haben, was sie so ausheckt. Und ich glaube auch nicht, dass die Polizei es sonderlich schätzt, wenn wir uns in ihre Ermittlungen einmischen.«

»Im Gegenteil«, klärte Armanskij ihn auf. Das war sein großer Trumpf, und er musste ihn geschickt ausspielen.

»Wie – im Gegenteil?«, fragte Bohman.

»Gestern hatte ich ein paar lange Gespräche mit dem Leiter der Voruntersuchung, Staatsanwalt Ekström, sowie mit Kriminalinspektor Bublanski, der die Ermittlungen leitet. Ekström steht in der momentanen Situation sehr unter Druck. Das ist hier kein Allerweltsverbrechen unter Gangstern gewesen, sondern ein Ereignis mit enormem Medienpotenzial. Ein Anwalt, eine Kriminologin und ein Journalist wurden regelrecht hingerichtet. Da die Hauptverdächtige eine ehemalige Angestellte von Milton Security ist, habe ich ihnen mitgeteilt, dass wir uns für eine Untersuchung des Falles entschieden haben.«

Armanskij machte eine Pause, bevor er fortfuhr.

»Ekström und ich sind uns darüber einig, dass es im Moment das Wichtigste ist, Lisbeth Salander so schnell wie möglich zu fassen, bevor sie sich oder anderen noch mehr Schaden zufügen kann«, erklärte er. »Da wir sie besser kennen als die Polizei, können wir etwas zu den Ermittlungen beitragen. Ekström und ich haben uns daher darauf verständigt, dass Sie beide«, er zeigte auf Bohman und Eriksson, »nach Kungsholmen gehen und sich Bublanskis Team anschließen.«

Alle drei sahen ihn verblüfft an.

»Entschuldigen Sie die einfältige Frage ... aber wir sind doch keine Polizisten«, wunderte sich Bohman. »Will uns die Polizei trotzdem in ihre Mordermittlungen mit einbeziehen?«

»Sie sind Bublanski unterstellt, berichten aber auch an mich. Sie erhalten vollen Einblick in die Ermittlungen. Sämtliches Material, das wir haben und das Sie ab jetzt noch finden, geht auch an ihn. Für die Polizei heißt das nur, dass Bublanskis Team gratis Verstärkung bekommt. Außerdem haben Sie und Fräklund doch jahrelang bei der Polizei gearbeitet, bevor Sie hier anfingen. Und Sie, Eriksson, haben die Polizeischule besucht.«

»Aber das verstößt doch gegen die Prinzipien ...«

»Nicht im Geringsten. Die Polizei zieht oft externe Berater zu ihren Ermittlungen hinzu. Das können Psychologen sein, bei einem Sexualverbrechen zum Beispiel, oder auch Dolmetscher bei Ermittlungen, in denen Ausländer eine Rolle spielen. Sie haben eben Spezialkenntnisse über die Hauptverdächtige.«

Fräklund nickte langsam.

»Okay. Milton beteiligt sich also an der Ermittlungsarbeit der Polizei und versucht dazu beizutragen, dass Salander gefasst wird. Sonst noch was?«

»Eines noch: Ihr Auftrag von Miltons Seite lautet, die Wahrheit herauszufinden. Sonst nichts. Ich will wissen, ob Salander diese drei Menschen erschossen hat – und wenn ja, warum.«

»Besteht denn irgendein Zweifel an ihrer Schuld?«, erkundigte sich Eriksson.

»Die Indizien, die die Polizei gefunden hat, belasten sie sehr stark. Aber ich will wissen, ob es in dieser Geschichte noch eine andere Dimension gibt – irgendeinen Mittäter, den wir nicht kennen, andere Umstände, die mit hineingespielt haben.«

»Ich denke, es wird schwierig werden, bei einem dreifachen Mord mildernde Umstände zu finden«, meinte Fräklund. »In diesem Fall müssten wir von der Möglichkeit ausgehen, dass sie völlig unschuldig sein könnte. Und das glaube ich nicht.«

»Ich auch nicht«, pflichtete Armanskij ihm bei. »Aber Ihr Job besteht darin, der Polizei auf jede erdenkliche Art zu helfen und dazu beizutragen, dass sie so bald wie möglich festgenommen wird.«

»Budget?«, wollte Fräklund wissen.

»Wir verbuchen das unter laufenden Kosten. Ich möchte über Ihre Ausgaben auf dem Laufenden gehalten werden. Sobald sie ein vernünftiges Maß übersteigen, stellen wir das Ganze ein. Aber Sie können davon ausgehen, dass Sie ab heute mindestens eine Woche lang rund um die Uhr daran arbeiten werden.«

Er zögerte noch einmal kurz.

»Ich bin derjenige hier, der Salander am besten kennt. Das bedeutet, dass ich einer von den Leuten bin, die Sie verhören sollten«, sagte er schließlich.

Sonja Modig hastete durch den Flur und schlüpfte genau in dem Moment in den Konferenzraum, als das große Stühlescharren gerade aufgehört hatte. Sie setzte sich neben Bublanski, der das gesamte Fahndungsteam einschließlich Staatsanwalt zu dieser Sitzung gebeten hatte. Hans Faste warf ihr einen gereizten Blick zu und eröffnete dann die Versammlung.

Faste hatte weiter nach diversen Kontakten des Sozialamts mit Lisbeth Salander geforscht, die sogenannte »Psychopathenspur«, wie er sich ausdrückte, und er hatte umfassendes Material zusammentragen können. Er räusperte sich.

»Das hier ist Dr. Peter Teleborian, Chefarzt der psychiatrischen Klinik St. Stefans in Uppsala. Er war so freundlich, zu uns nach Stockholm zu kommen, um uns bei den Ermittlungen mit seinem Wissen über Lisbeth Salander behilflich zu sein.«

Sonja Modig sah Peter Teleborian an. Er war klein, hatte braunes, lockiges Haar, eine Brille mit Stahlgestell und einen dünnen Spitzbart. Er trug ein beigefarbenes Cordsakko, Jeans und ein helles, gestreiftes Hemd, dessen oberer Knopf offen stand. Sein Gesicht war scharf geschnitten, aber er wirkte irgendwie jungenhaft. Sonja hatte ihn schon mehrmals gesehen, doch nie mit ihm gesprochen. Damals hatte er in ihrem letzten Semester an der Polizeihochschule Vorlesungen über psychische Störungen gehalten und später im Zusammenhang mit einem anderen Fortbildungskurs über Psychopathen und psychopathisches Verhalten bei Jugendlichen gesprochen. Einmal hatte sie auch einen Prozess gegen einen Serienvergewaltiger mitverfolgt, bei dem er als Experte in den Zeugenstand gerufen worden war. Jahrelang hatte er sich an der öffentlichen Debatte zu seinem Spezialthema beteiligt, und nun war er einer der bekanntesten Psychiater des Landes. Besonders mit seiner harten Kritik an den Einschränkungen in der Betreuung psychisch kranker Menschen hatte er sich hervorgetan. Viele psychiatrische Krankenhäuser waren geschlossen worden, und Menschen, die eigentlich als psychische Notfälle gelten mussten, standen hilflos auf der Straße, prädestiniert dafür, als Obdachlose oder Sozialfälle zu enden. Nach dem Mord an der Außenministerin Anna Lindh saß Teleborian in der staatlichen Kommission, die sich mit dem Verfall der psychiatrischen Pflegeeinrichtungen auseinandersetzte.

Teleborian nickte den Versammelten zu und goss sich Ramlösa-Mineralwasser in einen Plastikbecher.

»Wir werden sehen, inwiefern ich Ihnen behilflich sein kann«, begann er vorsichtig. »Ich bin nicht besonders versessen darauf, dass sich meine Prophezeiungen in diesem Zusammenhang erfüllen.«

»Prophezeiungen?«, hakte Bublanski nach.

»Ja. Das ist schon fast absurd. An dem Abend, als die Morde in Enskede begangen wurden, habe ich an einer Talkshow im Fernsehen teilgenommen und über die Zeitbombe gesprochen, die beinahe überall in unserer Gesellschaft tickt. Es ist schrecklich. Ich hatte in dem Moment natürlich nicht Lisbeth Salander im Hinterkopf, aber ich habe einige Beispiele von Patienten genannt – anonym natürlich –, die sich eigentlich in Pflegeeinrichtungen befinden müssten, statt frei herumzulaufen. Ich würde schätzen, dass Sie von der Polizei allein dieses Jahr mindestens in einem halbem Dutzend Mord- oder Totschlagsfällen ermitteln müssen, bei denen der Täter genau dieser zahlenmäßig sehr begrenzten Gruppe zuzurechnen ist.«

»Und Sie meinen, Lisbeth Salander ist eine von diesen Verrückten?«, fragte Hans Faste.

»Die Wortwahl ›Verrückte‹ ist nicht die richtige. Ansonsten: Ja, sie gehört zu der Gruppe Menschen, die von der Gesellschaft im Stich gelassen wurden. Sie ist zweifellos eines dieser kaputten Individuen, die besser nicht auf die Gesellschaft losgelassen werden sollten.«

»Sie meinen, sie hätte eingesperrt werden sollen, bevor sie ein Verbrechen beging?«, fragte Sonja Modig. »Das ist ja wohl nicht ganz mit den Grundsätzen eines Rechtsstaates zu vereinbaren.«

Hans Faste runzelte die Brauen und bedachte sie abermals mit einem gereizten Blick. Sonja wunderte sich, warum Hans Faste die ganze Zeit nur auf sie losging.

»Sie haben völlig recht«, stimmte Teleborian zu und unterstützte damit indirekt ihre Position. »Das lässt sich mit dem Rechtsstaat nicht vereinbaren, zumindest nicht mit dem Rechtsstaat in seiner derzeitigen Form. Es ist ein Balanceakt zwischen dem Respekt vor dem Individuum und dem Respekt vor den potenziellen Opfern, die ein psychisch kranker Mensch eventuell auf seinem Weg zurücklässt. Kein Fall gleicht dem anderen, jeder Patient muss individuell behandelt werden. Selbstverständlich begehen auch wir in der Psychiatrie Fehler und lassen Personen frei, die eben nicht auf der Straße herumlaufen sollten.«

»Wir müssen uns in diesem Zusammenhang vielleicht nicht unbedingt in die Sozialpolitik vertiefen«, unterbrach Bublanski vorsichtig.

»Sie haben völlig recht«, pflichtete Teleborian ihm bei. »Hier handelt es sich um einen ganz speziellen Fall. Lassen Sie mich nur anmerken, wie wichtig es ist, dass Sie Lisbeth Salander als einen kranken Menschen begreifen, der Hilfe benötigt – nicht weniger als ein Patient mit Zahnschmerzen oder einem Herzfehler. Sie hätte gesund werden können, wenn Sie zu dem Zeitpunkt, als sie noch behandelbar war, die Behandlung bekommen hätte, die sie brauchte.«

»Sie waren also ihr Arzt«, stellte Hans Faste fest.

»Ich war einer von vielen, die mit Lisbeth Salander zu tun

hatten. In ihrer frühen Teenagerzeit war sie meine Patientin, und ich war einer von den Ärzten, die sie untersuchten, bevor sie mit Erreichen des 18. Lebensjahres unter rechtliche Betreuung gestellt werden konnte.«

»Können Sie uns von ihr erzählen?«, bat Bublanski. »Was könnte sie dazu getrieben haben, nach Enskede zu fahren und zwei Menschen umzubringen, die sie überhaupt nicht kannte, und was könnte sie dazu gebracht haben, ihren Betreuer zu ermorden?«

Peter Teleborian lachte.

»Nein, das kann ich Ihnen nicht erzählen. Ich habe ihre Entwicklung in den letzten Jahren nicht verfolgen können, und ich weiß nicht, was für einen Grad ihre Psychose mittlerweile erreicht hat. Ich bezweifle aber, dass sie das Paar in Enskede nicht gekannt hat.«

»Wie kommen Sie zu dieser Vermutung?«, wollte Hans Faste wissen.

»Einer der Schwachpunkte in Lisbeth Salanders Behandlung war der, dass man niemals eine vollständige Diagnose gestellt hat. Was damit zusammenhängt, dass sie sich jeder Behandlung entzog. Sie weigerte sich, auf Fragen zu antworten oder sich in irgendeiner Form einer therapeutischen Behandlung zu unterziehen.«

»Sie wissen also nicht, ob sie eigentlich krank ist oder nicht?«, stellte Sonja Modig fest. »Ich meine, es gibt also keinerlei Diagnose.«

»Betrachten Sie es einfach mal so«, erklärte Teleborian. »Lisbeth Salander kam kurz vor ihrem 13. Geburtstag zu mir. Sie war psychotisch, hatte Zwangsvorstellungen und litt offensichtlich unter Verfolgungswahn. Zwei Jahre lang war sie meine Patientin, während sie in der Kinderpsychiatrie von St. Stefans bleiben musste. Der Grund für diese Zwangseinlieferung war der, dass sie in ihrer Pubertät immer wieder ein äußerst gewalttätiges Verhalten gegen ihre Schulkameraden,

Lehrer und Bekannten an den Tag legte. Sie war wiederholt wegen Körperverletzung angezeigt worden. Aber die Gewalt richtete sich in allen bekannten Fällen gegen Personen aus ihrem Bekanntenkreis, also gegen jemand, der etwas gesagt oder getan hatte, was sie als Kränkung empfand. In keinem einzigen Fall hat sie einen völlig unbekannten Menschen angegriffen. Daher glaube ich, dass es sehr wohl eine Verbindung zwischen ihr und dem Paar in Enskede gibt.«

»Abgesehen von dem Angriff in der U-Bahn, als sie 17 war«, bemerkte Hans Faste.

»In diesem Fall dürfte es als gesichert gelten, dass sie angegriffen wurde und sich nur gewehrt hat«, widersprach Teleborian. »Die betreffende Person war ein bekannter Sexualstraftäter. Aber das ist dennoch ein gutes Beispiel für ihr Reaktionsmuster. Sie hätte auch weggehen oder bei den anderen Passagieren im Wagen Schutz suchen können. Stattdessen entschied sie sich dafür, ihn schwer zu misshandeln. Wenn sie sich bedroht fühlt, reagiert sie mit Gewalt.«

»Was hat sie denn nun eigentlich?«, fragte Bublanski.

»Wie gesagt, wir haben keine exakte Diagnose. Ich würde sagen, sie leidet an Schizophrenie und einer Psychose. Ihr fehlt jegliche Empathie, man kann sie in vielerlei Hinsicht als Soziopathin beschreiben. Ich muss sagen, ich finde es schon einigermaßen überraschend, dass sie nach ihrem 18. Geburtstag überhaupt so gut zurechtgekommen ist. Sie hat sich also acht Jahre lang frei in der Gesellschaft bewegt – wenngleich natürlich mit einem rechtlichen Betreuer –, ohne auch nur ein einziges Mal etwas zu tun, was zu einer Anzeige oder einer Festnahme geführt hätte. Ihre Prognose jedoch ...«

»Ihre Prognose?«

»In all der Zeit ist sie nicht behandelt worden. Ich schätze, die Krankheit, die wir vor zehn Jahren noch hätten behandeln und heilen können, ist mittlerweile ein fester Bestandteil ihrer Persönlichkeit geworden. Ich prophezeie Ihnen, dass sie nicht zu einer Gefängnisstrafe verurteilt werden wird. Sie muss in Behandlung.«

»Wie zum Teufel war es denn dann überhaupt möglich, sie frei herumlaufen zu lassen?«, murmelte Hans Faste.

»Das war wohl das Zusammenwirken von einem redegewandten Rechtsanwalt und den Auswirkungen einer fortschreitenden Liberalisierung bei gleichzeitiger Kürzung der Mittel. Auf jeden Fall ein Entschluss, dem ich mich widersetzte, als die Rechtsmedizin mich konsultierte. Aber ich hatte in dieser Sache keinen Einfluss.«

»Aber eine Prognose dieser Art ist doch wohl vor allem geraten?«, meinte Sonja Modig. »Ich meine ... Sie wissen eigentlich überhaupt nicht, was alles mit ihr passiert ist, seit sie 18 geworden ist.«

»Es ist mehr als nur geraten. Das ist meine Erfahrung.«

»Hat sie einen selbstzerstörerischen Zug?«, fragte Sonja Modig.

»Sie meinen, ob sie selbstmordgefährdet sein könnte? Nein, das bezweifle ich. Sie ist eher eine egomanische Psychopathin, die immer nur an sich selbst denkt. Der Rest der Menschen ist unwichtig.«

»Sie sprachen von ihrer potenziellen Gewalttätigkeit«, sagte Hans Faste. »Halten Sie sie für gefährlich?«

Peter Teleborian betrachtete ihn lange. Dann senkte er den Kopf und rieb sich die Stirn, bevor er antwortete.

»Sie ahnen nicht, wie schwer es ist, exakt vorherzusagen, wie ein Mensch reagieren wird. In jedem Fall würde ich versuchen, die Festnahme mit der größtmöglichen Vorsicht vorzunehmen. Falls sie bewaffnet ist, wird sie diese Waffe vermutlich auch einsetzen.«

18. Kapitel

Dienstag, 29. März – Mittwoch, 30. März

Die drei parallelen Ermittlungen in den Morden von Enskede gingen weiter. Bublanskis Ermittlungen genossen alle Vorteile, die einer staatlichen Behörde zustehen. Von außen betrachtet, war die Lösung bereits zum Greifen nahe: Sie hatten eine Verdächtige, und die Mordwaffe konnte mit ihr in Verbindung gebracht werden. Es gab eine unbestreitbare Verbindung zu einem der Mordopfer sowie eine mögliche Verbindung zwischen Mikael Blomkvist und den beiden anderen Opfern. Für Bublanski ging es jetzt nur noch darum, Lisbeth Salander tatsächlich zu finden und sie in eine der Zellen im Kronoberg-Gefängnis zu verfrachten.

Dragan Armanskijs Ermittlungen waren formell der Polizei unterstellt, aber er verfolgte auch eigene Pläne damit. Es war seine persönliche Absicht, Lisbeth Salanders Interessen zu schützen – die Wahrheit herauszufinden, und zwar möglichst eine Wahrheit, die mildernde Umstände in sich barg.

Die Ermittlungen, die *Millennium* anstellte, waren die mühsamsten. Die Zeitschrift hatte einfach nicht die Mittel, über die die Polizei oder Armanskijs Firma verfügte. Im Gegensatz zur Polizei war Mikael Blomkvist auch nicht sonderlich daran interessiert, ein einleuchtendes Motiv zu finden, warum Lisbeth Salander nach Enskede gefahren sein könnte, um dort zwei seiner Freunde zu ermorden. Irgendwann im Laufe des Osterwochenendes hatte er beschlossen, dass er diese Story einfach nicht glaubte. Wenn Lisbeth Salander irgendwie in diese Morde verwickelt war, dann musste es eben andere Gründe geben als die, von denen die polizeilichen Ermittlungen ausgingen. Vielleicht hatte jemand anders die Waffe gehalten, oder es war irgendetwas geschehen, worauf Lisbeth keinen Einfluss gehabt hatte.

Auf der Fahrt nach Kungsholmen saß Niklas Eriksson schweigend im Taxi. Er war noch ganz benommen von der Möglichkeit, an richtigen polizeilichen Ermittlungen teilhaben zu können. Er warf einen Blick zu Sonny Bohman hinüber, der sich gerade noch einmal Armanskijs Zusammenfassung durchlas. Dann musste er auf einmal in sich hineinlächeln.

Der Auftrag hatte ihm ganz unerwartet die Möglichkeit eröffnet, einen Wunsch zu befriedigen, den weder Armanskij noch Sonny Bohman erahnen konnten. Ganz plötzlich war er in die Lage versetzt worden, es Lisbeth Salander heimzuzahlen. Er hoffte, dass er zu ihrer Festnahme beitragen konnte. Er hoffte, dass sie zu einer lebenslangen Gefängnisstrafe verurteilt werden würde.

Dass Lisbeth Salander bei Milton Security nicht populär gewesen war, war bekannt. Die meisten Mitarbeiter, die irgendwann mit ihr zu tun gehabt hatten, hielten sie für einen Albtraum. Aber weder Bohman noch Armanskij ahnten, wie abgrundtief Niklas Eriksson Lisbeth Salander hasste.

Das Leben hatte Niklas Eriksson ungerecht behandelt. Er sah gut aus. Er war ein Mann in den besten Jahren. Außerdem war er intelligent. Trotzdem war ihm für immer der Weg verschlossen, das zu werden, was er immer hatte werden wollen, nämlich Polizist. Sein Problem bestand in einem mikroskopisch kleinen Loch im Herzen, das Geräusche verursachte und eine der Herzkammern schwächte. Er war operiert worden, die Sache war behoben, aber mit einem Herzfehler war man ein für alle Mal aussortiert und zum Menschen zweiter Klasse gestempelt.

Als er die Möglichkeit bekam, bei Milton Security anzufangen, hatte er angenommen. Jedoch ohne den geringsten Enthusiasmus. Er sah Milton als Schuttabladeplatz für ehemalige Polizisten, die zu alt waren und nicht mehr den Erwartungen entsprachen. Und er war einer von den Zurückgewiesenen – wenngleich in seinem Fall kein eigenes Verschulden vorlag.

Sein erster Auftrag bei Milton hatte darin bestanden, der operativen Einheit bei Sicherheitsanalyse und Personenschutz einer international bekannten Sängerin zu helfen, die von einem Fan – der gerade aus der Psychiatrie ausgebrochen war – verfolgt wurde. Die Sängerin wohnte allein in einer Villa in Södertörn, wo Milton eine Überwachungs- und Alarmanlage installiert hatte und zeitweise Leibwächter vor Ort einsetzte. Die Bodyguards überwältigten die fragliche Person im Handumdrehen, woraufhin man den Irren wegen Bedrohung und Hausfriedensbruch verurteilte und ihn zurück in die Klapsmühle verfrachtete.

Niklas Eriksson hatte über zwei Wochen hinweg zusammen mit anderen Angestellten immer wieder die Villa in Södertörn besucht. Er erlebte die alternde Sängerin als versnobt und distanziert. Sein Charme prallte an ihr ab. Dieses Weibsstück hätte lieber froh sein sollen, dass sich überhaupt noch ein Verehrer an sie erinnerte.

Er verachtete die Art, wie das Personal von Milton Security um sie herumstolzierte.

Eines Nachmittags, kurz bevor der aufdringliche Fan geschnappt wurde, waren zwei Angestellte von Milton am kleinen Pool hinter dem Haus gewesen, während er im Haus herumging, um Fotos von den Fenstern und Türen zu machen, die eventuell verstärkt werden mussten. Als er so von Zimmer zu Zimmer lief, kam er auch in ihr Schlafzimmer und konnte plötzlich der Versuchung nicht widerstehen, eine Kommodenschublade aufzuziehen. Darin fand er ein Dutzend Fotoalben aus ihrer großen Zeit in den 70er- und 80er-Jahren, als sie mit ihrer Band durch die ganze Welt tourte. Außerdem stieß er noch auf eine Schachtel mit höchst privaten Aufnahmen der Sängerin. Die Bilder waren relativ unschuldig, konnten aber mit ein wenig Fantasie als »erotische Studien« durchgehen. Mein Gott, sie war ja so eine unglaublich dumme Kuh. Er entwendete fünf der gewagtesten Bilder, offensichtlich von irgendeinem Liebhaber gemacht, die sie aus privaten Gründen aufbewahrt hatte.

Er machte Kopien von den Bildern und brachte die Originale wieder zurück. Danach wartete er ein paar Monate ab, bevor er sie an ein englisches Boulevardblatt weiterverkaufte. 9000 Pfund bekam er für die Fotos. Sie hatten ganz sensationelle Schlagzeilen gemacht.

Bis heute verstand er nicht, wie Lisbeth Salander es angestellt hatte. Kurz nach Veröffentlichung der Bilder bekam er Besuch von ihr. Sie wusste, dass er die Fotos verkauft hatte. Sie drohte ihm, Dragan Armanskij aufzuklären, sollte er sich noch einmal etwas in dieser Art erlauben. Sie hätte ihn wohl auffliegen lassen, hätte sie ihre Behauptungen beweisen können – was sie anscheinend aber nicht konnte. Doch von diesem Tag an fühlte er sich von ihr überwacht. Wann immer er sich umdrehte, sah er ihre Schweinsäuglein.

Er fühlte sich bedrängt und frustriert. Die einzige Art, zurückzuschlagen, bestand darin, dass er ihre Glaubwürdigkeit unterminierte, indem er im Pausenraum böse Gerüchte über sie verbreitete. Aber auch damit hatte er keine besonderen Erfolge erzielt. Er wagte sich nicht zu weit vor, weil sie aus irgendeinem unbegreiflichen Grund unter Armanskijs Schutz stand. Er fragte sich, ob sie womöglich Verfängliches über den Geschäftsführer von Milton Security wusste oder ob der alte Bock sie am Ende heimlich vögelte. Wenngleich keiner bei

Milton ein besonderes Faible für Lisbeth Salander hatte, so hatte das Personal doch umso mehr Respekt vor Armanskij und akzeptierte Salanders seltsame Gegenwart. Es war ihm eine ungeheure Erleichterung gewesen, als sie immer seltener in Erscheinung trat und schließlich ganz aufhörte, für Milton zu arbeiten.

Jetzt bot sich die Möglichkeit, es ihr heimzuzahlen. Und endlich ohne jedes Risiko. Egal was für Anschuldigungen sie gegen ihn erheben würde – niemand würde ihr glauben. Nicht einmal Armanskij würde einer pathologischen Mörderin Glauben schenken.

Kriminalinspektor Bublanski sah Hans Faste mit Bohman und Eriksson von Milton Security aus dem Aufzug steigen. Faste hatte die neuen Mitarbeiter im Sicherheitsbereich abholen müssen. Zwar war Bublanski nicht sonderlich begeistert von dem Gedanken, Außenstehenden Zugang zu Mordermittlungen zu gewähren, aber diese Entscheidung war über seinen Kopf hinweg gefällt worden und ... ach, war doch auch egal, Bohman war jedenfalls ein echter Polizist, der schon einige Kilometer auf dem Zähler hatte. Eriksson hatte immerhin die Polizeischule besucht und konnte kein völliger Idiot sein. Bublanski zeigte aufs Konferenzzimmer.

Die Jagd auf Lisbeth Salander lief nun schon seit sechs Tagen, und es wurde Zeit, Bilanz zu ziehen. Staatsanwalt Ekström nahm nicht an der Sitzung teil. Die Gruppe bestand aus den Kriminalinspektoren Sonja Modig, Hans Faste, Curt Svensson und Jerker Holmberg, hinzu kam die vierköpfige Verstärkung von der Fahndungseinheit der Reichspolizei. Bublanski stellte zunächst die neuen Mitarbeiter von Milton Security vor und fragte, ob einer von ihnen ein paar Worte sagen wolle. Bohman räusperte sich.

»Es ist schon ein ganzes Weilchen her, dass ich in diesem Gebäude war, aber einige von Ihnen kennen mich noch und wissen, dass ich viele Jahre Polizist war, bevor ich in die freie Wirtschaft ging. Wir sind hier, weil Lisbeth Salander mehrere Jahre für unsere Firma gearbeitet hat und wir eine gewisse Verantwortung in dieser Angelegenheit empfinden. Mit unserer Kenntnis ihrer Persönlichkeit möchten wir zur schnellstmöglichen Festnahme von Lisbeth Salander beitragen.«

»Wie war es, mit ihr zusammenzuarbeiten?«, wollte Faste wissen.

»Sie war nicht gerade die Sorte Mensch, die man ins Herz schließt«, antwortete Niklas Eriksson. Er verstummte, als Bublanski die Hand hob.

»Wir werden in dieser Sitzung noch Gelegenheit haben, über Details zu sprechen. Aber wir wollen der Reihe nach vorgehen und erst mal sehen, wo wir momentan stehen. Nach dieser Sitzung gehen Sie dann zu Staatsanwalt Ekström und unterzeichnen ein Schreiben, mit dem Sie sich zum Schweigen verpflichten. Aber jetzt fangen wir mit Sonja an.«

»Es ist frustrierend. Wir haben wenige Stunden nach dem Mord schon einen Durchbruch erzielt und konnten Salander identifizieren. Wir haben ihre Wohnung gefunden – oder zumindest das, was wir für ihre Wohnung hielten. Doch dann reißt die Spur ab. Um die dreißig Mal wurde Alarm geschlagen, weil jemand glaubte, sie gesehen zu haben, aber bis jetzt jedes Mal Fehlanzeige. Es sieht so aus, als hätte sie sich in Luft aufgelöst.«

»Das ist doch unbegreiflich«, meinte Curt Svensson. »Bei ihrer auffälligen Erscheinung dürfte es doch nicht so schwer sein, sie zu finden.«

»Die Polizei in Uppsala ist gestern einem Hinweis aus der Bevölkerung nachgegangen. Mit gezogener Waffe umzingelten sie einen 14-jährigen Jungen, der aussah wie Salander, und erschreckten ihn zu Tode. Die Eltern haben sich ziemlich aufgeregt.«

»Es ist nicht gerade von Vorteil für uns, dass wir hinter jemandem her sind, der aussieht wie ein 14-jähriger Teenager.

Salander kann in Gruppen von Jugendlichen jederzeit wunderbar untertauchen.«

»Bei der geballten Medienaufmerksamkeit müsste doch irgendjemand was beobachtet haben«, gab Svensson zu bedenken. »Sie bringen sie demnächst bei *Gesucht wird* ... mal sehen, ob das was hilft.«

»Das glaube ich kaum. Immerhin war sie schon auf der Titelseite jeder schwedischen Zeitung«, widersprach Hans Faste.

»Was vielleicht bedeutet, dass wir umdenken sollten«, meinte Bublanski. »Vielleicht hat sie sich ins Ausland absetzen können, aber wahrscheinlich hält sie sich einfach nur irgendwo versteckt.«

Bohman hob die Hand, und Bublanski nickte.

»Nach dem Bild, das wir von ihr haben, hat sie keine selbstzerstörerischen Neigungen. Sie ist eine Strategin und plant jeden Schachzug im Voraus. Sie würde niemals etwas tun, ohne vorher die Konsequenzen abzuwägen. Das behauptet jedenfalls Dragan Armanskij.«

»Das entspricht auch der Einschätzung ihres ehemaligen Psychiaters. Aber mit ihrer Charakteranalyse warten wir noch ein wenig«, entschied Bublanski. »Früher oder später muss sie sich bewegen. Jerker, über was für Mittel verfügt sie eigentlich?«

»Jetzt kriegt ihr noch was, woran ihr euch die Zähne ausbeißen könnt«, verkündete Jerker Holmberg. »Sie hat seit mehreren Jahren ein Konto bei der Handelsbank. Das ist das Geld, das sie auch versteuert. Besser gesagt, die Gelder, die Bjurman versteuert hat. Vor einem Jahr waren auf dem Konto knapp 100 000 Kronen. Im Herbst 2003 hat sie den vollständigen Betrag auf einmal abgehoben.«

»Sie brauchte im Herbst 2003 Bargeld. Das war der Zeitpunkt, zu dem sie laut Armanskij aufhörte, bei Milton Security zu arbeiten«, schob Bohman ein.

»Möglich. Das Konto war zwei Wochen lang auf null. Aber danach zahlte sie die ganze Summe wieder ein.«

»Sie glaubte vielleicht, dass sie das Geld brauchen würde, hat die Summe dann aber doch nicht ausgegeben und das Geld wieder zur Bank gebracht?«

»Das wäre einleuchtend. Im Dezember 2003 hat sie von diesem Konto eine Reihe von Rechnungen beglichen, unter anderem, um die Miete für ihre Wohnung ein Jahr im Voraus zu bezahlen. Damit sank der Kontostand auf 70 000 Kronen. Danach wurde das Konto nicht mehr angetastet, abgesehen von einer Einzahlung von 9 000 Kronen. Ich habe das überprüft – das war das Erbe ihrer Mutter.«

»Okay.«

»Im März entnahm sie dieses Erbe – die exakte Summe belief sich auf 9 312 Kronen. Das war das einzige Mal, dass sie auf dieses Konto zugegriffen hat.«

»Wovon zum Teufel lebt sie denn dann?«

»Hören Sie sich das an: Im Januar eröffnete sie ein neues Konto. Jetzt bei der SEB. Sie zahlte eine Summe von zwei Millionen Kronen ein.«

»Wie bitte?«

»Woher kam das Geld?«

»Das Geld wurde von einer Bank auf den Kanalinseln in England auf ihr Konto transferiert.«

Schweigen senkte sich über den Konferenzraum.

»Jetzt versteh ich gar nichts mehr«, sagte Sonja Modig nach einer Weile.

»Das ist also Geld, das sie nicht versteuert hat?«, erkundigte sich Bublanski.

»Nein, aber dazu ist sie vor Ablauf des Jahres auch nicht verpflichtet. Das Bemerkenswerte daran ist nur, dass diese Summe nirgendwo in Bjurmans Buchführung auftaucht – die er doch jeden Monat aktualisiert hat.«

»Also entweder wusste er es nicht, oder die beiden haben zusammen irgendwas ausgeheckt. Jerker, wie sieht es mit der kriminaltechnischen Ermittlung aus?«

»Ich hatte gestern Abend ein Gespräch mit dem Leiter der Voruntersuchung. Folgendes wissen wir also bis jetzt. Erstens: Wir können Salander mit beiden Tatorten in Verbindung bringen. Wir haben ihre Fingerabdrücke auf der Mordwaffe sowie auf den Scherben einer zerbrochenen Kaffeetasse in Enskede gefunden. Wir warten noch auf die Ergebnisse der entnommenen DNA-Proben ... aber es steht außer Zweifel, dass sie in der Wohnung gewesen ist.«

»Gut.«

»Zweitens: Wir haben ihre Fingerabdrücke auf der Schachtel gefunden, in der die Waffe in Bjurmans Wohnung aufbewahrt wurde.«

»Gut.«

»Drittens: Wir haben endlich einen Zeugen, der sie in Enskede gesehen hat. Ein Mann aus einem Tabakladen hat sich gemeldet und erzählt, dass Lisbeth Salander am Abend des Mordes bei ihm im Laden war und sich eine Schachtel Marlboro Light gekauft hat.«

»Und damit rückt er mehrere Tage nach unserer Bitte um Informationen heraus.«

»Wie die meisten anderen war er über die Feiertage verreist. Jedenfalls liegt der Tabakladen hier an der Ecke«, Jerker Holmberg zeigte auf eine Karte, »ungefähr hundertneunzig Meter vom Tatort entfernt. Sie kam, kurz bevor er zumachen wollte, um 22 Uhr. Er konnte eine perfekte Beschreibung von ihr geben.«

»Das Tattoo auf ihrem Hals?«, fragte Curt Svensson.

»Da war er ein wenig unsicher. Er glaubt, eine Tätowierung gesehen zu haben. Aber er hat definitiv gesehen, dass sie eine Augenbraue gepierct hatte.«

»Was noch?«

»Von der kriminaltechnischen Seite gibt es nicht viel mehr.«

»Faste – die Wohnung in der Lundagatan?«

»Wir haben ihre Fingerabdrücke sichergestellt, aber ich glaube nicht, dass sie dort wohnt. Wir haben alles genauestens überprüft, die Wohnung scheint Miriam Wu zu gehören. Sie wurde erst im Februar dieses Jahres in den Vertrag mit eingetragen.«

»Was wissen wir über sie?«

»Sie ist nicht vorbestraft. Stadtbekannte Lesbe. Tritt regelmäßig in Shows und auf dem Gay-Pride-Festival auf. Tut so, als würde sie Soziologie studieren, und ist Teilhaberin eines Pornoladens in der Tegnérgatan. ›Domino Fashion‹.«

»Pornoladen?«, echote Sonja Modig mit hochgezogenen Augenbrauen.

Zur großen Begeisterung ihres Mannes hatte sie einmal sexy Unterwäsche bei »Domino Fashion« gekauft. Was sie den Jungs im Konferenzraum aber keinesfalls auf die Nase binden wollte.

»Na ja, die verkaufen da Handschellen und Nuttenoutfits und all so was. Brauchst du vielleicht noch eine Peitsche?«

»Das ist kein Pornoladen, sondern eine Modeboutique für Leute, die sexy Unterwäsche mögen«, protestierte sie.

»Ist doch auch scheißegal.«

»Mach weiter«, sagte Bublanski gereizt. »Wir haben also keine Spur von Miriam Wu.«

»Keinen Pieps.«

»Sie könnte über die Feiertage verreist sein«, meinte Sonja Modig.

»Oder vielleicht hat Salander sie ja auch erschossen«, schlug Faste vor. »Vielleicht will sie mal so richtig aufräumen in ihrem Bekanntenkreis.«

»Miriam Wu ist also lesbisch. Können wir daraus folgern, dass Salander und sie ein Paar sind?«

»Ich glaube, wir können ganz sicher folgern, dass da eine sexuelle Beziehung bestand«, erklärte Curt Svensson. »Diese Behauptung stütze ich auf mehrere Fakten. Zuerst einmal haben wir Salanders Fingerabdrücke im und rund ums Bett gefunden. Außerdem haben wir ihre Fingerabdrücke auf einem Paar

Handschellen sichergestellt, die offenbar als Sexspielzeug benutzt wurden.«

»Dann gefallen ihr vielleicht auch die Handschellen, die ich für sie habe«, bemerkte Hans Faste.

Sonja Modig stöhnte.

»Weiter!«, befahl Bublanski.

»Wir haben einen Hinweis bekommen, dass Miriam Wu mit einem Mädchen, auf das Salanders Beschreibung passt, in der ›Mühle‹ stand und wild herumknutschte. Das war vor knapp zwei Wochen. Der Anrufer behauptete, Salander schon oft in der ›Mühle‹ gesehen zu haben, obwohl sie letztes Jahr überhaupt nicht mehr dort aufgetaucht ist. Ich konnte das noch nicht überprüfen, das mach ich heute Nachmittag.«

»In ihrer Akte beim Sozialamt steht nichts davon, dass sie lesbisch ist. Als Teenager ist sie oft von ihren Pflegeeltern abgehauen und hat in der Kneipe Typen aufgerissen. Und sie wurde mehrere Male in Gesellschaft deutlich älterer Männer aufgegriffen.«

»Was nicht das Geringste zu bedeuten hat, wenn sie anschaffen ging«, warf Hans Faste ein.

»Was wissen wir über ihren Bekanntenkreis? Curt?«

»So gut wie nichts. Seit ihrem 18. Geburtstag gab es keine Festnahmen mehr. Sie kennt Dragan Armanskij und Mikael Blomkvist, so viel wissen wir. Sie kennt natürlich auch Miriam Wu. Dieselbe Quelle, die Salander und Wu zusammen in der ›Mühle‹ gesehen hat, behauptet, dass sie dort früher immer mit einer Gruppe von Mädchen war. Sie nannten sich die *Evil Fingers*.«

»*Evil Fingers?* Was ist das denn?«, fragte Bublanski.

»Irgendwas Okkultes. Sie trafen sich und machten Krach.«

»Sag jetzt bitte nicht, dass Salander auch noch Satanistin ist«, bat Bublanski. »Die Medien drehen ja total durch.«

»Eine lesbische Satanistin«, ergänzte Faste hilfsbereit.

»Hasse, dein Frauenbild stammt aus dem Mittelalter«,

schnappte Sonja Modig. »Sogar ich hab schon von den *Evil Fingers* gehört.«

»Ach ja?«, sagte Bublanski überrascht.

»Das war eine Mädchen-Rockband Ende der 90er-Jahre. Keine Superstars, aber eine Weile waren sie halbwegs bekannt.«

»Also eine Hardrock spielende lesbische Satanistin«, korrigierte sich Hans Faste.

»Schluss jetzt mit dem Quatsch«, unterbrach Bublanski. »Faste, Sie und Curt, ihr findet raus, wer alles zu den *Evil Fingers* gehörte, und redet mit ihnen. Hat Salander sonst noch Bekannte?«

»Nicht viele, abgesehen von ihrem ehemaligen Betreuer, Holger Palmgren. Aber er befindet sich nach einem Schlaganfall in der Langzeitpflege und ist anscheinend sehr krank. Ehrlich gesagt, kann ich nicht behaupten, dass ich überhaupt einen richtigen Bekanntenkreis gefunden hätte. Wir haben Salanders Wohnung noch nicht ausfindig gemacht, wir haben kein Adressbuch von ihr, und sie scheint keine näheren Freunde zu haben.«

»Kein Mensch kann wie ein Gespenst durch die Gegend laufen, ohne Spuren in seiner Umgebung zu hinterlassen. Was halten wir eigentlich von Mikael Blomkvist?«

»Wir haben ihn nicht wirklich beschattet, aber wir haben uns über Ostern ein wenig um ihn gekümmert«, sagte Faste. »Für den Fall, dass Salander bei ihm auftauchen sollte. Er ist nach der Arbeit nach Hause gefahren und scheint die Wohnung auch am Wochenende nicht verlassen zu haben.«

»Ich kann einfach nicht glauben, dass er etwas mit dem Mord zu tun haben könnte«, meinte Sonja Modig. »Seine Story ist wasserdicht, und er kann alles belegen, was er im Laufe des Abends gemacht hat.«

»Aber er kennt Salander. Er ist das Verbindungsglied zwischen ihr und dem Paar in Enskede. Außerdem haben wir seine Zeugenaussage, dass Salander eine Woche vor dem Mord von zwei Männern überfallen wurde. Was sollen wir denn davon halten?«, fragte Bublanski.

»Abgesehen von Blomkvist gibt es keinen anderen Zeugen für diesen Überfall … wenn er denn überhaupt stattgefunden hat«, gab Faste zu bedenken.

»Du glaubst, Blomkvist fantasiert oder lügt?«

»Ich weiß nicht. Aber die Geschichte klingt wenig glaubhaft. Ein ausgewachsener Kerl, der nicht mit einem kleinen Mädchen von 40 Kilo fertig wird.«

»Warum sollte Blomkvist denn lügen?«

»Vielleicht, um die Aufmerksamkeit von Lisbeth Salander abzulenken.«

»Blomkvist selbst hat ja die Theorie aufgestellt, dass das Paar in Enskede wegen des Buches ermordet wurde, an dem Dag Svensson gerade schrieb.«

»Blödsinn«, fuhr Faste dazwischen. »Es ist Salander. Warum sollte jemand ihren Betreuer umbringen, um Dag Svensson zum Schweigen zu bringen? Und wer … ein Polizist etwa?«

»Wenn Blomkvist mit seiner Theorie an die Öffentlichkeit geht, dann machen die uns die Hölle heiß, von wegen eine Spur führt direkt zum Polizeikorps und so weiter«, sagte Curt Svensson.

Alle nickten.

»Okay«, sagte Sonja Modig. »Warum hat sie Bjurman erschossen?«

»Und was hat diese Tätowierung zu bedeuten?«, wollte Bublanski wissen und zeigte auf das Foto von Bjurmans Bauch.

ICH BIN EIN SADISTISCHES SCHWEIN, EIN WIDERLING UND EIN VERGEWALTIGER.

Schweigen in der Runde.

»Was sagen die Ärzte?«, erkundigte sich Bohman.

»Die Tätowierung ist ein bis drei Jahre alt. Das kommt ganz auf den Grad der Hautdurchblutung an«, erklärte Sonja Modig.

»Wir können wohl davon ausgehen, dass Bjurman sich diese Tätowierung nicht selbst zugelegt hat.«

»Da gibt es sicherlich genügend Bekloppte, aber das hier ist wohl kaum ein Standardmotiv von Tattoofans.«

Sonja Modig wedelte mit dem Zeigefinger.

»Der Pathologe meint, die Tätowierung sei ungleichmäßig und dilettantisch ausgeführt; das konnte sogar ich erkennen. Die Nadel ist unterschiedlich tief eingedrungen. Außerdem ist es eine große Tätowierung auf einem sehr empfindlichen Körperteil. Es muss eine äußerst schmerzhafte Prozedur gewesen sein, die man fast als schwere Körperverletzung bezeichnen müsste.«

»Nur dass Bjurman niemals Anzeige erstattet hat«, stellte Faste fest.

»Ich würde wohl auch keine Anzeige erstatten, wenn mir jemand so einen Satz auf den Bauch tätowiert hätte«, meinte Curt Svensson.

»Ich hab da noch was«, fuhr Sonja Modig fort. »Das könnte eventuell die Aussage dieser Tätowierung belegen – dass Bjurman nämlich ein sadistisches Schwein war.«

Sie öffnete eine Mappe mit Ausdrucken von Fotos und ließ sie herumgehen.

»Ich habe nur ein paar Beispiele ausgedruckt. Aber das da habe ich in einem Ordner auf Bjurmans Festplatte gefunden. Das sind Bilder, die aus dem Internet heruntergeladen worden sind. Auf dem Computer liegen knapp zweitausend Bilder dieser Art.«

Faste stieß einen Pfiff aus und hielt ein Bild von einer Frau hoch, die in einer quälenden Stellung gefesselt war.

»Das wäre vielleicht was für ›Domino Fashion‹ oder die *Evil Fingers*«, bemerkte er.

Bublanski gab Faste mit einer gereizten Handbewegung zu verstehen, dass er besser seinen Mund halten sollte.

»Wie sollen wir das denn verstehen?«, fragte Bohman.

»Die Tätowierung ist knapp zwei Jahre alt«, erklärte

Bublanski. »Das wäre dann genau die Zeit, in der Bjurman krank wurde. Weder der Pathologe noch seine Krankenakte verzeichnen irgendeine ernste Krankheit, abgesehen von einem zu hohen Blutdruck. Wir können also durchaus annehmen, dass es einen Zusammenhang gab.«

»Salander veränderte sich in diesem Jahr«, fügte Bohman noch hinzu. »Sie hörte plötzlich bei Milton auf und verschwand im Ausland.«

»Sollen wir davon ausgehen, dass es auch hier einen Zusammenhang gab? Wenn die Botschaft der Tätowierung der Wahrheit entspricht, dann hatte Bjurman also jemand vergewaltigt. Möglicherweise Lisbeth Salander. Das wäre dann auch ein gutes Mordmotiv.«

»Es gibt natürlich noch andere Möglichkeiten«, wandte Hans Faste ein. »Ich könnte mir ein Szenario vorstellen, in dem Salander und das Chinesenmädchen eine Art Begleitservice mit ein bisschen Bondage und SM betrieben haben. Bjurman könnte einer von diesen Verrückten gewesen sein, die darauf abfahren, Prügel von kleinen Mädchen zu bekommen. Er könnte von Salander abhängig gewesen sein, und irgendwann liefen die Dinge aus dem Ruder.«

»Aber das würde nicht erklären, warum sie dann noch nach Enskede gefahren ist.«

»Wenn Dag Svensson und Mia Bergman gerade eine Enthüllungsstory über dubiose Sexgeschäfte veröffentlichen wollten, könnten sie auch über Salander und Wu gestolpert sein. Es könnte da durchaus ein Mordmotiv für Salander gegeben haben.«

»Das ist jetzt aber wirklich reine Spekulation«, widersprach Sonja Modig.

Die Konferenz dauerte noch eine Stunde. Auch das Fehlen von Dag Svenssons Laptop wurde zur Sprache gebracht. Als sie eine Mittagspause machten, waren alle frustriert. In diesen Ermittlungen gab es mehr Fragezeichen als je zuvor.

Sobald Erika Berger am Dienstagmorgen in die Redaktion kam, rief sie Magnus Borgsjö an, den Aufsichtsratsvorsitzenden der *Svenska Morgon-Posten*.

»Ich bin interessiert«, sagte sie.

»Das dachte ich mir schon.«

»Ich wollte Ihnen meine Entscheidung direkt nach den Osterferien mitteilen. Aber Sie verstehen sicher, dass hier in unserer Redaktion gerade das völlige Chaos ausgebrochen ist.«

»Der Mord an Dag Svensson. Mein Beileid. Eine schreckliche Geschichte.«

»Dann verstehen Sie sicher auch, dass ich in diesem Moment nicht unbedingt verkünden kann, dass ich abspringe.«

Er schwieg einen Moment.

»Wir haben da ein Problem«, meinte Borgsjö schließlich.

»Und zwar?«

»Als wir uns das letzte Mal unterhielten, sprachen wir von Ihrem Wechsel zu uns am ersten August. Aber nun ist unser Chefredakteur Håkan Morander, Ihr Vorgänger also, sehr krank geworden. Er hat Probleme mit dem Herzen und muss kürzertreten. Vor ein paar Tagen habe ich von ihm erfahren, dass er schon zum ersten Juli aufhören will. Eigentlich hatten wir ja für August, September einen fließenden Übergang mit Ihnen geplant, doch so, wie die Dinge momentan liegen, Erika, brauchen wir Sie schon ab dem ersten Mai, allerspätestens am fünfzehnten Mai.«

»O Gott. Das sind ja nur noch ein paar Wochen.«

»Sind Sie immer noch interessiert?«

»Doch ... aber das bedeutet ja, dass ich nur einen Monat hätte, um hier bei *Millennium* alles abzuschließen.«

»Es tut mir auch leid, Erika, aber ein Monat sollte doch ausreichend sein, um die Angelegenheiten einer Zeitschrift mit einem halben Dutzend Angestellten zu regeln.«

»Aber in dieser chaotischen Situation ...«

»Sie müssen so oder so gehen. Alles, was wir tun, ist, dass wir den Zeitpunkt ein paar Wochen vorverlegen.«

»Ich habe ein paar Bedingungen.«

»Schießen Sie los.«

»Ich werde im Aufsichtsrat von *Millennium* bleiben.«

»Das halte ich für unklug. *Millennium* ist zwar bedeutend kleiner und außerdem eine Monatszeitschrift, dennoch sind wir Konkurrenten.«

»Das ändert nichts. Ich werde nichts mehr mit der redaktionellen Arbeit von *Millennium* zu tun haben, aber ich werde meine Anteile nicht verkaufen. Und damit bleibe ich auch im Aufsichtsrat.«

»Wir werden da schon eine Lösung finden.«

Sie einigten sich darauf, sich in der ersten Aprilwoche mit dem Führungsstab zu treffen, um die Details zu besprechen und den Vertrag aufzusetzen.

Mikael Blomkvist hatte ein Déjà-vu-Erlebnis, als er die Liste der Verdächtigen studierte, die Malin und er am Wochenende zusammengestellt hatten. Sie bestand aus siebenunddreißig Personen, mit denen Dag Svensson in seinem Buch hart ins Gericht ging. Von diesen waren einundzwanzig Freier.

Mikael erinnerte sich plötzlich, wie er vor zwei Jahren in Hedestad einen Mörder aufgespürt hatte. Damals hatte seine Galerie der Verdächtigen an die fünfzig Personen umfasst. Es war trostlos, darüber zu spekulieren, wer der Schuldige sein könnte.

Am Dienstagmorgen gegen zehn Uhr winkte er Malin Eriksson in sein Büro. Er schloss die Tür und bot ihr einen Stuhl an.

Eine Weile saßen sie schweigend beisammen und tranken ihren Kaffee. Schließlich schob er ihr die Liste mit den siebenunddreißig Namen über den Tisch.

»Was sollen wir machen?«

»Zuerst gehen wir diese Liste mit Erika durch. Dann werden wir versuchen, uns diese Männer einen nach dem anderen vorzunehmen. Es ist möglich, dass einer von ihnen mit den Morden zu tun hat.«

»Und wie nehmen wir sie uns vor?«

»Ich will mich auf die 21 Freier konzentrieren, die im Buch angeprangert werden. Sie haben mehr zu verlieren als die anderen. Ich möchte sie alle der Reihe nach besuchen, wie Dag.«

»Okay.«

»Ich habe zwei Jobs für dich. Erstens gibt es hier sieben Namen, die noch nicht identifiziert sind, zwei Freier und fünf Zuhälter. Versuche, sie in den nächsten Tagen, wenn möglich, zu identifizieren. Ein paar von den Namen kommen auch in Mias Dissertation vor, vielleicht gibt es da ja Referenzen, die es uns ermöglichen, ihre echten Namen herauszukriegen.«

»Okay.«

»Zweitens: Wir wissen eigentlich recht wenig über Nils Bjurman, Lisbeths Betreuer. Den Zeitungen war zwar ein übersichtlicher Lebenslauf zu entnehmen, aber ich würde mal schätzen, dass die Hälfte davon nicht gestimmt hat.«

»Soll ich Nachforschungen über ihn anstellen?«

»Genau. Alles, was du finden kannst.«

Harriet Vanger rief Mikael Blomkvist gegen fünf Uhr nachmittags an.

»Kannst du gerade reden?«

»Ganz kurz.«

»Dieses Mädchen, nach dem da gefahndet wird ... das ist doch dieselbe, die dir geholfen hat, mich zu finden, oder?«

Harriet Vanger und Lisbeth Salander waren sich nie begegnet.

»Ja«, antwortete Mikael. »Tut mir leid, ich hatte keine Zeit, dich anzurufen und über den neuesten Stand der Dinge zu informieren. Aber ja, das ist sie.«

»Was bedeutet das?«

»Was dich angeht ... gar nichts, hoffe ich.«

»Aber sie weiß alles über mich und die Geschehnisse vor zwei Jahren.«

»Ja, sie weiß alles, was damals passiert ist.«

Harriet Vanger schwieg.

»Harriet ... ich glaube nicht, dass sie es getan hat. Ich muss davon ausgehen, dass sie unschuldig ist. Ich vertraue Lisbeth Salander.«

»Wenn man den Zeitungen Glauben schenkt, dann ...«

»Man soll den Zeitungen aber keinen Glauben schenken. So einfach ist das. Sie hat ihr Wort gegeben, dich nicht zu verraten. Ich glaube, dass sie sich daran für den Rest ihres Lebens halten wird. Ich habe sie als äußerst prinzipientreuen Menschen erlebt.«

»Und wenn sie es nicht tut?«

»Ich weiß nicht, Harriet. Ich tue alles, was in meiner Macht steht, um herauszufinden, was hier eigentlich passiert ist.«

»Okay.«

»Mach dir keine Sorgen.«

»Ich mach mir keine Sorgen. Aber ich will auf das Schlimmste gefasst sein. Wie geht es dir, Mikael?«

»Ganz normal. Wir haben ganz schön gearbeitet, seit die Morde passiert sind.«

Harriet Vanger schwieg wieder.

»Mikael ... ich bin gerade in Stockholm. Morgen fliege ich nach Australien und werde einen Monat dort bleiben.«

»Aha.«

»Ich wohne im selben Hotel.«

»Ich weiß nicht. Ich fühle mich völlig zerrissen. Ich muss heute Nacht arbeiten, und ich würde wohl keine lustige Gesellschaft abgeben.«

»Du musst auch gar keine lustige Gesellschaft abgeben. Komm einfach rüber und entspann dich ein bisschen.«

Mikael kam gegen ein Uhr nachts nach Hause. Er war müde und drauf und dran, sich einfach schlafen zu legen, aber dann fuhr er stattdessen sein iBook hoch und überprüfte seine Mailbox. Nichts Interessantes.

Dann öffnete er den Ordner »LISBETH SALANDER« und entdeckte ein ganz neues Dokument. Es trug den Namen »An MikBlom« und lag neben dem Dokument namens »An Sally«.

Es war fast ein Schock, dieses Dokument plötzlich im Computer zu entdecken. *Sie ist da. Lisbeth Salander ist in meinem Computer. Vielleicht ist sie sogar im Moment eingeloggt.* Er doppelklickte auf den Dateinamen.

Mikael war sich nicht sicher, was er eigentlich erwartet hatte. Einen Brief. Eine Antwort. Beteuerungen ihrer Unschuld. Eine Erklärung. Lisbeth Salanders Antwort an Mikael Blomkvist war jedoch frustrierend kurz. Ihre Mitteilung bestand aus einem einzigen Wort. Vier Buchstaben.

Zala

Mikael starrte auf den Namen.

Dag Svensson hatte bei ihrem letzten Telefongespräch von Zala gesprochen, zwei Stunden bevor er ermordet wurde.

Was will sie damit sagen? Sollte Zala am Ende die Verbindung zwischen Bjurman, Dag und Mia sein? Wie? Warum? Wer ist Zala? Und woher weiß Lisbeth Salander davon? Wie kommt sie ins Spiel?

Er sah sich die Eigenschaften des Word-Dokuments an und stellte fest, dass die Datei vor weniger als fünfzehn Minuten geschrieben worden war. Auf einmal musste er lächeln. Der Urheber des Dokuments hieß Mikael Blomkvist. Er hatte das Dokument auf seinem eigenen Computer geschrieben, mit seinem eigenen lizenzierten Programm. Das war ja besser als E-Mail! So gab es keine IP-Nummern, die man zurückverfolgen konnte, auch wenn Mikael ganz sicher war, dass man Lisbeth

Salander sowieso niemals über das Internet aufspüren konnte. Und es bewies, dass Lisbeth Salander ohne jeden Zweifel einen *hostile takeover* seines Computers vorgenommen hatte – so hatte sie das selbst immer genannt.

Er stellte sich ans Fenster und blickte zum Rathaus hinunter. Irgendwie wurde er das Gefühl nicht los, dass er auch in diesem Moment von Lisbeth Salander beobachtet wurde, fast so, als wäre sie im Zimmer und betrachtete ihn über den Bildschirm seines iBooks. Sie konnte sich praktisch an jedem Ort der Welt aufhalten, aber er hatte den Verdacht, dass sie wesentlich näher war. Irgendwo in Södermalm. Innerhalb eines Radius von wenigen Kilometern um seinen Standort.

Er überlegte kurz, dann setzte er sich wieder hin und schrieb ein neues Word-Dokument, das er »Sally-2« taufte und auf den Desktop legte. Er verfasste eine kurze, aussagekräftige Botschaft.

Lisbeth,
Du verdammt anstrengender Mensch! Wer zum Teufel ist Zala? Ist er die Verbindung? Weißt Du, wer Dag & Mia ermordet hat? Wenn ja, sag es mir, damit wir diesem Elend ein Ende machen können.
Mikael

Sie war gerade in Mikael Blomkvists iBook. Die Antwort kam innerhalb einer Minute. Im Ordner auf seinem Desktop tauchte ein neues Dokument auf, diesmal mit dem Namen »Kalle Blomkvist«.

Du bist der Journalist. Finde es raus.

Mikael runzelte die Stirn. Sie zeigte ihm den Finger und verwendete dazu noch den Spitznamen, den er so hasste, wie sie sehr wohl wusste. Er tippte das Dokument »Sally-3« und legte es auf den Desktop.

Lisbeth,
ein Journalist findet Dinge heraus, indem er Leuten, die darüber etwas wissen, Fragen stellt. Ich frage Dich. Weißt Du, warum Dag und Mia ermordet wurden und wer sie ermordet hat? Wenn ja, dann erzähl es mir. Gib mir irgendeinen Tipp.
Mikael

Niedergeschlagen wartete er mehrere Stunden auf eine weitere Antwort. Um vier Uhr nachts gab er es schließlich auf und legte sich ins Bett.

19. Kapitel

Mittwoch, 30. März – Freitag, 1. April

Am Mittwoch ereignete sich weiter nichts Dramatisches. Mikael verbrachte den Tag damit, Dag Svenssons Material genauestens daraufhin zu durchkämmen, ob es irgendwo einen Hinweis auf den Namen Zala gab. Genau wie Lisbeth Salander vor ihm stieß er in Dag Svenssons Computer auf den Ordner »Zala« und las die drei enthaltenen Dokumente »Irene P.«, »Sandström« und »Zala«. Und genau wie Lisbeth wurde auch Mikael klar, dass Dag Svensson eine Polizeiquelle namens Gulbrandsen gehabt hatte. Er konnte ihn bei der Kriminalpolizei in Södertälje ausfindig machen, aber als er anrief, erklärte man ihm, Gulbrandsen befinde sich gerade auf einer Dienstreise und komme erst am nächsten Montag zurück.

Außerdem bemerkte er, dass Dag Svensson sehr viel Zeit auf den Fall Irene P. verwendet hatte. Als er das Obduktionsprotokoll las, stellte er fest, dass die Frau langsam und brutal ermordet worden war. Der Mord war Ende Februar geschehen. Da sie eine Prostituierte gewesen war, ging die Polizei davon aus, dass der Mörder unter ihren Kunden zu finden sei.

Mikael fragte sich, warum Dag Svensson das Dokument über Irene P. im Ordner »Zala« abgespeichert hatte. Das deutete ja an, dass er Zala mit Irene P. in Verbindung brachte, aber im Text waren keine Querverweise zu entdecken. Dag hatte diese Verbindung offenbar nur im Kopf hergestellt.

Das Dokument »Zala« war so klein, dass es eher nach zufälligen Notizen aussah, die während der Arbeit hingeworfen worden waren. Mikael stellte fest, dass Zala (wenn er denn tatsächlich existierte) fast wie ein Phantom in der kriminellen Szene wirkte. Irgendwie schien alles unrealistisch, und Quellenhinweise gab es auch nirgends.

Er schloss das Dokument wieder und kratzte sich am Kopf. Im Mord an Dag und Mia zu ermitteln war eine wesentlich kompliziertere Aufgabe, als er gedacht hatte. Und manchmal wurde er einfach von Zweifeln befallen. Das Problem war, dass Lisbeths Unschuld nicht zweifelsfrei bewiesen werden konnte. Er konnte nur nach seinem eigenen Gefühl gehen, und das sagte ihm, dass es nicht zu Lisbeth passte, nach Enskede zu fahren und zwei seiner Freunde zu ermorden.

Er wusste, dass sie kein Geld brauchte, denn sie hatte ihre Talente als Hacker dazu benutzt, einen Fantasiebetrag von mehreren Milliarden Kronen zu stehlen. Nicht einmal Lisbeth ahnte, dass er davon wusste. Abgesehen davon, dass er Erika Berger (mit Lisbeths Einwilligung) von ihren Talenten im Computerbereich erzählt hatte, hatte er ihre Geheimnisse niemals an einen Außenstehenden verraten.

Er wollte einfach nicht glauben, dass Lisbeth Salander die Morde auf dem Gewissen hatte. Er stand so tief in ihrer Schuld, dass er es nie wiedergutmachen konnte. Sie hatte ihm nicht nur das Leben gerettet, als Martin Vanger ihn umbringen wollte, sondern auch seine berufliche Karriere und wahrscheinlich sogar die Zeitschrift *Millennium*, indem sie ihm den Kopf des Finanzmoguls Hans Wennerström auf dem Silbertablett serviert hatte.

So etwas verpflichtete. Er empfand große Loyalität gegenüber Lisbeth. Ob sie nun schuldig war oder nicht, er hatte sich vorgenommen, alles zu tun, was er konnte, um ihr zu helfen, wenn sie früher oder später festgenommen wurde.

Andererseits musste er zugeben, dass er so gut wie gar nichts über sie wusste. Die psychiatrischen Gutachten, die Tatsache, dass man sie in eine psychiatrische Klinik zwangseingewiesen und für nicht geschäftsfähig erklärt hatte, waren zusammengenommen doch gravierende Indizien dafür, dass mit ihr etwas nicht stimmte. Dem Chefarzt Peter Teleborian von der psychiatrischen Klinik St. Stefans in Uppsala hatte man in den Medien ein großes Forum geboten. Aus Gründen der ärztlichen Schweigepflicht hatte er nicht speziell über Lisbeth Salander gesprochen, aber den Zusammenbruch des Gesundheitswesens im Hinblick auf die Behandlung psychisch kranker Menschen diskutiert. Er war nicht nur eine angesehene Autorität in Schweden, sondern auch ein international anerkannter Experte für psychische Krankheiten. Teleborian hatte sehr überzeugend gesprochen, hatte sein Mitgefühl für die Opfer und ihre Familien zum Ausdruck gebracht, aber zugleich deutlich gemacht, dass ihm Lisbeths Wohlergehen am Herzen lag.

Mikael überlegte, ob er mit Teleborian Kontakt aufnehmen sollte und ob dieser ihm vielleicht irgendwie helfen könnte. Doch dann ließ er es bleiben. Er nahm an, dass der Arzt Lisbeth noch früh genug helfen konnte, wenn sie gefasst worden war.

Schließlich holte er sich eine Tasse Kaffee und ging zu Erika Berger.

»Ich habe eine lange Liste mit Freiern und Zuhältern, die ich interviewen muss«, begann er.

Sie nickte kummervoll.

»Es wird wohl ein bis zwei Wochen dauern, bis ich alle auf der Liste durchhabe. Die wohnen im ganzen Land verteilt, von Strängnäs bis Norrköping. Ich brauche ein Auto.«

Sie machte ihre Handtasche auf und holte die Schlüssel ihres BMW heraus.

»Geht das auch wirklich in Ordnung, Erika?«

»Natürlich geht das in Ordnung. Ich komme ja sonst auch oft mit der Bahn aus Saltsjö. Und wenn es eng wird, kann ich immer noch Gregers Auto benutzen.«

»Danke.«

»Aber nur unter einer Bedingung.«

»Hm?«

»Wenn du losziehst, um Zuhälter des Mordes an Dag und Mia zu beschuldigen, dann möchte ich, dass du das hier mitnimmst und immer in der Jackentasche hast.«

Sie legte eine Tränengaspatrone auf den Schreibtisch.

»Wo hast du die denn her?«

»Hab ich letztes Jahr in den USA gekauft. Ich bin doch nicht blöd und laufe hier als Frau nachts alleine ohne eine Waffe durch die Gegend.«

»Wenn ich das Ding benutze und wegen illegalen Waffenbesitzes ins Gefängnis wandere, gibt es einen Riesenwirbel.«

»Immer noch besser, als einen Nachruf auf dich zu schreiben. Mikael ... ich weiß nicht, ob dir das klar ist, aber manchmal mache ich mir Sorgen um dich.«

»Aha.«

»Du gehst unnötige Risiken ein und merkst gar nicht, wenn du dich in Gefahr begibst.«

Mikael lächelte und legte die Tränengaspatrone wieder auf Erikas Schreibtisch zurück.

»Danke für deine Fürsorge. Aber ich brauche das nicht.«

»Micke, ich bestehe darauf!«

»Ich hab mich doch schon vorbereitet.«

Er steckte die Hand in die Jackentasche und zog eine Dose heraus. Es war die Tränengaspatrone, die er in Lisbeth Salanders Handtasche gefunden hatte und seitdem mit sich herumtrug.

Bublanski klopfte an den Türrahmen von Sonja Modigs Dienstzimmer und setzte sich dann auf den Besucherstuhl vor ihrem Schreibtisch.

»Dag Svenssons Laptop«, sagte er.

»Ich habe auch schon daran gedacht«, antwortete sie. »Ich habe ja den letzten Tag in Svenssons und Bergmans Leben rekonstruiert. Es gibt da immer noch ein paar Lücken, aber Dag Svensson war an diesem Tag auf keinen Fall in der *Millennium*-Redaktion. Aber er war in der Stadt unterwegs und traf gegen vier Uhr nachmittags einen alten Studienkollegen. Ein zufälliges Treffen in einem Café in der Drottninggatan. Der Studienfreund hat angegeben, dass Dag Svensson definitiv einen Laptop in seinem Rucksack hatte. Er hat ihn gesehen und sogar eine Bemerkung darüber gemacht.«

»Und gegen elf Uhr abends, nachdem Svensson erschossen worden ist, fehlt der Computer in seiner Wohnung.«

»Korrekt.«

»Was für Schlüsse können wir daraus ziehen?«

»Er könnte noch woanders gewesen sein und seinen Laptop aus irgendeinem Grund dort gelassen oder vergessen haben.«

»Wie wahrscheinlich ist das?«

»Nicht besonders wahrscheinlich. Aber er könnte ihn zum Kundenservice oder zur Reparatur gebracht haben. Außerdem besteht die Möglichkeit, dass er noch einen anderen Arbeitsplatz hatte, von dem wir nichts wissen. Er hatte zum Beispiel früher ein Büro am St. Eriksplan gemietet.«

»Okay.«

»Dann wäre da natürlich noch die Möglichkeit, dass der Mörder den Laptop mitgenommen hat.«

»Nach dem, was Armanskij erzählt hat, konnte Lisbeth unglaublich gut mit dem Computer umgehen.«

»Stimmt«, nickte Sonja Modig.

»Hmm. Blomkvists Theorie ist ja, dass Dag Svensson und Mia Bergman wegen Svenssons Recherchen ermordet wurden. Die müssten demnach ja auf dem Laptop zu finden sein.«

»Drei Mordopfer, das sind so viele lose Enden, dass wir sie nicht schnell genug zurückverfolgen können, aber wir haben auch noch gar keine richtige Durchsuchung von Dag Svenssons Arbeitsplatz bei *Millennium* durchgeführt.«

»Ich habe gerade heute Morgen mit Erika Berger gesprochen. Sie sagt, dass sie sich auch schon gewundert haben, warum noch keiner bei ihnen war, um Svenssons Hinterlassenschaft in Augenschein zu nehmen.«

»Wir haben uns zu sehr darauf konzentriert, Salander so schnell wie möglich zu finden, aber wir wissen immer noch viel zu wenig über das Motiv. Kannst du ...?«

»Ich habe mit Erika Berger verabredet, dass ich morgen zu *Millennium* komme.«

»Danke.«

Am Donnerstag saß Mikael gerade hinter seinem Schreibtisch und besprach sich mit Malin Eriksson, als er ein Telefon in der Redaktion läuten hörte. Durch die offen stehende Tür sah er Henry Cortez und kümmerte sich nicht weiter um das Klingeln. Aber dann fiel irgendwo in seinem Hinterkopf der Groschen, dass es das Telefon von Dag Svensson war, das da klingelte. Er brach mitten im Satz ab und sprang auf.

»Halt – fass das Telefon nicht an!«, brüllte er.

Henry Cortez hatte gerade die Hand auf den Hörer gelegt. Mikael lief durchs Zimmer. *Wie zum Teufel hieß noch mal ...?*

»Indigo Marktforschung, hier spricht Mikael. Wie kann ich Ihnen helfen?«

»Äh ... hallo, mein Name ist Gunnar Björck. Ich habe einen Brief bekommen, dass ich ein Handy gewonnen habe.«

»Gratuliere«, rief Mikael Blomkvist. »Es ist das allerneueste Sony-Ericsson-Modell.«

»Und es kostet mich gar nichts?«

»Nein, Sie müssen sich nur für ein Interview zur Verfügung stellen. Wir betreiben Marktforschung und erstellen Tiefenanalysen für verschiedene Firmen. Das wird ungefähr eine Stunde in Anspruch nehmen. Wenn Sie sich dazu bereit erklären, rücken Sie eine Runde weiter und bekommen die Chance, 100 000 Kronen zu gewinnen.«

»Verstehe. Können wir das telefonisch machen?«

»Leider nein. Für unsere Untersuchung müssen Sie verschiedene Firmenlogos ansehen und identifizieren. Wir werden Sie außerdem fragen, was für Werbefotos Sie ansprechen, und müssen Ihnen dazu verschiedene Alternativen vorlegen. Wir müssen also einen unserer Mitarbeiter vorbeischicken.«

»Aha ... wie kommt es eigentlich, dass ich ausgewählt worden bin?«

»Wir machen solche Untersuchungen ein paarmal pro Jahr. Momentan konzentrieren wir uns auf etablierte Männer in Ihrer Altersgruppe. Wir haben die Personenkennnummern nach dem Zufallsprinzip ausgewählt.«

Schließlich ließ sich Gunnar Björck darauf ein, einen Mitarbeiter von Indigo Marktforschung zu empfangen. Er teilte mit, dass er derzeit krankgeschrieben sei und sich in einem Ferienhaus in Smådalarö aufhalte. Nachdem er den Weg beschrieben hatte, verabredeten sie ein Treffen für Freitagmorgen.

»Yes!!«, rief Mikael, sobald er aufgelegt hatte. Er streckte seine Faust in die Luft. Malin Eriksson und Henry Cortez tauschten einen verwunderten Blick.

Paolo Roberto landete am Donnerstagmorgen um halb zwölf in Arlanda. Den Großteil des Flugs aus New York hatte er verschlafen, und er spürte nicht den geringsten Jetlag.

Er hatte einen Monat in den USA verbracht, übers Boxen geredet, Schaukämpfe angesehen und nach Anregungen für eine Produktion gesucht, die er an Strix Television verkaufen wollte. Wehmütig dachte er daran, dass er seine Profikarriere an den Nagel gehängt hatte, einerseits, weil seine Familie es ihm sanft nahegelegt hatte, andererseits, weil er langsam einfach zu alt wurde. Er konnte nicht viel mehr tun, als sich in Form zu halten, was er durch mindestens eine intensive Trainingsrunde pro Woche tat. Doch sein Name war im Boxsport immer noch äußerst klangvoll, und er nahm an, dass er auch für den Rest seines Lebens auf die eine oder andere Art im Sportbereich arbeiten würde.

Er nahm seine Tasche vom Laufband. Am Zoll wollte man ihn kontrollieren, doch einer der Zollbeamten machte die Augen richtig auf und erkannte ihn.

»Hallo, Paolo. Sie haben wohl keine Boxhandschuhe mehr im Gepäck, schätze ich.«

Paolo Roberto versicherte ihm, dass er nichts zu verzollen habe, und durfte passieren.

Er ging hinaus in die Ankunftshalle und steuerte gerade den Flughafen-Express an, da starrte er plötzlich in Lisbeth Salanders Gesicht auf den Schlagzeilenplakaten der Abendzeitungen. Zuerst kapierte er gar nicht, was er sah. Er überlegte kurz, ob er doch unter Jetlag litt. Dann las er die Überschriften.

JAGD AUF

LISBETH SALANDER

Er blickte auf das nächste Plakat.

EXTRA

PSYCHOPATHIN GESUCHT WEGEN DREIFACHEN MORDES

Zögernd betrat er den Zeitschriftenladen, kaufte sich mehrere Zeitungen und ging dann in eine Cafeteria. Mit steigender Verwunderung las er die Artikel.

Als Mikael Blomkvist am Donnerstagabend gegen elf in seine Wohnung in der Bellmansgatan kam, war er müde und deprimiert. Er hatte früh ins Bett gehen und ein wenig versäumten Schlaf nachholen wollen, aber er konnte nicht widerstehen, loggte sich mit seinem iBook ins Internet ein und checkte seine Mailbox.

Er hatte nichts wirklich Interessantes bekommen, aber zur Sicherheit öffnete er noch schnell den Ordner »LISBETH SALANDER«. Sein Puls ging sofort hoch, als er ein neues Dokument mit dem Titel »MB2« entdeckte. Er doppelklickte darauf.

Staatsanwalt E gibt heimlich Informationen an die Medien weiter. Frag ihn, warum er nicht auch den alten Ermittlungsbericht der Polizei weitergegeben hat.

Mikael dachte verblüfft über die kryptische Mitteilung nach. Was meinte sie? Was für eine alte Ermittlung? Er verstand nicht, worauf sie anspielte. Verdammt, warum musste sie immer in Rätseln sprechen? Nach einer Weile hatte er ein neues Dokument fertig, das er »Kryptisch« nannte.

Hallo, Sally. Ich bin seit heute Morgen auf den Beinen und bin hundemüde. Ich hab keine Lust auf Ratespielchen. Vielleicht ist es Dir ja egal, aber ich will wissen, wer meine Freunde umgebracht hat.

Er wartete vor seinem Bildschirm. Die Antwort »Kryptisch 2« kam eine Minute später.

Was machst Du, wenn ich es war?

Er antwortete mit »Kryptisch 3«.

Lisbeth, wenn Du tatsächlich völlig verrückt geworden sein solltest, dann kann Dir wahrscheinlich nur noch Peter Tele-

borian helfen. Aber ich glaube nicht, dass Du Dag und Mia ermordet hast. Ich hoffe und bete, dass ich mit dieser Annahme richtig liege.
Dag und Mia wollten einen Mädchenhandel-Skandal aufdecken. Meine Hypothese ist die, dass darin das Motiv für den Mord liegen könnte. Aber ich habe keine Anhaltspunkte.
Ich weiß nicht, was zwischen uns beiden schiefgegangen ist, aber wir haben einmal über Freundschaft geredet. Ich sagte, dass Freundschaft auf zwei Dingen aufbaut – Respekt und Vertrauen. Auch wenn Du mich nicht mehr magst, kannst Du mir trotzdem noch vertrauen und Dich auf mich verlassen. Ich habe Deine Geheimnisse niemals verraten. Nicht mal, was mit Wennerströms Milliarden passiert ist. Vertrau mir. Ich bin nicht Dein Feind.
M.

Die Antwort ließ so lange auf sich warten, dass Mikael fast schon die Hoffnung aufgegeben hatte. Aber fast fünfzig Minuten später materialisierte sich plötzlich »Kryptisch 4« auf dem Bildschirm.

Ich werde drüber nachdenken.

Mikael atmete auf. Mit einem Mal sah er einen kleinen Hoffnungsschimmer. Die Antwort bedeutete mehr, als da stand. Sie würde darüber nachdenken. Zum ersten Mal, seit sie so plötzlich aus seinem Leben verschwunden war, hatte sie überhaupt wieder mit ihm kommuniziert. Er schrieb »Kryptisch 5«.

OK. Ich warte auf Dich. Aber lass Dir nicht zu lange Zeit.

Kriminalinspektor Hans Fastes Handy meldete sich am Freitagmorgen auf seinem Weg zur Arbeit, als er gerade auf der

Långholmsgatan an der Västerbron war. Die Polizei verfügte nicht über die Kapazitäten, die Wohnung in der Lundagatan Tag und Nacht überwachen zu lassen, und hatte daher einen Nachbarn, einen pensionierten Polizisten, gebeten, ein wachsames Auge auf die Wohnung zu haben.

»Das Chinesenmädchen ist gerade zur Haustür hereingekommen.«

Glücklicherweise befand sich Hans Faste ganz in der Nähe. Er drehte verbotenerweise in der Heleneborgsgatan um und fuhr über die Högalidsgatan in die Lundagatan. Weniger als zwei Minuten nach dem Anruf lief er schon über die Straße und durch die offene Haustür.

Miriam Wu stand immer noch vor ihrer Wohnungstür und starrte auf das aufgebohrte Schloss und die Klebestreifen an der Tür, da hörte sie plötzlich Schritte auf der Treppe. Als sie sich umdrehte, sah sie einen durchtrainierten, kräftig gebauten Mann mit intensivem, starrem Blick. Sie fasste ihn als feindselig auf, ließ ihre Tasche auf den Boden fallen und machte sich zu einer Thaiboxing-Demonstration bereit.

»Miriam Wu?«, erkundigte er sich.

Zu ihrer Überraschung zeigte er ihr einen Polizeiausweis.

»Ja«, antwortete Mimmi. »Worum geht's?«

»Wo sind Sie während der letzten Woche gewesen?«

»Ich war weg. Was ist passiert? Ist jemand eingebrochen?«

Faste starrte sie an.

»Ich muss Sie bitten, mich nach Kungsholmen zu begleiten«, sagte er und legte Miriam Wu eine Hand auf die Schulter.

Bublanski und Modig sahen eine ziemlich gereizte Miriam Wu, die von Faste in das Verhörzimmer geführt wurde.

»Bitte setzen Sie sich. Mein Name ist Kriminalinspektor Jan Bublanski, und das ist meine Kollegin Sonja Modig. Es tut mir leid, dass wir Sie auf diese Art hierherbringen ließen, aber wir haben mehrere Fragen, auf die wir eine Antwort brauchen.«

»Aha. Und warum? Der hier ist ja nicht besonders gesprächig.«

Mimmi zeigte mit dem Daumen auf Faste.

»Wir suchen Sie schon seit einer Woche. Können Sie uns erklären, wo Sie sich aufgehalten haben?«

»Ja, das kann ich. Aber ich habe keine Lust dazu, und soviel ich weiß, geht Sie das auch nichts an.«

Bublanski zog die Brauen hoch.

»Ich komme nach Hause, meine Tür ist aufgebrochen, und am Türrahmen finde ich Absperrband von der Kriminalpolizei. Und dann schleift mich dieses anabolikastrotzende Männchen hierher. Kann ich bitte eine Erklärung bekommen?«

»Mögen Sie keine Männchen?«, fragte Hans Faste.

Miriam Wu starrte ihn verblüfft an. Bublanski und Modig warfen ihm einen warnenden Blick zu.

»Soll ich das so verstehen, dass Sie während der letzten Woche keine Zeitung gelesen haben? Waren Sie im Ausland?«

Miriam Wu war verwirrt und etwas verunsichert.

»Nein, ich habe keine Zeitung gelesen. Ich war zwei Wochen in Paris und habe meine Eltern besucht. Ich komme gerade vom Hauptbahnhof.«

»Sie sind mit dem Zug gefahren?«

»Ich fliege nicht gern.«

»Und auch heute haben Sie noch keine schwedischen Zeitungen gesehen?«

»Ich bin gerade aus dem Nachtzug gestiegen und hab direkt die U-Bahn nach Hause genommen.«

Bublanski dachte nach. Heute Morgen war Lisbeth Salander nicht in den Schlagzeilen aufgetaucht. Er stand auf, ging aus dem Zimmer und kam nach einer Minute mit dem *Aftonbladet* vom Osterwochenende zurück, das Lisbeth Salanders Passfoto auf der ersten Seite abgedruckt hatte.

Miriam Wu fiel aus allen Wolken.

Mikael Blomkvist folgte der Wegbeschreibung zum Ferienhäuschen in Smådalarö, die Gunnar Björck, 62 Jahre, ihm gegeben hatte. Er stellte sein Auto ab und sah, dass das »Sommerhäuschen« ein modernes Einfamilienhaus mit Ganzjahresstandard und Seeblick war. Über einen Kiesweg ging er bis zur Haustür und klingelte. Gunnar Björck war dem Passbild, das Dag Svensson aufgetrieben hatte, nicht unähnlich.

»Guten Tag«, grüßte Mikael.

»So, dann haben Sie mich also gefunden.«

»Kein Problem.«

»Kommen Sie rein. Wir setzen uns in die Küche.«

»Gut.«

Gunnar Björck schien ganz gesund zu sein, humpelte aber leicht.

»Ich bin krankgeschrieben«, erklärte er.

»Nichts Ernstes, hoffe ich«, sagte Mikael.

»Ich hatte einen Bandscheibenvorfall und warte auf meinen Operationstermin. Möchten Sie Kaffee?«

»Nein, danke«, antwortete Mikael, setzte sich auf einen Küchenstuhl, machte seine Tasche auf und zog eine Mappe heraus. Björck nahm ihm gegenüber Platz.

»Sie kommen mir so bekannt vor. Sind wir uns schon mal begegnet?«

»Das kann ich mir nicht vorstellen«, erwiderte Mikael.

»Sie kommen mir sehr bekannt vor.«

»Sie haben mich vielleicht schon mal in der Zeitung gesehen.«

»Wie war noch mal Ihr Name?«

»Mikael Blomkvist. Ich bin Journalist und arbeite für die Zeitschrift *Millennium*.«

Gunnar Björck wirkte verwirrt. Dann fiel der Groschen. Kalle Blomkvist. Die Wennerström-Affäre. Aber die Implikationen waren ihm trotzdem noch nicht ganz klar.

»*Millennium*. Ich wusste gar nicht, dass Sie auch Marktforschung betreiben.«

»Das machen wir auch nur in Ausnahmefällen. Ich möchte, dass Sie sich drei Fotos ansehen und mir sagen, welches Modell Ihnen am besten gefällt.«

Mikael legte die ausgedruckten Bilder von drei Mädchen auf den Tisch. Eines der Bilder hatte er von einer Pornoseite aus dem Internet heruntergeladen. Die beiden anderen waren vergrößerte Passbilder in Farbe.

Gunnar Björck wurde plötzlich leichenblass.

»Ich verstehe nicht ganz.«

»Nein? Das hier ist Lidia Komarova, 16 Jahre, aus Minsk in Weißrussland. Daneben Myang So Chin, besser bekannt als Jo-Jo aus Thailand. Sie ist 25. Und schließlich haben wir hier noch Jelena Barasowa, 19 Jahre, aus Tallinn. Sie haben gegen Bezahlung Sex mit allen dreien gehabt, und ich frage Sie, welche Ihnen am besten gefallen hat. Betrachten Sie es als Marktforschungsstudie.«

Bublanski sah Miriam Wu zweifelnd an. Sie erwiderte seinen Blick nicht viel freundlicher.

»Wenn ich noch einmal zusammenfassen darf: Sie behaupten, Sie kennen Lisbeth Salander seit knapp drei Jahren. Sie hat Ihnen dieses Frühjahr ohne Gegenleistung ihre Wohnung überschrieben und ist woanders hingezogen. Sie haben ab und zu Sex mit ihr, wenn sie sich bei Ihnen meldet, aber Sie wissen nicht, wo sie wohnt, was sie sonst so macht oder wie sie ihren Lebensunterhalt verdient. Und Sie wollen, dass ich Ihnen das abnehme?«

»Es ist mir scheißegal, ob Sie mir das abnehmen. Ich habe kein Verbrechen begangen, und wie ich mein Leben leben möchte oder mit wem ich Sex habe, geht weder Sie noch irgendjemand anders was an.«

Bublanski seufzte. Mit großer Erleichterung hatte er am Morgen die Nachricht aufgenommen, dass Miriam Wu aufgetaucht war. *Endlich ein Durchbruch*. Die Auskünfte, die er von ihr bekam, waren jedoch alles andere als erhellend. Sie waren sogar extrem eigenartig. Das Dumme war nur, dass er Miriam Wu glaubte. Sie antwortete klar und deutlich und ohne jedes Zögern. Sie konnte Orte und Zeitpunkte ihrer Treffen mit Lisbeth Salander benennen, und sie konnte so detailliert beschreiben, wie ihr Umzug in die Lundagatan vonstatten gegangen war, dass Bublanski und Modig zu dem Schluss kamen, dass eine so seltsame Story einfach wahr sein musste.

Hans Faste hatte dem Verhör mit wachsender Gereiztheit zugehört, konnte sich aber noch beherrschen. Er fand, dass Bublanski viel zu lax mit diesem Chinesenmädchen umging – ganz offensichtlich ein arrogantes Stück, das viele Worte machte, um die Antwort auf die einzig wichtige Frage zu vermeiden. Nämlich wo zum Teufel sich die verdammte Nutte Lisbeth Salander versteckte?

Doch Miriam Wu wusste nicht, wo Lisbeth Salander sich aufhielt. Sie wusste nicht, ob Salander arbeitete. Sie hatte noch nie von Milton Security gehört. Sie hatte auch noch nie von Dag Svensson und Mia Bergman gehört und konnte daher keine einzige relevante Frage beantworten. Sie hatte keine Ahnung, dass Salander unter rechtlicher Betreuung stand, dass sie als Jugendliche in eine psychiatrische Anstalt zwangseingewiesen worden war und ausführliche psychiatrische Gutachten über sie vorlagen.

Hingegen konnte sie bestätigen, dass Lisbeth Salander und sie zusammen in der »Mühle« gewesen waren, rumgeknutscht hatten, danach zusammen in die Lundagatan, und früh am nächsten Morgen wieder getrennte Wege gegangen waren. Ein paar Tage später war Miriam Wu nach Paris gefahren und hatte die Schlagzeilen in den schwedischen Tageszeitungen völlig verpasst. Abgesehen von einem kurzen Besuch, bei dem Lisbeth ihre Autoschlüssel vorbeigebracht hatte, hatte sie sie seit dem Abend in der »Mühle« nicht mehr gesehen.

»Autoschlüssel?«, fragte Bublanski. »Salander hat doch gar kein Auto.«

Miriam Wu erklärte ihm, dass Lisbeth einen weinroten Honda gekauft hatte, der vor der Wohnung parkte. Bublanski stand auf und sah Sonja Modig an.

»Kannst du das Verhör übernehmen?«, bat er und verließ das Zimmer.

Er musste Jerker Holmberg suchen und ihn auf die technische Untersuchung eines weinroten Honda ansetzen. Außerdem wollte er ein bisschen allein sein und nachdenken.

Der krankgeschriebene Gunnar Björck, stellvertretender Chef der Auslandsabteilung der Sicherheitspolizei, saß wie ein graues Gespenst in seiner Küche. Mikael betrachtete ihn gleichmütig. Er war mittlerweile überzeugt davon, dass Björck nicht das Geringste mit den Morden in Enskede zu tun hatte. Da Dag Svensson ihn nie mit seinen Rechercheergebnissen konfrontiert hatte, wusste Björck auch nicht, dass er demnächst mit Namen und Bild in einer Enthüllungsreportage über Mädchenhandel auftauchen würde.

Björck konnte nur mit einem einzigen interessanten Detail aufwarten. Wie sich herausstellte, war er mit dem Rechtsanwalt Nils Bjurman persönlich bekannt. Sie hatten sich im Schützenverein der Polizei kennengelernt, in dem Björck achtundzwanzig Jahre lang aktives Mitglied gewesen war. Eine Weile war er sogar mit Bjurman zusammen im Vorstand gewesen. Obwohl sie nicht befreundet gewesen waren, hatten sie sich manchmal auch in ihrer Freizeit gesehen und waren zusammen essen gegangen.

Nein, er hatte Bjurman schon seit einigen Monaten nicht mehr zu Gesicht bekommen. Soweit er sich erinnerte, hatte er ihn zum letzten Mal gegen Ende des letzten Sommers gesehen, in einem Biergarten. Er bedauerte sehr, dass Bjurman von dieser Psychopathin ermordet worden war, hatte jedoch nicht vor, auf sein Begräbnis zu gehen.

Mikael dachte über dieses Zusammentreffen nach, aber langsam gingen ihm die Fragen aus. Bjurman musste durch sein Vereins- und Berufsleben Hunderte von Menschen gekannt haben. Dass er zufällig auch eine Person kannte, die in Dag Svenssons Material vorkam, war weder unwahrscheinlich noch statistisch auffällig. Mikael hatte entdeckt, dass er selbst mit einem Journalisten in Dag Svenssons Buch entfernt bekannt war.

Es wurde Zeit, die Dinge abzuschließen. Björck hatte alle erwarteten Phasen durchlaufen. Zunächst hatte er alles geleugnet, dann – als Mikael ihm einen Teil des Beweismaterials zeigte – Mikael gedroht und zu bestechen versucht und schließlich angefleht. Mikael hatte alles gleichermaßen ignoriert.

»Ist Ihnen klar, dass Sie mein Leben zerstören, wenn Sie das hier veröffentlichen?«, fragte Björck schließlich.

»Ja«, gab Mikael zurück.

»Und Sie werden es trotzdem tun.«

»Selbstverständlich.«

»Warum? Können Sie keine Rücksicht nehmen? Ich bin krank.«

»Interessant, dass ausgerechnet Sie mit Rücksicht argumentieren.«

»Es kostet doch nichts, ein wenig menschlich zu sein.«

»Da haben Sie völlig recht. Aber während Sie jammern, dass ich Ihr Leben zerstöre, haben Sie das Leben mehrerer junger Mädchen zerstört. Wir können drei dieser Verbrechen dokumentieren. Der Herrgott weiß, wie viele es sonst noch waren. Wo war denn da Ihre Menschlichkeit?«

Er stand auf, sammelte seine Unterlagen zusammen und steckte sie wieder in seine Laptoptasche.

»Ich finde allein hinaus.«

Er ging zur Tür, blieb aber noch einmal stehen und wandte sich an Björck.

»Haben Sie schon einmal von einem Mann namens Zala gehört?«, erkundigte er sich.

Björck starrte ihn an. Er war immer noch so perplex, dass er Mikaels Worte kaum wahrnahm. Der Name Zala hatte keine besondere Bedeutung für ihn. Doch plötzlich weiteten sich seine Augen.

Zala!

Das ist unmöglich!

Bjurman!

Wie kann das sein?

Mikael bemerkte die Veränderung und trat wieder einen Schritt an den Küchentisch heran.

»Warum fragen Sie nach Zala?«, wollte Björck wissen. Er sah fast aus, als stünde er unter Schock.

»Weil er mich interessiert«, antwortete Mikael.

Totenstille in der Küche. Mikael konnte förmlich zusehen, wie Björck sich den Kopf zermarterte. Schließlich nahm Björck eine Schachtel Zigaretten vom Fensterbrett. Es war seine erste Zigarette, seit Mikael das Haus betreten hatte.

»Wenn ich etwas über Zala weiß ... was wäre Ihnen diese Information wert?«

»Das kommt darauf an, was Sie wissen.«

Björck dachte nach. Gefühle und Gedanken überschlugen sich in ihm.

Woher zum Teufel weiß Mikael Blomkvist etwas über Zalatschenko?

»Das ist ein Name, den ich schon lange nicht mehr gehört habe«, sagte er schließlich.

»Sie wissen also, wer er ist?«, fragte Mikael.

»Das habe ich nicht gesagt. Was genau wollen Sie wissen?«

Mikael zögerte einen Moment.

»Er ist einer der Namen auf meiner Liste. Eine der Personen, zu denen Dag Svensson Nachforschungen angestellt hat.«

»Was ist es Ihnen wert?«

»Was ist mir was wert?«

»Wenn ich Sie zu Zala führe ... könnten Sie sich dann vorstellen, mich in Ihrer Reportage wegzulassen?«

Mikael setzte sich langsam. Nach Hedestad hatte er beschlossen, sein Lebtag nicht mehr um eine Story zu feilschen. Er wollte auch nicht mit Björck feilschen, er würde ihn bloßstellen, egal was passierte. Doch ihm war auch klar, dass er keine Skrupel empfand, wenn er ein doppeltes Spiel mit Björck spielte und eine entsprechende Abmachung mit ihm traf. Björck war ein Polizist, der Verbrechen begangen hatte. Wenn er den Namen eines potenziellen Mörders kannte, musste er aktiv werden – und durfte die Informationen nicht dazu benutzen, um Vorteile für sich herauszuhandeln. Also durfte Björck gern hoffen, dass sich hier ein Ausweg auftat. Mikael steckte seine Hand in die Jackentasche und schaltete sein Diktiergerät an, das er ausgestellt hatte, als er vom Tisch aufgestanden war.

»Erzählen Sie«, forderte er ihn auf.

Sonja Modig war irrsinnig wütend auf Hans Faste, zeigte aber mit keiner Miene, was sie von ihm hielt. Seit Bublanski das Zimmer verlassen hatte, war das weitere Verhör mit Miriam Wu alles andere als stringent gewesen. Faste hatte ihre zornigen Blicke völlig ignoriert.

Zudem wunderte sich Modig. Sie hatte Hans Faste und seine Machoattitüde nie gemocht, ihn aber immer als kompetenten Polizisten betrachtet. Von dieser Kompetenz war heute allerdings nicht viel zu bemerken. Anscheinend fühlte sich Faste von einer schönen, intelligenten und dezidiert lesbischen Frau einfach provoziert. Gleichzeitig war es genauso offensichtlich, dass Miriam Wu seine Gereiztheit bemerkte und sie rücksichtslos schürte.

»Sie haben also den Dildo in meiner Kommode gefunden. Was für Fantasien kamen Ihnen denn da in den Kopf?«

Miriam Wu lächelte neugierig. Faste sah aus, als würde er gleich krepieren vor Wut.

»Halten Sie den Mund und antworten Sie auf meine Fragen«, schnauzte Faste.

»Sie haben gefragt, ob ich Lisbeth damit gefickt habe. Und ich habe geantwortet, dass Sie das einen Scheißdreck angeht.«

Sonja Modig hob die Hand.

»Das Verhör mit Miriam Wu wird um 11 Uhr 12 für eine kurze Pause unterbrochen.«

Sie schaltete das Aufnahmegerät aus.

»Wären Sie so nett, hier sitzen zu bleiben, Frau Wu? Hans, kann ich dich mal kurz sprechen?«

Miriam Wu lächelte ihm zuckersüß zu, als er ihr einen wütenden Blick zuwarf und Sonja Modig auf den Flur folgte. Seine Kollegin drehte sich zu ihm um und stellte sich so dicht vor ihn, dass ihre Nasen nur zwei Zentimeter voneinander entfernt waren.

»Bublanski hat mich beauftragt, das Verhör fortzuführen. So kommen wir hier nicht weiter.«

»Blödsinn. Diese dumme Fotze windet sich doch wie ein Aal.«

»Ist die Freud'sche Symbolik in deiner Wortwahl beabsichtigt?«

»Was?«

»Vergiss es. Geh von mir aus in den Klubkeller und mach ein paar Schießübungen, aber halt dich aus diesem Verhör raus.«

»Bist du so geil auf sie, dass du sie allein verhören willst?«

Bevor Sonja Modig es sich versah, schoss ihre Hand nach vorn und versetzte Hans Faste eine Ohrfeige. Sie bereute es in der nächsten Sekunde, aber da war es schon zu spät. Sie blickte rechts und links den Korridor hinunter und stellte fest, dass es Gott sei Dank keine Zeugen gegeben hatte.

Hans Faste wirkte erst völlig verdattert. Dann grinste er sie nur an, warf sich seine Jacke über die Schulter und ging davon. Sie wollte ihm schon eine Entschuldigung nachrufen, entschied sich dann aber dagegen. Sie wartete noch eine Minute, um sich wieder zu beruhigen. Dann holte sie zwei Becher Kaffee aus dem Automaten und ging zurück zu Miriam Wu.

Ein Weilchen saßen sie sich schweigend gegenüber, ehe Sonja Modig sagte:

»Entschuldigen Sie bitte. Das war wohl eines der miesesten Verhöre in der Geschichte dieses Polizeireviers.«

»Scheint ja ein prima Arbeitskollege zu sein. Lassen Sie mich raten: Er ist heterosexuell, geschieden und liefert in der Kaffeepause die Schwulenwitze.«

»Er ist ein ... eine Art Relikt. Mehr kann ich dazu nicht sagen.«

»Und was ist mit Ihnen?«

»Ich bin jedenfalls nicht homophob.«

»Okay.«

»Frau Wu, ich ... wir arbeiten fast alle seit zehn Tagen rund um die Uhr. Wir sind müde und gereizt. Wir versuchen, einen schrecklichen Doppelmord in Enskede aufzuklären und einen ebenso schrecklichen Mord am Odenplan. Ihre Freundin wurde mit beiden Tatorten in Verbindung gebracht. Wir haben kriminaltechnische Beweise, und es wird landesweit nach ihr gefahndet. Verstehen Sie bitte, dass wir sie um jeden Preis finden müssen, bevor sie jemand anders oder sich selbst etwas antut.«

»Ich kenne Lisbeth Salander ... Ich kann nicht glauben, dass sie jemanden ermordet hat.«

»Können es nicht glauben oder wollen es nicht glauben? Wir schlagen nicht ohne guten Grund landesweit Alarm. Aber ich kann Ihnen immerhin verraten, dass mein Chef, Kriminalinspektor Bublanski, auch nicht ganz von Salanders Schuld überzeugt ist. Wir haben die Möglichkeit diskutiert, dass sie einen Mittäter hatte oder anderweitig in diese Sache mit hineingezogen wurde. Aber wir müssen sie finden. Sie glauben, dass sie unschuldig ist, Frau Wu, aber was ist, wenn Sie sich täuschen? Sie sagen doch selbst, dass Sie nicht sonderlich viel von Lisbeth Salander wissen.«

»Ich weiß nicht, was ich glauben soll.«

»Dann helfen Sie uns, die Wahrheit herauszufinden.«

»Bin ich wegen irgendetwas verhaftet worden?«

»Nein.«

»Kann ich gehen, wann ich will?«

»Eigentlich ja.«

»Und uneigentlich?«

»Werden Sie uns ein Rätsel.«

Miriam Wu dachte über ihre Worte nach. »Gut. Fragen Sie weiter. Wenn Ihre Fragen mich ärgern, dann gebe ich einfach keine Antwort.«

Sonja Modig schaltete das Aufnahmegerät wieder ein.

20. Kapitel

Freitag, 1. April – Sonntag, 3. April

Miriam Wu verbrachte noch eine Stunde mit Sonja Modig. Am Ende des Verhörs kam Bublanski ins Zimmer, setzte sich still dazu und lauschte. Miriam Wu begrüßte ihn höflich.

Schließlich sah Sonja Modig ihn an und fragte, ob er noch weitere Fragen hätte. Er schüttelte den Kopf.

»Dann erkläre ich das Verhör mit Miriam Wu für beendet. Es ist 13 Uhr 09.«

Sie schaltete das Aufnahmegerät aus.

»Ich habe gehört, es gab ein kleines Problem mit Kriminalinspektor Faste«, sagte Bublanski.

»Er war unkonzentriert«, erklärte Sonja Modig.

»Er war ein Idiot«, verdeutlichte Miriam Wu.

»Kriminalinspektor Faste hat wirklich viele Verdienste, aber er ist wahrscheinlich nicht die passende Person, um eine junge Frau zu verhören«, meinte Bublanski und sah Miriam Wu in die Augen. »Ich hätte ihm diese Aufgabe nicht übertragen dürfen. Ich bitte um Entschuldigung.«

Miriam Wu sah ihn erstaunt an.

»Entschuldigung angenommen. Ich habe mich am Anfang ja auch etwas danebenbenommen.«

Bublanski wischte es mit einer Handbewegung vom Tisch. Er sah Miriam Wu an.

»Darf ich Ihnen zum Schluss noch ein paar Fragen stellen? Ohne Aufnahmegerät?«

»Bitte sehr.«

»Je mehr ich von Lisbeth Salander höre, umso verblüffter bin ich. Das Bild, das mir die Personen schildern, die sie kennen, ist nicht mit dem Bild zu vereinbaren, das die Akten des Sozialamts und die rechtsmedizinischen Unterlagen zeichnen.«

»Tja.«

»Können Sie mir einfach geradeheraus auf ein paar Fragen antworten?«

»Sicher.«

»Das psychiatrische Gutachten, das über Lisbeth Salander erstellt wurde, als sie 18 Jahre alt war, besagt, dass sie geistig zurückgeblieben ist.«

»Totaler Quatsch. Lisbeth ist wahrscheinlich schlauer als Sie und ich zusammengenommen.«

»Sie hat keinen Schulabschluss und kann nicht einmal ein Zeugnis vorweisen, dass sie lesen und schreiben kann.«

»Lisbeth Salander liest und schreibt wesentlich besser als ich. Manchmal setzt sie sich hin und kritzelt irgendwelche mathematischen Formeln hin. Pure Algebra. Von dieser Art Mathematik hab ich überhaupt keinen Schimmer.«

»Mathematik?«

»Das ist ein Hobby, das sie sich vor Kurzem zugelegt hat.«

Bublanski und Modig schwiegen.

»Hobby?«, fragte Bublanski nach einer Weile.

»Das waren irgendwelche Gleichungen. Ich wusste nicht mal, was all diese Zeichen bedeuten.«

Bublanski seufzte.

»Das Sozialamt hat ein Gutachten erstellt, nach dem sie als 17-Jährige in Tantolunden in Gesellschaft eines älteren Mannes aufgegriffen worden ist. Darin heißt es, sie habe sich vermutlich prostituiert.«

»Lisbeth als Nutte? Was für ein Quark! Ich weiß nicht, was sie derzeit beruflich macht, aber es wundert mich kein bisschen, dass sie einen Job bei Milton Security hatte.«

»Wie verdient sie ihren Lebensunterhalt?«

»Weiß ich nicht.«

»Ist sie lesbisch?«

»Nein. Lisbeth hat Sex mit mir, aber das heißt noch lange nicht, dass sie eine Lesbe ist. Ich glaube, sie weiß selbst nicht, was für eine sexuelle Identität sie eigentlich hat. Schätzungsweise ist sie bisexuell.«

»Und dass Sie Handschellen und Ähnliches verwenden ... ist Lisbeth Salander sadistisch veranlagt, oder wie würden Sie sie am ehesten beschreiben?«

»Ich glaube, Sie haben das alles ein bisschen in den falschen Hals gekriegt. Dass wir ab und zu Handschellen benutzen, ist nur ein Rollenspiel und hat nichts mit Sadismus oder Gewalt zu tun. Es ist ein Spiel.«

»Ist sie Ihnen gegenüber jemals gewalttätig geworden?«

»Nein. In unseren Spielen übernehme ich den dominanten Part.«

Miriam Wu lächelte süß.

Bei der nachmittäglichen Sitzung gab es den ersten handfesten Streit unter den Ermittlern. Bublanski fasste die Lage zusammen und erklärte, dass er es für angezeigt hielt, die Fahndung etwas breiter anzulegen.

»Vom ersten Tag an haben wir unsere gesamte Energie darauf konzentriert, Lisbeth Salander zu finden. Sie war höchst verdächtig – und das aus sachlichen Gründen –, aber das Bild, das wir von ihr haben, wird von allen Personen, die sie heute kennen, als Fehleinschätzung betrachtet. Weder Armanskij noch Blomkvist oder Miriam Wu sehen in ihr eine psychotische Mörderin. Daher möchte ich, dass wir unsere Bemühungen ein wenig erweitern und anfangen, uns Gedanken über andere mögliche Täter zu machen. Wir müssen die Möglichkeit in Betracht ziehen, dass Salander einen Mittäter gehabt haben könnte oder einfach nur anwesend war, als die Schüsse fielen.«

Bublanskis Darlegung zog eine heftige Debatte nach sich, in der ihm vor allem Hans Faste und Sonny Bohman von Milton Security Widerstand leisteten. Beide behaupteten, die einfachste Erklärung sei meistens auch die richtige und Gedanken über andere Täter sicherlich Zeitverschwendung.

»Wir können ja immer noch auf Blomkvists Polizeispur zurückgreifen«, meinte Hans Faste säuerlich.

Die Einzige, die in dieser Diskussion auf Bublanskis Seite stand, war Sonja Modig. Curt Svensson und Jerker Holmberg begnügten sich mit vereinzelten Kommentaren. Niklas Eriksson von Milton schwieg die ganze Zeit. Schließlich hob Staatsanwalt Ekström die Hand.

»Bublanski – ich verstehe das so, dass Sie Salander keinesfalls aus der Ermittlung streichen wollen.«

»Nein, natürlich nicht. Wir haben schließlich ihre Fingerabdrücke sichergestellt. Aber bis jetzt haben wir uns den Kopf über ein mögliches Motiv zerbrochen, ohne eines zu finden. Ich will, dass wir unsere Gedanken auch einmal in andere Bahnen lenken. Könnten noch mehr Personen in den Fall verwickelt sein? Könnte es trotz allem mit dem Buch über Mädchenhandel zu tun haben, an dem Dag Svensson gerade schrieb? Blomkvist hat durchaus recht, wenn er sagt, dass mehrere Personen, die in diesem Buch vorkommen, ein Mordmotiv hätten.«

»Wie wollen Sie vorgehen?«, erkundigte sich Ekström.

»Ich möchte, dass zwei Personen sich mit der Suche nach einem anderen möglichen Täter beschäftigen. Sonja und Niklas können dabei helfen.«

»Ich?«, fragte Niklas Eriksson verblüfft.

Bublanski hatte ihn ausgesucht, weil er der Jüngste im Raum

war und wahrscheinlich am ehesten in der Lage, auch unorthodox zu denken.

»Sie arbeiten mit Sonja Modig zusammen. Gehen Sie alles durch, was wir bis jetzt wissen, und versuchen Sie etwas zu finden, was uns entgangen ist. Faste, Svensson und Bohman arbeiten weiter an der Suche nach Salander. Das hat höchste Priorität.«

»Und was soll ich machen?«, fragte Jerker Holmberg.

»Konzentrier dich auf Bjurman. Nimm dir noch mal seine Wohnung vor. Prüf nach, ob wir was übersehen haben. Noch Fragen?«

Keiner hatte Fragen.

»Gut. Dass Miriam Wu aufgetaucht ist, machen wir nicht öffentlich. Sie könnte noch mehr zu erzählen haben, und ich möchte nicht, dass sich die Medien auf sie stürzen.«

Staatsanwalt Ekström beschloss, dass man nach Bublanskis Plan weiterarbeiten sollte.

»Tja dann«, sagte Niklas Eriksson und sah Sonja Modig an. »Sie sind die Polizistin, Sie bestimmen, was wir machen.«

Sie standen auf dem Flur vor dem Konferenzraum.

»Ich glaube, wir sollten uns noch mal mit Mikael Blomkvist unterhalten«, meinte sie. »Aber zuerst muss ich kurz mit Bublanski sprechen. Es ist Freitagnachmittag, und ich möchte mir gerne am Samstag und Sonntag freinehmen. Das bedeutet, dass wir vor Montag nicht anfangen könnten. Sie können ja am Wochenende schon mal über das Material nachdenken.«

Sie verabschiedeten sich. Als Sonja Modig in Bublanskis Büro gehen wollte, verließ Staatsanwalt Ekström gerade das Zimmer.

»Kann ich dich eine Minute sprechen?«

»Bitte, setz dich.«

»Ich war so wütend auf Faste, dass ich die Beherrschung verloren habe.«

»Er hat gesagt, du seist auf ihn losgegangen. Mir war schon klar, dass da etwas vorgefallen sein muss. Deswegen bin ich auch noch einmal reingekommen und habe mich entschuldigt.«

»Faste hat behauptet, ich wolle ja nur mit Miriam Wu allein sein, weil sie mich so geil macht.«

»Ich glaube, das kann man schon als sexuelle Belästigung bezeichnen. Willst du ihn anzeigen?«

»Ich hab ihm eine geknallt. Das reicht.«

»Gut, dann beurteile ich das Ganze so, dass du von ihm extrem provoziert wurdest.«

»Das wurde ich auch.«

»Hans Faste hat ein Problem mit starken Frauen.«

»Das hab ich auch schon gemerkt.«

»Du bist eine starke Frau und eine exzellente Polizistin.«

»Danke.«

»Aber ich fände es schön, wenn du deine Kollegen nicht verprügeln würdest.«

»Das wird sich nicht wiederholen. Ich habe es heute übrigens nicht geschafft, Dag Svenssons Schreibtisch in der *Millennium*-Redaktion durchzusehen.«

»Wir sind im Rückstand. Geh nach Hause und ruh dich ein bisschen aus. Dann packen wir es am Montag mit frischer Kraft an.«

Niklas Eriksson blieb am Hauptbahnhof und trank Kaffee im »George«. Er war niedergeschlagen. Die ganze Woche hindurch hatte er erwartet, dass Lisbeth Salander jeden Moment gefasst werden würde. Wenn sie bei der Festnahme Widerstand leistete, konnte es mit etwas Glück durchaus passieren, dass ein beherzter Polizist sie erschoss.

Eine Fantasie, die er sehr anregend fand.

Aber Salander war immer noch auf freiem Fuß. Und damit nicht genug, nun fing Bublanski auch noch an, alternative

Täter in Betracht zu ziehen. Das war keine positive Entwicklung.

Schlimm genug, Sonny Bohman unterstellt zu sein – der Typ war nun wirklich einer der langweiligsten und fantasielosesten Menschen, die man bei Milton nur auftreiben konnte –, aber jetzt war ihm auch noch Sonja Modig vor die Nase gesetzt worden.

Sie war diejenige, die am meisten an Salanders Schuld zweifelte und damit offenbar auch Bublanski angesteckt hatte. Er fragte sich, ob Bublanski wohl was mit dieser dummen Fotze am Laufen hatte. Würde ihn nicht wundern. Er war ja der reinste Pantoffelheld. Von allen Polizisten im Ermittlungsteam hatte nur Faste genügend Schneid, auszusprechen, was er dachte.

Niklas Eriksson überlegte.

Am Morgen hatten Bohman und er bei Milton ein kurzes Treffen mit Armanskij und Fräklund gehabt. Die Ermittlungsarbeit einer Woche war ohne Ergebnis geblieben, und Armanskij war frustriert, weil niemand eine Erklärung für die Morde zu finden schien. Fräklund hatte vorgeschlagen, Milton solle sein Engagement in der Sache noch einmal überdenken – es gab andere Aufgaben für Bohman und Eriksson, als der Polizei kostenlose Unterstützung zu bieten.

Armanskij hatte kurz nachgedacht und dann entschieden, dass Bohman und Eriksson noch eine Woche weitermachen sollten. Wenn dabei immer noch nichts herauskommen sollte, würden sie das Projekt abbrechen.

Niklas Eriksson blieb mit anderen Worten noch eine einwöchige Frist, um diese Ermittlungen in seinem Sinne zu beeinflussen. Er wusste nicht recht, was er jetzt tun sollte.

Nach einer Weile rief er Tony Scala an, einen freien Journalisten, der dummes Zeug für ein Männermagazin schrieb und den Niklas Eriksson schon ein paarmal getroffen hatte. Eriksson erklärte ihm, er habe Informationen über die Morde in

Enskede. Er setzte ihm auseinander, wie er plötzlich mitten in den heißesten Ermittlungen seit Jahren gelandet war. Wie zu erwarten war, biss Scala an. Sie verabredeten sich auf einen Kaffee im »Aveny« in der Kungsgatan.

Tony Scalas hervorstechendste Eigenschaft war seine ungeheure Fettleibigkeit.

»Wenn du Informationen haben willst, musst du aber zwei Sachen versprechen.«

»Lass hören.«

»Erstens darf Milton Security nicht genannt werden. Unsere Rolle ist nur eine beratende, und wenn Miltons Name fällt, könnte jemand darauf kommen, dass die Informationen von mir stammen.«

»Obwohl es ja nicht unbedingt das Allerneueste ist, dass Salander bei Milton gearbeitet hat.«

»Als Putzhilfe und so«, behauptete Eriksson. »Das ist nichts Neues.«

»Okay.«

»Zweitens muss es sich so anhören, als ob die Informationen von einer Frau kämen.«

»Warum denn das?«

»Um den Verdacht von mir abzulenken.«

»Geht klar. Also, was kannst du mir erzählen?«

»Salanders lesbische Freundin ist aufgetaucht.«

»Hoppla. Dieses Mädchen, das in der Lundagatan gemeldet ist und die ganze Zeit verschwunden war?«

»Miriam Wu. Ist das was?«

»Ja, ja, durchaus. Wo ist sie denn gewesen?«

»Im Ausland. Sie behauptet, dass sie nichts von den Morden gehört hat.«

»Wird sie irgendwie verdächtigt?«

»Nein, momentan nicht. Sie ist tagsüber verhört worden und wurde vor drei Stunden entlassen.«

»Aha. Nimmst du ihr die Story ab?«

»Ich glaube, die lügt wie gedruckt. Sie weiß irgendwas.«

»Okay.«

»Aber überprüf ihren Hintergrund noch weiter. Diese Tussi hat Sadomaso-Sex mit Salander.«

»Und darüber weißt du Bescheid?«

»Sie hat es im Verhör zugegeben. Wir haben Handschellen, Lederoutfits, Peitschen und noch mehr bei der Hausdurchsuchung gefunden.«

Das mit den Peitschen war eine leichte Übertreibung, eigentlich sogar eine Lüge, aber das Chinesenmädchen hatte sicher auch schon mit Peitschen gespielt.

»Machst du Witze?«, fragte Tony Scala.

Paolo Roberto war einer der letzten Besucher, als die Bibliothek zumachte. Er hatte den ganzen Nachmittag damit verbracht, jede Zeile zu lesen, die bis jetzt über die Jagd auf Lisbeth Salander geschrieben worden war.

Als er auf den Sveavägen hinaustrat, fühlte er sich niedergeschlagen und verwirrt. Und hungrig. Er ging zu McDonald's, wo er sich einen Hamburger bestellte und sich in eine Ecke setzte.

Lisbeth Salander als dreifache Mörderin. Er konnte es einfach nicht glauben. Nicht dieses zarte, kleine verrückte Mädchen. Er fragte sich verzweifelt, ob er etwas unternehmen konnte. Und wenn ja, was.

Miriam Wu nahm ein Taxi zurück in die Lundagatan und besah sich das Ausmaß der Zerstörung in ihrer frisch renovierten Wohnung. Schränke, Kartons, Kommodenschubladen, alles war ausgeleert und durchwühlt worden. In der gesamten Wohnung das Geschmier des Fingerabdruckpulvers. Ihr höchst privates Sexspielzeug lag auf dem Bett. Soweit sie erkennen konnte, fehlte nichts.

Gleich als Erstes rief sie den Schlüsseldienst von Södermalm an, um ein neues Türschloss installieren zu lassen. Der Schlosser wollte innerhalb einer Stunde vorbeikommen.

Sie setzte Kaffee auf und schüttelte den Kopf. *Lisbeth, Lisbeth, wo zum Teufel bist du da nur reingeraten?*

Sie zückte ihr Handy und rief Lisbeths Nummer an, bekam aber nur die Mitteilung zu hören, dass der Teilnehmer vorübergehend nicht erreichbar sei. Miriam blieb lange am Küchentisch sitzen und versuchte, sich ein klares Bild von der ganzen Sache zu machen. Die Lisbeth Salander, die sie kannte, war keine psychisch kranke Mörderin, aber andererseits kannte Miriam sie auch nicht sonderlich gut. Lisbeth war zwar heiß im Bett, konnte aber auch kalt wie ein Fisch sein, wenn sie entsprechender Laune war.

Sie beschloss, sich noch keine endgültige Meinung zu bilden, bis sie Lisbeth getroffen und eine Erklärung bekommen hatte. Auf einmal stiegen ihr Tränen in die Augen. Sie beschäftigte sich die nächsten Stunden damit, die Wohnung aufzuräumen und zu putzen.

Um sieben Uhr abends hatte sie ein neues Schloss, und die Wohnung war wieder einigermaßen bewohnbar. Sie duschte und hatte sich gerade in ihrem schwarz-goldenen orientalischen Morgenmantel in die Küche gesetzt, da klingelte es an der Tür. Als sie aufmachte, stand sie einem außergewöhnlich fetten und unrasierten Mann gegenüber.

»Guten Tag, Frau Wu, ich heiße Tony Scala und bin Journalist. Können Sie mir ein paar Fragen beantworten?«

Neben ihm stand ein Fotograf, der ihr prompt ins Gesicht blitzte.

Miriam Wu erwog, ihm den Ellbogen gegen die Nase zu rammen, war dann jedoch geistesgegenwärtig genug, sich auszurechnen, dass das nur noch reißerischere Bilder geben würde.

»Waren Sie mit Lisbeth Salander im Ausland? Wissen Sie, wo sie sich aufhält?«

Miriam Wu schlug die Tür zu und sperrte mit dem neuen Schloss ab. Tony Scala drückte die Klappe des Briefschlitzes nach innen auf.

»Früher oder später müssen Sie mit den Medien sprechen, Frau Wu. Ich kann Ihnen helfen.«

Sie ballte ihre Hand zu einer Faust und donnerte sie auf den Briefschlitz. Mimmi hörte Tony Scala vor Schmerz aufheulen, als seine Finger eingeklemmt wurden. Dann ging sie ins Bett und schloss die Augen. *Lisbeth, wenn ich dich in die Finger kriege, dann erwürg ich dich.*

Nach dem Besuch in Smådalarö hatte Mikael Blomkvist den Nachmittag über noch weitere Freier von Dag Svenssons Liste aufgesucht. Damit hatte er in dieser Woche sechs der siebenunddreißig Namen abgehakt. Der letzte war ein pensionierter Richter in Tumba, der mehrere Urteile in Prostitutionsprozessen gesprochen hatte. Erfrischenderweise hatte der verdammte Richter weder geleugnet noch gedroht oder um Gnade gebettelt. Im Gegenteil, er gab ohne Umschweife zu, Ostblockfotzen gevögelt zu haben. Nein, Reue verspüre er nicht. Prostitution sei ein ehrenwertes Gewerbe, und er meinte, er tue den Mädchen einen Gefallen, wenn er ihr Kunde war.

Es war zehn Uhr abends und Mikael gerade auf der Höhe von Liljeholmen, als Malin Eriksson anrief.

»Hallo«, sagte sie. »Hast du dir die Internetausgabe vom Morgendrachen angeguckt?«

»Nein, was gibt's da?«

»Lisbeth Salanders Freundin ist nach Hause gekommen.«

»Was? Wer?«

»Diese Lesbe namens Miriam Wu, die in der Wohnung in der Lundagatan wohnt.«

Wu, dachte Mikael. *Salander – Wu, das Namensschild an der Tür.*

»Danke. Bin schon auf dem Weg.«

Schließlich zog Miriam Wu ihren Telefonstecker aus der Buchse und schaltete ihr Handy aus. Die Neuigkeit war um halb acht Uhr abends in der Internetausgabe einer der Morgenzeitungen veröffentlicht worden. Wenig später rief auch schon das *Aftonbladet* an und drei Minuten später der *Expressen* und baten sie um einen Kommentar. *Aktuellt* brachte die Nachricht, ohne ihren Namen zu nennen, aber um neun Uhr hatten nicht weniger als sechzehn Reporter verschiedener Medien versucht, ihr einen Kommentar zu entlocken.

Zweimal klingelte es auch an der Tür. Miriam Wu machte nicht auf und löschte alle Lampen in der Wohnung. Sie hatte große Lust, dem nächsten Journalisten, der sie belästigte, das Nasenbein zu brechen. Schließlich schaltete sie ihr Handy ein und bat eine Freundin, die ganz in der Nähe wohnte, bei ihr übernachten zu dürfen.

Fünf Minuten bevor Mikael Blomkvist parkte und vergeblich an ihrer Tür klingelte, schlich sie sich aus dem Haus.

Bublanski rief Sonja Modig am Samstagmorgen um kurz nach zehn an. Sie hatte bis neun geschlafen und danach eine Weile mit ihren Kindern gespielt, bis ihr Mann sie auf einen Spaziergang mitnahm, um ihnen Süßigkeiten zu kaufen.

»Hast du heute schon die Zeitungen gelesen?«

»Nein. Ich bin erst vor einer Stunde aufgewacht und war mit meinen Kindern beschäftigt. Ist was passiert?«

»Irgendjemand aus dem Team gibt Informationen an die Presse weiter.«

»Das wussten wir doch schon die ganze Zeit. Vor ein paar Tagen hat irgendjemand Salanders rechtsmedizinischen Bericht rausgegeben.«

»Das war Staatsanwalt Ekström selbst.«

»Im Ernst?«

»Ja, natürlich. Auch wenn er das niemals zugeben würde. Er versucht, das Interesse anzuheizen, weil ihm das zugute kommt. Doch hiermit hat er nichts zu tun. Ein Journalist namens Tony Scala hat mit jemandem von der Polizei gesprochen, der eine Menge Informationen über Miriam Wu weitergegeben hat. Unter anderem Details aus dem gestrigen Verhör. Ekström ist außer sich vor Wut.«

»Verdammt!«

»Der Journalist nennt keinen Namen. Die Quelle wird als Person beschrieben, die bei den Ermittlungen eine zentrale Rolle spielt.«

»Scheiße!«, sagte Sonja Modig.

»An einer anderen Stelle in diesem Artikel wird die Quelle als ›sie‹ bezeichnet.«

Sonja Modig schwieg zwanzig Sekunden, bis ihr die Bedeutung dieser Tatsache klar geworden war. Sie war die einzige Frau in ihrem Ermittlungsteam.

»Ich habe kein einziges Wort an einen Journalisten weitergegeben! Ich habe mit niemandem außerhalb unserer Korridore über die Ermittlungen gesprochen. Nicht mal mit meinem Mann.«

»Ich habe auch keine Sekunde lang geglaubt, dass du Informationen rauslässt. Aber Staatsanwalt Ekström glaubt es leider. Hans Faste, der den Wochenenddienst übernommen hat, macht Andeutungen, die das Ganze noch weiter anheizen.«

Plötzlich war Sonja Modig ganz schwach zumute.

»Und was passiert jetzt?«

»Ekström verlangt, dass du von den Ermittlungen freigestellt wirst, während die Anschuldigungen gegen dich überprüft werden.«

»Das ist doch verrückt. Wie sollte ich denn beweisen können …?«

»Du brauchst gar nichts zu beweisen. Derjenige, der die Anschuldigungen überprüft, muss die Beweise erbringen.«

»Ich weiß, aber … verdammt noch mal! Wie lange wird diese Überprüfung dauern?«

»Sie hat schon stattgefunden.«

»Was?«

»Ich habe dich gefragt. Und du hast gesagt, dass du keine Informationen weitergegeben hast. Damit ist die Überprüfung abgeschlossen, und ich brauche nur noch meinen Bericht zu schreiben. Wir sehen uns am Montag um neun in Ekströms Zimmer und handeln das ab.«

»Danke!«

»Nichts zu danken.«

»Da gibt es aber noch ein Problem.«

»Ich weiß.«

»Wenn ich es nicht war, die Informationen an die Presse rausgibt, dann muss es ein anderer aus dem Team gewesen sein.«

»Hast du einen Vorschlag?«

»Spontan wäre ich ja in Versuchung, Faste zu sagen ... aber ich glaube es nicht so richtig.«

»Ich bin geneigt, dir zuzustimmen. Er kann ja ein ganz schöner Mistkerl sein, und gestern war er völlig außer sich.«

Bublanski ging, je nach Zeit und Wetter, gern spazieren. Damit verschaffte er sich die nötige Bewegung. Er wohnte in der Katarina Bangata in Södermalm, nahe der *Millennium*-Redaktion, unweit von Milton Security und der Lundagatan, wo Lisbeth Salander gewohnt hatte. Außerdem war es nicht weit bis zur Synagoge in der St. Paulsgatan. Am Samstagnachmittag suchte er all diese Orte auf.

Am Anfang begleitete ihn seine Frau Agnes. Sie waren seit dreiundzwanzig Jahren verheiratet, und er war ihr in all den Jahren treu geblieben, ohne einen einzigen Seitensprung.

Sie blieben ein Weilchen in der Synagoge und unterhielten sich mit dem Rabbi. Bublanski war polnischer Jude, während Agnes' Familie – das heißt, der kleine Rest, der Auschwitz überlebt hatte – aus Ungarn stammte.

Danach trennten sich ihre Wege – Agnes wollte einkaufen gehen, ihr Mann seinen Spaziergang fortsetzen. Er hatte das Bedürfnis, allein zu sein und über die anstrengenden Ermittlungen nachzugrübeln. Kritisch überprüfte er all die Maßnahmen, die er ergriffen hatte, seitdem dieser Fall am Gründonnerstagmorgen auf seinem Schreibtisch gelandet war, und er konnte nicht allzu viele Nachlässigkeiten finden.

Ein erster Fehler war sicher gewesen, nicht sofort jemanden in die *Millennium*-Redaktion geschickt zu haben, um Dag Svenssons Schreibtisch zu durchsuchen. Als dies endlich geschah, hatte Mikael Blomkvist vielleicht schon wer weiß was beiseite geschafft.

Ein zweiter Fehler war gewesen, dass ihnen Lisbeth Salanders Autokauf völlig entgangen war. Jerker Holmberg hatte jedoch berichtet, dass im Auto nichts Interessantes zu finden gewesen sei. Abgesehen von dem Schnitzer mit dem Auto waren die Ermittlungen so ordentlich geführt worden, wie man es erwarten durfte.

An einem Kiosk am Zinkensdamm blieb er stehen und betrachtete aufmerksam ein Schlagzeilenplakat. Das Passfoto von Lisbeth Salander war mittlerweile zu einer kleinen, aber gut wiederzuerkennenden Vignette in der oberen Ecke geschrumpft. Nun lenkte man die Aufmerksamkeit auf spannendere Neuigkeiten:

Polizei untersucht
LESBISCHE SATANISTENGANG

Er kaufte sich die Zeitung und blätterte bis zu der Doppelseite mit dem Foto, auf dem fünf weibliche Teenager zu erkennen waren. Sie trugen schwarze Kleidung, Lederjacken mit Nieten, zerfetzte Jeans und extrem enge T-Shirts. Eine von ihnen hielt eine Flagge mit einem Pentagramm hoch, eine andere hatte

Daumen und kleinen Finger von der erhobenen Faust abgespreizt. Er las die Bildunterschrift: *Lisbeth Salander verkehrte mit dieser Death-Metal-Band, die in kleinen Klubs auftrat. 1996 bekannte sich die Gruppe zur Church of Satan und landete einen Hit mit dem Song »Etiquette of Evil«.*

Der Name *Evil Fingers* wurde nicht genannt, und die Gesichter waren mit schwarzen Balken unkenntlich gemacht. Doch Bekannte der Bandmitglieder würden die Mädchen wohl problemlos wiedererkennen.

Die nächste Doppelseite konzentrierte sich ganz auf Miriam Wu und war mit einem Foto illustriert, das bei einer Show im »Berns« aufgenommen worden war. Sie war oben ohne und trug eine russische Offiziersmütze. Das Bild war von unten aufgenommen. Ebenso wie bei den *Evil Fingers* waren ihre Augen mit einem schwarzen Balken verdeckt. Im Text wurde sie als »die 31-Jährige« bezeichnet.

Salanders Freundin schrieb über LESBISCHEN *SM*-SEX.
Die 31-Jährige ist in Stockholms In-Kneipen bekannt. Sie machte kein Geheimnis daraus, dass sie Frauen aufreißt und ihre Partnerinnen beim Sex dominieren will.

Der Artikel tat kund, dass es sich hier um eine zwielichtige und elitäre feministische Abart in der Gay-Szene handle, die unter anderem in einem Bondage-Workshop auf dem Gay-Pride-Festival Ausdruck fand. Ansonsten gründete sich dieser Artikel auf Zitate aus einem sechs Jahre alten und provozierenden Text von Miriam Wu, der in einem feministischen Magazin erschienen war. Bublanski überflog den Text und schmiss die Abendzeitung anschließend in den Papierkorb.

Er dachte eine Weile über Hans Faste und Sonja Modig nach. Zwei kompetente Ermittler. Aber Faste war ein Problem. Er ging den Leuten einfach auf die Nerven. Bublanski war klar, dass er sich mit Faste unterhalten musste, aber er konnte sich nicht recht vorstellen, dass er die undichte Stelle im Ermittlungsteam war.

Als Bublanski wieder aufblickte, stand er in der Lundagatan und betrachtete Lisbeth Salanders Haustür. Es war kein bewusster Entschluss gewesen, hierherzukommen. Er wurde einfach nicht schlau aus ihr.

Er ging die Treppe zum oberen Teil der Lundagatan hinauf, wo er lange stehen blieb und über Mikael Blomkvists Version des Überfalls auf Lisbeth Salander nachdachte. Doch diese Geschichte brachte ihn auch nicht weiter. Es lagen keine Anzeige, keine Namen und nicht einmal eine brauchbare Personenbeschreibung vor. Blomkvist behauptete, er habe das Nummernschild des wegfahrenden Lieferwagens nicht sehen können.

Wenn das Ganze denn überhaupt passiert war.

Mit anderen Worten: noch eine weitere Sackgasse.

Bublanski blickte zu dem weinroten Honda hinunter, der die ganze Zeit vor dem Haus gestanden hatte. Plötzlich näherte sich Mikael Blomkvist der Haustür.

Miriam Wu erwachte erst spät, das Laken um sich geschlungen. Sie setzte sich auf und blickte sich in dem fremden Zimmer um.

Natürlich war die Zudringlichkeit der Medien der Grund gewesen, warum sie eine Freundin angerufen und sie um einen Schlafplatz gebeten hatte. Aber sie gestand sich auch ein, dass sie geflohen war, weil sie Angst hatte, dass Lisbeth Salander an die Tür klopfen könnte.

Das Polizeiverhör und das Geschreibsel der Zeitungen hatten ihr mehr zugesetzt, als sie gedacht hätte. Obwohl sie Lisbeth die Chance geben wollte, alles zu erklären, fing sie allmählich an, sie für schuldig zu halten.

Sie warf einen Blick zu Viktoria Viktorsson hinüber, 37 Jahre alt, genannt »Doppel-V« und hundertprozentige Lesbe. Sie lag auf dem Bauch und murmelte im Schlaf. Miriam Wu schlich sich ins Bad und stellte sich unter die Dusche. Danach ging sie aus dem Haus, um Brötchen zum Frühstück zu holen. Erst an der Kasse im Lebensmittelgeschäft neben dem »Café Cinnamon« fiel ihr Blick auf die Schlagzeilenplakate. Sie flüchtete sich wieder in Doppel-Vs Wohnung.

Mikael Blomkvist ging am Honda vorbei zu Lisbeths Haustür, gab den Code ein und ging hinein. Nach zwei Minuten kam er zurück. Niemand zu Hause? Blomkvist blickte die Straße hinunter und schien unschlüssig. Bublanski betrachtete ihn seinerseits nachdenklich.

Er machte sich Sorgen, denn falls Blomkvist den Überfall in der Lundagatan erfunden hatte, musste das bedeuten, dass er ein Spiel spielte und schlimmstenfalls sogar an den Morden beteiligt gewesen war. Aber wenn er die Wahrheit sagte – und es gab ja eigentlich keinen Grund, das zu bezweifeln –, dann waren in diesem Drama noch mehr Akteure beteiligt als die bisher sichtbaren, und der Mordfall nahm bedeutend kompliziertere Formen an, als er anfangs gedacht hatte.

Als Blomkvist sich Richtung Zinkensdamm entfernen wollte, rief Bublanski ihm hinterher. Mikael blieb stehen, entdeckte den Polizisten und ging ihm entgegen. Direkt vor der Treppe blieben sie stehen.

»Hallo, Blomkvist. Suchen Sie Lisbeth Salander?«

»Nein. Ich suche Miriam Wu.«

»Sie ist nicht zu Hause. Jemand hat den Medien auf die Nase gebunden, dass sie wieder aufgetaucht ist.«

»Was hatte sie zu erzählen?«

Bublanski sah Mikael Blomkvist forschend an. *Kalle Blomkvist.*

»Gehen Sie ein Stückchen mit mir mit«, forderte Bublanski ihn auf. »Ich brauche eine Tasse Kaffee.«

Schweigend gingen sie an der Högalidskirche vorbei. Bublanski führte ihn ins »Café Lillasyster«, wo Bublanski sich einen doppelten Espresso mit einem Esslöffel kalter Milch bestellte und Mikael einen Caffè Latte. Sie setzten sich an einen Rauchertisch.

»Ich hab schon lange nicht mehr so einen frustrierenden Fall bearbeitet«, sagte Bublanski. »Wie viel kann ich mit Ihnen besprechen, ohne es morgen im *Expressen* lesen zu müssen?«

»Ich arbeite nicht für den *Expressen.*«

»Sie wissen, was ich meine.«

»Ich glaube nicht, dass Lisbeth schuldig ist.«

»Und jetzt ermitteln Sie auf eigene Faust? Nennt man Sie deswegen ›Kalle Blomkvist‹?«

Auf einmal musste Mikael lächeln.

»Soviel ich weiß, nennt man Sie ›Inspektor Bubbla‹.«

Bublanski lächelte gezwungen.

»Warum glauben Sie nicht, dass Salander schuldig ist?«

»Ich weiß nichts über ihren Betreuer, aber sie hatte ganz einfach keinen Grund, Dag und Mia umzubringen. Besonders Mia. Lisbeth verabscheut Männer, die Frauen hassen, und Mia wollte gerade einer ganzen Reihe von Freiern auf den Pelz rücken. Was Mia machte, lag ganz auf Lisbeths Linie. Sie hat Moral.«

»Ich kann mir einfach kein richtiges Bild von ihr machen. Ein Fall für die Psychiatrie oder eine hoch kompetente Researcherin.«

»Lisbeth ist einfach anders. Sie ist ziemlich unsozial, aber an Intelligenz fehlt es ihr definitiv nicht. Im Gegenteil, sie ist wahrscheinlich klüger als Sie und ich zusammen.«

Bublanski seufzte. Mikael Blomkvist äußerte dieselbe Einschätzung wie Miriam Wu.

»Sie muss gefasst werden. Ich kann Ihnen keine Details verraten, aber wir haben eindeutige Beweise, dass sie sich am Tatort befand und persönlich mit der Mordwaffe in Verbindung zu bringen ist.«

Mikael nickte.

»Ich nehme an, damit wollen Sie sagen, dass Sie ihre Fingerabdrücke auf der Waffe gefunden haben. Aber das heißt noch nicht, dass sie auch geschossen hat.«

Bublanski nickte.

»Dragan Armanskij hat auch seine Zweifel. Er ist zu vorsichtig, um es auszusprechen, aber auch er sucht nach Beweisen für ihre Unschuld.«

»Und Sie? Was glauben Sie?«

»Ich bin Polizist. Ich fasse die Leute und verhöre sie. Im Moment sieht es für Lisbeth Salander in der Tat düster aus. Wir haben schon Mörder mit bedeutend schwächeren Indizien zur Strecke gebracht.«

»Sie haben meine Frage nicht beantwortet.«

»Ich weiß nicht. Wenn sie tatsächlich unschuldig sein sollte ... was meinen Sie, wer ein Interesse daran haben könnte, sowohl Lisbeths Betreuer als auch Ihre beiden Freunde umzubringen?«

Mikael zog eine Schachtel Zigaretten aus der Tasche und hielt sie Bublanski hin, der jedoch den Kopf schüttelte. Er wollte die Polizei nicht belügen, und er nahm an, dass er etwas von seinen Überlegungen zu einem Mann namens Zala mitteilen sollte. Außerdem sollte er Bublanski auch von Kommissar Gunnar Björck von der Sicherheitspolizei erzählen.

Aber Bublanski und seine Kollegen hatten schließlich ebenfalls Zugang zu Dag Svenssons Material, darunter auch den Ordner mit dem Titel »Zala«. Sie mussten nur genau lesen. Stattdessen preschten sie unkontrolliert los und verbreiteten intimste Details über Lisbeth Salander in den Massenmedien.

Er hatte eine Idee, wusste aber nicht, wohin sie ihn führen würde. Bevor er nicht ganz sicher war, wollte er Björck nicht namentlich nennen. *Zalatschenko*. Dort lag die Verbindung zwischen Bjurman, Dag und Mia. Dummerweise hatte Björck aber nichts erzählt.

»Lassen Sie mich noch ein bisschen recherchieren, dann kann ich Ihnen eine alternative Theorie unterbreiten.«

»Keine Spur, die in unsere Reihen führt, hoffe ich.«

Mikael lächelte.

»Nein, nein – noch nicht. Was hat Miriam Wu denn gesagt?«

»Ungefähr dasselbe wie Sie. Die beiden hatten ein Verhältnis.«

Er warf Mikael einen verstohlenen Blick zu.

»Geht mich nichts an«, meinte Mikael.

»Miriam Wu war drei Jahre lang mit Salander befreundet. Sie wusste nichts über ihren Hintergrund, nicht einmal, wo sie arbeitete. Kaum zu glauben. Aber ich vermute, dass sie die Wahrheit sagt.«

»Lisbeth legt größten Wert auf ihre Privatsphäre«, erklärte Mikael.

Sie schwiegen ein Weilchen.

»Haben Sie Miriam Wus Nummer?«

»Ja.«

»Können Sie mir die geben?«

»Nein.«

»Warum nicht?«

»Weil das hier eine Angelegenheit der Polizei ist. Wir brauchen keine Privatdetektive mit wilden Theorien.«

»Ich habe noch keine Theorien. Aber ich glaube, dass die Antwort auf das Rätsel in Dag Svenssons Material zu finden ist.«

»Wahrscheinlich finden Sie Miriam Wu ziemlich leicht, wenn Sie sich ein bisschen anstrengen.«

»Wahrscheinlich. Aber das Einfachste ist natürlich, jemand zu fragen, der die Nummer schon hat.«

Bublanski seufzte. Mikael war plötzlich ziemlich gereizt.

»Sind Polizisten denn schlauer als gewöhnliche Menschen, die Sie als Privatdetektive bezeichen?«

»Nein, das glaube ich nicht. Aber die Polizei hat eine Ausbildung und den Auftrag, Verbrechen aufzuklären.«

»Privatpersonen haben auch eine Ausbildung«, erwiderte Mikael langsam. »Und manchmal kann ein Privatdetektiv ein besserer Ermittler sein als ein richtiger Polizist.«

»Das glauben Sie.«

»Denken Sie an den Fall Rahman. Der saß wegen des Mordes an einer alten Dame unschuldig im Gefängnis und würde dort immer noch sitzen, wenn nicht eine Lehrerin mehrere Jahre damit verbracht hätte, akribische Ermittlungen durchzuführen. Und zwar ohne auf die Mittel zurückgreifen zu können, die Ihnen zur Verfügung stehen. Am Ende konnte sie nicht nur Rahmans Unschuld beweisen, sondern auch einen entscheidenden Hinweis auf den wahren Täter geben.«

»Im Fall Rahman ging es auch ums Prestige. Der Staatsanwalt wollte sich die Fakten nicht anhören.«

Mikael Blomkvist betrachtete Bublanski.

»Ich werde Ihnen etwas verraten, Bublanski. Genau in diesem Augenblick geht es auch im Fall Salander ums Prestige. Ich behaupte, dass sie Dag und Mia nicht ermordet hat. Und ich werde es beweisen. Ich werde Ihnen den richtigen Mörder präsentieren, und wenn es so weit ist, werde ich einen Artikel schreiben, dessen Lektüre für Sie und Ihre Kollegen verdammt unangenehm sein wird.«

Auf dem Heimweg in die Katarina Bangata verspürte Bublanski das dringende Bedürfnis, die Angelegenheit mit Gott zu besprechen, aber statt in die Synagoge ging er in die katholische Kirche an der Folkungagatan. Er nahm auf einer der hinteren Bänke Platz und blieb eine Stunde lang reglos sitzen. Im Grunde hatte er als Jude nichts in einer katholischen Kirche zu suchen, aber sie war so ein friedvoller Ort zum Nachdenken, und er kam regelmäßig hierher, wenn er seine Gedanken ordnen wollte. Jan Bublanski war der Meinung, dieser Ort eigne sich dafür so gut wie jeder andere, und er war überzeugt, dass Gott es ihm nicht verübeln würde. Außerdem gab es einen großen Unterschied zwischen dem Katholizismus und dem Judentum. In die Synagoge ging er, um Gesellschaft und Gemeinschaft mit anderen Menschen zu erleben. Die Katholiken hingegen gingen in die Kirche, um in Ruhe mit Gott allein sein zu können. Die ganze Kirche lud zur Stille ein und gebot, dass man jedem Besucher seine Ruhe lassen musste.

Bublanski dachte über Lisbeth Salander und Miriam Wu nach. Und er überlegte, was Erika Berger und Mikael Blomkvist ihm wohl verheimlicht hatten. Er war ganz sicher, dass sie etwas über Salander wussten, was sie ihm nicht erzählt hatten. Zu gern hätte er gewusst, was für eine »Recherche« Lisbeth für Mikael Blomkvist betrieben hatte. Einen Augenblick streifte ihn sogar der Gedanke, dass sie für Blomkvist gearbeitet hatte, kurz bevor er die Wennerström-Affäre lostrat, aber nach kurzem Nachdenken verwarf er diese Möglichkeit wieder. Diese Art von Drama passte einfach nicht zu Lisbeth Salander, und es schien eher abwegig, dass sie in dieser Angelegenheit Informationen von Wert hätte beitragen können.

Bublanski war bekümmert.

Mikael Blomkvists Gewissheit, dass Salander unschuldig war, gefiel ihm ganz und gar nicht. Es war eine Sache, dass er als Polizist seine Zweifel hatte – Zweifel gehörten zu seinem Beruf. Eine andere Sache war es, dass Mikael Blomkvist ihn mit seiner Privatdetektiv-Attitüde herausforderte.

Er mochte Privatermittler nicht, denn sie arbeiteten oft mit Verschwörungstheorien, die zwar für große Schlagzeilen in den Zeitungen sorgten, die Arbeit der Polizei aber nur unnötig erschwerten.

Das hier waren mittlerweile die verzwicktesten Mordermittlungen, die er jemals erlebt hatte.

Dabei hatten sie sich so gut angelassen. Schon nach wenigen Stunden hatten sie eine Hauptverdächtige. Lisbeth Salander war diese Rolle auf den Leib geschneidert – sie war ganz offensichtlich ein Fall für die Psychiatrie und ihr Leben lang immer wieder mit gewalttätigen und unkontrollierten Ausbrüchen aufgefallen. Man musste sie praktisch nur noch festnehmen und ein Geständnis bekommen. Aber dann war plötzlich alles schiefgegangen.

Salander wohnte nicht dort, wo sie wohnte. Sie hatte Freunde wie Dragan Armanskij und Mikael Blomkvist. Sie hatte ein Verhältnis mit einer stadtbekannten Lesbe, praktizierte Sex mit Handschellen und ließ die Medien allmählich völlig durchdrehen. Sie hatte 2,4 Millionen Kronen auf der Bank und keinen bekannten Arbeitsplatz. Dann kam Blomkvist mit seinen Theorien von Mädchenhandel und Verschwörungen daher – und als prominenter Journalist hatte er tatsächlich genug politische Macht, um die Ermittlungen mit einem einzigen Artikel in heilloses Chaos zu stürzen.

Vor allem aber blieb die Hauptverdächtige weiterhin wie vom Erdboden verschluckt, obwohl sie auffällig klein war, ausgefallen aussah und Tattoos am ganzen Körper hatte. Fast zwei Wochen waren seit den Morden vergangen, und sie hatten nicht die leiseste Ahnung, wo sie sich befand.

Gunnar Björck, stellvertretender Abteilungsleiter bei der Sicherheitspolizei, derzeit krankgeschrieben wegen eines Bandscheibenvorfalls, hatte einen grauenvollen Tag erlebt, seit Mikael Blomkvist über seine Schwelle getreten war. Er spürte einen kontinuierlichen dumpfen Schmerz im Rücken. Ruhelos ging er in dem Ferienhaus auf und ab, das ihm ein Bekannter für eine Weile überlassen hatte, und konnte weder abschalten noch irgendwie aktiv werden. So sehr er auch nachzudenken versuchte, er bekam das Puzzle einfach nicht zusammen.

Er verstand beim besten Willen nicht, wie die ganze Geschichte zusammenhing.

Als er die Nachricht vom Mord an Nils Bjurman zum ersten Mal hörte, einen Tag nachdem man den Anwalt tot aufgefunden hatte, war er sprachlos. Aber er war nicht überrascht, als man Lisbeth Salander wenig später zur Hauptverdächtigen erklärte und die Treibjagd auf sie eröffnet wurde. Aufmerksam hatte er jedem Wort gelauscht, das im Fernsehen gesagt wurde, hatte alle Tageszeitungen gekauft, die er bekommen konnte, und jedes Wort gelesen, das über den Fall geschrieben wurde.

Dass Lisbeth Salander psychisch krank und zum Töten in der Lage war, bezweifelte er nicht eine Sekunde. Er hatte keinen Grund gehabt, ihre Schuld zu bezweifeln oder die Schlussfolgerungen der Polizei infrage zu stellen – im Gegenteil, alles, was er über sie wusste, deutete darauf hin, dass sie tatsächlich eine psychotische Irre war. Er war schon kurz davor, anzurufen und die Ermittlungen mit guten Ratschlägen zu unterstützen oder zumindest zu überwachen, dass alles in den richtigen Bahnen verlief, aber schließlich kam er doch zu dem Schluss, dass die Sache ihn wahrhaftig nichts mehr anging. Es war nicht mehr sein Schreibtisch, und es gab genügend kompetente Leute, die den Fall bearbeiten konnten. Außerdem konnte ein Anruf von ihm genau zu der Sorte unerwünschter Aufmerksamkeit führen, die er um jeden Preis vermeiden wollte. Stattdessen entspannte er sich und verfolgte die weitere Berichterstattung nur noch mit zerstreutem Interesse.

Mikael Blomkvists Besuch hatte diese Ruhe völlig zerstört. Es wäre Björck nie in den Sinn gekommen, dass Salanders Mordorgie ihn persönlich betreffen könnte – dass eines ihrer Opfer ein journalistisches Schwein war, das kurz davor stand, seine Verbrechen in ganz Schweden bekannt zu machen.

Noch viel weniger wäre ihm in den Sinn gekommen, dass der Name Zala in dieser Geschichte wieder auftauchen würde wie eine ungesicherte Handgranate. Und am allerwenigsten, dass ein Mikael Blomkvist diesen Namen kennen könnte. Das war so unwahrscheinlich, dass es jedem gesunden Menschenverstand zuwiderlief.

Am Tag nach Mikaels Besuch griff er zum Hörer und rief seinen ehemaligen Vorgesetzten an, 78 Jahre alt und wohnhaft in Laholm. Er musste einfach versuchen, irgendwie an Informationen heranzukommen, ohne dabei erkennen zu lassen, dass er aus anderen Gründen als aus reiner Neugierde und professioneller Sorge anrief. Es wurde ein ziemlich kurzes Gespräch.

»Hier ist Björck. Ich nehme an, du hast die Zeitungen gelesen.«

»Ja. Sie ist wieder aufgetaucht.«

»Und sie hat sich nicht nennenswert verändert.«

»Aber das geht uns nichts mehr an.«

»Glaubst du nicht, dass …?«

»Nein, das glaube ich nicht. Das ist doch alles vergessen und begraben. Es gibt keine Querverbindung.«

»Aber ausgerechnet Bjurman. Ich nehme doch an, es war kein Zufall, dass er ihr rechtlicher Betreuer wurde.«

Ein paar Sekunden herrschte Schweigen in der Leitung.

»Nein, das war kein Zufall. Vor drei Jahren schien es eine ganz gute Idee zu sein. Wer hätte das denn alles vorhersehen können?«

»Wie viel wusste Bjurman?«

Sein ehemaliger Chef polterte plötzlich los.

»Du weißt genau, wie Bjurman war. Der Hellste ganz bestimmt nicht.«

»Ich meine … wusste er von den Zusammenhängen? Könnte in seiner Hinterlassenschaft irgendetwas ans Tageslicht kommen, was Hinweise geben könnte auf …?«

»Nein, natürlich nicht. Ich verstehe sehr wohl, worauf du hinauswillst, aber mach dir keine Sorgen. Wir haben es so eingerichtet, dass Bjurman ihr Betreuer wurde, aber nur, damit wir die Kontrolle über sie behielten. Besser er als ein völlig Unbekannter. Wenn sie angefangen hätte zu plaudern, hätten wir es sofort erfahren. Aber jetzt löst sich ja alles zu unserer vollsten Zufriedenheit.«

»Was meinst du damit?«

»Tja, nach dieser Sache wird Salander erst mal eine geraume Weile in der Psychiatrie sitzen.«

»Verstehe.«

»Mach dir keine Sorgen, und ruh dich gut aus, solange du krankgeschrieben bist.«

Aber genau dazu war Abteilungsleiter Gunnar Björck eben nicht in der Lage. Dafür hatte Mikael Blomkvist gesorgt. Björck setzte sich an den Küchentisch und blickte über den See, während er versuchte, sich ein Gesamtbild von seiner Situation zu machen. Von zwei Seiten wurde er bedroht.

Mikael Blomkvist würde ihn öffentlich als Freier brandmarken. Es bestand die unmittelbare Gefahr, dass Björcks Karriere bei der Polizei ein jähes Ende finden würde, sobald er für ein Sexualverbrechen verurteilt wurde.

Das Ernsteste war jedoch, das Mikael Blomkvist hinter Zalatschenko her war. Irgendwie war er in diese Geschichte verwickelt. Und diese Spur führte direkt zu Gunnar Björcks Haustür.

Sein ehemaliger Chef war sicher, dass in Bjurmans Hinterlassenschaft nichts auftauchen würde, was auf sie verweisen könnte. Aber es gab sehr wohl etwas. Den Ermittlungsbericht von 1991. Und den hatte Bjurman von Gunnar Björck persönlich bekommen.

Er versuchte, sich das Treffen mit Bjurman vor neun Monaten ins Gedächtnis zu rufen. Sie hatten sich in der Altstadt getroffen. Eines Nachmittags hatte Bjurman ihn in der Arbeit angerufen und vorgeschlagen, sich auf ein Bier zu treffen. Sie unterhielten sich übers Schießen und alles Mögliche, aber Bjurman hatte ihn aus einem ganz bestimmten Grund angerufen. Er wollte ihn um einen Gefallen bitten. Und fragte nach Zalatschenko ...

Björck stand auf und trat ans Küchenfenster. Er war damals ein bisschen beschwipst gewesen. Um ehrlich zu sein, sogar ziemlich beschwipst. Was hatte Bjurman wissen wollen?

»Apropos … ich habe da gerade eine Sache auf dem Tisch, in der ein alter Bekannter aufgetaucht ist …«

»Aha, und wer ist das?«

»Alexander Zalatschenko. Erinnerst du dich noch an ihn?«

»Ja, schon. Den vergisst man nicht so schnell.«

»Wo ist der eigentlich abgeblieben?«

Im Grunde ging das Bjurman überhaupt nichts an. Es gab sogar triftige Gründe, ihn allein für diese Frage kritisch unter die Lupe zu nehmen … aber andererseits war er ja Lisbeth Salanders Betreuer. Er meinte, er brauchte den alten Ermittlungsbericht. *Und er hat ihn von mir bekommen.*

Björck hatte einen tragischen Fehler begangen. Er war davon ausgegangen, dass Bjurman bereits Bescheid wusste – alles andere schien ihm undenkbar. Und Bjurman hatte es so dargestellt, als wolle er einfach den schwerfälligen bürokratischen Dienstweg umgehen, wo die Akte doch strenger Geheimhaltung unterlag. Auf die Art würde sich das Ganze nur Monate dahinschleppen, besonders in einer Angelegenheit, die Zalatschenko betraf.

Ich habe ihm den Ermittlungsbericht gegeben. Der immer noch als geheim eingestuft war, aber Bjurmans Gründe waren einleuchtend, und er verplapperte sich nie. Er war ein bisschen seltsam, aber zu viel geplaudert hatte er nie. Was konnte es schon schaden … es war doch alles so lange her.

Bjurman hatte ihn reingelegt. Er hatte ihm vorgegaukelt, es ginge nur um Formalitäten. Je länger er überlegte, umso überzeugter war er davon, dass Bjurman seine Worte sehr exakt und vorsichtig gewählt hatte.

Aber was zum Teufel hatte er damit im Sinn gehabt? Und warum hatte Salander ihn umgebracht?

Mikael Blomkvist stattete der Lundagatan am Samstag noch vier weitere Besuche ab, in der Hoffnung, Miriam Wu doch noch zu treffen, aber sie glänzte durch Abwesenheit.

So verbrachte er einen Großteil des Tages mit seinem iBook in der »Kaffebar« in der Hornsgatan und las noch einmal die E-Mails durch, die Dag Svensson an seine Adresse *millennium.se* bekommen hatte, sowie den Ordner, den er »Zala« genannt hatte. In den letzten Wochen vor den Morden hatte Dag immer mehr Arbeitszeit auf Nachforschungen zu Zala verwendet.

Mikael wünschte sich, er könnte Dag anrufen und ihn fragen, warum sich das Dokument über Irina P. im Zala-Ordner befand. Das konnte doch nur bedeuten, dass er Zala des Mordes an Irina verdächtigt hatte.

Gegen fünf Uhr nachmittags rief plötzlich Bublanski an und gab ihm Miriam Wus Telefonnummer. Ihm war nicht ganz klar, warum der Polizist seine Meinung geändert hatte, aber sobald er ihre Nummer hatte, versuchte er es alle halbe Stunde bei ihr. Erst um elf Uhr abends schaltete Miriam Wu ihr Handy wieder ein und nahm ab. Es wurde ein ziemlich kurzes Gespräch.

»Guten Tag, Frau Wu. Ich heiße Mikael Blomkvist.«

»Und wer zum Henker sind Sie?«

»Ich bin Journalist und arbeite für eine Zeitschrift namens *Millennium*.«

Miriam Wu verlieh ihren Gefühlen auf deftige Art und Weise Ausdruck.

»Aha. Der Blomkvist. Fahr zur Hölle, du Journalistenekel!«

Dann unterbrach sie die Verbindung, bevor Mikael Gelegenheit hatte, ihr sein Anliegen zu erklären. Er bedachte Tony Scala mit ein paar bösen Gedanken und versuchte es noch einmal bei ihr. Sie ging nicht ran. Schließlich schickte er ihr eine SMS.

Bitte rufen Sie mich an. Es ist wichtig.

Sie hatte ihn natürlich nicht angerufen.

Spätnachts schaltete Mikael seinen Computer aus und ging ins Bett. Er war frustriert und wünschte sich, Erika Berger würde neben ihm liegen.

Teil IV

Terminator-Modus

24. März – 8. April

Die Lösung einer Gleichung ist eine Zahl, die, anstelle der Unbekannten eingesetzt, die Gleichung zu einer Identität macht. Man sagt, dass die Lösung die Gleichung erfüllt. Um eine Gleichung zu lösen, muss man alle Lösungen finden. Eine Gleichung, die von allen denkbaren Werten für die Unbekannten befriedigt wird, nennt man eine Identität.

$$(a + b)^2 = a^2 + 2ab + b^2$$

21. Kapitel

Gründonnerstag, 24. März – Montag, 4. April

Lisbeth Salander verbrachte die erste Woche, in der die Polizei hinter ihr her war, völlig undramatisch. Sie wohnte in aller Ruhe in ihrer Wohnung in der Fiskargatan in Mosebacke. Ihr Handy hatte sie ausgeschaltet und die SIM-Karte entfernt, denn sie hatte nicht vor, es noch einmal zu verwenden. Mit immer größeren Augen verfolgte sie die Schlagzeilen in den Internetausgaben der Zeitungen und die Nachrichtensendungen im Fernsehen.

Irritiert sah sie ihr Passbild, das zuerst im Internet aufgetaucht war, bald aber alle Titelseiten zierte und in den Fernsehnachrichten eingeblendet wurde. Sie sah völlig bescheuert aus.

Trotz ihres langjährigen Strebens nach Anonymität war sie einer der bekanntesten und meistgesuchten Menschen des Landes geworden. Sie verfolgte die Kommentare und Erklärungen mit nachdenklich hochgezogenen Augenbrauen und war fasziniert, dass die geheimen Akten über ihre psychischen Probleme anscheinend jeder beliebigen Redaktion zugänglich waren. Eine Überschrift erweckte verschüttete Erinnerungen wieder zum Leben.

WEGEN KÖRPERVERLETZUNG IN GAMLA STAN FESTGENOMMEN

Ein Gerichtsreporter der Nachrichtenagentur TT hatte all seine Konkurrenten ausgestochen, indem er eine Kopie der rechtsmedizinischen Untersuchung aufgespürt hatte, die damals durchgeführt worden war, nachdem Lisbeth einen Passagier in der U-Bahn-Station Gamla Stan ins Gesicht getreten hatte und dafür festgenommen worden war.

Lisbeth erinnerte sich sehr gut an diesen Vorfall. Sie war gerade am Odenplan gewesen und auf dem Rückweg zu ihren (zwischenzeitlichen) Pflegeeltern in Hägersten. In der Rådmansgatan stieg ein unbekannter und scheinbar nüchterner Mann zu. Wie sie später erfuhr, hieß er Karl Evert Blomgren und war ein arbeitsloser 52-jähriger ehemaliger Eishockeyspieler aus Gävle. Obwohl der Wagen halb leer war, setzte er sich neben sie und wurde sofort aufdringlich. Er legte ihr die Hand aufs Knie und machte ihr eindeutige Angebote. Als sie ihn ignorierte, wurde er streitsüchtig und nannte sie eine frigide Kuh. Die Tatsache, dass sie beharrlich schwieg und sich an der Station T-Centralen auf einen anderen Platz setzte, schreckte ihn auch nicht ab.

Kurz vor der Haltestelle Gamla Stan schlang er von hinten seine Arme um sie und schob ihr die Hände unter den Pullover, während er ihr »Nutte!« ins Ohr flüsterte. Lisbeth Salander mochte es gar nicht, von wildfremden Menschen in der U-Bahn als Nutte bezeichnet zu werden. Als Antwort rammte sie ihm einen Ellbogen ins Auge, griff dann nach einer der waagrecht verlaufenden Haltestangen, zog sich hoch und trat ihm mit beiden Absätzen auf die Nasenwurzel, woraufhin ein bisschen Blut floss.

Als der Zug stehen blieb, gelang es ihr zwar, aus dem Wagen zu schlüpfen, aber da sie nach der neuesten Punkmode gekleidet war und blaue Haare hatte, warf sich ein Freund von Recht und Ordnung auf sie und drückte sie zu Boden, bis die Polizei kam.

Sie verfluchte ihr Geschlecht und ihren Körperbau. Wäre

sie ein Kerl gewesen, hätte niemand gewagt, sich so auf sie zu werfen.

Sie unternahm keinen einzigen Versuch, zu erklären, warum sie Karl Evert Blomgren ins Gesicht getreten hatte. Sie hielt es für aussichtslos, den uniformierten Autoritätspersonen irgendetwas erklären zu wollen. Aus Prinzip weigerte sie sich auch zu reagieren, als Psychologen versuchten, ihren Geisteszustand festzustellen. Zum Glück hatten mehrere andere Passagiere den Tathergang beobachtet, darunter auch eine streitbare Dame aus Härnösand, die zufällig für die Zentrumspartei im Reichstag saß. Sie sagte als Zeugin aus, dass Blomgren Salander vor ihrem gewalttätigen Ausbruch begrapscht hätte. Als sich hinterher herausstellte, dass Blomgren schon zweimal wegen Sittlichkeitsverbrechen verurteilt worden war, beschloss der Staatsanwalt, das Verfahren einzustellen. Das bedeutete jedoch nicht, dass auch das Sozialamt seine Untersuchung eingestellt hätte. Was zur Folge hatte, dass Lisbeth Salander wenig später für geschäftsunfähig erklärt worden war. Danach war erst Holger Palmgren, dann Nils Bjurman ihr rechtlicher Betreuer geworden.

Nun standen all diese intimen und geheimen Details für jedermann zugänglich im Internet. Ihr Lebenslauf wurde abgerundet durch schillernde Beschreibungen, wie sie seit der Grundschule immer wieder mit ihrer Umwelt in Konflikt geraten war und ihre frühen Teenagerjahre in einer psychiatrischen Kinderklinik verbracht hatte.

Die Diagnose, die die Medien in Sachen Lisbeth Salander stellten, variierte je nach Zeitung und Auflage. Mal beschrieb man sie als psychotisch, dann wieder als schizophren mit ernsten Zügen von Verfolgungswahn. Alle Zeitungen bezeichneten sie einhellig als geistig minderbemittelt – sie hatte ja nicht einmal einen Hauptschulabschluss. Dass sie labil und gewaltbereit war, daran bestand für die Öffentlichkeit gar kein Zweifel.

Als die Massenmedien herausfanden, dass Lisbeth Salander die notorische Lesbe Miriam Wu kannte, war das für viele Blätter ein gefundenes Fressen. Miriam Wu war auf dem Gay-Pride-Festival bei Benita Costas Performance aufgetreten – eine provokative Show, bei der man Mimmi mit nacktem Oberkörper, Lederhosen mit Hosenträgern und hochhackigen Lackstiefeln fotografiert hatte. Außerdem hatte sie Artikel für eine Gay-Zeitschrift geschrieben, die jetzt fleißig von allen Medien zitiert wurden, und war in diversen anderen Shows aufgetreten. Die Kombination einer möglichen lesbischen Massenmörderin und nervenkitzelndem SM-Sex schien Rekordauflagen zu garantieren.

Als Miriam Wu in der ersten dramatischen Woche nicht aufzufinden war, entstanden die verschiedensten Spekulationen. Man mutmaßte sogar, sie könnte ebenfalls Salander zum Opfer gefallen sein – oder war sie am Ende gar eine Mittäterin? Diese Überlegungen beschränkten sich jedoch hauptsächlich auf die Chatseite »Exilen« im Internet und drangen nicht bis in die größeren Massenmedien vor. Als jedoch herauskam, dass es in Mia Bergmans Dissertation um Mädchenhandel ging, spekulierten mehrere Zeitungen, dass dies Lisbeth Salanders Mordmotiv sein könnte, weil sie ja nach Angaben des Sozialamts Prostituierte war.

Gegen Ende der Woche wurden Salander auch Verbindungen zu einer Gang junger Frauen nachgesagt, die sich dem Satanismus verschrieben hatte. Die Gruppe nannte sich *Evil Fingers*. Dies veranlasste einen älteren männlichen Kulturjournalisten zu einem Artikel über die Entwurzelung der heutigen Jugend und die Gefahren, die hinter allen möglichen Phänomenen von der Skinhead-Kultur bis zum Hip-Hop lauern.

Zu diesem Zeitpunkt wurde die Öffentlichkeit der Geschichten über Lisbeth Salander langsam müde. Offenbar war die Polizei hinter einer psychotischen Lesbe her, die zu einer

Gang sadomasochistischer Satanistinnen gehörte, die SM-Sex propagierten, die Gesellschaft im Allgemeinen und die Männer im Besonderen hassten. Da Lisbeth Salander sich im vorigen Jahr im Ausland aufgehalten hatte, bestanden womöglich sogar gewisse internationale Verbindungen.

Nur eine einzige Schlagzeile ging Lisbeth wirklich nahe:

»WIR HATTEN ANGST VOR IHR«
Sie sprach Morddrohungen aus,
sagen Lehrer und Klassenkameraden.

In diesem Artikel kam eine ehemalige Lehrerin zu Wort, Birgitta Miåås, nunmehr Textilkünstlerin, die berichtete, Lisbeth Salander habe ihre Klassenkameraden bedroht und sogar die Lehrer in Angst und Schrecken versetzt.

Lisbeth kannte Miåås tatsächlich. Es war jedoch keine übermäßig nette Bekanntschaft gewesen.

Sie biss sich auf die Unterlippe. Damals war sie elf gewesen. Sie hatte Miåås als eine unangenehme Aushilfslehrerin für Mathematik in Erinnerung, die mehrmals versuchte, eine Antwort von ihr zu erzwingen, und zwar auf eine Frage, die Lisbeth bereits korrekt beantwortet hatte. Laut Lösungsschlüssel ihrer Lehrerin war die Antwort falsch. In Wirklichkeit war freilich der Lösungsschlüssel falsch, was in Lisbeths Augen doch jedem klar sein musste. Doch Miåås drang immer heftiger in sie, und Lisbeths Unwille, die Sache zu diskutieren, wuchs zusehends. Zum Schluss war ihr Mund nur noch ein schmaler Strich, bis Miåås sie entnervt an den Schultern packte und schüttelte, um ihre Aufmerksamkeit zu bekommen. Woraufhin Lisbeth ihr das Mathematikbuch an den Kopf warf und das Tohuwabohu erst richtig losging. Sie spuckte und fauchte und trat um sich, als ihre Klassenkameraden versuchten, sie festzuhalten.

Der Zeitungsartikel nahm eine Doppelseite ein und brachte auch die Aussage eines ehemaligen Klassenkameraden, der vor dem Eingang zu ihrer alten Schule posierte. Der betreffende Mitschüler hieß David Gustavsson und nannte sich mittlerweile Kaufmännischer Assistent. Er behauptete, die Mitschüler hätten Angst vor Lisbeth Salander gehabt, weil sie »einmal gedroht hat, uns zu töten«. Lisbeth erinnerte sich an David Gustavsson – er war einer ihrer übelsten Peiniger in der Schule gewesen, eine muskulöse Bestie mit dem IQ eines Raubfischs, der sich kaum eine Gelegenheit entgehen ließ, in den Schulfluren Beleidigungen und Rempler auszuteilen. Einmal überfiel er sie hinter der Turnhalle, und sie schlug wie immer zurück. Rein körperlich hatte sie keine Chance, aber ihrer Meinung nach war der Tod einer Kapitulation vorzuziehen. Bei diesem Vorfall waren die Dinge aus dem Gleis geraten. Eine große Zahl von Klassenkameraden bildete einen Kreis um die beiden und sah zu, wie David Gustavsson sie immer wieder zu Boden schlug. Bis zu einem gewissen Punkt war das noch ganz amüsant, aber das dumme Mädchen wusste offenbar nicht, was gut für sie war. Sie wollte einfach nicht liegen bleiben, und außerdem fing sie auch nicht an zu heulen und um Gnade zu bitten.

Nach einer Weile wurde es dann auch den anderen zu viel. David war so klar überlegen und Lisbeth so offensichtlich hilflos, dass er Minuspunkte sammelte. Er hatte da etwas angefangen, was er nicht zu Ende bringen konnte. Schließlich verpasste er Lisbeth zwei richtige Faustschläge, sodass ihre Lippe aufsprang und sie keine Luft mehr kriegte. Ihre Schulkameraden ließen das jämmerliche Häufchen hinter der Turnhalle liegen und verschwanden lachend um die Ecke.

Lisbeth Salander ging nach Hause und leckte ihre Wunden. Zwei Tage später war sie wieder aufgetaucht, mit einem Baseballschläger in der Hand. Mitten auf dem Schulhof versetzte sie David einen Hieb übers Ohr. Als er schockiert auf dem

Boden lag, presste sie ihm den Schläger auf die Kehle, beugte sich zu ihm herab und flüsterte ihm ins Ohr, wenn er sie jemals wieder anfassen sollte, würde sie ihn umbringen. Als die Aufsicht entdeckte, was auf dem Pausenhof vor sich ging, wurde David zur Schulschwester verfrachtet, während man Lisbeth zum Rektor schleifte, der sie bestrafte, einen Vermerk in ihrer Akte machte und eine neuerliche Untersuchung veranlasste.

Lisbeth hatte fünfzehn Jahre lang nicht mehr über die Existenzberechtigung von Miåås oder Gustavsson nachgedacht. Nun machte sie sich eine Notiz im Hinterkopf, sobald sie ein wenig Zeit hatte, einmal zu überprüfen, was die beiden eigentlich heute so trieben.

Nach all den Berichten war Lisbeth Salander dem ganzen schwedischen Volk ein Begriff geworden. Man untersuchte und überprüfte ihren persönlichen Hintergrund, veröffentlichte alles bis ins geringste Detail, vom Gewaltausbruch in der Grundschule bis zur Behandlung in der psychiatrischen Kinderklinik St. Stefans bei Uppsala, wo sie mehr als zwei Jahre verbracht hatte.

Sie spitzte die Ohren, als Chefarzt Peter Teleborian im Fernsehen interviewt wurde. Er war acht Jahre älter als damals bei der Gerichtsverhandlung, in der man sie für nicht geschäftsfähig erklärt hatte. Er legte seine Stirn in tiefe Falten und kratzte sich seinen dünnen Bart, während er sich bekümmert an den Studiojournalisten wandte und erklärte, er unterliege der Schweigepflicht und könne sich daher nicht zu einzelnen Patienten äußern. Er könne nur sagen, dass Lisbeth Salander ein sehr komplizierter Fall sei, der eine qualifizierte Betreuung verlange. Das Gericht habe damals gegen seine Empfehlung gehandelt und beschlossen, Salander einen rechtlichen Betreuer an die Seite zu stellen, anstatt ihr die Behandlung in einer Anstalt zu gewähren, die sie dringend nötig habe. Ein Skandal, befand Teleborian. Er bedauerte sehr, dass für diese

Fehleinschätzung nun drei Menschen mit dem Leben hatten bezahlen müssen. Bei dieser Gelegenheit prangerte er sogleich die Kürzungen im Psychiatriebereich an, die die Regierung in den letzten Jahrzehnten durchgesetzt hatte.

Lisbeth nahm zur Kenntnis, dass keine einzige Zeitung die häufigste Form dieser Behandlung beschrieb. In der geschlossenen Abteilung der Kinderpsychiatrie, die Dr. Teleborian unterstand, wurden »unruhige und widerspenstige Patienten« in ein Zimmer gesperrt, das man »stimulationsfrei« nannte. Die Einrichtung bestand aus einer Pritsche mit einem Gurt. Die akademische Begründung lautete, dass unruhige Kinder hier keinen »Stimuli« ausgesetzt waren, welche Ausbrüche hervorrufen konnten.

Als sie heranwuchs, entdeckte sie, dass es dafür noch eine andere Bezeichnung gab. *Sensory deprivation.* Den Genfer Konventionen zufolge war es unmenschlich, Gefangene einer *sensory deprivation* auszusetzen. Diese Maßnahme war gängiger Bestandteil von Experimenten zur Gehirnwäsche, die verschiedene Diktaturen durchgeführt hatten. Man hatte schriftlich festgehalten, dass die politischen Gefangenen, die in den Moskauer Prozessen der 30er-Jahre diverse Verbrechen gestanden hatten, einer derartigen Behandlung unterzogen worden waren.

Als Lisbeth Peter Teleborians Gesicht im Fernsehen sah, verwandelte sich ihr Herz in einen Eisklumpen. Sie überlegte, ob er wohl immer noch dasselbe Rasierwasser benutzte. Dieser Mann war verantwortlich für all das gewesen, was theoretisch als ihre »Behandlung« definiert worden war. Sie hatte nie begriffen, was man eigentlich von ihr erwartete, außer dass sie behandelt werden musste und ihre Missetaten einsehen sollte. Stattdessen hatte Lisbeth bald etwas anderes eingesehen, dass nämlich ein »unruhiger und widerspenstiger Patient« jemand war, der Teleborians Wissen und Autorität infrage stellte.

Sie fand heraus, dass die psychiatrischen Behandlungsmethoden, die im 16. Jahrhundert gang und gäbe gewesen waren, in St. Stefans noch an der Schwelle zum 21. Jahrhundert praktiziert wurden.

Die Hälfte ihrer Zeit in St. Stefans verbrachte sie gefesselt auf der Pritsche im »stimulationsfreien« Raum. Wohl eine Art Rekord.

Teleborian hatte sie nie mit sexuellen Absichten berührt. Er hatte sie nicht einmal in den unschuldigsten Zusammenhängen berührt. Einmal hatte er ihr mahnend die Hand auf die Schulter gelegt, als sie mal wieder festgeschnallt in der Isolierzelle lag.

Sie fragte sich, ob die Spuren ihrer Zähne auf seinem kleinen Finger wohl immer noch zu sehen waren.

Das Ganze war zu einem Duell geworden, bei dem Teleborian jedoch die weitaus besseren Karten hatte. Ihr Gegenmittel bestand darin, sich total einzuigeln und ihn völlig zu ignorieren, wenn er mit ihr in einem Raum war.

Im Alter von zwölf Jahren wurde sie von zwei Polizistinnen nach St. Stefans begleitet. Das war ein paar Wochen, nachdem All Das Böse geschehen war. Sie konnte sich an jede Einzelheit erinnern. Erst hatte sie noch geglaubt, die Dinge würden jetzt irgendwie in Ordnung kommen. Sie hatte versucht, der Polizei, den Sozialarbeitern, dem Krankenhauspersonal, den Schwestern, Ärzten, Psychologen und sogar einem Pfarrer, der mit ihr zusammen beten wollte, ihre Version der Geschichte zu erklären. Als sie auf dem Rücksitz des Polizeiautos saß und sie Richtung Uppsala am Wenner-Gren-Center vorbeifuhren, wusste sie immer noch nicht, wohin die Reise ging. Niemand hatte sie informiert. Da begann ihr langsam zu dämmern, dass gar nichts in Ordnung kommen würde.

Sie hatte versucht, es Peter Teleborian zu erklären.

Das Resultat ihrer Anstrengungen sah so aus, dass sie die Nacht zu ihrem 13. Geburtstag gefesselt auf der Pritsche verbrachte.

Peter Teleborian war bei Weitem der widerlichste und unangenehmste Sadist, der Lisbeth Salander in ihrem Leben begegnet war. Er schlug sogar Bjurman noch um Längen. Ihr Betreuer war einfach nur ein brutaler Penner, den sie letztendlich doch in den Griff bekommen hatte. Aber Peter Teleborian war geschützt von einer Wand aus Papier, Gutachten, akademischen Lorbeeren und psychiatrischem Tinnef. Was er tat, konnte nicht kritisiert, geschweige denn zur Anzeige gebracht werden.

Er hatte den staatlichen Auftrag, ungehorsame kleine Mädchen mit Ledergurten zu fesseln.

Jedes Mal wenn Lisbeth wieder gefesselt auf dem Rücken lag, er den Riemen enger schnallte und ihr in die Augen sah, konnte sie seine Erregung sehen. Sie wusste es. Und er wusste, dass sie es wusste.

In der Nacht zu ihrem 13. Geburtstag beschloss sie, nie wieder ein Wort mit Peter Teleborian oder irgendeinem anderen Psychiater zu wechseln. Sie wusste, dass ihr Verhalten Teleborian frustrierte und mehr als alles andere dazu beitrug, dass sie Nacht für Nacht mit den Lederriemen gefesselt wurde. Aber diesen Preis war sie bereit zu zahlen.

Sie lernte alles über Selbstbeherrschung. Sie hatte keine Ausbrüche mehr und warf nicht mehr mit Gegenständen, wenn man sie mal aus ihrer Isolierzelle ließ.

Aber sie sprach nicht mit Ärzten.

Hingegen redete sie höflich und vorbehaltlos mit den Krankenschwestern, dem Kantinenpersonal und den Putzfrauen. Das blieb nicht unbemerkt. Eine nette Schwester namens Caroline, der sich Lisbeth zu einem gewissen Grad anvertraut hatte, fragte sie eines Tages nach dem Grund für dieses Verhalten. Lisbeth hatte sie nur fragend angesehen.

Warum redest du nicht mit den Ärzten?

Weil sie mir nicht zuhören.

Diese Antwort war keine spontane. Es war vielmehr ihre Art, mit den Ärzten zu kommunizieren. Sie war sich der Tatsache sehr wohl bewusst, dass ihre Kommentare den Weg in ihre Krankenakte fanden und auf diese Art belegten, dass ihr Schweigen ein rationaler Beschluss war.

In ihrem letzten Jahr in St. Stefans wurde Lisbeth immer seltener in die Isolierzelle gesteckt. Wenn doch, dann nur, weil sie Teleborian auf die eine oder andere Art gereizt hatte, was sie anscheinend durch ihren bloßen Anblick schaffte. Er versuchte immer wieder, ihr hartnäckiges Schweigen zu durchbrechen und sie zu zwingen, seine Existenz anzuerkennen.

Es gab eine Phase, in der Teleborian sich in den Kopf gesetzt hatte, Lisbeth eine bestimmte Art von Psychopharmaka zu geben, die ihr das Atmen und Denken erschwerten, was natürlich Ängste bei ihr auslöste. Sie begann sich zu weigern, ihre Medikamente einzunehmen, woraufhin man beschloss, ihr die Tabletten dreimal am Tag mit Gewalt zu verabreichen.

Ihr Widerstand war so heftig, dass das Personal sie festhalten und ihr gewaltsam den Mund öffnen musste, um sie dann zum Schlucken zu zwingen. Beim ersten Mal steckte sich Lisbeth danach die Finger in den Hals und spuckte dem nächstbesten Helfer ihr Mittagessen in den Schoß. Daraufhin gab man ihr die Tabletten erst, nachdem man sie ans Bett gefesselt hatte. Prompt lernte Lisbeth, sich zu übergeben, ohne sich die Finger in den Hals stecken zu müssen. Ihre massive Weigerung und die Mehrarbeit, die sie dem Personal damit machte, führten dazu, dass der Versuch schließlich abgebrochen wurde.

Sie war gerade 15 geworden, als man sie plötzlich nach Stockholm zurückbrachte und bei einer Pflegefamilie einquartierte. Dieser Umzug kam für sie völlig überraschend. Damals war allerdings Teleborian nicht mehr der Chef in St. Stefans, und Lisbeth war überzeugt, es diesem Umstand zu verdanken, dass sie plötzlich entlassen wurde. Hätte Teleborian allein entscheiden dürfen, würde sie immer noch gefesselt auf ihrer Pritsche in der Isolierzelle liegen.

Und nun sah sie ihn also im Fernsehen. Sie fragte sich, ob er immer noch davon träumte, sie wieder auf seiner Station zu haben, oder ob sie mittlerweile zu alt war, um seine Fantasien befriedigen zu können. Seine Kritik am Beschluss des Gerichts, sie nicht in eine Anstalt einzuweisen, tat ihre Wirkung und empörte den Studiojournalisten, der ansonsten nicht recht wusste, was er überhaupt für Fragen stellen sollte. Niemand konnte einem Peter Teleborian widersprechen. Der ehemalige Oberarzt von St. Stefans war mittlerweile verstorben. Der Richter, der in Salanders Fall den Vorsitz gehabt und zumindest teilweise die Rolle des Bösewichts zu spielen hatte, war in der Zwischenzeit in Pension gegangen. Er weigerte sich, mit der Presse zu sprechen.

Einen der erstaunlichsten Artikel fand Lisbeth in der Internetausgabe einer mittelschwedischen Lokalzeitung. Sie las ihn dreimal, bevor sie den Computer ausschaltete und sich eine Zigarette ansteckte. Dann setzte sie sich mit einem Kissen in den Fenstersturz und betrachtete resigniert die nächtliche Straßenbeleuchtung.

»Sie ist bisexuell«, sagt eine Jugendfreundin
Die 26-jährige Frau, gesucht wegen dreifachen Mordes, wird als verschlossene Außenseiterin beschrieben, die große Schwierigkeiten hatte, sich in der Schule anzupassen. Trotz aller Versuche, sie in die Gemeinschaft zu integrieren, blieb sie stets ein Sonderling.
»Sie hatte ganz offensichtlich Probleme mit ihrer sexuellen Identität«, erinnert sich Johanna, eine ihrer wenigen guten Freundinnen in der Schule. »Es stand ziemlich bald fest, dass sie bisexuell war. Wir machten uns Sorgen um sie.«

Im Artikel wurden dann noch einige Episoden beschrieben, an die Johanna sich erinnern konnte. Lisbeth runzelte die Stirn.

Sie selbst konnte sich beim besten Willen nicht an diese Episoden erinnern und ebenso wenig an eine engere Freundin namens Johanna. Sie konnte sich an niemand erinnern, die man als Freundin hätte bezeichnen können und die versucht hätte, sie in die Gemeinschaft zu integrieren.

Außerdem hatte sie die Schule ja praktisch als Zwölfjährige verlassen. Das bedeutete, dass die besorgte Freundin ihre Bisexualität schon in der Unterstufe entdeckt haben musste.

In der wahnwitzigen Flut von abstrusen Artikeln gab dieses Interview mit Johanna ihr am meisten zu denken. Es lag auf der Hand, dass die ganze Geschichte erfunden war. Entweder war der Reporter auf eine notorische Lügnerin gestoßen, oder er hatte die Story selbst erfunden. Sie merkte sich für alle Fälle seinen Namen und setzte ihn auf die Liste ihrer zukünftigen Forschungsobjekte.

Nicht einmal die gesellschaftskritischen Reportagen, die mit Überschriften wie »Die Gesellschaft hat versagt« oder »Sie bekam nie die Hilfe, die sie brauchte« um Verständnis warben, konnten Lisbeths Abstempelung zum Staatsfeind Nummer eins verhindern – eine Massenmörderin, die in einem Anfall von Wahnsinn drei ehrenwerte Mitbürger erschossen hatte.

Mit einer gewissen Faszination las Lisbeth die Interpretationen ihres Lebens und bemerkte eine deutliche Lücke im Wissen der Öffentlichkeit. Obwohl man anscheinend unbegrenzten Zugang zu den geheimsten und intimsten Details ihres Lebens hatte, war den Medien All Das Böse, das ihr kurz vor ihrem 13. Geburtstag widerfahren war, völlig entgangen.

Es sah so aus, als würde jemand aus Polizeikreisen die Medien mit Informationen versorgen, dabei aber aus Gründen, die Lisbeth Salander nicht kannte, den Lebensabschnitt mit All Dem Bösen bewusst aussparen. Das verblüffte sie. Wenn die Polizei schon ihre brutalen Neigungen unterstreichen wollte, dann war die Akte dieser Ermittlungen der bei Weitem belastendste Teil ihres Lebenslaufs. Das ging weit über alle Schulhofbagatellen hinaus – dafür hatte man sie nach Uppsala verfrachtet und in St. Stefans eingewiesen.

Am Ostersonntag begann Lisbeth die polizeilichen Ermittlungen nachzuvollziehen. Aus den Angaben der Massenmedien konnte sie entnehmen, wer daran beteiligt war. Sie nahm zur Kenntnis, dass Staatsanwalt Richard Ekström die Voruntersuchung leitete und für gewöhnlich derjenige war, der auf den Pressekonferenzen das Wort führte. Die tatsächlichen Ermittlungen lagen in den Händen von Kriminalinspektor Jan Bublanski, einem leicht übergewichtigen Mann mit schlecht sitzendem Sakko, der bei ein paar Pressekonferenzen neben Ekström gesessen hatte.

Nach ein paar Tagen hatte sie Sonja Modig als die einzige Polizistin des Teams identifiziert. Sie war es außerdem, die Bjurman gefunden hatte. Sie bekam die Namen von Hans Faste und Curt Svensson heraus, doch Jerker Holmberg, der in keiner Reportage auftauchte, entging ihr völlig. Für jede Person legte sie in ihrem Computer eine Datei an und begann sie mit Informationen zu füllen.

Lisbeth wusste, dass es mit außergewöhnlichen Schwierigkeiten verbunden war, sich ins Intranet der Polizei zu hacken, aber es war keinesfalls unmöglich. Das hatte sie auch schon früher hingekriegt.

Im Zusammenhang mit einem Auftrag, den sie vor vier Jahren für Dragan Armanskij übernommen hatte, hatte sie die Struktur des polizeilichen Intranets ausgekundschaftet und die Möglichkeiten ergründet, eigene Suchanfragen durchzuführen. Mit dem Versuch, von außen in dieses Netz einzudringen, war sie fürchterlich auf den Bauch gefallen – außerdem waren die Firewalls der Polizei zu ausgeklügelt und mit allen möglichen Fallen gespickt, dass man mit unbefugtem Eindringen leicht unerwünschte Aufmerksamkeit erregte.

Das interne Netzwerk der Polizei war nach allen Regeln der Kunst mit eigenen Leitungen aufgebaut, ohne jegliche Verbindung nach außen oder zum Internet. Man brauchte mit anderen Worten einen echten Polizisten mit Nutzungsbefugnis, um ins Netzwerk zu gelangen – oder als zweitbeste Lösung: Das Intranet musste glauben, dass sie selbst eine befugte Person war. In dieser Hinsicht hatten die Sicherheitsexperten der Polizei tatsächlich eine gigantische Lücke gelassen. Es gab jede Menge Polizeireviere im ganzen Land, die ans Netzwerk angeschlossen waren, und einige von ihnen waren so klein, dass sie nachts unbesetzt blieben und vor allem weder über Alarmanlage noch über Wachpersonal verfügten. Zu dieser Sorte gehörte zum Beispiel das Revier in Långvik bei Västerås. Es war auf ungefähr 130 Quadratmetern im selben Gebäude wie die Bibliothek und die Krankenkasse untergebracht und war tagsüber mit drei Polizisten besetzt.

Lisbeth Salander war es zwar nicht gelungen, sich für ihre aktuellen Recherchen ins Netzwerk zu hacken, aber sie beschloss, dass es ein wenig Zeit und Energie wert sein könnte, sich Zugang für zukünftige Recherchen zu verschaffen. Sie erwog mehrere Möglichkeiten und bewarb sich dann für den Sommer als Putzfrau in der Bibliothek Långvik. Während sie mit Wischmopps und Putzeimern hantierte, erkundete sie nebenbei innerhalb von zehn Minuten die Lokalitäten. Sie hatte zwar die Schlüssel für das Hauptgebäude, nicht aber für das Polizeirevier selbst. Doch sie hatte entdeckt, dass sie ohne größere Schwierigkeiten durch ein Badezimmerfenster im zweiten Stock einsteigen konnte, das man wegen der Sommerhitze nachts gekippt ließ. Das Revier wurde nur von einer Securitas-Streife bewacht, die auf ihrer Runde jede Nacht ein paarmal vorbeifuhr. Lächerlich.

Sie brauchte ungefähr fünf Minuten, um auf der Schreibtischunterlage des Hauptkommissars Anwendernamen und Passwort zu finden. Schon bald erfasste sie die Struktur des

Netzwerks, klärte, welchen *access* sie hatte und bis zu welcher Sicherheitsstufe sich der freie Zugang des Kommissars erstreckte. Als Bonus bekam sie auch noch die Anwendernamen und Passwörter der beiden anderen Polizisten heraus. Eine von beiden war die 32-jährige Maria Ottosson, in deren Computer sie Informationen darüber fand, dass sie sich kürzlich als Ermittlerin beim Betrugsdezernat in Stockholm beworben und auch eine Stelle bekommen hatte. Bei ihr landete Lisbeth einen Volltreffer, denn sie verwahrte ihren Dell-Laptop in einer unverschlossenen Schreibtischschublade – sie benutzte ihren privaten PC also auch beruflich. Lisbeth fuhr den Computer hoch und legte eine CD mit ihrem Programm *Asphyxia 1.0* ein, der allerersten Version ihres Spionageprogramms. Sie platzierte die Software an zwei Stellen, sowohl als aktiv integrierten Teil des Microsoft Explorers als auch als Back-up in Ottossons Adressbuch. Lisbeth rechnete damit, dass Ottosson beim Kauf eines neuen Computers trotzdem ihr altes Adressbuch übernehmen würde. Außerdem war die Chance relativ groß, dass sie das Adressbuch auch in den Computer an ihrem neuen Arbeitsplatz im Betrugsdezernat Stockholm überspielen würde, wenn sie in ein paar Wochen dort ihren Dienst antrat.

Darüber hinaus hinterließ Lisbeth Software in den Computern, die es ihr ermöglichte, die gespeicherten Informationen von außen anzuzapfen. Wenn sie sich als einer dieser Polizisten ausgab, konnte sie auch aufs Strafregister zugreifen. Allerdings musste sie immer noch extrem vorsichtig zu Werke gehen, damit diese Zugriffe nicht auffielen. Die Sicherheitsabteilung der Polizei verfügte zum Beispiel über einen automatischen Alarm, wenn sich ein Beamter außerhalb der Arbeitszeit einloggte oder wenn die Anzahl der Zugriffe allzu stark anstieg. Auch wenn sie nach Informationen über Ermittlungen suchte, mit denen die örtliche Polizei gar nicht befasst war, würde ein solcher Alarm ausgelöst werden.

Im folgenden Jahr arbeitete sie mit ihrem Hackerkollegen

Plague daran, die Kontrolle über das Datennetz der Polizei zu bekommen. Wie sich herausstellte, war das mit den allergrößten Schwierigkeiten verbunden, aber im Laufe ihrer Arbeit sammelten sie mehrere hundert virtuelle Identitäten, die sie sich je nach Bedarf zulegen konnten.

Plague erzielte einen Durchbruch, als es ihm gelang, den Heimcomputer des Chefs der polizeilichen Datensicherheitsabteilung zu hacken. Ein nicht verbeamteter Betriebswissenschaftler, der über keine vertieften EDV-Kenntnisse verfügte, aber massenweise Informationen auf seinem Laptop liegen hatte. Damit hätten Lisbeth und Plague die Möglichkeit besessen, das polizeiliche Datennetz durch verschiedene bösartige Viren zu zerstören – aber das interessierte sie nicht im Geringsten. Sie waren Hacker, keine Saboteure. Was sie wollten, war der Zugang zu funktionierenden Netzwerken, nicht deren Zerstörung.

Lisbeth kontrollierte ihre Liste und stellte fest, dass keine der Personen, mit deren Identität sie im Netz auftreten konnte, an den Ermittlungen im dreifachen Mordfall beteiligt war – das wäre auch zu viel verlangt gewesen. Sie konnte jedoch relativ problemlos Details über die landesweite Fahndung lesen, inklusive Updates über die Nachforschungen zu ihrer Person. Sie entdeckte, dass sie unter anderem in Uppsala, Norrköping, Göteborg, Malmö, Hässleholm und Kalmar gesichtet und gesucht worden war. Außerdem war eine geheime Computergrafik verschickt worden, die ein besseres Bild von ihrem Aussehen vermittelte.

Glücklicherweise gab es so wenige Bilder von ihr. Außer einem vier Jahre alten Passfoto, das auch auf ihrem Führerschein zu sehen war, und einem Bild im Polizeiregister, das sie im Alter von 18 Jahren zeigte (und auf dem sie nicht wiederzuerkennen war), gab es vereinzelte Bilder, alte Schulfotos und einige Aufnahmen, die ein Lehrer bei einem Ausflug ins Nacka-Reservat geschossen hatte, als sie zwölf war. Diese Ausflugsbilder zeigten eine verschwommene Figur, die ein wenig abseits von allen anderen saß.

Der Nachteil war, dass das Bild aus dem Passregister sie mit starrem Blick zeigte, der Mund ein schmaler Strich, ihr Kopf leicht vorgestreckt. Das unterstrich das Bild der zurückgebliebenen asozialen Mörderin, und die Medien vervielfältigten diese Botschaft. Das einzig Positive an diesem Bild war, dass nur wenige Menschen sie darauf erkennen würden.

Interessiert verfolgte sie die Charakterisierungen der drei Mordopfer. Am Dienstag traten die Medien schon auf der Stelle, und mangels dramatischer Neuigkeiten von der Jagd auf Lisbeth Salander konzentrierte sich ihre Aufmerksamkeit nun auf die Opfer. Dag Svensson, Mia Bergman und Nils Bjurman wurden in einer Abendzeitung eingehend porträtiert. Der Leser musste zu der Überzeugung gelangen, dass hier drei ehrenwerte Mitbürger aus unerfindlichen Gründen regelrecht abgeschlachtet worden waren.

Nils Bjurman wurde als geachteter, sozial engagierter Rechtsanwalt dargestellt, inklusive Greenpeace-Mitgliedschaft und seinem steten »Engagement für Jugendliche«. In einer Spalte kam auch Jan Håkansson zu Wort, der im selben Gebäude sein Büro hatte wie Bjurman. Håkansson bestätigte das Bild von Bjurman als Streiter für die Rechte der kleinen Leute. Ein Beamter des Vormundschaftsgerichts beschrieb sein Verhältnis zu seinem Schützling Lisbeth Salander ebenfalls als äußerst engagiert.

Zum ersten Mal an diesem Tag fühlte sich Lisbeth zu einem schiefen Lächeln genötigt.

Ebenfalls großes Interesse brachte man Mia Bergman, dem weiblichen Opfer dieses Dramas, entgegen. Sie wurde als sympathische und hochintelligente junge Frau beschrieben, die bereits auf einen beeindruckenden Lebenslauf verweisen konnte und eine strahlende Karriere vor sich gehabt hätte. Schockierte Freunde, Kommilitonen und ihr Doktorvater wurden zitiert. Die häufigste Frage hieß: »Warum?« Bilder zeigten Blumen und brennende Kerzen vor der Haustür in Enskede.

Dag Svensson widmete man vergleichsweise wenig Raum. Man schilderte ihn als tüchtigen und unerschrockenen Reporter, aber das Hauptinteresse konzentrierte sich auf seine Freundin.

Mit gelinder Verwunderung nahm Lisbeth zur Kenntnis, dass es immerhin bis Ostersonntag dauerte, ehe jemand herausfand, dass Dag Svensson an einer großen Reportage für die Zeitschrift *Millennium* gearbeitet hatte. Sie staunte noch mehr, dass nicht erwähnt wurde, welches Thema die Reportage hatte.

Mikael Blomkvists Zitat in der Internetausgabe des *Aftonbladet* las sie gar nicht. Erst spät am Dienstagabend, als das Zitat in einer Nachrichtensendung im Fernsehen erwähnt wurde, entdeckte sie, dass er geradezu irreführende Angaben gemacht hatte. Er behauptete, Dag Svensson habe eine Reportage über »Datensicherheit und Datenklau« geschrieben.

Lisbeth Salander runzelte die Stirn. Sie wusste, dass diese Behauptung falsch war, und fragte sich, was *Millennium* hier eigentlich für ein Spiel spielte. Dann aber verstand sie die Message und setzte zum zweiten Mal an diesem Tag ihr schiefes Lächeln auf. Sie loggte sich auf dem Server in Holland ein und doppelklickte auf das Icon namens *MikBlom/laptop*. Sie fand den Ordner »LISBETH SALANDER« und das Dokument »An Sally« mitten auf dem Desktop. Sie klickte es an und las.

Danach saß sie lange still vor Mikaels Brief. Sie rang mit widersprüchlichen Gefühlen. Bis jetzt hatte es »Lisbeth gegen den Rest von Schweden« geheißen, was in ihrer Schlichtheit eine sehr saubere und übersichtliche Gleichung ergab. Aber jetzt hatte sie auf einmal einen Verbündeten, zumindest einen potenziellen Verbündeten, der behauptete, an ihre Unschuld zu glauben. Und das war natürlich der einzige Mann in Schweden, den sie unter gar keinen Umständen treffen wollte. Sie seufzte. Mikael Blomkvist war immer noch so ein verdammt gutmütiger Einfaltspinsel. Lisbeth Salander war seit ihrem zehnten Lebensjahr nicht mehr so unschuldig.

Es gibt keine Unschuldigen. Es gibt nur verschiedene Abstufungen von Verantwortung.

Nils Bjurman war tot, weil er sich entschieden hatte, nicht mehr nach den Regeln zu spielen, die sie vorgegeben hatte. Er hätte jede Chance gehabt, aber dann heuerte er doch so ein verdammtes Alphamännchen an, um ihr etwas anzutun. Das hatte wahrhaftig nicht sie zu verantworten.

Aber wenn *Kalle Blomkvist* sich erst einmal einmischte, dann durfte man ihn auch nicht unterschätzen. Er könnte ihr sogar von Nutzen sein.

Er konnte gut Rätsel lösen und besaß eine Sturheit, die ihresgleichen suchte. Das hatte Lisbeth in Hedestad gelernt. Sobald er sich erst einmal in etwas verbissen hatte, machte er weiter bis zum bitteren Ende. Er war wirklich naiv. Aber er konnte sich frei bewegen, wo man sie nicht mehr sehen durfte. Er könnte ihr sogar behilflich sein, in aller Ruhe das Land zu verlassen. Sie schätzte, dass ihr demnächst gar nichts anderes mehr übrig bleiben würde.

Leider konnte man Mikael Blomkvist nichts befehlen. Er musste es selbst wollen. Und er brauchte einen moralischen Vorwand, bevor er handelte.

Mit anderen Worten, er war ziemlich vorhersagbar. Sie überlegte eine Weile und legte dann ein neues Dokument an, das sie »An MikBlom« nannte. Sie schrieb nur ein einziges Wort hinein.

Zala.

Das dürfte ihm erst mal Stoff zum Nachdenken geben.

Sie saß immer noch vor dem Bildschirm und grübelte, als Mikael Blomkvist plötzlichen seinen Computer startete. Seine Antwort kam, kurz nachdem er ihre Datei gelesen hatte.

Lisbeth,
Du verdammt anstrengender Mensch. Wer zum Teufel ist Zala? Ist er die Verbindung? Weißt Du, wer Dag & Mia ermordet hat? Wenn ja, sag es mir, damit wir diesem Elend ein Ende machen können.
Mikael

Okay. Zeit, ihn zu ködern.

Sie legte ein neues Dokument namens »Kalle Blomkvist« an. Sie wusste, dass er sich darüber ärgern würde. Dann schrieb sie die kurze Mitteilung.

Du bist der Journalist. Finde es raus.

Wie erwartet, antwortete er auch darauf sofort und appellierte an sie, sie solle zur Vernunft kommen. Er versuchte, sie über die Gefühlsmasche zu kriegen. Sie lächelte und verließ seine Festplatte.

Wo sie schon einmal am Schnüffeln war, machte sie gleich weiter und ging als Nächstes auf Dragan Armanskijs Festplatte. Nachdenklich las sie den Bericht durch, den er am Ostermontag über sie geschrieben hatte. Es war nicht zu erkennen, für wen er diesen Bericht erstellt hatte, aber die einzige einleuchtende Erklärung war die, dass Armanskij mit der Polizei zusammenarbeitete, damit sie gefasst werden konnte.

Sie brauchte eine Stunde, bis sie Armanskijs E-Mails durchgearbeitet hatte, fand aber nichts Interessantes. Gerade als sie die Festplatte wieder verlassen wollte, stolperte sie über seine

Mail an den technischen Chef von Milton Security. Armanskij gab Anweisung, eine versteckte Überwachungskamera in seinem Arbeitszimmer zu installieren.

Hoppla.

Sie warf einen Blick auf das Datum und stellte fest, dass die Mail ein paar Stunden nach ihrem letzten Freundschaftsbesuch Ende Januar geschickt worden war.

Das hieß dann wohl, dass sie ein paar Einstellungen im automatischen Überwachungssystem abändern musste, bevor sie Armanskijs Zimmer den nächsten Besuch abstattete.

22. Kapitel

Dienstag, 29. März – Sonntag, 3. April

Am Dienstagvormittag klinkte sich Lisbeth Salander ins Register der Reichskriminalpolizei ein und suchte nach Alexander Zalatschenko. Er war darin nicht geführt, was nicht sonderlich überraschte, denn soweit sie wusste, war er in Schweden nie für ein Verbrechen verurteilt worden und nicht einmal polizeilich gemeldet.

Als sie sich einloggte, gab sie sich als Kommissar Douglas Skiöld aus, 55 Jahre, wohnhaft im Polizeidistrikt Malmö. Sie bekam einen leichten Schock, als ihr Computer plötzlich »pling« machte und in der Menüleiste ein Icon zu blinken begann, als Signal, dass jemand sie im Chatprogramm ICQ suchte.

Sie zögerte kurz. Ihr erster Impuls war, den Stecker zu ziehen und sich auszuloggen. Dann dachte sie jedoch noch einmal nach. Wie die meisten älteren Menschen hatte Skiöld das Programm ICQ gar nicht auf seinem Computer gehabt, denn dieses Programm wurde hauptsächlich von Jugendlichen und erfahrenen Computerbenutzern verwendet, wenn sie miteinander chatten wollten.

Was bedeutete, dass jemand tatsächlich nach *ihr* suchte. Und da gab es nicht allzu viele Alternativen. Sie loggte sich ebenfalls bei ICQ ein und schrieb:

– *Plague, was willst Du?*
– *Wasp. Du bist wirklich schwer zu finden. Guckst Du gar nicht mehr in Deine Mails?*
– *Wie hast Du das angestellt?*
– *Skiöld. Ich hab dieselbe Liste. Ich hab einfach angenommen, dass Du Dir einen von den Namen mit den größten Befugnissen aussuchst.*
– *Was willst Du?*
– *Wer ist dieser Zalatschenko, den Du im Register gesucht hast?*
– *MYOB.*
– *?*
– *Mind Your Own Business.*
– *Was geht denn ab?*
– *Fuck U, Plague.*
– *Ich dachte immer, ich bin sozial inkompetent, wie Du so schön sagst. Wenn ich den Zeitungen glauben soll, dann bin ich neben Dir der normalste Mensch der Welt.*
– *I*
– *Selber Stinkefinger. Brauchst Du Hilfe?*

Lisbeth zögerte einen Moment. Erst Blomkvist, jetzt Plague. Wie sie ihr auf einmal alle zu Hilfe eilten! Das Problem mit Plague war nur, dass er ein 160 Kilo schwerer Einzelgänger war, der mit seiner Umwelt fast ausschließlich übers Internet kommunizierte und Lisbeth Salander wie ein Wunder an sozialer Kompetenz aussehen ließ. Als sie nicht antwortete, tippte Plague eine weitere Zeile.

– *Noch da? Brauchst Du Hilfe, das Land zu verlassen?*
– *Nein.*
– *Warum hast Du geschossen?*
– *Piss off.*

– *Willst Du noch mehr Leute erschießen, und muss ich dann auch Angst haben? Ich bin wohl der einzige Mensch, der Dich überhaupt aufspüren kann.*
– *Kümmer Dich um Deinen eigenen Kram, dann brauchst Du auch keine Angst zu haben.*
– *Ich hab keine Angst. Wenn Du was brauchst, such mich einfach über Hotmail. Waffen? Neuen Pass?*
– *Du bist ein Soziopath.*
– *Und was bist Du dann?*

Lisbeth loggte sich aus, setzte sich aufs Sofa und dachte nach. Nach zehn Minuten machte sie ihren Computer wieder an und mailte an Plagues Hotmail-Adresse.

Der Staatsanwalt Richard Ekström, der die Voruntersuchung leitet, wohnt in Täby. Er ist verheiratet, hat zwei Kinder und Breitbandanschluss in seinem Einfamilienhaus. Ich bräuchte Zugang zu seinem Laptop oder alternativ zu seinem Computer zu Hause. Ich muss in Echtzeit mitlesen können, was er so schreibt. Hostile takeover *mit gespiegelter Festplatte.*

Sie wusste, dass Plague selbst nur selten seine Wohnung in Sundbyberg verließ, also hoffte sie, dass er sich irgendeinen pickligen Teenager herangezogen hatte, der die Feldarbeit ausführen konnte. Sie unterschrieb die Mail nicht. Das war überflüssig. Als sie fünfzehn Minuten später wieder in ICQ ging, bekam sie bereits ihre Antwort.

– *Was bezahlst Du?*
– *10 000 auf Dein Konto plus Unkosten, 5 000 an Deinen Gehilfen.*
– *Ich meld mich.*

Am Donnerstagmorgen bekam sie eine Mail von Plague, die nur eine FTP-Adresse enthielt. Lisbeth war verblüfft. Vor Ablauf von mindestens zwei Wochen hatte sie sich keine Ergebnisse erwartet. Selbst mithilfe von Plagues genialem Programm und seiner eigens dafür entworfenen Hardware war ein *hostile takeover* ein mühsames Unterfangen, das voraussetzte, dass Kilobyte für Kilobyte Information auf einen Computer geschmuggelt wurde, bis ein einfaches Programm aufgebaut war. Wie schnell das abgeschlossen war, hing ganz davon ab, wie oft Ekström seinen Computer benutzte. Daher hätte es noch einige Tage in Anspruch nehmen müssen, bis sämtliche Informationen auf die gespiegelte Festplatte überführt worden wären. Achtundvierzig Stunden war nicht unerhört schnell, sondern nahezu unmöglich. Lisbeth war schwer beeindruckt. Sie kontaktierte ihn über ICQ.

- *Wie hast Du das hingekriegt?*
- *Vier Mitglieder in Ekströms Haushalt haben einen Computer. Kannst Du Dir so was vorstellen – die haben überhaupt keine Firewall. Sicherheit gleich null. Anschließen, runterladen, fertig. Ich hatte Unkosten in Höhe von 6 000 Kronen. Geht das in Ordnung für dich?*
- *Yep. Plus einen Bonus für die schnelle Arbeit.*

Sie zögerte einen Moment, dann überwies sie per Internet 30 000 Kronen auf Plagues Konto. Sie wollte ihn auch nicht mit überzogenen Summen verhätscheln. Dann setzte sie sich auf ihren IKEA-Stuhl, Modell *Verksam,* und öffnete den Laptop von Ekström.

Innerhalb einer Stunde hatte sie alle Berichte gelesen, die Kriminalinspektor Jan Bublanski direkt an den Voruntersuchungsleiter geschickt hatte. Lisbeth hatte den Verdacht, dass solche Berichte laut Reglement gewiss nicht das Präsidium verlassen durften, aber dass Ekström sich einfach über derartige Bestimmungen hinwegsetzte, wenn er sich Arbeit mit nach Hause nahm – zu seinem privaten Internetanschluss ohne Firewall.

Das bewies wieder einmal die These, dass kein Sicherheitssystem besser sein kann als der blödeste Mitarbeiter. Über Ekströms Computer bekam sie nun wesentlich bessere Informationen.

Zunächst entdeckte sie, dass Dragan Armanskij zwei Mitarbeiter abgestellt hatte, damit sie sich kostenlos Bublanskis Ermittlungsteam anschlossen. Das bedeutete praktisch nichts anderes, als dass Milton Security die Arbeit der Polizei sponserte. Ihre Aufgabe war es, auf jede Weise dazu beizutragen, dass Lisbeth Salander gefasst wurde. *Schönen Dank, Armanskij. Ich werd's mir merken.* Ihre Laune wurde noch finsterer, als sie sah, wer diese Mitarbeiter waren. Bohman hatte sie als etwas kantig, aber durchaus korrekt erlebt. Niklas Eriksson hingegen war eine korrumpierte Null, der seine Position bei Milton Security ausgenutzt hatte, um eine Kundin des Unternehmens zu hintergehen.

Lisbeth Salanders Moral war selektiv. Ihr selbst lag es durchaus nicht fern, die Kunden des Unternehmens zu hintergehen, vorausgesetzt, sie hatten es verdient, aber sie hätte es niemals getan, wenn sie einen Job mit entsprechender Schweigepflicht übernommen hätte.

Lisbeth entdeckte rasch, dass die Person, die Informationen zu den Medien durchsickern ließ, niemand anders war als Ekström selbst. Das ging aus seinen E-Mails hervor, in denen er weiterführende Fragen zu Lisbeths gerichtsmedizinischer Untersuchung sowie zur Verbindung zwischen Miriam Wu und ihr beantwortete.

Die dritte wichtige Erkenntnis, die sie gewann, war, dass Bublanskis Team nicht den leisesten Anhaltspunkt hatte, wo man mit der Suche nach ihr beginnen sollte. Mit einigem Interesse las sie einen Bericht, der darüber Auskunft gab, welche Maßnahmen man bis jetzt ergriffen hatte und welche Adressen man sporadisch überwachte. Die Liste war kurz. Selbstverständlich die Lundagatan, aber auch Mikael Blomkvists Adresse, Miriam Wus alte Adresse am St. Eriksplan sowie die »Mühle«, wo man sie beobachtet hatte. *Verdammt, warum musste ich mich an dem Abend mit Mimmi so auffällig benehmen? Was für ein hirnrissiger Einfall.*

Am Freitag hatten Ekströms Ermittler sogar die Spur zu den *Evil Fingers* aufgetan. Leicht zu erraten, dass man auch diese Adressen noch aufsuchen würde. Sie runzelte die Stirn. Tja, damit konnte sie die Mädchen aus der Band wohl auch aus ihrem Bekanntenkreis streichen – auch wenn sie seit ihrer Rückkehr nach Schweden ohnehin keinen Kontakt mehr mit ihnen gehabt hatte.

Je mehr sie darüber nachdachte, umso verwirrter war sie. Staatsanwalt Ekström gab allen möglichen Mist über sie an die Medien weiter. Was er damit bezweckte, war ihr sonnenklar – die Publicity kam ihm zugute und bereitete den Boden für den Tag, an dem er Anklage gegen sie erheben würde.

Aber warum hatte er den Ermittlungsbericht von 1991 nicht auch herausgegeben? Darin war doch die unmittelbare Ursache für ihre Einweisung nach St. Stefans zu finden. Warum verschleierte er diese Geschichte?

Sie ging in Ekströms Computer und durchsuchte eine Stunde lang seine Dokumente. Als sie fertig war, zündete sie sich eine Zigarette an. Sie hatte keinen einzigen Querverweis zu den Ereignissen von 1991 gefunden. Das ließ nur einen sonderbaren Schluss zu: Er kannte den Ermittlungsbericht tatsächlich nicht.

Eine Weile war sie unschlüssig. Dann warf sie einen Blick auf ihr PowerBook. Das war doch genau das Richtige für *Kalle Fucking Blomkvist*. Sie fuhr ihren Computer wieder hoch, ging auf seine Festplatte und hinterließ das Dokument »MB2«.

Staatsanwalt E gibt heimlich Informationen an die Medien weiter. Frag ihn, warum er nicht auch den alten Ermittlungsbericht der Polizei weitergegeben hat.

Das musste erst mal reichen, um ihn in Bewegung zu setzen. Geduldig blieb sie zwei Stunden sitzen und wartete, bis Mikael wieder online war und seine E-Mails las. Fünfzehn Minuten später entdeckte er ihr Dokument, und noch einmal fünf Minuten später antwortete er mit dem Dokument »Kryptisch«. Er biss nicht an. Stattdessen quengelte er herum, er wolle wissen, wer seine Freunde ermordet habe.

Das war ein Argument, das Lisbeth verstehen konnte. Sie wurde weich und antwortete mit »Kryptisch2«.

Was machst Du, wenn ich es war?

Was tatsächlich als persönliche Frage gemeint war. Er antwortete mit dem Dokument »Kryptisch3«, das sie aufrüttelte.

Aber ich glaube nicht, dass Du Dag und Mia ermordet hast. Ich hoffe und bete, dass ich mit dieser Annahme recht habe.

Mikaels Anspielung auf Peter Teleborian machte sie zuerst rasend. Dann wurde ihr jedoch klar, dass er ihr damit nicht das Leben sauer machen wollte. Er hatte keinen Schimmer, wer Teleborian war, und hatte ihn höchstwahrscheinlich nur im Fernsehen gesehen, wo er als der verantwortungsvolle und international respektierte Experte für Kinderpsychiatrie auftrat.

Was sie aber wirklich aufrüttelte, war seine Anspielung auf Wennerströms Milliarden. Sie hatte keine Ahnung, wie er das herausgefunden hatte. Dabei war sie doch überzeugt gewesen, dass sie keinen Fehler gemacht hatte und kein Mensch auf der ganzen Welt davon wissen konnte.

Sie las den Brief noch ein paarmal.

Auch seine Anspielung auf ihr Gespräch über Freundschaft bereitete ihr Kopfzerbrechen. Sie wusste nicht, wie sie antworten sollte.

Schließlich schrieb sie »Kryptisch4«:

Ich werde drüber nachdenken.

Dann loggte sie sich aus und setzte sich in den Fenstersturz.

Erst am Freitagabend um elf, neun Tage nach den Morden, verließ Lisbeth Salander ihre Wohnung in Mosebacke. Ihr Vorrat an Billys Pan Pizza und anderen Lebensmitteln, ebenso wie das letzte Krümelchen Brot und die letzte Ecke Käse waren zu diesem Zeitpunkt schon seit mehreren Tagen aufgebraucht. Während der letzten drei Tage hatte sie sich von einem Paket Hafergrütze ernährt, das sie einmal mit dem Hintergedanken gekauft hatte, sich ein bisschen gesünder zu ernähren. Sie stellte fest, dass ein Deziliter Hafergrütze mit ein paar Rosinen und zwei Dezilitern Wasser nach einer Minute in der Mikrowelle einen akzeptablen Haferbrei ergaben.

Aber sie ging nicht nur aus dem Haus, weil ihr das Essen ausgegangen war. Sie musste eine Person finden. Sie nahm ihre blonde Perücke aus dem Kleiderschrank und wappnete sich mit dem norwegischen Pass, der auf den Namen Irene Nesser ausgestellt war.

Irene Nesser existierte tatsächlich. Sie war Lisbeth Salander äußerlich sehr ähnlich und hatte vor drei Jahren ihren Pass verloren. Durch Plague war er in Lisbeths Hände gekommen, die sich seit fast achtzehn Monaten immer mal wieder dieser zweiten Identität bediente.

Lisbeth nahm sich den Piercingring aus der Augenbraue

und schminkte sich vor ihrem Badezimmerspiegel. Dann zog sie eine dunkle Jeans an, einen einfachen, aber warmen braunen Pullover mit gelbem Strickmuster und Stiefel mit hohen Absätzen. Von ihrem kleinen Vorrat an Tränengaspatronen, die sie in einem Karton verwahrte, steckte sie auch eine ein. Sie holte die Elektroschockpistole hervor, die sie seit einem Jahr nicht mehr benutzt hatte, und lud sie. In eine Nylontasche packte sie sich Kleider zum Wechseln. Spätabends verließ sie schließlich ihre Wohnung. Als Erstes steuerte sie den McDonald's in der Hornsgatan an. Sie entschied sich für dieses Lokal, weil es hier weniger wahrscheinlich war, dass ihr einer ihrer ehemaligen Kollegen von Milton Security über den Weg laufen würde als im McDonald's am Slussen oder am Medborgarplatsen. Sie aß einen Big Mac und trank eine große Cola dazu.

Nach ihrer Mahlzeit nahm sie den 4er-Bus über die Västerbron zum St. Eriksplan. Sie ging bis zum Odenplan und stand kurz nach Mitternacht vor Bjurmans Adresse in der Upplandsgatan. Sie erwartete nicht, dass die Wohnung observiert wurde, aber sie bemerkte, dass ein Fenster beim Nachbarn auf derselben Etage noch erleuchtet war, also machte sie noch einen Spaziergang zum Vanadisplan. Als sie eine Stunde später zurückkam, war es dunkel in der Nachbarwohnung.

Lisbeth ging auf Zehenspitzen zu Bjurmans Wohnung hinauf, ohne Licht im Treppenhaus zu machen. Mithilfe eines Teppichmessers schnitt sie vorsichtig das Band auf, mit dem die Polizei die Wohnung versiegelt hatte. Lautlos öffnete sie die Tür.

Sie schaltete die Flurbeleuchtung ein, die man, wie sie wusste, von außen nicht sehen konnte. Dann nahm sie eine Taschenlampe und schlich sich zum Schlafzimmer. Die Jalousien waren heruntergezogen. Lisbeth ließ den Lichtkegel über das immer noch blutbefleckte Bett wandern. Sie dachte daran, dass sie selbst in diesem Bett dem Tode schon einmal ziemlich nahe gekommen war, und auf einmal erfüllte es sie mit tiefster Befriedigung, dass Bjurman endlich aus ihrem Leben verschwunden war.

Mit ihrem Besuch am Tatort bezweckte sie, die Antwort auf zwei Fragen zu finden. Erstens war ihr die Verbindung zwischen Bjurman und Zala nicht klar. Dass es eine solche geben musste, stand für sie fest, aber in den Dateien auf Bjurmans Computer hatte sie nichts dazu finden können.

Außerdem ging ihr noch eine zweite Frage im Kopf herum. Während ihres nächtlichen Besuchs vor zwei Wochen hatte sie festgestellt, dass Bjurman einige Unterlagen aus dem Ordner entfernt hatte, in dem er alles Material über sie aufbewahrt hatte. Die fehlenden Seiten waren ein Teil seiner Auftragsbeschreibung vom Vormundschaftsgericht, in der Lisbeth Salanders psychischer Zustand äußerst knapp umrissen wurde. Bjurman brauchte diese Seiten nicht mehr, und es war gut möglich, dass er sie einfach aussortiert und weggeworfen hatte. Dagegen sprach jedoch die Tatsache, dass Rechtsanwälte niemals Unterlagen eines noch nicht abgeschlossenen Falls wegwerfen. Die Papiere mochten so überflüssig sein, wie sie wollten – es war völlig unlogisch, sie wegzuwerfen. Trotzdem waren sie aus dem Ordner verschwunden, und sie waren auch nirgendwo anders auf seinem Schreibtisch aufgetaucht.

Wie sie feststellen konnte, hatte die Polizei alle Ordner mitgenommen, die Unterlagen zu ihrem Fall enthielten. Zwei Stunden durchsuchte sie die Wohnung Meter für Meter, um zu prüfen, ob die Polizei etwas übersehen hatte. Irgendwann kam ihr die frustrierende Erkenntnis, dass dem nicht so war.

In der Küche fand sie noch eine Schublade, die diverse Schlüssel enthielt. Sie fand Autoschlüssel und einen Ring mit zwei Schlüsseln, von denen einer wie ein Hausschlüssel, der andere wie ein Schlüssel für ein Vorhängeschloss aussah. Sie machte einen geräuschlosen Abstecher zum Dachboden, wo sie alle Vorhängeschlösser durchprobierte, bis sie Bjurmans Speicherabteil fand. Dort standen alte Möbel, ein Kleiderschrank mit ausrangierten Kleidern, Skier, eine Autobatterie, Bücherkartons und anderes Gerümpel. Nachdem sie nichts Interessantes hatte aufstöbern können, ging sie die Treppe wieder hinunter und betrat mithilfe des Hausschlüssels die Garage. Sie fand seinen Mercedes und hatte sich schnell vergewissert, dass sich nichts Wertvolles darin befand.

Auf einen Besuch in seiner Kanzlei hatte sie von vornherein verzichtet. Erst vor ein paar Wochen, im Zusammenhang mit ihrem nächtlichen Besuch in Bjurmans Wohnung, war sie auch dort gewesen. Daher wusste sie, dass er das Büro seit zwei Jahren nicht mehr benutzt hatte.

Lisbeth ging zurück in seine Wohnung, setzte sich auf das Sofa und dachte nach. Nach ein paar Minuten stand sie auf und sah noch einmal Stück für Stück die Schlüssel in der Küchenschublade durch. Eine ganze Reihe von Schlüsseln gehörte zu Patentschlössern und Sicherheitsschlössern. Schließlich fand sich noch ein ganz rostiger und altmodischer Schlüssel. Sie runzelte die Stirn. Als sie aufsah, fiel ihr Blick auf eine Küchenbank neben der Spüle, auf der Bjurman um die zwanzig Tüten mit Pflanzensamen abgelegt hatte. Sie besah sie näher und stellte fest, dass es sich um Samen für Küchenkräuter handelte.

Er hat irgendwo ein Sommerhäuschen. Oder einen Schrebergarten. Das ist mir entgangen.

Sie brauchte drei Minuten, um in Bjurmans Buchführung die sechs Jahre alte Rechnung einer Baufirma zu finden, die die Arbeiten für seine Auffahrt erledigt hatte. Und eine weitere Minute, bis sie auf die Versicherungspapiere für ein Haus in der Nähe von Stallarholmen bei Mariefred stieß.

Um fünf Uhr morgens machte sie beim 7-Eleven-Shop an der Straßenkuppe der Hantverkargatan beim Fridhemsplan Halt. Sie kaufte sich einen Riesenstapel Billys Pan Pizza, Milch,

Brot, Käse und andere Grundnahrungsmittel. Sogar eine Morgenzeitung, deren Schlagzeile sie faszinierend fand.

Gesuchte Frau schon im Ausland?

Diese Zeitung hatte sich aus unbekanntem Grund entschieden, Lisbeths Namen nicht zu nennen. Sie wurde zur »26-jährigen Frau«. Der Artikel erklärte, eine Quelle aus Polizeikreisen behaupte, dass sie sich vermutlich schon ins Ausland abgesetzt habe und in Berlin aufhalten könne. Warum sie ausgerechnet nach Berlin fliehen sollte, wurde nicht ganz klar, aber es hieß, jemand habe sie in einem »anarchofeministischen Klub« in Kreuzberg gesichtet.

Lisbeth nahm den 4er-Bus zurück nach Södermalm, wo sie in der Rosenlundsgatan ausstieg und bis Mosebacke zu Fuß ging. Sie machte sich Kaffee und aß belegte Brote, bevor sie zu Bett ging.

Sie schlief bis weit in den Nachmittag. Als sie aufwachte, schnupperte sie nachdenklich am Laken und stellte fest, dass es höchste Zeit wurde, die Bettwäsche zu wechseln. Den ganzen Samstagabend über räumte sie ihre Wohnung auf. Sie trug den Müll hinaus und sammelte alte Zeitungen in zwei großen Müllsäcken, die sie in eine Kleiderkammer im Flur stellte. Sie wusch eine Maschine Unterwäsche und T-Shirts und anschließend eine mit Jeans. Sie räumte das Geschirr in die Spülmaschine, schaltete sie ein, staubsaugte und wischte zum Schluss noch den Boden.

Um neun Uhr abends war sie völlig durchgeschwitzt. Sie ließ Wasser in die Wanne ein und goss reichlich Badeessenz dazu. Dann legte sie sich hinein, machte die Augen zu und dachte nach. Als sie wieder aufwachte, war es Mitternacht und das Wasser eiskalt. Sie stand auf, trocknete sich ab und ging zu Bett. Im nächsten Moment war sie auch schon wieder eingeschlafen.

Am Sonntagmorgen wurde Lisbeth Salander von rasender Wut gepackt, als sie ihr PowerBook hochfuhr und den Blödsinn las, den man über Miriam Wu geschrieben hatte. Ihr war ganz elend zumute, und ihr Gewissen quälte sie. Ihr war nicht klar gewesen, wie heftig man auf Mimmi losgehen würde. Dabei bestand ihr einziges Verbrechen doch darin, dass sie Lisbeths ... Bekannte war? Freundin? Liebhaberin?

Sie wusste nicht recht, mit welchem Wort sie ihre Beziehung zu Mimmi beschreiben sollte, aber was auch immer das richtige Wort gewesen wäre – mittlerweile galt es garantiert nicht mehr. Sie kam wohl nicht umhin, auch Mimmi von ihrer kurzen Liste von Bekannten zu streichen. Nach all den Berichten in den Massenmedien zweifelte sie, dass Mimmi jemals wieder etwas mit der Irren Lisbeth Salander zu tun haben wollte.

Das brachte sie zur Weißglut.

Sie merkte sich den Namen von Tony Scala, dem Journalisten, der das ganze Kesseltreiben in Gang gebracht hatte. Außerdem beschloss sie, diesen schmierigen Kolumnisten mit dem gestreiften Jackett ausfindig zu machen, der in seinen Artikeln stets die Bezeichnung »Bondage-Sadomaso-Lesbe« verwendete.

Die Liste der Personen, die Lisbeth sich vorknöpfen wollte, wurde immer länger.

Aber zuerst musste sie Zala finden.

Was genau geschehen sollte, wenn sie Zala fand, wusste sie allerdings auch nicht.

Mikael wachte am Sonntagmorgen um acht Uhr vom Telefonklingeln auf. Schläfrig streckte er die Hand nach dem Hörer aus.

»Guten Morgen«, sagte Erika Berger.

»Mmm«, gab Mikael zurück.

»Bist du allein?«

»Leider ja.«

»Dann würde ich vorschlagen, dass du jetzt mal unter die Dusche gehst und Kaffee aufsetzt. In fünfzehn Minuten bekommst du Besuch.«

»Tatsächlich?«

»Von Paolo Roberto.«

»Paolo Roberto? Der Boxer?«

»Genau der. Er hat mich angerufen, und wir haben eine halbe Stunde geredet.«

»Und warum?«

»Warum er mich angerufen hat? Na ja, wir kennen uns zumindest so gut, dass wir Hallo sagen, wenn wir uns über den Weg laufen. Als er in Hildebrands Film mitgespielt hat, habe ich ihn mal getroffen und ein langes Interview gemacht. Dann sind wir uns über die Jahre immer wieder begegnet.«

»Das wusste ich ja gar nicht. Aber ich frage mich, warum er mich besuchen will.«

»Weil ... ach, ich glaube, das erklärt er dir am besten selbst.«

Mikael hatte gerade fertig geduscht und eine Hose angezogen, als Paolo Roberto auch schon an der Tür klingelte. Mikael machte auf und bot dem Boxer einen Stuhl am Esstisch an, während er sich ein sauberes Hemd heraussuchte und einen doppelten Espresso machte, den er mit einem Teelöffel Milch servierte. Paolo Roberto sah beeindruckt auf seinen Kaffee.

»Sie wollten mit mir reden?«

»Das war Erika Bergers Vorschlag.«

»Okay, dann erzählen Sie mal.«

»Ich kenne Lisbeth Salander.«

Mikael zog die Augenbrauen hoch.

»Ach ja?«

»Ich war ein bisschen überrascht, als Erika Berger mir erklärte, dass Sie sie auch kennen.«

»Erzählen Sie mir das Ganze doch am besten von Anfang an.«

»Also, das war so: Vorgestern bin ich nach einem einmonatigen Aufenthalt in New York nach Hause gekommen und sah Lisbeths Gesicht auf jedem verdammten Schlagzeilenplakat. Die Zeitungen schreiben verdammt viel Scheiß über sie. Anscheinend hat keine verdammte Menschenseele auch nur ein einziges nettes Wort über sie zu sagen.«

»Dreimal ›verdammt‹. Sie scheinen ja ziemlich wütend zu sein.«

Paolo lachte.

»Tut mir leid. Aber ich bin wirklich ziemlich wütend. Ich habe Erika angerufen, weil ich reden wollte und nicht recht wusste, mit wem. Da dieser Journalist in Enskede für *Millennium* gearbeitet hat und ich Erika Berger zufällig kenne, hab ich sie angerufen.«

»Verstehe.«

»Auch wenn Lisbeth durchgedreht ist und all das getan hat, was die Polizei da behauptet, muss sie trotzdem eine faire Behandlung bekommen. Das ist hier immer noch ein Rechtsstaat, und hier darf kein Mensch verurteilt werden, bevor man ihn nicht angehört hat.«

»Genauso denke ich auch«, stimmte Mikael ihm zu.

»Das hat Erika mir auch gesagt. Als ich sie anrief, dachte ich, dass Sie bei *Millennium* auch hinter Lisbeths Skalp her sind, eben wegen diesem Journalisten Dag Svensson, der für Sie gearbeitet hat. Aber Erika hat mir erzählt, dass Sie Lisbeth auch für unschuldig halten.«

»Ich kenne Lisbeth Salander. Ich kann sie mir nur schwer als verrückte Mörderin vorstellen.«

Plötzlich lachte Paolo los.

»Verdammt, ja, sie ist wirklich eine total verrückte Braut ... aber sie ist ohne Zweifel eine von den Guten. Ich mag sie sehr gern.«

»Woher kennen Sie sie?«

»Ich habe mit Salander geboxt, seit sie 17 war.«

Mikael Blomkvist schloss für zehn Sekunden die Augen, bevor er den Blick wieder hob und Paolo Roberto ansah. Lisbeth Salander war immer wieder für eine Überraschung gut.

»Selbstverständlich. Lisbeth Salander boxt mit Paolo Roberto. Sie sind ja auch ganz dieselbe Gewichtsklasse.«

»Ich mache keine Witze.«

»Ich glaube Ihnen. Lisbeth hat mir einmal erzählt, dass sie als Sparringspartner in irgendeinem Klub boxt.«

»Lassen Sie mich erzählen, wie das anfing. Vor zehn Jahren wurde ich Sondertrainer für die Junioren, die unten im Zinkens Klubb mit dem Boxen anfangen wollten. Ich war schon ein bekannter Boxer, und der Juniortrainer des Klubs meinte, ich wäre ein gutes Zugpferd, also kam ich an den Nachmittagen rein und machte Sparring mit den Jungs.«

»Aha.«

»Und dann blieb ich den ganzen Sommer über, bis in den Herbst hinein. Sie machten eine richtige Kampagne, mit Plakaten und so, und versuchten, Jugendliche zum Boxen zu bringen. Und in der Tat zog das ziemlich viele 15-, 16-jährige Jungs an, auch ein paar ältere. Ziemlich viele Einwandererkinder. Das Boxen war eine bessere Alternative, als in der Stadt abzuhängen und Randale zu machen. Fragen Sie mich. Ich weiß das aus eigener Erfahrung.«

»Okay.«

»Tja, und eines Tages mitten im Sommer taucht dieses schmächtige Mädchen aus dem Nirgendwo auf. Sie wissen doch, wie sie aussieht? Sie kam in den Klub und sagte, sie wollte boxen lernen.«

»Ich kann mir die Szene genau vorstellen.«

»Das gab natürlich ein Riesengelächter von den anderen Jungs, die alle doppelt so schwer und viel größer waren. Ich war auch einer von denen, die sich über Salander kaputtgelacht haben. Es war weiter nicht böse gemeint, aber wir zogen sie eben ein bisschen auf. Wir hatten auch eine Mädchenabteilung, und ich machte irgendeine blöde Bemerkung, dass kleine Mädchen immer am Donnerstag boxen oder so was.«

»Sie hat nicht gelacht, schätze ich.«

»Nee. Sie hat nicht gelacht. Sie sah mich nur an mit ihren schwarzen Augen. Dann griff sie sich ein Paar Boxhandschuhe, die jemand beiseite gelegt hatte. Sie waren nicht zugeschnürt und außerdem viel zu groß für sie. Und wir Männer lachten nur noch mehr. Verstehen Sie?«

»Das klingt gar nicht gut.«

Paolo Roberto lachte wieder.

»Da ich der Trainer war, trat ich vor und tat so, als wollte ich ein paar Boxhiebe auf sie loslassen.«

»Ups.«

»Ja, so ungefähr. Plötzlich verpasste sie mir einen Bombenschlag direkt aufs Maul.«

Er lachte erneut.

»Ich stand da und blödelte ja nur herum, also war ich total unvorbereitet. Sie landete zwei, drei Schläge, bevor ich überhaupt parieren konnte. Also, sie hatte kein bisschen Muskelkraft, und wenn sie zuschlug, war es, als würde einen eine Feder treffen. Aber als ich anfing, ihre Schläge zu parieren, wechselte sie die Taktik. Sie boxte ganz instinktiv und landete noch mehr Treffer. Also begann ich ernsthaft abzuwehren und entdeckte, dass das Mädchen schneller war als ein verdammtes Reptil. Wenn sie größer und stärker gewesen wäre, dann hätte sie mir einen ganz schönen Kampf geliefert, wenn Sie verstehen, was ich meine.«

»Ich verstehe durchaus.«

»Und dann änderte sie ihre Taktik noch mal und verpasste mir voll eins in den Schritt. Und der Schlag war sehr gut spürbar.«

Mikael nickte.

»Also schlug ich zurück und traf sie ins Gesicht. Ich meine, es war kein harter Schlag oder so, einfach nur so ein lockerer Puff. Da trat sie mich plötzlich gegen das Knie. Also, das war echt völlig verrückt. Ich war dreimal so groß und schwer, und sie hatte überhaupt keine Chance, aber sie drosch auf mich ein, als ginge es um ihr Leben.«

»Sie hatten Sie aufgezogen.«

»Das wurde mir dann auch klar. Und ich hab mich dafür geschämt. Ich meine ... wir hatten Plakate geklebt und versucht, Jugendliche in den Klub zu locken, und dann kam sie und wollte boxen lernen, und wir ziehen sie einfach nur durch den Kakao. Ich wäre rasend geworden, wenn mich jemand so behandelt hätte.«

Mikael nickte abermals.

»Das ging dann noch ein paar Minuten so weiter. Zum Schluss hielt ich sie fest und drückte sie auf den Boden, bis sie aufhörte zu zappeln. Verdammt, sie hatte echt Tränen in den Augen und sah mich mit einem solchen Hass an, dass ... tja.«

»Sie haben also angefangen, mit ihr zu boxen.«

»Als sie sich wieder beruhigt hatte, ließ ich sie aufstehen und fragte sie, ob es ihr ernst sei mit dem Boxenlernen. Sie warf die Handschuhe nach mir und ging zum Ausgang. Ich lief ihr hinterher und stellte mich vor sie. Ich entschuldigte mich bei ihr und sagte, wenn sie ernsthaft boxen lernen wollte, dann sollte sie am nächsten Tag um 17 Uhr wiederkommen.«

Er schwieg ein Weilchen und sah in die Ferne.

»Am nächsten Abend trainierte die Mädchengruppe, und sie tauchte tatsächlich auf. Ich stellte sie mit einem Mädchen namens Jennie Karlsson in den Ring, die 18 Jahre alt war und schon seit einem Jahr boxte. Das Problem war eben, dass wir niemand in Lisbeths Gewichtsklasse hatten, der älter als zwölf gewesen wäre. Ich sagte Jennie, sie solle behutsam vorgehen und die Schläge nur andeuten, weil Lisbeth völlig grün hinter den Ohren war.«

»Und, wie verlief der Kampf?«

»Ehrlich gesagt ... Jennie hatte nach zehn Sekunden schon eine aufgeplatzte Lippe. Eine ganze Runde lang landete Lisbeth einen Treffer nach dem anderen und wich jedem von Jennies Versuchen aus. Und dabei sprechen wir von einem Mädchen, das noch niemals seinen Fuß in einen Ring gesetzt hatte. In der zweiten Runde war Jennie schon so sauer, dass sie ernsthaft zuschlug, aber sie konnte keinen einzigen Treffer anbringen. Ich war völlig sprachlos. Ich habe noch nie einen Boxer gesehen, der sich so schnell bewegt. Wenn ich nur halb so schnell wäre wie Salander, ich würde mich glücklich schätzen.«

Mikael nickte wieder.

»Salanders Problem war bloß, dass ihre Schläge nicht viel Wirkung hatten. Ich fing an, mit ihr zu trainieren. Ein paar Wochen behielt ich sie in der Mädchenabteilung, und sie verlor mehrere Kämpfe, weil früher oder später doch jemand einen Treffer landen konnte, und dann mussten wir abbrechen und sie in die Umkleide tragen, weil sie vor Wut raste und trat und biss und um sich schlug.«

»Klingt ganz nach Lisbeth.«

»Sie gab nie auf. Aber zum Schluss hatte sie so viele Mädchen gegen sich aufgebracht, dass der Trainer sie rauswarf.«

»Ja?«

»Ja, es war einfach unmöglich, mit ihr zu boxen. Sie hatte nur eine Taktik, die wir ›Terminator-Methode‹ nannten. Sie nietete den Gegner um, und dabei spielte es gar keine Rolle, ob das nur eine Aufwärmrunde oder freundschaftliches Sparring war. Die Mädchen gingen ziemlich oft mit Schürfwunden nach Hause, wenn sie sie wieder getreten hatte. Da kam mir eine Idee. Ich hatte Probleme mit einem Jungen namens Samir. Er war 17 Jahre alt und stammte aus Syrien. Er war ein guter Boxer, kräftig gebaut, mit ordentlicher Schlagkraft ... aber er konnte sich einfach nicht bewegen. Er blieb die ganze Zeit auf einem Fleck stehen.«

»Okay.«

»Also bat ich Salander für einen bestimmten Nachmittag zum Training. Sie musste sich umziehen, und ich stellte sie mit ihm in den Ring. Mit Kopfschutz, Mundschutz, die volle Montur. Zuerst wies Samir ein Sparring mit ihr zurück, weil sie ›ja nur ein doofes Mädchen‹ war und diese ganzen Machosprüche. Also sagte ich laut und deutlich, dass es alle hörten, das hier wäre kein Sparring, und ich würde 500 Kronen wetten, dass sie ihn umnieten würde. Zu Salander sagte ich, das wäre kein Training, und Samir würde ernsthaft zuschlagen. Sie sah mich mit ihrem misstrauischen Gesichtsausdruck an. Samir stand immer noch rum und redete dummes Zeug, als der Gong ertönte. Lisbeth stürmte auf ihn zu und drosch ihm ins Gesicht, dass er sich erst mal auf den Hintern setzte. Ich hatte den ganzen Sommer mit ihr trainiert, und sie bekam langsam ein bisschen Muskeln, sodass eine gewisse Kraft hinter ihren Schlägen war.«

»Samir hat sich sicher gefreut.«

»Also, von diesem Training redete man noch Monate später. Samir bezog ganz einfach Prügel. Sie gewann nach Punkten. Wäre sie körperlich stärker gewesen, hätte sie ihn wirklich verletzt. Nach einer Weile war Samir so frustriert, dass er voll zuschlug. Ich hatte eine Mordsangst, dass er tatsächlich einen Treffer landen könnte, denn dann hätten wir gleich den Krankenwagen rufen können.

Lisbeth bekam ein paar blaue Flecken, wo sie seine Schläge ein paarmal mit den Schultern abgewehrt hatte, und er konnte sie auch mal in die Seile schicken, weil sie dem Gewicht seiner Schläge nichts entgegenzusetzen hatte. Aber er konnte sie nicht einmal annähernd ernsthaft treffen.«

»Das hätte ich wirklich zu gern gesehen.«

»Ab dem Tag hatten die Jungs im Klub Respekt vor Salander. Nicht zuletzt Samir. Ich habe sie ganz einfach zum Sparring mit viel größeren und schwereren Jungs in den Ring gestellt. Sie war meine Geheimwaffe, das war ein Supertraining.

Vorgabe war, dass Lisbeth fünf Treffer auf verschiedenen Körperteilen landen sollte – Kiefer, Stirn, Bauch und so weiter. Und die Jungs, mit denen sie boxte, mussten sich verteidigen und diese Punkte schützen. Es wurde geradezu eine Prestigesache, mit Lisbeth zu boxen. Es war, als würde man sich mit einer Hornisse schlagen. Wir nannten sie tatsächlich ›Wespe‹, und sie wurde eine Art Maskottchen für unseren Klub. Ich glaube, das gefiel ihr, denn eines Tages kam sie an und hatte sich eine Wespe auf den Hals tätowieren lassen.«

Mikael lächelte. Er erinnerte sich sehr gut an ihre Wespe. Die gehörte auch zu ihrer Beschreibung in der Fahndungsmeldung.

»Wie lange ging das so?«

»Einen Abend pro Woche, knapp drei Jahre lang. Ich war nur im Sommer Vollzeit dort, danach nur teilweise. Der Juniortrainer, Putte Karlsson, trainierte weiter mit Salander. Dann fing sie aber an zu arbeiten und hatte nicht mehr so oft Zeit, aber bis letztes Jahr kam sie immer noch ab und zu vorbei und trainierte. Ich habe sie ein paarmal getroffen und habe eine Sparringsrunde mit ihr geboxt. Das war ein gutes Training, danach war man richtig verschwitzt. Sie sprach fast nie mit jemandem. Und wenn kein Sparring angesagt war, konnte sie intensiv zwei Stunden auf den Sandsack einprügeln, als wäre es ihr Todfeind.«

23. Kapitel
Sonntag, 3. April – Montag, 4. April

Mikael machte zwei frische Espresso. Er bat um Entschuldigung, als er sich eine Zigarette anzündete, aber Paolo Roberto zuckte nur mit den Schultern. Mikael betrachtete ihn nachdenklich.

Paolo Roberto hatte das Image, ein Großmaul zu sein, das immer laut sagte, was er dachte. Ziemlich bald kam Mikael zu dem Schluss, dass er nicht nur ein Großmaul, sondern auch ein intelligenter und bescheidener Mensch war. Mikael erinnerte sich, dass Roberto einmal als Sozialdemokrat für den Reichstag kandidiert hatte. Irgendwie schien er immer mehr wie ein Mann, der auch was im Kopf hatte. Mikael spürte, dass er ihm ziemlich sympathisch war.

»Und warum kommen Sie mit Ihrer Story zu mir?«

»Salander sitzt ganz schön in der Tinte. Ich weiß nicht, was man tun soll, aber sie könnte schon einen Freund in ihrer Ringecke gebrauchen.«

Mikael nickte.

»Warum glauben Sie, dass Sie unschuldig ist?«, wollte Paolo Roberto wissen.

»Schwer zu erklären. Lisbeth ist ein wahnsinnig nachtragender Mensch, aber ich glaube einfach nicht an diese Story, dass sie Dag Svensson und Mia Bergman erschossen haben soll. Besonders Mia nicht. Zum einen, weil sie kein Motiv hatte …«

»Kein Motiv, das uns bekannt wäre.«

»Okay, Lisbeth hat wahrscheinlich kein Problem, Gewalt gegen jemanden anzuwenden, der es verdient hatte. Aber ich weiß nicht. Ich habe Bublanski herausgefordert, den Polizisten, der die Ermittlungen leitet. Ich glaube, dass es einen Grund gab, dass Dag und Mia ermordet wurden. Und ich glaube, dass dieser Grund in der Reportage zu finden ist, an der Dag arbeitete.«

»Wenn Sie recht haben, dann braucht Salander nach ihrer Festnahme nicht nur jemanden, der ihr die Hand hält – dann braucht sie auch noch eine ganz andere Art von Unterstützung.«

»Ich weiß.«

Paolo Roberto bekam ein gefährliches Glitzern in den Augen.

»Wenn sie tatsächlich unschuldig ist, dann ist sie das Opfer eines der größten Justizskandale der Geschichte geworden. Sie ist von Medien und Polizei als Mörderin hingestellt worden, und dann dieser ganze Scheiß, der über sie geschrieben wurde …«

»Ich weiß.«

»Was können wir also unternehmen? Kann ich Ihnen irgendwie behilflich sein?«

Mikael überlegte kurz.

»Die größte Hilfe wäre es natürlich, wenn wir einen weiteren Verdächtigen vorweisen könnten. Daran arbeite ich derzeit. Die zweitgrößte Hilfe wäre, dass wir sie zu fassen kriegen, bevor die Polizei sie erschießen kann. Lisbeth ist ja nicht unbedingt die Art Mensch, der sich freiwillig ergibt.«

Paolo Roberto nickte.

»Und wie finden wir sie?«

»Ich weiß nicht. Aber es gibt da wirklich etwas, was Sie tun könnten. Rein praktisch, wenn Sie Zeit und Lust haben.«

»Meine Freundin ist nächste Woche verreist. Ich habe Zeit und Lust.«

»Okay, ich dachte daran, dass Sie doch Boxer sind ...«

»Ja?«

»Lisbeth hat da eine Freundin, Miriam Wu, von der Sie sicher gelesen haben.«

»Besser bekannt als die Bondage-Sadomaso-Lesbe ... Ja, ja, von der hab ich gelesen.«

»Ich habe ihre Handynummer und habe versucht, sie anzurufen. Sobald sie hört, dass ein Journalist am anderen Ende ist, legt sie auf.«

»Ich kann sie verstehen.«

»Ich habe nicht wirklich Zeit, Miriam Wu hinterherzulaufen. Aber ich habe gelesen, dass sie Kickboxen trainiert hat. Ich dachte, wenn ein berühmter Boxer mit ihr Kontakt aufnimmt ...«

»Verstehe. Und Sie hoffen, dass sie uns zu Salander führen kann.«

»Als die Polizei mit ihr sprach, meinte sie, dass sie keine Ahnung hat, wo Lisbeth wohnt. Aber es wäre einen Versuch wert.«

»Geben Sie mir ihre Nummer. Ich werd's versuchen.«

Mikael gab ihm die Handynummer und die Adresse in der Lundagatan.

Gunnar Björck hatte das Wochenende damit zugebracht, seine Situation zu analysieren. Seine Zukunft hing am seidenen Faden. Alles kam darauf an, dass er seine schlechten Karten gut ausspielte.

Mikael Blomkvist war ein verdammtes Schwein. Sehr fraglich, ob er sich überreden ließ, seinen Mund zu halten über ... über die Tatsache, dass Björck die Dienste dieser verdammten Mädchen in Anspruch genommen hatte. Was er gemacht hatte, war strafbar, und er bezweifelte nicht, dass man ihn feuerte, wenn die Sache herauskam. Die Zeitungen würden ihn in Stücke reißen. Ein Sicherheitspolizist, der minderjährige Prostituierte missbrauchte … wenn diese verdammten Fotzen wenigstens nicht so jung gewesen wären.

Aber wenn er jetzt untätig herumsaß, besiegelte er nur sein Schicksal. Björck hatte Mikael Blomkvist klugerweise nichts erzählt. Er hatte sein Gesicht beobachtet und seine Reaktionen registriert. Der Mann wollte unbedingt Informationen. Aber für die würde er bezahlen müssen. Und der Preis war sein Schweigen. Das war der einzige Ausweg.

Zala freilich fügte den Mordermittlungen eine völlig neue Gleichung hinzu.

Dag Svensson war hinter Zala her gewesen.

Bjurman hatte Zala gesucht.

Und Kommissar Gunnar Björck war der Einzige, der von der Verbindung zwischen Zala und Bjurman wusste, was wiederum bedeutete, dass Zala ein Verbindungsglied zwischen Enskede und Odenplan darstellte.

Das warf ein weiteres dramatisches Problem für Gunnar Björck auf. Er hatte Bjurman überhaupt erst die Informationen über Zalatschenko gegeben – in aller Freundschaft und ohne darüber nachzudenken, dass sie immer noch der Geheimhaltung unterlagen. Es war nur eine Bagatelle, aber es bedeutete, dass er sich noch einer strafbaren Handlung schuldig gemacht hatte.

Außerdem hatte er sich seit Mikael Blomkvists Besuch am Freitag eines weiteren Verbrechens schuldig gemacht. Er war Polizist, und wenn er sachdienliche Informationen zu Mordermittlungen hatte, dann war es seine Pflicht, sich mit diesen Informationen unmittelbar an die Polizei zu wenden. Aber wenn er sie an Bublanski oder Staatsanwalt Ekström weitergab, zog er sich gleichzeitig selbst mit hinein. Und alles würde öffentlich werden. Nicht die Nutten, aber die Zalatschenko-Geschichte.

Am Samstag stattete er seinem Arbeitsplatz bei der Sicherheitspolizei in Kungsholmen einen eiligen Besuch ab. Er hatte alle alten Papiere zu Zalatschenko herausgeholt und das Material durchgelesen. Er selbst hatte diese Berichte damals geschrieben, aber das war lange her. Das älteste Dokument war schon fast dreißig Jahre alt. Das neueste zehn Jahre.

Zalatschenko.

Ein aalglatter Scheißkerl.

Zala.

Gunnar Björck hatte den Spitznamen im Bericht selbst angeführt, konnte sich jedoch nicht erinnern, ihn jemals benutzt zu haben.

Aber die Verbindung war sonnenklar. Zu Enskede. Zu Bjurman. Und zu Salander.

Gunnar Björck dachte nach. Er verstand noch nicht, wie alle Puzzleteilchen zusammenhingen, aber er glaubte zu verstehen, warum Lisbeth Salander nach Enskede gefahren war. Außerdem konnte er sich leicht vorstellen, dass Salander sich von einem Wutausbruch hatte hinreißen lassen, Dag Svensson und Mia Bergman zu erschießen, weil sie sich geweigert hatten, mit ihr zusammenzuarbeiten, oder sie irgendwie provoziert hatten. Sie hatte ein Motiv, das vielleicht nur Gunnar Björck und zwei, drei andere Menschen in diesem Land verstehen konnten.

Die ist doch total geisteskrank. Ich hoffe, dass die Polizei sie bei der Festnahme erschießt. Sie weiß alles. Sie kann alle hochgehen lassen, wenn sie auspackt.

Aber wie angestrengt Björck auch nachdachte, der einzig mögliche Ausweg für ihn persönlich war und blieb Mikael Blomkvist. Er merkte, wie seine Verzweiflung von Tag zu Tag wuchs. Er musste Blomkvist einfach dazu bringen, ihn wie eine heimliche Quelle zu behandeln und Schweigen zu bewahren über seine … pikanten Fehltritte mit diesen verdammten Nutten. *Verdammt noch mal, wenn Salander diesem Blomkvist doch nur den Kopf wegblasen würde.*

Er blickte auf Zalatschenkos Telefonnummer und wog die Vor- und Nachteile der Kontaktaufnahme ab. Er konnte sich nicht entschließen.

Mikael hatte es sich zur Gewohnheit gemacht, das Ergebnis seiner Nachforschungen stets schriftlich zusammenzufassen. Als Paolo Roberto gegangen war, beschäftigte er sich eine Stunde damit. In einem Journal, das einem Tagebuch ähnelte, ließ er seinen Gedanken freien Lauf, während er gleichzeitig alle Gespräche, Treffen und Recherchen aufzeichnete. Dieses Dokument verschlüsselte er jeden Tag mit PGP und mailte Kopien an Erika Berger und Malin Eriksson, sodass seine Mitarbeiter immer auf dem aktuellen Stand waren.

Dag Svensson hatte sich in den letzten Wochen vor seinem Tod auf Zala konzentriert. Der Name war in seinem letzten Telefonat mit Mikael aufgetaucht, nur zwei Stunden vor dem Mord. Und Gunnar Björck behauptete, etwas über Zala zu wissen.

Mikael schrieb fünfzehn Minuten an einer Zusammenfassung seiner Nachforschungsergebnisse zu Björck, die nicht allzu umfassend waren.

Gunnar Björck war 62 Jahre alt, unverheiratet, geboren in Falun. Er arbeitete seit seinem 21. Lebensjahr bei der Polizei. Angefangen hatte er als Streife, aber dann studierte er Jura und bekam schon mit 26 oder 27 eine Stelle bei der Geheimpolizei. Das war 1969 oder 1970, am Ende von Per Gunnar Vinges Zeit als Chef der Sicherheitspolizei.

Vinge wurde gefeuert, weil er in einem Gespräch mit dem Landeshauptmann von Norrbotten, Ragnar Lassinanti, behauptet hatte, Olof Palme sei ein Spion der Russen gewesen. Dann kam der Palme-Mord, der innerhalb der Polizei einen Skandal nach dem anderen auslöste. Mikael hatte keine Ahnung, was für eine Rolle Gunnar Björck in dem Drama der letzten dreißig Jahre in der Geheimpolizei gespielt hatte – wenn er denn eine gespielt hatte.

Björcks Karriere zwischen 1970 und 1985 war im Großen und Ganzen ein weißes Blatt, was nicht überraschen konnte, da die Tätigkeiten der Sicherheitspolizei allesamt der Geheimhaltung unterlagen. Er konnte Bleistifte gespitzt haben, aber genauso gut Geheimagent in China gewesen sein. Letzteres war jedoch unwahrscheinlich.

Im Oktober 1985 war Björck nach Washington gezogen, wo er zwei Jahre in der Schwedischen Botschaft Dienst tat. Ab 1988 war er wieder bei der Sicherheitspolizei in Stockholm. 1996 trat er insofern mehr ins Licht der Öffentlichkeit, als er zum Vizebürochef der Auslandsabteilung ernannt wurde. Was er genau machte, war Mikael nicht näher bekannt. Nach 1996 hatte Björck bei mehreren Gelegenheiten mit den Massenmedien gesprochen, anlässlich der Ausweisung des einen oder anderen verdächtigen Arabers. 1998 wurde man auf ihn aufmerksam, weil er mehrere irakische Diplomaten des Landes verwiesen hatte.

Was hat das alles mit Lisbeth Salander und den Morden an Dag und Mia zu tun? Wahrscheinlich überhaupt nichts.

Aber Gunnar Björck wusste etwas über Zala.

Also musste es auch einen Zusammenhang geben.

Erika Berger hatte niemandem erzählt, dass sie zum Großen Drachen wechseln wollte, der *Svenska Morgon-Posten* – nicht einmal ihrem Mann, vor dem sie sonst nie Geheimnisse hatte. Ihr blieb noch ungefähr ein Monat bei *Millennium*. Und sie hatte Angst. Sie wusste, dass die Zeit ihr nur so durch die Finger rinnen würde, und plötzlich wäre ihr letzter Tag als Chefredakteurin gekommen.

Außerdem nagte an ihr noch die Sorge um Mikael. Als sie seine letzte Mail gelesen hatte, war ihr das Herz in die Hose gerutscht. Sie erkannte die Anzeichen sofort wieder. Das war genau dieselbe Sturheit wie vor zwei Jahren in Hedestad und dieselbe Besessenheit, mit der er Wennerström angegriffen hatte. Seit Gründonnerstag existierte für ihn nichts anderes mehr als die Aufgabe, den Mörder von Dag und Mia zu finden und irgendwie Lisbeth Salanders Unschuld zu beweisen.

Obwohl sie vollauf mit diesem Projekt sympathisierte – Dag und Mia waren schließlich auch ihre Freunde gewesen –, gab es da doch eine Seite an Mikael, die ihr nicht ganz geheuer war. Er kannte keine Rücksichten mehr, wenn er erst einmal Blut geleckt hatte.

Er hatte sie tags zuvor angerufen und ihr erzählt, wie er Bublanski herausgefordert hatte – wieder so ein überflüssiges Kräftemessen. In genau diesem Moment war ihr klar geworden, dass ihn die Suche nach Lisbeth Salander für einen nicht vorhersehbaren Zeitraum voll und ganz vereinnahmen würde. Aus Erfahrung wusste sie, dass mit ihm nichts anzufangen war, bis er das Problem gelöst hatte. Er würde zwischen Egozentrik und Depression pendeln. Und vermutlich auch Risiken eingehen, die völlig unnötig waren.

Und dann noch Lisbeth Salander. Erika war ihr ein einziges Mal begegnet und wusste zu wenig über dieses sonderbare Mädchen, um Mikaels Gewissheit teilen zu können, dass sie unschuldig war. Was, wenn Bublanski doch recht hatte? Was, wenn sie doch schuldig war? Was, wenn Mikael sie fand und plötzlich einer durchgedrehten Irren gegenüberstand, die eine Schusswaffe in der Hand hielt?

Der überraschende Anruf von Paolo Roberto am Morgen hatte sie auch nicht gerade beruhigt. Natürlich war es gut, dass Mikael nicht mehr der einzige Mensch war, der auf Salanders Seite stand, aber Paolo Roberto war ja auch wieder so ein verdammter Macho.

Außerdem musste sie einen Nachfolger für ihren Posten finden, der das Ruder bei *Millennium* übernehmen konnte. Allmählich eilte es. Sie überlegte, ob sie Christer Malm anrufen und das Ganze mit ihm besprechen sollte, aber dann fiel ihr ein, dass sie ihn nicht einweihen konnte, wenn sie es Mikael weiterhin verheimlichen wollte.

Mikael war ein fantastischer Reporter, aber als Chefredakteur wäre er eine Katastrophe. In dieser Hinsicht stand Christer ihr bedeutend näher, aber sie war nicht sicher, ob Christer das Angebot annehmen würde. Malin war zu jung und zu unsicher, Monika Nilsson zu egozentrisch. Henry Cortez war ein guter Reporter, aber viel zu jung und unerfahren. Lottie Karim war zu weich. Und sie war nicht sicher, ob Christer und Mikael mit einem Neuen einverstanden wären.

Eine schöne Bescherung war das alles.

So wollte sie ihre Jahre bei *Millennium* nicht beschließen.

Am Sonntagabend öffnete Lisbeth Salander wieder *Asphyxia 1.3* und ging auf die gespiegelte Festplatte von *MikBlom/Laptop*. Sie stellte fest, dass er gerade nicht im Netz war, und sah daher erst mal durch, was sich in den letzten zwei Tagen Neues ergeben hatte.

Sie las sein Recherchetagebuch und fragte sich, ob er vielleicht nur wegen ihr so detaillierte Aufzeichnungen führte, und wenn ja, was er damit ausdrücken wollte. Selbstverständlich wusste er, dass sie in seinem Computer war, also lag die Schlussfolgerung auf der Hand, dass sie lesen sollte, was er schrieb. Die Frage war jedoch, was er nicht aufschrieb. Er konnte bestimmen, welche Informationen sie bekam oder auch nicht bekam. Sie bemerkte nebenbei, dass er in der Zwischenzeit wohl nicht viel mehr zuwege gebracht hatte, als Bublanski zu einem Duell um ihre eventuelle Unschuld herauszufordern. Irgendwie ärgerte sie sich darüber. Mikael Blomkvist gründete seine Schlüsse nicht auf Fakten, sondern auf Gefühle. *Naiver Dummkopf.*

Aber er konzentrierte sich jetzt auch auf Zala. *Richtig gedacht, Kalle Blomkvist.* Sie fragte sich, ob er sich jemals für Zala interessiert hätte, wenn sie ihm nicht den Namen geschickt hätte.

Dann stellte sie mit gelinder Verwunderung fest, dass auf

einmal Paolo Roberto auf der Bildfläche erschienen war. Das war eine erfreuliche Neuigkeit. Plötzlich musste sie lächeln. Sie mochte den großmäuligen Mistkerl. Er war ein Macho bis in die Fingerspitzen. Er schlug ganz schön zu, wenn sie zusammen in den Ring stiegen. Soll heißen: Die wenigen Male, die er traf, schlug er ganz schön zu.

Als sie jedoch Mikael Blomkvists letzte Mail an Erika Berger entschlüsselte, setzte sie sich kerzengerade auf ihrem Stuhl auf.

Gunnar Björck, Sicherheitspolizei, hat Informationen über Zala.

Gunnar Björck kennt Bjurman.

Lisbeths Blick war in unbestimmte Weiten gerichtet, als sie im Kopf ein Dreieck zeichnete. Zala. Bjurman. Björck. *Yes, that makes sense.* Aus dieser Perspektive hatte sie das Problem noch nicht betrachtet. Mikael Blomkvist war vielleicht doch nicht so blöd. Aber den Zusammenhang verstand er trotzdem noch nicht. Sie verstand ihn ja selbst nicht einmal, obwohl sie wesentlich mehr über die Dinge wusste, die hier vorgefallen waren. Sie dachte ein Weilchen über Bjurman nach und kam zu der Erkenntnis, dass seine Bekanntschaft mit Björck ihm mehr Wichtigkeit verlieh, als sie jemals geahnt hätte.

Sie stellte fest, dass sie wahrscheinlich einen Besuch in Smådalarö machen musste.

Dann ging sie auf Mikaels Festplatte und legte ein neues Dokument im Ordner »LISBETH SALANDER« an, das sie »Ringecke« nannte. Nächstes Mal, wenn er sein iBook startete, würde er es entdecken.

1. Bleib weg von Teleborian. Er ist böse.
2. Miriam Wu hat absolut gar nichts mit dieser Sache zu tun.
3. Du machst das Richtige, wenn Du Dich auf Zala konzentrierst. Er ist der Schlüssel. Aber Du wirst ihn in keinem Register finden.

4. Es gibt eine Verbindung zwischen Bjurman und Zala. Ich weiß nicht, was für eine, aber ich arbeite dran. Björck?
5. Wichtig: Es existiert ein belastender polizeilicher Untersuchungsbericht über mich vom Februar 1991. Ich weiß das Aktenzeichen nicht und kann ihn nicht finden. Warum hat Ekström den nicht an die Medien weitergegeben? Schlussfolgerung: Er weiß nichts davon. Wie ist das möglich?

Sie überlegte ein Weilchen und fügte dann noch einen Absatz hinzu.

P. S.: Mikael, ich bin nicht unschuldig. Aber ich habe Dag und Mia nicht erschossen und habe auch nichts mit diesen Morden zu tun. Ich habe sie am Abend kurz vor den Morden getroffen, bin aber vorher gegangen. Danke, dass Du an mich glaubst. Schöne Grüße an Paolo, sein linker Haken ist zu schwach.

Sie überlegte noch einmal kurz, dann musste sie sich eingestehen, dass es an einem Informationsjunkie ihres Kalibers einfach zu sehr zehrte, nicht genau Bescheid zu wissen. Sie schrieb noch eine Zeile.

P. S. 2: Woher weißt Du das mit Wennerström?

Mikael Blomkvist fand Lisbeths Dokument knapp drei Stunden später. Er las den Brief mindestens fünf Mal Zeile für Zeile. Zum ersten Mal hatte sie ein klares Statement abgegeben, dass sie Dag und Mia nicht ermordet hatte. Er glaubte ihr und war kolossal erleichtert. Und endlich sprach sie wieder mit ihm, wenn auch kryptisch wie immer.

Er bemerkte auch, dass sie nur die Morde an Dag und Mia leugnete, Bjurman jedoch nicht erwähnte. Wie Mikael annahm, lag es daran, dass er in seiner Mail auch nur von Dag und Mia gesprochen hatte. Nachdem er eine Weile überlegt hatte, schrieb er »Ringecke 2«.

Hallo Sally,
danke, dass Du endlich gesagt hast, dass Du unschuldig bist. Ich habe an Dich geglaubt, aber das ganze Getöse in den Medien hat mich auch nicht ganz unberührt gelassen, und manchmal kam ich ins Zweifeln. Verzeih mir. Es war schön, es direkt aus Deiner Tastatur zu hören.
Dann muss jetzt nur noch der wirkliche Mörder enttarnt werden. Das haben wir ja schon mal geschafft. Es würde allerdings helfen, wenn Du nicht immer so kryptisch wärst.
Ich nehme an, Du liest mein Recherchetagebuch. Dann weißt Du ja so ungefähr, was ich mache und wie ich argumentiere. Ich glaube, dass Björck etwas weiß, und werde in den nächsten Tagen noch mal mit ihm sprechen. Bin ich auf der falschen Spur, wenn ich all die Freier abklappere?
Das mit dem polizeilichen Ermittlungsbericht überrascht mich. Ich werde meine Mitarbeiterin Malin darauf ansetzen. Wie alt warst Du da, 12, 13 Jahre? Worum ging es bei den Ermittlungen?
Deine Einstellung zu Teleborian ist hiermit zur Kenntnis genommen.
M

P. S.: Beim Wennerström-Coup hast Du einen Fehler gemacht. Ich wusste schon während der Weihnachtsferien in Sandhamn, was Du getan hattest, habe aber nicht gefragt, weil Du nichts erwähnt hast. Und wenn ich Dir verraten soll, wo der Fehler war, kommst Du unter einer Tasse Kaffee nicht weg.

Die Antwort kam knapp drei Minuten später.

Die Freier kannst Du getrost vergessen. Nur Zala ist interessant. Und ein blonder Riese. Aber der Ermittlungsbericht ist auch interessant, weil irgendjemand ihn anscheinend verheimlichen will. Das kann kein Zufall sein.

Staatsanwalt Ekström war ziemlich mieser Laune, als er Bublanskis Team am Montag zur Morgenbesprechung zusammenrief. Seit über einer Woche fahndeten sie völlig ergebnislos nach einer namentlich bekannten Verdächtigen mit sehr ausgefallenem Äußeren. Ekströms Laune verbesserte sich auch nicht, als Curt Svensson, der am Wochenende Bereitschaftsdienst gehabt hatte, ihn über die jüngsten Entwicklungen informierte.

»Unbefugt eingedrungen?«, wiederholte Ekström verblüfft.

»Der Nachbar rief am Sonntagabend an, als er zufällig merkte, dass das Absperrband an Bjurmans Tür durchgeschnitten worden war. Ich bin hingefahren und hab es mir angesehen.«

»Und?«

»Das Band war an drei Stellen durchgeschnitten. Wahrscheinlich eine Rasierklinge oder ein Teppichmesser. Professionell gemacht. Es war kaum zu sehen.«

»Ein Einbruch? Es gibt Kriminelle, die sich auf verstorbene …«

»Kein Einbruch. Ich bin durch die Wohnung gegangen. Alle normalen Wertgegenstände, Video und all so was, waren noch da. Dafür lag aber Bjurmans Autoschlüssel auf dem Küchentisch.«

»Autoschlüssel?«, wiederholte Ekström.

»Holmberg war am Mittwoch in der Wohnung, um noch mal zu kontrollieren, ob uns irgendwas entgangen ist. Er hat sich unter anderem auch das Auto angesehen. Und er schwört, dass kein Autoschlüssel auf dem Küchentisch lag, als er die Wohnung verließ und das Absperrband anbrachte.«

»Könnte er den Schlüssel nicht einfach vergessen haben? Niemand ist unfehlbar.«

»Holmberg hat ihn gar nicht benutzt, sondern nur den Zweitschlüssel, der an Bjurmans Schlüsselbund hing und den wir bereits beschlagnahmt hatten.«

Bublanski strich sich übers Kinn.

»Also kein normaler Einbruch?«

»Jemand ist unbefugt eingedrungen und hat herumgeschnüffelt. Es muss zwischen Mittwoch und Sonntagabend passiert sein, als der Nachbar feststellte, dass die Versiegelung aufgebrochen war.«

»Mit anderen Worten, jemand hat etwas gesucht ... Jerker?«

»Da gibt es nichts, was wir nicht sowieso schon beschlagnahmt hätten.«

»Soweit wir wissen jedenfalls. Das Mordmotiv ist immer noch völlig unklar. Wir sind davon ausgegangen, dass Salander eine Psychopathin ist, aber auch Psychopathen brauchen ein Motiv.«

»Was schlagen Sie also vor?«

»Ich weiß nicht. Irgendjemand durchsucht Bjurmans Wohnung. Da stellen sich zwei Fragen: Erstens: Wer? Zweitens: Warum? Was ist uns entgangen?«

Einen Moment herrschte Schweigen im Zimmer.

»Jerker ...«

Holmberg seufzte resigniert.

»Okay. Ich fahr zu Bjurman und geh die Wohnung noch mal durch. Mit der Pinzette.«

Lisbeth Salander erwachte am Montagmorgen um elf. Sie blieb noch eine halbe Stunde liegen, bevor sie aufstand, Kaffee aufsetzte und duschen ging. Als sie ihre Morgentoilette beendet hatte, machte sie sich zwei Brote und setzte sich an ihr PowerBook, um zu erfahren, was sich in letzter Zeit in Ekströms

Computer getan hatte, und um die Internetausgaben diverser Tageszeitungen zu lesen. Dabei konnte sie feststellen, dass das Interesse an den Enskede-Morden bereits abgenommen hatte. Dann öffnete sie Dag Svenssons Rechercheordner und las sorgfältig die Notizen seines Gesprächs mit dem Journalisten Per-Åke Sandström, dem Freier, der für die Sexmafia den Laufburschen gespielt hatte und ebenfalls irgendetwas über Zala wusste. Dann goss sie sich Kaffee nach, setzte sich in den Fenstersturz und überlegte.

Gegen vier hatte sie fertig überlegt.

Sie brauchte Geld. Sie hatte drei Kreditkarten. Eine davon war auf den Namen Lisbeth Salander ausgestellt und damit praktisch nicht verwendbar. Eine andere lief auf Irene Nesser, aber Lisbeth vermied die Benutzung, weil sie sich dann mit Irene Nessers Pass ausweisen musste, und das stellte ein Risiko dar. Die letzte war auf Wasp Enterprises ausgestellt und gehörte zu einem Konto, das knapp zehn Millionen Kronen enthielt und per Überweisung aus dem Internet aufgefüllt werden konnte. Diese Karte konnte jeder benutzen, musste sich aber selbstverständlich ausweisen.

Sie ging in die Küche, öffnete eine Keksdose und nahm ein Bündel Scheine heraus. Sie hatte 950 Kronen in bar, das war ziemlich wenig. Gott sei Dank besaß sie auch noch 1800 amerikanische Dollar, die seit ihrer Rückkehr nach Schweden hier herumgelegen hatten und in jeder Wechselstube anonym eingetauscht werden konnten. Das verbesserte die Lage schon mal.

Sie setzte Irene Nessers Perücke auf, zog sich ordentlich an und packte Kleider zum Wechseln sowie eine Make-up-Tasche mit Theaterschminke in einen Rucksack. Danach verließ sie Mosebacke für ihre zweite Expedition. Sie ging bis zur Folkungagatan und weiter zur Erstagatan, wo sie kurz vor Ladenschluss Watski aufsuchte, ein Fachgeschäft für Segelzubehör. Dort kaufte sie Isolierband, einen Flaschenzug und eine Winde sowie acht Meter Ankerleine aus Baumwolle.

Mit dem 66er-Bus fuhr sie zurück. Am Medborgarplatsen sah sie eine Frau auf den Bus warten. Im ersten Moment erkannte sie sie nicht wieder, aber dann ging die Alarmglocke in ihrem Kopf los, und auf den zweiten Blick identifizierte sie Irene Flemström, die Lohnbuchhalterin von Milton Security. Sie hatte sich eine neue und flottere Frisur zugelegt. Lisbeth schlüpfte unauffällig aus dem Bus, als Flemström zustieg. Sie passte sorgfältig auf und hielt unaufhörlich nach bekannten Gesichtern Ausschau. Schließlich ging sie zur Södra station, wo sie den Vorortzug Richtung Norden nahm.

Erika Berger schüttelte Kriminalinspektorin Sonja Modig die Hand und bot ihr sogleich einen Kaffee an.

»Tassen von diversen Wahlpartys und Interviews«, erklärte Erika und reichte ihr eine Tasse mit dem Logo der Jungen Liberalen.

Sonja Modig verbrachte drei Stunden an Dag Svenssons Schreibtisch. Dabei wurde sie von der Redaktionssekretärin Malin Eriksson unterstützt, damit sie zum einen verstand, worum es in Dag Svenssons Buch und Artikel ging, und sich zum anderen überhaupt in dem ganzen Material zurechtfand. Sonja Modig war verblüfft, als sie den Umfang der Recherchen erkannte. Es war bei den Ermittlungen sehr frustrierend gewesen, dass Dag Svenssons Computer verschwunden war und man seine Arbeit daher nicht in Augenschein nehmen konnte. Dabei hatte in der *Millennium*-Redaktion die ganze Zeit über ein Back-up des Materials gelegen.

Mikael Blomkvist war nicht in der Redaktion, aber Erika Berger gab Sonja Modig ein Verzeichnis über das Material, das er von Dag Svenssons Schreibtisch entfernt hatte – nur solches, das geheime Quellen hätte identifizieren können. Schließlich rief sie Bublanski an und erklärte ihm die Situation. Sie beschlossen, sämtliches Material auf Dag Svenssons Schreibtisch, inklusive den Computer von *Millennium*, aus ermittlungstechnischen Gründen zu beschlagnahmen. Wenn man es danach für angemessen erachtete, sollte der Leiter der Voruntersuchung auch die Herausgabe des aussortierten Materials fordern. Anschließend fertigte Sonja Modig ein Beschlagnahmungsprotokoll an und ließ sich von Henry Cortez helfen, die Gegenstände zu ihrem Auto zu tragen.

Am Montagabend war Mikael zutiefst frustriert. Seit der letzten Woche hatte er insgesamt zehn Namen von Dag Svenssons Liste abgearbeitet. Jedes Mal hatte er besorgte, aufgeregte und schockierte Männer angetroffen. Er stellte fest, dass das Durchschnittseinkommen dieser Herren bei ungefähr 400 000 Kronen pro Jahr lag. Eine pathetische Sammlung verängstigter Männer.

Er hatte jedoch kein einziges Mal erlebt, dass jemand im Zusammenhang mit den Morden an Dag Svensson und Mia Bergman etwas zu verbergen gehabt hätte. Im Gegenteil, die meisten Männer, mit denen er gesprochen hatte, schienen einzusehen, dass es ihre Situation bei zu erwartender Medienhetze nur verschlimmern würde, wenn ihre Namen auch noch mit einem Mord in Verbindung gebracht würden.

Mikael machte sein iBook auf und sah nach, ob etwas Neues von Lisbeth gekommen war. Nichts. In ihrer letzten Mail hatte sie behauptet, die Freier seien uninteressant, und er verschwende nur seine Zeit. Er verfluchte sie mit einer Tirade, die Erika Berger sexistisch, aber innovativ genannt hätte. Mikael hatte Hunger, wollte sich jedoch nichts zu essen machen. Außerdem hatte er seit zwei Wochen nicht mehr eingekauft, abgesehen von ein paar Litern Milch. Also zog er seine Jacke über und ging in die griechische Taverne in der Hornsgatan, wo er sich einen gegrillten Lammspieß bestellte.

Lisbeth Salander ging zuerst ins Treppenhaus, dann drehte sie in der Dämmerung zwei diskrete Runden um die Nachbarhäuser. Es war ein niedriges Lamellenhaus, das sie als hellhörig einschätzte und nicht unbedingt das Ideale für ihre Pläne war. Der Journalist Per-Åke Sandström wohnte in einer Eckwohnung im dritten Stock, der gleichzeitig der oberste war. Das Treppenhaus ging noch bis zur Dachbodentür. Das war akzeptabel.

Das Problem war freilich, dass alle Fenster seiner Wohnung dunkel waren, was darauf hindeutete, dass der Besitzer nicht zu Hause war.

Sie ging ein paar Blocks weiter in eine Pizzeria, wo sie sich eine Pizza Hawaii bestellte und sich in eine Ecke setzte, um die Abendzeitungen zu lesen. Um kurz vor neun kaufte sie sich einen Kaffee am Zeitungskiosk und ging zurück zu Sandströms Haus. Es war immer noch dunkel. Schließlich ging sie hinein und setzte sich auf den Treppenabsatz vorm Dachboden, von wo aus sie Sandströms Wohnungstür im Auge behalten konnte. Während sie wartete, trank sie ihren Kaffee.

Schließlich gelang es Kriminalinspektor Hans Faste, Cilla Norén aufzuspüren, die 28-jährige Leadsängerin der Satanistengruppe *Evil Fingers*. Er fand sie im Studio von Recent Trash Records in einem alten Industriegebäude in Älvsjö. Eine Kulturkollision, deren Ausmaß ungefähr der ersten Begegnung der Portugiesen mit den karibischen Indianern entsprach.

Cilla Norén hatte pechschwarze lange Haare mit roten und grünen Strähnchen sowie schwarzes Make-up. Sie war eher rundlich und trug ein kurzes Shirt, das einen Bauch mit gepierctem Nabel entblößte. Um die Hüften trug sie einen Nietengürtel. Sie sah aus, als wäre sie einem französischen Horrorfilm entstiegen.

Faste hielt seinen Polizeiausweis hoch und bat sie um ein Gespräch. Sie kaute Kaugummi und sah ihn skeptisch an. Schließlich zeigte sie auf eine Tür und führte ihn in eine Art Pausenraum. Fast wäre er über eine Mülltüte gestolpert, die genau am Eingang stand. Cilla Norén ließ Wasser in eine leere Plastikflasche laufen, trank ungefähr die Hälfte davon aus, setzte sich an einen Tisch und steckte sich eine Zigarette an. Sie fixierte Hans Faste mit ihren hellblauen Augen. Der wusste plötzlich nicht mehr, wo er anfangen sollte.

»Was ist Recent Trash Records?«

Sie wirkte gelangweilt.

»Das ist eine Plattenfirma, die neue junge Bands produziert.«

»Und was spielen Sie hier für eine Rolle?«

»Ich bin die Tontechnikerin.«

Faste sah sie an.

»Haben Sie eine Ausbildung dafür?«

»Nee. Hab ich mir selbst beigebracht.«

»Kann man davon leben?«

»Warum fragen Sie?«

»Ich frag nur so. Ich nehme an, Sie haben in letzter Zeit von Lisbeth Salander gelesen?«

Sie nickte.

»Man hat uns gesagt, dass Sie sie kennen. Stimmt das?«

»Kann schon sein.«

»Stimmt es oder stimmt es nicht?«

»Kommt ganz drauf an, worauf Sie hinauswollen.«

»Ich will eine entlaufene Irre und dreifache Mörderin finden. Ich will Informationen über Lisbeth Salander.«

»Ich habe seit letztem Jahr nichts mehr von Lisbeth gehört.«

»Wann haben Sie sie zum letzten Mal gesehen?«

»Irgendwann im Herbst vor zwei Jahren. In der ›Mühle‹. Da ging sie regelmäßig hin, aber dann tauchte sie auf einmal nicht mehr auf.«

»Haben Sie versucht, mit ihr Kontakt aufzunehmen?«

»Ich hab es ein paarmal auf ihrem Handy probiert. Kein Anschluss unter dieser Nummer.«

»Und Sie wissen nicht, wo Sie sie erreichen könnten?«

»Nein.«

»Wer sind die *Evil Fingers*?«

Cilla Norén wirkte amüsiert.

»Haben Sie keine Zeitung gelesen?«

»Warum?«

»Da steht doch drin, dass wir eine Satanistengruppe sind.«

»Sind Sie das?«

»Sehe ich aus wie eine Satanistin?«

»Wie sieht eine Satanistin denn aus?«

»Also, ich weiß ja nicht, wer bescheuerter ist – die Polizei oder die Zeitungen.«

»Jetzt hören Sie mir mal gut zu, junge Dame, das war eine ernsthafte Frage.«

»Ob wir Satanistinnen sind?«

»Beantworten Sie meine Fragen, und hören Sie auf, hier dummes Zeug zu reden.«

»Und wie lautet die Frage?«

Hans Faste schloss für eine Sekunde die Augen und dachte an einen Besuch, den er vor ein paar Jahren einem griechischen Polizeirevier auf einer Urlaubsreise abgestattet hatte. Trotz aller Probleme hatten sie dort einen großen Vorteil vor ihren schwedischen Kollegen. Wenn Cilla Norén sich in Griechenland so verhalten würde, hätte man sie gefesselt und ihr drei Hiebe mit dem Schlagstock verpasst. Er sah sie an.

»War Lisbeth Salander Mitglied der *Evil Fingers*?«

»Wohl eher nicht.«

»Was meinen Sie damit?«

»Lisbeth war wahrscheinlich der taubste Mensch, der mir jemals begegnet ist.«

»Taub?«

»Sie konnte so grade eine Trompete von einer Trommel unterscheiden, aber das war's auch schon.«

»Ich meine, ob sie Mitglied in der Band *Evil Fingers* war?«

»Hab ich doch schon gesagt. Was zum Teufel glauben Sie eigentlich, was die *Evil Fingers* sind?«

»Erzählen Sie es mir.«

»Sie ermitteln, indem Sie bekloppte Zeitungsartikel lesen.«

»Beantworten Sie meine Frage.«

»Die *Evil Fingers* waren eine Rockband. Wir waren eine Gruppe Mädels in den 90er-Jahren, die auf Hardrock standen und einfach aus Spaß Musik machten. Wir haben uns mit Pentagramm und ein bisschen *sympathy for the devil* vermarktet. Dann haben wir die Band aufgelöst. Ich bin die Einzige, die noch was mit Musik zu tun hat.«

»Und Lisbeth Salander war kein Mitglied der Band?«

»Wie ich schon sagte.«

»Warum behaupten unsere Quellen dann, dass Salander zur Band gehörte?«

»Weil Ihre Quellen genauso beknackt sind wie die Zeitungen.«

»Erläutern Sie das bitte näher.«

»Unsere Band bestand aus fünf Frauen, und wir treffen uns immer noch ab und zu. Früher trafen wir uns einmal die Woche in der ›Mühle‹. Mittlerweile ungefähr einmal im Monat. Aber wir halten Kontakt.«

»Und was machen Sie so, wenn Sie sich treffen?«

»Na, was glauben Sie, was man in der ›Mühle‹ macht?«

Hans Faste seufzte.

»Sie treffen sich also, um Schnaps zu trinken?«

»Wir trinken meistens Bier. Und reden irgendwelchen Mist. Was machen Sie denn, wenn Sie sich mit Ihren Kumpels treffen?«

»Und was hat Lisbeth Salander damit zu tun?«

»Ich habe sie bei Kom Vux kennengelernt, als ich 18 war. Sie ist ab und zu in der ›Mühle‹ aufgekreuzt und hat ein Bier mit uns getrunken.«

»Die *Evil Fingers* sind also nicht als Organisation zu betrachten?«

Cilla Norén bedachte ihn mit einem Blick, als käme er von einem anderen Planeten.

»Sind Sie Lesben?«

»Wollen Sie eins auf Maul?«

»Beantworten Sie meine Frage.«

»Was wir sind, geht Sie nichts an.«

»Hören Sie auf. Sie können mich nicht provozieren.«

»Bitte?! Die Polizei behauptet, Lisbeth Salander habe drei Menschen ermordet und kommt dann, um mich nach meinen sexuellen Vorlieben zu fragen. Sie können mich mal!«

»Ich kann Sie auch festnehmen lassen.«

»Aha, und weswegen? Übrigens, ich habe ganz vergessen, Ihnen zu erzählen, dass ich seit drei Jahren Jura studiere und mein Vater Ulf Norén von der Anwaltskanzlei Norén und Knape ist. *See you in court.*«

»Ich dachte, Sie arbeiten mit Musik.«

»Das tue ich, weil es mir Spaß macht. Glauben Sie etwa, damit kann ich meinen Lebensunterhalt verdienen?«

»Ich habe keine Ahnung, womit Sie Ihren Lebensunterhalt verdienen.«

»Ich verdiene meinen Lebensunterhalt jedenfalls nicht als lesbische Satanistin, wenn es das ist, was Sie meinen. Und wenn Sie mit diesen Vorgaben nach Lisbeth Salander fahnden, dann ist mir auch klar, warum Sie sie nicht fassen.«

»Wissen Sie, wo sie sich aufhält?«

Cilla Norén schaukelte mit dem Oberkörper hin und her und hob langsam die Hände.

»Ich spüre es, sie ist ganz nah … warten Sie, ich probiere es mal mit meinen telepathischen Kräften.«

»Hören Sie mit dem Unfug auf.«

»Sehen Sie, ich habe Ihnen schon gesagt, dass ich sie seit fast zwei Jahren nicht mehr gesehen habe. Ich habe keinen Schimmer, wo sie jetzt ist. Gibt's sonst noch was?«

Sonja Modig hatte Dag Svenssons Computer hochgefahren und den ganzen Abend über den Inhalt der Festplatte und der beigefügten ZIP-Discs katalogisiert. Um elf Uhr abends war sie immer noch auf und las Dag Svenssons Buch.

Sie kam zu zwei Erkenntnissen. Zum Ersten, dass Dag Svensson ein hervorragender Schriftsteller gewesen war, der eindringlich die Mechanismen des Mädchenhandels beschrieb. Sie wünschte, er hätte Vorlesungen an der Polizeihochschule halten können – seine Kenntnisse wären eine dringend nötige Ergänzung zum Unterricht gewesen. Hans Faste zum Beispiel war so ein Mensch, dem Svenssons Erkenntnisse zugute gekommen wären.

Zum Zweiten verstand sie plötzlich, warum Mikael Blomkvist meinte, Dags Recherchen könnten ein Mordmotiv abgeben. Denn mit der Veröffentlichung wären nicht nur ein paar Freier an den Pranger gestellt worden. Einige der Akteure, die in Prozessen gegen Sexualverbrecher Recht gesprochen oder sich an der öffentlichen Debatte beteiligt hatten, wären völlig vernichtet gewesen. Mikael Blomkvist hatte recht. Das Buch enthielt ein Mordmotiv.

Doch wo war die Verbindung zu Nils Bjurman? Der kam in Svenssons Unterlagen überhaupt nicht vor, was Blomkvists Argumentation nicht nur bedeutend schwächte, sondern eher das Bild von Lisbeth Salander als einzig möglicher Verdächtigen untermauerte.

Obwohl das Motiv für die Morde an Dag Svensson und Mia Bergman unklar war, hatte man Lisbeth Salander dennoch mit dem Tatort und der Mordwaffe in Verbindung bringen können. So klare Indizien ließen sich schwerlich anders interpretieren. Sie deuteten darauf hin, dass Salander diejenige war, die die tödlichen Schüsse in der Wohnung in Enskede abgegeben hatte.

Zudem stellte die Waffe einen direkten Zusammenhang mit dem Mord an Anwalt Bjurman her. In diesem Fall konnte es gar keinen Zweifel geben, dass eine persönliche Verbindung und außerdem ein mögliches Motiv vorlag – der künstlerischen Verzierung auf Bjurmans Bauch nach zu urteilen, konnte es sich um irgendeinen sexuellen Übergriff oder eine Art sadomasochistische Beziehung der beiden handeln. Es war kaum vorstellbar, dass Bjurman sich diese bizarre Tätowierung freiwillig zugelegt hatte. Möglicherweise fand er irgendeinen Genuss in seiner Erniedrigung, oder Salander – wenn sie denn für dieses Tattoo verantwortlich war – hatte dafür gesorgt, dass er sich nicht wehren konnte. Modig wollte sich gar nicht vorstellen, wie Letzteres abgelaufen sein könnte.

Peter Teleborian hatte bekräftigt, dass sich Lisbeth Salanders Gewalttätigkeit gegen Personen richtete, die sie aus verschiedensten Gründen als bedrohlich empfand oder die sie gekränkt hatten.

Sonja Modig dachte eine Weile über die Dinge nach, die Teleborian über Lisbeth Salander gesagt hatte. Er wirkte so, als wolle er seine ehemalige Patientin schützen und vor Unheil bewahren. Gleichzeitig bauten die Ermittlungen in hohem Maße auf seiner Analyse auf – eine Soziopathin an der Grenze zur Psychose.

Mikael Blomkvists Theorie sagte ihr mehr zu.

Sie biss sich leicht auf die Unterlippe, während sie versuchte, sich ein Szenario vorzustellen, in dem Lisbeth Salander nicht die einzige Mörderin war. Schließlich nahm sie ihren Kugelschreiber und schrieb zögernd eine Zeile auf ihren Notizblock.

Zwei völlig getrennte Motive? Zwei Mörder? Eine Mordwaffe!

Sie hatte einen Gedanken, den sie nicht recht fassen und formulieren konnte, aber diese Frage wollte sie bei Bublanskis nächster Versammlung aufwerfen. Sie konnte nicht recht erklären, warum ihr der Gedanke an Lisbeth Salander als einzige Mörderin auf einmal gar nicht mehr gefiel.

Schließlich machte sie Feierabend, indem sie resolut den

Computer ausschaltete und die CDs in die Schreibtischschublade sperrte. Sie zog ihre Jacke an, knipste die Schreibtischlampe aus und wollte gerade die Tür schließen, als sie Geräusche im Flur hörte. Sie runzelte die Stirn. Eigentlich hatte sie gedacht, dass sie als Einzige der Abteilung noch im Büro war. Sie ging durch den Flur zu Hans Fastes Zimmer. Seine Tür stand halb offen.

»Damit haben wir unbestreitbar den Zusammenhang gefunden«, hörte sie ihn sagen.

Unentschlossen blieb sie noch einen Moment stehen, bevor sie tief durchatmete und an den Türrahmen klopfte. Hans Faste sah sie irritiert an.

»Modig ist auch noch im Haus«, sagte Faste in den Hörer. Dann hörte er zu und nickte, ohne Sonja Modig dabei aus den Augen zu lassen.

»Okay. Ich werde sie informieren.« Er legte auf.

»Das war Bublanski«, erklärte er. »Was willst du?«

»Inwiefern haben wir einen Zusammenhang gefunden?«, wollte sie wissen.

Er sah sie forschend an.

»Lauschst du etwa an der Tür?«

»Nein, aber deine Tür stand offen.«

Faste zuckte mit den Schultern.

»Ich habe Bublanski angerufen, um ihm mitzuteilen, dass das Kriminaltechnische Labor endlich etwas Brauchbares gefunden hat.«

»Aha.«

»Dag Svensson hatte ein Handy mit einer Prepaidkarte von Comviq. Sie haben jetzt endlich eine Liste der Gespräche. Das Gespräch mit Mikael Blomkvist um 20 Uhr 12 hat sich bestätigt. Blomkvist war also wirklich bei seiner Schwester zum Abendessen.«

»Gut. Ich glaube ohnehin nicht, dass Blomkvist etwas mit den Morden zu tun hat.«

»Ich auch nicht. Aber Dag Svensson hat an diesem Abend noch ein zweites Gespräch geführt. Um 21 Uhr 34. Das Gespräch dauerte drei Minuten.«

»Und?«

»Er hat Anwalt Nils Bjurman zu Hause angerufen. Mit anderen Worten, es gibt eine Verbindung zwischen den beiden Morden.«

Sonja Modig ließ sich langsam auf Hans Fastes Besucherstuhl sinken.

»Ach ja, natürlich. Setz dich doch.«

Sie ignorierte ihn.

»Aber wie sieht die zeitliche Abfolge aus? Kurz nach acht ruft Dag Svensson Mikael Blomkvist an und verabredet mit ihm ein Treffen für später. Um halb zehn ruft Svensson bei Bjurman an. Kurz vor Ladenschluss, um 22 Uhr, kauft Salander Zigaretten in einem Tabakladen in Enskede. Kurz nach elf kommen Mikael Blomkvist und seine Schwester nach Enskede, und um genau 23 Uhr 11 ruft er die Notrufzentrale an.«

»Scheint zu stimmen, Miss Marple.«

»Aber das kann nicht sein. Nach Angaben des Pathologen wurde Bjurman zwischen 22 und 23 Uhr erschossen. Da war Salander schon in Enskede. Wir sind immer davon ausgegangen, dass Salander zuerst Bjurman erschoss und danach das Paar in Enskede.«

»Das hat nichts zu sagen. Ich habe noch mal mit dem Pathologen gesprochen. Wir haben Bjurman ja erst einen Tag später gefunden, fast vierundzwanzig Stunden nach dem Mord. Der Pathologe meinte, dass der Zeitpunkt seines Todes um bis zu einer Stunde abweichen könnte.«

»Aber Bjurman muss das erste Opfer gewesen sein, denn die Tatwaffe haben wir in Enskede gefunden. Das würde bedeuten, dass sie Bjurman irgendwann nach 21 Uhr 34 erschoss und danach sofort nach Enskede fuhr, um dort im Tabakladen einzukaufen. Reicht die Zeit denn überhaupt, um vom Odenplan nach Enskede zu fahren?«

»Ja, allerdings. Sie ist nicht mit den öffentlichen Verkehrsmitteln gefahren, wie wir früher angenommen haben. Sie hatte ja ein Auto. Sonny Bohman und ich haben es getestet und sind die Strecke einmal abgefahren. Da bleibt genügend Zeit.«

»Aber dann hätte sie noch eine ganze Stunde gewartet, bevor sie Dag Svensson und Mia Bergman erschoss. Was hat sie in der Zwischenzeit gemacht?«

»Sie hat Kaffee mit ihnen getrunken. Wir haben ihre Fingerabdrücke auf der Tasse.«

Er sah sie triumphierend an. Sonja Modig seufzte und schwieg ein paar Minuten.

»Hans, für dich ist das Ganze eine Art Prestigefrage. Du kannst ein richtiger Blödmann sein und die Leute manchmal richtig zur Weißglut bringen, aber eigentlich bin ich gekommen, um mich bei dir für die Ohrfeige zu entschuldigen. Dazu hatte ich kein recht.«

Er musterte sie lange.

»Vielleicht findest du, dass ich ein Blödmann bin. Ich meinerseits finde, dass du unprofessionell bist und bei der Polizei nichts verloren hast. Zumindest nicht auf dieser Ebene.«

Sonja Modig erwog mehrere Repliken, zuckte jedoch nur die Achseln und stand auf.

»Dann wissen wir ja, woran wir jeweils sind«, stellte sie fest.

»Wir wissen, woran wir sind. Und glaub mir eins, du wirst dich hier nicht lange halten können.«

Sonja Modig zog die Tür schwungvoller hinter sich zu, als sie beabsichtigt hatte. *Lass dich von diesem verdammten Aas nicht ärgern.* Sie ging in die Garage und holte ihr Auto. Hans Faste blickte zur Tür und lächelte zufrieden.

Mikael Blomkvist war gerade nach Hause gekommen, als sein Handy klingelte.

»Hallo. Hier ist Malin. Kannst du gerade sprechen?«

»Klar.«

»Mir ist da gestern was eingefallen.«

»Erzähl.«

»Ich hab die Zeitungsausschnitte über Salander gelesen und bin dabei auf die Doppelseite mit ihrem Psychiatrie-Hintergrund gestoßen.«

»Ja, und?«

»Das ist vielleicht ein bisschen weit hergeholt, aber ich frage mich, wie diese Lücke in ihrer Biografie zu erklären ist.«

»Welche Lücke?«

»Es gibt haufenweise Details über Streitereien, in die sie seit ihrer Schulzeit verwickelt war. Mit Lehrern, Klassenkameraden und so weiter.«

»Ich kann mich erinnern.«

»Und dann kommen so einige Details über Lisbeth in der Kinderpsychiatrie und über ihre Teenagerjahre bei ihren Pflegefamilien, die Körperverletzung in Gamla Stan und all das.«

»Worauf willst du hinaus?«

»Sie wurde doch kurz vor ihrem 13. Geburtstag in die Psychiatrie eingeliefert.«

»Ja.«

»Aber es steht nirgendwo auch nur ein Wort, warum sie eigentlich in die Psychiatrie eingeliefert wurde.«

Mikael schwieg ein Weilchen.

»Du meinst, dass ...«

»Ich meine, dass irgendetwas geschehen sein dürfte, bevor eine Zwölfjährige in die Psychiatrie eingeliefert wird. Und in Lisbeths Fall müsste das ein verdammt heftiger Ausbruch gewesen sein, der doch irgendwo in ihrer Biografie auftauchen sollte. Aber es gibt keine Erklärung.«

Mikael runzelte die Stirn.

»Malin, ich weiß aus sicherer Quelle, dass es einen polizeilichen Ermittlungsbericht von 1991 gibt, da war Lisbeth zwölf Jahre alt. Er ist nirgendwo in den Akten verzeichnet. Ich wollte dich heute bitten, danach zu suchen.«

»Wenn es Ermittlungen gab, muss auch ein Aktenzeichen existieren. Alles andere wäre illegal. Hast du wirklich genau nachgesehen?«

»Nein, aber meine Quelle sagt, dass er nicht in den Akten ist.«

Mikael schwieg.

»Und wie gut ist deine Quelle?«

»Sehr gut.«

Malin schwieg ebenfalls einen Moment. Schließlich gelangten sie und Mikael gleichzeitig zu demselben Schluss.

»Die Sicherheitspolizei«, sagte Malin.

»Björck«, sagte Mikael.

24. Kapitel
Dienstag, 5. April

Per-Åke Sandström, freier Journalist, 47 Jahre alt, kam kurz nach Mitternacht zurück in seine Wohnung in Solna. Er war leicht beschwipst und fühlte die Panik wie einen schwellenden Klumpen im Magen. Den ganzen Tag über hatte er verzweifelt versucht, nichts zu tun. Per-Åke Sandström hatte ganz einfach Angst.

Es war fast zwei Wochen her, dass Dag Svensson in Enskede erschossen worden war. Sandström hatte an jenem Abend verblüfft die Fernsehnachrichten verfolgt und eine Welle der Erleichterung und Hoffnung verspürt – Svensson war tot, und vielleicht war damit ja das Buch über Mädchenhandel, in dem er als Sexualverbrecher gebrandmarkt werden sollte, aus der Welt. *Eine einzige verdammte Nutte zu viel, und schon saß man in der Tinte!*

Er hasste Dag Svensson. Er hatte ihn angebettelt und angefleht, er war vor diesem verfluchten Schweinehund im Staub gekrochen.

Am Tag des Mordes war er zu euphorisch gewesen, um überhaupt einen klaren Gedanken fassen zu können. Erst am Tag darauf begann er nachzudenken. Wenn Dag Svensson an einem Buch arbeitete, in dem er als Vergewaltiger mit pädophilen Neigungen dargestellt wurde, dann war es nicht ganz unwahrscheinlich, dass sich die Polizei seine kleinen Fehltritte ein wenig genauer ansah. O Gott ... man konnte ihn sogar des Mordes verdächtigen.

Seine Panik legte sich ein wenig, als auf jedem Schlagzeilenplakat des Landes Lisbeth Salanders Gesicht zu sehen war. *Wer zum Henker ist Lisbeth Salander?* Er hatte noch nie von ihr gehört. Aber die Polizei schien sie stark im Verdacht zu haben, und einem Staatsanwalt zufolge stand man kurz vor der Aufklärung der Morde. Möglicherweise würde man sich gar nicht mehr für seine Person interessieren. Aber aus eigener Erfahrung wusste er nur zu gut, wie sorgfältig Journalisten ihre Belege und Aufzeichnungen speicherten. *Millennium. Eine verdammte Scheißzeitschrift mit unverdient gutem Ruf. Dabei ist sie wie alle anderen. Schnüffelte und zeterte und fügte den Leuten Schaden zu.*

Er wusste nicht, wie weit die Arbeit an diesem Buch gediehen war. Er wusste nicht, was sie wussten. Er konnte niemanden fragen. Er fühlte sich wie in einem Vakuum.

In der folgenden Woche schwankte er zwischen Panik und Rausch. Die Polizei hatte ihn nicht gesucht. Vielleicht – wenn er mehr Glück als Verstand hatte – würde er ja so davonkommen. Wenn er kein Glück hatte, war sein Leben gelaufen.

Er steckte den Schlüssel in die Haustür und schloss auf. Als er die Tür öffnete, hörte er plötzlich ein Rascheln hinter sich und verspürte einen lähmenden Schmerz im Kreuz.

Gunnar Björck war noch nicht schlafen gegangen, als das Telefon klingelte. Er trug Pyjama und Bademantel, saß im Dunkeln in der Küche und dachte über sein Dilemma nach. In seiner langjährigen Karriere war er niemals auch nur annähernd in eine so unangenehme Situation geraten.

Zuerst wollte er gar nicht ans Telefon gehen. Er warf einen Blick auf seine Armbanduhr und stellte fest, dass es schon nach zwölf war. Aber es klingelte immer weiter, und nach dem zehnten Läuten konnte er nicht mehr widerstehen.

»Hier ist Mikael Blomkvist«, hörte er eine Stimme am anderen Ende.

Verdammt!

»Es ist nach Mitternacht. Ich habe schon geschlafen.«

»Tut mir leid. Aber ich glaube, es könnte Sie interessieren, was ich Ihnen zu sagen habe.«

»Was wollen Sie?«

»Ich habe vor, morgen um zehn eine Pressekonferenz anlässlich der Morde an Dag Svensson und Mia Bergman abzuhalten.«

Gunnar Björck schluckte.

»Ich werde von Details aus dem Buch über Mädchenhandel berichten. Der einzige Freier, den ich namentlich nennen werde, sind Sie.«

»Sie haben versprochen, mir Zeit zu geben ...«

Er hörte die Panik in seiner eigenen Stimme und bremste sich.

»Es sind bereits mehrere Tage verstrichen. Sie haben mir versprochen, mich nach dem Wochenende anzurufen. Morgen ist Dienstag. Entweder reden Sie jetzt, oder ich halte morgen eine Pressekonferenz ab.«

»Wenn Sie diese Pressekonferenz abhalten, werden Sie niemals etwas über Zala erfahren.«

»Schon möglich. Aber das ist dann nicht mehr mein Problem. Dann können Sie sich stattdessen eben mit den offiziellen Ermittlern von der Polizei unterhalten. Und mit den restlichen Massenmedien des Landes.«

Es gab keinen Verhandlungsspielraum mehr.

Björck ging auf ein Treffen mit Mikael Blomkvist ein, konnte es aber bis zum Mittwoch aufschieben. Noch eine kurze Frist. Aber er war bereit.

Auf Biegen oder Brechen.

Sandström wusste nicht, wie lange er k. o. gewesen war, doch als er wieder zu sich kam, lag er auf dem Wohnzimmerboden. Sein ganzer Körper schmerzte, und er konnte sich nicht bewegen. Nach einer Weile begriff er, dass seine Hände mit Isolierband auf dem Rücken gefesselt waren. Seine Füße waren taub. Über seinem Mund klebte ebenfalls ein breites Stück Isolierband. Die Lampen im Zimmer brannten, die Jalousien waren heruntergezogen. Er war unfähig zu begreifen, was hier eigentlich passiert war.

In diesem Moment nahm er ein Geräusch wahr, das aus seinem Arbeitszimmer zu kommen schien. Er blieb still liegen, lauschte und hörte, wie eine Schublade geöffnet und wieder geschlossen wurde. *Ein Raubüberfall?* Er hörte Papier rascheln und ein Geräusch, als würde jemand in seinen Schubladen wühlen.

Eine Ewigkeit danach hörte er Schritte hinter sich. Sandström versuchte, den Kopf zu drehen, konnte jedoch niemanden sehen. Er versuchte, die Ruhe zu bewahren.

Aus heiterem Himmel legte sich eine Schlinge um seinen Hals und zog sich zu. In seiner Panik hätte er fast seinen Darm entleert. Er blickte auf und sah das Seil zu einer Winde laufen, die oben an dem Haken hing, an dem sonst die Wohnzimmerlampe befestigt war. Dann trat sein Feind in sein Blickfeld. Als Erstes sah er ein Paar kleine schwarze Stiefel.

Er wusste nicht, was er erwartete hatte, aber der Schock hätte kaum größer sein können. Im ersten Moment erkannte er die irre Psychopathin nicht wieder, mit deren Passbild seit dem Osterwochenende jeder Zeitungskiosk tapeziert gewesen war. Sie hatte kurze schwarze Haare und sah den Bildern in der Zeitung nicht ähnlich. Sie war ganz in Schwarz gekleidet – Jeans, eine kurze, offene Baumwolljacke, T-Shirt und schwarze Handschuhe.

Aber was ihn am meisten erschreckte, war ihr Gesicht. Sie war geschminkt. Zu ihrem schwarzen Lippenstift und Eyeliner trug sie einen vulgären und auffallend dramatischen grünschwarzen Lidschatten. Den Rest des Gesichts hatte sie sich weiß geschminkt. Von der linken Stirnseite über die Nase bis zur rechten Seite ihres Kinns hatte sie sich einen breiten roten Strich aufgemalt.

Eine groteske Maske. Sie sah völlig irr aus.

Sein Hirn leistete verzweifelt Widerstand. Alles fühlte sich so unwirklich an.

Lisbeth Salander griff nach dem Tau und zog. Er spürte, wie das Seil in seinen Hals schnitt. Für ein paar Sekunden bekam er keine Luft. Dann versuchte er panisch, seine Füße unter den Körper zu ziehen. Mithilfe der Winde und des Flaschenzugs musste sie sich kaum anstrengen, um ihn auf die Füße zu zerren. Als er aufrecht stand, hörte sie auf zu ziehen und fixierte das Seil, indem sie es ein paarmal um ein Heizungsrohr schlang und einen doppelten Halbschlag davor machte.

Dann ließ sie ihn allein und verschwand aus seinem Blickfeld. Über fünfzehn Minuten blieb sie weg. Als sie wiederkam, zog sie sich einen Stuhl heran und setzte sich direkt vor ihn. Er versuchte, ihr geschminktes Gesicht nicht anzusehen, aber er konnte die Augen nicht abwenden. Sie legte eine Pistole auf den Wohnzimmertisch. *Seine Pistole. Sie hatte sie im Schuhkarton in der Garderobe gefunden.* Ein Colt 1911 Government. Eine kleine, illegale Waffe, die er sich vor ein paar Jahren mehr aus Spaß zugelegt hatte, als ein Bekannter sie verkaufen wollte, aus der er aber noch nicht einmal einen Probeschuss abgefeuert hatte. Vor seinen Augen öffnete sie das Magazin und legte Patronen ein. Dann drückte sie das Magazin zurück und legte eine Kugel in den Lauf. Per-Åke Sandström stand kurz davor, in Ohnmacht zu fallen. Er zwang sich, ihr in die Augen zu sehen.

»Ich verstehe einfach nicht, warum Männer ihre Perversionen auch noch dokumentieren müssen«, bemerkte sie.

Ihre Stimme war leise, aber eiskalt. Dabei hielt sie ein Bild hoch, das sie von seiner Festplatte ausgedruckt hatte.

»Ich nehme an, das ist das estnische Mädchen, Ines Hammujärvi, 17 Jahre, wohnhaft in der Stadt Riepalu bei Narva. Hatten Sie Ihren Spaß mit ihr?«

Die Frage war rein rhetorisch. Per-Åke Sandström konnte nicht antworten, denn sein Mund war immer noch zugeklebt und sein Hirn sowieso außerstande, eine Antwort zu formulieren. Das Bild zeigte ... *o Gott, warum habe ich die Bilder gespeichert?*

»Sie wissen, wer ich bin, oder? Nicken Sie.«

Per-Åke Sandström nickte.

»Sie sind ein sadistisches Schwein, ein Widerling und ein Vergewaltiger.«

Er rührte sich nicht.

»Nicken Sie.«

Er nickte. Plötzlich standen ihm die Tränen in den Augen.

»Nur damit wir uns über die Regeln im Klaren sind«, fuhr Lisbeth Salander fort. »Meiner Meinung nach sollten Sie einfach so schnell wie möglich hingerichtet werden. Ob Sie diese Nacht überleben, ist mir völlig gleichgültig. Verstehen Sie mich?«

Er nickte.

»Es wird Ihnen schwerlich entgangen sein, dass ich eine Irre bin, die gerne Leute abmurkst. Besonders Männer.«

Sie wies auf die neuesten Abendzeitungen, die er auf dem Wohnzimmertisch liegen gelassen hatte.

»Ich werde jetzt das Klebeband von Ihrem Mund entfernen. Wenn Sie schreien oder auch nur die Stimme heben, werde ich Ihnen hiermit einen elektrischen Schlag versetzen.«

Sie hielt eine Elektroschockpistole in die Höhe.

»Dieses böse Ding hier gibt 75 000 Volt ab. Beim nächsten Mal nur noch ungefähr 60 000 Volt, weil ich sie schon einmal benutzt und nicht wieder aufgeladen habe. Verstehen Sie?«

Er sah sie zweifelnd an.

»Das bedeutet, dass Ihre Muskeln nach dem Stromschlag

ganz einfach nicht mehr funktionieren. Als Sie nach Hause kamen, durften Sie das schon einmal erleben.«

Sie lächelte ihn an.

»Das heißt, Ihre Beine werden Sie nicht mehr tragen, und Sie werden stranguliert. Und nachdem ich Ihnen diesen Schlag versetzt habe, werde ich einfach aufstehen und die Wohnung verlassen.«

Er nickte. *O Gott, sie ist wirklich eine verrückte Mörderin.* Plötzlich strömten ihm unkontrolliert die Tränen über die Wangen. Er schniefte.

Sie stand auf und riss ihm das Klebeband vom Mund. Ihr groteskes Gesicht näherte sich seinem bis auf wenige Zentimeter.

»Schweigen Sie«, sagte sie. »Kein Wort. Wenn Sie ohne Erlaubnis reden, verabreiche ich Ihnen einen elektrischen Schlag.«

Sie wartete, bis er sich ausgeschnieft hatte und ihr in die Augen sah.

»Sie haben eine einzige Chance, diese Nacht zu überleben«, erklärte sie. »Eine Chance – nicht zwei. Ich werde Ihnen einige Fragen stellen. Wenn Sie sie beantworten, lasse ich Sie am Leben. Nicken Sie, wenn Sie mich verstanden haben.«

Er nickte.

»Wenn Sie sich weigern, auf eine Frage zu antworten, werde ich Ihnen einen elektrischen Schlag versetzen. Verstehen Sie?«

Er nickte.

»Wenn Sie mich anlügen oder mir ausweichende Antworten geben, werde ich Ihnen einen elektrischen Schlag versetzen.«

Er nickte.

»Ich werde nicht mit Ihnen verhandeln. Ich werde Ihnen keine zweite Chance geben. Entweder Sie antworten sofort auf meine Frage oder Sie sterben. Wenn Sie mir zufriedenstellende Antworten geben, werden Sie überleben. So einfach ist das.«

Er nickte. Er glaubte ihr. Er hatte keine Wahl.

»Bitte«, keuchte er. »Ich will nicht sterben ...«

Sie sah ihn ernst an.

»Sie entscheiden selbst, ob Sie überleben oder sterben. Aber Sie haben eben gerade gegen meine Regel verstoßen, nicht ohne meine Erlaubnis zu sprechen.«

Er presste die Lippen zusammen. *O Gott, sie ist völlig wahnsinnig.*

Mikael Blomkvist war frustriert und rastlos und wusste nicht mehr, was er tun sollte. Schließlich zog er seine Jacke an und ging planlos erst zur Södra station, vorbei an Bofills båge, bis er am Ende in der Redaktion in der Götgatan landete. Es war dunkel und still im Büro. Er machte kein Licht an, sondern setzte einen Kaffee auf, stellte sich ans Fenster und blickte auf die Straße hinunter, während er darauf wartete, dass das Wasser durch den Filter lief. Dabei versuchte er seine Gedanken zu ordnen. Die Ermittlungen kamen ihm vor wie ein zersplittertes Mosaik, bei dem einige Steinchen nicht voneinander zu unterscheiden waren, andere hingegen völlig fehlten. Irgendwo in diesem Mosaik gab es ein Muster. Er konnte es ahnen, aber nicht sehen. Es fehlten einfach zu viele Scherben.

Zweifel befielen ihn. *Sie ist keine verrückte Mörderin*, erinnerte er sich selbst. Sie hatte ihm geschrieben, dass sie Dag und Mia nicht erschossen hatte. Er glaubte ihr. Aber auf irgendeine unbegreifliche Weise war sie dennoch aufs Engste mit diesem rätselhaften Mord verbunden.

Allmählich begann er, seine eigene Theorie infrage zu stellen. Ganz selbstverständlich war er davon ausgegangen, dass Svenssons Reportage über Mädchenhandel das einzig einleuchtende Motiv für den Mord an Dag und Mia war. Doch langsam akzeptierte er Bublanskis Behauptung, dass der Mord an Bjurman damit eben noch nicht erklärt sei.

Lisbeth hatte ihm geschrieben, er solle die Freier außer Acht lassen und sich stattdessen auf Zala konzentrieren. Was meinte sie? Diese verdammte anstrengende Person. Warum konnte sie sich nicht verständlich ausdrücken?

Mikael goss sich Kaffee in eine Tasse mit dem Logo der Jungen Linken und setzte sich in die Sofaecke, legte die Füße auf den Tisch und steckte sich verbotenerweise eine Zigarette an.

Björck gehörte zur Liste der Freier. Bjurman gehörte zu Salander. Es konnte kein Zufall sein, dass Bjurman und Björck bei der Sicherheitspolizei zusammengearbeitet hatten. Ein verschwundener Ermittlungsbericht über Lisbeth Salander.

Kann mehr als ein einziges Motiv im Spiel sein?

Er blieb eine Weile still sitzen und dachte nach. Betrachtete alles aus einer anderen Perspektive.

Ist Lisbeth selbst das Motiv?

Mikael konnte nicht richtig auf den Punkt bringen, was er mit dieser Idee meinte.

Dann sah er ein, dass er einfach zu müde war. Er schüttete seinen Kaffee weg, ging nach Hause und legte sich hin. Als er im Dunkeln in seinem Bett lag, nahm er den Faden noch mal auf und lag zwei Stunden lang wach, während er versuchte zu begreifen, was er eigentlich meinte.

Lisbeth Salander zündete sich eine Zigarette an und lehnte sich entspannt auf ihrem Stuhl zurück. Sie schlug das rechte Bein über das linke und fixierte ihn. Per-Åke Sandström hatte noch nie so einen intensiven Blick gesehen. Als sie anfing zu sprechen, war ihre Stimme immer noch ganz leise.

»Im Januar 2003 haben Sie Ines Hammujärvi zum ersten Mal in ihrer Wohnung in Norsborg aufgesucht. Zu diesem Zeitpunkt war sie gerade 16 Jahre alt geworden. Warum sind Sie zu ihr gegangen?«

Per-Åke Sandström wusste nicht, was er antworten sollte. Er konnte nicht einmal erklären, wie das Ganze angefangen hatte und warum er ... Sie hob ihre Elektroschockpistole.

»Ich ... ich weiß nicht. Ich wollte sie haben. Sie war so schön.«

»Schön?«

»Ja. Sie war schön.«

»Und Sie waren der Meinung, Sie hätten ein Recht, sie ans Bett zu fesseln und zu ficken?«

»Sie war einverstanden. Ich schwöre. Sie war einverstanden.«

»Sie haben sie bezahlt?«

Per-Åke Sandström biss sich auf die Zunge.

»Nein.«

»Warum denn nicht? Sie war eine Nutte. Nutten bezahlt man doch normalerweise.«

»Sie war ein ... sie war ein Geschenk.«

»Ein Geschenk?«, fragte Lisbeth Salander. Plötzlich hatte ihre Stimme einen gefährlichen Unterton angenommen.

»Ich bekam sie für einen Gefallen, den ich einer anderen Person getan hatte.«

»Per-Åke«, unterbrach Lisbeth mit vernünftigem Ton. »Sie wollen doch nicht etwa meiner Frage ausweichen?«

»Ich schwöre. Ich antworte auf jede Ihrer Fragen. Ich werde Sie nicht anlügen.«

»Gut. Was für ein Gefallen und was für eine Person?«

»Ich hatte anabole Steroide nach Schweden geschmuggelt. Eigentlich bin ich wegen einer Reportage nach Estland gereist. Ich bin mit ein paar Bekannten gefahren, und wir haben die Tabletten in meinem Auto rübergeschafft. Ich war mit einem Mann namens Harry Ranta unterwegs. Obwohl er nicht in meinem Auto mitfuhr.«

»Wie haben Sie Harry Ranta kennengelernt?«

»Den kenne ich schon seit vielen Jahren. Schon seit den Achtzigern. Er ist nur ein Kumpel. Wir sind immer zusammen in die Kneipe gegangen.«

»Und Harry Ranta hat Ihnen Ines Hammujärvi also als ... Geschenk angeboten?«

»Ja ... nein, Entschuldigung, das war erst später hier in Stockholm. Das war sein Bruder, Atho Ranta.«

»Sie wollen damit also sagen, Atho Ranta klopfte einfach so an Ihre Tür und fragte, ob Sie nicht nach Norsberg mit rauskommen und Ines vögeln wollen?«

»Nein ... ich war auf ... wir hatten da eine Party in ... verdammt, ich weiß nicht mehr, wo das war ...«

Plötzlich begann er unkontrolliert zu zittern. Er spürte, wie seine Knie nachgaben, und stützte sich mit den Füßen ab, um wieder einen sicheren Stand zu bekommen.

»Antworten Sie mir ganz ruhig und vernünftig«, forderte Lisbeth Salander ihn auf. »Ich werde Sie nicht aufhängen, weil Sie Zeit brauchen, um Ihre Gedanken zu ordnen. Aber sobald ich merke, dass Sie sich rauswinden wollen ... puff!«

Sie zog die Augenbrauen hoch und sah auf einmal engelsgleich aus. So engelsgleich ein Mensch hinter so einer grotesken Maske eben aussehen konnte.

Per-Åke Sandström nickte. Er schluckte. Er hatte einen ausgedörrten Mund und spürte, wie sich das Seil fester um seinen Hals zog.

»Wo Sie zusammen gesoffen haben, ist egal. Wie kam es dazu, dass Atho Ranta Ihnen Ines anbot?«

»Wir haben darüber gesprochen, dass ... wir ... ich habe ihm erzählt, dass ich gerne ...« Er begann zu weinen.

»Sie haben ihm gesagt, Sie hätten gerne eine seiner Nutten.«

Er nickte.

»Ich war betrunken. Er sagte, sie müsste ... müsste ...«

»Was müsste sie?«

»Atho sagte, sie müsste bestraft werden. Sie machte Schwierigkeiten. Sie machte nicht, was er wollte.«

»Und was sollte sie machen?«

»Für ihn anschaffen. Er bot mir an, dass ... Ich war betrunken und wusste nicht, was ich tat. Ich wollte nicht ... Verzeihen Sie mir.«

Er schniefte.

»Mich müssen Sie nicht um Verzeihung bitten. Sie haben Atho also angeboten, ihm bei der Bestrafung von Ines zu helfen, und sind dann zu ihr gefahren.«

»So war es nicht.«

»Dann erzählen Sie mir, wie es war. Warum sind Sie mit Atho zu Ines gefahren?«

Sie balancierte die Elektroschockpistole auf dem Schoß. Er begann wieder zu zittern.

»Ich bin zu Ines mitgefahren, weil ich sie haben wollte. Sie war da, und man konnte sie kaufen. Ines wohnte bei einer Freundin von Harry Ranta. Ich weiß nicht mehr, wie die hieß. Atho fesselte Ines ans Bett, und ich ... ich hatte Sex mit ihr. Atho guckte zu.«

»Nein ... Sie hatten keinen Sex mit ihr. Sie haben sie vergewaltigt.«

Er antwortete nicht.

»Oder?«

Er nickte.

»Was hat Ines gesagt?«

»Sie sagte gar nichts.«

»Hat sie protestiert?«

Er schüttelte den Kopf.

»Sie fand es also toll, dass ein 50-jähriger Penner sie fesselte und vögelte.«

»Sie war betrunken. Es war ihr egal.«

Lisbeth Salander stieß einen resignierten Seufzer aus.

»Dann haben Sie Ines aber weiterhin besucht.«

»Sie war so ... sie wollte mich.«

»Sie reden Scheiße.«

Er sah Lisbeth Salander verzweifelt an. Dann nickte er.

»Ich ... ich hab sie vergewaltigt. Harry und Atho hatten ihr Einverständnis gegeben. Sie wollten, dass sie ... dass sie eingearbeitet wird.«

»Haben Sie sie bezahlt?«

Er nickte.

»Wie viel?«

»Es war ein Freundschaftspreis. Dafür half ich ihnen beim Schmuggeln.«

»Wie viel?«

»Insgesamt ein paar Tausender.«

»Auf einem der Bilder ist Ines hier in Ihrer Wohnung.«

»Harry hat sie hergebracht.«

Er schniefte wieder.

»Sie haben also für ein paar Tausender ein Mädchen gehabt, mit dem Sie machen konnten, was Sie wollten. Wie oft haben Sie sie vergewaltigt?«

»Ich weiß nicht ... ein paarmal.«

»Okay. Wer ist der Chef dieser Bande?«

»Die bringen mich um, wenn ich auspacke.«

»Das geht mich nichts an. Und im Moment bin ich für Sie ein weitaus größeres Problem als die Gebrüder Ranta.«

Sie hielt die Elektroschockpistole hoch.

»Atho. Er ist der Älteste. Harry organisiert die Dinge.«

»Wer gehört noch zur Bande?«

»Ich kenne nur Harry und Atho. Athos Freundin ist auch dabei. Und ein Mann namens ... ich weiß nicht. Pelle irgendwas. Er ist Schwede. Ich weiß nicht, wer er ist. So ein Speedfreak, der Erledigungen für sie macht.«

»Und Athos Freundin?«

»Silvia. Sie ist auch eine Nutte.«

Lisbeth überlegte schweigend eine Weile. Dann hob sie den Blick.

»Wer ist Zala?«

Per-Åke Sandström erbleichte. *Dieselbe Frage, die Dag Svensson gestellt hat.* Er schwieg lange, bis er spürte, dass das verrückte Mädchen langsam die Geduld verlor.

»Ich weiß nicht«, behauptete er. »Ich weiß nicht, wer er ist.«

Lisbeth Salanders Gesicht verfinsterte sich.

»Bis jetzt haben Sie Ihre Sache ganz gut gemacht. Werfen Sie Ihre Chance bloß nicht weg«, ermahnte sie ihn.

»Ich schwöre es Ihnen auf Ehre und Gewissen. Ich weiß nicht, wer er ist. Der Journalist, den Sie erschossen haben ...«

Er verstummte plötzlich, als ihm bewusst wurde, dass es vielleicht keine so gute Idee war, ihre Mordorgie in Enskede zu erwähnen.

»Ja?«

»Er hat dasselbe gefragt. Ich weiß es aber nicht. Wenn ich es wüsste, würde ich es erzählen. Ich schwöre es. Das ist jemand, den Atho kennt.«

»Sie haben mit ihm gesprochen.«

»Eine Minute, am Telefon. Ich habe mit jemandem gesprochen, der behauptete, sein Name sei Zala. Oder besser gesagt, er hat mit mir gesprochen.«

»Warum?«

Sandström blinzelte. Schweißperlen rannen ihm in die Augen, und er spürte, dass ihm der Rotz übers Kinn lief.

»Ich ... sie wollten, dass ich ihnen wieder einen Gefallen tat.«

»Machen Sie's nicht zu umständlich«, warnte Lisbeth Salander.

»Sie wollten, dass ich wieder nach Tallinn fuhr und auf dem Rückweg ein präpariertes Auto nach Schweden brachte. Mit Amphetaminen. Ich wollte aber nicht.«

»Warum wollten Sie nicht?«

»Es wurde zu viel. Das waren richtige Gangster. Ich wollte da raus. Ich hatte schließlich auch einen Job.«

»Sie meinen also, Sie selbst waren nur ein Freizeitgangster?«

»Ich bin eigentlich gar nicht so«, beteuerte er wimmernd.

»Nein, nein.«

In ihrer Stimme lag solche Verachtung, dass Sandström die Augen schloss.

»Erzählen Sie weiter. Wie kam Zala ins Spiel?«

»Es war ein Albtraum.«

Er verstummte, und plötzlich liefen die Tränen wieder. Er biss sich so fest auf die Lippe, dass sie aufsprang und zu bluten begann.

»Weiter«, erinnerte ihn Lisbeth Salander kühl.

»Harry warnte mich und sagte, dass Atho langsam wütend auf mich wurde und dass er nicht wisse, was passieren würde. Schließlich ließ ich mich auf ein Treffen mit Atho ein. Das war letzten August. Ich fuhr mit Harry nach Norsborg ...«

Sein Mund bewegte sich weiter, aber die Stimme versagte. Lisbeth Salanders Augen verengten sich. Sandström fand seine Stimme wieder.

»Atho ist ein Wahnsinniger. Er ist brutal. Sie ahnen nicht, wie brutal er ist. Er meinte, es sei zu spät für mich, um noch aussteigen zu können, und wenn ich nicht tat, was er sagte, würde ich es nicht überleben. Man wollte es mir demonstrieren.«

»Ja?«

»Sie zwangen mich, in ihr Auto zu steigen. Wir fuhren nach Södertälje. Atho befahl mir, eine Kapuze aufzusetzen. Es war eine Tüte, die er mir über den Kopf stülpte. Ich hatte Todesangst.«

»Sie fuhren also mit einer Tüte über dem Kopf. Was passierte dann?«

»Das Auto blieb stehen. Ich wusste nicht, wo ich war.«

»Wo hatten sie Ihnen die Tüte übergezogen?«

»Kurz vor Södertälje.«

»Und wie lange dauerte es, bis Sie ankamen?«

»Vielleicht ... vielleicht knapp dreißig Minuten. Sie führten mich aus dem Auto. Es war so eine Art Lager.«

»Was geschah dann?«

»Harry und Atho führten mich hinein. Drinnen war es hell. Das Erste, was ich sah, war so ein armer Kerl, der auf dem Zementboden lag. Er war gefesselt. Und man sah, dass er absolut grausam zusammengeschlagen worden war.«

»Wer war das?«

»Er hieß Kenneth Gustafsson. Aber das erfuhr ich erst hinterher. Sie haben mir nicht gesagt, wie er hieß.«

»Was passierte dann?«

»Da war ein Mann. Der größte Mann, den ich jemals gesehen habe. Er war enorm. Nichts als Muskeln.«

»Wie sah er aus?«

»Blond. Er sah einfach aus wie das personifizierte Böse.«

»Name?«

»Er hat seinen Namen nicht gesagt.«

»Okay. Ein blonder Riese. Wer war sonst noch da?«

»Da war noch ein anderer Mann. Der sah ziemlich fertig aus. Blond. Hatte so einen Pferdeschwanz.«

Magge Lundin.

»Sonst noch jemand?«

»Nur ich und Harry und Atho.«

»Weiter.«

»Der blonde ... Riese stellte einen Stuhl vor mich. Er sagte kein Wort zu mir. Atho erklärte mir, der Typ am Boden sei ein Verräter. Er wollte, dass ich sehe, was mit Leuten passiert, die Schwierigkeiten machen.«

Sandström weinte hemmungslos.

»Ich warte!«, sagte Lisbeth Salander mahnend.

»Der Blonde hob den Mann vom Boden auf und setzte ihn auf einen Stuhl mir gegenüber. Wir saßen einen Meter auseinander. Ich sah ihm in die Augen. Der Riese stellte sich hinter ihn und legte ihm die Hände um den Hals ... Er ... er ...«

»Erwürgte ihn?«, schlug Lisbeth vor.

»Ja ... nein ... er *zerdrückte* ihn. Ich glaube, er hat ihm mit bloßen Händen das Genick gebrochen. Ich hörte, wie das Genick brach, und er starb vor meinen Augen.«

Per-Åke Sandström schwankte an seinem Seil. Die Tränen flossen ihm unkontrolliert übers Gesicht. Lisbeth gab ihm eine Minute, um sich wieder zu sammeln.

»Und dann?«

»Der andere Mann – der mit dem Pferdeschwanz – warf eine Motorsäge an und sägte ihm den Kopf und die Hände ab. Als er fertig war, kam der Riese zu mir und legte mir die Hände um den Hals. Ich versuchte, sie wegzuziehen, aber so sehr ich auch zerrte, ich konnte sie nicht einen Millimeter vom Fleck bewegen. Aber er drückte nicht zu ... er ließ einfach nur eine Weile seine Hände dort liegen. Und in der Zwischenzeit holte Atho sein Handy hervor und rief jemand an. Er sprach Russisch. Dann sagte er auf einmal, Zala wolle mit mir sprechen, und hielt mir den Hörer ans Ohr.«

»Was hat Zala gesagt?«

»Er sagte nur, er erwarte von mir, dass ich ihm den Dienst erwies, um den Atho mich gebeten hatte. Er fragte, ob ich immer noch aussteigen wolle. Ich versprach, nach Tallinn zu fahren und das Auto mit den Amphetaminen zu holen. Was blieb mir anderes übrig?«

Lisbeth schwieg eine geraume Weile. Nachdenklich musterte sie den schniefenden Journalisten am Seil. Sie schien nachzudenken.

»Beschreiben Sie seine Stimme.«

»Sie ... ich weiß nicht. Sie klang ganz normal.«

»Tiefe Stimme, hohe Stimme?«

»Tief. Alltäglich. Rau.«

»In welcher Sprache haben Sie sich unterhalten?«

»Auf Schwedisch.«

»Akzent?«

»Ja ... vielleicht ein kleines bisschen. Aber er sprach gut Schwedisch. Atho und er haben Russisch gesprochen.«

»Verstehen Sie Russisch?«

»Ein bisschen. Nur ein bisschen.«

»Was hat Atho zu ihm gesagt?«

»Er hat nur gesagt, die Demonstration sei vorbei. Sonst nichts.«

»Haben Sie das jemals irgendjemand erzählt?«

»Nein.«

»Dag Svensson?«

»Nein ... nein.«

»Dag Svensson hat Sie aufgesucht.«

Sandström nickte.

»Ich kann Sie nicht hören.«

»Ja.«

»Warum?«

»Er wusste, dass ich diese ... Nutten gehabt hatte.«

»Wonach hat er gefragt?«

»Er wollte wissen ...«

»Ja?«

»Zala. Er fragte nach Zala. Das war bei seinem zweiten Besuch.«

»Seinem zweiten Besuch?«

»Er hat zwei Wochen vor seinem Tod Kontakt mit mir aufgenommen. Das war der erste Besuch. Dann kam er, zwei Tage bevor Sie ... er ...«

»Bevor ich ihn erschossen habe?«

»Genau.«

»Und da hat er nach Zala gefragt.«

»Ja.«

»Was haben Sie ihm erzählt?«

»Nichts. Ich konnte nichts erzählen. Ich gab zu, dass ich mal am Telefon mit ihm gesprochen hatte. Das war alles. Ich habe nichts von dem blonden Teufel erzählt oder was sie mit Gustafsson gemacht hatten.«

»Okay. Was genau hat Dag Svensson gefragt?«

»Ich ... er hat nur nach Zala gefragt. Das war alles.«

»Und Sie haben ihm nichts erzählt?«

»Nichts, was ihm wirklich etwas gebracht hätte. Ich weiß ja auch nichts.«

Lisbeth Salander schwieg einen Moment. *Irgendetwas verschweigt er mir.* Sie biss sich nachdenklich auf die Unterlippe. *Natürlich.*

»Wem haben Sie sonst noch von Dag Svenssons Besuch erzählt?«

Sandström wurde blass.

Lisbeth ließ die Elektroschockpistole auf und ab wippen.

»Ich habe Harry Ranta angerufen.«

»Wann?«

Er schluckte.

»Am Abend nachdem Dag Svensson zum ersten Mal bei mir gewesen war.«

Sie befragte ihn noch eine halbe Stunde, stellte aber fest, dass er sich langsam wiederholte und nur noch vereinzelte Details hinzuzufügen hatte. Schließlich stand sie auf und legte die Hand auf das Seil.

»Sie sind wahrscheinlich der jämmerlichste Kotzbrocken, der mir jemals begegnet ist«, sagte Lisbeth Salander. »Für das, was Sie Ines angetan haben, würden Sie die Todesstrafe verdienen. Aber ich habe versprochen, dass Sie überleben, wenn Sie meine Fragen beantworten. Ich halte meine Versprechen immer.«

Sie bückte sich und löste den Knoten. Per-Åke Sandström fiel auf den Boden, wo er wie ein Häufchen Elend liegen blieb. Seine Erleichterung grenzte an Euphorie. Vom Boden beobachtete er, wie sie einen Hocker auf den Tisch stellte, hinaufkletterte und die Winde abnahm. Dann wickelte sie das Seil auf und verstaute es in einem Rucksack. Sie verschwand im Badezimmer und blieb zehn Minuten weg. Er hörte das Wasser laufen. Als sie zurückkam, hatte sie sich die Schminke abgewaschen.

Ihr Gesicht sah nackt und geschrubbt aus.

»Losmachen müssen Sie sich selbst.«

Sie warf ihm ein Küchenmesser auf den Boden.

Dann hörte er sie eine ganze Weile auf dem Flur rascheln. Es klang so, als würde sie sich umziehen. Schließlich hörte er, wie die Haustür geöffnet und wieder geschlossen wurde.

Erst nach einer halben Stunde gelang es ihm, das Klebeband durchzuschneiden. Als er sich auf sein Wohnzimmersofa setzte, entdeckte er, dass sie seinen Colt 1911 Government mitgenommen hatte.

Erst um fünf Uhr morgens kam Lisbeth Salander nach Hause. Sie nahm Irene Nessers Perücke ab und ging sofort ins Bett, ohne den Computer hochzufahren und nachzusehen, ob Mikael Blomkvist das Rätsel mit dem verschwundenen Ermittlungsbericht gelöst hatte.

Sie wachte schon um neun Uhr morgens auf und verbrachte den ganzen Dienstag damit, sich Informationen über die Brüder Atho und Harry Ranta zu beschaffen.

Atho Rantas düsterer Lebenslauf ließ sich dem Strafregister entnehmen. Er war finnischer Staatsbürger, stammte aber aus einer estnischen Familie und war 1971 nach Schweden gekommen. Von 1972 bis 1978 arbeitete er als Bautischler für eine Zementgießerei in Skåne. Nachdem man ihn auf einer Baustelle beim Stehlen ertappt hatte, wurde er hinausgeworfen und zu sieben Monaten Gefängnis verurteilt. Zwischen 1980 und 1982 arbeitete er dann für ein wesentlich kleineres Bauunternehmen. Auch dort flog er hinaus, nachdem er mehrmals betrunken am Arbeitsplatz aufgetaucht war. Den Rest der 80er schlug er sich als Türsteher durch, als Techniker in einem Unternehmen, das Heizkessel herstellte, als Tellerwäscher und als Hausmeister in einer Schule. Er verlor all diese Anstellungen, weil er entweder schwer betrunken zur Arbeit erschienen war oder es anderweitige Scherereien gegeben hatte. Die Anstellung als Hausmeister verlor er schon nach ein paar

Monaten, weil ihn eine Lehrerin wegen grober sexueller Belästigung angezeigt hatte.

1987 wurde er wegen Autodiebstahls zu einer Geldstrafe und einem Monat Gefängnis verurteilt. Ein Jahr später zu einer Geldbuße wegen illegalen Waffenbesitzes. 1990 verurteilte man ihn für ein Sittlichkeitsverbrechen, das im Strafregister nicht genauer beschrieben war. 1991 wurde er wegen Bedrohungen angezeigt, jedoch freigesprochen. Noch im selben Jahr wurde er allerdings wegen Branntweinschmuggels zu einer Geldbuße und einer Haftstrafe auf Bewährung verurteilt. 1992 saß er drei Monate für die Misshandlung seiner Freundin sowie die Bedrohung ihrer Schwester ab. Danach riss er sich zusammen, wurde aber 1997 wegen Hehlerei und schwerer Körperverletzung verurteilt. Diesmal bekam er zehn Monate Gefängnis.

Sein jüngerer Bruder Harry Ranta folgte ihm 1982 nach Schweden und war in den 80ern längere Zeit als Lagerarbeiter angestellt. Sein Auszug aus dem Strafregister zeigte, dass er dreimal verurteilt worden war. 1990 wegen Versicherungsbetrugs. 1992 wurde er wegen schwerer Körperverletzung, Hehlerei, Diebstahls und Vergewaltigung zu zwei Jahren verurteilt. Er wurde nach Finnland abgeschoben, war aber schon 1996 wieder in Schweden, wo man ihn wegen schwerer Körperverletzung und Vergewaltigung erneut zu zehn Monaten Gefängnis verurteilte. Gegen das Urteil legte er Berufung ein. Das Berufungsgericht gab ihm recht und sprach ihn vom Anklagepunkt der Vergewaltigung frei. Das Urteil wegen Körperverletzung blieb jedoch bestehen, und er musste sechs Monate absitzen. Im Jahr 2000 wurde Harry Ranta erneut wegen Vergewaltigung und Bedrohung angezeigt, doch die Anzeige wurde zurückgezogen und die Sache zu den Akten gelegt.

Lisbeth suchte nach ihren aktuellen Adressen und fand heraus, dass Atho Ranta in Norsborg und Harry Ranta in Alby wohnte.

Paolo Roberto war frustriert, als er zum fünfzigsten Mal Miriam Wus Telefonnummer wählte und nur die Mitteilung vom Band zu hören bekam, dass der Teilnehmer vorübergehend nicht erreichbar sei. Er hatte auch schon mehrmals die Adresse in der Lundagatan aufgesucht. Doch ihre Wohnungstür blieb geschlossen.

Er warf einen Blick auf die Uhr. Kurz nach acht am Dienstagabend. Verdammt, irgendwann musste sie doch mal nach Hause kommen. Er hatte vollstes Verständnis dafür, dass Miriam Wu sich versteckt hielt, aber der schlimmste Ansturm der Medien hatte sich mittlerweile eigentlich wieder gelegt. Er beschloss, dass er, statt hier pausenlos hin und her zu flitzen, eigentlich auch vor ihrer Tür warten konnte. Er füllte eine Thermoskanne mit Kaffee und machte sich ein paar belegte Brote. Bevor er seine Wohnung verließ, bekreuzigte er sich vor dem Kruzifix und der Madonna.

Er parkte knapp dreißig Meter von ihrer Haustür entfernt und rutschte mit dem Sitz nach hinten, sodass er mehr Platz für seine Beine hatte. Während das Radio leise spielte, betrachtete er das Foto von Miriam Wu, das er aus einer Zeitung ausgeschnitten und sich ins Auto geklebt hatte. Sie sah hübsch aus, stellte er fest. Geduldig beobachtete er die wenigen Passanten. Miriam Wu war nicht darunter.

Alle zehn Minuten versuchte er sie anzurufen. Gegen neun gab er es auf, als sein Handy zu piepsen anfing, weil die Batterie so gut wie leer war.

Per-Åke Sandström verbrachte den Dienstag in einem Zustand völliger Apathie. Er war die ganze Nacht über auf seinem Wohnzimmersofa geblieben, unfähig, sich ins Bett zu legen, ebenso unfähig, der plötzlichen Weinkrämpfe Herr zu werden, die ihn in regelmäßigen Abständen heimsuchten. Am Dienstagmorgen kaufte er sich eine Flasche Skåne-Schnaps. Dann zog er sich wieder auf sein Sofa zurück und führte sich ungefähr die Hälfte des Inhalts zu Gemüte.

Erst am Abend wurde ihm sein Zustand annähernd bewusst. Er fing an zu überlegen, was er tun könnte. Er wünschte sehnlichst, er hätte niemals von den Brüdern Atho und Harry Ranta und ihren Nutten gehört. Es war ihm unbegreiflich, wie er so dumm hatte sein können, sich in die Wohnung in Norsborg locken zu lassen, wo Atho die 17-Jährige und heftig berauschte Ines Hammujärvi mit gespreizten Beinen gefesselt und ihn dann zu einem Wettkampf herausgefordert hatte, wer von ihnen die härtere Latte hatte. Sie wechselten sich ab, und er gewann den Wettkampf, indem er den Abend und die Nacht hindurch eine größere Anzahl an sexuellen Leistungen verschiedenster Art vollbrachte.

Einmal war Ines Hammujärvi kurz zu sich gekommen und hatte protestiert. Woraufhin Atho sie eine halbe Stunde lang abwechselnd geschlagen und mit Schnaps abgefüllt hatte, wonach sie wieder friedlich genug war, dass Per-Åke seine Übungen fortsetzen konnte.

Verdammte Nutte.

Verflucht, er war aber auch so was von blöd gewesen.

Von *Millennium* hatte er keine Gnade zu erwarten. Die lebten von dieser Art von Skandalen.

Er hatte eine Todesangst vor dieser Verrückten, Salander.

Von diesem blonden Monster ganz zu schweigen.

Er konnte nicht zur Polizei gehen.

Er konnte es aber auch nicht allein schaffen. Es war eine Illusion, zu glauben, die Probleme würden von selbst verschwinden.

Blieb also nur die eine magere Alternative. Er sah ein, dass sie nur ein Strohhalm war, an den er sich klammerte.

Aber es war die einzige Möglichkeit.

Am Nachmittag nahm er also seinen ganzen Mut zusammen und rief Harry Ranta auf dem Handy an. Keine Antwort.

Er versuchte es weiter bis zehn Uhr abends, bis er schließlich aufgab. Nachdem er die Sache lange und gründlich bedacht hatte (wobei er sich mit dem restlichen Schnaps stärkte), rief er Atho Ranta an. Seine Freundin Silvia ging ans Telefon. Von ihr erfuhr er, dass die Gebrüder Ranta auf Urlaub in Tallinn waren. Nein, Silvia wusste nicht, wo man sie erreichen konnte. Nein, sie hatte keine Ahnung, ob die Gebrüder Ranta vorhatten, jemals zurückzukommen – sie waren auf unbestimmte Zeit in Estland.

Silvia klang sehr zufrieden.

Sandström ließ sich auf sein Wohnzimmersofa sinken. Er war nicht sicher, ob er niedergeschlagen oder erleichtert darüber sein sollte, Atho Ranta nicht erreicht zu haben. Doch die unterschwellige Botschaft war eindeutig. Die Gebrüder Ranta hatten aus verschiedenen Gründen die Ohren angelegt und sich vorerst für einen Urlaub in Tallinn entschieden. Was nicht sonderlich zu Per-Åke Sandströms Beruhigung beitrug.

25. Kapitel

Dienstag, 5. April – Mittwoch, 6. April

Paolo Roberto war nicht eingeschlafen, aber so tief in seine Gedanken versunken, dass es einen Moment dauerte, bis ihm die Frau auffiel, die sich um elf Uhr abends von der Högalidskirche her näherte. Er sah sie im Rückspiegel. Erst als sie ungefähr siebzig Meter hinter ihm an einer Straßenlaterne vorbeiging, drehte er hastig den Kopf und erkannte sofort Miriam Wu.

Er setzte sich auf. Sein erster Impuls war, aus dem Auto zu steigen. Aber dann begriff er, dass er sie damit nur verjagen würde und er besser wartete, bis sie an der Haustür angekommen war.

In diesem Augenblick sah er einen Lieferwagen die Straße entlangfahren und direkt neben Miriam Wu bremsen. Völlig verdattert beobachtete Paolo Roberto, wie ein Mann – ein blondes, höllisch groß gewachsenes Vieh – aus der Schiebetür sprang und Miriam Wu packte. Sie wich zurück und versuchte sich loszureißen, aber der blonde Riese hielt ihr Handgelenk eisern fest.

Paolo Roberto blieb der Mund offen stehen, als er Miriam Wus rechtes Bein in hohem Bogen nach oben sausen sah. *Natürlich, sie ist ja Kickboxerin.* Sie traf den Kopf des blonden Riesen, doch der Tritt schien ihn nicht im Geringsten zu beeindrucken. Stattdessen hob er die Hand und verpasste Miriam Wu eine Ohrfeige, die Paolo Roberto aus sechzig Metern Entfernung noch hören konnte. Miriam Wu sackte zusammen wie vom Blitz getroffen. Der blonde Riese bückte sich, hob sie mit einer Hand vom Boden auf und schleuderte sie geradezu ins Auto. Erst in diesem Moment schloss Paolo Roberto den Mund wieder und kam zu sich. Er sprang aus seinem Wagen und rannte auf den Lieferwagen zu.

Schon nach wenigen Schritten sah er ein, dass es zwecklos war. Das Auto, in das man Miriam Wu wie einen Sack Kartoffeln geworfen hatte, fuhr langsam an, wendete mitten auf der Straße und verschwand in Richtung Högalidskirche. Paolo Roberto machte auf dem Absatz kehrt, lief zu seinem Auto zurück, warf sich hinters Steuer und legte einen Kavalierstart hin. Er wendete ebenfalls mitten auf der Straße. Als er die nächste Kreuzung erreichte, war der Lieferwagen schon verschwunden. Er bremste, schaute die Högalidsgatan hinunter und entschied sich dann, links Richtung Hornsgatan abzubiegen.

Als er die Hornsgatan erreichte, stand die Ampel auf Rot. Da kein Verkehr war, fuhr er auf die Kreuzung und hielt nach allen Seiten Ausschau. Die einzigen Rücklichter, die er erkennen konnte, verschwanden gerade nach links in Richtung Liljeholmsbron. Paolo Roberto trat das Gaspedal durch und fuhr ihm hinterher. An der Långholmsgatan hatte er wieder Rot und musste den Verkehr aus Kungsholmen vorbeilassen, während ihm die Sekunden davonliefen. Als die Kreuzung frei war, gab er wieder Gas und fuhr über die rote Ampel. Inständig hoffte er, dass ihn jetzt kein Polizeiauto aufhalten würde.

Er wusste immer noch nicht, ob das Auto, das er flüchtig von hinten gesehen hatte, das richtige gewesen war. Er setzte alles auf eine Karte und trat das Gaspedal bis zum Boden durch. Mit knapp 150 Stundenkilometern zischte er am spärlichen gesetzestreuen Verkehr vorbei und nahm an, dass der eine oder andere Fahrer sich sein Kennzeichen notierte.

Als er auf der Höhe von Bredäng war, sah er das Auto wieder. Er fuhr bis auf fünfzig Meter heran, um sich zu vergewissern, dass es das richtige Fahrzeug war. Dann bremste er auf knapp 90 Stundenkilometer herunter und folgte dem Lieferwagen in einem Abstand von ungefähr zweihundert Metern. Erst jetzt fing er wieder an zu atmen.

In dem Augenblick, als Miriam Wu auf dem Boden des Laderaums aufschlug, spürte sie, wie ihr das Blut am Hals herunterlief. Sie blutete aus der Nase. Von seinem Schlag war ihr die Unterlippe aufgeplatzt, und wahrscheinlich hatte er ihr auch das Nasenbein gebrochen. Die Attacke war aus heiterem Himmel gekommen, und ihr Widerstand war in weniger als einer Sekunde gebrochen gewesen. Sie merkte, wie das Auto startete, bevor der Angreifer die Schiebetür ganz hatte schließen können. Einen Moment lang, während das Auto wendete, geriet der blonde Riese aus dem Gleichgewicht.

Miriam Wu drehte sich um und stützte sich mit der Hüfte auf dem Boden ab. Als der blonde Riese sich zu ihr umwandte, trat sie zu und traf ihn seitlich am Kopf. Man konnte sogar sehen, wo ihr Absatz ihn getroffen hatte. Dieser Tritt hätte ihn eigentlich verletzen müssen.

Er sah sie jedoch nur erstaunt an und grinste dann.

O Gott, was ist das bloß für ein verdammtes Monster!

Sie trat noch einmal zu, aber er bekam ihr Bein zu fassen und drehte ihr den Fuß so kräftig um, dass sie gellend aufschrie und sich auf den Bauch drehen musste.

Dann beugte er sich über sie und schlug sie mit der flachen Hand seitlich auf den Kopf. Miriam Wu sah Sternchen. Es fühlte sich an, als hätte sie ein Vorschlaghammer getroffen. Er setzte sich auf ihren Rücken. Sie versuchte, ihn hochzustemmen, aber er war zu schwer, als dass sie ihn auch nur einen Millimeter hätte bewegen können. Nachdem er ihr die Hände auf den Rücken gedreht hatte, fesselte er sie mit Handschellen.

Sie war völlig hilflos. Miriam Wu spürte auf einmal, dass ihr der Schock alle Glieder lähmte.

Mikael Blomkvist fuhr auf dem Heimweg von Tyresö am Globen vorbei. Den ganzen Nachmittag und Abend hatte er damit verbracht, drei weitere Namen von der Liste der Freier abzuhaken. Dabei war jedoch überhaupt nichts herausgekommen. Er hatte nur von Panik geschüttelte Figuren angetroffen, die bereits von Dag Svensson zur Rede gestellt worden waren und jetzt darauf warteten, dass der Himmel über ihnen einstürzte. Sie hatten ihn angebettelt und angefleht. Von seiner privaten Liste der Verdächtigen hatte er sie samt und sonders gestrichen.

Als er an der Skanstullbron vorbeikam, rief er Erika Berger an. Sie ging nicht ans Telefon. Er versuchte, Malin Eriksson zu erreichen, doch sie antwortete auch nicht. Verdammt. Es war schon spät. Er wollte sich mit jemandem besprechen.

Dann überlegte er, ob Paolo Roberto wohl bei Miriam Wu Erfolg gehabt hatte, und wählte seine Nummer. Nach dem fünften Klingeln meldete er sich.

»Paolo.«

»Hallo. Hier ist Blomkvist. Ich wollte nur wissen, wie es gelaufen ist …«

»Blomkvist, ich bin hinter … Auto mit Miriam …«

»Ich kann Sie nicht hören.«

Rauschen

»Ich kann Sie nicht hören.«

Die Verbindung wurde unterbrochen.

Paolo Roberto fluchte, als die Batterie seines Handys ihren Geist aufgab. Er drückte auf den ON-Knopf, und das Telefon ging noch einmal an. Er wählte die Notrufzentrale, aber als jemand abnahm, ging das Handy prompt wieder aus.

Verflucht.

Er hatte ein Ladegerät, das er am Zigarettenanzünder anschließen konnte. Aber das lag natürlich zu Hause in der Flurkommode. Er warf das Handy auf den Beifahrersitz und konzentrierte sich darauf, die Rücklichter des Lieferwagens im Auge zu behalten. Sein BMW war vollgetankt, der Wagen vor ihm hatte nicht die geringste Chance, ihn abzuschütteln. Aber er wollte keine unnötige Aufmerksamkeit erregen und ließ den Abstand auf mehrere hundert Meter anwachsen.

Ein verdammtes Steroidmonster schlägt vor meinen Augen ein Mädchen zusammen. Den Wichser knöpf ich mir vor.

Wäre Erika Berger da gewesen, hätte sie ihn einen Machocowboy genannt. Doch Paolo Roberto war einfach nur wütend.

Mikael Blomkvist fuhr durch die Lundagatan, stellte aber fest, dass bei Miriam Wu alles dunkel war. Paolo Roberto war auf dem Handy nicht mehr zu erreichen. Er fuhr nach Hause und machte sich Kaffee und ein paar Brote.

Die Autofahrt dauerte länger, als Paolo Roberto erwartet hatte. Die Reise ging nach Södertälje und danach über die E20 nach Strängnäs. Kurz hinter Nykvarn bog der Lieferwagen nach links auf die kleineren Straßen ab, die in die ländlichen Gegenden von Sörmland führten.

Damit stieg freilich auch das Risiko, dass Paolo Aufmerksamkeit erregte und entdeckt wurde. Er nahm den Fuß vom Gaspedal und ließ den Abstand zwischen sich und seinem Vordermann noch ein wenig größer werden.

Als er den Lieferwagen aus den Augen verlor, erhöhte er seine Geschwindigkeit wieder. Er kam auf eine lange, gerade Straße und bremste.

Der Lieferwagen war verschwunden. Und in dieser Gegend gab es jede Menge kleiner Abzweigungen. Er hatte sie aus den Augen verloren.

Miriam Wu hatte Schmerzen im Genick und im Gesicht, aber immerhin hatte sie die Panik und die Angst angesichts ihrer Hilflosigkeit wieder in den Griff bekommen. Sie durfte sich aufsetzen und lehnte sich gegen die Rückseite des Fahrersitzes. Ihre Hände waren auf dem Rücken gefesselt, und über dem Mund war ein breites Stück Klebeband. Da eines ihrer Nasenlöcher voller Blut war, fiel ihr das Atmen schwer.

Sie betrachtete den blonden Riesen. Seit er ihr den Klebestreifen auf den Mund gedrückt hatte, ignorierte er sie vollkommen. Sie betrachtete die Stelle, wo sie ihn getreten hatte. Dieser Tritt hätte eigentlich massive Verletzungen hinterlassen müssen, aber er schien ihn kaum gespürt zu haben. Er war anomal.

Er war groß und wahnsinnig gut gebaut. Seinen Muskeln nach zu urteilen, musste er jede Woche mehrere Stunden im Fitnessstudio zubringen. Aber er war kein Bodybuilder, seine Muskeln sahen ganz natürlich aus. Seine Hände wirkten wie wuchtige Bratpfannen. Ihr wurde klar, warum sich seine Ohrfeige wie ein Keulenschlag angefühlt hatte.

Der Lieferwagen holperte über einen Weg voller Schlaglöcher.

Sie hatte keine Ahnung, wo sie sich befanden, aber sie glaubte ungefähr mitbekommen zu haben, dass sie eine geraume Weile die E4 entlanggefahren waren, bevor sie auf kleinere Straßen abgebogen waren.

Sie wusste, dass sie auch mit freien Händen keine Chance gegen den blonden Riesen hatte. Sie fühlte sich vollkommen ohnmächtig.

Um kurz nach elf rief Malin Eriksson bei Mikael Blomkvist an. Er war gerade nach Hause gekommen, hatte Kaffee aufgesetzt und stand in der Küche, um sich ein Brot zu schmieren.

»Entschuldige, dass ich so spät noch anrufe. Ich habe mehrere Stunden versucht, dich auf dem Handy zu erreichen, aber du bist nie rangegangen.«

»Tut mir leid. Ich hatte es tagsüber ausgestellt, während ich bei den Freiern war.«

»Ich hab da was gefunden, was von Interesse sein könnte«, verkündete Malin.

»Lass hören.«

»Bjurman. Ich sollte doch seinen Hintergrund ausforschen.«

»Ja.«

»Er wurde 1950 geboren und begann 1970 sein Jurastudium. 1976 legte er das Examen ab, begann 1978 bei Klang & Reine und machte1989 seine eigene Kanzlei auf.«

»Okay.«

»1976 hat er für wenige Wochen als Referendar gearbeitet. Direkt nach seinem Examen, von 1976 bis 1978, war er zwei Jahre bei der Reichspolizeibehörde.«

»Aha.«

»Ich hab mich mal kundig gemacht, was er da für Aufgaben hatte. War schwer rauszukriegen. Aber er war Sachbearbeiter für juristische Angelegenheiten bei der SiPo. Er arbeitete dort in der Auslandsabteilung.«

»Sag das noch mal!«

»Mit anderen Worten, er hat dort wahrscheinlich zur selben Zeit gearbeitet wie Björck.«

»Dieser verdammte Björck. Er hat kein Wort davon gesagt, dass er mit Bjurman zusammengearbeitet hat.«

Der Lieferwagen musste irgendwo ganz in der Nähe sein. Paolo Roberto hatte so großen Abstand gehalten, dass er ihn immer wieder aus den Augen verloren hatte, aber jedes Mal war er ein paar Minuten später wieder aufgetaucht. Er fuhr an den Straßenrand und drehte um. Langsam fuhr er wieder in Richtung Norden und hielt Ausschau nach Abzweigungen.

Nach nur hundertfünfzig Metern sah er plötzlich einen Lichtkegel, der durch einen schmalen Spalt in einem dichten

Waldstück schimmerte. Auf der anderen Seite des Waldes entdeckte er einen kleinen Weg. Er parkte sein Auto, machte sich aber nicht die Mühe, es abzuschließen. Dann lief er zurück, überquerte die Straße und sprang über einen Graben. Er wünschte, er hätte eine Taschenlampe dabeigehabt. Mühsam schlängelte er sich durch junge Baumtriebe, Büsche und Bäume.

Das Waldstück bildete nur einen schmalen Streifen, und plötzlich stand Paolo Roberto auf einem sandigen Kiesplatz. Er sah ein paar niedrige, dunkle Gebäude und ging auf sie zu, als plötzlich ein Scheinwerfer über dem Tor erstrahlte.

Er duckte sich. Eine Sekunde später ging im Gebäude ebenfalls ein Licht an. Es sah aus wie ein knapp dreißig Meter langes Lagergebäude, dessen schmale Fenster sich in großer Höhe befanden. Auf dem Vorplatz standen jede Menge Container und rechts von ihm ein gelber Lastwagen. Daneben parkte ein weißer Volvo. Im Schein der Außenbeleuchtung entdeckte er plötzlich den Lieferwagen, der nur fünfundzwanzig Meter von ihm entfernt parkte.

Da öffnete sich direkt vor ihm plötzlich eine Tür. Ein Mann mit blonden Haaren und Bierbauch trat aus der Lagerhalle und steckte sich eine Zigarette an. Als er den Kopf drehte, konnte Paolo im Gegenlicht einen Pferdeschwanz ausmachen.

Paolo blieb in geduckter Haltung und rührte sich nicht. Er war weniger als zwanzig Meter von dem Mann entfernt und voll sichtbar, aber das Licht des Feuerzeugs schien den Mann zu blenden, sodass er im Dunkeln schlecht sah. Dann hörten Paolo und der Mann mit dem Pferdeschwanz einen erstickten Schrei aus dem Lieferwagen. Als der Pferdeschwanz langsam auf den Wagen zuging, legte Paolo sich flach auf den Boden.

Er hörte das Geräusch der aufgleitenden Schiebetür und sah, wie der blonde Riese heraussprang und unmittelbar darauf Miriam Wu aus dem Wagen zerrte. Er klemmte sie sich unter den Arm und hielt sie ohne jede Anstrengung fest, während sie in seinem Griff zappelte. Es sah so aus, als würden die beiden Männer ein paar Worte wechseln, aber Paolo konnte nichts verstehen. Dann machte der Mann mit dem Pferdeschwanz die Fahrertür auf, stieg ein und startete den Wagen. In einem engen Bogen wendete er auf dem Vorplatz, wobei der Lichtkegel seiner Scheinwerfer beinahe Paolo erfasst hätte. Dann verschwand der Lieferwagen über eine Auffahrt. Paolo hörte, wie sich das Motorengeräusch entfernte.

Der blonde Riese trug Miriam Wu durch den Lasteneingang. Paolo konnte durch die hohen Fenster einen Schatten erkennen. Es sah so aus, als würde sich der Schatten im hinteren Bereich des Gebäudes bewegen.

Vorsichtig stand er auf. Seine Kleider waren feucht. Er war zugleich erleichtert und beunruhigt.

Das Klügste wäre es gewesen, sich jetzt zurückzuziehen und die Polizei zu benachrichtigen. Aber sein Handy war mausetot. Außerdem hatte er nur eine vage Vorstellung, wo er sich befand, und war sich nicht sicher, ob er den Weg korrekt beschreiben könnte. Zudem hatte er keine Ahnung, was in diesem Gebäude gerade mit Miriam Wu geschah.

Er beschrieb einen großzügigen Halbkreis um das Haus und stellte fest, dass es offenbar nur einen Eingang gab. Zwei Minuten später stand er wieder vor der Tür und musste einen Entschluss fassen. Paolo hatte nicht den geringsten Zweifel, dass der blonde Riese ein *bad guy* war. Er hatte Miriam Wu misshandelt und gekidnappt. Doch Paolo hatte nicht allzu viel Angst – sein Selbstvertrauen war groß genug, und er wusste, dass er sich in einer Schlägerei jederzeit seiner Haut wehren konnte. Die Frage war nur, ob der Mann im Gebäude bewaffnet war und ob sich noch mehr Personen darin befanden. Er zögerte.

Die Einfahrt war breit genug, dass Lastwagen problemlos hindurchfahren konnten. Daneben gab es noch eine ganz normale Eingangstür. Paolo drückte die Klinke herunter und öffnete die Tür. Er betrat eine große, erleuchtete Lagerhalle, voll mit Gerümpel, alten Kartons und Müll.

Miriam Wu spürte die Tränen über ihre Wangen laufen. Sie weinte nicht so sehr wegen der Schmerzen, sondern weil sie sich so hilflos fühlte. Während der Fahrt hatte der Riese sie wie Luft behandelt. Als der Lieferwagen zum Stehen kam, hatte er ihr das Klebeband vom Mund gerissen. Ohne jede Anstrengung hatte er sie hochgehoben, hineingetragen und auf den Zementboden fallen lassen, ohne Rücksicht auf ihre Bitten oder Proteste. Als er sie ansah, waren seine Augen kalt wie Eis.

Und plötzlich wusste Miriam Wu, dass sie in dieser Lagerhalle sterben würde.

Er drehte ihr den Rücken zu und ging zu einem Tisch, wo er eine Flasche Mineralwasser aufmachte und in langen Schlucken trank. Da er ihre Beine nicht gefesselt hatte, konnte Miriam Wu aufstehen.

Als er sich zu ihr umdrehte, grinste er. Er war näher an der Tür als sie. Sie hatte nicht die geringste Chance, an ihm vorbeizukommen. Resigniert ging sie wieder in die Knie und bekam eine rasende Wut auf sich selbst. *Ich werde mich hier nicht kampflos geschlagen geben, verdammt!* Sie stand wieder auf und biss die Zähne zusammen. *Na komm schon, du beschissener Fettsack.*

Da ihre Hände immer noch auf dem Rücken gefesselt waren, fühlte sie sich ungeschickt und hatte Schwierigkeiten mit dem Gleichgewicht, aber als er auf sie zuging, drehte sie sich im Kreis und suchte eine Lücke in seiner Deckung. Blitzschnell führte sie einen Tritt gegen seine Rippen aus, wirbelte einmal um ihre eigene Achse und wollte ihn in den Schritt treten. Sie traf nur seine Hüfte, ging einen Meter zurück und wechselte das Bein für den nächsten Angriff. Durch ihre gefesselten Hände fehlte ihr das nötige Gleichgewicht, um ihn ins Gesicht zu treffen, aber ihr gelang ein heftiger Tritt gegen sein Brustbein.

Er streckte nur eine Hand aus, packte sie an der Schulter und drehte sie herum, als wäre sie eine Pappfigur. Dann schlug er ihr mit der Faust, gar nicht mal besonders hart, in die Nierengegend. Miriam Wu schrie auf wie eine Verrückte, als ihr der lähmende Schmerz durch den Bauch schoss, und sank wieder auf die Knie. Nachdem er ihr noch eine Ohrfeige versetzt hatte, stürzte sie zu Boden. Dann hob er den Fuß und trat sie in die Seite. Mimmi blieb die Luft weg, und sie hörte, wie eine ihrer Rippen brach.

Paolo Roberto bekam von alldem nichts mit, doch plötzlich hörte er einen gellenden Schrei, der sofort wieder verstummte. Er drehte den Kopf und biss die Zähne zusammen. Es gab noch einen weiteren Raum hinter einer Trennwand. Lautlos durchquerte er die Halle und blickte vorsichtig durch die Türöffnung. Genau in diesem Moment drehte der blonde Riese Miriam Wu auf den Rücken. Er verschwand für ein paar Sekunden aus seinem Blickfeld, um mit einer Motorsäge zurückzukommen, die er vor Miriam Wu auf den Boden stellte. Paolo Roberto zog die Augenbrauen hoch.

»Ich möchte eine Antwort auf eine ganz einfache Frage.«

Der Riese hatte eine seltsam helle Stimme, als hätte er keinen richtigen Stimmbruch gehabt. Paolo konnte einen ganz leichten Akzent ausmachen.

»Wo ist Lisbeth Salander?«

»Ich weiß es nicht«, murmelte Miriam Wu.

»Falsche Antwort. Du bekommst noch eine Chance, bevor ich die hier anwerfe.«

Er ging in die Hocke und streichelte die Motorsäge.

»Wo versteckt sich Lisbeth Salander?«

Miriam Wu schüttelte den Kopf.

Paolo zögerte. Aber als der blonde Riese die Hand nach der Motorsäge ausstreckte, machte Paolo drei entschlossene Schritte nach vorn und versetzte ihm einen ordentlichen rechten Haken gegen die Nieren.

Er war kein weltbekannter Boxer geworden, indem er im Ring zaghaft zu Werke ging. Im Laufe seiner Profikarriere hatte er 33 Kämpfe bestritten und 28 davon gewonnen. Als er jetzt zuschlug, erwartete er sich also eine Reaktion. Beispielsweise, dass das Objekt seines Angriffs mit schmerzverzerrtem Gesicht zu Boden ging. Paolo für seinen Teil hatte das Gefühl, seine Hand mit voller Kraft in eine Betonwand gerammt zu haben. Ein derartiges Gefühl hatte er in all den Jahren im Boxring kein einziges Mal gehabt. Verdattert sah er den Koloss an, der da vor ihm stand.

Der blonde Riese drehte sich um und blickte ebenso verdattert auf den Boxer herab.

»Wie wär's, wenn du dich mal mit jemandem aus deiner eigenen Gewichtsklasse schlagen würdest?«, fragte Paolo Roberto.

Er verpasste ihm eine schnelle Rechts-links-rechts-Kombination in den Bauch. Wieder fühlte es sich an, als würde er auf eine Wand einhämmern. Der Riese trat lächelnd einen halben Schritt zurück.

»Sie sind Paolo Roberto«, stellte er fest.

Paolo hielt verdutzt inne. Er hatte gerade vier Schläge gelandet, die den Riesen normalerweise hätten zu Boden werfen müssen, während er selbst sich in seine Ecke zurückzog, um dem Schiedsrichter beim Auszählen zuzusehen. Doch hier schien kein einziger Schlag auch nur die geringste Wirkung erzielt zu haben.

Herrgott. Das ist ja nicht mehr normal.

Dann sah er quasi in Zeitlupe, wie der rechte Haken des Blonden durch die Luft segelte. Er war langsam und ließ seinen Schlag schon lange im Voraus erahnen. Paolo wich ihm aus und wehrte mit der linken Schulter ab. Es fühlte sich an, als hätte ihn ein Schlag mit einem Eisenrohr getroffen.

Paolo wich zwei Schritte zurück und hatte auf einmal doch Respekt vor seinem Gegner.

Mit dem stimmt doch was nicht. Kein Mensch kann so hart zuschlagen.

Automatisch wehrte er einen linken Haken mit dem Unterarm ab und verspürte erneut einen dumpfen Schmerz. Der rechte Haken, der aus dem Nirgendwo kam und den er nicht mehr parieren konnte, landete auf seiner Stirn.

Paolo taumelte rückwärts durch die Tür, bis er gegen einen Stapel Paletten krachte und sich den Kopf anschlug. Im nächsten Moment merkte er, wie ihm das Blut übers Gesicht strömte.

Er hat mir die Augenbraue aufgeschlagen. Die muss genäht werden. Mal wieder.

Im nächsten Moment kam der Riese wieder in sein Blickfeld, und instinktiv drehte sich Paolo zur Seite weg. Um Haaresbreite entging er einem erneuten Keulenschlag der enormen Fäuste. Er machte drei schnelle Schritte zurück und brachte seine Arme wieder in Verteidigungsposition. Paolo Roberto war erschüttert.

Der blonde Riese betrachtete ihn mit neugierigen, fast amüsierten Augen. Dann nahm er dieselbe Haltung ein wie Paolo. *Er ist Boxer.* Sie begannen sich langsam zu umkreisen.

Die nächsten hundertachtzig Sekunden waren der bizarrste Boxkampf, den Paolo Roberto jemals bestritten hatte. Seile und Handtücher fehlten. Sekundanten und Schiedsrichter gab es nicht. Es gab keinen Gong, der den Kampf unterbrach, die Gegner in ihre jeweilige Ringecke schickte und ihnen ein paar Sekunden Pause gewährte, mit Wasser und Riechsalz und einem Handtuch, um sich das Blut von den Augen zu wischen.

Auf einmal ging Paolo Roberto auf, dass dies ein Kampf auf Leben und Tod war. All sein Training, all die Jahre, die er auf

Sandsäcke eingedroschen hatte, alles Sparring und die Erfahrungen aus all seinen Kämpfen ballten sich zu der Energie zusammen, die ihm jetzt durch die Adern schoss, als das Adrenalin in ihm aufbrandete wie noch nie zuvor in seinem Leben.

Paolo legte seine ganze Kraft in die Schläge. Links, rechts, links, noch mal links und ein Schlag ins Gesicht mit der Rechten, dem linken Haken ausweichen, einen Schritt zurück, Angriff mit der Rechten. Jeder Schlag, den Paolo Roberto ausführte, traf.

Hier bestritt er den wichtigsten Kampf seines Lebens. Er boxte ebenso mit dem Hirn wie mit seinen Fäusten. Jedem Schlag des Riesen konnte er ausweichen.

Als er einen astreinen rechten Haken auf dem Kiefer des Riesen landete, fühlte es sich an, als würde er sich selbst einen Knochen brechen. Eigentlich hätte sein Gegner in sich zusammensacken müssen. Paolo warf einen Blick auf seinen Knöchel und entdeckte, dass er blutete. Im Gesicht des blonden Riesen bemerkte er Rötungen und Schwellungen. Doch dieser schien unbeeindruckt.

Paolo wich zurück und machte eine Pause, während er seinen Gegner taxierte. *Das ist kein Boxer. Er bewegt sich wie ein Boxer, aber boxen kann der nicht für fünf Öre. Der tut nur so. Er hat keine Abwehr. Er kündigt seine Schläge vorher an. Und er ist so langsam, das gibt's gar nicht.*

Im nächsten Augenblick landete der Riese einen seitlichen linken Haken auf Paolos Brustkorb. Paolo merkte, wie ihm der Schmerz durch den Körper schoss, als seine Rippen brachen. Bei seinem Versuch, zurückzuweichen, stolperte er über irgendwelches Gerümpel und stürzte rücklings zu Boden. Innerhalb einer Sekunde sah er den Riesen über sich aufragen, aber er konnte sich gerade noch zur Seite rollen und wieder aufrappeln.

Während er nach hinten auswich, versuchte er, neue Kräfte zu sammeln.

Nun ging der Riese wieder auf ihn los, und Paolo war in der Defensive. Er duckte sich, duckte sich noch einmal und wich aus. Jedes Mal wenn er einen Schlag parierte, fühlte er den Schmerz.

Dann kam der Augenblick, den jeder Boxer schon einmal mit Grauen erlebt hat. Dieses Gefühl, das einen mitten im Kampf überfallen kann. Das Gefühl der Aussichtslosigkeit. Die Einsicht, *ich verliere, verdammt, ich verliere diesen Kampf.*

Der entscheidende Moment in jedem Boxkampf.

Der Moment, in dem einen plötzlich die Kräfte verlassen und das Adrenalin so massiv durch die Adern strömt, dass es fast lähmend wirkt. Auf einmal steht die Kapitulation wie ein Gespenst neben dem Ring. In diesem Augenblick unterscheidet sich der Amateur vom Profi und der Gewinner vom Verlierer. Wenige Boxer, die plötzlich an diesem Abgrund stehen, haben genügend Energie, um das Ruder noch einmal herumzureißen und eine sichere Niederlage in einen Sieg zu verwandeln.

Das wusste Paolo Roberto. Er erlebte diesen Moment, als würde er den blonden Riesen durch ein Kameraobjektiv betrachten.

Er wich zurück und beschrieb einen großen Halbkreis, um Kräfte zu sammeln und Zeit zu gewinnen. Der Riese folgte ihm zielstrebig, aber langsam, als wüsste er, dass der Kampf bereits entschieden war. *Er weiß, wer ich bin. Er ist ein Amateur. Aber er hat eine ungeheure Schlagkraft.*

In Paolos Kopf überschlugen sich die Gedanken. Ganz plötzlich stand ihm jene Nacht vor zwei Jahren in Mariehamn wieder vor Augen. Seine Karriere als Profiboxer wurde brutal beendet, als er auf den Argentinier Sebastián Luján traf. Zum ersten Mal in seinem Leben wurde er k. o. geschlagen und war fünfzehn Sekunden lang bewusstlos.

Er hatte oft darüber nachgedacht, was damals schiefgegangen war. Er war in Bombenform gewesen. Er war hoch konzentriert. Sebastián Luján war nicht besser als er. Aber der Argentinier landete einen glasklaren Treffer, und auf einmal schwankte der Ring unter seinen Füßen wie ein Schiff bei Windstärke 10.

Hinterher hatte er auf dem Video sehen können, dass er ohne jede Deckung umhergetaumelt war, wie Donald Duck. Dreiundzwanzig Sekunden später kam der Knock-out.

Sebastián Luján war nicht besser gewesen, aber besser trainiert. Die Unterschiede waren so minimal, dass der Kampf auch anders hätte ausgehen können.

Doch sein Gegner war hungriger gewesen. Als Paolo in Mariehamn in den Ring stieg, wollte er zwar siegen, aber das Boxen war nicht mehr sein innerstes Bedürfnis gewesen. Es ging nicht mehr um Leben oder Tod. Eine Niederlage war keine Katastrophe.

Anderthalb Jahre später war er immer noch Boxer, aber kein Profi mehr. Er bestritt nur noch freundschaftliche Sparringskämpfe. Aber er trainierte trotzdem, und er hatte nicht zugenommen. Natürlich war sein Körper nicht dasselbe fein eingestellte Instrument wie vor einem Titelkampf, auf den man sich monatelang vorbereitete, aber er war *Paolo Roberto* und konnte es mit jedermann aufnehmen. Und im Unterschied zu Mariehamn ging es bei diesem Kampf in einer Lagerhalle südlich von Nykvarn buchstäblich um Leben und Tod.

Paolo Roberto fasste einen Entschluss. Er blieb stehen und ließ den blonden Riesen richtig an sich herankommen. Nachdem er mit der Linken angetäuscht hatte, legte er all seine Kraft in einen rechten Haken. Er gab alles und traf seinen Gegner blitzschnell auf Mund und Nase. Er schloss eine Links-rechts-links-Kombination an und landete mit allen drei Schlägen Treffer im Gesicht.

Der blonde Riese boxte weiter in Zeitlupe und schlug mit der Rechten zurück. Paolo konnte den Schlag schon lange im

Voraus ahnen und duckte sich unter der gewaltigen Faust weg. Er sah, wie der Riese das Körpergewicht verlagerte, und wusste, dass er eine Linke nachlegen wollte. Statt abzuwehren, beugte Paolo sich einfach zurück und ließ den linken Haken vor seiner Nase vorbeizischen. Er antwortete mit einem mächtigen Hieb seitlich unter die Rippen. Als der Riese sich umdrehte, um den Angriff abzufangen, schoss Paolos Faust mit einem linken Haken hoch und traf ihn abermals genau auf die Nase.

Plötzlich spürte er, dass alles, was er jetzt tat, genau das Richtige war. Allmählich gewann er die Kontrolle über den Kampf zurück. Sein Gegner war in der Defensive. Er blutete aus der Nase und lächelte nicht mehr.

Dann trat der blonde Riese plötzlich zu.

Sein Fuß schoss hoch und traf Paolo Roberto völlig überraschend. Rein gewohnheitsmäßig hatte er sich innerhalb des Boxreglements geglaubt und erwartete somit keine Tritte. Es fühlte sich an, als würde ihn oberhalb des Knies ein Vorschlaghammer auf den Schenkel treffen, und im selben Moment zuckte ihm ein stechender Schmerz durchs Bein. *Nein.* Er trat einen Schritt zurück und stolperte wieder über irgendwelches Gerümpel.

Der Riese blickte auf ihn herab. Für eine Sekunde trafen sich ihre Blicke. Die Botschaft war unmissverständlich: *Der Kampf ist vorbei.*

Doch dann weiteten sich die Augen des Riesen, als Miriam Wu ihn von hinten in den Schritt trat.

Jeder Muskel in Miriam Wus Körper schmerzte, aber irgendwie hatte sie es geschafft, ihre gefesselten Hände unter ihrem Hintern nach vorn zu ziehen. In ihrem Zustand war das eine akrobatische Leistung erster Güte.

Ihr taten die Rippen weh, der Nacken, der Rücken und die Nieren, und sie konnte kaum aufrecht stehen. Schließlich taumelte sie zur Tür und riss die Augen auf, als sie sah, wie Paolo Roberto – *wie kommt der denn hierher?* – dem blonden Riesen einen rechten Haken und eine Reihe von Schlägen ins Gesicht verpasste, bevor er stürzte.

Miriam Wu war es völlig egal, wie und warum Paolo Roberto hier aufgetaucht war. Er war einer von den *good guys*. Zum ersten Mal in ihrem Leben verspürte sie eine geradezu mörderische Lust, einen anderen Menschen zu verletzen. Sie machte ein paar schnelle Schritte und mobilisierte all ihre Energie und jeden Muskel, der an ihrem Körper noch intakt war. Dann trat sie ihm mit voller Wucht von hinten zwischen die Beine. Nicht unbedingt elegantes Thaiboxen, aber der Tritt hatte den beabsichtigten Effekt.

Sie nickte. Die Typen konnten so groß wie Häuser sein und aus Granit gemacht, aber ihre Eier saßen doch immer an derselben Stelle.

Zum ersten Mal schien der blonde Riese verletzt. Er stöhnte gepresst, griff sich zwischen die Beine und stützte sich mit einem Knie auf den Boden.

Plötzlich packte er ihren Fuß und zog sie zu sich heran. Verzweifelt wand sie sich und versuchte, mit dem anderen Bein zuzutreten, während er bereits die Faust hob. Ihr Tritt traf ihn in derselben Sekunde, als sein Schlag seitlich auf ihrer Schläfe landete. Für Miriam Wu fühlte es sich an, als wäre sie aus voller Kraft gegen eine Wand gelaufen. Vor ihren Augen blitzte es auf, dann wurde es dunkel, dann wieder hell.

Der blonde Riese rappelte sich auf.

In diesem Moment schlug Paolo Roberto ihm mit dem Balken, über den er vorher gestolpert war, auf den Hinterkopf. Der blonde Riese stürzte vornüber und landete mit lautem Krachen auf dem Boden.

Paolo Roberto sah sich um. Alles kam ihm noch so unwirklich vor. Der blonde Riese wand sich auf dem Boden. Miriam Wu hatte einen glasigen Blick und schien benommen. Ihre vereinten Anstrengungen hatten ihnen nur eine kurze Atempause verschafft.

Paolo konnte mit seinem verletzten Bein kaum auftreten und vermutete, dass ihm ein Muskel über dem Knie gerissen war. Er hinkte zu Miriam Wu und zog sie auf die Füße. Ihr Blick war immer noch leer und unkonzentriert. Wortlos legte er sie über seine Schulter und hinkte in Richtung Ausgang. Der Schmerz in seinem rechten Knie war so heftig, dass er zeitweise auf dem anderen Bein hüpfte.

Es war ein befreiendes Gefühl, in die dunkle, kalte Nacht hinauszutreten. Aber er hatte keine Zeit, sich länger damit aufzuhalten. Er steuerte über den Kiesplatz auf den Wald zu, denselben Weg, den er gekommen war. Kaum war er zwischen den Bäumen angelangt, stolperte er über ein paar aus dem Boden ragende Wurzeln und stürzte. Miriam Wu stöhnte auf, und im selben Moment hörte man, wie die Tür der Lagerhalle krachend aufflog.

Der blonde Riese war eine monumentale Silhouette im hellen Rechteck der geöffneten Tür. Paolo legte Miriam Wu eine Hand über den Mund, beugte sich zu ihr hinunter und befahl ihr, still zu sein und sich nicht zu rühren.

Dann tastete er den Boden unter dem Wurzelwerk ab und fand einen Stein, der etwas größer als seine Faust war. Paolo bekreuzigte sich. Er war zum ersten Mal in seinem sündigen Leben bereit, einen Menschen zu töten, falls es notwendig werden sollte. Mittlerweile war er so entkräftet und so übel zugerichtet, dass er eine weitere Runde nicht überstehen würde. Aber niemand, nicht einmal ein blondes Monster, konnte mit zerschmettertem Schädel kämpfen. Er umklammerte den Stein und fühlte, dass er eine ovale Form mit einer scharfen Kante hatte.

Der blonde Riese ging bis an die Ecke des Gebäudes und beschrieb dann einen großen Bogen über den kiesbestreuten

Vorplatz. Weniger als zehn Schritte von der Stelle entfernt, wo Paolo den Atem anhielt, blieb er stehen. Der Riese lauschte und spähte – aber er konnte nicht ahnen, in welche Richtung sie in die Nacht verschwunden waren. Nach ein paar Minuten erfolgloser Suche schien er die Aussichtslosigkeit seines Bemühens einzusehen. Entschlossen ging er in die Halle zurück und trat wenige Minuten später wieder nach draußen. Er machte das Licht aus und stieg mit einer Tasche in den weißen Volvo. Nach einem Kavalierstart verschwand er über die Auffahrt. Paolo lauschte schweigend, bis sich das Motorengeräusch in der Ferne verlor. Als er nach unten blickte, sah er Miriam Wus Augen im Dunkeln glänzen.

»Hallo, Miriam«, sagte er. »Ich heiße Paolo, und du brauchst keine Angst vor mir zu haben.«

»Ich weiß.«

Ihre Stimme war schwach. Erschöpft lehnte er sich zurück und spürte, wie sein Adrenalinspiegel langsam wieder sein normales Niveau erreichte.

»Ich weiß nicht, wie ich aufstehen soll«, erklärte er. »Aber auf der anderen Seite der Straße hab ich mein Auto geparkt. Ungefähr hundert Meter von hier.«

Der blonde Riese fuhr östlich von Nykvarn auf einen Rastplatz. Er war aufgewühlt und benommen.

Zum ersten Mal in seinem Leben war er in einer Schlägerei zu Boden geschickt worden. Und niedergeschlagen hatte ihn ausgerechnet ... Paolo Roberto, der Boxer. Es kam ihm beinahe vor wie ein irrer Traum. Es wollte ihm nicht in den Kopf, woher Paolo Roberto auf einmal gekommen war. Ganz plötzlich hatte er einfach dort in der Lagerhalle gestanden.

Paolo Robertos Schläge hatte er gar nicht gespürt, was ihn nicht überraschte. Aber den Tritt in den Schritt hatte er sehr wohl gespürt. Und bei diesem schrecklichen Schlag auf den Kopf war ihm schwarz vor Augen geworden. Er tastete mit den Fingern sein Genick ab und fühlte eine riesige Beule. Doch wenn er darauf drückte, empfand er keine Schmerzen. Trotzdem war ihm schwindlig. Als er die Zunge durch seine Mundhöhle gleiten ließ, stellte er verwundert fest, dass links oben ein Zahn fehlte. Im ganzen Mund hatte er diesen Blutgeschmack. Dann nahm er seine Nase zwischen Daumen und Zeigefinger und bog sie vorsichtig nach oben. Dabei hörte er einen knackenden Laut im Schädel und wusste, dass seine Nase gebrochen war.

Die Tasche zu holen und das Lager zu verlassen, bevor die Polizei kam, war genau das Richtige gewesen. Dennoch hatte er einen riesigen Fehler begangen. Im Fernsehen hatte er einmal gesehen, wie die Polizei am Tatort DNA-Spuren sicherte. Blut. Haare.

Zwar hatte er nicht die geringste Lust, zur Lagerhalle zurückzukehren, doch es blieb ihm keine andere Wahl. Er wendete auf der Straße. Kurz vor Nykvarn kam ihm ein Auto entgegen, aber er dachte nicht weiter darüber nach.

Die Fahrt zurück nach Stockholm war der reinste Albtraum. Paolo Roberto hatte Blut in den Augen und war so zerschlagen, dass sein ganzer Körper schmerzte. Er spürte, dass er Schlangenlinien fuhr, trotz des hohen Tempos. Mit der einen Hand trocknete er sich die Augen und befühlte dann vorsichtig seine Nase. Es tat richtig weh, und er konnte nur noch durch den Mund atmen. Unaufhörlich hielt er nach einem weißen Volvo Ausschau und glaubte, dass ihnen auf der Höhe von Nykvarn ein solcher entgegengekommen war.

Er warf einen Blick auf Miriam Wu, die immer noch Handschellen trug und ohne Sicherheitsgurt auf dem Rücksitz zusammengesackt war. Er hatte sie zum Auto tragen müssen, und sobald sie den Rücksitz berührt hatte, war sie ganz schlaff geworden. Ihm war nicht klar, ob sie von ihren Verletzungen ohnmächtig geworden oder aus lauter Erschöpfung eingeschlafen war. Er zögerte. Schließlich bog er auf die E4 und fuhr in Richtung Stockholm.

Mikael Blomkvist hatte erst wenige Stunden geschlafen, als das Telefon schrillte. Er blinzelte zu seiner Uhr und stellte fest, dass es kurz nach vier war. Schlaftrunken reckte er sich nach dem Hörer. Es war Erika Berger. Zuerst kapierte er nicht, was sie ihm sagte.

»Paolo Roberto ist bitte wo?«

»Im Söder-Krankenhaus, mit Miriam Wu. Er hat versucht, dich anzurufen, aber du gehst ja nicht ans Handy, und deine Festnetznummer hatte er nicht.«

»Ich hab mein Handy ausgeschaltet. Was macht er denn im Söder-Krankenhaus?«

Erika Bergers Stimme klang ebenso geduldig wie bestimmt.

»Nimm dir ein Taxi, Mikael, und finde es raus. Er hörte sich total verwirrt an und faselte was von einer Motorsäge und einem Haus im Wald und einem Monster, das nicht boxen konnte.«

Mikael blinzelte verständnislos. Dann schüttelte er den Kopf und langte nach seiner Hose.

Paolo Roberto sah aus wie das heulende Elend, wie er da in seinen Boxershorts auf einer Bahre lag. Mikael hatte über eine Stunde gewartet, bis er ihn sprechen durfte. Seine Nase war unter einem Stützverband versteckt. Sein linkes Auge war zugeschwollen und die Augenbraue, die mit fünf Stichen genäht worden war, mit Leukoplast bedeckt. Er trug einen Verband um die Rippen und hatte Blutergüsse und Schürfwunden am ganzen Körper. Sein rechtes Knie war fest bandagiert.

Mikael Blomkvist reichte ihm einen Kaffee im Pappbecher und musterte sein Gesicht.

»Wie ist das passiert?«, fragte er.

Paolo Roberto schüttelte den Kopf und sah Mikael in die Augen.

»Ein verdammtes Monster«, antwortete er. Der Boxer schüttelte abermals den Kopf und musterte seine Fäuste. Die Knöchel waren so zerschunden, dass er nur mit Mühe seinen Kaffeebecher halten konnte. Auch an den Händen hatte er Verbände.

»Ich bin Boxer«, begann er. »Ich meine, als ich noch aktiv war, habe ich es mit jedem Gegner aufgenommen. Ich konnte einstecken und austeilen. Und wenn ich austeilte, war mein Gegner in der Regel ziemlich beeindruckt.«

»Aber bei diesem Typen war das nicht der Fall?«

Paolo Roberto schüttelte zum dritten Mal den Kopf. Ruhig und detailliert erzählte er, was in der Nacht vorgefallen war.

»Ich habe ihn mindestens dreißig Mal getroffen. Vierzehn, fünfzehn Mal am Kopf. Vier Mal am Unterkiefer. Anfangs hielt ich mich noch zurück – ich wollte ihn mir ja nur vom Leib halten. Aber am Schluss gab ich wirklich alles. Einer meiner Schläge hätte ihm eigentlich den Kiefer brechen müssen. Doch dieses verdammte Monster schüttelt sich nur kurz und geht wieder auf mich los. Verflucht noch mal, das war einfach kein normaler Mensch!«

»Wie sah er aus?«

»Er war über zwei Meter groß und wog um die hundertdreißig, hundertvierzig Kilo. Und wenn ich sage, dass er von oben bis unten nur aus Muskeln bestand, ist das keine Übertreibung. Das war ein verfluchter blonder Riese, der ganz einfach keinen Schmerz fühlte.«

»Und Sie haben ihn noch nie zuvor gesehen?«

»Noch nie. Das war kein Boxer. Aber auf eine ganz verrückte Art war er es doch.«

»Wie meinen Sie das?«

Paolo Roberto überlegte kurz.

»Er hatte keine Ahnung, wie man eigentlich boxt. Ich konnte ihn mit jeder Finte täuschen und seine Deckung durchbrechen. Er hatte keinen Schimmer, wie man sich bewegen muss, um möglichst keinen Treffer abzukriegen. Aber gleichzeitig versuchte er, sich wie ein Boxer zu bewegen. Er hielt die Arme richtig und nahm die ganze Zeit die richtige Ausgangsstellung ein. Als ob er mal Boxtraining gehabt hätte, aber nie darauf hörte, was der Trainer gesagt hat.«

»Okay.«

»Was mir und dem Mädchen das Leben gerettet hat, war die Tatsache, dass er sich zu langsam bewegte. Er kündigte seine Schläge quasi einen Monat im Voraus an, sodass ich ausweichen oder abwehren konnte. Zweimal hat er mich getroffen – einmal im Gesicht, und Sie sehen ja, was er damit angerichtet hat, und dann auf dem Körper, wobei er mir eine Rippe gebrochen hat.«

Plötzlich musste Paolo Roberto loslachen. Es sprudelte nur so aus ihm heraus.

»Was ist?«

»Ich hab gewonnen! Dieser Wahnsinnige hat versucht, mich umzubringen, aber ich hab gewonnen. Ich hab's geschafft, ihn auf die Bretter zu schicken. Aber ich musste tatsächlich einen verdammten Holzbalken benutzen, um ihn auszählen zu können.«

Dann wurde er wieder ernst.

»Wenn Miriam Wu ihn nicht genau im richtigen Moment zwischen die Beine getreten hätte, wer weiß, wie die Geschichte dann ausgegangen wäre.«

»Paolo – ich bin furchtbar, furchtbar froh, dass Sie gewonnen haben. Und Miriam Wu wird dasselbe sagen, sobald sie aufwacht. Haben Sie gehört, wie es ihr geht?«

»Sie sieht ungefähr so aus wie ich. Sie hat eine Gehirnerschütterung, mehrere gebrochene Rippen und eine Verletzung an den Nieren.«

Mikael beugte sich vor und legte Paolo eine Hand aufs Knie.

»Wenn ich jemals etwas für Sie tun kann ...«, begann Mikael.

Paolo Roberto nickte lächelnd.

»Wenn Sie noch mal jemanden brauchen, der Ihnen einen Gefallen tut, Blomkvist ...«

»Ja?«

» ... dann sagen Sie doch bitte Sebastián Luján Bescheid.«

26. Kapitel
Mittwoch, 6. April

Kriminalinspektor Bublanski war übelster Laune, als er Sonja Modig um kurz vor sieben Uhr auf dem Parkplatz vor dem Söder-Krankenhaus begegnete. Mikael Blomkvist hatte ihn mit seinem Anruf aus dem Bett geholt. Als Bublanski allmählich begriff, dass in der Nacht dramatische Dinge vorgefallen waren, rief er seinerseits bei Modig an und weckte sie. Am Eingang trafen sie Mikael Blomkvist und gingen mit ihm in das Zimmer, in dem sich Paolo Roberto befand.

Bublanski konnte nicht sogleich alle Details erfassen, doch begriff er, dass Miriam Wu entführt worden war und Paolo Roberto den Kidnapper verprügelt hatte. Nun ja, wenn man sich das Gesicht des ehemaligen Profiboxers genauer ansah, war es nicht ganz sicher, wer da wen verprügelt hatte. Für Bublanski hoben die Ereignisse dieser Nacht die Ermittlungen im Fall Lisbeth Salander auf eine ganz neue Ebene. In diesem verflixten Fall schien wirklich nichts normal zu sein.

»Ich bin ein guter Freund von Lisbeth Salander«, erklärte Paolo Roberto.

Bublanski und Modig tauschten einen zweifelnden Blick.

»Und woher kennen Sie sie?«

»Salander ist meine Sparringspartnerin beim Training.«

Bublanski fixierte einen Punkt an der Wand irgendwo hinter Paolo Roberto. Sonja Modig musste unpassenderweise plötzlich loskichern. Wie gesagt, in diesem Fall schien nichts normal, einfach und unkompliziert zu sein. Allmählich hatten sie sich alle wichtigen Fakten notiert.

»Und jetzt möchte ich gerne noch auf das eine oder andere hinweisen«, ergänzte Mikael trocken.

Sie sahen ihn an.

»Erstens: Die Beschreibung des Mannes, der den Lieferwagen fuhr, stimmt mit der Beschreibung überein, die ich von der Person gegeben habe, die Lisbeth Salander in der Lundagatan überfallen hatte. Ein großer blonder Typ mit Pferdeschwanz und Bierbauch?«

Bublanski nickte.

»Zweitens: Ziel der Entführung war es, Miriam Wu zu zwingen, den Aufenthaltsort von Lisbeth Salander preiszugeben. Diese zwei Blonden waren also schon mindestens eine Woche vor den Morden hinter Salander her. Kapiert?«

Modig nickte.

»Drittens: Wenn es in dieser Geschichte noch mehr Akteure gibt, dann ist Lisbeth Salander nicht mehr die ›geisteskranke Einzeltäterin‹, als die sie geschildert wird.«

Weder Bublanski noch Modig sagten ein Wort.

»Man kann wohl schwerlich behaupten, dass der Typ mit dem Pferdeschwanz Mitglied einer lesbischen Satanistenband ist.«

Modig verzog den Mund.

»Und schließlich glaube ich, dass diese Geschichte etwas mit einem Mann zu tun hat, der sich Zala nennt. Dag Svensson hat sich in den letzten zwei Wochen ganz auf ihn konzentriert. Alle relevanten Informationen dazu finden Sie in seinem Computer. Dag Svensson brachte ihn mit dem Mord an einer Prostituierten in Södertälje namens Irina Petrova in Verbindung. Die Obduktion erwies, dass man sie aufs Schwerste misshandelt hat. So schwer, dass mindestens drei ihrer Verletzungen für sich genommen schon tödlich gewesen wären. Der Obduktionsbericht spricht sich nicht näher zu dem Gegenstand aus, mit dem sie erschlagen wurde, aber die Verletzungen erinnern sehr an die Art von Misshandlung, der auch Miriam Wu und Paolo Roberto ausgesetzt waren. Die Tatwaffe könnten in diesem Fall also die Fäuste eines blonden Riesen gewesen sein.«

»Und Bjurman?«, erinnerte ihn Bublanski. »Von mir aus kann also irgendjemand Grund gehabt haben, Dag Svensson zum Schweigen zu bringen. Aber wer könnte einen Grund gehabt haben, Lisbeth Salanders Betreuer zu töten?«

»Das weiß ich nicht. Es sind ja auch noch nicht alle Puzzleteilchen an ihrem Platz, aber irgendwo gibt es da eine Verbindung zwischen Bjurman und Zala. Das ist die einzig logische Erklärung. Was halten Sie davon, mal in ganz neuen Bahnen zu denken? Wenn Lisbeth Salander nicht die Mörderin ist, bedeutet das, dass jemand anders die Morde begangen hat. Ich glaube, dass diese Verbrechen irgendwie mit dem Mädchenhandel zusammenhängen. Und Salander würde eher sterben, als dass sie sich in so was mit hineinziehen ließe.«

»Und was für eine Rolle würde sie dann spielen?«

»Keine Ahnung. Vielleicht ist sie in Enskede aufgetaucht, um Dag und Mia zu warnen, dass sie in Lebensgefahr schweben. Vergessen Sie nicht, dass Lisbeth eine außergewöhnlich gute Researcherin ist.«

Bublanski setzte die gesamte Maschinerie in Gang. Er rief bei der Polizei in Södertälje an, gab ihnen die Wegbeschreibung durch, die er von Paolo Roberto bekommen hatte, und bat sie, nach einer verfallenen Lagerhalle südöstlich des Yngern-Sees zu suchen. Danach rief er Kriminalinspektor Jerker Holmberg an – er wohnte in Flemingsberg und hatte es daher am kürzesten nach Södertälje – und beauftragte ihn, sich so schnell wie irgend möglich der Polizei von Södertälje anzuschließen, um ihnen bei der Untersuchung des Tatorts zu helfen.

Wenige Stunden später rief Holmberg ihn zurück. Er war gerade am Tatort angekommen. Die Polizei von Södertälje hatte das Lager problemlos gefunden. Die Halle sowie zwei kleinere angrenzende Lagergebäude waren abgebrannt, und die Feuerwehr hatte alle Hände voll mit den Löscharbeiten zu tun. Zwei leere, weggeworfene Benzinkanister bewiesen, dass es sich um Brandstiftung handelte.

Bublanski war so frustriert, er hätte vor Wut toben können. Was zum Teufel ging hier eigentlich vor? Wer war dieser blonde Riese? Wer war Lisbeth Salander eigentlich? Und warum schien es nicht möglich, sie aufzuspüren?

Die Situation wurde keinen Deut besser, als Staatsanwalt Richard Ekström zum 9-Uhr-Treffen erschien. Bublanski referierte die dramatischen Geschehnisse dieses Morgens und schlug vor, die Prioritäten der Ermittlungen zu verschieben.

Paolo Robertos Bericht stützte ganz massiv Mikael Blomkvists Geschichte von dem Überfall auf Lisbeth Salander in der Lundagatan. Er schwächte freilich die Annahme, dass die Morde die Tat einer psychisch kranken Einzeltäterin waren, wenngleich Lisbeth Salander damit noch nicht außer Verdacht war. Zuerst musste eine einleuchtende Erklärung für ihre Fingerabdrücke auf der Mordwaffe gefunden werden. In diesem Fall gab es bisher nur eine Hypothese – Mikael Blomkvists Theorie, dass die Morde mit Dag Svenssons bevorstehenden Enthüllungen in Sachen Mädchenhandel zu tun hatten. Bublanski erläuterte die drei wichtigsten Punkte.

Die wichtigste Aufgabe des Tages lautete, den großen blonden Mann sowie seinen Kompagnon mit dem Pferdeschwanz zu identifizieren, die Miriam Wu entführt und misshandelt hatten. Der groß gewachsene Blonde sah so außergewöhnlich aus, dass es relativ einfach sein müsste, ihn zu finden.

Nüchtern erinnerte ihn Curt Svensson daran, dass auch Lisbeth Salander außergewöhnlich aussah und dennoch wie vom Erdboden verschluckt blieb.

Die zweite Aufgabe bestand darin, ein neues Ermittlungsteam zusammenzustellen, das sich aktiv mit der sogenannten Freierliste beschäftigte, die in Dag Svenssons Computer zu finden war. Sie besaßen zwar Dag Svenssons Computer von *Millennium* und die ZIP-Discs, auf denen er Sicherungskopien von seinem verschwundenen Laptop gemacht hatte, aber darauf befanden sich sämtliche Recherchen einer jahrelangen Arbeit, also buchstäblich Tausende von Seiten, und es würde eine geraume Zeit dauern, bis man sie katalogisiert und sich darin eingearbeitet hatte. Die Gruppe brauchte Verstärkung, und Bublanski übertrug Sonja Modig stehenden Fußes die Leitung dieser Arbeit.

Die dritte Aufgabe hieß, sich auf einen Unbekannten namens Zala zu konzentrieren. Hierzu sollten sie Hilfe von der Sonderkommission für Organisierte Kriminalität bekommen, die angeblich auch schon mehrmals über diesen Namen gestolpert war. Diese Aufgabe vergab er an Hans Faste.

Curt Svensson schließlich sollte die weitere Fahndung nach Lisbeth Salander koordinieren.

Bublanskis Bericht dauerte nur sechs Minuten, löste jedoch eine stundenlange Diskussion aus. Hans Faste hielt halsstarrig an seinem Widerstand gegen Bublanski fest und versuchte nicht einmal, dies zu verhehlen. Das wunderte Bublanski, der Faste zwar nie gemocht, ihn aber stets als kompetenten Polizisten betrachtet hatte.

Faste war der Meinung, die Ermittlungen sollten sich ungeachtet aller neuen Informationen weiterhin auf Lisbeth Salander konzentrieren. Er hielt die Indizienkette gegen sie für stark genug und meinte, es wäre in der derzeitigen Lage völlig verfrüht, mit der Suche nach anderen Tätern zu beginnen.

»Also, das ist doch Schwachsinn. Wir haben hier eine gewaltbereite Psychopathin. Halten Sie all die Gutachten der Psychiatrie und der Rechtsmedizin etwa für einen Witz? Sie kann eindeutig mit dem Tatort in Verbindung gebracht werden. Wir haben Indizien, dass sie anschaffen geht, und auf ihrem Konto liegt eine große Summe Geldes, für die es keine Erklärung gibt.«

»Das ist mir alles klar.«

»Sie ist Anhängerin irgendeines lesbischen Sexkults. Und ich könnte wetten, dass diese Lesbe Cilla Norén mehr weiß, als sie vorgibt.«

Bublanski hob die Stimme.

»Schluss damit, Faste! Sie sind ja total besessen von dieser Lesbengeschichte. Das ist doch unprofessionell.«

Er bereute sofort, dass er sich vor versammelter Mannschaft so geäußert hatte, statt Faste in einem Einzelgespräch zur Rede zu stellen. Staatsanwalt Ekström unterbrach die aufgeregten Stimmen. Er schien unentschlossen, welcher Meinung er folgen sollte. Schließlich schloss er sich Bublanskis Linie an – alles andere hätte ja auch bedeutet, seine Autorität als Ermittlungsleiter zu untergraben.

»Wir machen es so, wie Bublanski beschlossen hat.«

Bublanski warf Sonny Bohman und Niklas Eriksson von Milton Security einen verstohlenen Blick zu.

»Ich weiß, dass wir nur noch drei Tage haben, und wir müssen jetzt das Beste aus der Situation machen. Bohman, Sie können Curt Svensson bei der Jagd nach Salander helfen. Eriksson, Sie arbeiten mit Modig weiter.«

Ekström dachte kurz nach und hob die Hand, als gerade alle an die Arbeit gehen wollten.

»Eins noch. Diese Geschichte mit Paolo Roberto werden wir schön für uns behalten. Die Medien werden uns ja total hysterisch, wenn in diesen Ermittlungen noch ein weiterer Promi auftaucht. Also kein Wort darüber außerhalb dieses Zimmers.«

Sonja Modig fing Bublanski direkt nach dem Treffen ab.

»Ich hab die Geduld verloren mit Faste. Das hätte mir nicht passieren dürfen«, sagte er.

»Ich weiß, wie das ist«, sagte sie lächelnd. »Übrigens habe ich schon am Montag mit Svenssons Computer angefangen.«

»Wie weit bist du gekommen?«

»Er hatte ein Dutzend Versionen von seinem Manuskript, Unmengen von Recherchematerial, und ich kann nur schwer ausmachen, was davon wichtig ist und was in den Papierkorb wandern kann. Allein alle Dokumente zu öffnen und zu überfliegen, wird mehrere Tage in Anspruch nehmen.«

»Niklas Eriksson?«

Sonja Modig nickte. Dann drehte sie sich um und schloss die Tür von Bublanskis Zimmer.

»Ehrlich gesagt ... ich will nicht schlecht über ihn reden, aber er ist keine große Hilfe.«

Bublanski runzelte die Stirn.

»Raus mit der Sprache.«

»Ich weiß nicht, aber er ist kein richtiger Polizist wie Bohman. Er redet ganz schönen Mist daher, hat ungefähr dieselbe Einstellung zu Miriam Wu wie Hans Faste und ist an seiner Aufgabe überhaupt nicht interessiert. Ich kann es nicht genau benennen, aber irgendwie hat er ein Problem mit Lisbeth Salander.«

»Inwiefern?«

»Ich habe das Gefühl, da gärt irgendwas in ihm.«

Bublanski nickte langsam.

»Bedauerlich, das zu hören. Bohman ist schon in Ordnung, aber ich mag eigentlich keine Externen bei den Ermittlungen.«

Sonja Modig nickte.

»Also, was wollen wir machen?«

»Eine Woche musst du's noch mit ihm aushalten. Armanskij hat gesagt, dass sie das Projekt abbrechen, wenn sich keine Resultate zeigen. Mach dich an die Arbeit und sei einfach darauf gefasst, dass du sie allein erledigen musst.«

Sonja Modigs Nachforschungen wurden bereits eine Dreiviertelstunde später unterbrochen. Sie wurde plötzlich zu Staatsanwalt Ekström bestellt, der sie mit Bublanski in seinem Zimmer erwartete. Beide Männer hatten einen hochroten Kopf. Der freie Journalist Tony Scala hatte gerade die Bombe platzen lassen, dass Paolo Roberto die Bondage-Sadomaso-Lesbe Miriam Wu aus den Fängen eines Kidnappers gerettet hatte. Der Artikel enthielt mehrere Details, die eigentlich nur der Fahndungsgruppe bekannt waren. Auch wurde der Eindruck erweckt, gegen Roberto werde womöglich Anklage wegen schwerer Körperverletzung erhoben.

Ekström hatte bereits mehrere Anrufe von Journalisten bekommen, die über die Rolle des Boxers Bescheid wissen wollten. Ekström beschuldigte Sonja Modig, die Geschichte nach außen weitergegeben zu haben. Sie wies die Anschuldigungen sofort zurück, aber vergeblich. Ekström wollte, dass sie aus dem Team entfernt wurde. Bublanski schäumte vor Wut und stellte sich entschieden auf Modigs Seite.

»Sonja sagt, dass sie nichts nach draußen weitergegeben hat. Das reicht mir. Ich halte es für nicht vertretbar, eine erfahrene Ermittlerin, die sich in den Fall eingearbeitet hat, von der Arbeit abzuziehen.«

Ekström hingegen sprach Sonja Modig offen sein Misstrauen aus. Schließlich setzte er sich hinter seinen Schreibtisch und schmollte. Sein Beschluss war unumstößlich.

»Ich kann Ihnen nicht nachweisen, dass Sie die Informationen an die Presse weitergegeben haben, Frau Modig, aber ich vertraue Ihnen in diesem Fall nicht mehr. Sie werden mit sofortiger Wirkung von dieser Arbeit freigestellt. Nehmen Sie sich den Rest der Woche frei. Am Montag bekommen Sie dann neue Aufgaben zugewiesen.«

Sonja Modig hatte keine Wahl. Sie nickte und ging zur Tür. Bublanski hielt sie zurück.

»Hör zu, Sonja. Ich glaube kein bisschen an diese Anschuldigungen, du genießt mein volles Vertrauen. Aber in diesem Fall habe ich nichts zu sagen. Komm noch mal in mein Büro, bevor du nach Hause gehst.«

Sie nickte. Ekström schien vor Wut zu kochen. Doch auch Bublanskis Gesicht hatte eine beunruhigende Farbe angenommen.

Sonja Modig ging zurück in ihr Zimmer, wo Niklas Eriksson und sie an Dag Svenssons Computer arbeiteten. Sie war wütend und den Tränen nahe. Eriksson sah sie an und merkte, dass irgendwas nicht stimmte, sagte jedoch nichts. Sie setzte sich hinter ihren Schreibtisch und starrte vor sich hin. Drückendes Schweigen legte sich über das Büro.

Schließlich hängte sie sich ihre Tasche über die Schulter und ging zu Bublanski. Er wies auf seinen Besucherstuhl.

»Sonja, ich werde in dieser Angelegenheit nicht nachgeben, bevor er nicht auch mich von den Ermittlungen freistellt. Bis auf Weiteres arbeitest du auf meine Anordnung hin an diesen Ermittlungen weiter. Kapiert?«

Sie nickte.

»Und du gehst jetzt auch nicht nach Hause und nimmst dir den Rest der Woche frei, wie Ekström gesagt hat. Ich befehle dir hiermit, zur *Millennium*-Redaktion zu fahren und dich noch einmal mit Mikael Blomkvist zu unterhalten. Dann bittest du ihn einfach, dir Dag Svenssons Festplatte zu zeigen. Es gibt eine Kopie davon bei *Millennium*. Wir können eine Menge Zeit sparen, wenn wir jemand haben, der sich schon in das Material eingearbeitet hat und die unwichtigen Sachen aussortieren kann.«

Sonja Modig atmete wieder etwas leichter.

»Ich habe Niklas Eriksson noch gar nichts gesagt.«

»Ich kümmere mich um ihn. Er soll sich einfach Svensson anschließen. Hast du Faste gesehen?«

»Nein. Er ist heute Morgen direkt nach der Sitzung weggegangen.«

Bublanski seufzte.

Mikael Blomkvist war gegen acht Uhr morgens vom Söder-Krankenhaus zurückgekommen. Er wusste, dass er viel zu wenig geschlafen hatte und für sein nachmittägliches Treffen mit Gunnar Björck in Smådalarö ausgeruht sein musste. Also stellte er den Wecker auf halb elf und gönnte sich für knapp zwei Stunden den dringend benötigten Schlaf. Er hatte sich geduscht, rasiert und ein frisches Hemd angezogen, als Sonja Modig ihn auf dem Handy anrief und mit ihm reden wollte. Mikael erklärte, er sei gerade auf dem Sprung und könnte sie nicht treffen. Nachdem sie ihm ihr Anliegen auseinandergesetzt hatte, verwies er sie an Erika Berger.

Sonja Modig fuhr in die *Millennium*-Redaktion. Nachdem sie Erika Berger gemustert hatte, stellte sie fest, dass sie die selbstsichere und leicht dominante Frau mit den Lachgrübchen und dem kurzen blonden Pony mochte. Sie sah ein bisschen aus wie Laura Palmer aus *Twin Peaks*, nur älter. Einen Moment schweifte Sonja in Gedanken ab und überlegte, ob Erika Berger auch lesbisch war, da ja alle Frauen, die mit diesem Fall zu tun hatten, nach Fastes Meinung dieselbe sexuelle Neigung aufwiesen. Aber dann fiel ihr ein, irgendwo gelesen zu haben, dass Erika mit dem Künstler Greger Backman verheiratet war. Sie trug ihr den Wunsch vor, dass ihr jemand bei der Durchsicht des Inhalts von Dag Svenssons Computer helfen sollte. Erika Berger hörte ihr ruhig zu und wirkte bekümmert.

»Da gibt es freilich ein kleines Problem«, meinte sie.

»Und zwar?«

»Es ist sicher nicht so, dass wir die Morde nicht aufklären oder der Polizei nicht helfen wollten. Außerdem haben Sie ja schon das gesamte Material von Dags Computer. Das Problem liegt eher im ethischen Bereich: Journalistische und polizeiliche Arbeit sollten doch eigentlich streng voneinander getrennt sein.«

»Glauben Sie mir, das ist mir spätestens seit heute Morgen auch klar«, sagte Sonja Modig lächelnd.

»Wieso?«

»Ach, nichts. Nur so eine persönliche Betrachtung.«

»Um ihre Glaubwürdigkeit zu bewahren, müssen die Massenmedien eine gebührende Distanz zu den Behörden einhalten. Journalisten, die im Polizeipräsidium herumspringen und bei den Ermittlungen helfen, werden schnell zu ihren Laufburschen.«

»Solche sind mir durchaus schon begegnet«, erwiderte Sonja Modig. »Wenn ich es richtig verstanden habe, gibt es das Ganze aber auch umgekehrt. Dass Polizisten zu Laufburschen für gewisse Zeitungen werden.«

Erika Berger musste lachen.

»Das ist wahr. Leider muss ich Ihnen eröffnen, dass wir uns bei *Millennium* diese Art von Scheckbuchjournalismus einfach nicht leisten können. Aber schließlich wollen Sie ja keinen von unseren Mitarbeitern verhören – dazu würden wir uns ja ohne jede Diskussion bereit erklären –, sondern Sie bitten uns, dass wir Ihnen aktiv bei den Ermittlungen helfen, indem wir Ihnen unser journalistisches Material zur Verfügung stellen.«

Sonja Modig nickte.

»Es gibt da zwei Gesichtspunkte: Zum einen geht es um den Mord an einem Mitarbeiter unserer Zeitschrift. Daher helfen wir Ihnen natürlich, so gut wir können. Doch zum andern gibt es gewisse Dinge, die wir der Polizei nicht in die Hände geben dürfen – sobald sie nämlich unsere Quellen betreffen.«

»Ich werde mich selbstverständlich dazu verpflichten, Ihre Quellen zu schützen. Die interessieren mich auch gar nicht.«

»Wir können aber eine Quelle niemals preisgeben, unter keinen Umständen.«

»Ich verstehe.«

»Dann kommt noch die Tatsache ins Spiel, dass *Millennium* in diesem Mordfall eigene Recherchen betreibt. Da bin ich bereit, Informationen mit der Polizei zu teilen, sobald wir etwas haben, das wir veröffentlichen können – aber vorher eben nicht.«

Erika Berger legte die Stirn in tiefe Falten und dachte nach. Schließlich nickte sie.

»Ich muss ja auch noch in den Spiegel schauen können. Wir machen es so … Sie können mit unserer Mitarbeiterin Malin Eriksson zusammenarbeiten. Sie ist völlig in das Material eingearbeitet und kompetent genug, um zu entscheiden, wo unsere Grenze verläuft. Sie soll Sie durch Dag Svenssons Buch führen, von dem Sie bereits eine Kopie haben. Damit Sie eine Aufstellung bekommen, wer in diesem Fall als potenziell verdächtig gelten kann.«

Irene Nesser war sich der dramatischen Ereignisse der letzten Nacht nicht bewusst, als sie den Vorortzug von Södra station nach Södertälje nahm. Sie trug eine halblange schwarze Lederjacke, eine dunkle Hose und einen adretten roten Strickpullover. Ihre Brille schob sie sich auf die Stirn.

In Södertälje kaufte sie sich eine Fahrkarte nach Stallarholmen. Um kurz nach elf stieg sie ein gutes Stück südlich von Stallarholmen aus. Sie stand an einer Haltestelle, in deren Umgebung weit und breit kein Haus zu sehen war, und rief sich die Karte ins Gedächtnis. Der Mälaren-See lag ein paar Kilometer Richtung Nordosten, und die Gegend war voller Wochenendhäuschen und winterfester Ferienhäuser. Nils Bjurmans Grundstück lag in einer Ferienhaussiedlung knapp drei Kilometer von der Bushaltestelle entfernt. Lisbeth nahm einen Schluck Wasser aus einer Plastikflasche und setzte sich in Bewegung. Eine knappe Dreiviertelstunde später war sie dort.

Sie begann mit einem Rundgang, auf dem sie die Nachbarn sondierte. Nach rechts waren es knapp hundertfünfzig Meter zum Nachbarhäuschen. Dort war niemand zu Hause. Links war eine Schlucht. Sie ging an zwei weiteren Ferienhäuschen vorbei, bevor sie ein Feriendorf erreichte, in dem offene Fenster und ein laufendes Radio verrieten, dass sich hier Menschen aufhielten. Aber die waren dreihundert Meter von Bjurmans Hütte entfernt. Also konnte sie relativ ungestört zu Werke gehen.

Bjurmans Sommerhäuschen war ein älteres, ziemlich kleines Gebäude mit einer Schlafkammer und einer Kochnische mit Wasseranschluss. Als Erstes schraubte sie einen Fensterladen an der Rückseite des Hauses ab, was ihr einen Rückzug ermöglichte, falls es Unannehmlichkeiten geben sollte. Die Unannehmlichkeit, die sie dabei vor Augen hatte, war ein Polizist, dem es eventuell einfallen könnte, bei Bjurmans Hütte aufzutauchen.

Schließlich untersuchte sie das Humusklosett und einen Holzschuppen. Dort war nichts von Wert zu finden, auch keinerlei Unterlagen. Die Reise war also vergebens gewesen.

Sie setzte sich auf die Vortreppe, trank Wasser und aß einen Apfel.

Als sie nach hinten ging, um den Fensterladen wieder anzuschrauben, blieb sie auf der Veranda stehen und betrachtete eine meterlange Aluminiumleiter. Sie ging noch einmal ins Wohnzimmer und musterte die mit Holzbrettern verkleidete Decke. Die Klappe, die zum Dachboden führte, war so gut zwischen zwei Holzbalken versteckt, dass sie fast unsichtbar war. Sie holte die Leiter, machte die Klappe auf und stieß sofort auf fünf DIN-A4-Ordner.

Der blonde Riese war bekümmert. Die Dinge waren völlig aus dem Ruder gelaufen und die Katastrophen Schlag auf Schlag hereingebrochen.

Sandström hatte sich bei den Gebrüdern Ranta gemeldet. Er war völlig außer sich und berichtete, dass Dag Svensson eine Enthüllungsreportage über seine Nuttengeschichten und die Ranta-Brüder plante. Bis dahin war es noch kein echtes Problem. Dass die Medien Sandström bloßstellen wollten, ging den blonden Riesen nichts an. Die Rantas hatten sofort die *Baltic Star* bestiegen und die Ostsee für einen ausgedehnten Aufenthalt überquert.

Aber Lisbeth Salander war es gelungen, Magge Lundin zu entkommen. Das war schier unbegreiflich, denn Salander war doch eine kleine Puppe verglichen mit Lundin. Seine einzige Aufgabe war es gewesen, sie in ein Auto zu verfrachten und sie zur Lagerhalle südlich von Nykvarn zu bringen.

Dann hatte Sandström noch einmal Besuch bekommen, und jetzt war Svensson hinter Zala her. Das warf schlagartig ein ganz anderes Licht auf die Dinge. Zwischen Bjurmans Panik und Dag Svenssons Schnüffeleien war eine potenziell gefährliche Situation entstanden.

Ein Gangster, der nicht bereit ist, die Konsequenzen in Kauf zu nehmen, ist ein Amateur. Bjurman war ein kompletter Amateur. Der blonde Riese hatte Zala davon abgeraten, sich mit Bjurman abzugeben, aber der Name Lisbeth Salander war für Zala unwiderstehlich gewesen. Er hasste sie. Es war völlig irrational. Als würde man bei ihm auf ein Knöpfchen drücken.

Reiner Zufall, dass der blonde Riese an dem Abend, als Dag Svensson anrief, gerade bei Bjurman war. Derselbe verfluchte Journalist, der schon bei Sandström und den Ranta-Brüdern Probleme gemacht hatte. Der Riese war hingefahren, um den Rechtsanwalt nach der missglückten Entführung je nach Bedarf zu beruhigen oder zu bedrohen. Svenssons Anruf hatte bei Bjurman kopflose Panik ausgelöst. Er war komplett durchgedreht und wollte auf einmal aussteigen.

Obendrein hatte er seine Cowboypistole hervorgeholt und ihn damit bedroht. Verblüfft hatte der blonde Riese ihn angesehen und ihm die Waffe aus der Hand genommen. Handschuhe trug er bereits, also gab es kein Problem mit Fingerabdrücken. Im Grunde hatte er gar keine Wahl gehabt.

Natürlich kannte Bjurman Zala. Also war er eine Belastung. Der blonde Riese konnte nicht recht erklären, warum er Bjurman gezwungen hatte, sich auszuziehen. Vielleicht hatte er ihn erniedrigen wollen. Er zuckte jedoch zusammen, als er die Tätowierung auf Bjurmans Bauch entdeckte: ICH BIN EIN SADISTISCHES SCHWEIN, EIN WIDERLING UND EIN VERGEWALTIGER.

Einen Moment lang hatte Bjurman ihm fast leidgetan. Er war so ein Vollidiot. Aber in dieser Branche durfte man sich von solchen Gedanken nicht stören lassen. Also führte er ihn ins Schlafzimmer, zwang ihn, sich hinzuknien, und benutzte ein Kissen als Schalldämpfer.

Dag Svensson war das nächste Problem. Wenn Bjurman tot aufgefunden wurde, würde Dag Svensson sich natürlich an die Polizei wenden. Er konnte ihnen erzählen, dass Bjurman erschossen worden war, wenige Minuten nachdem er ihn angerufen und nach Zala gefragt hatte. Es erforderte nicht allzu viel Fantasie, um sich auszumalen, dass Zala damit Gegenstand weitläufiger Spekulationen werden würde.

Der blonde Riese schätzte sich selbst als schlau ein, hatte aber ungeheuren Respekt vor Zalas fast unheimlichem strategischem Talent.

Sie arbeiteten seit knapp zwölf Jahren zusammen. Es war ein erfolgreiches Jahrzehnt gewesen, und der blonde Riese betrachtete Zala mit Ehrfurcht, fast wie einen Mentor. Stundenlang konnte er ihm zuhören, wenn Zala ihm die menschliche Natur und ihre Schwächen erklärte und wie man davon profitieren konnte.

Aber auf einmal kam ihr Geschäft ins Schleudern. Die Dinge liefen plötzlich aus dem Ruder.

Er war direkt von Bjurman nach Enskede gefahren und hatte den weißen Volvo zwei Blocks weiter geparkt. Glücklicherweise stand die Haustür offen. Er ging also nach oben und klingelte an der Tür mit dem Namensschild »Svensson-Bergman«.

Um die Wohnung zu durchsuchen und Papiere mitzunehmen, fehlte ihm die Zeit. Er hatte zwei Schüsse abgegeben – es war nämlich auch noch eine Frau in der Wohnung gewesen.

Dann hatte er Svenssons Computer mitgenommen, der auf dem Wohnzimmertisch stand, hatte auf dem Absatz kehrtgemacht, war die Treppen hinuntergelaufen, zu seinem Auto gegangen und hatte Enskede verlassen. Der einzige Schnitzer, der ihm unterlief, war, dass er die Waffe auf der Treppe fallen ließ, als er versuchte, mit der einen Hand den Computer zu balancieren und mit der anderen nach dem Autoschlüssel zu tasten. Eine Zehntelsekunde lang zögerte er, aber der Revolver rutschte die Kellertreppe hinunter, und er schätzte, dass er zu viel Zeit verlieren würde, wenn er ihn holte. Ihm war bewusst, dass die Leute sich sein Aussehen nur allzu gut merken konnten. Daher war es wichtig, dass er den Tatort verließ, bevor er gesehen wurde.

Der verlorene Revolver hatte Zala Anlass zur Kritik gegeben, bis die Implikationen ans Licht kamen. Sie waren völlig überrascht, als die Polizei zur Treibjagd auf Lisbeth Salander blies. Und prompt war die verlorene Waffe zu einem unglaublichen Glücksfall geworden.

Doch leider warf das auch neue Probleme auf: Salander war das einzig schwache Glied, das jetzt noch übrig war. Sie kannte Bjurman, und sie kannte Zala. Und sie konnte zwei und zwei zusammenzählen. Als er und Zala die Sache durchsprachen, waren sie sich einig: Sie mussten Salander aufspüren und unschädlich machen. Am besten wäre es, wenn man sie niemals wiederfinden würde. Irgendwann würden die Mordermittlungen eingestellt und zu den Akten gelegt werden.

Sie hatten darauf gesetzt, dass Miriam Wu sie zu Salander führte. Doch plötzlich war Paolo Roberto auf der Bildfläche erschienen. Ausgerechnet. Wie aus dem Nichts. Und wenn man den Zeitungen glauben durfte, war er obendrein auch noch ein Freund von Lisbeth Salander.

Der blonde Riese war sprachlos.

Von Nykvarn war er zu Magge Lundins Haus in Svavelsjö gefahren, nur ein paar hundert Meter vom Hauptquartier des

Svavelsjö MC entfernt. Nicht gerade das ideale Versteck, aber er hatte nicht so viele Alternativen. Außerdem brauchte er einen Ort, an dem er sich versteckt halten konnte, bis die Blutergüsse in seinem Gesicht wieder verschwunden waren und er die Stockholmer Gegend diskret verlassen konnte. Er tastete nach seinem gebrochenen Nasenbein und befühlte die Beule im Nacken. Die Schwellung ging bereits zurück.

Es war ein kluger Schachzug gewesen, zurückzufahren und den ganzen Mist abzufackeln. Man musste hinter sich aufräumen.

Dann wurde ihm plötzlich eiskalt.

Bjurman. Er hatte den Anwalt nur einmal kurz getroffen, Anfang Februar in Bjurmans Ferienhäuschen bei Stallarholmen, als Zala den Auftrag angenommen hatte, sich um Salander zu kümmern. Bjurman hatte in einem Ordner über Salander geblättert. Wie zum Teufel hatte er das vergessen können? Das konnte eine Spur zu Zala sein.

Er ging in die Küche und erklärte Magge Lundin, warum sie so schnell wie möglich nach Stallarholmen fahren und ein weiteres Feuer legen mussten.

Kriminalinspektor Bublanski versuchte während der Mittagspause, Ordnung in die Ermittlungen zu bringen, die völlig zu scheitern drohten. Er verbrachte eine ganze Weile mit Curt Svensson und Sonny Bohman, um die Suche nach Lisbeth Salander weiter zu koordinieren. Es waren neue Hinweise aus der Bevölkerung eingegangen, unter anderem aus Göteborg und Norrköping. Göteborg konnten sie relativ schnell abhaken, aber der Norrköping-Tipp hatte ein gewisses Potenzial. Sie informierten die Kollegen und ließen ein Haus observieren, in dem man ein Mädchen gesehen haben wollte, das an Salander erinnerte.

Er versuchte, ein diplomatisches Gespräch mit Hans Faste zu führen, aber der war nicht im Präsidium und ging auch nicht an sein Handy. Nach der stürmischen Vormittagsbesprechung war Faste verschwunden wie eine Gewitterwolke.

Danach versuchte Bublanski, gemeinsam mit Ekström eine Lösung für das Problem Sonja Modig zu finden. Eindringlich versuchte er, Ekström von seinem Entschluss abzubringen, Sonja Modig von den Ermittlungen auszuschließen. Doch Ekström blieb stur. Das Verhältnis zwischen dem Ermittlungsleiter und dem Leiter der Voruntersuchung wurde langsam unhaltbar.

Um kurz nach drei Uhr nachmittags trat er auf den Flur und sah Niklas Eriksson aus Sonja Modigs Zimmer kommen, wo er immer noch den Inhalt von Dag Svenssons Festplatte sichtete. Was nach Bublanskis Ansicht nun eine ziemlich sinnlose Beschäftigung war, da dem jungen Mann dabei kein Polizist über die Schulter guckte und kontrollierte, ob er etwas übersah. Er beschloss, Niklas Eriksson für den Rest der Woche ebenfalls Curt Svensson zuzuteilen.

Bevor er etwas sagen konnte, verschwand Eriksson jedoch in der Toilette am Ende des Korridors. Bublanski zupfte sich am Ohr und ging zu Modigs Zimmer, um dort zu warten, bis Eriksson zurückkam. Er blieb in der Tür stehen und betrachtete den leeren Stuhl seiner Kollegin.

Dann fiel sein Blick auf Niklas Erikssons Handy, das auf dem Regal neben seinem Stuhl lag.

Bublanski zögerte eine Sekunde und schielte noch einmal zur immer noch geschlossenen Toilettentür. Dann folgte er seinem Impuls, steckte Erikssons Handy ein, ging rasch in sein Dienstzimmer und schloss die Tür. Er rief die Liste der Anrufe auf.

Um 9 Uhr 57, fünf Minuten nach Abschluss der stürmischen Morgenbesprechung, hatte Niklas Eriksson eine 070-Nummer angerufen. Bublanski griff zum Hörer und wählte die Nummer. Wer das Gespräch annahm, war niemand anders als der Journalist Tony Scala.

Der Inspektor legte auf und starrte Erikssons Handy an. Dann stand er mit finsterem Blick auf. Als er gerade zwei Schritte in Richtung Tür gegangen war, klingelte sein Telefon. Er ging zurück und bellte seinen Namen in den Hörer.

»Hier ist Jerker. Ich bin mit dem Lager bei Nykvarn fertig.«

»Aha.«

»Das Feuer ist gelöscht. Die letzten zwei Stunden haben wir den Tatort untersucht. Die Polizei von Södertälje hat einen Leichensuchhund mitgebracht, der das Gelände abschnüffeln sollte, für den Fall, dass jemand in den Ruinen liegt.«

»Und?«

»Da lag niemand. Aber dann haben wir eine Pause eingelegt, damit der Hund seine Nase ein bisschen ausruhen kann. Der Hundeführer meinte, das ist notwendig, weil die Gerüche nach so einem Brand zu stark sind.«

»Komm zur Sache.«

»Er ging spazieren und ließ den Hund in einiger Entfernung von der Leine. Prompt zeigte ihm der Köter eine Stelle, die ungefähr siebzig Meter hinter der Lagerhalle im Wald lag. Wir haben dort gegraben und vor zehn Minuten ein menschliches Bein mit Fuß und Schuh rausgeholt. Sieht nach einem Männerschuh aus. Die sterblichen Überreste lagen ziemlich nah an der Oberfläche.«

»O verdammt. Jerker, du musst …«

»Ich habe bereits das Kommando am Fundort übernommen und die Ausgrabungen abgebrochen. Ich will die Rechtsmedizin und ein paar ordentliche Techniker hier haben, bevor wir weitermachen.«

»Großartige Arbeit, Jerker.«

»Das ist noch nicht alles. Vor fünf Minuten hat der Köter achtzig Meter von der ersten Fundstelle entfernt einen weiteren Leichenfund angezeigt.«

Lisbeth Salander hatte Kaffee auf Bjurmans Herd gekocht, noch einen Apfel gegessen und zwei Stunden damit verbracht, Seite für Seite Bjurmans Unterlagen über sie durchzulesen. Sie war beeindruckt. Er hatte unglaubliche Anstrengungen in diese Aufgabe investiert und die Informationen geordnet, als wäre es ein leidenschaftliches Hobby. Einiges von dem Material, das er gefunden hatte, war nicht einmal ihr selbst bekannt.

Holger Palmgrens Aufzeichnungen in den zwei großen, schwarz eingebundenen Notizbüchern las sie mit gemischten Gefühlen. Er hatte damit begonnen, als sie 15 war und gerade ihren zweiten Pflegeeltern davongelaufen war, einem älteren Paar in Sigtuna, er Soziologe, sie Kinderbuchautorin. Lisbeth war zwölf Tage bei ihnen gewesen und hatte gespürt, dass sie unbändig stolz auf sich waren, so viel soziales Engagement zu zeigen. Als Lisbeth mit anhörte, wie ihre vorübergehende Pflegemutter sich vor einer Nachbarin lauthals rühmte und zum soundsovielten Mal erläuterte, wie wichtig es doch sei, sich problematischer Jugendlicher anzunehmen, war ihr endgültig der Kragen geplatzt. *Ich bin kein verdammtes Sozialprojekt*, hätte sie am liebsten jedes Mal geschrien, wenn ihre Pflegemutter sie ihren Bekannten vorführte. Am zwölften Tag stahl sie 100 Kronen aus der Lebensmittelkasse, nahm den Bus nach Upplands-Väsby und dann den Zug zum Stockholmer Zentralbahnhof. Die Polizei fand sie sechs Wochen später als Mitbewohnerin eines 67-jährigen Herrn in Haninge.

Der war eigentlich ganz in Ordnung gewesen. Er bot ihr Kost und Logis, und sie musste keine allzu große Gegenleistung dafür erbringen. Er wollte sie nur heimlich ansehen, wenn sie nackt war. Angefasst hatte er sie nie. Sie wusste, dass er per definitionem als pädophil gelten musste, aber sie fühlte sich kein einziges Mal von ihm bedroht. Vielmehr erlebte sie ihn als einen verschlossenen Menschen mit sozialen Problemen. Im Nachhinein empfand sie sogar ein seltsames Gefühl der Verbundenheit, wenn sie an ihn dachte. Sie waren beide völlige Außenseiter.

Ein Nachbar beobachtete sie irgendwann und alarmierte die Polizei. Der Sozialarbeiter versuchte, sie davon zu überzeugen, den Mann wegen sexueller Übergriffe anzuzeigen, aber sie weigerte sich hartnäckig, zuzugeben, dass irgendetwas Ungehöriges passiert war. Sie war schließlich 15 Jahre alt und konnte so etwas allein entscheiden. *Fuck you*. Da hatte Holger Palmgren eingegriffen und sie abgeholt. Er begann, Tagebuch über sie zu führen, als wollte er seine eigenen Zweifel klären. Die ersten Sätze waren im Dezember 1993 niedergeschrieben worden.

L. erweist sich immer mehr als das schwierigste Kind, mit dem ich jemals zu tun hatte. Ich frage mich, ob ich das Richtige tue, wenn ich mich ihrer erneuten Einlieferung nach St. Stefans widersetze. Sie hat innerhalb von drei Monaten zwei Pflegefamilien verschlissen und läuft offenbar Gefahr, sich in üble Situationen zu bringen, wenn sie ausreißt. Ich weiß nicht, was richtig und falsch ist. Heute habe ich ein ernstes Gespräch mit ihr geführt.

Lisbeth erinnerte sich noch an jedes Wort, das bei diesem ernsten Gespräch gesagt worden war. Es war der Tag vor Heiligabend gewesen. Holger Palmgren hatte sie mit zu sich nach Hause genommen und in seinem Gästezimmer einquartiert. Zum Abendessen kochte er Spaghetti mit Hackfleischsauce. Danach ließ er sie auf dem Wohnzimmersofa Platz nehmen, während er sich selbst in einen Sessel gegenüber setzte. Sie hatte sich kurz gefragt, ob Palmgren sie wohl auch nackt sehen wollte. Stattdessen hatte er angefangen, mit ihr zu reden, als wäre sie eine Erwachsene.

Dieser Monolog erstreckte sich über zwei Stunden. Sie reagierte kaum. Er erklärte ihr die Realitäten des Lebens, die darin bestanden, dass sie jetzt wählen konnte: Entweder sie wurde nach St. Stefans zurückgebracht, oder sie wohnte in einer Pflegefamilie. Er versprach, eine akzeptable Familie für sie zu finden, verlangte jedoch, dass sie seine Wahl dann auch gutheißen sollte. Außerdem hatte er beschlossen, dass sie die Weihnachtsfeiertage bei ihm verbringen sollte, um ein bisschen Zeit zu haben, über ihre Zukunft nachzudenken. Es sei hundertprozentig ihre eigene Entscheidung, aber am zweiten Weihnachtsfeiertag wollte er eine klare Aussage und ein Versprechen von ihr. Sie sollte ihm versprechen, dass sie sich ab jetzt an ihn wenden würde, wenn sie ein Problem hatte, statt einfach auszureißen. Danach war sie ins Bett gegangen, und er hatte sich offensichtlich hingesetzt, um die ersten Zeilen über Lisbeth Salander niederzuschreiben.

Die Drohung mit St. Stefans erschreckte sie mehr, als Holger Palmgren ahnen konnte. Ein ganzes unglückliches Weihnachten hindurch beobachtete sie misstrauisch jede Bewegung von Palmgren. Auch am 26. hatte er noch nicht angefangen, sie zu betatschen, und machte auch keine Anstalten, sie nackt sehen zu wollen. Im Gegenteil, er hatte extrem irritiert reagiert, als sie ihn provozierte, indem sie nackt von seinem Gästezimmer ins Bad spazierte – er warf mit einem lauten Knall die Badezimmertür hinter ihr zu. Schließlich hatte sie ihm das verlangte Versprechen gegeben. Und sie hatte Wort gehalten. Na ja, mehr oder weniger jedenfalls.

In seinem Tagebuch kommentierte Palmgren systematisch jedes Treffen mit Lisbeth. Manchmal benötigte er drei Zeilen, manchmal füllte er mehrere Seiten mit seinen Überlegungen. Stellenweise war sie wirklich verblüfft. Palmgren hatte mehr kapiert, als sie jemals geahnt hatte. Hin und wieder erwähnte er kleine Details, wenn sie versuchte, ihn anzuschmieren, und er sie durchschaute.

Dann schlug sie den polizeilichen Ermittlungsbericht von 1991 auf.

Und mit einem Schlag fielen alle Puzzleteilchen an ihren Platz. Ihr war, als würde der Boden unter ihren Füßen beben.

Sie las den rechtsmedizinischen Bericht eines Dr. Jesper H. Löderman, der sich hauptsächlich auf die Angaben von Dr. Peter Teleborian berief. Löderman war die Trumpfkarte des Staatsanwalts, der sie bei der Verhandlung zu ihrem 18. Geburtstag gern in die Psychiatrie eingewiesen hätte.

Dann fand sie ein Kuvert mit Korrespondenz zwischen Peter Teleborian und Gunnar Björck. Der Brief war 1991 geschrieben worden, kurz nachdem All Das Böse geschehen war.

Zwar wurde in diesem Briefwechsel nichts explizit ausgesprochen, doch plötzlich öffnete sich eine Falltür unter Lisbeth Salander. Es dauerte ein paar Minuten, bevor sie die Implikationen ganz erfasste. Gunnar Björck schien auf ein Gespräch anzuspielen. Obwohl er sich untadelig ausdrückte, gab er zwischen den Zeilen deutlich zu verstehen, dass es ihm sehr gut zupasskäme, wenn sie Lisbeth Salander für den Rest ihres Lebens im Irrenhaus einsperrten.

Es ist wichtig, dass das Kind Distanz zu seiner momentanen Lage bekommt. Zwar kann ich ihren psychischen Zustand nicht beurteilen und weiß nicht, welche Art von Behandlung sie benötigt, aber je länger sie in einer geschlossenen Anstalt verbleibt, umso geringer ist das Risiko, dass sie unabsichtlich Probleme in der vorliegenden Angelegenheit schafft.

In der vorliegenden Angelegenheit.

Lisbeth Salander ließ sich den Ausdruck auf der Zunge zergehen.

Teleborian war für ihre Behandlung in St. Stefans verantwortlich gewesen. Das war kein Zufall. Schon dem persönlichen Ton der Korrespondenz konnte sie entnehmen, dass diese Briefe nie für die Öffentlichkeit bestimmt gewesen waren.

Teleborian hatte Björck gekannt.

Lisbeth biss sich auf die Unterlippe, während sie nachdachte. Sie hatte niemals Recherchen zu Teleborian angestellt, aber er hatte in der Rechtsmedizin angefangen, und auch die Sicherheitspolizei musste im Zuge ihrer Ermittlungen ab und zu Rechtsmediziner und Psychiater konsultieren. Ihr ging auf, dass sie bei genaueren Nachforschungen auf eine entsprechende Verbindung stoßen würde. Irgendwann, als beide noch am Anfang ihrer Karriere standen, waren sich Teleborian und Björck über den Weg gelaufen. Als Björck dann jemand brauchte, um Lisbeth Salander aus dem Weg zu schaffen, hatte er sich einfach an Teleborian gewandt.

So war das gelaufen. Was vorher ausgesehen hatte wie reiner Zufall, bekam nun auf einmal eine ganz neue Dimension.

Eine geraume Weile blieb sie sitzen und starrte vor sich hin. Es gibt keine Unschuldigen. Es gibt nur verschiedene Abstufungen von Verantwortung. Und irgendjemand trug die Verantwortung für Lisbeth Salander. Da war definitiv ein Besuch in Smådalarö fällig. Sie nahm an, dass staatlicherseits niemand anders Lust haben würde, das Thema mit ihr zu diskutieren, und in Ermangelung anderer Gesprächspartner musste nun eben Gunnar Björck herhalten.

Auf dieses Gespräch freute sie sich schon.

Die Ordner brauchte sie nicht mitzunehmen. Sie würde ihren Inhalt für immer im Gedächtnis behalten. Sie steckte die zwei Tagebücher von Holger Palmgren ein, Björcks Ermittlungen von 1991, das rechtsmedizinische Gutachten von 1996, mit dem sie für geschäftsunfähig erklärt worden war, sowie die Korrespondenz zwischen Peter Teleborian und Gunnar Björck. Damit war der Rucksack voll.

Sie zog die Tür zu, kam aber nicht mehr dazu, sie abzuschließen, denn im selben Moment hörte sie das Geräusch von Motorrädern hinter sich. Sie drehte sich um. Es war bereits zu spät, sich noch zu verstecken, und sie wusste, dass sie nicht die geringste Chance hatte, zwei Bikern auf Harley Davidsons davonzulaufen. Abwartend ging sie die Vortreppe hinunter und stand den beiden Männern auf dem Vorplatz gegenüber.

Bublanski marschierte schäumend durch den Korridor und stellte fest, dass Eriksson immer noch nicht in Sonja Modigs Zimmer zurückgekehrt war. Die Toilette war jedoch leer. Er lief weiter den Flur hinunter und entdeckte Eriksson plötzlich bei Curt Svensson und Sonny Bohman mit einem Kaffeebecher in der Hand.

Bublanski machte auf der Schwelle kehrt, bevor die drei ihn gesehen hatten, und ging eine Treppe weiter nach oben zu Staatsanwalt Ekströms Dienstzimmer. Ohne anzuklopfen, riss er die Tür auf und unterbrach Ekström mitten in einem Telefongespräch.

»Kommen Sie mit.«

»Was gibt's?«, fragte Ekström

»Legen Sie auf und kommen Sie.«

Bublanskis Gesichtsausdruck war so überzeugend, dass Ekström tat, was er von ihm verlangte. In einem Moment wie diesem war leicht nachzuvollziehen, warum die Kollegen ihn Bubbla nannten. Sein Gesicht sah aus wie ein knallroter Ballon. Die beiden gingen in Svenssons Zimmer, wo gerade eine gemütliche Kaffeepause abgehalten wurde. Bublanski trat zu Eriksson, packte ihn am Schopf und drehte ihn zu Ekström.

»Au! Sind Sie verrückt geworden?«

»Bublanski!«, rief Ekström erschrocken aus.

Er wirkte nervös, Svensson und Bohman stand der Mund offen.

»Ist das Ihres?«, fragte Bublanski und hielt Erikssons Handy hoch.

»Lassen Sie mich los!«

»IST DAS HIER IHR HANDY?«

»Ja, verdammt noch mal. Lassen Sie mich los.«

»Nein. Sie sind soeben verhaftet worden.«

»Was?«

»Sie sind verhaftet wegen Verstoß gegen die Schweigepflicht und Behinderung polizeilicher Ermittlungen.«

Er wandte sich an Eriksson. »Oder können Sie uns eine einleuchtende Erklärung dafür liefern, warum Sie heute Morgen um 9 Uhr 57 einen Journalisten namens Tony Scala angerufen haben? Und zwar unmittelbar nach unserer morgendlichen Besprechung und kurz bevor Scala die Informationen raustrompetete, deren Geheimhaltung wir kurz zuvor beschlossen hatten.«

Magge Lundin traute seinen Augen nicht, als er Lisbeth Salander vor Bjurmans Sommerhäuschen stehen sah. Er hatte sich die Karte angeschaut und eine ausführliche Wegbeschreibung vom blonden Riesen bekommen. Nachdem er die Anweisung erhalten hatte, nach Stallarholmen zu fahren und ein Feuer zu legen, war er ins Klubhaus in der stillgelegten Druckerei am Ortsrand von Svavelsjö gegangen und hatte Sonny Nieminen mitgenommen. Die Luft war warm – das perfekte Wetter, um zum ersten Mal nach der Winterpause die Maschinen rauszuholen. Sie hatten ihre Lederkluft angezogen und dann in gemütlichem Tempo die Strecke von Svavelsjö nach Stallarholmen zurückgelegt.

Und nun stand da plötzlich Lisbeth Salander und wartete auf sie.

Sie fuhren rechts und links neben sie und stellten in zwei Metern Entfernung ihre Motorräder ab. Nachdem die Motoren ausgeschaltet waren, herrschte völlige Ruhe im Wald. Magge Lundin wusste nicht recht, was er sagen sollte. Schließlich fand er seine Sprache wieder.

»Sieh mal einer an. Wir suchen dich schon 'ne ganze Weile, Salander.«

Plötzlich lächelte er. Lisbeth Salander musterte ihn mit ausdrucksloser Miene. Sie bemerkte die rote, frisch verheilte Wunde am Kiefer, dort, wo sie ihm mit ihrem Schlüsselbund die Haut aufgeschlitzt hatte. Sie hob den Blick und betrachtete die Baumwipfel hinter ihm, dann senkte sie ihn wieder. Ihre Augen hatten eine beunruhigend pechschwarze Farbe.

»Ich hatte eine echte Scheißwoche und bin verdammt schlecht drauf. Aber weißt du, was das Schlimmste ist? Jedes Mal wenn ich mich umdrehe, steht mir so ein verdammter Haufen Scheiße mit Hängebauch im Weg und macht Ärger. Ich will jetzt weg. Geh mir aus dem Weg.«

Magge Lundin blieb die Spucke weg. Zuerst glaubte er, sich verhört zu haben. Die Situation war ja auch urkomisch. Da stand ein schmächtiges Mädchen, das problemlos in seine Brusttasche gepasst hätte, und machte Zicken. Und zwar gegenüber zwei ausgewachsenen Männern in Lederwesten, auf denen zu lesen war, dass sie zu Svavelsjö MC gehörten, also zu den Gefährlichsten der Gefährlichsten, demnächst vollwertige Mitglieder der Hells Angels! Wenn sie wollten, konnten sie sie in der Luft zerreißen und in eine Keksdose stecken. Und sie wurde hier tatsächlich frech.

Selbst wenn dieses Mädchen völlig verrückt war – woran sie nicht zweifelten, dann musste sie doch zumindest Respekt vor ihren Westen haben. So ein Benehmen konnte man nicht einfach hinnehmen, wie komisch die Situation auch sein mochte. Er warf Sonny Nieminen einen Blick zu.

»Ich glaub, die Lesbe hier muss mal richtig durchgefickt werden«, sagte er, klappte die Stützen aus und stieg von seiner Harley. Dann machte er zwei langsame Schritte auf Lisbeth zu und blickte auf sie herab. Sie rührte sich nicht von der Stelle. Magge Lundin schüttelte den Kopf und seufzte düster. Dann holte er zu einem Schlag mit dem Handrücken aus – einem mit derselben beachtlichen Kraft, die schon Mikael Blomkvist bei dem Vorfall in der Lundagatan hatte erleben dürfen.

Doch er schlug in die Luft. Ehe seine Hand ihr Gesicht traf, trat sie einen Schritt zurück und blieb unmittelbar außerhalb seiner Reichweite wieder stehen.

Sonny Nieminen stützte sich auf den Lenker seiner Harley und beobachtete seinen Klubkameraden amüsiert. Lundin lief rot an und trat noch zwei schnelle Schritte vor. Sie wich abermals aus.

Lundin legte an Tempo zu, aber da blieb Lisbeth Salander plötzlich stehen und sprühte den halben Inhalt ihrer Tränengaspatrone in sein Gesicht. Seine Augen begannen zu brennen wie Feuer. Die Spitze ihres Stiefels schoss mit voller Kraft nach vorn und entlud ihre kinetische Energie in seinen Schritt. Magge Lundin schnappte nach Luft und ging in die Knie, wodurch sein Kopf eine ideale Höhe für Lisbeth Salander hatte. Sie nahm einen kurzen Anlauf und trat ihn ins Gesicht, als würde sie einen Eckball schießen. Man hörte ein furchtbares Knirschen, bevor Magge Lundin lautlos in sich zusammensank wie ein Kartoffelsack.

Es dauerte ein paar Sekunden, ehe Sonny Nieminen kapierte, dass sich vor seinen Augen gerade etwas Unglaubliches abgespielt hatte. Er wollte die Stützen seiner Harley ausklappen, trat daneben und musste nach unten blicken. Dann ging er jedoch gleich auf Nummer sicher und tastete in der Innentasche seiner Jacke nach seiner Pistole. In diesem Moment, als er gerade den Reißverschluss aufziehen wollte, nahm er aus dem Augenwinkel eine Bewegung wahr.

Als er aufblickte, sah er Lisbeth Salander wie eine Kanonenkugel auf ihn zuschießen. Sie sprang mit beiden Beinen ab und traf ihn mit voller Wucht gegen die Hüfte, was nicht ausreichte, um ihn wirklich zu verletzen, ihn aber mitsamt seinem Motorrad umwarf. Um Haaresbreite konnte er sein Bein noch wegziehen, bevor es unter seiner Maschine eingeklemmt wurde. Er stolperte ein paar Schritte zurück, bis er das Gleichgewicht wiedergefunden hatte.

Als sie wieder in sein Blickfeld kam, sah er nur kurz eine Bewegung ihres Arms, und schon zischte ein faustgroßer Stein durch die Luft. Instinktiv duckte er sich und konnte ihm gerade noch ausweichen.

Endlich bekam er seine Pistole zu fassen und versuchte sie zu entsichern, doch als er zum dritten Mal aufsah, entdeckte er, dass Lisbeth Salander direkt vor ihm stand. Der Hass, der in ihrem Blick lag, verblüffte ihn nicht nur, sondern jagte ihm zum ersten Mal richtig Angst ein.

»Gute Nacht!«, sagte Lisbeth Salander.

Sie presste ihm ihre Elektroschockpistole in den Schritt, gab 75 000 Volt ab und hielt die Elektroden mindestens zwanzig Sekunden an seinen Körper. Sonny Nieminen verwandelte sich in ein schlaffes Bündel.

Lisbeth hörte ein Geräusch hinter sich, drehte sich um und betrachtete Magge Lundin. Er hatte sich mühsam auf die Knie hochgerappelt und versuchte nun aufzustehen. Konzentriert beobachtete sie seine Anstrengungen. Blind tappte er durch den brennenden Tränengasnebel.

»Ich bring dich um!«, schrie er plötzlich.

Er lallte bedenklich und tastete rings um sich her. Sie legte den Kopf schief und musterte ihn nachdenklich. Dann brüllte er wieder los.

»Verdammte Nutte!«

Lisbeth Salander bückte sich, hob Sonny Nieminens Pistole auf und stellte fest, dass es sich um eine polnische P-83 Wanad handelte.

Sie öffnete das Magazin, überprüfte, ob es mit der erwarteten 9-Millimeter-Makarov-Munition geladen war, und entsicherte sie. Dann stieg sie über Sonny Nieminen hinweg, ging auf Magge Lundin zu, zielte beidhändig und schoss ihn in den Fuß. Er heulte auf und ging wieder zu Boden.

Sie betrachtete ihn und zögerte, ob sie sich die Mühe machen sollte, ihm ein paar Fragen zur Identität des blonden Riesen zu stellen, mit dem sie ihn in »Blombergs Café« gesehen hatte und der den Angaben des Journalisten Per-Åke Sandström zufolge in einem Lagergebäude zusammen mit Magge Lundin einen Menschen ermordet hatte. Hmm. Sie hätte mit dem Schießen warten sollen, bis sie die Fragen gestellt hatte.

Denn zum einen sah Lundin nicht mehr so aus, als wäre er zu einem vernünftigen Gespräch in der Lage, zum anderen bestand die Möglichkeit, dass irgendjemand den Schuss gehört hatte. Sie musste Lundin ein andermal unter ruhigeren Umständen befragen. Also sicherte sie die Waffe, steckte sie in ihre Jackentasche und hob ihren Rucksack auf.

Sie war zehn Meter die Straße hinuntergegangen, da blieb sie stehen und drehte sich um. Langsam ging sie zurück und studierte Magge Lundins Motorrad.

»Eine Harley Davidson«, sagte sie. »Wie hübsch!«

27. Kapitel
Mittwoch, 6. April

Bei strahlendem Frühlingswetter steuerte Mikael Erika Bergers Auto in Richtung Süden. Man konnte schon eine Andeutung von Grün auf den schwarzen Feldern erahnen, und in der Luft lag richtige Wärme. Eigentlich das perfekte Wetter, um alle Probleme zu vergessen, für ein paar Tage wegzufahren und in der Hütte in Sandhamn auszuspannen.

Er hatte sich für ein Uhr mit Gunnar Björck verabredet, war aber etwas früher da, sodass er in Dalarö anhielt, um Kaffee zu trinken und die Abendzeitungen zu lesen. Er bereitete sich nicht auf dieses Treffen vor. Björck wollte reden, und Mikael war fest entschlossen, etwas über Zala zu erfahren, bevor er Smådalarö wieder verließ. Etwas, was ihn weiterbringen würde.

Björck empfing ihn vor dem Haus. Er sah kecker und selbstsicherer aus als vor zwei Tagen. *Was führte er im Schilde?* Mikael gab ihm nicht die Hand.

»Ich kann Ihnen Informationen über Zala geben«, kündigte Gunnar Björck an. »Aber ich stelle gewisse Bedingungen.«

»Und zwar?«

»Dass ich in der *Millennium*-Reportage nicht namentlich genannt werde.«

»In Ordnung.«

Björck wirkte überrascht. Blomkvist hatte ohne jede Diskussion den Punkt akzeptiert, bei dem Björck sich auf einen längeren Kampf eingestellt hatte. Das war seine einzige Trumpfkarte. Die Information über die Morde gegen die Wahrung seiner Anonymität.

»Ich meine es ernst«, sagte Björck misstrauisch. »Ich will das schriftlich von Ihnen haben.«

»Sie können es auch schriftlich bekommen, aber so ein Papier bedeutet überhaupt nichts. Sie haben ein Verbrechen begangen, von dem ich Kenntnis habe und das ich im Grunde der Polizei melden müsste. Sie verfügen über Informationen, die ich haben möchte, und benutzen Ihre Position, um sich mein Schweigen zu erkaufen. Ich habe über die ganze Sache nachgedacht und akzeptiere Ihre Bedingung. Entweder verlassen Sie sich auf meine Worte, oder Sie tun es nicht.«

Björck überlegte.

»Ich habe auch Bedingungen«, fuhr Mikael fort. »Der Preis für mein Schweigen ist, dass Sie mir wirklich alles erzählen. Wenn ich entdecke, dass Sie mir irgendetwas verheimlichen, sind all unsere Abmachungen nichtig. Dann werde ich Sie auf jedes Schlagzeilenplakat in Schweden bringen, genauso wie ich es damals mit Wennerström gemacht habe.«

Björck schauderte bei dem Gedanken.

»In Ordnung«, stimmte er zu. »Ich habe keine andere Wahl. Sie versprechen mir, dass mein Name nicht genannt wird. Und ich werde Ihnen erzählen, wer Zala ist. Ich möchte, dass Sie mich in dieser Angelegenheit als geheime Quelle behandeln.«

Er streckte ihm die Hand hin, und Mikael ergriff sie. Er hatte gerade versprochen, bei der Vertuschung eines Verbrechens zu helfen, was ihn jedoch nicht im Geringsten störte. Er hatte ja nur versprochen, dass er und die Zeitschrift *Millennium* nichts über Björck bringen würden. Doch Dag Svensson hatte die ganze Geschichte mit Björck bereits in sein Buch aufgenommen. Und Dag Svenssons Buch würde erscheinen. Mikael war fest entschlossen, dafür zu sorgen.

Der Anruf erreichte die Polizei von Strängnäs um 15 Uhr 18. Ein Mann namens Öberg, der östlich von Stallarholmen ein Ferienhäuschen besaß, gab an, er habe einen Schuss gehört und die Sache näher untersuchen wollen. Da habe er vor einem Haus zwei verletzte Männer gefunden. Na ja, einer sei vielleicht nicht besonders schwer verletzt, aber er leide doch beträchtliche Qualen. Und das Sommerhäuschen gehöre Nils Bjurman. Also dem verstorbenen Rechtsanwalt Nils Bjurman, von dem sie in letzter Zeit so viel in der Zeitung geschrieben hatten.

Die Polizei von Strängnäs hatte einen arbeitsreichen Morgen hinter sich. Zum einen wegen einer umfangreichen, schon vor längerer Zeit beschlossenen Verkehrskontrolle in der Gemeinde. Am Nachmittag war diese Kontrolle bereits wegen eines Notrufs abgebrochen worden – eine 57-jährige Frau war von ihrem Freund in ihrer Wohnung in Finninge umgebracht worden. Fast gleichzeitig war in einem Haus in Storgärdet ein Brand ausgebrochen, der ein Todesopfer gefordert hatte. Und als i-Tüpfelchen waren auf der Straße nach Enköping, auf der Höhe von Vargholmen, auch noch zwei Autos frontal zusammengestoßen. Die Notrufe waren allesamt innerhalb weniger Minuten eingegangen, und somit war der Großteil der Polizisten in Strängnäs nicht abkömmlich.

Der wachhabende Beamte hatte jedoch die morgendlichen Geschehnisse in Nykvarn mitverfolgt und aufgeschnappt, dass sie wahrscheinlich mit der Fahndung nach Lisbeth Salander zusammenhingen. Da auch Nils Bjurman Teil dieser Ermittlungen war, zählte er zwei und zwei zusammen und ergriff drei Maßnahmen. Er schickte den einzigen Einsatzbus, der an diesem anstrengenden Tag in Strängnäs verfügbar war, schleunigst nach Stallarholmen. Dann rief er seine Kollegen in Södertälje an und bat um Hilfe. Die Polizei in Södertälje freilich war nicht weniger stark ausgelastet, da die meisten Beamten bei dem abgebrannten Lagergebäude zusammengezogen waren, wo man gerade den Boden umgrub. Doch aufgrund der möglichen Verbindung zwischen Nykvarn und Stallarholmen veranlasste der wachhabende Beamte in Södertälje dann doch, dass zwei Autos nach Stallarholmen hinüberfuhren, um dem Team in Strängnäs zu helfen. Schließlich griff der Beamte in Strängnäs noch zum Telefon, um sich mit Kriminalinspektor Jan Bublanski in Stockholm in Verbindung zu setzen. Er erreichte ihn auf dem Handy.

Bublanski war gerade bei Milton Security, wo er eine ernste Unterredung mit dem Geschäftsführer Dragan Armanskij und den beiden Mitarbeitern Bohman und Fräklund führte. Der Mitarbeiter Niklas Eriksson hingegen glänzte durch Abwesenheit.

Bublanski reagierte, indem er sofort Curt Svensson zu Bjurmans Sommerhäuschen schickte. Er sollte Hans Faste mitnehmen, für den Fall, dass der sich irgendwo auftreiben ließ. Nach kurzem Nachdenken rief er auch noch Jerker Holmberg an, der sich südlich von Nykvarn aufhielt. Holmberg hatte ebenfalls Neuigkeiten für ihn.

»Ich wollte dich gerade anrufen. Wir haben die Leiche in der Grube identifiziert.«

»So schnell?«

»Alles möglich, wenn die Leichen so nett sind, ihre Brieftasche mitsamt Personalausweis einzustecken.«

»Wer?«

»Ein alter Bekannter. Kenneth Gustafsson, 44 Jahre alt, wohnhaft in Eskilstuna. Besser bekannt als ›Der Vagabund‹. Klingelt's?«

»Ja, natürlich. Ich hab all diese Kleinganoven nicht lückenlos im Auge behalten, aber in den 90er-Jahren hat er sich ziemlich hervorgetan unter den Dealern, Dieben und Fixern.«

»Genau der. Zumindest steckte sein Ausweis in der Brieftasche. Die endgültige Identifizierung muss von der Rechtsmedizin vorgenommen werden. Das dürfte aber nicht allzu leicht sein. Die haben den Vagabunden nämlich in mindestens fünf, sechs Stücke zerlegt.«

»Hmm. Paolo Roberto hat erzählt, dass dieser blonde Riese, mit dem er sich da geschlagen hat, Miriam Wu mit einer Motorsäge bedroht hat.«

»Kann gut sein, dass er mit einer Motorsäge zerstückelt wurde, aber ich hab nicht so genau hingeguckt. Wir haben gerade mit den Ausgrabungen am zweiten Fundort begonnen.«

»Sehr gut. Jerker – ich weiß, du hattest einen langen Tag, aber kannst du auch abends noch bleiben?«

»Geht klar. Ich fahre noch in Stallarholmen vorbei.«

Bublanski beendete das Gespräch und rieb sich die Augen.

Der Einsatzbus aus Strängnäs erreichte Bjurmans Ferienhäuschen um 15 Uhr 44. In der Auffahrt stieß er buchstäblich mit einem Mann zusammen, der in Schlangenlinien versuchte, sich mit einer Harley Davidson zu entfernen. Leider steuerte er sie mit lautem Krachen frontal gegen den Polizeibus. Die Polizisten stiegen aus dem Bus und identifizierten Sonny Nieminen, 37 Jahre alt, schon Mitte der 90er ein bekannter Totschläger. Nieminen schien in äußerst schlechter Verfassung zu sein und bekam erst einmal Handschellen verpasst. Als die Polizisten ihm die Handschellen anlegen wollten, entdeckten sie zu ihrer Verblüffung, dass der Rücken seiner Lederjacke kaputt war. Es fehlte das ungefähr zwanzig mal zwanzig Zentimeter große Mittelstück, was äußerst seltsam aussah. Sonny Nieminen wollte die Angelegenheit nicht kommentieren.

Dann setzten sie ihre Fahrt fort und erreichten ungefähr zweihundert Meter weiter das Ferienhäuschen. Dort stießen sie auf einen pensionierten Hafenarbeiter namens Öberg, der gerade einen Stützverband am Fuß von Carl-Magnus Lundin, 36 Jahre alt und Präsident des berüchtigten Svavelsjö MC, anlegte.

Der Leiter der Einsatztruppe war Polizeiinspektor Nils-Henrik Johansson. Er stieg aus, rückte seinen Gürtel zurecht und betrachtete das jämmerliche Wesen, das da am Boden lag. Er begann mit dem klassischen Polizeispruch:

»Was ist denn hier los?«

Der pensionierte Hafenarbeiter, der Magge Lundin den Fuß bandagierte, unterbrach seine Arbeit und sah Johansson lakonisch an.

»Ich bin der, der Sie angerufen hat.«

»Sie haben gemeldet, Sie hätten einen Schuss gehört.«

»Ich habe gemeldet, dass ich einen Schuss gehört habe und dann hierherkam, um nach dem Rechten zu sehen. Diese zwei Gestalten hab ich vorgefunden. Der hier ist in den Fuß geschossen worden und hat ordentlich Prügel bezogen. Ich glaube, er braucht einen Krankenwagen.«

Öberg warf einen Blick auf den Einsatzbus.

»Aha, den anderen habt ihr schon gekriegt. Der lag k. o. auf dem Boden, als ich kam, aber es sah so aus, als wäre er nicht verletzt. Nach einer Weile hat er sich davon erholt und wollte nicht mehr bleiben.«

Jerker Holmberg traf mit der Polizei aus Södertälje ein, als auch der Krankenwagen gerade den Tatort verließ. Die Polizei aus Strängnäs setzte ihn ins Bild. Weder Lundin noch Nieminen waren bereit zu erklären, warum sie hier waren. Lundin konnte überhaupt nicht sprechen.

»Also, zwei Biker in Lederkluft, eine Harley Davidson, eine Schussverletzung und keine Waffe. Hab ich das so richtig verstanden?«, wollte Holmberg wissen.

Nils-Henrik Johansson nickte. Holmberg überlegte kurz.

»Ich denke, wir können davon ausgehen, dass keiner von den beiden Kerlen auf dem Soziussitz hierhergekommen ist.«

»Ich würde mal annehmen, das würde man in ihren Kreisen als unmännlich betrachten«, stimmte Johansson zu.

»Wenn das so ist, dann fehlt hier ein Motorrad. Da die Waffe auch fehlt, können wir folgern, dass sich ein Dritter bereits vom Tatort entfernt hat.«

»Das klingt einleuchtend.«

»Wirft aber ein logisches Problem auf. Wenn diese zwei Herren aus Svavelsjö jeweils mit ihrem eigenen Motorrad gekommen sind, dann fehlt das Fahrzeug, das der Dritte benutzt hat. Dieser Dritte kann ja wohl schlecht mit seinem eigenen Fahrzeug und auf dem Motorrad weggefahren sein. Und von der Straße nach Strängnäs bis hierher ist es ganz schön weit zu Fuß.«

»Es sei denn, dieser Dritte hätte in der Hütte gewohnt.«

»Hmm«, machte Jerker Holmberg. »Aber die Hütte gehörte dem verstorbenen Rechtsanwalt Bjurman, der hier definitiv nicht mehr wohnt.«

»Es könnte ja auch noch eine vierte Person gegeben haben, die mit dem Auto weggefahren ist.«

»Aber warum sind sie dann nicht zusammen gefahren? So begehrenswert eine Harley Davidson auch ist, aber ich nehme nicht an, dass es bei dieser Geschichte um Motorraddiebstahl geht.«

Er überlegte ein Weilchen und bat Johansson dann, zwei Polizisten abzustellen, um nach einem verlassenen Fahrzeug zu suchen. Außerdem sollten sie in der Nachbarschaft von Tür zu Tür gehen und nachfragen, ob irgendjemandem etwas Ungewöhnliches aufgefallen war.

»Sind nicht viel Leute hier um diese Jahreszeit«, gab Johansson zu bedenken, aber er versprach, sein Bestes zu tun.

Danach öffnete Holmberg die unverschlossene Tür des Sommerhäuschens. Auf dem Küchentisch fand er sofort die zurückgelassenen Ordner mit Bjurmans Recherchen zu Lisbeth Salander. Er setzte sich hin und begann verblüfft darin zu blättern.

Jerker Holmberg hatte Glück. Schon dreißig Minuten nachdem man angefangen hatte, in der dünn besiedelten Nachbarschaft herumzufragen, sagte die 72-jährige Anna Viktoria Hansson aus, sie habe noch gute Augen. Aber ja, sie hatte gegen Mittag ein junges Mädchen in dunkler Jacke vorbeilaufen sehen. Gegen drei seien dann zwei Personen auf Motorrädern vorbeigekommen. Und wenig später sei das Mädchen auf einem der Motorräder in die andere Richtung davongefahren.

Als man Jerker Holmberg diese Beobachtungen übermittelte, traf gerade Curt Svensson ein.

»Was ist hier los?«, fragte er.

Jerker Holmberg betrachtete seinen Kollegen düster.

»Ich weiß nicht richtig, wie ich dir das Ganze erklären soll«, begann Holmberg.

»Willst du mir etwa weismachen, Jerker, dass Lisbeth Salander bei Bjurmans Ferienhäuschen aufgetaucht ist und ganz alleine die Oberhäuptlinge von Svavelsjö MC verdroschen hat?«, erkundigte sich Bublanski. Seine Stimme am Telefon klang etwas angestrengt.

»Tja, sie ist ja auch von Paolo Roberto trainiert worden …«

»Jerker. Halt die Klappe.«

»Folgendes: Magnus Lundin hat eine Schussverletzung am Fuß. Kann sein, dass er für immer hinken wird. Die Kugel ist hinten an der Ferse wieder ausgetreten.«

»Auf jeden Fall hat sie ihn schon mal nicht in den Kopf geschossen.«

»Das war wahrscheinlich gar nicht nötig. Die Einsatztruppe aus Strängnäs hat festgestellt, dass er schwere Verletzungen im Gesicht davongetragen hat, gebrochener Kiefer und zwei ausgeschlagene Zähne. Der Notarzt vermutet eine Gehirnerschütterung. Abgesehen von der Schussverletzung im Fuß klagt er auch noch über starke Schmerzen im Unterleib.«

»Und was ist mit Nieminen?«

»Der scheint unverletzt zu sein. Aber nach den Angaben des Alten, der die Polizei alarmiert hat, lag Nieminen bewusstlos am Boden, als er kam.«

Bublanski war zum ersten Mal seit langer Zeit völlig sprachlos.

»Da gibt es noch ein geheimnisvolles Detail ...«, fuhr Jerker Holmberg fort.

»Noch was?«

»Ich weiß nicht, wie ich das beschreiben soll. Nieminens Lederjacke ... also, er ist ja mit dem Motorrad hergekommen.«

»Ja, und?«

»Sie war kaputt.«

»Wie, ›kaputt‹?«

»Es fehlt ein Stück. Ein ungefähr zwanzig mal zwanzig Zentimeter großes Stück, das aus dem Rückenteil herausgeschnitten wurde. Genau da, wo das Klubwappen von Svavelsjö MC sitzen müsste.«

Bublanski hob die Augenbrauen.

»Warum sollte Lisbeth Salander ein Stück aus seiner Jacke heraustrennen? Als Trophäe?«

»Ich hab da so eine Idee«, meinte Jerker Holmberg.

»Und die wäre?«

»Magnus Lundin hat eine ziemliche Wampe, blondes Haar und einen Pferdeschwanz. Einer von den Typen, die Salanders Freundin Miriam Wu entführt haben, war blond, hatte einen Bierbauch und einen Pferdeschwanz.«

Lisbeth Salander hatte kein derart schwindelerregendes Gefühl mehr erlebt, seit sie im Vergnügungspark Gröna Lund das Fahrgeschäft »Free fall« benutzt hatte. Damals war sie dreimal hintereinander gefahren und hätte noch dreimal gewollt, wäre ihr nicht das Geld ausgegangen.

Sie stellte fest, dass es eine Sache war, eine leichtgewichtige Kawasaki mit 125 Kubik zu steuern, die eigentlich nur ein ordentlich frisiertes Moped war, eine ganz andere hingegen, die Kontrolle über eine Harley Davidson mit 450 Kubik zu behalten. Die ersten dreihundert Meter auf Bjurmans schlecht instand gehaltenem Waldweg waren die reinste Achterbahn. Zweimal wäre sie fast vom Weg abgekommen und bekam das Fahrzeug erst in letzter Sekunde wieder unter Kontrolle. Es fühlte sich an, als würde man auf einem panischen Elch reiten.

Außerdem rutschte ihr der Helm immer wieder über die Augen, obwohl sie ihn extra mit einem Stück aus Sonny Nieminens wattierter Lederjacke ausgestopft hatte.

Sie traute sich nicht, stehen zu bleiben und den Helm zurechtzurücken, weil sie Angst hatte, das Gewicht der Maschine dann nicht mehr halten zu können. Sie war zu klein, um rechts und links mit den Füßen auf den Boden zu kommen, und befürchtete, dass ihr die Harley einfach umkippen würde. Und allein würde sie es niemals schaffen, sie wieder aufzustellen.

Doch sobald sie auf den breiteren Kiesweg kam, der zur Ferienhaussiedlung führte, ging es schon einfacher. Als sie wenige Minuten später auf die Straße nach Strängnäs einbog, wagte sie, kurz eine Hand vom Lenker zu nehmen und den Helm zurechtzurücken. Dann gab sie Gas. Sie legte die Strecke nach Södertälje in Rekordzeit zurück und musste die ganze Zeit verzückt grinsen. Kurz vor Södertälje kamen ihr zwei Polizeiautos mit heulenden Sirenen entgegen.

Am klügsten wäre es natürlich gewesen, wenn sie die Harley schon in Södertälje entsorgt und Irene Nesser mit dem Vorortzug nach Stockholm geschickt hätte, doch Lisbeth Salander konnte der Versuchung einfach nicht widerstehen. Sie fuhr auf die E4 und beschleunigte. Sorgfältig achtete sie darauf, die Geschwindigkeitsbegrenzung nicht zu überschreiten, na ja, auf jeden Fall nicht allzu sehr, aber es fühlte sich trotzdem an wie der »Free fall«. Erst auf der Höhe von Älvsjö nahm sie die Ausfahrt, fuhr bis Mässan und schaffte es, die Maschine zu parken, ohne sie umzuwerfen. Mit großem Bedauern ließ sie das Motorrad zurück, mitsamt dem Helm und dem Lederfetzen von Sonny Nieminens Jacke. Dann nahm sie den Zug. Sie war ziemlich ausgekühlt. Bei Södra station stieg sie aus, ging zu Fuß nach Mosebacke und legte sich in die Wanne.

»Sein Name ist Alexander Zalatschenko«, erklärte Gunnar Björck. »Aber eigentlich gibt es ihn gar nicht. Sie finden ihn auch nicht beim Einwohnermeldeamt.«

Zala. Alexander Zalatschenko. Endlich ein Name.

»Wer ist er, und wie finde ich ihn?«

»Das ist niemand, den Sie wirklich finden wollen.«

»Glauben Sie mir, ich würde ihn furchtbar gerne treffen.«

»Was ich Ihnen jetzt erzählen werde, sind Angaben, die der Schweigepflicht unterliegen. Wenn herauskommt, dass ich Ihnen das erzählt habe, dann werde ich dafür verurteilt werden. Es ist eines der größten Geheimnisse in der schwedischen Landesverteidigung. Sie müssen verstehen, warum es so wichtig ist, dass Sie mir Quellenschutz gewähren.«

»Das habe ich bereits.«

»Sie sind doch alt genug, um sich an den Kalten Krieg zu erinnern?«

Mikael nickte. *Komm zur Sache.*

»Alexander Zalatschenko wurde 1940 in der Ukraine geboren, in der damaligen Sowjetunion. Als er ein Jahr alt war, wurde das ›Unternehmen Barbarossa‹ eingeleitet, die deutsche Offensive an der Ostfront. Zalatschenkos Eltern starben beide im Krieg. Zumindest glaubt er das. Er weiß selbst nicht, was im Krieg passiert ist. Seine frühesten Kindheitserinnerungen sind die von einem Kinderheim im Ural.«

Mikael nickte, um zu zeigen, dass er der Geschichte folgte.

»Das Kinderheim war in einer Garnisonsstadt und wurde von der Roten Armee finanziert. Man kann sagen, dass Zalatschenko schon sehr früh militärisch geschult wurde. Das waren damals ja die schlimmsten Jahre des Stalinismus. Nachdem die Sowjetunion zusammengebrochen ist, sind eine Menge Dokumente zum Vorschein gekommen, die zeigen, wo der Staat seine späteren Elitesoldaten rekrutierte. Er griff dabei auf verwaiste Kinder zurück, die vom Staat aufgezogen wurden. Zalatschenko war so ein Kind.«

Mikael nickte wieder.

»Um eine lange Biografie kurz zu machen: Als er fünf Jahre alt war, wurde er in eine Militärschule gesteckt. Wie sich herausstellte, war er sehr begabt. Mit 15 begann er auf einer Militärschule in Nowosibirsk, wo er zusammen mit zweitausend anderen Schülern drei Jahre lang einem Training unterzogen wurde, das sonst nur den russischen Elitestreitkräften vorbehalten war.«

»Okay. Er war also ein tapferer Kindersoldat.«

»1958, als er 18 war, wurde er nach Minsk geschickt und durchlief eine Spezialausbildung bei der GRU. Wissen Sie, was der GRU war?«

»Ja.«

»Ganz genau steht das für *Glawnoje Razwedywatelnoje Uprawlenije*, das ist der militärische Nachrichtendienst, der direkt dem höchsten Militärkommando der Armee unterstellt ist. Nicht zu verwechseln mit dem KGB, der zivilen Geheimpolizei.«

»Ich weiß.«

»In den James-Bond-Filmen sind die ausländischen Spione ja meistens vom KGB. In Wirklichkeit war der KGB jedoch hauptsächlich der innenpolitische Sicherheitsdienst des Regimes, der Gefangenenlager in Sibirien betrieb und Oppositionelle im Keller des Lubjanka-Gefängnisses mit Genickschuss hinrichtete. Für Spionage und Operationen im Ausland war meistens der GRU zuständig.«

»Das wird ja die reinste Geschichtsstunde hier. Erzählen Sie weiter.«

»Als Alexander Zalatschenko 20 war, wurde er zum ersten Mal ins Ausland geschickt. Er durfte nach Kuba reisen. Das war Teil des Trainingsprogramms, er war damals noch so eine

Art Fähnrich. Er blieb zwei Jahre dort und erlebte die Kubakrise und die Invasion in der Schweinebucht.«

»Okay.«

»1963 war er wieder zurück und wurde in Minsk weiter ausgebildet. Danach stationierte man ihn erst in Bulgarien und dann in Ungarn. 1965 wurde er zum Leutnant befördert und wurde zum ersten Mal nach Europa geschickt, nach Rom, wo er zwölf Monate Dienst tat. Das war sein erster Auftrag *under cover*. Das heißt, er trat dort als Zivilperson auf, mit falschem Pass und ohne jeden Kontakt zur Botschaft.«

Mikael nickte. Gegen seinen Willen faszinierte ihn die Geschichte langsam.

»1967 wurde er nach London versetzt. Dort organisierte er die Liquidierung eines ausgestiegenen KGB-Agenten. In den nächsten zehn Jahren wurde er einer der Topagenten des GRU. Er gehörte zur echten Elite der loyalen politischen Soldaten. Er war von Kindesbeinen an dafür trainiert worden. Er sprach mindestens sechs Sprachen fließend, nahm die verschiedensten Rollen an, wurde zum Überlebenskünstler. Er befehligte selbst Agenten und organisierte eigene Operationen. Mehrere davon waren Mordaufträge, ziemlich viele davon in der Dritten Welt. 1969 wurde er Hauptmann, 1972 Major und 1975 Oberstleutnant.«

»Wie ist er in Schweden gelandet?«

»Dazu komme ich jetzt. Im Laufe der Jahre wurde er korrupt und schaffte hie und da ein bisschen Geld beiseite. Er trank zu viel und hatte zu viele Frauengeschichten. All das entging seinen Vorgesetzten natürlich nicht, aber er war immer noch einer ihrer Günstlinge, und sie waren nachsichtig, solange es sich um Bagatellen handelte. 1976 wurde er für einen Auftrag nach Spanien geschickt. Wir müssen nicht näher auf die Details eingehen, aber er ließ sich volllaufen und machte einen dummen Fehler. Damit war der Auftrag verpatzt, er fiel in Ungnade und wurde nach Russland zurückbeordert. Er entschied sich, den Befehl zu ignorieren und brachte sich damit natürlich in eine noch schlimmere Situation. Der GRU beauftragte einen Militärattaché der Botschaft in Madrid, ihn zu suchen und zur Vernunft zu bringen. Bei diesem Gespräch ging irgendwas gründlich schief, und Zalatschenko tötete den Mann. Plötzlich hatte er keine Wahl mehr. Er hatte alle Brücken hinter sich abgerissen und entschied sich überstürzt für einen Ausstieg.«

»Okay.«

»Er tauchte unter und legte eine Spur, die nach Portugal und eventuell zu einem Bootsunglück führte. Er legte auch eine Spur in die USA. Gleichzeitig beschloss er, sich ins unwahrscheinlichste Land in ganz Europa abzusetzen. In Schweden nahm er Kontakt mit der Sicherheitspolizei auf und bat um Asyl. Das war natürlich ziemlich schlau gedacht, denn die Wahrscheinlichkeit, dass eine Todespatrouille des KGB oder GRU ihn hier suchen würde, ging gegen null.«

Gunnar Björck schwieg.

»Und dann?«

»Was soll die Regierung tun, wenn ein sowjetischer Topspion plötzlich aussteigt und Schweden um politisches Asyl ersucht? Das war gerade der Zeitpunkt, als die Bürgerlichen an die Macht kamen. Es war sogar eine der ersten Angelegenheiten, die wir mit dem neu ernannten Ministerpräsidenten besprechen mussten. Diese politischen Feiglinge versuchten ihn natürlich möglichst schnell wieder loszuwerden, aber sie konnten ihn ja auch nicht in die Sowjetunion zurückschicken – das wäre ein unglaublicher Skandal geworden. Stattdessen versuchte man ihn in die USA oder nach England weiterzuschieben, aber Zalatschenko weigerte sich. Er mochte die USA nicht und meinte, in England habe die Sowjetunion Agenten bis hinauf in die höchsten Ränge des Nachrichtendienstes. Nach Israel wollte er auch nicht, er mochte keine Juden. Also hatte er beschlossen, sich in Schweden niederzulassen.«

Das Ganze klang so unwahrscheinlich, dass Mikael sich vage fragte, ob Gunnar Björck ihn auf den Arm nahm.

»Er blieb also in Schweden?«

»Genau.«

»Und das ist nie bekannt geworden?«

»Das war jahrelang eines der bestgehüteten militärischen Geheimnisse. Die Sache war ja auch die, dass wir großen Nutzen von Zalatschenko hatten. Ende der 70er-, Anfang der 80er-Jahre war er das Kronjuwel unter den Überläufern, auch im internationalen Vergleich. Nie zuvor war einer der operativen Chefs des GRU übergelaufen.«

»Er konnte also Informationen verkaufen.«

»Richtig. Er spielte seine Karten gut aus und dosierte die Informationen so, wie sie ihm am meisten nutzten. Genug Informationen, um einen Agenten im NATO-Hauptquartier in Brüssel zu identifizieren. Einen illegalen Agenten in Rom. Einen Kontaktmann in einem Spionagering in Berlin. Die Namen von Auftragsmördern, die er in Ankara oder Athen angeheuert hatte. Er wusste nicht besonders viel über Schweden, aber dafür besaß er Informationen über Operationen im Ausland, die wir stückweise herausgeben konnten, um entsprechende Gegenleistungen einzufordern. Er war eine Goldgrube.«

»Mit anderen Worten, Sie haben angefangen, mit ihm zusammenzuarbeiten.«

»Wir verschafften ihm eine neue Identität. Wir mussten ihm nur einen Pass und ein bisschen Geld stellen, um den Rest kümmerte er sich selbst. Genau, wie er es gelernt hatte.«

Mikael schwieg und verdaute die Informationen. Dann hob er den Blick und sah Björck an.

»Letztes Mal, als ich hier war, haben Sie mich angelogen.«

»Ach ja?«

»Sie haben behauptet, Sie hätten Bjurman zum ersten Mal in den 80er-Jahren im Schützenverein der Polizei getroffen. Dabei haben Sie ihn schon viel früher kennengelernt.«

Björck nickte nachdenklich.

»Das war eine ganz automatische Reaktion. Das Ganze ist geheim, und ich hatte keinen Grund, genauer zu erklären, wie Bjurman und ich uns kennengelernt haben. Erst als Sie nach Zala fragten, wurde mir die Verbindung klar.«

»Erzählen Sie, was passiert ist.«

»Ich war 33 Jahre alt und arbeitete schon seit drei Jahren für die Sicherheitspolizei. Bjurman war 26 und hatte gerade sein Examen gemacht. Er hatte bei der Sicherheitspolizei eine Stelle als Sachbearbeiter für gewisse juristische Angelegenheiten bekommen. Bjurman kommt aus Karlskrona, sein Vater hat beim militärischen Nachrichtendienst gearbeitet.«

»Und?«

»Bjurman und ich waren eigentlich beide nicht qualifiziert genug, um die Zalatschenko-Sache zu betreuen, aber er nahm ja genau am Wahltag 1976 Kontakt mit uns auf. Es war kaum ein Mensch im Hause – entweder sie hatten sich freigenommen, oder sie waren im Dienst, irgendein Überwachungsauftrag oder so. Und genau in dem Moment marschiert Zalatschenko in die Polizeiwache Norrmalm und erklärt, er beantrage politisches Asyl und wolle mit jemandem von der Sicherheitspolizei sprechen. Er gab keinen Namen an. Ich hatte gerade Dienst und dachte, es wäre eine ganz normale Flüchtlingssache, also nahm ich Bjurman mit.«

Björck rieb sich die Augen.

»Da saß er nun und erzählte uns ganz ruhig und sachlich, wie er hieß, wer er war und was für eine Arbeit er tat. Bjurman machte Notizen. Als mir allmählich die ganze Tragweite der Angelegenheit bewusst wurde, fiel ich aus allen Wolken. Also brach ich das Gespräch ab. Da mir nichts Besseres einfiel, bezahlte ich ein Zimmer im Hotel Continental gegenüber vom Hauptbahnhof und brachte ihn erst mal dort unter. Bjurman ließ ich als Babysitter da, während ich zur Rezeption hinunterging und meinen Chef anrief.«

Er musste plötzlich auflachen.

»Ich habe mir hinterher oft gedacht, dass wir uns aufgeführt haben wie die totalen Amateure. Aber so war es eben.«

»Wer war Ihr Chef?«

»Das spielt hier keine Rolle. Mehr Namen möchte ich nicht preisgeben.«

Mikael zuckte die Achseln und verfolgte die Frage nicht weiter.

»Vor allem Bjurman hätte in diese Angelegenheit nie mit hineingezogen werden dürfen – aber da er das Geheimnis nun schon mal kannte, war es besser, es dabei zu belassen, als noch jemand anders einzuweihen. Und ich nehme an, dieselben Überlegungen galten auch für einen unerfahrenen Mitarbeiter wie mich. Insgesamt wussten sieben Leute, die mit der Sicherheitspolizei zu tun hatten, von Zalatschenkos Existenz.«

»Wie viele kennen diese Geschichte?«

»Zwischen 1976 und den frühen 90er-Jahren ... insgesamt ungefähr zwanzig Personen in der Regierung, der höchsten Militärleitung und der Sicherheitspolizei.«

»Und danach?«

Björck zuckte mit den Schultern.

»In dem Moment, als die Sowjetunion zusammenbrach, wurde er uninteressant.«

»Aber was geschah, nachdem Zalatschenko nach Schweden gekommen war?«

Björck schwieg eine geraume Weile, sodass Mikael schon unruhig auf seinem Stuhl hin und her rutschte.

»Wenn ich ehrlich sein soll ... Zalatschenko war ein voller Erfolg, und wir, die wir daran beteiligt waren, bauten darauf unsere Karrieren auf. Missverstehen Sie mich bitte nicht, das war durchaus ein Fulltime-Job. Ich wurde zu Zalatschenkos Mentor in Schweden auserkoren, und in den ersten zehn Jahren trafen wir uns zwar nicht täglich, aber doch mehrmals in der Woche. Das war während der wichtigen Jahre, als er noch voll frischer Informationen steckte. Doch gleichzeitig mussten wir auch ein wachsames Auge auf ihn haben.«

»Was meinen Sie damit?«

»Zalatschenko hatte den Teufel im Leib. Er konnte unglaublich charmant sein, aber auch völlig paranoid und verrückt. Phasenweise trank er, und dann wurde er gewalttätig. Mehr als einmal musste ich nachts ausrücken, um irgendwelche unguten Geschichten ins Reine zu bringen.«

»Zum Beispiel …«

»Zum Beispiel ging er in die Kneipe und geriet mit jemandem in Streit, und dann verprügelte er zwei Türsteher, die versucht hatten, ihn zu beruhigen. Er war ein ziemlich kleiner und hagerer Kerl, aber er hatte eine unglaublich gute Nahkampfausbildung, die er leider bei mehreren unpassenden Gelegenheiten demonstrierte. Einmal musste ich ihn auch von der Polizei abholen.«

»Damit riskierte er doch, die Aufmerksamkeit auf sich zu lenken. Das hört sich nicht gerade besonders professionell an.«

»Aber so war er eben. Er hatte in Schweden keine Verbrechen begangen und wurde nie festgenommen. Wir statteten ihn mit einem schwedischen Pass und einem Personalausweis und einem schwedischen Namen aus. Er hatte eine Wohnung in einem Vorort von Stockholm, die von der Sicherheitspolizei bezahlt wurde. Außerdem bekam er ein Gehalt, damit er uns immer zur Verfügung stand. Doch wir konnten ihm ja schlecht verbieten, in die Kneipe zu gehen oder sich in irgendwelche Frauengeschichten zu verstricken. Wir konnten nur hinter ihm aufräumen. Das war bis 1985 meine Aufgabe, dann trat ich einen neuen Dienst an, und mein Nachfolger übernahm Zalatschenkos Betreuung.«

»Und Bjurmans Rolle?«

»Ehrlich gesagt, der war nur eine Belastung. Er war nicht besonders begabt, der falsche Mann am falschen Ort. Es war ja auch reiner Zufall gewesen, dass er überhaupt in die Zalatschenko-Geschichte involviert worden war. Bloß zu Anfang war er noch ganz dabei, später nur noch gelegentlich, wenn wir gewisse juristische Formalitäten zu erledigen hatten. Mein Chef löste dann schließlich das Problem mit Bjurman.«

»Wie?«

»Auf die denkbar einfachste Art. Er bekam einen Job außerhalb der Polizei, in einer Anwaltskanzlei, die sozusagen eng mit …«

»Klang & Reine.«

Gunnar Björck sah Mikael scharf an. Dann nickte er.

»Bjurman ist nicht allzu talentiert, aber er ist gut zurechtgekommen. Im Laufe der Jahre hat er immer wieder Aufträge, kleinere Berichte und Ähnliches von der Sicherheitspolizei bekommen. In gewisser Weise hat also auch er seine Karriere auf Zalatschenko aufgebaut.«

»Und wo hält sich Zala heute auf?«

Björck zögerte kurz.

»Ich weiß es nicht. Mein Kontakt zu ihm wurde ab 1985 immer weniger, und seit fast zwölf Jahren habe ich ihn jetzt überhaupt nicht mehr gesehen. Das Letzte, was mir zu Ohren kam, ist, dass er Schweden 1992 verlassen hat.«

»Wie es aussieht, ist er wieder da. Es gibt einen Zusammenhang mit Rauschgift-, Waffen- und Mädchenhandel.«

»Das sollte mich eigentlich nicht wundern«, seufzte Björck. »Aber sind Sie sicher, dass es derselbe Zala ist?«

»Die Wahrscheinlichkeit, dass in dieser Geschichte zwei Zalas auftauchen, dürfte mikroskopisch klein sein. Wie war noch sein schwedischer Name?«

Björck betrachtete Mikael.

»Ich habe nicht vor, Ihnen das zu verraten.«

»Sie sollten besser nicht versuchen, sich rauszuwinden.«

»Sie wollten wissen, wer Zala war. Ich habe es Ihnen erzählt. Aber ich habe nicht vor, Ihnen das letzte Puzzleteilchen zu geben, bevor ich weiß, dass Sie Ihren Teil der Abmachung einhalten.«

»Zala hat wahrscheinlich drei Morde begangen, und die Polizei jagt die falsche Person. Wenn Sie glauben, ich gebe mich ohne Zalas Namen zufrieden, dann sind Sie im Irrtum.«

»Woher wissen Sie, dass Lisbeth Salander nicht die Mörderin ist?«

»Ich weiß es.«

Gunnar Björck lächelte Mikael an. Plötzlich schien er wieder an Selbstbewusstsein gewonnen zu haben.

»Ich glaube, dass Zala der Mörder ist«, sagte Mikael.

»Falsch. Zala hat niemanden erschossen.«

»Woher wissen Sie das?«

»Weil Zala heute 65 Jahre alt und schwerbehindert ist. Er hat einen amputierten Fuß und kann kaum gehen. Wenn der jemanden umbringen will, dann muss er sich erst den Fahrdienst für Schwerbehinderte bestellen.«

Malin Eriksson lächelte Sonja Modig höflich an.

»Danach müssen Sie Mikael fragen.«

»Okay.«

»Ich kann seine Recherchen leider nicht mit Ihnen besprechen.«

»Aber wenn der Mann namens Zala als möglicher Täter in Betracht kommt …«

»Das müssen Sie mit Mikael besprechen«, wiederholte Malin. »Ich kann Ihnen mit Informationen zu Dag Svenssons Arbeit helfen, aber nicht zu unseren eigenen Recherchen.«

Sonja Modig seufzte.

»Ich verstehe das Prinzip. Was können Sie mir denn über die Personen auf dieser Liste sagen?«

»Ich kann Ihnen verraten, dass Mikael ungefähr ein Dutzend dieser Personen bereits besucht und mit ihnen gesprochen hat. Das hilft Ihnen vielleicht weiter.«

Sonja Modig nickte zögernd. *Nein, das hilft mir nicht weiter. Die Polizei muss diese Personen auf jeden Fall offiziell verhören. Ein Richter. Drei Anwälte. Mehrere Politiker und Journalisten ... und Kollegen von der Polizei. Das ist ja ein nettes Personenkarussell.* Sonja Modig wurde klar, dass die Polizei schon am Tag nach den Morden mit dieser Liste hätte beginnen müssen.

Ihr Blick fiel auf einen Namen. Gunnar Björck.

»Bei diesem Mann hier steht keine Adresse dabei.«

»Nein.«

»Warum?«

»Der arbeitet bei der Sicherheitspolizei und hat eine Geheimadresse, obwohl er momentan krankgeschrieben ist. Dag Svensson konnte ihn nicht aufspüren.«

»Und Ihnen ist es gelungen?«, fragte Sonja Modig lächelnd.

»Fragen Sie Mikael.«

Sonja Modig betrachtete die Wand über Dag Svenssons Schreibtisch. Sie überlegte.

»Darf ich Ihnen eine persönliche Frage stellen?«

»Bitte sehr.«

»Was glauben Sie, wer Ihre Freunde und Nils Bjurman umgebracht hat?«

Malin Eriksson schwieg. Sie wünschte, Mikael Blomkvist wäre hier, um die Fragen zu beantworten. Dann hörte sie Erika Bergers Stimme hinter sich.

»Wir gehen davon aus, dass die Morde geschehen sind, um die Enthüllungen zu verhindern, an denen Dag Svensson arbeitete. Aber wir wissen nicht, wer geschossen hat. Mikael konzentriert sich auf den Unbekannten namens Zala.«

Sonja Modig drehte sich um und betrachtete die Chefredakteurin von *Millennium*. Erika Berger reichte Malin und Sonja zwei Kaffeetassen, die mit Logos der Dienstleistungsgewerkschaft beziehungsweise der Christdemokraten bedruckt waren. Sie lächelte höflich. Dann ging sie zurück in ihr Büro.

Drei Minuten später kam sie wieder heraus.

»Frau Modig, Ihr Chef hat gerade angerufen, Sie haben Ihr Handy ausgeschaltet. Sie sollen ihn zurückrufen.«

Die Geschehnisse bei Bjurmans Sommerhaus lösten am Nachmittag eine fieberhafte Aktivität aus. Die Polizei im ganzen Bezirk wurde verständigt, dass Lisbeth Salander endlich wieder aufgetaucht war. Sie fahre höchstwahrscheinlich eine Harley Davidson, die Magge Lundin gehöre. Außerdem erging eine Warnung, dass sie bewaffnet sei und bei einem Ferienhäuschen in der Nähe von Stallarholmen eine Person angeschossen habe.

Die Polizei errichtete also Straßensperren an den Auffahrten nach Strängnäs und Mariefred und an sämtlichen Auffahrten nach Södertälje. Mehrere Stunden lang wurde jeder Lokalzug zwischen Södertälje und Stockholm durchsucht. Ein schmächtiges Mädchen, mit oder ohne Harley Davidson, konnte jedoch nicht gefunden werden.

Erst gegen sieben Uhr abends bemerkte ein Streifenwagen eine verlassene Harley in Älvsjö, was die Aufmerksamkeit der Fahnder von Södertälje nach Stockholm verlagerte. Aus Älvsjö wurde auch berichtet, man habe ein Stück von einer Lederjacke mit dem Klubwappen von Svavelsjö MC gefunden. Die Nachricht von diesem Fund veranlasste Bublanski, sich die Brille auf die Stirn zu schieben und mürrisch in die Finsternis vor seinem Dienstzimmer in Kungsholmen zu starren.

Dieser ganze Tag war im Grunde finster verlaufen. Erst die Entführung von Salanders Freundin, das Eingreifen von Paolo Roberto, danach Brandstiftung und vergrabene Ganovenleichen in den Wäldern um Södertälje. Und zu guter Letzt nun auch noch dieses unfassbare Chaos in Stallarholmen.

Bublanski ging in das große Arbeitszimmer und besah sich die Karte von Stockholm und Umgebung. Sein Blick schweifte der Reihe nach von Stallarholmen und Nykvarn nach Svavelsjö und Älvsjö, zu den vier Orten also, die aus unterschiedlichsten

Gründen brandaktuell geworden waren. Er blickte auf Enskede und seufzte. Ein unangenehmes Gefühl sagte ihm, dass die Polizei vom Zentrum der Geschehnisse entfernt war. Er tappte nach wie vor im Dunkeln. Worum es bei den Morden von Enskede auch gegangen sein mochte, es war auf jeden Fall wesentlich komplizierter, als sie anfangs gedacht hatten.

Mikael Blomkvist war sich der dramatischen Ereignisse in Stallarholmen überhaupt nicht bewusst. Er verließ Smådalarö um drei Uhr nachmittags. An einer Tankstelle hielt er an und trank einen Kaffee, während er versuchte, sich über die ganze Geschichte klar zu werden.

Er war zutiefst frustriert. Mit großer Verblüffung hatte er sich die vielen Details angehört, aber Björck hatte sich hartnäckig geweigert, ihm das letzte Geheimnis zu verraten, nämlich Zalas schwedische Identität. Er fühlte sich betrogen.

»Wir haben eine Abmachung«, hatte Mikael insistiert.

»Und ich habe meinen Teil der Abmachung erfüllt. Ich habe Ihnen erzählt, wer Zalatschenko ist. Wenn Sie noch andere Informationen haben wollen, müssen wir eine neue Abmachung treffen. Ich brauche Garantien, dass mein Name aus dem Spiel bleibt und dass es kein unangenehmes Nachspiel geben wird.«

»Wie könnte ich Ihnen denn solche Garantien geben? Auf die polizeilichen Ermittlungen habe ich keinen Einfluss, und früher oder später werden die auch auf Sie stoßen.«

»Ich mache mir keine Sorgen wegen der Ermittlungen. Ich will eine Garantie, dass Sie mich im Zusammenhang mit diesen Hurengeschichten nicht namentlich nennen.«

Mikael spürte, dass Björck seine Verbindung zum Mädchenhandel unangenehmer war als die Tatsache, dass er geheime Informationen weitergegeben hatte. Das sagte etwas über seine Persönlichkeit aus.

»Ich habe bereits versprochen, dass ich in diesem Zusammenhang kein Wort über Sie schreiben werde.«

»Aber jetzt brauche ich auch die Garantie, dass Sie mich im Zusammenhang mit der Zalatschenko-Geschichte mit keinem Wort erwähnen.«

Mikael hatte nicht vor, solche Garantien zu geben. Er konnte Björck zwar als geheime Quelle behandeln, ihm jedoch keine völlige Anonymität garantieren. Schließlich einigten sie sich, noch einen Tag darüber nachzudenken, bevor sie das Gespräch weiterführten.

Während Mikael also an der Tankstelle seinen Kaffee trank, fiel ihm plötzlich ein, dass es noch eine andere Person gab, die ein neues Licht auf diese Geschichte werfen konnte. Zudem war die Reha-Klinik Erstaviken ganz in der Nähe. Er sah auf die Uhr, stand schnell auf und fuhr Holger Palmgren besuchen.

Gunnar Björck war beunruhigt. Das Treffen mit Mikael Blomkvist hatte ihn völlig erschöpft. Sein Rücken tat schlimmer weh als je zuvor. Nachdem er drei Schmerztabletten genommen hatte, musste er sich aufs Wohnzimmersofa legen. In seinem Kopf kreisten immer wieder dieselben Gedanken. Nach einer Stunde stand er auf, machte sich Tee, setzte sich an den Küchentisch und grübelte.

Konnte er sich auf Mikael Blomkvist verlassen? Er hatte seine Karten ausgespielt und war dem Journalisten nun auf Gedeih und Verderb ausgeliefert. Aber die wichtigste Information hatte er noch zurückgehalten. Zalas Identität und seine tatsächliche Rolle. Eine entscheidende Karte, die er da noch im Ärmel hatte.

Wie zum Teufel war er nur hier hineingeraten? Er war kein Verbrecher. Er hatte doch nur ein paar Nutten bezahlt, das war alles. Schließlich war er Junggeselle. Diese verdammte 16-Jährige hatte nicht mal so getan, als würde sie ihn mögen. Sie hatte ihn mit Ekel angesehen.

Verdammte Fotze. Wenn sie wenigstens über 20 gewesen wäre, würde es jetzt nicht so übel für ihn aussehen. Die Medien würden ihn massakrieren, wenn das irgendwie durchsickerte. Blomkvist verachtete ihn ebenfalls. Er versuchte ja nicht einmal, es zu verbergen.

Zalatschenko.

Ein Zuhälter. Was für eine Ironie des Schicksals. Er hatte mit Zalatschenkos Nutten gevögelt. Obwohl Zalatschenko schlau genug war, sich im Hintergrund zu halten.

Bjurman und Salander.

Und Blomkvist.

Ein Ausweg.

Nachdem er ein paar Stunden nachgedacht hatte, ging er in sein Arbeitszimmer und suchte den Zettel mit der Telefonnummer, den er diese Woche bei einem Besuch seines Arbeitsplatzes herausgesucht hatte. Das war nicht das Einzige, was er Mikael Blomkvist verheimlicht hatte. Er wusste genau, wo Zalatschenko sich aufhielt, aber er hatte seit zwölf Jahren nicht mehr mit ihm gesprochen. Und er hatte auch gar keine Lust, jemals wieder mit ihm zu sprechen.

Aber Zalatschenko war ein aalglatter Halunke. Er würde das Problem verstehen und konnte von der Bildfläche verschwinden. Ins Ausland fahren und in Rente gehen. Wenn man ihn tatsächlich fasste, dann wäre die Katastrophe da. Dann würde alles zusammenbrechen.

Er zögerte lange, bis er endlich den Hörer nahm und die Nummer wählte.

»Hallo. Hier ist Sven Jansson«, meldete er sich. Ein Deckname, den er schon lange nicht mehr benutzt hatte. Zalatschenko erinnerte sich ganz genau an ihn.

28. Kapitel

Mittwoch, 6. April – Donnerstag, 7. April

Um acht Uhr abends traf sich Bublanski mit Sonja Modig zu einer Tasse Kaffee und einem belegten Brot im »Wayne's« in der Vasagatan. Sie hatte ihren Chef noch nie so finster gesehen. Er setzte sie über die Geschehnisse des Tages ins Bild, woraufhin sie eine geraume Weile schwieg. Schließlich streckte sie ihre Hand aus und legte sie auf seine. Es war das erste Mal, dass sie ihn berührte, aus rein freundschaftlichen Gefühlen. Er lächelte traurig und tätschelte ihre Hand ebenso freundschaftlich.

»Vielleicht sollte ich in Pension gehen«, meinte er.

Sie lächelte ihn nachsichtig an.

»Diese Ermittlungen zerfallen langsam in ihre Einzelteile«, fuhr er fort. »Beziehungsweise, sie sind schon zerfallen. Ich habe Ekström alles erzählt, was heute passiert ist, und sein einziger Kommentar war: ›Tun Sie, was Sie für das Beste halten.‹ Dem scheint auch nicht mehr viel einzufallen.«

»Ich will ja nicht schlecht von meinen Vorgesetzten reden, aber von mir aus kann Ekström hingehen, wo der Pfeffer wächst.«

Bublanski nickte.

»Du bist natürlich offiziell wieder im Ermittlungsteam. Ich befürchte allerdings, dass er sich nicht entschuldigen wird.«

Sie zuckte mit den Schultern.

»Im Moment scheint es so, als würden die Ermittlungen ausschließlich von uns beiden geführt«, sagte Bublanski. »Faste ist heute Vormittag stinkwütend aus dem Konferenzzimmer gestürmt und hat sein Handy den ganzen Tag lang ausgeschaltet gelassen. Wenn er morgen nicht auftaucht, muss ich ihn wohl suchen lassen.«

»Faste kann sich auch gerne aus diesen Ermittlungen raushalten. Was geschieht jetzt mit Niklas Eriksson?«

»Nichts. Ich wollte ihn festnehmen und anklagen, aber Ekström traut sich nicht. Also haben wir ihn nur rausgeworfen, und ich bin zu Dragan Armanskij rübergefahren und hab ein ernstes Wort mit ihm geredet. Wir haben die Zusammenarbeit mit Milton eingestellt, was leider bedeutet, dass wir Sonny Bohman auch verlieren. Schade. Er war ein tüchtiger Polizist.«

»Wie hat es Armanskij aufgenommen?«

»Er war sehr irritiert. Das Interessante ist ja, dass …«

»Was?«

»Armanskij erzählte, dass Lisbeth Salander Eriksson nie leiden konnte. Er erinnerte sich, dass sie einmal zu ihm gesagt hat, Eriksson hätte vor ein paar Jahren gefeuert werden müssen. Sie meinte, er sei ein Scheißkerl, wollte aber nicht genauer erläutern, warum. Armanskij folgte ihrer Empfehlung natürlich nicht.«

»Hm.«

»Svensson ist immer noch unten in Södertälje. Sie machen in den nächsten Stunden eine Hausdurchsuchung bei Carl-Magnus Lundin. Jerker ist vollauf damit beschäftigt, bei Nykvarn die sterblichen Überreste des alten Knastbruders Kenneth ›Der Vagabund‹ Gustafsson auszugraben. Gerade eben rief er noch mal an und berichtete, sie hätten noch eine zweite Leiche entdeckt. Den Kleidern nach zu urteilen, wohl eine Frau. Sieht so aus, als hätte sie schon länger dort gelegen.«

»Das ist ja der reinste Waldfriedhof. Die Geschichte scheint noch viel übler zu sein, als wir zu Anfang dachten. Ich schätze, wir verdächtigen Lisbeth nicht mehr der Morde in Nykvarn.«

Zum ersten Mal seit mehreren Stunden lächelte Bublanski.

»Nee. Dafür kommt sie wohl nicht infrage. Aber sie ist definitiv bewaffnet und hat auf Lundin geschossen.«

»Sie hat ihn in den Fuß geschossen, nicht in den Kopf. In Magge Lundins Fall ist das vielleicht kein allzu großer Unterschied, aber wir sind davon ausgegangen, dass der Mörder von Enskede ein ausgezeichneter Schütze ist.«

»Sonja ... das ist doch alles völlig verrückt. Magge Lundin und Sonny Nieminen sind zwei skrupellose Gewaltverbrecher mit einem langen Strafregister. Lundin hat zwar ein paar Kilo zugelegt und ist nicht gerade in Höchstform, aber er ist gefährlich. Und Nieminen ist ein brutales Aas, vor dem genügend große, harte Jungs Angst haben. Mir geht einfach nicht in den Kopf, wie es möglich sein soll, dass ein kleines, schmächtiges Mädchen wie Salander die beiden derart vermöbelt. Lundin ist schwer verletzt.«

»Wenn wir sie finden, werden wir sie danach fragen. Ihre gewalttätige Neigung ist ja aktenkundig. Die Frage ist, ob sie einen Grund hatte, auf Lundin und Nieminen loszugehen.«

»Ein Mädchen, allein mit zwei Psychopathen und Vollidioten in einem verlassenen Ferienhaus. Ich könnte mir da den einen oder anderen Grund vorstellen«, meinte Bublanski.

»Könnte ihr vielleicht jemand geholfen haben? Könnten noch mehr Personen vor Ort gewesen sein?«

»Bis jetzt deutet nichts darauf hin. Salander ist in der Hütte gewesen. Es stand eine benutzte Kaffeetasse auf dem Tisch. Und außerdem ist da noch die Zeugin Anna Viktoria Hansson. Sie schwört, dass nur Salander und danach die beiden Männer aus Svavelsjö vorbeigekommen sind.«

»Wie ist Salander in die Hütte gekommen?«

»Mit dem Schlüssel. Ich würde tippen, dass sie den in Bjurmans Wohnung gefunden hat. Du erinnerst dich doch ...«

»... das durchtrennte Absperrband, ja. Diese junge Dame hat weiß Gott ihre Hausaufgaben gemacht.«

Sonja Modig trommelte ein paar Sekunden mit den Fingern auf dem Tisch, dann schnitt sie ein neues Thema an.

»Ist denn geklärt, ob es wirklich Lundin war, der an der Entführung von Miriam Wu beteiligt war?«

Bublanski nickte.

»Paolo Roberto bekam einen Ordner mit Bildern von drei Dutzend Bikern. Er hat ihn sofort und ohne jeden Zweifel identifiziert. Er sagt, das war der Mann, den er vor dem Lager in Nykvarn gesehen hat.«

»Und Mikael Blomkvist?«

»Den habe ich noch nicht zu fassen gekriegt. Er geht nicht ans Handy.«

»Okay. Aber Lundins Beschreibung passt auch auf die Person, die bei dem Überfall in der Lundagatan beteiligt war. Wir können also davon ausgehen, dass Svavelsjö MC schon eine ganze Weile hinter Lisbeth Salander her ist. Warum?«

Bublanski hob ratlos die Arme.

»Hat Salander in Bjurmans Ferienhäuschen gewohnt, während nach ihr gefahndet wurde?«, fragte Sonja Modig.

»Hatte ich auch schon gedacht. Aber Jerker glaubt es nicht. Die Hütte sieht nicht so aus, als wäre sie vor Kurzem noch bewohnt worden. Außerdem behauptet die Zeugin, dass sie an diesem Tag erst ankam.«

»Warum ist sie dort hingegangen? Ich bezweifle, dass sie ein Treffen mit Lundin ausgemacht hatte.«

»Wohl kaum. Sie muss hingegangen sein, um etwas zu suchen. Und das Einzige, was wir gefunden haben, sind ein paar Ordner, die anscheinend Bjurmans eigene Recherchen zu ihrem persönlichen Hintergrund enthalten. Aber es fehlen ein paar Ordner. Sie sind auf dem Rücken durchnummeriert, und wir haben nur Nummer 1, 4 und 5.«

»2 und 3 fehlen uns also.«

»Vielleicht noch andere mit höheren Nummern.«

»Was die Frage aufwirft, warum Salander nach Informationen über sich selbst gesucht hat.«

»Ich könnte mir zwei Gründe vorstellen. Entweder sie will etwas verstecken, von dem sie weiß, dass Bjurman es über sie geschrieben hat, oder sie will etwas herausfinden. Aber da stellt sich noch eine weitere Frage.«

»Die wäre?«

»Warum sollte Bjurman umfassendes Material über sie zusammenstellen und es dann in seinem Sommerhäuschen verstecken? Salander scheint sie auf dem Dachboden gefunden zu haben. Er war ihr rechtlicher Betreuer und musste sich um ihre Finanzen und ähnliche Belange kümmern. Aber diese Ordner vermitteln eher den Eindruck, als sei er davon besessen gewesen, ihr Leben genauestens zu erforschen.«

»Bjurman sieht mir langsam immer mehr nach einer zwielichtigen Gestalt aus. Ich dachte heute darüber nach, als ich bei *Millennium* die Liste mit den Freiern durchging. Irgendwie dachte ich plötzlich, er würde da gut reinpassen.«

»Naheliegender Gedanke. Bjurman hatte ja auch eine ansehnliche Sammlung Hardcore-Pornografie, die du in seinem Computer gefunden hast. Hast du sonst noch etwas herausbekommen?«

»Ich weiß nicht recht. Mikael Blomkvist ist gerade dabei, alle Männer auf der Liste der Reihe nach aufzusuchen, aber Malin Eriksson zufolge hat er noch nichts Interessantes gefunden. Weißt du was?«

»Was?«

»Ich glaube nicht, dass Lisbeth Salander das alles getan hat. Enskede und Odenplan, meine ich. Am Anfang war ich genauso felsenfest davon überzeugt wie alle anderen, aber ich glaube es nicht mehr. Und ich kann nicht richtig erklären, warum.«

Bublanski nickte. Ihm war klar, dass er Sonja Modigs Meinung teilte.

Der blonde Riese ging unruhig in Magge Lundins Eigenheim in Svavelsjö auf und ab. Am Küchenfenster blieb er stehen und spähte die Straße hinunter. Sie hätten schon längst wieder zurück sein müssen. Die Sorgen nagten in seinem Bauch. Irgendwas stimmte hier nicht.

Es war ein unbekanntes Haus. In sein Zimmer im Obergeschoss zog es kalt herein, und die ganze Zeit knackte es so unheimlich. Er versuchte, sein Unbehagen abzuschütteln. Er wusste ja, dass das Dummheiten waren, aber er war noch nie gern allein gewesen. Vor Menschen aus Fleisch und Blut fürchtete er sich nicht im Geringsten, aber leere Häuser auf dem Land fand er einfach unheimlich. Die vielen Geräusche befeuerten seine Fantasie. Er wurde das Gefühl nicht los, dass ihn ständig etwas Dunkles, Böses durch einen Türschlitz beobachtete. Manchmal glaubte er, Atemgeräusche zu hören.

Als er jünger gewesen war, hatten ihn alle damit aufgezogen, dass er Angst im Dunkeln hatte. Das heißt, er wurde aufgezogen, bis er eines Tages seine gleichaltrigen, aber auch bedeutend älteren Kameraden, die sich mit solchen Hänseleien vergnügten, handfest zurechtwies. Zurechtweisen, das konnte er gut.

Aber es war doch peinlich. Er hasste Dunkelheit und Einsamkeit. Er hasste die Wesen, die diese Dunkelheit und Einsamkeit bevölkerten. Er wünschte, Lundin würde endlich nach Hause kommen. Lundins Gegenwart würde das Gleichgewicht wiederherstellen, auch wenn sie nicht miteinander redeten oder sich im selben Zimmer aufhielten.

Er versuchte, das ungute Gefühl loszuwerden, indem er CDs hörte, dann wieder suchte er in Lundins Bücherregalen ruhelos nach etwas zum Lesen. Leider ließ Lundins intellektuelle Ader zu wünschen übrig, und so musste er sich mit einer Sammlung von Motorradzeitschriften und Männermagazinen zufriedengeben. Außerdem gab es ein paar abgegriffene Taschenbücher von der Sorte, wie sie ihn noch nie fasziniert hatten. Die Einsamkeit fühlte sich immer klaustrophobischer an. Er beschäftigte sich eine Weile damit, die Handfeuerwaffe, die er in seiner Tasche hatte, zu reinigen und einzuölen – eine Therapie, die vorübergehend beruhigend auf ihn wirkte.

Doch schließlich hielt er es nicht länger im Haus aus. Er machte einen kurzen Spaziergang im Garten, um ein bisschen frische Luft zu schnappen. Dabei achtete er darauf, dass er vom Nachbarhaus aus nicht gesehen werden konnte. Wenn er ganz still dastand, konnte er in der Ferne leise Musik hören.

Um sieben Uhr schaltete er die Nachrichten auf TV4 ein. Verblüfft hörte er die Neuigkeiten und danach eine Beschreibung des Feuergefechts vor dem Ferienhäuschen in Stallarholmen. Es war die Nachricht des Tages.

Im nächsten Moment rannte er die Treppe ins Obergeschoss hinauf und stopfte seine Habseligkeiten in eine Tasche. Zwei Minuten später verließ er das Haus und fuhr mit quietschenden Reifen in seinem Volvo davon.

In letzter Sekunde. Nur wenige Kilometer hinter Svavelsjö kamen ihm zwei Polizeiautos mit Blaulicht entgegen, die auf dem Weg in die Ortschaft waren.

Es kostete Mikael Blomkvist große Mühe, Holger Palmgren an einem Mittwoch um sechs Uhr abends zu besuchen. Die Mühe bestand darin, das Personal zu überreden, ihn vorzulassen. Er bat sie jedoch so beharrlich, dass eine Krankenschwester einen Dr. A. Sivarnandan anrief, der offensichtlich in der Nähe wohnte. Schon fünfzehn Minuten später war er vor Ort und kümmerte sich um das Problem mit dem sturen Journalisten. Zuerst war er abweisend. In den letzten zwei Wochen hatten mehrere Journalisten Holger Palmgren aufgestöbert und mit allen Mitteln versucht, zu ihm vorzudringen. Palmgren selbst hatte sich hartnäckig geweigert, solchen Besuch zu empfangen, und das Personal hatte Anweisung, niemanden vorzulassen.

Dr. Sivarnandan hatte die Entwicklung der letzten Wochen mit größter Besorgnis verfolgt. Er war erschüttert über die Schlagzeilen, die Lisbeth Salander in den Massenmedien machte, und hatte bemerkt, dass sein Patient in eine tiefe Depression verfiel, die (so nahm Sivarnandan an) darauf zurückzuführen war, dass Palmgren keine Möglichkeit hatte, irgendetwas zu unternehmen. Palmgren hatte die Reha-Maßnahmen abgebrochen und verbrachte seine Tage damit, die Tageszeitungen zu lesen und die Jagd auf Lisbeth Salander im Fernsehen zu verfolgen. Den Rest der Zeit saß er in seinem Zimmer und grübelte.

Mikael blieb dickköpfig vor Dr. Sivarnandans Schreibtisch stehen und versprach, Holger Palmgren keinesfalls irgendwelchen Unannehmlichkeiten auszusetzen; er wolle nur versuchen, etwas mit ihm zu bereden. Er erklärte, er sei ein Freund der gesuchten Lisbeth Salander, zweifle an ihrer Schuld und suche verzweifelt Informationen, die Licht auf gewisse Vorkommnisse in ihrer Vergangenheit werfen konnten.

Dr. Sivarnandan gab sich zugeknöpft. Mikael musste ihm also seine Rolle in dem ganzen Drama auseinandersetzen. Erst nach einer halben Stunde gab der Arzt nach und bat Mikael, auf ihn zu warten, während er zu Holger Palmgren ging und ihn fragte, ob er den Besuch empfangen wolle.

Nach zehn Minuten war Sivarnandan wieder da.

»Er hat zugestimmt. Wenn er Sie nicht mag, schmeißt er Sie allerdings hochkant wieder hinaus. Sie dürfen ihn nicht interviewen oder in irgendeiner Form über diesen Besuch berichten.«

»Ich versichere Ihnen, ich werde keine Zeile darüber schreiben.«

In Holger Palmgrens kleinem Zimmer standen nur ein Bett, eine Kommode, ein Tisch und ein paar Stühle. Er war eine magere, weißhaarige Vogelscheuche mit offensichtlichen Gleichgewichtsproblemen, aber er stand dennoch auf, als Mikael in den Raum geführt wurde. Er reichte ihm nicht die Hand, zeigte jedoch auf einen der Stühle an dem kleinen Tisch. Mikael nahm Platz. Dr. Sivarnandan blieb noch im Zimmer. Mikael konnte Holger Palmgrens gelallte Worte anfangs nur schwer verstehen.

»Sie behaupten, Sie seien ein Freund von Lisbeth Salander. Wer sind Sie, und was wollen Sie?«

Mikael lehnte sich zurück und dachte kurz nach.

»Sie müssen mir nichts erzählen, Herr Palmgren, aber ich bitte Sie, sich anzuhören, was ich zu erzählen habe, bevor Sie mich rauswerfen.«

Palmgren nickte kurz und schleppte sich an den Tisch, wo er sich gegenüber von Mikael niederließ.

»Ich bin Lisbeth Salander vor ungefähr zwei Jahren zum ersten Mal begegnet. Ich habe sie für eine Recherche angeheuert, in einer Angelegenheit, über die ich hier nicht sprechen kann. Sie kam an den Ort, an dem ich vorübergehend wohnte, und wir haben mehrere Wochen lang zusammengearbeitet.«

Er überlegte, wie viel er Palmgren sagen sollte. Dann beschloss er, so nah wie möglich an der Wahrheit zu bleiben.

»Während unserer Arbeit geschahen zwei Dinge. Erstens hat mir Lisbeth Salander das Leben gerettet. Zweitens waren wir für eine Weile sehr enge Freunde. Ich lernte sie kennen und mochte sie sehr gern.«

Ohne weiter auf die Details einzugehen, schilderte Mikael sein Verhältnis zu ihr, das vor einem Jahr kurz nach den Weihnachtsfeiertagen ein jähes Ende gefunden hatte, als Lisbeth auf einmal ins Ausland verschwand.

Danach erzählte er von seiner Arbeit bei *Millennium* und wie Dag Svensson und Mia Bergman ermordet worden waren und er plötzlich in die Jagd nach dem Mörder mit hineingezogen wurde.

»Mir ist klar, dass Sie in letzter Zeit von Journalisten belästigt wurden und die Zeitungen eine Dummheit nach der anderen geschrieben haben. Ich kann Ihnen nur versichern, dass ich nicht hier bin, um Material für den nächsten Artikel zu sammeln. Ich bin wegen Lisbeth hier, als ihr Freund. Ich bin wahrscheinlich eine der wenigen Personen in diesem Land, die in diesem Moment ohne Zweifel und Hintergedanken auf ihrer Seite stehen. Ich glaube, dass sie unschuldig ist. Ich glaube, dass ein Mann namens Zalatschenko hinter den Morden steckt.«

Mikael machte eine Pause. Als er den Namen Zalatschenko fallen ließ, hatte es in Holger Palmgrens Augen kurz aufgeleuchtet.

»Wenn Sie etwas beitragen können, was Licht in ihre Vergangenheit bringt, dann wäre dies der richtige Moment. Wenn sie ihr nicht helfen wollen, dann weiß ich, woran ich bin, und werde meine Zeit nicht weiter verschwenden.«

Holger Palmgren hatte während des gesamten Vortrags geschwiegen. Erst bei Mikaels letzter Bemerkung glomm es erneut in seinen Augen auf. Aber er lächelte. Er sprach so langsam und deutlich, wie er konnte.

»Sie wollen ihr wirklich helfen.«

Mikael nickte.

Holger Palmgren lehnte sich vor.

»Beschreiben Sie mir das Sofa in ihrem Wohnzimmer.«

Mikael lächelte zurück.

»Als ich sie besuchte, hatte sie ein zerschlissenes und schauerlich hässliches Teil mit einem gewissen Kuriositätenwert. Ich würde es auf frühe 50er-Jahre schätzen. Es hat zwei unförmige Polster mit braunem Bezug und einem undefinierbaren gelben Muster. An mehreren Stellen ist der Bezug durchgescheuert, und die Füllung quillt raus.«

Plötzlich lachte Holger Palmgren auf. Es klang allerdings eher wie ein Räuspern. Er sah Dr. Sivarnandan an.

»Er ist auf jeden Fall in ihrer Wohnung gewesen. Wäre es möglich, Herr Doktor, eine Tasse Kaffee zu bekommen, damit ich meinen Gast bewirten kann?«

»Selbstverständlich.« Dr. Sivarnandan stand auf und verließ das Zimmer. An der Tür blieb er noch einmal stehen und nickte Mikael zu.

»Alexander Zalatschenko«, sagte Holger Palmgren, sowie die Tür zugegangen war.

Mikael riss die Augen auf.

»Sagt Ihnen dieser Name etwas?«

Holger Palmgren nickte.

»Lisbeth hat mir erzählt, wie er hieß. Ich glaube, es ist wichtig, dass ich diese Geschichte mal loswerde ... für den Fall, dass ich plötzlich sterben sollte, was ja nicht auszuschließen ist.«

»Lisbeth? Woher wusste sie denn überhaupt von seiner Existenz?«

»Er ist Lisbeth Salanders Vater.«

Mikael konnte kaum glauben, was er da hörte.

»Was zum Teufel sagen Sie da?«

»Zalatschenko ist in den 70er-Jahren hierhergekommen. Er war so eine Art politischer Flüchtling – so ganz klar ist mir die Geschichte nie geworden, und Lisbeth geizte mit Informationen. Das war so etwas, worüber sie überhaupt nicht reden wollte.«

Ihre Geburtsurkunde. Vater unbekannt.

»Zalatschenko ist Lisbeths Vater.«

»In all den Jahren, die ich sie kannte, hat sie mir nur ein einziges Mal erzählt, was damals passierte. Das war ungefähr einen Monat vor meinem Schlaganfall. Aber folgendermaßen habe ich die Sache verstanden: Zalatschenko kam Mitte der 70er nach Schweden. 1977 lernte er Lisbeths Mutter kennen, sie wurden ein Paar, und das Resultat waren zwei Kinder.«

»Zwei?«

»Lisbeth und ihre Schwester Camilla. Sie sind Zwillinge.«

»Du lieber Gott – wollen Sie damit sagen, es gibt zwei von der Sorte?«

»Sie sind sehr verschieden. Aber das ist eine andere Geschichte. Lisbeths Mutter hieß eigentlich Agneta Sofia Sjölander. Sie war 17 Jahre alt, als sie Alexander Zalatschenko kennenlernte. Die näheren Umstände ihres Kennenlernens sind mir nicht bekannt, aber soweit ich das einschätzen kann, war sie damals noch ein naives, unerfahrenes Mädchen, also in gewisser Weise leichte Beute für einen älteren und erfahreneren Mann. Sie war beeindruckt von ihm und wahrscheinlich verliebt bis über beide Ohren.«

»Verstehe.«

»Wie sich herausstellte, war Zalatschenko aber alles andere als sympathisch. Er war wesentlich älter als sie. Ich nehme an, er wollte einfach eine willige Frau, nicht mehr.«

»Vermutlich haben Sie recht.«

»Sie fantasierte sich natürlich eine sichere Zukunft mit ihm zusammen, aber eine Heirat interessierte ihn nicht im Geringsten. Sie heirateten nie, doch 1979 änderte sie ihren Namen von Sjölander in Salander. Das war wahrscheinlich ihre Art, zu zeigen, dass sie zusammengehörten.«

»Wie meinen Sie das?«

»Zala. *Salander*.«

»Du lieber Gott«, sagte Mikael nur.

»Ich habe das überprüft, kurz bevor ich krank wurde. Sie hatte das Recht, diesen Namen anzunehmen, weil ihre Mutter, Lisbeths Großmutter, tatsächlich Salander geheißen hatte. Aber dann stellte sich nach und nach heraus, dass Zalatschenko ein Psychopath allererster Güte war. Er soff und misshandelte Agneta brutal. Wenn ich das richtig verstanden habe, fanden diese Misshandlungen über all die Jahre hinweg statt, in denen die Kinder aufwuchsen. Solange sich Lisbeth erinnern kann, ist Zalatschenko immer wieder in regelmäßigen Abständen zu ihnen nach Hause gekommen. Manchmal war er längere Zeit weg, dann tauchte er plötzlich wieder in der Lundagatan auf. Und jedes Mal war es wieder dasselbe. Zalatschenko kam, um Sex zu haben und Schnaps zu trinken, und am Ende quälte er Agneta. Lisbeth hat Details erzählt, die darauf hindeuten, dass es mehr als nur körperliche Misshandlungen waren. Er war bewaffnet und bedrohte sie, Sadismus und Psychoterror gehörten stets dazu. Über die Jahre wurde es dann wohl immer schlimmer. Lisbeths Mutter verbrachte den Großteil der 80er-Jahre in Angst und Schrecken.«

»Hat er die Kinder auch geschlagen?«

»Nein. Offensichtlich interessierte er sich gar nicht für seine Töchter. Er grüßte sie kaum. Wenn Zalatschenko kam, schickte ihre Mutter sie immer ins kleine Zimmer, das sie ohne Erlaubnis nicht wieder verlassen durften. Ein einziges Mal hat er Lisbeth oder ihre Schwester geschlagen, aber das war vor allem, weil sie ihn störte oder ihm irgendwie im Weg war. Die Gewalt richtete sich ausschließlich gegen die Mutter.«

»Verdammt. Arme Lisbeth.«

Holger Palmgren nickte.

»All das erzählte mir Lisbeth, ungefähr einen Monat bevor ich meinen Schlaganfall erlitt. Es war das erste Mal, dass sie offen darüber sprach, was geschehen war. Ich hatte gerade beschlossen, dass es jetzt genug war mit diesen Dummheiten – von wegen geschäftsunfähig und so weiter. Lisbeth ist genauso klug wie Sie und ich, und so bereitete ich die Wiederaufnahme ihres Falls vor dem Gericht vor. Dann kam der Schlaganfall … und als ich aufwachte, war ich hier.«

Er breitete resigniert die Arme aus. Eine Krankenschwester klopfte und servierte ihnen den Kaffee. Palmgren schwieg, bis sie das Zimmer wieder verlassen hatte.

»Es gibt so manches an dieser Geschichte, das auch ich nicht verstehe. Agneta Salander musste Dutzende von Malen ins Krankenhaus. Ich habe ihre Krankenakte gelesen. Es war nicht zu übersehen, dass sie schwer misshandelt wurde, da hätte schon längst das Sozialamt eingreifen müssen. Aber nichts geschah. Jedes Mal wenn ihre Mutter sich in Behandlung begeben musste, wurden Lisbeth und Camilla vom Sozialamt versorgt, aber sobald sie gesundgeschrieben war, fuhr sie nach Hause, und alles ging wieder von vorne los. Ich kann das nur so deuten, dass das soziale Netz hier ein Loch hatte und Agneta viel zu ängstlich war, um irgendetwas anderes zu tun, als von Neuem auf ihren Peiniger zu warten. Doch dann geschah etwas. Lisbeth bezeichnet es als All Das Böse.«

»Was ist passiert?«

»Zalatschenko hatte sich mehrere Monate nicht mehr blicken lassen. Lisbeth war gerade zwölf geworden. Sie begann schon zu glauben, er wäre für immer verschwunden. Aber das war er natürlich nicht. Eines Tages war er wieder da, und Agneta sperrte Lisbeth und ihre Schwester wie üblich ins kleine Zimmer. Dann hatte sie Sex mit Zalatschenko. Und dann fing er wieder an, sie zu misshandeln. Er genoss es, andere Menschen zu quälen. Aber diesmal hatte er keine Kleinkinder eingesperrt ... Die Mädchen reagierten ganz unterschiedlich. Camilla hatte panische Angst, jemand könnte erfahren, was bei ihnen zu Hause passierte. Sie verdrängte alles und tat so, als würde ihre Mutter gar nicht geschlagen. Wenn alles vorbei war, ging Camilla zu ihrem Vater und umarmte ihn und tat so, als wäre alles in Ordnung.«

»Ihre Art, sich zu schützen.«

»Ja. Aber Lisbeth war ein anderes Kaliber. Sie ging in die Küche, holte ein Messer und stach Zalatschenko in die Schulter. Fünfmal stach sie zu, bevor es ihm gelang, ihr das Messer abzunehmen und ihr einen Faustschlag zu versetzen. Die Wunden waren nicht tief, aber er blutete wie ein abgestochenes Schwein und verschwand aus der Wohnung.«

»Das klingt ganz nach Lisbeth.«

Palmgren musste plötzlich lachen.

»Allerdings. Leg dich nie mit Lisbeth Salander an. Wenn jemand sie mit einer Pistole bedroht, dann besorgt sie sich eben eine größere Pistole, das ist ihre Einstellung zu ihrer Umwelt.

Deswegen hab ich auch so fürchterliche Angst bei allem, was derzeit passiert.«

»Und das war All Das Böse?«

»Nein. Jetzt geschahen zwei Dinge. Ich begreife es selbst nicht ganz. Zalatschenko war so schwer verletzt, dass er ein Krankenhaus aufsuchen musste. Im Grunde hätte es polizeiliche Ermittlungen geben müssen.«

»Aber?«

»Aber soweit ich herausfinden konnte, geschah nichts dergleichen. Lisbeth behauptet, es sei ein Mann vorbeigekommen, der mit ihrer Mutter gesprochen hat. Sie weiß nicht, was da geredet wurde oder wer er war. Und dann erzählte ihre Mutter, dass Zalatschenko Lisbeth alles verziehen habe.«

»Verziehen?«

»So drückte sie sich aus.«

Auf einmal begriff Mikael.

Björck. Oder einer von Björcks Kollegen. Sie mussten hinter Zalatschenko aufräumen. Verdammte Schweine. Er schloss die Augen.

»Was ist?«, fragte Palmgren.

»Ich glaube, ich weiß, was da passiert ist. Und dafür wird jemand büßen. Aber erzählen Sie erst weiter.«

»Zalatschenko erschien mehrere Monate nicht mehr auf der Bildfläche. Lisbeth wartete auf ihn und bereitete sich vor. Sie schwänzte jeden zweiten Tag die Schule, um ihre Mutter zu bewachen. Sie hatte Todesangst, dass Zalatschenko ihr etwas antun würde. Sie war zwölf Jahre alt und fühlte sich verantwortlich für ihre Mutter, die sich nicht traute, zur Polizei zu gehen, und auch nicht mit Zalatschenko brechen konnte, oder vielleicht einfach nicht verstand, wie ernst die Situation war. Aber genau an dem Tag, an dem Zalatschenko auftauchte, war Lisbeth in der Schule. Sie kam nach Hause, als er die Wohnung gerade verließ. Er sagte nichts, sondern lachte ihr nur ins Gesicht. Lisbeth ging hinein und fand ihre Mutter bewusstlos auf dem Küchenboden.«

»Aber Zalatschenko rührte Lisbeth nicht an?«

»Nein. Sie holte ihn ein, als er gerade in sein Auto stieg. Er kurbelte das Fenster herunter, vermutlich wollte er etwas sagen. Lisbeth war jedoch vorbereitet. Sie warf eine Milchtüte ins Auto, die sie mit Benzin gefüllt hatte. Und dann schmiss sie ein brennendes Streichholz hinterher.«

»Du lieber Himmel.«

»Sie versuchte zweimal, ihren Vater zu töten. Und dieses Mal hatte es Folgen. Man konnte ja schlecht verheimlichen, dass da ein Mann in der Lundagatan in seinem Auto saß und lichterloh brannte.«

»Er hat es jedenfalls überlebt.«

»Zalatschenko war übel zugerichtet und trug schwere Brandverletzungen davon. Sie mussten ihm einen Fuß amputieren. Er erlitt schwere Verbrennungen im Gesicht und am restlichen Körper. Und Lisbeth landete in der Kinderpsychiatrie von St. Stefans.«

Obwohl sie bereits jedes Wort auswendig kannte, las Lisbeth Salander noch einmal aufmerksam das Material aus Bjurmans Sommerhäuschen durch. Danach setzte sie sich ins Fenster und öffnete das Zigarettenetui, das sie von Miriam Wu bekommen hatte. Sie zündete sich eine Zigarette an und blickte zum Djurgården hinüber.

Sie hatte einige Details über ihr Leben erfahren, die ihr bis dato unbekannt gewesen waren. Nun fielen so viele Puzzleteile an ihren Platz, dass ihr ganz kalt wurde. Vor allem interessierte sie der Ermittlungsbericht, geschrieben von Gunnar Björck im Februar 1991. Sie war nicht ganz sicher, wer von all den Erwachsenen, mit denen sie damals gesprochen hatte, Björck gewesen war, aber sie meinte es zu wissen. Er hatte sich mit einem anderen Namen vorgestellt. Sven Jansson. Sie erinnerte sich an jede Nuance seines Gesichts, an jedes Wort, das er gesagt hatte, an jede Geste, die er bei ihren insgesamt drei Begegnungen gemacht hatte.

Es war das völlige Chaos gewesen.

Zalatschenko hatte in seinem Auto gebrannt wie eine Fackel. Er hatte die Tür aufgerissen und sich hinausgeworfen, war aber mitten in diesem Flammenmeer mit einem Fuß im Sicherheitsgurt hängen geblieben. Menschen kamen herbeigerannt, um das Feuer zu bekämpfen. Die Feuerwehr löschte schließlich das brennende Auto, und dann kam auch schon der Krankenwagen. Sie hatte versucht, die Notärzte davon zu überzeugen, dass sie Zalatschenko liegen lassen und sich stattdessen um ihre Mutter kümmern sollten. Doch sie hatten sie nur beiseite gestoßen. Dann kam die Polizei, und die Zeugen zeigten auf Lisbeth. Sie versuchte erneut zu erklären, was passiert war, doch niemand wollte ihr zuhören. Plötzlich saß sie auf dem Rücksitz eines Polizeiautos, und es dauerte Minuten, Minuten, Minuten, fast eine Stunde, bis die Polizei endlich in die Wohnung ging und ihre Mutter fand.

Agneta Sofia Salander war immer noch bewusstlos. Sie hatte Verletzungen am Gehirn erlitten und würde nie wieder richtig gesund werden.

Lisbeth verstand auf einmal, warum niemand diesen Ermittlungsbericht gelesen hatte. Warum es Holger Palmgren nicht gelungen war, ihn zu bekommen, und warum auch Staatsanwalt Richard Ekström keinen Zugriff darauf hatte. Dieser Bericht war nicht von der normalen Polizei verfasst worden. Er war als »streng geheim« gekennzeichnet, aus Gründen der Landessicherheit.

Alexander Zalatschenko hatte für die Sicherheitspolizei gearbeitet.

Es gab keine Ermittlungen. Alles wurde vertuscht. Zalatschenko war wichtiger als Agneta Salander. Er konnte nicht identifiziert und vor Gericht gestellt werden. Zalatschenko existierte gar nicht.

Nicht Zalatschenko war das Problem, sondern Lisbeth Salander, das verrückte Kind, das eines der wichtigsten Staatsgeheimnisse zu enthüllen drohte.

Ein Geheimnis, von dem sie nicht das Geringste geahnt hatte. Sie überlegte. Zalatschenko hatte ihre Mutter fast unmittelbar nach seiner Ankunft in Schweden kennengelernt. Er hatte sich mit seinem richtigen Namen vorgestellt, weil er noch keinen Decknamen und keine schwedische Identität besaß. Das erklärte auch, warum sie seinen Namen in keinem offiziellen Melderegister gefunden hatte. Sie wusste, wie er wirklich hieß, doch er hatte vom schwedischen Staat einen neuen Namen bekommen.

Sie verstand durchaus, wo der Haken war: Wenn man Zalatschenko der schweren Körperverletzung anklagte, würde Agneta Salanders Anwalt in seiner Vergangenheit herumschnüffeln. *Wo arbeiten Sie, Herr Zalatschenko? Wie heißen Sie eigentlich?*

Falls Lisbeth Salander beim Sozialamt landete, würde irgendjemand Nachforschungen anstellen. Sie war zu jung, um angeklagt zu werden, aber wenn ihr Attentat mit dem Molotowcocktail allzu detailliert untersucht wurde, würde irgendjemand genauer hinsehen. Sie konnte die Schlagzeilen schon vor sich sehen. Die Ermittlungen mussten daher von einer vertrauenswürdigen Person durchgeführt, der Bericht als »streng geheim« gekennzeichnet und so tief vergraben werden, dass niemand ihn je finden konnte. Und Lisbeth Salander musste ebenfalls so tief begraben werden, dass niemand sie mehr fand.

Gunnar Björck.

St. Stefans.

Peter Teleborian.

Die Erklärungen machten sie rasend.

Lieber Staat ... ich hab da was mit dir zu besprechen, falls ich irgendwann mal jemand finden sollte, mit dem ich darüber reden kann.

Sie überlegte kurz, wie es dem Sozialminister wohl gefallen würde, wenn sie einen Molotowcocktail durch den Eingang des Ministeriums warf. Doch in Ermangelung anderer Verantwortlicher war Peter Teleborian vorläufig ein guter Ersatz. Sie wollte sich um ihn kümmern, sobald die übrigen Dinge geklärt waren.

Trotzdem verstand sie immer noch nicht alle Zusammenhänge. Zalatschenko war nach all den Jahren plötzlich wieder aufgetaucht. Er lief Gefahr, von Dag Svensson an den Pranger gestellt zu werden. *Zwei Schüsse. Dag Svensson und Mia Bergman.* Eine Waffe mit ihren Fingerabdrücken ...

Zalatschenko oder die Person, die er mit der Ausführung der Hinrichtungen beauftragt hatte, konnte natürlich nicht wissen, dass sie den Revolver in Bjurmans Schreibtischschublade gefunden und in die Hand genommen hatte. Es war reiner Zufall gewesen, aber für sie hatte von Anfang an festgestanden, dass es zwischen Bjurman und Zala eine Verbindung geben musste.

Doch die Geschichte ging immer noch nicht richtig auf. Sie grübelte und probierte nacheinander alle Puzzleteile durch.

Es gab nur eine einleuchtende Antwort.

Bjurman.

Bjurman hatte Recherchen zu ihrem persönlichen Hintergrund betrieben. Er hatte die Verbindung zwischen Zalatschenko und ihr hergestellt. Er hatte sich an Zalatschenko gewandt.

Sie besaß einen Film, auf dem zu sehen war, wie Bjurman sie vergewaltigte. Das war das Damoklesschwert, das sie eigenhändig über Bjurman aufgehängt hatte. Er musste sich eingebildet haben, dass Zalatschenko Lisbeth zwingen könnte zu verraten, wo sie den Film aufbewahrte.

Sie sprang vom Fensterbrett herunter, zog eine Schreibtischschublade auf und holte die CD heraus. »Bjurman« hatte sie mit Folienstift daraufgeschrieben. Sie hatte sie nicht einmal in eine Hülle gesteckt. Seit der Erstaufführung bei Bjurman vor zwei Jahren hatte sie sie auch nicht wieder angesehen. Sie wog sie in der Hand und legte sie dann zurück in die Schublade.

Bjurman war ein Idiot. Hätte er sich schön um seinen eigenen Kram gekümmert, dann hätte sie ihn laufen lassen, sobald sie wieder für geschäftsfähig erklärt worden wäre. Zalatschenko hätte ihn niemals laufen lassen. Bjurman wäre für immer und ewig sein Schoßhündchen geblieben. Was sicher auch eine angemessene Strafe gewesen wäre.

Zalatschenkos Netzwerk. Irgendeine Tentakel reichte auch zu Svavelsjö MC.

Der blonde Riese.

Er war der Schlüssel.

Sie musste ihn finden und zwingen, ihr Zalatschenkos Aufenthaltsort zu verraten.

Lisbeth zündete sich eine neue Zigarette an und betrachtete das Kastell bei Skeppsholmen. Ihre Blicke wanderten weiter zur Achterbahn in Gröna Lund. Plötzlich redete sie laut mit sich selbst. Sie imitierte eine Stimme, die sie einmal im Fernsehen gehört hatte.

Daaaaadddyyyy, I am coming to get youuu.

Hätte sie jemand gehört, hätte er sicher gefolgert, dass sie völlig wahnsinnig war. Um halb acht schaltete sie den Fernseher ein, um die neuesten Entwicklungen der Jagd nach Lisbeth Salander zu erfahren.

Sie erlitt den Schock ihres Lebens.

Bublanski erreichte Hans Faste um kurz nach acht auf seinem Handy. Es wurden nicht unbedingt fernmündliche Höflichkeiten ausgetauscht. Bublanski fragte nicht, wo Faste gesteckt hatte, sondern informierte ihn nur in kühlem Ton über die neuesten Entwicklungen des Tages.

Faste war erschüttert.

An diesem Morgen hatte ihm der ganze Zirkus im Präsidium gereicht, und er hatte etwas getan, was er noch nie zuvor getan hatte. Er war zornbebend in die Stadt gegangen, hatte sein Handy ausgeschaltet und in einer Kneipe am Hauptbahnhof zwei Bier getrunken, während er vor Wut kochte.

Dann war er nach Hause gegangen, hatte geduscht und sich schlafen gelegt.

Er brauchte Schlaf.

Als die Nachrichtensendung *Rapport* lief, war er wieder aufgewacht. Bei den neuesten Schlagzeilen traten ihm fast die Augen aus den Höhlen. Ein Grab in Nykvarn. Lisbeth Salander hatte einen Anführer von Svavelsjö MC angeschossen.

Treibjagd durch die südlichen Vororte. Das Netz zog sich zusammen.

Da schaltete er sein Handy ein.

Der verdammte Bublanski war sofort dran und informierte ihn darüber, dass man jetzt offiziell einen alternativen Täter suchte. Faste solle Jerker Holmberg bei der Untersuchung des Tatorts in Nykvarn ablösen. Er sollte also Zigarettenkippen im Wald sammeln; nach Salander durften die anderen suchen.

Was zum Henker hatte denn bloß Svavelsjö MC damit zu tun?

Am Ende war an der Argumentation dieser verdammten Lesbe Modig doch etwas dran.

Unsinn.

Es musste Salander sein.

Und er wollte derjenige sein, der sie fasste. Er wollte sie so unbedingt festnehmen, dass ihm fast die Hände wehtaten, als er sein Handy umklammerte.

Ruhig beobachtete Holger Palmgren, wie Mikael Blomkvist vor dem Fenster in seinem kleinen Krankenzimmer auf und ab ging. Sie hatten fast eine Stunde lang ununterbrochen geredet. Schließlich klopfte Palmgren auf den Tisch, um Mikaels Aufmerksamkeit zu bekommen.

»Setzen Sie sich doch hin, bevor Sie sich noch Ihre Sohlen durchlaufen«, bat er.

Mikael setzte sich.

»All diese Geheimnisse«, sagte er. »Die Zusammenhänge habe ich nie begriffen, bevor Sie mir jetzt von Zalatschenkos Hintergrund erzählt haben. Bis jetzt habe ich immer nur Gutachten gesehen, die Lisbeth als psychisch gestört bezeichnen.«

»Peter Teleborian.«

»Er muss irgendeine Abmachung mit Björck getroffen haben. Sie haben irgendwie zusammengearbeitet.«

Mikael nickte nachdenklich. »Lisbeth meinte, dass ich mich von ihm fernhalten sollte. Dass er böse sei.«

Holger Palmgren sah ihn scharf an.

»Wann hat sie das gesagt?«, wollte er wissen.

Mikael schwieg. Dann lächelte er Palmgren an.

»Noch mehr Geheimnisse. Verdammt! Ich habe Kontakt mit ihr, seit sie auf der Flucht ist. Über meinen Computer. Von ihrer Seite kamen zwar nur kurze, kryptische Mitteilungen, aber sie hat mich die ganze Zeit in die richtige Richtung gelenkt.«

Holger Palmgren seufzte.

»Und das haben Sie natürlich nicht der Polizei erzählt«, sagte er.

»Nein. Natürlich nicht.«

»Offiziell haben Sie es mir auch nicht erzählt. Aber sie kann ziemlich gut mit Computern umgehen, oder?«

Sie ahnen ja nicht, wie gut.

»Ich habe großes Vertrauen in ihre Fähigkeit, immer wieder

auf die Füße zu fallen. Sie muss sicher bescheiden leben, aber sie ist eine Überlebenskünstlerin.«

Nicht allzu bescheiden. Sie hat fast drei Milliarden Kronen gestohlen. Hungern muss sie bestimmt nicht. Sie hat eine Truhe mit Goldstücken, so wie Pippi Langstrumpf.

»Aber ich verstehe nicht so ganz«, sagte Mikael, »warum Sie in all den Jahren nicht schon früher gehandelt haben.«

Holger Palmgren seufzte wieder. Ihm war beklommen zumute.

»Ich habe versagt«, gestand er. »Als ich ihr Betreuer wurde, war sie nur eine unter vielen schwierigen Jugendlichen. Solche hatte ich zu Dutzenden. Ich bekam diesen Auftrag von Stefan Brådhensjö, dem Chef des Sozialamts. Da saß sie aber schon in St. Stefans, und ich habe sie während des ersten Jahres nicht einmal kennengelernt. Ein paarmal habe ich mit Teleborian geredet. Er erklärte mir, sie sei psychotisch, aber bei ihnen in den denkbar besten Händen. Natürlich habe ich ihm das geglaubt. Doch ich habe auch mit Jonas Beringer gesprochen, der damals der Klinikchef war. Ich glaube, der hatte mit der ganzen Geschichte gar nichts zu tun. Er erstellte auf meinen Antrag hin ein Gutachten, und wir einigten uns darauf, dass ich versuchen sollte, sie über eine Pflegefamilie wieder in die Gesellschaft zu integrieren. Damals war sie 15 Jahre alt.«

»Und dann haben Sie sie in all den Jahren weiter unterstützt.«

»Nicht genug. Nach dem Vorfall in der U-Bahn habe ich für sie gekämpft. Da kannte ich sie schon und mochte sie sehr gern. Sie hatte Rückgrat. Ich konnte verhindern, dass man sie wieder in eine Anstalt einwies. Der Kompromiss sah so aus, dass man sie für geschäftsunfähig erklärte und ich ihr rechtlicher Betreuer wurde.«

»Björck konnte sich ja nicht für ein bestimmtes Urteil starkmachen. Das hätte Aufmerksamkeit erregt. Er wollte sie einsperren und setzte auf extrem negative psychiatrische Gutachten, unter anderem von Peter Teleborian. Die Richter haben sich dann aber eher auf ihre Seite geschlagen.«

»Ich fand nie, dass sie einen Betreuer brauchte. Doch andererseits habe ich mich auch nicht gerade überschlagen, um den Beschluss wieder aufheben zu lassen. Ich hätte massiver und früher dagegen vorgehen müssen. Aber ich war so begeistert von Lisbeth und ... habe es immer wieder aufgeschoben. Ich hatte so viel zu tun. Und dann wurde ich krank.«

Mikael nickte.

»Ich finde nicht, dass Sie sich Vorwürfe machen müssen. Sie waren eine der wenigen Personen, die sie in all den Jahren wirklich unterstützt haben.«

»Das Problem war nur, dass mir die ganze Zeit nicht klar war, dass ich handeln müsste. Lisbeth war meine Mandantin, aber sie hat kein Wort von Zalatschenko gesagt. Als sie aus St. Stefans kam, dauerte es mehrere Jahre, bis sie überhaupt Vertrauen zu mir fasste. Erst nach der Gerichtsverhandlung merkte ich, dass sie langsam mehr mit mir kommunizierte, als es die Formalitäten erforderten.«

»Wie kam es, dass sie anfing, von Zalatschenko zu erzählen?«

»Ich nehme an, dass sie trotz allem irgendwann anfing, mir zu vertrauen. Außerdem hatte ich schon mehrmals darüber gesprochen, dass ich das Urteil aufheben lassen wollte. Sie überlegte ein paar Monate, ehe sie mich eines Tages anrief und und sich mit mir treffen wollte. Und dann erzählte sie mir die ganze Geschichte von Zalatschenko und wie sie die Geschehnisse erlebt hatte.«

»Verstehe.«

»Dann verstehen Sie vielleicht auch, dass ich erst mal ganz schön daran zu knabbern hatte. Dieser Zalatschenko war ja in keinem Register in Schweden zu finden. Manchmal war ich mir nicht sicher, ob sie da nicht vielleicht etwas zusammenfantasierte.«

»Als Sie Ihren Schlaganfall bekamen, wurde Bjurman ihr Betreuer. Das kann kein Zufall gewesen sein.«

»Nein. Ich weiß nicht, ob wir das jemals beweisen können, aber ich habe den Verdacht, wenn wir tief genug graben, dann finden wir … irgendjemand, der an Björcks Stelle nachgerückt ist und die Zalatschenko-Affäre weiter vertuscht.«

»Ich kann Lisbeths Weigerung, mit Psychologen oder Behörden zu sprechen, gut verstehen«, meinte Mikael. »Jedes Mal wenn sie es versuchte, wurde alles nur noch schlimmer. Sie versuchte Dutzenden von Erwachsenen zu erklären, was geschehen war, und keiner hörte ihr zu. Sie versuchte ganz allein, ihrer Mutter das Leben zu retten, und verteidigte sie gegen einen Psychopathen. Schließlich tat sie das Einzige, was sie tun konnte. Dafür sperrte man sie ins Irrenhaus.«

»Ganz so einfach ist es nun auch wieder nicht. Ich hoffe, Ihnen ist klar, dass mit Lisbeth durchaus etwas nicht ganz stimmt«, bemerkte Palmgren scharf.

»Wie meinen Sie das?«

»Sie sind sich doch der Tatsache bewusst, dass sie in ihrer Jugend so einige Schwierigkeiten hatte, Probleme in der Schule und so weiter.«

»Natürlich, das stand ja auch alles in jeder Zeitung. Meine Schulzeit wäre allerdings auch etwas problematischer verlaufen, wenn ich unter solchen Umständen aufgewachsen wäre.«

»Ihre Probleme gehen weit über ihre häuslichen Umstände hinaus. Ich habe all ihre psychiatrischen Gutachten gelesen und nirgendwo eine Diagnose gefunden. Aber ich glaube, wir sind uns einig, dass Lisbeth Salander nicht wie andere Menschen ist. Haben Sie schon mal mit ihr Schach gespielt?«

»Nein.«

»Sie hat ein fotografisches Gedächtnis.«

»Ich weiß. Das habe ich während unserer Zusammenarbeit rausgefunden.«

»Sie liebt Rätsel. Als sie einmal an Weihnachten zum Abendessen zu mir kam, schob ich ihr ein paar Aufgaben aus einem Intelligenztest unter. So ein Test, bei dem einem fünf verschiedene Symbole gezeigt werden, und man muss entscheiden, wie das sechste aussieht.«

»Aha.«

»Ich habe den Test selbst zu lösen versucht und hatte ungefähr die Hälfte richtig. Dabei habe ich aber zwei Abende lang daran geknabbert. Sie warf nur einen Blick auf das Blatt und beantwortete jede Frage richtig.«

»Lisbeth ist eben ein ganz besonderes Mädchen«, stimmte Mikael zu.

»Sie hat extreme Probleme, eine Beziehung zu anderen Menschen aufzubauen. Ich würde bei ihr auf eine Form des Asperger-Syndroms oder Ähnliches tippen. Wenn Sie die klinischen Beschreibungen von Asperger-Patienten lesen, dann gibt es da einige Dinge, die sehr gut mit Lisbeth übereinstimmen, aber auch Punkte, die überhaupt nicht passen.«

Er schwieg ein Weilchen.

»Für Menschen, die sie in Frieden lassen und sie mit Respekt behandeln, ist sie nicht im Geringsten gefährlich.«

Mikael nickte.

»Aber sie ist zweifellos gewalttätig«, sagte Palmgren mit leiser Stimme. »Wenn sie provoziert oder bedroht wird, kann sie mit extremer Gewalt zurückschlagen.«

Mikael nickte wieder.

»Fragt sich, was wir jetzt unternehmen«, meinte Holger Palmgren.

»Wir suchen Zalatschenko«, erwiderte Mikael.

Im selben Augenblick klopfte Dr. Sivarnandan an die Tür.

»Ich hoffe, ich störe nicht. Aber wenn Sie sich für Lisbeth Salander interessieren, sollten Sie vielleicht den Fernseher anmachen und sich *Rapport* ansehen.«

29. Kapitel

Mittwoch, 6. April – Donnerstag, 7. April

Lisbeth Salander bebte vor Zorn. Morgens hatte sie in aller Ruhe Bjurmans Sommerhäuschen verlassen. Ihren Computer hatte sie weder am Vorabend noch tagsüber angeschaltet, weil sie zu sehr damit beschäftigt war, die Nachrichten zu hören. Dass der Tumult in Stallarholmen gewisse Schlagzeilen machen würde, hatte sie erwartet, aber sie war völlig unvorbereitet auf den Sturm, der ihr entgegenschlug, als sie die Fernsehnachrichten sah.

Miriam Wu lag im Krankenhaus, zusammengeschlagen von einem blonden Riesen, der sie vor ihrer Wohnung in der Lundagatan gekidnappt hatte. Ihr Zustand wurde als ernst bezeichnet.

Paolo Roberto hatte sie gerettet. Wie er sich in das Lagergebäude in Nykvarn verirrt hatte, war ihr ein Rätsel. Man versuchte ihn zu interviewen, als er aus dem Krankenhaus kam; er wollte jedoch keinen Kommentar abgeben. Sein Gesicht sah allerdings so aus, als hätte er mit gefesselten Händen einen Boxkampf über zehn Runden bestritten.

In einem Waldstück nahe des Lagergebäudes in Nykvarn hatte man die sterblichen Überreste zweier Menschen ausgegraben. Am Abend wurde berichtet, die Polizei vermute noch weitere Gräber.

Das Netz um Lisbeth Salander zog sich angeblich immer mehr zusammen. Die Polizei hatte sie in einer Ferienhaussiedlung in der Nähe von Stallarholmen eingekreist. Sie war bewaffnet und gefährlich. Sie hatte ein Mitglied der Hells Angels angeschossen, vielleicht sogar zwei. Das Feuergefecht hatte vor Nils Bjurmans Sommerhäuschen stattgefunden. Am Abend gab die Polizei an, dass sie ihnen vermutlich durchs Netz geschlüpft sei und die Gegend verlassen habe.

Staatsanwalt Ekström hielt eine Pressekonferenz ab, gab aber nur ausweichende Antworten. Nein, er könne nicht sagen, ob Lisbeth Salander Kontakt zu den Hells Angels habe. Nein, er könne die Angaben nicht bestätigen, nach denen Lisbeth Salander bei einem Lagergebäude in Nykvarn gesichtet worden sei. Nein, es stehe nicht fest, dass Lisbeth Salander bei den Enskede-Morden die einzige Täterin gewesen sei. Die Polizei, so Ekström, habe nie behauptet, dass sie die Mörderin sei, sondern nur nach ihr gefahndet, um sie zu den Morden verhören zu können.

Lisbeth Salander runzelte die Stirn. Die Ermittlungen machten offensichtlich Fortschritte.

Im Internet las sie zuerst die Berichterstattung der Zeitungen. Danach ging sie der Reihe nach die Festplatten von Staatsanwalt Ekström, Dragan Armanskij und Mikael Blomkvist durch.

Ekströms Mails enthielten einige interessante Informationen, nicht zuletzt eine kurze Mitteilung von Kriminalinspektor Bublanski, in der er vernichtende Kritik an Ekströms Art übte, diese Untersuchung zu leiten. Die Mail endete mit einer Art Ultimatum. Er hatte sie in Stichpunkte gegliedert und verlangte, a) dass Kriminalinspektorin Sonja Modig wieder in das Ermittlungsteam eingesetzt wurde, b) dass sich die Ermittlungen in den Enskede-Morden auf einen anderen Täter konzentrierten sowie c) dass offizielle Ermittlungen zu der unbekannten Person namens Zala eingeleitet wurden:

Der Verdacht gegen Lisbeth Salander baut auf einem einzigen schwerwiegenden Indiz auf – ihren Fingerabdrücken auf der Mordwaffe. Das ist, wie Sie sehr wohl wissen, ein Beweis dafür, dass sie die Waffe angefasst hat, belegt aber nicht, dass sie auch geschossen hat.
Wir wissen inzwischen, dass auch andere Personen in diesen Fall verwickelt sind, dass die Polizei von Södertälje zwei Leichen auf dem Gelände in Nykvarn gefunden hat und dass dort gerade ein weiterer Platz abgesteckt wird, der noch untersucht werden muss. Das Lagergebäude gehört einem Cousin von Carl-Magnus Lundin. Es müsste jedem ins Auge springen, dass Lisbeth Salander, egal wie gewaltbereit sie sein mag und welches psychologische Profil auf sie zutrifft, wohl kaum etwas mit dieser Sache zu tun haben kann.

Bublanski schloss mit der Drohung, gegebenenfalls aus den Ermittlungen auszusteigen, was definitiv kein geräuschloser Abgang werde. Ekström hatte lapidar zurückgeschrieben, Bublanski solle tun, was er nicht lassen könne.

Noch mehr erstaunliche Informationen fand Lisbeth auf Armanskijs Festplatte. In einem kurzen Mailwechsel mit dem Lohnbüro von Milton wurde bestimmt, dass Niklas Eriksson das Unternehmen mit sofortiger Wirkung zu verlassen habe. Man sollte ihm das ausstehende Urlaubsgeld sowie eine Abfindung in Höhe von drei Monatsgehältern auszahlen. Das Wachpersonal wurde per Mail instruiert, Eriksson bei seiner Ankunft im Gebäude zu seinem Schreibtisch zu begleiten, damit er seine persönlichen Gegenstände abholen könne, und ihn dann von seinem Arbeitsplatz zu verweisen. Die technische Abteilung habe dafür zu sorgen, dass Erikssons Magnetkarte ab sofort ihre Gültigkeit verliere.

Aber am interessantesten war ein kurzer Mailaustausch zwischen Dragan Armanskij und dem Anwalt von Milton Security, Frank Alenius. Dragan stellte die Frage, wie Lisbeth im Falle einer Festnahme am besten vor Gericht vertreten werden könne. Alenius antwortete zunächst, es gäbe für Milton keinen Grund, sich für eine ehemalige Angestellte zu engagieren, die einen Mord begangen hätte – es würde eher ein schlechtes Licht auf die Firma werfen, wenn ihr Name in einem solchen Zusammenhang auftauchte. Armanskij schrieb wütend zurück, die Frage, ob Lisbeth Salander einen Mord begangen habe, sei noch nicht geklärt, und es gehe in diesem Fall vielmehr darum, eine ehemalige Angestellte zu unterstützen, die er persönlich für unschuldig halte.

Dann besuchte Lisbeth Mikael Blomkvists Festplatte und stellte fest, dass er seit gestern weder etwas geschrieben noch überhaupt seinen Computer angeschaltet hatte. Also keine Neuigkeiten.

Sonny Bohman legte die Mappe auf den Konferenztisch in Armanskijs Zimmer und nahm schwerfällig Platz. Fräklund griff nach der Mappe, schlug sie auf und begann zu lesen. Armanskij stand am Fenster und warf einen Blick über die Altstadt.

»Ich nehme an, dass ist das Letzte, was ich beitragen kann. Ich bin mit sofortiger Wirkung von den Ermittlungen freigestellt«, erklärte Bohman.

»Nicht Ihr Fehler«, meinte Fräklund.

»Nein, das war nicht Ihr Fehler«, stimmte Armanskij zu und setzte sich. Er hatte sämtliches Material, das Bohman ihm in den letzten zwei Wochen gegeben hatte, zu zwei Stößen auf dem Konferenztisch gestapelt.

»Sie haben gute Arbeit geleistet, Sonny. Ich habe mit Bublanski gesprochen. Er war ebenfalls traurig, Sie zu verlieren, aber wegen Eriksson blieb ihm keine andere Wahl.«

»Das ist schon in Ordnung. Ich habe auch festgestellt, dass es mir bei Milton viel besser gefällt als in Kungsholmen.«

»Können Sie mir eine Zusammenfassung geben?«

»Tja, wenn wir vorhatten, Lisbeth Salander zu finden, dann haben wir alle gründlich versagt. Es waren furchtbar unübersichtliche Ermittlungen mit unterschiedlichen Zielsetzungen, und vielleicht hatte Bublanski die Fahndung auch nicht immer ganz unter Kontrolle.«

»Hans Faste …«

»Faste ist ein scheußlicher Typ. Aber das Hauptproblem war, dass Salander sich ziemlich gut darauf versteht, ihre Spuren zu verwischen.«

»Aber Ihre Aufgabe bestand nicht nur darin, Salander zu fassen«, schob Armanskij ein.

»Nein, und ich bin auch ziemlich dankbar, dass wir Niklas Eriksson nicht über meine andere Aufgabe informiert haben. Mein Job war ja auch, für Sie den Kundschafter und Maulwurf zu spielen, um zu verhindern, dass Salander womöglich unschuldig verurteilt wird.«

»Und was glauben Sie heute?«

»Ich neige immer mehr zu der Ansicht, dass an Mikael Blomkvists Argumentation was dran sein muss.«

»Was bedeutet, dass wir einen alternativen Täter finden müssen. Fangen wir bei den Ermittlungen doch noch mal ganz von vorne an«, sagte Armanskij und schenkte den Teilnehmern der Konferenz Kaffee ein.

Lisbeth Salander verlebte einen der übelsten Abende ihres Lebens. Sie dachte an den Moment zurück, in dem sie die Brandbombe in Zalatschenkos Auto geworfen hatte. In diesem Moment hatte sie einen großen inneren Frieden gespürt. Im Laufe der Jahre waren dann andere Probleme hinzugekommen, aber dabei ging es um sie, und sie wurde damit fertig. Jetzt ging es um Mimmi.

Mimmi lag zusammengeschlagen im Krankenhaus. Mimmi war unschuldig. Sie hatte überhaupt nichts mit der ganzen

Sache zu tun. Ihr einziges Verbrechen bestand darin, Lisbeth Salander zu kennen.

Lisbeth plagten Schuldgefühle. Ihre eigene Adresse hatte sie sorgfältig geheim gehalten. Doch dann hatte sie Mimmi dazu gebracht, in die Wohnung zu ziehen, die alle kannten.

Wie hatte sie nur so unüberlegt handeln können?

Genauso gut hätte sie sie gleich zusammenschlagen können.

Sie war so unglücklich, dass ihr Tränen in die Augen stiegen. Gegen halb elf war sie so unruhig, dass es sie nicht länger in der Wohnung hielt. Sie zog sich etwas an und schlich in die Nacht hinaus. Sie ging durch lauter kleine Nebenstraßen, bis sie schließlich auf den Ringvägen gelangte und an der Auffahrt zum Söder-Krankenhaus stand. Am liebsten wäre sie zu Mimmis Zimmer gegangen, hätte sie geweckt und ihr erklärt, dass alles gut werden würde. Doch dann sah sie das Blaulicht eines Polizeiautos am Zinken und schlug sich in eine Seitenstraße, bevor man sie entdecken konnte.

Kurz nach Mitternacht war sie zurück in Mosebacke. Sie war ausgekühlt, zog sich aus und krabbelte in ihr IKEA-Bett. Doch sie konnte nicht einschlafen. Um ein Uhr stand sie wieder auf und lief nackt durch die dunkle Wohnung. Sie ging ins Gästezimmer, das sie zwar eingerichtet, aber noch nie benutzt hatte. Nun setzte sie sich auf den Boden, lehnte sich an die Wand und starrte ins Dunkel.

Lisbeth Salander mit einem Gästezimmer. Was für ein Witz.

Um zwei Uhr morgens war ihr so kalt, dass sie zitterte. Dann fing sie an zu weinen. Soweit sie sich erinnern konnte, war ihr das noch nie passiert.

Um halb drei Uhr morgens hatte Lisbeth Salander geduscht und sich angezogen. Sie setzte Kaffee auf, schmierte sich ein paar Brote und fuhr den Computer hoch. Dann sah sie sich Mikael Blomkvists Festplatte an.

Im Recherchetagebuch gab es noch immer keine neuen Einträge, also machte sie stattdessen den Ordner »LISBETH SALANDER« auf. Sofort sah sie ein neues Dokument mit dem Namen »Lisbeth-WICHTIG«. Als sie die Dokumenteninformation aufrief, sah sie, dass es um 0 Uhr 52 geschrieben worden war. Sie doppelklickte darauf und las die Mitteilung.

Lisbeth, nimm sofort Kontakt mit mir auf. Diese Story ist schlimmer, als ich mir jemals hätte träumen lassen. Ich weiß, wer Zalatschenko ist, und ich glaube, ich weiß auch, was passiert ist. Ich habe mit Holger Palmgren gesprochen. Ich verstehe jetzt, was für eine Rolle Teleborian gespielt hat und warum sie Dich in die Kinderpsychiatrie gesperrt haben. Ich glaube, ich weiß, wer Dag und Mia ermordet hat. Ich glaube, ich weiß, warum, aber mir fehlen noch ein paar entscheidende Informationen. Bjurmans Rolle ist mir nicht ganz klar. RUF MICH AN. NIMM SOFORT KONTAKT MIT MIR AUF. WIR KÖNNEN DAS HIER AUFKLÄREN.
Mikael

Lisbeth las das Dokument zweimal. Kalle Blomkvist war fleißig gewesen. *Verdammter Streber*. Der glaubte tatsächlich, man könnte irgendetwas aufklären.

Er meinte es gut. Er wollte helfen.

Er kapierte nicht, dass ihr Leben unwiderruflich zu Ende war, egal was geschehen würde.

Es war zu Ende gegangen, noch bevor sie 13 geworden war.

Es gab nur eine Lösung.

Sie machte ein neues Dokument auf und versuchte, eine Antwort an Mikael zu schreiben, aber die Gedanken schwirrten ihr im Kopf herum, und es gab so viele Dinge, die sie ihm sagen wollte.

Lisbeth Salander verliebt. Was für ein beschissener Witz.

Er durfte es nie erfahren. Diese Genugtuung durfte sie ihm niemals geben.

Sie verwarf das Dokument und starrte den leeren Bildschirm an. Aber völliges Schweigen hatte er nun auch wieder nicht verdient. Wie ein standhafter Zinnsoldat hatte er die ganze Zeit treu in ihrer Ecke des Rings gestanden. Also machte sie ein neues Dokument auf und schrieb eine einzige Zeile.

Danke, dass Du mein Freund warst.

Zunächst musste sie ein paar logische Entscheidungen treffen. Sie brauchte ein Transportmittel. Den weinroten Honda in der Lundagatan zu benutzen war zwar verlockend, aber ausgeschlossen. In Staatsanwalt Ekströms Laptop deutete zwar nichts darauf hin, dass einer von den Ermittlern ihren Autokauf entdeckt hatte, aber das konnte auch daher kommen, dass sie das Auto erst vor Kurzem bezahlt hatte und ihre Registrierungsunterlagen und Versicherungspapiere noch nicht hatte einschicken können. Aber sie konnte sich nicht unbedingt darauf verlassen, dass Mimmi das Auto in ihrem Verhör nicht erwähnt hatte, und sie wusste außerdem, dass die Lundagatan sporadisch überwacht wurde.

Der Polizei war bekannt, dass sie ein Motorrad hatte, aber es aus dem Keller in der Lundagatan zu holen war noch komplizierter. Außerdem war nach ein paar fast schon sommerwarmen Tagen wieder unbeständiges Wetter angekündigt worden, und sie hatte keine Lust, mit einem Motorrad über regenglatte Straßen zu fahren.

Eine andere Alternative wäre freilich gewesen, sich auf Irene Nessers Namen ein Auto auszuleihen, doch auch das beinhaltete ein gewisses Risiko. Es war jederzeit möglich, dass jemand sie trotzdem wiedererkannte und dass die Identität der Irene Nesser damit unbenutzbar wurde. Was eine Katastrophe wäre, denn das war ihre Hintertür ins Ausland.

Doch dann machte sich ein schiefes Grinsen auf ihrem Gesicht breit. Da gab es natürlich noch eine andere Möglichkeit.

Sie schaltete ihren Computer ein und loggte sich ins Netzwerk von Milton Security ein. Sie klickte sich bis zum Fuhrpark, der von einer Sekretärin an der Rezeption verwaltet wurde. Milton Security verfügte über fünfundneunzig Autos, der Großteil davon gekennzeichnete Fahrzeuge für das Wachpersonal. Die meisten standen in verschiedenen Garagen der Stadt. Darüber hinaus gab es noch ein paar ganz gewöhnliche Zivilfahrzeuge, die je nach Bedarf für Dienstreisen benutzt wurden. Diese standen in der Garage am Slussen, beim Firmenhauptgebäude. Praktisch um die Ecke.

Sie ging die Personalakten durch und pickte sich den Mitarbeiter Marcus Collander heraus, der gerade für zwei Wochen in Urlaub gegangen war. Er hatte die Telefonnummer eines Hotels auf den Kanarischen Inseln angegeben. Lisbeth änderte den Namen des Hotels und verdrehte die Ziffern der Telefonnummer, unter der man ihn hätte erreichen können. Dann schrieb sie einen Vermerk, dass Collander als letzte Amtshandlung eines der Fahrzeuge in die Werkstatt gebracht hatte, mit der Begründung, dass es mit der Kupplung haperte. Sie suchte sich einen Toyota Corolla mit Automatik aus, den sie früher schon einmal benutzt hatte, und vermerkte, dass er eine Woche später zurückgebracht werden würde.

Schließlich programmierte sie noch eine der Überwachungskameras um, an der sie vorbeifahren musste. Für den Zeitraum zwischen 4 Uhr 30 und 5 Uhr würde sie einfach die vorangegangene halbe Stunde noch einmal abspielen, nur mit verändertem Zeitcode.

Kurz vor 4 Uhr morgens hatte sie ihren Rucksack fertig gepackt. Zwei Garnituren Kleidung zum Wechseln, zwei Tränengaspatronen und eine geladene Elektroschockpistole. Sie betrachtete ihre zwei Waffen, verwarf Sandströms Colt 1911 Government und steckte Sonny Nieminens polnische P-83 ein, in deren Magazin schon eine Patrone fehlte. Die war schmaler und lag besser in der Hand. Lisbeth steckte sie in ihre Jackentasche.

Lisbeth machte ihr PowerBook zu, ließ den Computer jedoch auf dem Schreibtisch stehen. Den Inhalt der Festplatte hatte sie als verschlüsseltes Back-up ins Netz überführt und danach ihre Festplatte mit einem selbst geschriebenen Programm gelöscht, das garantierte, dass nicht einmal sie selbst den Inhalt rekonstruieren könnte. Sie rechnete nicht damit, das PowerBook zu brauchen, das wäre nur unnötiger Ballast. Stattdessen nahm sie ihren Tungsten-Palm-Handheld mit.

Lisbeth sah sich im Arbeitszimmer um. Sie hatte das Gefühl, nie wieder in die Wohnung in Mosebacke zurückzukehren, und dachte kurz daran, dass sie hier Geheimnisse zurückließ, die sie vielleicht lieber zerstören sollte. Aber dann warf sie einen Blick auf ihre Armbanduhr und sah ein, dass die Zeit bereits drängte. Ein letztes Mal sah sie sich noch um, dann schaltete sie die Schreibtischlampe aus.

Sie ging zu Milton Security, betrat das Gebäude durch die Garage und nahm den Fahrstuhl zur Rezeption. In den leeren Korridoren war niemand zu sehen, sodass sie problemlos den Autoschlüssel aus dem unverschlossenen Wandschrank nehmen konnte.

Dreißig Sekunden später war sie unten in der Garage und öffnete das Sicherheitsschloss des Corolla. Nachdem sie den Rucksack auf den Beifahrersitz geworfen hatte, stellte sie sich den Fahrersitz und den Rückspiegel ein. Mit ihrer alten Magnetkarte öffnete sie die Garagentür.

Kurz vor halb fünf am Morgen bog sie von Söder Mälarstrand auf die Västerbron. Es begann schon zu dämmern.

Mikael Blomkvist wachte um halb sieben auf. Er hatte sich keinen Wecker gestellt, aber trotzdem nur drei Stunden geschlafen. Gleich nach dem Aufstehen machte er sein iBook an, öffnete den Ordner »LISBETH SALANDER« und fand sofort ihre kurze Antwort.

Danke, dass Du mein Freund warst.

Mikael lief es kalt den Rücken hinunter. Das war nicht die Antwort, die er sich erhofft hatte. Das klang vielmehr nach Abschiedsworten. Lisbeth Salander allein gegen den Rest der Welt. Er schaltete die Kaffeemaschine ein und ging ins Bad. Dann zog er eine zerrissene Jeans an und stellte fest, dass er die letzten Wochen nicht mehr zum Waschen gekommen war, denn er hatte kein einziges sauberes Hemd mehr. Also zog er einen weinroten Collegepullover unter die Jacke an.

Als er sich in der Küche ein paar Brote machte, sah er plötzlich etwas Metallisches zwischen Mikrowelle und Wand aufblitzen. Er runzelte die Stirn und zog mithilfe einer Gabel einen Schlüsselbund hervor.

Lisbeths Schlüssel, die er nach dem Überfall in der Lundagatan gefunden hatte. Er hatte sie zusammen mit ihrer Tasche auf der Mikrowelle abgelegt, und dabei mussten sie heruntergerutscht sein. Als Sonja Modig die Tasche holte, waren die Schlüssel nicht dabei gewesen.

Mikael starrte den Schlüsselbund an. Drei große und drei kleine Schlüssel. Die drei großen waren für Haustür, Wohnung, Sicherheitsschloss. *Ihre Wohnung*. In der Lundagatan hatten sie nicht gepasst. Wo zum Teufel wohnte sie?

Er betrachtete die drei kleinen Schlüssel näher. Ein Schlüssel passte zu ihrer Kawasaki. Einer war ein typischer Schlüssel für einen verschließbaren Schrank. Er hielt den dritten Schlüssel hoch, der die Nummer 24914 trug. Die Erkenntnis traf ihn mit voller Wucht.

Ein Postfach. Lisbeth Salander hat ein Postfach.

Im Telefonbuch schlug er die Postämter in Södermalm nach. Sie hatte in der Lundagatan gewohnt. Der Ring war zu weit entfernt. Vielleicht Hornsgatan. Oder Rosenlundsgatan.

Er schaltete die Kaffeemaschine wieder aus, pfiff aufs Frühstück und fuhr mit Erikas BMW zur Rosenlundsgatan. Der Schlüssel passte nicht. Er fuhr weiter zum Postamt in der Hornsgatan. Der Schlüssel passte perfekt zum Postfach 24914.

Als er es öffnete, fand er zweiundzwanzig Briefe, die er ins Außenfach seiner Laptoptasche steckte.

Dann fuhr er die Hornsgatan hinunter, parkte am Kino und frühstückte erst einmal im »Copacabana«. Während er auf seinen Caffè Latte wartete, sah er die Briefe durch. Sie waren samt und sonders an Wasp Enterprises gerichtet. Neun Briefe aus der Schweiz, acht von den Cayman Islands, einer von den Kanalinseln und vier aus Gibraltar. Ohne große Gewissensbisse riss er die Kuverts auf. Die einundzwanzig ersten Briefe enthielten Kontoauszüge und Übersichten über diverse Konten und Fonds. Mikael Blomkvist stellte fest, dass Lisbeth Salander stinkreich war.

Der zweiundzwanzigste Brief war dicker. Die Adresse war mit der Hand geschrieben. Ein aufgedrucktes Logo auf dem Umschlag gab an, dass der Brief von Buchanan House am Queensway Quay in Gibraltar kam. Der beigefügte Briefbogen hatte einen Briefkopf, dem zu entnehmen war, dass das Schreiben von Jeremy S. MacMillan, *Solicitor*, stammte. Er hatte eine säuberliche Handschrift.

Jeremy S. MacMillan
Solicitor

Dear Ms Salander,
This is to confirm that the final payment of your property has been concluded as of January 20. As agreed, I'm enclosing copies of all documentation but will keep the original set. I trust this will be to your satisfaction.
Let me add that I hope everything is well with you, my dear. I very much enjoyed the surprise visit you made last summer and, must say, I found your presence refreshing. I'm looking forward to, if needed, be of additional service.
Yours faithfully,
JSM

Der Brief war vom 24. Januar datiert. Anscheinend leerte Lisbeth ihr Postfach nicht besonders oft. Mikael besah sich die beigefügten Unterlagen. Es waren Kaufverträge für eine Wohnung in der Fiskargatan 9 in Mosebacke.

Dann blieb ihm fast der Kaffee im Halse stecken. Die Kaufsumme belief sich auf 25 Millionen Kronen, und der Kauf war durch zwei Einzahlungen im Abstand von zwölf Monaten getätigt worden.

Lisbeth Salander beobachtete, wie ein kräftig gebauter, dunkelhaariger Mann den Seiteneingang von Auto-Expert in Eskilstuna aufsperrte. Die Firma umfasste eine Garage, eine Werkstatt und einen Autoverleih. Es war zehn Minuten vor sieben, und ein handgeschriebenes Schild am Haupteingang verkündete, dass das Geschäft erst um 7 Uhr 30 öffnete. Lisbeth überquerte die Straße und betrat durch den Seiteneingang die Geschäftsräume. Der Mann hörte sie und drehte sich um.

»Refik Alba?«, fragte sie.

»Ja. Wer sind Sie? Ich habe noch nicht geöffnet.«

Sie zückte Sonny Nieminens P-83 Wanad, nahm sie in beide Hände und richtete die Mündung auf sein Gesicht.

»Ich habe weder Lust noch Zeit für irgendwelche Faxen. Ich will das Verzeichnis Ihrer vermieteten Fahrzeuge sehen. Und zwar jetzt. Sie haben zehn Sekunden.«

Refik Alba war 42 Jahre alt. Er war Kurde, geboren in Diyarbakir, und hatte wahrhaftig schon mehr als eine Waffe gesehen. Er blieb wie angewurzelt stehen. Dann begriff er, dass es nicht viel zu diskutieren gab, wenn eine verrückte Frau mit einer Pistole in der Hand in sein Büro kam.

»Im Computer«, sagte er.

»Schalten Sie ihn ein.«

Er gehorchte.

»Was befindet sich hinter dieser Tür hier?«, wollte sie wissen, während der Rechner schwerfällig hochfuhr und der Schirm zu flimmern begann.

»Nur ein Umkleideraum.«

»Machen Sie die Tür auf.«

In der Garderobe hingen fast nur Overalls.

»Okay. Gehen Sie ganz ruhig in die Umkleide, dann muss ich Ihnen auch nichts tun.«

Er gehorchte ohne Einwände.

»Holen Sie Ihr Handy raus, legen Sie es auf den Boden und kicken Sie es zu mir her.«

Er machte, was sie ihm gesagt hatte.

»Gut. Und jetzt machen Sie die Tür zu.«

Es handelte sich um einen antiken PC mit Windows 95 und einer Festplatte mit 280 MB. Es dauerte eine halbe Ewigkeit, die Excel-Tabelle mit dem Verzeichnis der vermieteten Autos zu öffnen. Sie stellte fest, dass der weiße Volvo, den der blonde Riese gefahren hatte, zweimal vermietet worden war. Zunächst zwei Wochen im Januar und dann noch einmal ab dem 1. März. Er war noch nicht wieder zurückgegeben worden, und die Gebühr für die Langzeitleihe wurde immer wochenweise bezahlt.

Sein Name war Ronald Niedermann.

Lisbeth musterte die Ordner im Regal über dem Computer. Einer war fein säuberlich mit »Legitimation« beschriftet. Sie zog ihn heraus und blätterte zu Ronald Niedermann. Als er das Auto im Januar abgeholt hatte, hatte er sich mit seinem Pass ausgewiesen, und Refik Alba hatte einfach eine Kopie davon gemacht. Sie erkannte den blonden Riesen sofort wieder. Laut seinem Pass war er Deutscher, 35 Jahre alt und in Hamburg geboren. Die Tatsache, dass Refik Alba eine Kopie des Passes gemacht hatte, ließ darauf schließen, dass Ronald Niedermann ein ganz normaler Kunde war und kein Bekannter, der sich das Auto vorübergehend ausgeliehen hatte.

Am unteren Rand des Blattes hatte Refik Alba eine Handynummer und eine Postfachadresse in Göteborg notiert.

Lisbeth stellte den Ordner zurück und schaltete den Computer aus. Dann sah sie sich um und entdeckte einen Gummikeil am Boden neben der Eingangstür. Sie holte ihn, ging zum Umkleideraum und klopfte mit der Pistolenmündung an die Tür.

»Hören Sie mich da drinnen?«

»Ja.«

»Wissen Sie, wer ich bin?«

Stille.

Der müsste schon blind sein, um mich nicht wiederzuerkennen.

»Okay. Sie wissen, wer ich bin. Haben Sie Angst vor mir?«

»Ja.«

»Haben Sie keine Angst vor mir, Herr Alba. Ich werde Ihnen nichts tun. Ich bin hier gleich fertig. Ich bitte Sie um Entschuldigung, dass ich Ihnen solche Unannehmlichkeiten bereitet habe.«

»Äh ... schon in Ordnung.«

»Bekommen Sie da drinnen auch genügend Luft?«

»Ja ... was wollen Sie eigentlich hier?«

»Ich wollte nachsehen, ob eine gewisse Frau vor zwei Jahren ein Auto von Ihnen gemietet hat«, log sie. »Ich habe nicht gefunden, was ich gesucht habe. Aber das ist nicht Ihre Schuld. In ein paar Minuten gehe ich.«

»Okay.«

»Ich werde den Gummikeil unter diese Tür schieben. Die Tür ist dünn genug, um sie aufzubrechen, aber es wird ein Weilchen dauern. Sie brauchen die Polizei nicht anzurufen. Sie werden mich nie wiedersehen, können ganz normal den Laden aufsperren und so tun, als wäre nichts passiert.«

Die Wahrscheinlichkeit, dass er die Polizei nicht anrufen würde, ging zwar gegen null, aber es konnte nicht schaden, wenn er über eine Alternative nachdachte. Sie verließ das Geschäft und ging um die Ecke zu ihrem Toyota Corolla, wo sie sich schnell in Irene Nesser verwandelte.

Sie war ein bisschen verstimmt, weil sie nur die Postfachanschrift des blonden Riesen herausgefunden hatte, aber es war der einzige Anhaltspunkt, den sie hatte. *Also auf nach Göteborg.*

Sie fuhr auf die E20 und westwärts Richtung Arboga. Als sie das Radio anschaltete, waren die Nachrichten gerade vorbei. David Bowie sang »... putting out fire with gasoline ...«. Sie hatte keine Ahnung, wer da sang und wie das Lied hieß, aber den Text empfand sie immerhin als prophetisch.

30. Kapitel
Donnerstag, 7. April

Mikael betrachtete die Haustür der Fiskargatan 9 in Mosebacke. Dies war der Eingang zu einer der exklusivsten und zugleich diskretesten Adressen in ganz Stockholm. Er steckte den Schlüssel ins Schloss, und er glitt widerstandslos hinein. Die Anschlagtafel im Treppenhaus half ihm nicht sonderlich weiter. Mikael nahm an, dass sich in diesem Haus vornehmlich Firmenwohnungen befanden, aber es schien auch ganz normale Wohnungen zu geben. Dass Lisbeth Salanders Name nirgends zu lesen war, wunderte ihn nicht weiter, aber es kam ihm nicht sonderlich wahrscheinlich vor, dass dies ihr Versteck war.

Er ging von einer Wohnung zur nächsten und las die Türschilder. Bei keinem Namen hatte er eine passende Assoziation. Erst im obersten Geschoss kam er an eine Tür mit dem Schild »V. Kulla«.

Mikael griff sich an die Stirn und musste plötzlich lächeln. Vermutlich hatte sie den Namen nicht ausgesucht, um ihn zu veräppeln – aber wo sonst sollte *Kalle Blomkvist* Lisbeth Salander suchen?

Er legte den Finger auf den Klingelknopf und wartete eine Minute. Dann zog er die Schlüssel hervor und öffnete das Sicherheitsschloss und das untere Türschloss.

Im selben Moment, als er die Tür aufmachte, wurde der Einbruchsalarm aktiviert.

Lisbeth Salanders Handy begann zu piepsen, als sie gerade auf der E20 bei Glanshammar kurz vor Örebro war. Sie bremste sofort und steuerte eine Parkbucht am Straßenrand an. Dort zückte sie ihren Palm und schloss ihn ans Handy an.

Vor fünfzehn Sekunden hatte irgendjemand die Tür zu ihrer Wohnung geöffnet. Der Alarm wurde an keine Wachgesellschaft weitergeleitet, sondern sollte nur sie warnen, wenn jemand bei ihr einbrach. Nach dreißig Sekunden würde der Alarm losgehen und der ungebetene Besucher eine unangenehme Überraschung erleben: eine Farbbombe, die, als Steckdose getarnt, neben der Tür montiert war. Sie lächelte erwartungsvoll und zählte die Sekunden mit.

Frustriert starrte Mikael das Alarmdisplay neben der Tür an. Aus irgendeinem Grunde hatte er überhaupt nicht darüber nachgedacht, dass die Wohnung alarmgesichert sein könnte. Er sah auf einer Digitalanzeige die Sekunden rückwärts laufen. Bei *Millennium* wurde der Alarm ausgelöst, wenn nicht innerhalb von dreißig Sekunden der richtige vierstellige Code eingegeben wurde. Und in diesem Fall erschienen wenig später ein paar muskelbepackte Mitarbeiter von der Sicherheitsfirma.

Sein erster Impuls war, die Tür wieder zuzumachen und sich so schnell wie möglich zu entfernen. Aber er blieb stehen, als wäre er am Boden festgefroren.

Vier Ziffern. Es war ein Ding der Unmöglichkeit, zufällig den richtigen Code zu treffen.

25-24-23-22 …

Verdammte Pippi Lang…

19-18 …

Welchen Code würdest du aussuchen?

15-14-13 …

Er spürte, wie die Panik in ihm wuchs.

10-9-8 …

Dann hob er die Hand und gab verzweifelt die einzige Kombination ein, die ihm einfiel: 9277. Die Ziffern, die auf der Tastatur den Buchstaben W-A-S-P entsprachen.

Zu Mikaels großem Erstaunen blieb der Countdown bei 6 stehen. Dann piepste der Alarm noch ein letztes Mal, bevor das Display wieder auf 0 zurücksprang und eine grüne Lampe anging.

Lisbeth Salander riss die Augen auf. Sie konnte nicht glauben, was sie sah, und schüttelte allen Ernstes ihren Palm, was, wie sie selbst wusste, völlig irrational war. Der Countdown war sechs Sekunden vor der Aktivierung der Farbbombe zum Stehen gekommen. Und im nächsten Moment stellte sich das Display auf 0 zurück.

Unmöglich.

Kein anderer Mensch auf der Welt kannte den Code. Die Alarmanlage war nicht einmal an eine Sicherheitsgesellschaft gekoppelt.

Wie war so etwas möglich?

Sie konnte sich nicht vorstellen, wie das zugegangen sein sollte. Die Polizei? Nein. Zala? Ausgeschlossen.

Lisbeth wählte eine Nummer und wartete, bis die Verbindung zur Überwachungskamera hergestellt war und Bilder mit niedriger Auflösung auf ihr Handy geschickt wurden. Die Kamera war in einer Rauchmelderattrappe versteckt und nahm jede Sekunde ein Bild auf. Sie spielte die Sequenz von Anfang an ab – ab dem Moment, wo die Tür geöffnet und die Anlage aktiviert worden war. Dann breitete sich langsam ein schiefes Lächeln auf ihrem Gesicht aus, als sie Mikael Blomkvist erblickte, der eine knappe halbe Minute lang eine ruckartige Pantomime aufführte, bis er schließlich den richtigen Code eingab und sich danach mit einem Gesichtsausdruck gegen den Türpfosten lehnte, als wäre er gerade einem Herzinfarkt entgangen.

Kalle Fucking Blomkvist hatte sie gefunden.

Er hatte die Schlüssel, die sie in der Lundagatan verloren hatte. Und er war scharfsinnig genug, sich an das Pseudonym »Wasp« zu erinnern, das sie im Netz benutzte. Und wenn er die Wohnung gefunden hatte, dann hatte er wohl auch herausgefunden, dass sie Wasp Enterprises gehörte. Sie sah zu, wie er ruckartig durch den Flur ging und sich aus der Reichweite des Objektivs entfernte.

Scheiße. Wie konnte ich nur so vorhersehbar sein? Und warum habe ich die ganzen Sachen dort gelassen ... jetzt liegen alle Geheimnisse vor ihm ausgebreitet.

Nach einer zweiminütigen Denkpause kam sie zu dem Schluss, dass es eigentlich egal war. Ihre Festplatte hatte sie gelöscht, das war das Wichtigste. Immerhin war es ein Vorteil, dass ausgerechnet Mikael Blomkvist ihr Versteck ausfindig gemacht hatte. Er kannte mehr Geheimnisse von ihr als jeder andere Mensch. Der kleine Streber würde schon das Richtige tun. Er würde sie nicht verraten. Hoffte sie. Sie startete ihr Auto und setzte nachdenklich ihren Weg nach Göteborg fort.

Als Malin Eriksson um halb neun zur Arbeit kam, stieß sie im Treppenhaus vor der *Millennium*-Redaktion mit Paolo Roberto zusammen. Sie erkannte ihn sofort, stellte sich vor und ließ ihn ins Büro. Er hinkte bedenklich. Der Kaffeeduft verriet ihr, dass Erika Berger schon an ihrem Arbeitsplatz war.

»Hallo, Erika. Danke, dass du mich so kurzfristig empfängst«, sagte Paolo.

Beeindruckt musterte Erika Berger die zahlreichen Blutergüsse und Beulen in seinem Gesicht, bevor sie sich vorbeugte und ihm einen Kuss auf die Wange gab.

»Du siehst ja aus wie das heulende Elend«, meinte sie.

»War nicht das erste Mal, dass ich mir das Nasenbein gebrochen habe. Wo ist denn Blomkvist?«

»Der fährt irgendwo in der Gegend rum und spielt Detektiv. Abgesehen von einer seltsamen Mail von heute Nacht habe ich seit gestern Morgen nichts mehr von ihm gehört. Danke, dass du ... tja, danke!«

Sie zeigte auf sein Gesicht.

Paolo Roberto lachte.

»Möchtest du einen Kaffee? Du hast gesagt, du hättest mir was zu erzählen. Malin, komm, setz dich dazu.«

Sie setzten sich in die bequemen Sessel in Erikas Büro.

»Es geht um diesen großen blonden Scheißtypen, mit dem ich mich geprügelt habe. Ich habe Mikael erzählt, dass sein Boxstil ein Witz ist. Andererseits hat er die ganze Zeit die Fäuste in Verteidigungsstellung gehalten und langsame Kreise beschrieben, als wäre er ein erfahrener Boxer. Es wirkte, als hätte er doch irgendwann eine Art Training genossen.«

»Mikael hat das auch gestern am Telefon erwähnt«, sagte Malin.

»Ich habe mich gestern Nachmittag an den Computer gesetzt und E-Mails an viele Boxklubs in Europa geschickt. Ich beschrieb ihnen, was passiert war, und gab ihnen eine möglichst detaillierte Beschreibung von diesem Typen.«

»Und?«

»Ich glaube, ich hab ihn.«

Er legte ein Fax mit einem Bild auf den Tisch vor Erika und Malin. Das Foto schien beim Training in einer Boxhalle aufgenommen worden zu sein. Zwei Boxer standen vor einem korpulenten älteren Mann, der einen Lederhut mit schmaler Krempe und einen Trainingsoverall trug, und hörten seinen Anweisungen zu. Im Hintergrund stand ein großer Mann, der einen Karton in Händen hielt. Mit seinem rasierten Schädel sah er aus wie ein Skinhead. Jemand hatte ihn mit einem Filzstift eingekreist.

»Das Bild ist 17 Jahre alt. Der Typ im Hintergrund heißt Ronald Niedermann. Er war 18, als das Foto gemacht wurde, müsste heute also knapp 35 sein. Das kommt hin bei dem Riesen, der Miriam Wu entführt hat. Ich kann nicht mit hundertprozentiger Sicherheit sagen, dass er es ist. Die Aufnahme ist zu alt und die Bildqualität zu schlecht. Aber ich kann zumindest sagen, dass er ihm verdammt ähnlich sieht.«

»Woher hast du das Bild?«

»Die Antwort kam von ›Dynamic‹ in Hamburg. Von einem alten Trainer namens Hans Münster.«

»Ja?«

»Ronald Niedermann hat Ende der 80er-Jahre ein Jahr lang für diesen Klub geboxt. Besser gesagt, er hat es versucht. Ich hab die Mail heute Morgen bekommen und Münster gleich angerufen, bevor ich hierherkam. Um zusammenzufassen, was Münster erzählt hat ... Ronald Niedermann kommt aus Hamburg und gehörte in den 80ern einer Skinhead-Clique an. Er hat einen Bruder, der ein paar Jahre älter ist, ein ziemlich guter Boxer. Durch ihn kam er auch in diesen Klub. Niedermann war furchtbar stark und hatte einen fast schon einzigartigen Körperbau. Münster gab zu, er hätte noch nie zuvor jemanden gesehen, der so hart zuschlug, nicht mal unter den besten Boxern.«

»Klingt doch so, als hätte er eine Karriere als Boxer machen können«, meinte Erika.

Paolo Roberto schüttelte den Kopf.

»Laut Münster war er im Ring völlig unbeholfen. Er blieb einfach stocksteif stehen und holte bei seinen Schlägen viel zu weit aus. Das passt alles genau auf den Typen, mit dem ich in Nykvarn gefightet habe. Aber was noch viel schlimmer war, er kapierte nicht, wie stark er war. Ab und zu landete er Treffer, die verheerende Verletzungen bei seinen Sparringspartnern hinterließen. Gebrochene Nasenbeine und Kieferknochen und so weiter. Das konnten sie nicht länger riskieren.«

»Sehr verständlich«, sagte Malin.

»Aber der eigentliche Grund, warum er aufhören musste, war ein medizinischer.«

»Wie meinen Sie das?«

»Dieser Typ schien geradezu unverletzlich. Es war ganz egal, wie viel Prügel er bezog, er schüttelte sich nur kurz und boxte weiter. Wie sich herausstellte, leidet er an einer sehr ungewöhnlichen Krankheit, einer angeborenen Analgesie.«

»Angeborene … was bitte?«

»Analgesie. Ich hab es nachgeschlagen. Ein genetischer Fehler, bei dem die Transmitter, also die für die Reizübertragung zuständigen Substanzen im Nervensystem, nicht so funktionieren, wie sie sollten. Er kann keinen Schmerz empfinden.«

»Das muss für einen Boxer doch Gold wert sein.«

Paolo Roberto schüttelte den Kopf.

»Im Gegenteil. Das ist eine fast schon lebensgefährliche Krankheit. Die meisten, die an angeborener Analgesie leiden, sterben relativ jung, mit 20, 25 Jahren. Schmerz ist das Alarmsystem unseres Körpers, wenn irgendetwas nicht stimmt. Wenn wir die Hand auf eine glühend heiße Herdplatte legen, tut es weh, und wir ziehen sie schleunigst zurück. Wer diese Krankheit hat, merkt nichts, bevor es anfängt, nach verbranntem Fleisch zu stinken.«

Malin und Erika tauschten einen Blick.

»Völlig im Ernst?«, fragte Erika.

»Absolut. Ronald Niedermann kann überhaupt nichts spüren und läuft herum, als wäre er den ganzen Tag betäubt. Er ist nur deswegen so lange zurechtgekommen, weil in seinem Fall ein anderer genetischer Umstand kompensierend wirkt. Sein Körperbau ist extrem kräftig, das macht ihn so gut wie unverletzlich. Seine Muskelkraft ist nahezu einzigartig. Darüber hinaus muss er eine extrem gute Wundheilung haben.«

»Langsam verstehe ich, dass du da einen äußerst interessanten Boxkampf bestritten hast.«

»So was möchte ich nicht noch einmal erleben. Das Einzige, was ihn überhaupt beeindruckte, war Miriam Wus Tritt in den Schritt. Da ging er tatsächlich für ein paar Sekunden in die Knie ... wahrscheinlich eine Art Reflex, denn Schmerzen kann er ja nicht gefühlt haben. Und glaub mir eins – wenn sie mich so getroffen hätte, ich wäre gestorben.«

»Aber wie konntest du überhaupt gegen ihn gewinnen?«

»Leute, die an dieser Krankheit leiden, werden genauso verletzt wie andere Menschen. Niedermann mag aus Beton sein, aber als ich ihm ein Brett über den Hinterkopf zog, ging er zu Boden. Wahrscheinlich hat er eine Gehirnerschütterung davongetragen.«

Erika sah Malin an.

»Ich rufe gleich mal Mikael an«, schlug Malin vor.

Mikael hörte sein Handy klingeln, war aber noch so benommen, dass er sich erst beim fünften Klingeln meldete.

»Hier ist Malin. Paolo Roberto glaubt, dass er den blonden Riesen identifiziert hat.«

»Gut«, sagte Mikael geistesabwesend.

»Wo bist du?«

»Schwer zu erklären.«

»Du hörst dich komisch an.«

»Entschuldigung. Was hast du gesagt?«

Malin fasste Paolos Bericht zusammen.

»Okay«, sagte Mikael. »Sieh zu, dass du ihn in irgendeinem Melderegister findest. Ich glaube, es eilt sehr. Ruf mich dann auf dem Handy an.«

Zu Malins Verblüffung beendete Mikael das Gespräch, ohne sich zu verabschieden.

In diesem Moment stand er gerade an einem Fenster und genoss die grandiose Aussicht von Gamla Stan bis weit hinaus Richtung Saltsjö. Er war wie betäubt, fast schon schockiert. Er hatte einen Rundgang durch Lisbeths Wohnung gemacht. Das

Gästezimmer war anscheinend nie benutzt worden. Die Matratze war noch eingeschweißt, und nirgendwo war Bettwäsche zu sehen. Alle Möbel waren neu, direkt von IKEA.

Aber darum ging es nicht.

Was Mikael wirklich elektrisierte, war der Umstand, dass Lisbeth das alte Übernachtungsquartier des Topmanagers Percy Barnevik gekauft hatte, für schlappe 25 Millionen Kronen. Die gesamte Wohnung hatte 350 Quadratmeter.

Mikael wanderte durch verlassene, fast gespenstisch leere Korridore und Säle mit gemusterten Parkettböden aus verschiedenen Hölzern sowie Tricia-Guild-Tapeten, die Erika Berger stets in Verzückung versetzten. In der Mitte der Wohnung lag ein wunderbar heller Salon mit offenem Kamin, in dem Lisbeth anscheinend nie Feuer gemacht hatte. Dazu gehörte ein riesiger Balkon mit fantastischer Aussicht. Außerdem gab es einen Waschraum, eine Sauna, einen Fitnessraum, Abstellkammern und ein Badezimmer mit einer Wanne im Kingsize-Format. Es gab sogar einen Weinkeller, der leer war bis auf eine ungeöffnete Flasche Portwein Quinta do Noval – *Nacional!* – von 1976. Mikael konnte sich Lisbeth schwerlich mit einem Glas Portwein in der Hand vorstellen. Eine Karte klärte ihn jedoch auf, dass es sich bei diesem Wein um das standesgemäße Einstandspräsent des Maklers handelte.

In der Küche fand sich jedes nur denkbare Gerät. In der Mitte stand ein blitzend sauberer französischer Gourmetherd mit Gasofen, ein Corradi Chateau 120, von dem Mikael noch nie etwas gehört hatte. Vermutlich hatte Lisbeth hier ihr Teewasser gekocht.

Hingegen betrachtete er ihre Espressomaschine auf einem Extratisch mit größtem Respekt. Sie hatte eine Jura Impressa X7 mit integriertem Milchkühler. Die Maschine sah ebenfalls unbenutzt aus und war wahrscheinlich schon in der Wohnung gewesen, als Lisbeth sie gekauft hatte. Mikael wusste, dass die Jura in der Welt des Espresso den Rolls Royce darstellte – ein

Profigerät für den Heimgebrauch, das knapp 70 000 Kronen kostete. Er selbst hatte eine weitaus bescheidenere Espressomaschine bei sich zu Hause.

Der Kühlschrank enthielt eine offene Milchtüte, Käse, Butter, Kaviar und ein angebrochenes Glas Salzgurken. In der Speisekammer standen vier halb leere Behälter mit Vitamintabletten, Teebeuteln, Kaffee für eine ganz gewöhnliche Kaffeemaschine, die auf der Spüle stand, zwei Brote und eine Tüte Zwieback. Auf dem Küchentisch stand noch ein Korb mit Äpfeln. In der Gefriertruhe lagen ein Fischgratin und drei Quiche mit Speck. Mehr Lebensmittel waren in der Wohnung nicht zu finden. Im Abfalleimer unter der Spüle entdeckte er jedoch drei leere Kartons Billys Pan Pizza.

Das ganze Arrangement war völlig überproportioniert. Lisbeth hatte ein paar Milliarden gestohlen und sich eine Wohnung gekauft, in der ein ganzer Hofstaat Platz gefunden hätte. Aber sie hatte nur die drei Zimmer möbliert, die sie wirklich brauchte. Die restlichen achtzehn standen leer.

Mikael beendete seinen Rundgang in ihrem Arbeitszimmer. In der ganzen Wohnung fand sich keine einzige Pflanze. Es hingen keine Bilder oder Poster an den Wänden. In der ganzen Wohnung war kein einziges dekoratives Schälchen, kein Kerzenleuchter, keinerlei Krimskrams – nichts, was Gemütlichkeit ausgestrahlt hätte.

Mikael fühlte sich, als würde eine Hand sein Herz zusammenpressen. Am liebsten hätte er Lisbeth Salander sofort in den Arm genommen.

Wahrscheinlich würde sie ihn beißen, sobald er es versuchte. Verfluchter Zalatschenko.

Dann setzte er sich an ihren Schreibtisch und schlug Björcks Ermittlungsbericht von 1991 auf. Er las nicht das komplette Material, sondern versuchte sich durch Überfliegen einen Gesamteindruck zu verschaffen.

Er machte ihr PowerBook mit dem 17-Zoll-Bildschirm,

200 GB Festplatte und 1 GB RAM auf. Es war leer. Sie hatte alles gelöscht. Das verhieß nichts Gutes.

Als er ihre Schreibtischschublade aufzog, stieß er sofort auf einen 9-Millimeter Colt 1911 Government Single Action mit einem vollen Magazin, in dem sieben Patronen steckten. Was er nicht wusste, war, dass sie diese Pistole vom Journalisten Per-Åke Sandström übernommen hatte. Beim Buchstaben S war er auf seiner Freierliste nämlich noch nicht angekommen.

Dann fand er noch eine CD, die mit »Bjurman« beschriftet war.

Er steckte sie in sein iBook und verfolgte mit Grauen den Inhalt. Reglos saß er vor dem Bildschirm, während er zusah, wie Lisbeth Salander misshandelt, vergewaltigt und beinahe ermordet wurde. Offensichtlich war dieser Film mit einer versteckten Kamera aufgenommen worden. Er sah sich nicht den ganzen Film an, sondern sprang von Abschnitt zu Abschnitt – einer schlimmer als der andere.

Bjurman.

Ihr Betreuer hatte sie vergewaltigt, und sie hatte die Ereignisse bis ins kleinste Detail dokumentiert. Laut der digitalen Datumsanzeige war der Film vor zwei Jahren aufgenommen worden. Das war gewesen, bevor sie sich kennengelernt hatten. Nun wurde ihm einiges klar.

Björck, Bjurman und Zalatschenko in den 70ern.

Zalatschenko, Lisbeth Salander und ein Molotowcocktail in einer Milchtüte Anfang der 90er.

Dann wieder Bjurman, nunmehr als ihr Betreuer, der den erkrankten Holger Palmgren ersetzte. Der Kreis hatte sich geschlossen. Bjurman hatte sich an seiner Schutzbefohlenen vergriffen, im Glauben, sie sei ein psychisch krankes und wehrloses Mädchen. Doch Lisbeth Salander war nicht wehrlos. Im Alter von zwölf Jahren hatte sie den Kampf mit einem ehemaligen Auftragskiller des GRU aufgenommen und ihn für den Rest seines Lebens zum Behinderten gemacht.

Lisbeth Salander war eine Frau, die Männer hasst, die Frauen hassen.

Mikael dachte an die Zeit zurück, als er sie in Hedestad kennengelernt hatte. Das musste ein paar Monate nach dieser Vergewaltigung gewesen sein. Er konnte sich nicht erinnern, dass sie auch nur mit einem einzigen Wort angedeutet hätte, was ihr widerfahren war. Sie hatte ihm überhaupt nicht viel über sich verraten. Mikael konnte sich nicht vorstellen, was sie mit Bjurman gemacht hatte – aber getötet hatte sie ihn nicht. *Einigermaßen verwunderlich*. Dann wäre Bjurman nämlich schon vor zwei Jahren gestorben. Sie musste ihn irgendwie unter Kontrolle bekommen haben, auch wenn er sich nicht vorstellen konnte, wie und wozu. Doch im nächsten Moment begriff er, dass das Instrument, mit dem sie den Anwalt kontrolliert hatte, vor ihm auf dem Tisch lag. Die CD. Solange sie die besaß, war Bjurman ihr ohnmächtiger Sklave gewesen. Und Bjurman hatte sich an den Mann gewandt, den er für seinen Verbündeten hielt. Zalatschenko. Ihren schlimmsten Feind. Ihren Vater.

Dann folgte ein Ereignis auf das nächste. Bjurman war erschossen worden, danach Dag Svensson und Mia Bergman.

Aber wie …? Was hatte Dag Svensson zu einer Bedrohung werden lassen?

Und auf einmal war Mikael klar, was in Enskede geschehen sein *musste*.

In diesem Augenblick entdeckte Mikael einen Zettel auf dem Boden vorm Fenster. Lisbeth hatte eine Seite ausgedruckt, sie zusammengeknüllt und weggeworfen. Mikael hob sie auf und glättete sie – es war ein Ausdruck von der Internetausgabe des *Aftonbladet* über die Entführung von Miriam Wu.

Mikael wusste nicht, was für eine Rolle Miriam in diesem Drama spielte – wenn sie denn überhaupt eine gespielt hatte –, aber sie war eine von Lisbeths wenigen Freundinnen gewesen. Vielleicht ihre einzige. Lisbeth hatte ihr ihre alte Wohnung geschenkt, und nun lag sie zusammengeschlagen im Krankenhaus.

Niedermann und Zalatschenko.

Erst ihre Mutter. Dann Miriam Wu. Lisbeth musste ja schier wahnsinnig sein vor Hass.

Sie war extrem provoziert worden.

Und jetzt war sie zur Jagd aufgebrochen.

Gegen Mittag bekam Dragan Armanskij einen Anruf aus der Reha-Klinik Erstaviken. Er hatte schon vor geraumer Zeit damit gerechnet, dass Holger Palmgren ihn anrufen würde, hatte es aber vermieden, selbst Kontakt mit ihm aufzunehmen – aus Angst, ihm mitteilen zu müssen, dass Lisbeth Salander zweifellos schuldig war. Doch nun konnte er immerhin berichten, dass berechtigte Zweifel an ihrer Schuld bestanden.

»Wie sind Sie vorangekommen?«, fragte Palmgren ohne einleitende Höflichkeitsfloskeln.

»Womit?«, fragte Armanskij zurück.

»Mit Ihrer Untersuchung zu Salander.«

»Wie kommen Sie darauf, dass ich eine derartige Untersuchung anstelle?«

»Verschwenden Sie nicht meine Zeit.«

Armanskij seufzte.

»Sie haben recht«, gab er zu.

»Ich will, dass Sie mich besuchen«, erklärte Palmgren.

»In Ordnung. Ich kann am Wochenende zu Ihnen rauskommen.«

»Ich will, dass Sie heute Abend kommen. Wir haben eine Menge zu besprechen.«

Mikael hatte sich in Lisbeths Küche Kaffee gekocht und belegte Brote gemacht. Halb und halb hoffte er, er würde gleich ihre Schlüssel an der Tür hören. Aber im Grunde glaubte er selbst nicht recht daran. Die leere Festplatte ihres PowerBooks verriet ihm, dass sie ihr Versteck für immer verlassen hatte. Er hatte ihre Adresse zu spät herausgefunden.

Nachmittags um halb drei saß er immer noch an Lisbeths Schreibtisch. Björcks persönliche Mitteilung an seinen Vorgesetzten hatte er bereits dreimal durchgelesen. Seine Empfehlung lautete schlicht und einfach: Beschaffen Sie uns einen Psychiater, der dafür sorgt, dass Salander erst mal für ein paar Jahre eingesperrt wird.

Mikael nahm sich vor, Björck und Teleborian in nächster Zeit großes Interesse zu widmen. Darauf freute er sich jetzt schon. Da piepste plötzlich sein Handy.

»Hier ist Malin. Ich glaube, ich hab was gefunden.«

»Und zwar?«

»In den schwedischen Einwohnermelderegistern gibt es keinen Ronald Niedermann. Er steht nicht im Telefonbuch, nicht im Steuerregister, es ist kein Auto auf ihn zugelassen, gar nichts.«

»Okay.«

»Aber hör dir mal das hier an: 1998 wurde eine Aktiengesellschaft registriert. Sie nennt sich KAB Import AG, und als Anschrift ist eine Postfachadresse in Göteborg angegeben. Die Firma beschäftigt sich mit Elektronikimporten. Der Aufsichtsratsvorsitzende heißt Karl Axel Bodin, also KAB, geboren 1941.«

»Da klingelt nichts bei mir.«

»Bei mir auch nicht. Ansonsten wird die Firma von einem Wirtschaftsprüfer geleitet, der in mehreren Unternehmen sitzt, für die er die Bücher prüft. Scheint so ein Buchhaltungsheini für Kleinunternehmen zu sein. Aber im Großen und Ganzen ist diese Firma seit ihrer Gründung nie tätig gewesen.«

»Okay.«

»Das dritte Mitglied im Aufsichtsrat ist eine Person namens R. Niedermann. Sein Geburtsjahr ist angegeben, aber die Endziffern seiner Personenkennnummer fehlen. Er hat nämlich gar keine schwedische Personenkennnummer. Geboren ist er am 18.01.1970, und hier wird er als Repräsentant des Unternehmens auf dem deutschen Markt geführt.«

»Gut, Malin. Sehr gut. Haben wir noch eine andere Adresse als das Postfach?«

»Nein, aber ich habe einen Karl Axel Bodin gefunden. Er ist polizeilich gemeldet in Westschweden, seine Adresse lautet Postfach 612 in Gosseberga. Ich habe nachgesehen, das scheint ein landwirtschaftliches Gebäude in der Nähe von Nossebro zu sein, nordöstlich von Göteborg.«

»Was wissen wir über ihn?«

»Er hat vor zwei Jahren Einkünfte in Höhe von 260 000 Kronen versteuert. Im Strafregister der Polizei taucht er angeblich nicht auf. Er besitzt eine Waffenlizenz für einen Elchstutzen und eine Schrotflinte. Dann hat er noch zwei Autos, einen Ford und einen Saab, beides ältere Modelle. Keine Einträge beim Gerichtsvollzieher. Er ist unverheiratet und bezeichnet sich als Landwirt.«

»Ein anonymer Mann, der noch nie mit dem Gesetz in Konflikt gekommen ist.«

Mikael überlegte ein paar Sekunden. Er musste sich entscheiden.

»Ach ja, noch was«, fuhr Malin fort. »Dragan Armanskij von Milton Security hat heute schon mehrmals angerufen und wollte dich sprechen.«

»Danke, Malin. Ich rufe zurück.«

»Mikael ... bei dir alles in Ordnung?«

»Nein, es ist nicht alles in Ordnung. Ich meld mich wieder.«

Er wusste, dass er einen Fehler beging. Ein gesetzestreuer Bürger müsste jetzt eigentlich zum Hörer greifen und Bublanski anrufen. Aber wenn er das tat, war er gezwungen, die Wahrheit über Lisbeth Salander zu erzählen. Sonst manövrierte er sich in eine ungute Situation zwischen Halblügen und vertuschten Tatsachen. Aber das war nicht das eigentliche Problem.

Lisbeth Salander war hinter Niedermann und Zalatschenko her. Mikael wusste nicht, wie weit sie schon gekommen war, aber wenn er und Malin das Postfach 612 in Gosseberga finden konnten, dann konnte Lisbeth das auch. Also war die Wahrscheinlichkeit groß, dass sie sich schon auf dem Weg dorthin befand.

Wenn Mikael die Polizei anrief und erzählte, wo Niedermann sich versteckte, müsste er zwangsweise auch sagen, dass Lisbeth Salander vermutlich schon auf dem Weg zu ihm war. Sie war wegen dreifachen Mordes und dem Feuergefecht in Stallarholmen zur Fahndung ausgeschrieben. Was bedeutete, dass die Polizei ein Sonderkommando aufbieten würde, um sie zu fassen.

Und Lisbeth Salander würde mit der allergrößten Wahrscheinlichkeit Widerstand leisten.

Mikael griff zu Papier und Kuli und listete die Dinge auf, die er der Polizei nicht sagen konnte oder wollte.

Zuerst schrieb er »Adresse«.

Lisbeth hatte große Mühe darauf verwendet, sich eine heimliche Adresse zuzulegen, wo sie ihr Leben und ihre Geheimnisse geschützt wusste. Er wollte sie nicht verraten.

Dann schrieb er »Bjurman« und machte ein Fragezeichen dahinter.

Er warf einen Blick auf die CD, die vor ihm auf dem Tisch lag. Bjurman hatte Lisbeth vergewaltigt. Er hatte sie beinahe umgebracht und seine Stellung als ihr Betreuer skrupellos missbraucht. Doch Lisbeth hatte den Anwalt nicht angezeigt. Wenn er es jetzt tat und die intimen Details an die Presse durchsickerten – sie würde es ihm niemals verzeihen. Diese CD war Beweismaterial, und die Bilder darauf würden sich gar zu gut in der Klatschpresse machen.

Er überlegte eine Weile und beschloss dann, die Entscheidung Lisbeth zu überlassen. Aber wenn er es geschafft hatte, ihre Wohnung ausfindig zu machen, dann würde es der Polizei früher oder später auch gelingen. Also steckte er die CD in eine Hülle und verstaute sie in seiner Tasche.

Dann schrieb er »Björcks Ermittlungsbericht«. Der Bericht von 1991 war als »streng geheim« gekennzeichnet worden. Allerdings warf er ein Licht auf alles, was bisher geschehen war. Darin wurde Zalatschenko genannt und Björcks Rolle erklärt, und zusammen mit der Liste der Freier aus Dag Svenssons Computer war das genügend Stoff, um Bublanski so einige schweißtreibende Stunden zu bereiten. Dank der verräterischen Korrespondenz saß auch Peter Teleborian hübsch in der Tinte.

Der Ordner würde die Polizei nach Gosseberga führen ... aber er hatte zumindest ein paar Stunden Vorsprung.

Schließlich startete er Word und listete in Stichpunkten alle wesentlichen Fakten auf, die er in den vergangenen vierundzwanzig Stunden durch die Gespräche mit Björck und Palmgren, aber auch durch das bei Lisbeth gefundene Material in Erfahrung gebracht hatte. Diese Arbeit kostete ihn eine knappe Stunde. Dann brannte er das Dokument auf eine CD, zusammen mit seinen eigenen Rechercheergebnissen.

Einen Moment überlegte er, ob er sich bei Dragan Armanskij rühren sollte, aber dann beschloss er, es zu lassen. Er musste auch so schon genügend Bälle in der Luft halten.

Mikael schaute in der *Millennium*-Redaktion vorbei, marschierte geradewegs in Erika Bergers Büro und zog die Tür hinter sich zu.

»Er heißt Zalatschenko«, begann er ohne jedes Grußwort, »und ist ein ehemaliger sowjetischer Auftragskiller des Nachrichtendienstes. 1976 ist er ausgestiegen, bekam eine Aufenthaltsgenehmigung für Schweden und ein Gehalt von der Sicherheitspolizei. Nach dem Sturz des Sowjetsystems wurde er wie so viele andere zum Vollzeitgangster und beschäftigt sich jetzt mit Mädchenhandel, Waffen und Rauschgift.«

Erika Berger legte ihren Stift aus der Hand.

»Warum überrascht es mich nicht, dass der KGB in dieser Geschichte auftaucht?«

»Nicht der KGB. Der GRU. Der militärische Nachrichtendienst.«

»Glaubst du, dass er Dag und Mia ermordet hat?«

»Nicht eigenhändig. Er hat jemanden geschickt. Ronald Niedermann, dessen Identität Malin herausgefunden hat.«

»Und das kannst du beweisen?«

»Weitgehend. Bjurman wurde umgebracht, weil er Zalatschenko gebeten hatte, ihm gegen Lisbeth zu helfen.«

Mikael erklärte, was er auf dem Film aus Lisbeths Schreibtischschublade gesehen hatte.

»Zalatschenko ist ihr Vater. Bjurman arbeitete Mitte der 70er offiziell bei der Sicherheitspolizei und war unter denen, die als Erstes mit Zalatschenko zu tun hatten, als er ausstieg. Dann wurde Bjurman Rechtsanwalt und verrichtete gewisse Dienste für eine kleine Gruppe innerhalb der Sicherheitspolizei. Ich glaube, da gibt es ein paar alte Herren, die sich ab und zu in der Sauna treffen, um die Welt zu regieren – und dafür zu sorgen, dass das Geheimnis von Zalatschenko gewahrt wird. Ich schätze, ein Großteil der Sicherheitspolizei hat noch nie von diesem Typen gehört. Durch Lisbeth drohte das Geheimnis zu platzen. Also sperrten sie sie in die Kinderpsychiatrie.«

»Das ist nicht wahr.«

»O doch«, widersprach Mikael. »Da spielten wahrhaftig noch einige andere Umstände mit hinein, und Lisbeth war damals sicher ebenso schwierig im Umgang wie heute ... aber seit ihrem zwölften Lebensjahr war sie auch noch eine Bedrohung für die Sicherheit des Landes.«

Er gab ihr eine kurze Zusammenfassung der Geschichte.

»Das muss ich erst mal verdauen«, meinte Erika. »Und Dag und Mia …«

»Wurden umgebracht, weil Dag die Verbindung zwischen Bjurman und Zalatschenko entdeckt hatte.«

»Und was passiert jetzt? Das müssen wir doch wohl alles der Polizei erzählen?«

»Teilweise, aber nicht alles. Ich habe alle wesentlichen Informationen auf dieser CD zusammengestellt, als Back-up für den Fall der Fälle. Lisbeth ist hinter Zalatschenko her, und ich werde jetzt versuchen, sie zu finden. Was auf dieser CD ist, darf auf keinen Fall nach draußen dringen.«

»Mikael … die ganze Sache gefällt mir nicht. Bei Mordermittlungen dürfen wir keine Informationen zurückhalten.«

»Das werden wir auch nicht. Ich habe vor, Bublanski anzurufen. Aber ich vermute, dass Lisbeth bereits auf dem Weg nach Gosseberga ist. Sie wird wegen dreifachen Mordes gesucht, und wenn wir jetzt die Polizei benachrichtigen, dann rücken die mit einem bis an die Zähne bewaffneten Sturmtrupp aus. Da kann weiß Gott was passieren.«

Er hielt inne und lächelte freudlos.

»Wenn schon aus keinem anderen Grund, dann sollten wir die Polizei auch deswegen raushalten, damit ihr Sturmtrupp nicht allzu stark dezimiert wird. Ich muss sie zuerst finden.«

Erika Berger schien ihre Zweifel zu haben.

»Ich habe nicht vor, Lisbeths Geheimnisse zu verraten. Die muss Bublanski selbst herauskriegen. Ich möchte, dass du mir einen Gefallen tust. Dieser Ordner enthält Björcks Ermittlungsbericht von 1991 und einen Teil der Korrespondenz zwischen Björck und Teleborian. Bitte mach eine Kopie davon und gib sie an Bublanski oder Modig weiter. Ich selbst mach mich in zwanzig Minuten auf den Weg nach Göteborg.«

»Mikael …«

»Ich weiß, ich weiß. Aber in diesem Kampf werde ich bis zum letzten Moment auf Lisbeths Seite stehen.«

Erika Berger presste die Lippen zusammen. Dann nickte sie. Mikael ging zur Tür.

»Sei vorsichtig«, bat sie ihn, aber da war er auch schon verschwunden.

Sie dachte, dass sie eigentlich hätte mitfahren müssen. Das wäre das einzig Anständige in diesem Moment gewesen. Doch sie hatte ihm immer noch nicht erzählt, dass sie bei *Millennium* aufhören wollte und dass alles aus war, egal was jetzt noch passierte. Sie nahm den Ordner und ging zum Kopierer.

Das Postfach gehörte zu einem Postamt in einem Einkaufszentrum. Lisbeth kannte sich in Göteborg nicht aus und wusste nicht genau, wo sie sich gerade befand, aber sie hatte das Postamt gefunden und sich in ein Café gesetzt, von dem aus sie die Postfächer im Auge behalten konnte.

Irene Nesser benutzte ein diskreteres Make-up als Lisbeth Salander. Sie trug ein paar alberne Halsketten und las *Schuld und Sühne*, das sie in einer nahe gelegenen Buchhandlung gekauft hatte. Sie ließ sich Zeit und blätterte in regelmäßigen Abständen um. Gegen Mittag hatte sie mit der Überwachung begonnen, doch wusste sie nicht, wie oft das Postfach geleert wurde, ob täglich oder am Ende nur alle zwei Wochen, ob es für heute schon geleert worden war oder ob noch jemand kommen würde. Aber da es ihre einzige Spur war, trank sie weiter Caffè Latte und wartete.

Als ihr schon fast die Augen zufielen, sah sie plötzlich, wie das Postfach geöffnet wurde. Sie warf einen Blick auf die Uhr. Viertel vor zwei. Mehr Glück als Verstand.

Lisbeth beobachtete, wie ein Mann in schwarzer Lederjacke den Raum mit den Postfächern verließ. Eine Straße weiter hatte sie ihn eingeholt. Es war ein dünner, junger Mann um die 20. Er ging zu einem Renault und schloss die Tür auf. Lisbeth Salander prägte sich das Kennzeichen ein und rannte zurück zu ihrem Corolla, den sie hundert Meter weiter unten auf derselben Straße geparkt hatte. Als sie auf die Linnégatan einbog, hatte sie ihn bereits wieder eingeholt und folgte ihm in Richtung Nordstan.

Mikael Blomkvist erreichte den Zug pünktlich um 17 Uhr 10. Er setzte sich sogleich in den leeren Speisewagen, um ein spätes Mittagessen zu sich zu nehmen.

Er wurde die Sorge nicht los, dass er zu spät kam. Dass Lisbeth ihn anrufen würde, war nahezu ausgeschlossen.

1991 hatte sie schon einmal versucht, Zalatschenko zu töten. Jetzt, nach all den Jahren, hatte er zurückgeschlagen.

Holger Palmgren hatte mit der Analyse seines Schützlings genau richtig gelegen. Lisbeth Salander wusste aus eigener Erfahrung, dass es sich nicht lohnte, mit den Behörden zu sprechen.

Mikael warf einen Blick auf seine Laptoptasche. Er hatte den Colt mitgenommen, den er in Lisbeths Schreibtischschublade gefunden hatte. Warum er das tat, wusste er selbst nicht so recht, aber er spürte instinktiv, dass er ihn nicht in ihrer Wohnung hätte lassen dürfen. Gleichzeitig war ihm klar, dass seine Argumentation nicht ganz wasserdicht war.

Als der Zug über die Årsta-Brücke rollte, klappte er sein Handy auf und rief Bublanski an.

»Was wollen Sie?«, bellte Bublanski gereizt.

»Aufklären.«

»Was aufklären?«

»Diese ganze Geschichte. Wollen Sie wissen, wer die drei Morde auf dem Gewissen hat?«

»Wenn Sie Informationen haben, würde ich gerne daran teilhaben.«

»Der Mörder heißt Ronald Niedermann. Das ist dieser blonde Riese, mit dem Paolo Roberto sich geprügelt hat. Er ist deutscher Staatsbürger, 35 Jahre alt, und arbeitet für einen Kotzbrocken namens Alexander Zalatschenko, auch unter dem Namen Zala bekannt.«

Bublanski schwieg eine geraume Weile. Dann seufzte er laut. Mikael hörte, wie er ein Blatt Papier umdrehte und mit einem Kugelschreiber herumklickte.

»Und Sie sind da ganz sicher?«

»Ja.«

»Wo befinden sich Niedermann und dieser Zalatschenko?«

»Das weiß ich noch nicht. Aber sobald ich es herausgefunden habe, werde ich es Ihnen sagen. In den nächsten Minuten kommt Erika Berger mit einem Ermittlungsbericht von 1991 zu Ihnen. In ihm finden Sie alle denkbaren Informationen über Zalatschenko und Lisbeth Salander.«

»Wie meinen Sie das?«

»Zalatschenko ist Lisbeths Vater. Er ist ein ehemaliger russischer Auftragskiller aus der Zeit des Kalten Krieges.«

»Russischer Auftragskiller?«, echote Bublanski mit zweifelnder Stimme.

»Ein paar Männer von der Sicherheitspolizei haben ihn jahrelang gedeckt.«

Mikael hörte, wie Bublanski sich einen Stuhl heranzog und sich hinsetzte.

»Ich glaube, es wäre das Beste, wenn Sie zu uns kommen und eine offizielle Zeugenaussage machen.«

»Sorry. Ich hab jetzt keine Zeit.«

»Wie bitte?«

»Ich bin im Moment nicht in Stockholm. Aber ich melde mich, sobald ich Zalatschenko gefunden habe.«

»Blomkvist ... Sie brauchen nichts zu beweisen. Auch ich habe Zweifel an Salanders Schuld.«

»Darf ich Sie daran erinnern, dass ich nur ein einfacher Privatdetektiv bin, der keinen Schimmer von Polizeiarbeit hat?«

Er wusste, es war kindisch, aber er beendete das Gespräch, ohne sich zu verabschieden. Stattdessen rief er Annika Giannini an.

»Hallo, Schwesterherz.«

»Hallo. Gibt's was Neues?«

»Könnte sein, dass ich morgen einen guten Anwalt brauche.«

Sie seufzte.

»Was hast du angestellt?«

»Bis jetzt noch nichts Ernstes, aber ich könnte festgenommen werden wegen Behinderung polizeilicher Ermittlungen oder so ähnlich. Aber deswegen hab ich dich gar nicht angerufen. Du kannst mich nicht vertreten.«

»Warum nicht?«

»Weil ich will, dass du Lisbeth Salander verteidigst, und du kannst uns ja schlecht beide verteidigen.«

Mikael erzählte in Kurzform, worum es ging. Annika Gianninis Schweigen verhieß nichts Gutes.

»Und das kannst du alles beweisen?«, fragte sie schließlich.

»Ja.«

»Ich muss über die Sache nachdenken. Lisbeth braucht einen Fachanwalt für Strafrecht …«

»Glaub mir, du bist die perfekte Anwältin für sie.«

»Mikael …«

»Hör mal, Schwesterchen, warst du nicht stinksauer auf mich, weil ich dich nicht um Hilfe gebeten habe, als ich welche brauchte?«

Nachdem sie das Gespräch beendet hatten, überlegte Mikael eine Weile. Dann griff er nochmals zum Telefon und rief Holger Palmgren an. Eigentlich hatte er keinen besonderen Grund dafür, fand jedoch, dass er den alten Herrn im Heim trotz allem darüber informieren musste, dass er gewisse Spuren verfolgte und hoffte, die ganze Geschichte in den nächsten Stunden beenden zu können.

Das Problem war freilich, dass auch Lisbeth Salander ihre Spuren verfolgte.

Lisbeth nahm sich einen Apfel aus ihrem Rucksack, ohne den Blick vom Vorhof zu wenden. Sie lag am Rand eines kleinen

Wäldchens auf der Fußmatte ihres Corolla, die als improvisierte Unterlage herhalten musste. Sie hatte sich umgezogen und trug jetzt eine grüne Hose mit Taschen auf den Beinen, einen dicken Pullover und eine gefütterte kurze Stoffjacke.

Gosseberga lag ungefähr vierhundert Meter von der Landstraße entfernt und bestand aus genau zwei Gebäuden. Das Hauptgebäude lag gut hundert Meter vor ihr, ein ganz gewöhnliches weißes Holzhaus mit zwei Etagen, einem Schuppen und einem Kuhstall, der zirka siebzig Meter vom Wohngebäude entfernt war. Durch eine Tür im Kuhstall konnte sie den Kühler eines weißen Autos ausmachen. Sie glaubte, den weißen Volvo zu erkennen, aber er war zu weit weg, als dass sie sich wirklich hätte sicher sein können.

Rechts von ihr befand sich ein Lehmacker, der sich knapp zweihundert Meter bis zu einem kleinen Teich erstreckte. Die Zufahrtsstraße führte vom Haus weg zum Acker und verschwand dann in einem Waldstück Richtung Landstraße. An diesem Zufahrtsweg stand noch ein Gebäude, das wie eine Einsiedlerkate aussah; die Fenster waren mit hellen Tüchern verhängt. Nördlich von diesem Häuschen schirmte ein Waldstück das Gelände vom nächsten Nachbarn ab – einer Gruppe von Häusern in sechshundert Metern Entfernung. Der Bauernhof, den sie vor sich hatte, lag also relativ isoliert.

Sie befand sich in der Nähe des Anten-Sees, in einer Landschaft mit gedrungenen Hügelketten, in der große Stücke Ackerland sich mit kleinen Siedlungen und dichten Waldstücken abwechselten. Ihre Straßenkarte gab keine genauere Auskunft über die Gegend, aber sie war dem schwarzen Renault auf der E20 aus Göteborg hinaus gefolgt und in Alingsås westlich in Richtung Sollebrunn abgebogen. Nach knapp vierzig Minuten war das Auto plötzlich auf einen Waldweg eingeschwenkt, an dem ein Wegweiser nach Gosseberga stand. Sie parkte nördlich von dieser Abzweigung hinter einer Scheune in einem Wäldchen und ging den Weg zu Fuß zurück.

Sie hatte noch nie von Gosseberga gehört, aber wenn sie es richtig verstand, bezeichnete der Name nur das Wohngebäude und den Kuhstall vor ihr. Auf dem Weg war sie am Briefkasten vorbeigekommen. Er trug die Beschriftung »PL192 – K.A. Bodin«. Der Name sagte ihr nichts.

Nachdem sie einen vorsichtigen Halbkreis um das Gebäude beschrieben hatte, fand sie schließlich einen guten Beobachtungsposten, an dem sie die Abendsonne im Rücken hatte. Seit sie gegen halb vier Uhr nachmittags hier angekommen war, hatte sich im Großen und Ganzen nichts ereignet. Um vier Uhr war der Fahrer des Renault aus dem Haus getreten und hatte in der Tür ein paar Worte mit einer Person gewechselt, die sie nicht richtig sehen konnte. Danach war diese weggefahren und nicht wieder aufgetaucht. Ansonsten hatte sie keine Bewegung auf dem Hof feststellen können. Geduldig wartete sie ab und beobachtete das Gebäude durch einen kleinen Minolta-Feldstecher mit achtfacher Vergrößerung.

Mikael Blomkvist saß im Speisewagen und trommelte gereizt mit den Fingern auf den Tisch. Der Zug stand mit irgendeinem Betriebsschaden schon seit fast einer Stunde in Katrineholm. Die Schwedische Bahn bedauerte die Verspätung.

Frustriert seufzte er auf und ließ sich noch einen Kaffee nachschenken. Fünfzehn Minuten später setzte sich der Zug mit einem Ruck in Bewegung. Es war acht Uhr.

Er hätte das Flugzeug nehmen oder ein Auto mieten sollen. Sein Gefühl, zu spät zu kommen, verstärkte sich.

Gegen sechs Uhr hatte jemand in einem Zimmer im Erdgeschoss eine Lampe angeschaltet. Wenig später ging auch die Außenbeleuchtung über der Haustür an. Lisbeth machte einen Schatten rechts von der Eingangstür aus, vermutlich in der Küche, aber sie konnte kein Gesicht erkennen.

Auf einmal öffnete sich die Haustür, und der blonde Riese

namens Ronald Niedermann trat heraus. Er trug eine dunkle Hose und ein eng anliegendes Poloshirt, das seine Muskeln betonte. Lisbeth nickte vor sich hin. Endlich hatte sie die Bestätigung, dass sie an den richtigen Ort gekommen war. Sie stellte abermals fest, dass Niedermann ein Koloss war. Aber er war doch aus Fleisch und Blut wie alle anderen Menschen – was auch immer Paolo Roberto und Miriam Wu mit ihm erlebt hatten. Niedermann ging ums Haus herum und verschwand ein paar Minuten bei seinem Auto hinterm Kuhstall. Dann kam er mit einer kleinen Tasche zurück und ging wieder ins Haus.

Nur wenige Minuten später kam er wieder heraus. Diesmal in Begleitung eines kleinen, schmächtigen älteren Mannes, der hinkte und sich auf eine Krücke stützte. Es war zu dunkel, als dass Lisbeth seine Gesichtszüge hätte erkennen können, aber sie spürte, wie es ihr eiskalt den Rücken hinunterlief.

Daaaaddyyy, I am heeeere ...

Sie beobachtete, wie Zalatschenko und Niedermann den Zufahrtsweg hinuntergingen. Am Schuppen blieben sie stehen. Niedermann holte ein wenig Feuerholz. Dann gingen sie wieder zurück ins Haus und schlossen die Tür.

Lisbeth blieb mehrere Minuten still liegen. Dann ließ sie ihr Fernglas sinken und zog sich ungefähr zehn Meter zurück, bis sie völlig hinter den Bäumen verborgen war. Sie öffnete ihren Rucksack, zog die Thermoskanne heraus, goss sich einen Becher schwarzen Kaffee ein und steckte sich ein Stück Würfelzucker in den Mund. Dazu aß sie ein Käsesandwich, das sie sich auf dem Weg nach Göteborg an einer Tankstelle gekauft hatte. Sie überlegte.

Schließlich nahm sie Sonny Nieminens polnische P-83 aus dem Rucksack. Sie zog das Magazin heraus und kontrollierte, ob auch nichts den Lauf blockierte. Dann machte sie einen Probeschuss ohne Munition. Im Magazin steckten sechs 9-Millimeter-Makarov-Patronen. Das sollte reichen. Sie drückte das Magazin wieder hinein und lud eine Kugel in den Lauf. Dann sicherte sie die Waffe und steckte sie in die rechte Jackentasche.

In einem großen Bogen rückte Lisbeth Salander zu dem Gebäude vor. Sie hatte sich ihm bis auf hundertfünfzig Meter genähert, da erstarrte sie plötzlich mitten in der Bewegung.

An den Rand seines Exemplars der *Arithmetica* hatte Pierre de Fermat die Worte gekritzelt: *Ich habe einen wahrhaft wunderbaren Beweis für diese Behauptung, aber der Rand ist allzu schmal, um ihn zu fassen.*

Das Quadrat war in eine dritte Potenz verwandelt worden, $a^3 + b^3 = c^3$, und die Mathematiker hatten jahrhundertelang versucht, die Lösung zu Fermats Rätsel zu finden. Bis Andrew Wiles in den 90ern schließlich auf die Lösung kam, hatte er zehn Jahre lang mit dem höchstentwickelten Computerprogramm der Welt gearbeitet.

Und mit einem Mal begriff sie alles. Die Antwort war so entwaffnend einfach. Ein Spiel mit Ziffern, die sich aneinanderreihten und sich plötzlich zu einer einfachen Formel gruppierten, die vor allem ein Rätsel sein sollte.

Fermat hatte keinen Computer besessen, und Andrew Wiles' Lösung baute auf einer Mathematik auf, die noch nicht einmal erfunden war, als Fermat sein Theorem formuliert hatte. Fermat hätte niemals den Beweis erbringen können, den Andrew Wiles schließlich vorlegte. Fermats Lösung musste natürlich ganz anders aussehen.

Ihre Verblüffung war so groß, dass sie sich erst mal auf einen Baumstumpf setzen musste.

So hat er das also gemeint. Kein Wunder, dass sich die Mathematiker die Haare gerauft haben.

Dann kicherte sie.

Ein Philosoph hätte größere Chancen gehabt, dieses Rätsel zu lösen.

Sie hätte Fermat zu gern kennengelernt.

So ein Angeber.

Nach einer Weile stand sie auf und ging durch den Wald weiter auf den Hof zu. Schließlich lag zwischen ihr und dem Wohnhaus nur noch der Kuhstall.

31. Kapitel
Donnerstag, 7. April

Lisbeth Salander betrat den Kuhstall durch einen Seiteneingang zu einer alten Abwasserrinne. Es waren keine Tiere im Stall. Sie sah sich um und stellte rasch fest, dass hier nichts stand außer drei Autos – der weiße Volvo von Auto-Expert, ein älterer Ford und ein etwas modernerer Saab. Etwas weiter hinten befanden sich noch eine verrostete Egge sowie andere Geräte aus der Zeit, als das Anwesen noch landwirtschaftlich genutzt wurde.

Sie blieb im Dunkeln des Stalls stehen und betrachtete von dort das Wohnhaus. Draußen war es finster, und in allen Zimmern des Obergeschosses brannte Licht. Sie konnte keine Bewegung ausmachen, glaubte aber, den flimmernden Schein eines Fernsehers zu erkennen. Sie warf einen Blick auf ihre Armbanduhr. 19 Uhr 30. *Rapport*.

Es verblüffte sie, dass Zalatschenko sich für so eine abgelegene Behausung entschieden hatte. Das sah dem Mann, an den sie sich von früher erinnerte, so gar nicht ähnlich. Niemals hätte sie erwartet, ihn auf einem entlegenen kleinen Bauernhof zu finden, eher in einer anonymen Villengegend oder an irgendeinem Urlaubsort im Ausland. Er musste sich im Laufe seines Lebens mehr Feinde geschaffen haben als Lisbeth Salander. Irgendwie machte es sie misstrauisch, dass der Platz so ungeschützt wirkte, doch sie rechnete damit, dass er Waffen im Hause hatte.

Nach langem Zögern glitt sie im Dämmerlicht aus dem Stall, eilte leichtfüßig über den Hof bis zum Wohnhaus, wo sie stehen blieb, den Rücken an die Wand gedrückt. Plötzlich hörte sie leise Musik. Lautlos schlich sie ums Haus und versuchte, einen Blick durch die Fenster zu werfen, aber sie waren zu hoch.

Instinktiv missfiel ihr die ganze Situation. Die erste Hälfte ihres Lebens hatte sie in ständiger Angst vor dem Mann gelebt, der in diesem Haus wohnte. Die andere Hälfte ihres Lebens, seit ihr erster Mordversuch gescheitert war, hatte sie darauf gewartet, dass er wieder in ihr Leben trat. Diesmal wollte sie keinen Fehler machen. Zalatschenko mochte ein alter Krüppel sein, aber er war ein perfekt ausgebildeter Killer, der schon mehr als einen Kampf unbeschadet überstanden hatte.

Außerdem musste sie noch Ronald Niedermann mit einkalkulieren.

Am liebsten hätte sie Zalatschenko ja irgendwo im Freien überrascht – auf dem Hof, wo er ungeschützt war. Sie verspürte wenig Lust, mit ihm zu reden, und hätte am liebsten ein Gewehr mit Zielfernrohr gehabt. Aber sie hatte keines, und außerdem war er gehbehindert. Sie hatte ihn nur ganz flüchtig gesehen, als er Niedermann zum Holzschuppen begleitet hatte, und es war recht unwahrscheinlich, dass er plötzlich Lust auf einen Abendspaziergang bekam. Was bedeutete, dass sie sich zurückziehen und im Wald übernachten musste, wenn sie eine bessere Gelegenheit abwarten wollte. Sie hatte jedoch keinen Schlafsack, und obwohl die Abendluft mild war, würde es in der Nacht ziemlich kalt werden. Jetzt, wo sie ihn endlich in Reichweite hatte, wollte sie nicht riskieren, dass er ihr wieder entwischte. Sie dachte an ihre Mutter und Mimmi.

Lisbeth biss sich auf die Unterlippe. Sie musste ins Haus eindringen, auch wenn das die schlechteste aller Alternativen war. Natürlich konnte sie an die Tür klopfen, die Waffe sofort abfeuern, sobald ihr jemand aufmachte, und dann ins Haus gehen, um sich den anderen Schweinehund zu schnappen. Aber das würde wiederum bedeuten, dass der zweite vorgewarnt und somit bewaffnet war. *Konsequenzanalyse. Was gibt es noch für Alternativen?*

Plötzlich erhaschte sie einen Blick auf Niedermanns Profil, als er nur wenige Meter von ihr entfernt an einem Fenster vorbeiging. Er blickte über die Schulter nach hinten und redete mit jemandem im Zimmer.

Beide befinden sich im Zimmer links von der Eingangstür.

Lisbeth fasste einen Entschluss. Sie zog die Pistole aus der Jackentasche, entsicherte sie und ging lautlos die Stufen zur Haustür hinauf. Ihre Waffe hielt sie in der linken Hand, während sie mit der anderen unendlich langsam die Klinke nach unten drückte. Es war nicht abgeschlossen. Sie runzelte die Stirn und zögerte. Dabei war an der Tür doch ein doppeltes Sicherheitsschloss montiert.

Zalatschenko hätte die Tür niemals unverschlossen gelassen. Ihre Nackenhärchen stellten sich auf.

Hier stimmte was nicht, das spürte sie.

Der Flur war stockfinster. Rechts konnte sie eine Treppe erkennen, die ins Obergeschoss führte. Durch einen Spalt über der Tür drang ein schmaler Lichtstrahl. Lisbeth blieb stehen und horchte. Dann hörte sie eine Stimme und das scharrende Geräusch eines Stuhls aus dem Raum zu ihrer Linken.

Mit zwei schnellen Schritten war sie bei der Tür, riss sie auf und richtete die Waffe in … *ein leeres Zimmer*.

Plötzlich hörte sie das Rascheln von Kleidern hinter sich und fuhr herum wie ein Reptil. In derselben Sekunde, als sie versuchte, ihre Pistole hochzureißen, schloss sich Ronald Niedermanns riesige Hand wie ein Eisenband um ihren Hals, während er mit der anderen Lisbeths Waffenhand festhielt. Am Genick hob er sie in die Luft, als wäre sie eine Puppe.

Eine Sekunde lang zappelte sie mit den Füßen in der Luft, doch dann holte sie aus und trat Niedermann in den Schritt. Sie verfehlte ihr Ziel und traf ihn nur außen an der Hüfte, was sich anfühlte, als hätte sie gegen einen Baumstamm getreten. Ihr wurde schwarz vor Augen, als er ihren Hals zudrückte und sie merkte, wie ihr die Waffe aus der Hand glitt.

Verflucht.

Dann schleuderte Niedermann sie ins Zimmer. Krachend landete sie auf einem Sofa und glitt auf den Boden. Sie spürte, wie ihr das Blut in den Kopf stieg, und rappelte sich benommen auf. Da entdeckte sie auf dem Tisch einen schweren, dreieckigen Aschenbecher aus massivem Glas, packte ihn und holte aus. Niedermann hielt ihren Arm jedoch mitten in der Bewegung fest. Da steckte sie ihre freie Hand in die linke Hosentasche, zog die Elektroschockpistole und drückte sie Niedermann zwischen die Beine.

Sie selbst spürte einen kräftigen elektrischen Schlag, der sich durch Niedermanns Arm auf sie fortpflanzte. Eigentlich hatte sie erwartet, dass er vor Schmerzen zusammenbrechen würde. Stattdessen sah er sie nur verdattert an. Lisbeth riss schockiert die Augen auf. Offensichtlich war ihm der Stromstoß irgendwie unangenehm, doch schien er keine Schmerzen zu fühlen. *Er ist nicht normal.*

Niedermann bückte sich, nahm ihr die Elektroschockpistole weg und musterte sie verwundert. Dann versetzte er Lisbeth eine Ohrfeige mit der offenen Hand. Genauso gut hätte er sie mit einer Keule treffen können. Sie sackte vor dem Sofa zu Boden. Als sie den Blick hob, sah sie Ronald Niedermann in die Augen. Er betrachtete sie neugierig, als würde er sich fragen, was sie sich wohl als Nächstes einfallen ließ. Wie eine Katze, die mit ihrer Beute spielt.

Da nahm sie schemenhaft eine Bewegung in der Tür wahr. Sie wandte den Kopf.

Langsam trat er ins Licht.

Er stützte sich auf einen Stock mit Handgriff. Sie sah die Prothese, die aus einem Hosenbein herausschaute.

Seine linke Hand war ein unförmiger Klumpen, an dem ein paar Finger fehlten.

Sie hob den Blick und sah ihm ins Gesicht. Die linke Hälfte war durch die Narbenbildung auf der verbrannten Haut ein einziger Flickenteppich. Sein Ohr war ein kleiner Stummel, und er hatte keine Augenbrauen mehr. Sein Kopf war kahl. Sie hatte ihn als athletischen Mann mit wallenden schwarzen Haaren in Erinnerung. Er war 1 Meter 65 groß und ausgemergelt.

»Hallo, Papa«, sagte sie tonlos.

Alexander Zalatschenko betrachtete seine Tochter ebenso ausdruckslos.

Ronald Niedermann schaltete die Deckenlampe an. Er untersuchte sie auf weitere Waffen, indem er sie abtastete, dann sicherte er ihre P-83 Wanad und nahm das Magazin heraus. Zalatschenko schlurfte an Lisbeth vorbei zu einem Sessel und hob eine Fernbedienung.

Lisbeths Blick fiel auf den Bildschirm hinter ihm. Zalatschenko schaltete das Gerät ein, und auf einmal sah sie ein grün flimmerndes Bild des Geländes hinter dem Kuhstall und ein Stück des Zufahrtswegs zum Haus. Eine Kamera mit Nachtsichtgerät. Sie hatten die ganze Zeit gewusst, dass sie auf dem Weg zu ihnen war.

»Ich dachte schon, du traust dich gar nicht zu uns rein«, sagte Zalatschenko. »Wir beobachten dich seit vier Uhr. Du hast fast jeden Alarm auf dem Hof ausgelöst.«

»Bewegungsmelder«, sagte Lisbeth.

»Zwei am Zufahrtsweg und vier auf der Lichtung hinter der Wiese. Du hast dir deinen Beobachtungsposten genau dort gewählt, wo wir einen Alarm installiert haben. Von dort aus hat man den besten Blick über den Hof. Meistens sind es Elche oder wilde Tiere, manchmal auch Beerensucher, die zu nahe herankommen. Aber wir kriegen nur selten jemand zu sehen, der sich mit einer Waffe in der Hand anschleicht.«

Er schwieg einen Moment.

»Hast du wirklich gedacht, Zalatschenko würde völlig ungeschützt in einem kleinen Haus auf dem Land sitzen?«

Lisbeth massierte sich das Genick und machte Anstalten, aufzustehen.

»Bleib auf dem Boden sitzen«, befahl Zalatschenko scharf.

Niedermann hörte auf, an ihrer Waffe herumzuspielen, und betrachtete sie ruhig. Dabei zog er eine Braue hoch und grinste sie an. Lisbeth fiel ein, wie lädiert Paolo Robertos Gesicht im Fernsehen ausgesehen hatte, und beschloss, sich nicht zu widersetzen. Sie atmete aus und lehnte sich mit dem Rücken gegen das Sofa.

Zalatschenko streckte seine gesunde rechte Hand aus. Niedermann zog eine Waffe aus dem Hosenbund, lud nach und reichte sie ihm. Lisbeth bemerkte, dass es eine Sig Sauer war, die Standardwaffe der Polizei. Zalatschenko nickte. Ohne weiteren Kommentar drehte Niedermann sich um und zog sich eine Jacke an. Dann verließ er das Zimmer, und Lisbeth hörte, wie er aus dem Haus ging.

»Nur damit du nicht auf dumme Gedanken kommst. In dem Moment, wo du versuchst aufzustehen, schieße ich dir in den Bauch.«

Lisbeth entspannte sich. Bevor sie bei ihm war, würde er vielleicht zwei- oder dreimal treffen, und wahrscheinlich verwendete er Munition, die sie innerhalb weniger Minuten verbluten lassen würde.

»Du siehst einfach grauenhaft aus«, bemerkte Zalatschenko und zeigte auf ihr Augenbrauenpiercing. »Wie ein verdammtes Flittchen.«

Lisbeth fixierte ihn.

»Aber du hast meine Augen«, fuhr er fort.

»Tut das weh?«, erkundigte sie sich und nickte in Richtung seiner Prothese.

»Nein. Nicht mehr.«

Lisbeth nickte.

»Du möchtest mich zu gerne töten«, stellte er fest.

Sie antwortete nicht, und er lachte plötzlich auf.

»Ich habe in all den Jahren immer wieder an dich gedacht. Ungefähr jedes Mal, wenn ich in den Spiegel gesehen habe.«

»Du hättest meine Mutter in Ruhe lassen sollen.«

Zalatschenko lachte.

»Deine Mutter war eine Hure.«

Lisbeths Augen wurden pechschwarz.

»Sie war keine Hure. Sie arbeitete in einem Lebensmittelgeschäft an der Kasse und versuchte, irgendwie mit dem Geld klarzukommen.«

Zalatschenko lachte wieder.

»Du kannst dir über sie zusammendichten, was du willst. Aber ich weiß, dass sie eine Hure war. Sie sorgte dafür, dass sie so schnell wie möglich schwanger wurde, und versuchte, mich zu einer Hochzeit zu überreden. Als ob ich eine Hure heiraten würde.«

Lisbeth schwieg. Sie sah in die Mündung seiner Pistole und hoffte, dass seine Konzentration nur für den Bruchteil einer Sekunde nachlassen würde.

»Die Brandbombe war hinterhältig. Ich habe dich gehasst. Aber dann wurde das alles unwichtig. Du warst die Energie nicht wert. Hättest du die Dinge einfach gelassen, wie sie waren, hätte ich mich nicht mehr darum gekümmert.«

»Blödsinn. Bjurman hat dich gebeten, mich umzulegen.«

»Das war etwas völlig anderes. Das war eine geschäftliche Abmachung. Er brauchte einen Film, den du hast, und ich betreibe nun mal ein kleines Geschäft.«

»Und du glaubtest, ich würde dir den Film geben?«

»Aber ja, meine liebe Tochter. Ich bin überzeugt, dass du das gemacht hättest. Du ahnst ja gar nicht, wie kooperativ die Leute werden, wenn Ronald Niedermann sie um etwas bittet – besonders wenn er seine Motorsäge anwirft und dir einen von deinen Füßen absägt. In meinem Fall wäre das außerdem eine passende Entschädigung ... Fuß um Fuß.«

Lisbeth dachte an Miriam Wu, die im Lager in Nykvarn in Niedermanns Hand gewesen war. Zalatschenko deutete ihren Gesichtsausdruck falsch.

»Du brauchst keine Angst zu haben. Wir haben nicht vor, dich zu zerstückeln.«

Er sah sie nicht an.

»Hat Bjurman dich wirklich vergewaltigt?«

Sie antwortete nicht.

»Verdammt, der muss ja echt einen miesen Geschmack gehabt haben. Ich hab in der Zeitung gelesen, dass du so eine Scheißlesbe bist. Wundert mich nicht. Ich kann schon verstehen, dass dich kein Mann haben will.«

Lisbeth gab immer noch keine Antwort.

»Vielleicht sollte dich Niedermann mal richtig rannehmen? Du siehst aus, als könntest du's brauchen.«

Er überlegte.

»Obwohl, Niedermann hat ja eigentlich gar keinen Sex mit Mädchen. Nein, schwul ist er nicht. Er hat nur einfach keinen Sex.«

»Dann musst du mich wohl rannehmen«, meinte Lisbeth provokativ.

Komm näher. Mach einen Fehler.

»Nein, wirklich nicht. Das wäre doch pervers.«

Sie schwiegen ein Weilchen.

»Worauf warten wir eigentlich?«, wollte Lisbeth wissen.

»Mein Kompagnon kommt gleich zurück. Er soll nur dein Auto wegbringen und noch eine Kleinigkeit erledigen. Wo ist deine Schwester?«

Lisbeth zuckte mit den Schultern.

»Antworte mir.«

»Ich weiß es nicht, und ehrlich gesagt ist es mir auch scheißegal.«

Er lachte wieder.

»Geschwisterliebe? Camilla war immer die, die was im Kopf hatte, während du eine nutzlose Versagerin warst.«

Lisbeth antwortete nicht.

»Aber ich muss zugeben, es freut mich sehr, dich aus der Nähe zu sehen.«

»Zalatschenko«, sagte sie, »du bist so was von erzlangweilig. Hat Niedermann eigentlich Bjurman erschossen?«

»Natürlich. Ronald Niedermann ist ein perfekter Soldat. Er befolgt nicht nur seine Befehle, sondern ergreift auch selbst die Initiative, wenn es nötig wird.«

»Wo hast du den eigentlich aufgegabelt?«

Zalatschenko betrachtete seine Tochter mit einem seltsamen Gesichtsausdruck. Er machte den Mund auf, als wollte er etwas sagen, hielt dann jedoch inne. Er warf einen Blick zur Haustür und lächelte Lisbeth plötzlich an.

»Willst du mir etwa sagen, dass du das noch nicht rausgefunden hast? Nach dem, was Bjurman so erzählte, musst du doch ziemlich gut im Recherchieren sein.«

Er lachte lauthals.

»Wir haben uns in den 90ern in Spanien kennengelernt, als ich mich immer noch von deinem kleinen Molotowcocktail erholte. Er war 22 und ersetzte mir Arme und Beine. Er ist kein Angestellter … es ist mein Partner. Wir betreiben ein blühendes Geschäft.«

»Mädchenhandel.«

Er zuckte mit den Achseln.

»Man könnte sagen, wir sind auf verschiedensten Gebieten tätig, da gibt es diverse Waren und Dienstleistungen. Die Geschäftsidee besteht darin, im Hintergrund zu bleiben und nie sichtbar zu agieren. Aber jetzt sag doch mal, hast du wirklich nicht kapiert, wer Ronald Niedermann ist?«

Lisbeth schwieg. Zuerst verstand sie nicht, worauf er hinauswollte.

»Er ist dein Bruder«, erklärte Zalatschenko.

»Nein«, flüsterte Lisbeth atemlos.

Zalatschenko lachte abermals. Aber die Mündung seiner Pistole war immer noch bedrohlich auf sie gerichtet.

»Er ist zumindest dein Halbbruder«, präzisierte Zalatschenko. »Das Ergebnis einer kleinen Zerstreuung bei einem Auftrag in Deutschland 1970.«

»Du hast deinen Sohn zum Mörder gemacht.«

»O nein, o nein, ich habe ihm nur geholfen, sein Potenzial auszuschöpfen. Er konnte töten, schon lange bevor ich mich seiner Ausbildung annahm. Und er wird das Familienunternehmen noch lange führen, wenn ich schon weg bin.«

»Weiß er, dass wir Halbgeschwister sind?«

»Natürlich. Aber glaub bloß nicht, du könntest an seinen Familiensinn appellieren. Ich bin seine Familie. Du bist nur ein entferntes Rauschen am Rande. Außerdem kannst du gerne wissen, dass du noch mehr Geschwister hast. Du hast noch mindestens vier Brüder und drei Schwestern in verschiedenen Ländern. Einer der anderen Brüder ist ein Idiot, aber wieder ein anderer besitzt ebenfalls Potenzial. Er kümmert sich um unsere Niederlassung in Tallinn. Aber Ronald ist das einzige meiner Kinder, das Zalatschenkos Genen wirklich gerecht wird.«

»Ich schätze, für meine Schwestern gab es keinen Platz im Familienunternehmen.«

Zalatschenko wirkte verblüfft.

»Zalatschenko ... du bist einfach nur ein ganz gewöhnlicher Schweinehund, der Frauen hasst. Warum habt ihr Bjurman umgelegt?«

»Bjurman war ein Vollidiot. Er traute seinen Augen nicht, als er entdeckte, dass du meine Tochter bist. Er war ja einer der wenigen in diesem Land, der über meinen Hintergrund Bescheid wusste. Ich muss zugeben, ich wurde nervös, als er auf einmal Kontakt mit mir aufnahm, aber dann löste sich ja alles in Wohlgefallen auf. Er starb, und du bekamst die Schuld in die Schuhe geschoben.«

»Aber warum habt ihr ihn erschossen?«, beharrte Lisbeth.

»Das war tatsächlich gar nicht geplant. Ich hatte mich schon auf eine langjährige Zusammenarbeit mit ihm gefreut, und es ist ja immer gut, eine Hintertür zur Sicherheitspolizei zu haben. Auch wenn er ein Idiot war. Aber dieser Journalist in Enskede war irgendwie auf den Zusammenhang zwischen ihm und mir gekommen und rief ihn an, als Ronald gerade bei ihm in der Wohnung war. Bjurman brach in Panik aus und geriet völlig außer sich. Ronald musste spontan eine Entscheidung treffen. Und er traf die einzig richtige.«

Lisbeth schnürte es die Kehle zusammen, als ihr Vater bestätigte, was sie schon vermutet hatte. *Dag Svensson hatte einen Zusammenhang gefunden.* Sie hatte über eine Stunde mit Dag und Mia geredet. Sie hatte Mia sofort gemocht, nur Dag Svensson gegenüber war sie etwas kühler geblieben. Er erinnerte sie einfach viel zu sehr an Mikael Blomkvist – ein unausstehlicher Weltverbesserer, der glaubte, er könne durch ein Buch wirklich etwas verändern. Aber sie hatte zumindest seine ehrlichen Absichten anerkannt.

Im Großen und Ganzen war der Besuch bei Dag und Mia reine Zeitverschwendung gewesen. Sie konnten sie nicht zu Zalatschenko führen. Dag Svensson hatte seinen Namen gefunden und mit Nachforschungen begonnen, aber er hatte ihn nicht identifizieren können.

Bei ihrem Besuch hatte sie jedoch einen fatalen Fehler gemacht. Sie wusste, dass es eine Verbindung zwischen Bjurman und Zalatschenko geben musste. Also hatte sie nach Bjurman gefragt, um herauszukriegen, ob Dag Svensson auch schon über seinen Namen gestolpert war. Dem war zwar nicht so, aber er hatte sofort etwas gewittert. Zielsicher warf er sich auf den Namen Bjurman und setzte ihr mit Fragen zu.

Ohne dass sie ihm allzu viel verraten hatte, war Dag Svensson schnell klar, dass sie eine Figur in einem Drama war. Und ebenso, dass er selbst über Informationen verfügte, die sie haben wollte. Daher hatten sie sich geeinigt, sich wieder zu treffen und nach den Feiertagen weiterzudiskutieren. Dann war Lisbeth nach Hause gefahren und hatte sich schlafen gelegt. Als sie aufwachte, erfuhr sie aus den Morgennachrichten, dass in einer Wohnung in Enskede zwei Menschen ermordet worden waren.

Eine einzige verwendbare Information hatte sie Dag Svensson bei ihrem Besuch gegeben, nämlich den Namen Nils Bjurman. Dag Svensson musste sofort zum Hörer gegriffen und Bjurman angerufen haben, kaum dass Lisbeth die Wohnung verlassen hatte.

Sie war die Verbindung gewesen. Und wenn sie Dag und Mia nicht besucht hätte, wären sie immer noch am Leben.

Zalatschenko lachte.

»Du ahnst ja nicht, wie verblüfft wir waren, als die Polizei dich wegen der Morde jagte.«

Lisbeth biss sich auf die Unterlippe. Zalatschenko musterte sie.

»Wie hast du mich gefunden?«, wollte er wissen.

Sie zuckte die Achseln.

»Lisbeth ... Ronald wird gleich wieder da sein. Ich kann ihn bitten, dir jeden Knochen im Leibe zu brechen, bis du antwortest. Erspar uns doch die Mühe.«

»Das Postfach. Ich habe Niedermanns Auto über die Mietwagenfirma aufgespürt und dann gewartet, bis dieser picklige Scheißer auftauchte und das Postfach leerte.«

»Aha. So einfach also. Danke. Ich werd's mir merken.«

Lisbeth überlegte kurz. Die Mündung der Pistole zeigte immer noch auf ihren Oberkörper.

»Glaubst du wirklich, dass ihr das hier vertuschen könnt?«, fragte Lisbeth. »Du hast schon zu viele Fehler gemacht, die Polizei wird dich identifizieren.«

»Ich weiß«, erwiderte ihr Vater. »Björck hat gestern angerufen und gesagt, dass uns ein Journalist von *Millennium* auf der Spur ist. Gut möglich, dass wir auch was gegen diesen Journalisten unternehmen müssen.«

»Das wird aber langsam eine ganz schön lange Liste«, meinte Lisbeth. »Allein bei *Millennium* Mikael Blomkvist, die Chefredakteurin Erika Berger, die Redaktionssekretärin und mehrere Angestellte. Der Polizist Bublanski und noch ein paar andere aus dem Ermittlungsteam. Wie viele willst du töten, um diese Geschichte zu vertuschen? Sie werden dich identifizieren.«

Zalatschenko lachte wieder.

»*So what*? Ich habe niemanden erschossen, und es liegt nicht der geringste Beweis gegen mich vor. Von mir aus können die identifizieren, wen sie wollen. Glaub mir ... in diesem Haus können sie so viele Hausdurchsuchungen durchführen, wie sie wollen, sie werden kein Staubkorn finden, das mich mit irgendeiner kriminellen Aktivität in Verbindung bringt. Die Sicherheitspolizei hat dich ins Irrenhaus gesperrt, nicht ich, und die werden sich ganz gewiss nicht überschlagen, alle Karten auf den Tisch zu legen.«

»Niedermann«, erinnerte ihn Lisbeth.

»Ronald wird schon morgen für eine Weile ins Ausland gehen und die weitere Entwicklung der Dinge abwarten.«

Zalatschenko blickte Lisbeth triumphierend an.

»Du wirst in den Mordfällen trotzdem die Hauptverdächtige bleiben. Da ist es nur passend, wenn du jetzt in aller Stille verschwindest.«

Es dauerte fast fünfzig Minuten, bis Ronald Niedermann wiederkam. Er hatte Stiefel an.

Lisbeth Salander warf dem Mann, der angeblich ihr Halbbruder war, einen Blick zu. Sie konnte nicht die geringste Ähnlichkeit entdecken. Er war in allem ihr genaues Gegenteil. Sie hatte jedoch den Eindruck, dass mit ihm irgendetwas nicht stimmte. Sein Körperbau, das weiche Gesicht, die Stimme, die nie richtig in den Stimmbruch gekommen war, das alles sah nach einer Art genetischem Fehler aus. Die Elektroschockpistole hatte ihm überhaupt nichts ausgemacht, und seine Hände waren riesengroß. Nichts an Ronald Niedermann wirkte normal.

Scheint in der Familie Zalatschenko ja jede Menge genetischer Fehler zu geben, dachte sie bitter.

»Fertig?«, fragte Zalatschenko.

Niedermann nickte. Er fasste nach seiner Sig Sauer.

»Ich komme mit«, erklärte Zalatschenko.

Niedermann zögerte.

»Es ist aber ein Stückchen zu gehen.«

»Ich komme mit. Hol mir meine Jacke.«

Niedermann zuckte mit den Schultern und tat, worum er gebeten wurde. Dann hantierte er mit seiner Waffe, während Zalatschenko sich anzog und einen Moment ins Zimmer nebenan verschwand. Lisbeth betrachtete Niedermann, wie er einen Adapter mit selbst gebasteltem Schalldämpfer auf seine Waffe schraubte.

»Dann gehen wir mal«, sagte Zalatschenko.

Niedermann bückte sich und stellte Lisbeth auf die Füße. Sie sah ihm in die Augen.

»Ich werde dich auch töten«, sagte sie.

»Selbstvertrauen hast du jedenfalls«, meinte ihr Vater.

Niedermann lächelte sie sanft an und schob sie durch die Haustür und hinaus auf den Hof. Dabei hielt er sie am Genick fest. Seine Finger schlossen sich problemlos um ihren Hals. Er steuerte sie zum Wald, der nördlich vom Kuhstall begann.

Sie kamen nur langsam voran, und Niedermann blieb in regelmäßigen Abständen stehen, um auf Zalatschenko zu warten. Sie hatten starke Taschenlampen dabei. Als sie in den Wald kamen, ließ Niedermann Lisbeth los. Er zielte mit seiner Pistole aus einem Meter Entfernung auf ihren Rücken.

Ungefähr vierhundert Meter folgten sie einem unwegsamen Pfad. Lisbeth stolperte zweimal, wurde aber jedes Mal wieder auf die Füße gezogen.

»Hier rechts«, befahl Niedermann.

Nach zehn Metern erreichten sie eine Waldlichtung. Lisbeth sah die Grube im Erdboden. Im Schein von Niedermanns Lampe sah sie einen Spaten neben einem Erdhaufen. Plötzlich verstand sie, was für eine Kleinigkeit Niedermann vorhin hatte erledigen müssen. Er gab ihr einen Schubs, sodass sie auf die Grube zutaumelte. Sie stolperte und landete auf allen vieren, wobei sie mit den Händen tief in dem aufgeworfenen Erdhügel versank. Sie stand wieder auf und sah ihn ausdruckslos an. Zalatschenko ließ sich Zeit, und Niedermann wartete geduldig auf ihn, ohne dabei die Pistolenmündung von Lisbeth zu nehmen.

Zalatschenko war völlig außer Atem. Es dauerte über eine Minute, bis er wieder sprechen konnte.

»Ich sollte wohl irgendwas sagen, aber ich glaube, ich hab dir nichts zu sagen«, sagte er.

»Schon okay«, gab Lisbeth zurück. »Ich hab dir auch nicht viel zu sagen.«

Sie grinste ihn schief an.

»Dann bringen wir es am besten doch hinter uns«, schlug Zalatschenko vor.

»Ich bin jedenfalls zufrieden, dass meine letzte Tat darin bestand, dich hinter Gitter zu bringen«, erwiderte Lisbeth. »Die Polizei wird noch heute Nacht bei dir anklopfen.«

»Unsinn. Ich hab schon die ganze Zeit erwartet, dass du so einen Bluff versuchst. Du bist hergekommen, um mich zu töten, sonst nichts. Du hast mit niemandem gesprochen.«

Lisbeth Salander grinste noch breiter. Plötzlich sah sie bösartig aus.

»Soll ich dir mal was zeigen, Papa?«

Sie steckte langsam die Hand in ihre linke Tasche und zog einen viereckigen Gegenstand heraus. Ronald Niedermann überwachte jede ihrer Bewegungen.

»Jedes Wort, das du in der letzten Stunde gesagt hast, ist per Internetradio übertragen worden.«

Sie hielt ihren Tungsten-Palm T3 in die Höhe.

An der Stelle, wo seine Augenbrauen hätten sein müssen, kräuselte sich Zalatschenkos Stirn.

»Zeig her«, sagte er und streckte seine gesunde Hand aus.

Lisbeth warf ihm den Palm zu, und er fing ihn in der Luft auf.

»Unsinn«, meinte Zalatschenko. »Das ist ein ganz gewöhnlicher Palm.«

Als Ronald Niedermann sich vorbeugte, um einen Blick auf ihren Minicomputer zu werfen, pfefferte ihm Lisbeth eine Handvoll Sand in die Augen. Obwohl ihm die Sicht genommen war, gab er automatisch einen Schuss aus seiner schallgedämpften Pistole ab. Doch Lisbeth war bereits zwei Schritte beiseite gesprungen, und so durchlöcherte die Kugel nur die Luft. In der nächsten Sekunde packte sie den Spaten und hieb mit der scharfen Kante auf die Hand, die die Pistole hielt. Sie traf ihn mit voller Wucht am Knöchel und sah, wie seine Sig Sauer in hohem Bogen durch die Luft segelte und im Gebüsch landete. Lisbeth bemerkte, dass aus einer tiefen Wunde unterhalb seines Zeigefingers das Blut schoss.

Er müsste doch vor Schmerzen schreien.

Niedermann tastete mit der verletzten Hand in der Luft herum, während er sich mit der anderen verzweifelt die Augen rieb. Ihre einzige Möglichkeit, den Kampf zu gewinnen, bestand darin, ihm sofort eine massive Verletzung zuzufügen. Wenn es erst einmal zu einer direkten Auseinandersetzung kam, war sie hoffnungslos verloren. Sie brauchte eine Frist von fünf Sekunden, um in den Wald fliehen zu können. Also nahm sie Anlauf und holte dabei mit dem Spaten weit über ihre Schulter aus. Sie versuchte, den Griff so zu drehen, dass sie wieder zuerst mit der Kante traf, aber sie stand ungünstig und traf ihn daher nur mit der Breitseite ins Gesicht.

Niedermann grunzte auf, als zum zweiten Mal innerhalb weniger Tage sein Nasenbein brach. Er war noch immer geblendet vom Sand, schlug aber mit dem rechten Arm wild um sich und schubste Lisbeth weg. Sie trat auf eine Wurzel und stolperte. Doch im Handumdrehen kam sie wieder auf die Füße. Niedermann war vorerst keine Gefahr mehr.

Ich schaffe es.

Sie sprang zwei Schritte auf das Reisiggestrüpp zu und sah aus dem Augenwinkel heraus Zalatschenko – *klick* – den Arm heben.

Der alte Scheißkerl hat auch eine Pistole.

Die Erkenntnis zuckte ihr durch den Kopf wie ein Peitschenhieb.

Im selben Moment, als der Schuss abgegeben wurde, drehte sie sich weg. Die Kugel traf sie an der Hüfte. Sie wurde so schnell herumgerissen, dass sie das Gleichgewicht verlor.

Schmerz spürte sie keinen.

Die andere Kugel traf sie in den Rücken und blieb an ihrem linken Schulterblatt stecken. Ein scharfer, lähmender Schmerz schoss ihr durch den Körper.

Lisbeth ging in die Knie. Für ein paar Sekunden war sie außerstande, sich überhaupt zu bewegen. Sie wusste, dass Zalatschenko ungefähr sechs Meter hinter ihr war. Mit letzter Kraft rappelte sie sich auf und machte ein paar schwankende Schritte auf das schützende Gebüsch zu.

Zalatschenko hatte Zeit zum Zielen.

Die dritte Kugel traf sie ungefähr zwei Zentimeter über ihrem linken Ohr. Sie durchschlug den Schädelknochen und verursachte ein Spinnennetz aus Rissen, das vom Einschussloch sternförmig über den gesamten Knochen verlief. Die Bleikugel drang in ihren Kopf ein, wo sie in der grauen Hirnmasse ungefähr vier Zentimeter unter der Großhirnrinde stecken blieb.

Für Lisbeth Salander wäre diese genaue Lokalisierung nur von theoretischem Interesse gewesen. Praktisch bedeutete es, dass die Kugel sofort ein massives Trauma verursachte. Als Letztes nahm sie einen rot glühenden Schock wahr, der in ein weißes Licht überging.

Dann nur noch Finsternis.

Klick.

Zalatschenko versuchte, noch einen Schuss abzugeben, aber seine Hände bebten so stark, dass er nicht zielen konnte. *Verdammt, sie entkommt mir.* Doch als er begriff, dass sie bereits tot war, ließ er zitternd die Waffe sinken, während ihm das Adrenalin durch den Körper flutete. Er blickte auf seine Waffe hinunter. Eigentlich hatte er die Pistole zu Hause lassen wollen, aber dann hatte er sie doch noch geholt und in die Jackentasche gesteckt, als hätte er ein Maskottchen gebraucht. Sie waren zwei ausgewachsene Männer, einer davon obendrein Ronald Niedermann, der sich mit einer Sig Sauer bewaffnet hatte. *Und trotzdem wäre uns dieses verdammte Luder fast entkommen.*

Er warf einen Blick auf den Körper seiner Tochter. Im Schein der Taschenlampe sah sie aus wie eine blutige alte Stoffpuppe. Er sicherte seine Waffe, steckte sie wieder ein und ging zu Ronald Niedermann, dem immer noch die Augen tränten, während ihm das Blut von Hand und Nase tropfte. Seine Nase war seit dem Kampf mit Paolo Roberto noch nicht verheilt, und das Spatenblatt hatte ihm noch einmal eine massive Verletzung zugefügt.

»Ich glaube, ich hab mir schon wieder das Nasenbein gebrochen«, sagte er.

»Idiot«, zischte Zalatschenko. »Sie wäre uns beinahe entkommen.«

Niedermann rieb sich die Augen. Es tat nicht weh, aber die Tränen liefen unaufhörlich, und er war fast blind.

»Stell dich gerade hin, verdammt noch mal!« Zalatschenko schüttelte verächtlich den Kopf. »Was zum Teufel würdest du bloß ohne mich anfangen.«

Niedermann blinzelte verzweifelt. Zalatschenko hinkte zur Leiche seiner Tochter und packte sie am Jackenkragen. Dann schleifte er sie bis zum Grab, das eigentlich nur eine Grube in der Erde war, in der sie nicht einmal ausgestreckt liegen konnte. Zalatschenko hob sie an, sodass ihre Füße über den Grubenrand hingen, und gab ihr einen Stoß. Sie landete mit dem Gesicht nach unten und angezogenen Beinen.

»Schaufel das Loch zu, damit wir auch noch mal nach Hause kommen!«, kommandierte Zalatschenko.

Der halb blinde Ronald Niedermann brauchte eine Weile, bis er das Loch wieder zugeschüttet hatte. Was nicht mehr in die Grube passte, verteilte er mit kräftigen Würfen rundherum auf dem Boden.

Zalatschenko rauchte eine Zigarette, während er Niedermann bei der Arbeit zusah. Er zitterte immer noch, doch plötzlich spürte er die Erleichterung darüber, dass sie endlich weg war. Noch heute erinnerte er sich an den Anblick, als sie ihm vor so vielen Jahren die Brandbombe ins Auto geworfen hatte.

Um neun Uhr abends sah Zalatschenko sich um und nickte. Nachdem sie Niedermanns Sig Sauer im Gebüsch gefunden hatten, gingen sie wieder zum Haus. Zalatschenko fühlte sich seltsam befriedigt. Zu Hause versorgte er die Wunde an Niedermanns Hand. Der Spaten hatte tief ins Fleisch geschnitten, sodass er Nadel und Faden holen und die Wunde nähen musste – eine Kunst, die er schon als 15-Jähriger auf der Militärschule in Nowosibirsk gelernt hatte. Eine Betäubung war zwar nicht nötig, doch die Verletzung war so schwer, dass Niedermann vielleicht gezwungen sein würde, später ein Krankenhaus aufzusuchen. Er schiente ihm den Finger und legte einen Verband an.

Als er fertig war, machte er sich ein Pils auf, während Niedermann sich im Badezimmer wiederholt die Augen ausspülte.

32. Kapitel

Donnerstag, 7. April

Mikael Blomkvist kam um kurz nach neun am Hauptbahnhof von Göteborg an. Der Zug hatte einen Teil der verlorenen Zeit wieder aufgeholt, war aber immer noch verspätet. Die letzte Stunde hatte Mikael damit verbracht, alle möglichen Mietwagenfirmen anzurufen. Zunächst hatte er versucht, ein Auto in Alingsås zu bekommen, weil er dort aussteigen wollte, aber wie sich herausstellte, war das so spät am Abend nicht mehr möglich. Schließlich gab er es auf und konnte sich nur noch einen Volkswagen in Göteborg reservieren, den er am Järntorget abholen musste. Er ersparte sich Göteborgs verwirrendes Nahverkehrssystem, das allenfalls von Raketenbauingenieuren zu verstehen ist, und nahm ein Taxi.

Da im Handschuhfach seines Mietautos keine Landkarte lag, fuhr er zu einer Tankstelle und kaufte sich eine. Nach kurzem Überlegen kaufte er sich auch noch eine Taschenlampe, eine Flasche Ramlösa-Mineralwasser und einen Kaffee zum Mitnehmen. Den Pappbecher stellte er in den Getränkehalter am Armaturenbrett. Es war halb elf, als er Göteborg endlich in nördliche Richtung verließ und an Partille vorbeifuhr. Er nahm die Straße nach Alingsås.

Um halb zehn kam ein Fuchsmännchen an Lisbeth Salanders Grab vorbei. Es blieb stehen und sah sich nervös um. Instinktiv wusste es, dass hier etwas begraben lag, das jedoch nur schwer zugänglich war. Da gab es leichtere Beute.

Irgendwo in der Nähe raschelte ein unvorsichtiges Nachttier. Der Fuchs horchte sofort auf. Doch bevor er seine Jagd fortsetzte, hob er noch einmal kurz das Hinterbein und markierte mit einem Spritzer sein Revier.

Normalerweise rief Bublanski spätabends niemanden mehr dienstlich an, aber diesmal konnte er nicht widerstehen. Er griff zum Hörer und wählte Sonja Modigs Nummer.

»Entschuldige, dass ich so spät noch anrufe.«

»Kein Problem.«

»Ich habe gerade den Ermittlungsbericht von 1991 zu Ende gelesen.«

»Du konntest ihn also genauso schwer aus der Hand legen wie ich.«

»Sonja ... wie interpretierst du das alles?«

»Mir scheint, als hätte Gunnar Björck Lisbeth ins Irrenhaus einweisen lassen, weil sie versucht hatte, ihre Mutter und sich selbst vor einem wahnsinnigen Killer zu schützen, der für die Sicherheitspolizei arbeitete. Dabei wurde er unter anderem von Teleborian unterstützt, auf dessen Gutachten ja auch wir uns gestützt haben.«

»Das stellt das Bild, das wir uns von ihr gemacht hatten, total auf den Kopf.«

»Und erklärt so einiges.«

»Kannst du mich morgen um acht Uhr abholen, Sonja?«

»Klar.«

»Wir fahren nach Smådalarö und unterhalten uns mal mit Gunnar Björck. Der ist derzeit krankgeschrieben wegen Bandscheibenproblemen.«

»Ich freu mich schon drauf.«

Greger Backman schaute zu seiner Frau hinüber. Erika Berger stand am Wohnzimmerfenster und blickte aufs Wasser hinaus. Sie hatte das Handy in der Hand, und er wusste, dass sie auf einen Anruf von Mikael Blomkvist wartete. Erika sah so unglücklich aus, dass Greger zu ihr ging und den Arm um sie legte.

»Blomkvist ist ein großer Junge«, sagte er. »Aber wenn du dir wirklich solche Sorgen machst, dann solltest du besser diesen Polizisten anrufen.«

Erika seufzte.

»Das hätte ich schon vor ein paar Stunden tun sollen. Aber das ist gar nicht der Grund, warum ich so traurig bin.«

»Gibt's da noch etwas, was ich wissen sollte?«, erkundigte er sich.

Sie nickte.

»Erzähl.«

»Ich hab dir nichts davon erzählt. Und Mikael auch nicht. Und allen anderen in der Redaktion auch nicht.«

»Was nicht erzählt?«

Sie drehte sich zu ihrem Mann um und erklärte ihm, dass sie einen Job als Chefredakteurin bei der *Svenska Morgon-Posten* bekommen hatte. Greger zog die Augenbrauen hoch.

»Aber ich verstehe nicht, warum du nichts davon erzählt hast«, meinte er. »Das ist doch eine Bombensache für dich. Gratuliere!«

»Ich komme mir wie eine Verräterin vor.«

»Mikael wird es verstehen. Alle Menschen müssen sich verändern, wenn der richtige Zeitpunkt gekommen ist. Und jetzt ist es für dich so weit.«

»Ich weiß.«

»Hast du dich denn wirklich schon entschieden?«

»Ja. Ich hab mich entschieden. Aber ich hatte nicht den Mut, es irgendjemandem zu erzählen. Und ich habe das Gefühl, die anderen mitten im allergrößten Chaos im Stich zu lassen.«

Er nahm seine Frau in den Arm.

Dragan Armanskij rieb sich die Augen und sah aus dem Fenster der Reha-Klinik in die Dunkelheit hinaus.

»Wir sollten Bublanski anrufen«, meinte er.

»Nein«, widersprach Palmgren. »Weder Bublanski noch ein anderer Beamter irgendeiner Behörde hat jemals einen Finger für sie gerührt. Lassen Sie sie jetzt ihre Angelegenheiten auch allein regeln.«

Armanskij betrachtete Lisbeth Salanders ehemaligen Betreuer. Er war immer noch verblüfft, wie sehr sich Palmgrens Gesundheitszustand seit seinem letzten Besuch im Juli verbessert hatte. Der Anwalt lallte zwar noch immer, doch in seine Augen war das Leben zurückgekehrt. Außerdem merkte er ihm eine Wut an, mit der er schon früher Bekanntschaft gemacht hatte. Im Laufe des Abends hatte Palmgren ihm die ganze Geschichte erzählt, wie Mikael Blomkvist sie rekonstruiert hatte. Armanskij war schockiert.

»Sie wird versuchen, ihren Vater umzubringen.«

»Schon möglich«, erwiderte Palmgren seelenruhig.

»Oder Zalatschenko bringt sie um.«

»Auch möglich.«

»Und wir sollen einfach nur abwarten?«

»Dragan ... Sie sind ein guter Mensch. Aber was Lisbeth tut oder nicht tut, ob sie überlebt oder nicht, entzieht sich Ihrer Verantwortung.«

Palmgren hob ratlos die Arme. Plötzlich waren motorische Fähigkeiten zurückgekehrt, die ihm lange gefehlt hatten. Als hätte das Drama der letzten Wochen seine betäubten Sinne angeregt.

»Ich hatte noch nie Sympathien für Leute, die das Gesetz selbst in die Hand nehmen. Andererseits kenne ich niemanden, der bessere Gründe dafür hätte. Auch wenn ich Gefahr laufe, mich wie ein Zyniker anzuhören ... was heute Nacht geschieht, wird geschehen, ganz egal, was Sie oder ich darüber denken. Seit ihrer Geburt stand es in den Sternen. Wir müssen nur überlegen, wie wir uns Lisbeth gegenüber verhalten, wenn sie zurückkommt.«

Armanskij seufzte und warf dem alten Anwalt einen betrübten Blick zu.

»Und wenn sie die nächsten zehn Jahre hinter Gittern verbringt, dann war das eben ihre Entscheidung. Ich werde weiterhin ihr Freund bleiben.«

»Ich hatte ja keine Ahnung, dass Sie so freizügige Ansichten über die Menschen hegen.«

»Ich auch nicht«, gab Holger Palmgren zu.

Miriam Wu starrte an die Decke. Ihre Nachttischlampe brannte, und das Radio spielte leise. »On a Slow Boat to China«. Tags zuvor war sie im Krankenhaus aufgewacht, in das Paolo Roberto sie gebracht hatte. Sie hatte unruhig geschlafen, war aufgewacht und dann wieder eingeschlafen. Die Ärzte behaupteten, sie habe eine Gehirnerschütterung, weshalb sie ruhig liegen bleiben musste. Außerdem hatte sie noch ein gebrochenes Nasenbein, drei gebrochene Rippen und Blessuren am ganzen Körper. Ihre linke Augenbraue war dermaßen angeschwollen, dass vom Auge nur ein kleiner Schlitz blieb. Sowie sie versuchte, ihre Stellung zu ändern, tat ihr alles weh. Selbst das Atmen tat weh. Sie hatte Schmerzen im Genick und trug zur Sicherheit eine Halskrause. Die Ärzte hatten ihr allerdings versichert, dass sie wieder ganz gesund werden würde.

Als sie gegen Abend aufwachte, saß Paolo Roberto an ihrem Bett. Er lächelte sie an und fragte, wie es ihr ginge. Sie hingegen fragte sich als Erstes, ob sie genauso jämmerlich aussah wie er.

Sie hatte Fragen, und er erklärte ihr alles. Aus irgendeinem Grund kam es ihr ganz einleuchtend vor, dass er ein guter Freund von Lisbeth war. Er war ein Großmaul. Lisbeth hatte Großmäuler schon immer gemocht, so wie sie aufgeblasene Armleuchter schon immer gehasst hatte. Das war ein haarfeiner Unterschied, aber Paolo Roberto fiel unter die erstgenannte Kategorie.

Er hatte ihr erklärt, warum er plötzlich wie aus dem Nichts in Nykvarn aufgetaucht war. Sie war erstaunt darüber, dass er den schwarzen Lieferwagen so hartnäckig verfolgt hatte, und schockiert, als sie zu hören bekam, dass die Polizei rund um das Lagergebäude mehrere Gräber entdeckt hatte.

»Danke«, sagte sie. »Du hast mir das Leben gerettet.«

Er schüttelte den Kopf und schwieg eine Weile.

»Ich hab versucht, es Blomkvist zu erklären. Er hat es nicht ganz kapiert, aber ich glaube, du kapierst es vielleicht. Du boxt ja auch.«

Sie wusste, was er meinte. Niemand, der nicht in diesem Lager in Nykvarn gewesen war, konnte begreifen, wie es war, sich mit einem Monster zu schlagen, das keine Schmerzen empfand. Sie dachte daran zurück, wie hilflos sie gewesen war.

Schließlich hielt Paolo einfach ihre bandagierte Hand. Sie sprachen nicht mehr, weil es nichts mehr zu sagen gab. Als sie wieder aufwachte, war er verschwunden. Sie wünschte, Lisbeth würde sich melden.

Hinter ihr war Niedermann ja eigentlich her gewesen.

Miriam Wu hatte Angst, dass er sie in die Finger bekommen könnte.

Lisbeth Salander bekam keine Luft. Sie hatte kein Zeitgefühl mehr, konnte sich jedoch erinnern, dass sie angeschossen worden war, und wusste – mehr instinktiv als in Form eines rationalen Gedankens –, dass man sie begraben hatte. Ihr linker Arm war nicht benutzbar. Sie konnte keinen Muskel bewegen, ohne dass Schmerzwellen durch ihre Schulter schossen. Sie war wie in Trance. *Ich muss Luft kriegen.* Ihr Kopf zersprang fast vor pulsierendem Schmerz, wie sie ihn nie zuvor erlebt hatte.

Ihre rechte Hand lag unter ihrem Gesicht, und sie begann instinktiv die Erde vor Nase und Mund wegzukratzen. Die

Erde war sandig und relativ trocken. Auf diese Art konnte sie ein faustgroßes Loch vor dem Gesicht schaffen.

Wie lange sie in diesem Grab gelegen hatte, wusste sie nicht. Aber sie begriff, dass ihre Situation lebensgefährlich war. Schließlich schoss ihr ein klarer Gedanke durch den Kopf.

Er hat mich lebendig begraben.

Die Erkenntnis ließ sie in Panik geraten. Sie konnte nicht atmen. Sie konnte sich nicht bewegen. Eine Tonne Erde lastete auf ihr.

Sie versuchte ein Bein zu bewegen, konnte aber kaum die Muskeln anspannen. Sobald sie mit dem Kopf nach oben drückte, schoss ihr der Schmerz wie ein elektrischer Schlag durch die Schläfen. *Ich darf mich jetzt nicht übergeben.* Sie sank in einen wirren Bewusstseinszustand zurück.

Als sie wieder denken konnte, fühlte sie vorsichtig nach, welche Körperteile sie gebrauchen konnte. Der einzige Körperteil, den sie ein paar Zentimeter bewegen konnte, war die rechte Hand vor ihrem Gesicht. *Ich muss Luft kriegen.* Die Luft war über ihr, über ihrem Grab.

Lisbeth Salander begann zu scharren. Sie presste ihren Ellbogen in die Erde und schuf sich damit ein wenig mehr Platz zum Manövrieren. Mit dem Handrücken vergrößerte sie das Loch vor ihrem Gesicht, indem sie die Erde zur Seite drückte. *Ich muss graben.*

Schließlich begriff sie, dass sich unter ihr und zwischen ihren Beinen ein Hohlraum befand. Von dort kam ein Großteil der verbrauchten Luft, die sie immer noch am Leben hielt. Sie begann verzweifelt ihren Oberkörper hin und her zu bewegen. Der Druck auf ihrem Brustkorb verringerte sich ein wenig. Und plötzlich konnte sie auch ihren Arm ein paar Zentimeter bewegen.

Minute für Minute arbeitete sie in halb bewusstlosem Zustand weiter. Sie kratzte die sandige Erde vor ihrem Gesicht weg und drückte eine Handvoll nach der anderen in den

Hohlraum unter ihrem Körper. Langsam bekam sie den Arm so weit frei, dass sie die Erde über ihrem Kopf wegscharren konnte. Zentimeter für Zentimeter legte sie ihren Kopf frei. Sie spürte etwas Hartes und hielt auf einmal ein kleines Stück Baumwurzel oder einen Zweig in der Hand. Sie scharrte weiter. Die Erde war noch immer locker und nicht sehr kompakt.

Um kurz nach neun kam der Fuchs wieder an Lisbeths Grab vorbei. Er hatte eine Wühlmaus verspeist und war ganz zufrieden mit seinem Dasein, als er auf einmal ein zweites Wesen wahrnahm. Er erstarrte und spitzte die Ohren. Seine Schnurrhaare und seine Nase vibrierten.

Plötzlich schoben sich Lisbeth Salanders Finger durch den Boden, als würde ein Untoter aus der Erde steigen wollen. Hätte ein Mensch dies gesehen, er hätte wahrscheinlich genauso reagiert wie der Fuchs. Der suchte das Weite.

Lisbeth spürte die kalte Luft an ihrem Arm. Sie atmete wieder.

Sie fand es irgendwie seltsam, dass sie ihre linke Hand nicht benutzen konnte, aber sie grub sich eben mechanisch mit der rechten durch Erde und Sand.

Lisbeth brauchte einen harten Gegenstand zum Graben, doch es dauerte eine Weile, bis sie etwas fand. Es gelang ihr, in ihre Brusttasche zu fassen und das Zigarettenetui herauszuziehen, das sie von Mimmi bekommen hatte. Sie klappte es auf und benutzte es wie eine Schaufel. Gramm für Gramm schaufelte sie die Erde weg und warf sie mit einem Ruck des Handgelenks beiseite. Plötzlich konnte sie ihre rechte Schulter bewegen und sie durch die Erdschicht nach oben drücken. Dann entfernte sie so viel Sand und Erde, dass sie den Kopf heben konnte. Somit waren ihr rechter Arm und ihr Kopf oberhalb der Erdoberfläche. Als sie ihren Oberkörper zum Teil freigelegt hatte, konnte sie sich Zentimeter für Zentimeter nach oben hinauswinden, bis die Erde plötzlich ihr Bein freigab.

Mit geschlossenen Augen kroch sie aus ihrem Grab heraus und hielt erst an, als sie mit der Schulter gegen einen Baumstamm stieß. Langsam drehte sie sich um, sodass sie sich rücklings gegen den Baum lehnen konnte, und wischte sich mit dem Handrücken den Dreck von den Augen, bevor sie sie aufschlug. Um sie herum war es stockfinster, die Luft war eiskalt. Sie schwitzte. Obwohl sie einen dumpfen Schmerz in Kopf, linker Schulter und Hüfte verspürte, verschwendete sie keine Energie darauf, über ihre Verletzungen nachzudenken. Sie blieb einfach zehn Minuten still sitzen und atmete. Dann wurde ihr klar, dass sie hier nicht bleiben konnte.

Sie kämpfte sich hoch, während die Welt um sie herum gefährlich schwankte.

Im nächsten Moment wurde ihr speiübel. Sie beugte sich vor und übergab sich.

Dann begann sie zu gehen. Sie hatte keine Ahnung, in welche Richtung sie ging. Sie hatte Probleme mit dem linken Bein und fiel regelmäßig auf die Knie. Dabei schoss ihr jedes Mal ein heftiger Schmerz durch den Kopf.

Sie wusste nicht, wie lange sie schon unterwegs war, als sie plötzlich im Augenwinkel ein Licht wahrnahm. Sie änderte die Richtung und stolperte weiter voran. Erst als sie vor dem Schuppen auf dem Hof stand, ging ihr auf, dass sie geradewegs zu Zalatschenkos Haus zurückmarschiert war. Sie blieb stehen und schwankte hin und her wie eine Betrunkene.

Die Bewegungsmelder am Zufahrtsweg und auf der Lichtung. Ich komme aus der anderen Richtung. Diesmal haben sie mich nicht entdeckt.

Die Erkenntnis stürzte sie in Verwirrung. Ihr war klar, dass sie nicht in der Form war, um Niedermann und Zalatschenko zu einem zweiten Kampf herauszufordern. Nachdenklich betrachtete sie das weiße Wohngebäude.

Klick. Holz. *Klick*. Feuer.

Sie fantasierte von einem Benzinkanister und einem Streichholz.

Mühsam steuerte sie auf den Schuppen zu und taumelte zu einer Tür, die mit einem Querbalken verschlossen war. Es gelang ihr, den Balken zu heben, indem sie die rechte Schulter darunterstemmte. Sie hörte das Poltern, als der Balken zu Boden fiel und dabei gegen die Tür knallte. Sie trat ins Dunkel des Schuppens und sah sich um.

Hier gab es nur Brennholz. Kein Benzin.

Am Küchentisch hob Alexander Zalatschenko den Blick, als er das Geräusch vom Schuppen hörte. Er schob die Küchengardine beiseite und blickte hinaus in die schwarze Nacht. Es dauerte ein paar Sekunden, bis sich seine Augen an die Dunkelheit gewöhnt hatten. Der Wind wurde immer heftiger da draußen – wie es aussah, würde der angekündigte Sturm nicht mehr lange auf sich warten lassen. Da sah er, dass die Tür des Holzschuppens einen Spalt offen stand.

Gemeinsam mit Niedermann hatte er am Nachmittag Brennholz geholt. Ein unnötiger Ausflug, mit dem sie hauptsächlich Lisbeth zeigen wollten, dass sie an den richtigen Ort gekommen war.

Hatte Niedermann nicht daran gedacht, den Querbalken wieder vor die Tür zu legen? Manchmal war er aber auch zu vergesslich. Er schielte durch die Tür ins Wohnzimmer, wo Niedermann auf dem Sofa eingeschlafen war. Einen Moment lang überlegte er, ihn zu wecken, aber dann dachte er sich, dass er ihn genauso gut schlafen lassen konnte. Er stand von seinem Küchenstuhl auf.

Um Benzin zu finden, musste Lisbeth in den Kuhstall gehen, wo die Autos standen. Sie stützte sich auf einem Hauklotz ab und atmete schwer. Sie musste sich ausruhen. Nachdem sie ein paar Minuten dort gesessen hatte, hörte sie plötzlich die schleifenden Schritte von Zalatschenkos Prothese vor dem Schuppen.

Im Dunkeln verfuhr Mikael sich bei Mellby, nördlich von Sollebrunn. Statt nach Nossebro abzubiegen, fuhr er weiter in Richtung Norden und bemerkte seinen Irrtum erst, als er nach Trökörna kam. Dort hielt er an und sah auf seiner Straßenkarte nach.

Fluchend wendete er den Wagen.

Eine Sekunde bevor Alexander Zalatschenko den Schuppen betrat, griff sich Lisbeth Salander mit der rechten Hand die Axt vom Hauklotz. Sie hatte nicht genug Kraft, um sie über den Kopf zu heben, sondern schwang sie mit einer Hand von unten nach oben, während sie ihr Gewicht ganz auf die unverletzte Hüfte verlagerte.

Als Zalatschenko auf den Lichtschalter drückte, spaltete die Axt die rechte Seite seines Gesichts, zerschmetterte seinen Wangenknochen und drang ein paar Millimeter weit in seine Stirn ein. Es ging so schnell, dass er gar nicht begreifen konnte, was mit ihm geschah, doch in der nächsten Sekunde registrierte sein Gehirn einen höllischen Schmerz, und er brüllte los wie ein Besessener.

Ronald Niedermann erwachte mit einem Ruck und setzte sich verwirrt auf. Er hörte ein Heulen, das ihm im ersten Moment gar nicht menschlich vorkam. Es kam von draußen. Dann begriff er, dass es Zalatschenko war, der da brüllte. Hastig sprang er auf.

Lisbeth Salander nahm Anlauf und schwang die Axt ein zweites Mal, doch ihr Körper gehorchte ihr nicht mehr. Sie hatte die Axt heben und den Kopf ihres Vaters spalten wollen, aber ihre Kräfte waren am Ende, und so traf sie ihn unterhalb der Kniescheibe. Das Gewicht trieb die Klinge jedoch so weit hinein, dass die Axt stecken blieb und ihr aus den Händen gerissen wurde, als Zalatschenko vornüber zu Boden stürzte. Er schrie ununterbrochen.

Sie bückte sich, um sich die Axt zurückzuholen. Unter ihren Füßen schwankte der Boden, und in ihrem Kopf zuckten wilde Blitze. Sie musste sich hinsetzen. Mit ausgestreckter Hand tastete sie nach seiner Jackentasche, in der immer noch die Pistole steckte. Sie zog sie heraus.

Eine Browning Kaliber 22.

Eine verdammte Pfadfinderpistole.

Darum lebte sie auch noch. Hätte sie eine Kugel aus Niedermanns Sig Sauer oder aus einer anderen Waffe mit gröberer Munition getroffen, dann hätte sie ein riesengroßes Loch im Schädel gehabt.

Im selben Augenblick, als sie diesen Gedanken fasste, hörte sie die Schritte eines verschlafenen Niedermann, der in der Türöffnung des Holzschuppens auftauchte. Er starrte mit verständnislosen und weit aufgerissenen Augen auf die Szene, die sich ihm bot. Zalatschenko brüllte wie ein Wahnsinniger. Sein Gesicht war eine einzige blutige Maske. In seinem Knie steckte eine Axt. Eine blutige und verdreckte Lisbeth Salander hockte neben ihm auf dem Boden. Sie sah aus wie ein Zombie aus einem der Horrorfilme, von denen Niedermann eindeutig zu viele gesehen hatte.

Ronald Niedermann, schmerzunempfindlich und gebaut wie ein Panzerschrank, hatte die Dunkelheit immer gehasst. Solange er sich erinnern konnte, hatte er sie mit Bedrohung assoziiert.

Er hatte mit eigenen Augen die Schemen gesehen, und er verspürte immer ein unbeschreibliches Grauen, wenn er im Finstern stand. Und nun hatte sich dieses Grauen materialisiert.

Das Mädchen auf dem Boden war tot. Daran konnte es keinen Zweifel geben.

Er selbst hatte sie begraben.

Also war dieses Wesen auf dem Boden kein Mädchen, sondern ein Geschöpf, das von der anderen Seite des Grabes wiedergekehrt war und nicht mit menschlicher Kraft bekämpft werden konnte.

Die Verwandlung vom Menschen zum Untoten hatte bereits eingesetzt. Ihre Haut war ein eidechsenähnlicher Panzer, ihr Gebiss voller nadelspitzer Reißzähne, mit denen sie Fleischstücke aus ihrer Beute riss. Ihre blutigen Hände hatten lange, rasiermesserscharfe Klauen. Er sah ihre Augen glühen. Er konnte hören, wie sie knurrte, und sah, wie sie die Muskeln anspannte, um ihm an die Kehle zu springen.

Plötzlich sah er auch klar und deutlich, dass sie einen Schwanz hatte, der sich krümmte und hasserfüllt auf den Boden peitschte.

Da hob sie die Pistole und schoss. Die Kugel flog so nah an Niedermanns Ohr vorbei, dass er den Luftzug spürte. Für ihn sah es aus, als würde eine Flamme aus ihrem Mund schlagen.

Das war zu viel.

Sein Denken setzte aus.

Er machte auf dem Absatz kehrt und rannte um sein Leben. Sie gab noch einen Schuss ab, der ihn weit verfehlte, ihm aber Flügel zu verleihen schien. Mit einem Riesensatz sprang er über den Zaun und wurde auf seinem Weg Richtung Landstraße von der Dunkelheit verschluckt.

Fassungslos sah Lisbeth ihm hinterher, als er aus ihrem Blickfeld verschwand.

Sie hinkte zur Tür und spähte ins Dunkel, aber sie konnte ihn nirgends mehr sehen. Nach einer Weile hörte Zalatschenko auf zu schreien und wimmerte nur noch leise vor sich hin. Lisbeth stellte fest, dass sie noch eine Patrone im Magazin hatte. Einen Moment überlegte sie, ob sie Zalatschenko in den

Kopf schießen sollte. Aber dann fiel ihr ein, dass Niedermann immer noch irgendwo da draußen in der Dunkelheit herumlief und sie sich die Kugel besser aufsparen sollte.

Mühsam stand sie auf, humpelte aus dem Holzschuppen und schob die Tür zu. Sie brauchte fünf Minuten, um den Balken wieder vorzulegen. Dann überquerte sie schwankend den Hof, ging ins Haus und entdeckte auf einer Kommode in der Küche ein Telefon. Sie wählte die Nummer, die sie seit zwei Jahren nicht mehr benutzt hatte. Er war nicht zu Hause. Stattdessen sprang der Anrufbeantworter an.

Hallo. Hier ist Mikael Blomkvist. Ich bin im Moment nicht erreichbar, aber hinterlassen Sie mir Namen und Telefonnummer, dann rufe ich Sie so bald wie möglich zurück.

Piiiip.

»Mi...ka...el«, sagte sie und merkte, dass ihre Stimme breiig klang. Sie schluckte. »Mikael. Hier ist Lisbeth.«

Dann wusste sie nicht mehr, was sie sagen sollte.

Langsam legte sie auf.

Niedermanns Sig Sauer lag vor ihr auf dem Küchentisch, zum Reinigen auseinandergenommen, direkt neben Sonny Nieminens P-83 Wanad. Sie ließ Zalatschenkos Browning auf den Boden fallen, wankte an den Tisch und nahm die Wanad in die Hand, um das Magazin zu überprüfen. Sie fand auch ihren Palm und steckte ihn in die Tasche. Danach stolperte sie an die Spüle und ließ sich eiskaltes Wasser in eine ungespülte Kaffeetasse laufen. Sie trank vier Tassen. Als sie den Blick hob, sah sie auf einmal ihr eigenes Gesicht in einem alten Rasierspiegel an der Wand. Vor lauter Schreck hätte sie beinahe einen Schuss abgegeben.

Was sie da erblickte, erinnerte mehr an ein Tier als an einen Menschen. Sie sah eine dreckverschmierte Wahnsinnige mit verzerrtem Gesicht und aufgerissenem Mund. Ihr Gesicht und ihr Hals waren von Blut und Lehm bedeckt. Sie ahnte, was Ronald Niedermann eben im Holzschuppen gesehen hatte.

Als sie näher an den Spiegel trat, wurde ihr auf einmal bewusst, dass sie ihr linkes Bein nachzog. In der Hüfte, wo Zalatschenkos erste Kugel sie getroffen hatte, spürte sie einen stechenden Schmerz. Seine zweite Kugel war in ihre Schulter eingedrungen und hatte den linken Arm gelähmt. Doch vor allem der Schmerz in ihrem Kopf war so heftig, dass sie schwankte. Langsam hob sie die rechte Hand und tastete ihren Hinterkopf ab. Da fühlte sie plötzlich den Krater des Einschusslochs.

Während sie das Loch in ihrem Schädel befühlte, wurde ihr auf einmal mit Schrecken klar, dass sie gerade ihr eigenes Gehirn berührte, also so schwer verletzt war, dass sie sterben musste. Was ihr absolut nicht in den Kopf wollte, war, warum sie überhaupt noch auf den Beinen stand.

Plötzlich überkam sie eine betäubende Schläfrigkeit. Sie war nicht sicher, ob sie gerade ohnmächtig wurde oder nur einschlief, aber sie tastete sich zur Küchenbank, wo sie sich vorsichtig hinlegte und die rechte – unverletzte – Seite ihres Kopfes auf ein Kissen bettete.

Sie musste sich hinlegen und Kräfte sammeln, aber sie wusste, dass sie nicht einschlafen durfte, während Niedermann noch irgendwo in der Nähe des Hauses war. Früher oder später würde er zurückkommen. Früher oder später würde es Zalatschenko gelingen, sich aus dem Schuppen zu befreien und das Haus zu betreten, aber sie hatte keine Kraft mehr, sich noch auf den Beinen zu halten. Sie fror. Sie entsicherte die Pistole.

An der Landstraße zwischen Sollebrunn und Nossebro blieb Ronald Niedermann unschlüssig stehen. Er war allein. Es war dunkel. Er konnte wieder vernünftig denken und schämte sich seiner Flucht. Ohne recht zu begreifen, wie das möglich war, kam er zu der logischen Schlussfolgerung, dass sie überlebt hatte. *Irgendwie muss sie sich aus dem Loch befreit haben.*

Zalatschenko brauchte ihn. Also musste er jetzt zurück zum Haus und ihr den Hals umdrehen.

Gleichzeitig hatte Ronald Niedermann aber das Gefühl, dass alles vorbei war. Dieses Gefühl hatte er schon seit geraumer Zeit. Seit Bjurman mit ihnen Kontakt aufgenommen hatte, waren die Dinge immer mehr aus dem Ruder gelaufen. Zalatschenko war wie verwandelt, als er den Namen Lisbeth Salander gehört hatte. All die Regeln der Vorsicht und der Besonnenheit, die er ihm selbst jahrelang gepredigt hatte, existierten plötzlich nicht mehr.

Niedermann zögerte.

Zalatschenko brauchte ärztliche Behandlung.

Wenn sie ihn nicht schon getötet hatte.

Sie würden ihm Fragen stellen.

Er biss sich auf die Unterlippe.

Jahrelang war er der Geschäftspartner seines Vaters gewesen. Es waren erfolgreiche Jahre gewesen. Er hatte Geld beiseite gelegt und wusste außerdem, wo Zalatschenko sein eigenes Vermögen versteckt hatte. Er hatte die Mittel und die Kompetenz, die er brauchte, um das Geschäft weiterzuführen. Das Vernünftigste war also, nicht zurückzublicken. Wenn es etwas gab, das Zalatschenko ihm eingeschärft hatte, dann war es die Fähigkeit, sich ohne Sentimentalität aus einer Situation zu befreien, die nicht mehr kontrollierbar war. Das war die Grundregel des Überlebens. *Mach keinen Finger krumm für eine verlorene Sache.*

Sie war kein übernatürliches Wesen. Aber er hatte sie unterschätzt.

Ronald Niedermann war hin und her gerissen. Er wollte nicht zurückgehen. Auf dem Hof war nichts, was er noch brauchte.

Außer einem Auto vielleicht.

Er stand immer noch zögernd auf der Straße, als er sah, wie sich von der anderen Seite das Licht von Autoscheinwerfern näherte. Er drehte den Kopf. Vielleicht konnte er sich anderweitig ein Fahrzeug beschaffen. Alles, was er brauchte, war ein Auto, mit dem er nach Göteborg fahren konnte.

Zum ersten Mal in ihrem Leben – zumindest seit ihren frühesten Kindertagen – war Lisbeth Salander nicht Herrin der Situation. Im Laufe der Jahre war sie in Schlägereien verwickelt und misshandelt, vom Staat in die Psychiatrie gesteckt und privaten Übergriffen ausgesetzt worden. Körperlich wie seelisch hatte sie mehr Faustschläge eingesteckt, als es irgendeinem Mensch zugemutet werden durfte.

Aber jedes Mal hatte sie aufbegehren können. Sie hatte sich geweigert, auf Teleborians Fragen zu antworten, und wenn sie physischer Gewalt ausgesetzt war, konnte sie sich zurückziehen.

Mit einem gebrochenen Nasenbein konnte sie leben.

Aber mit einem Loch im Schädel war das nicht möglich.

Diesmal konnte sie sich nicht nach Hause in ihr eigenes Bett verkriechen, sich die Decke über den Kopf ziehen und zwei Tage schlafen, um danach aufzustehen und ihre tägliche Routine wieder aufzunehmen, als wäre nichts passiert.

Sie war so schwer verletzt, dass sie sich nicht allein mit der Situation auseinandersetzen konnte. Sie war so müde, dass ihr Körper ihren Befehlen nicht mehr gehorchte.

Ich brauche eine Weile Schlaf, dachte sie. Doch plötzlich war sie ganz sicher, dass sie nie wieder aufwachen würde, wenn sie jetzt die Augen schloss. Sie analysierte diese Schlussfolgerung und stellte schließlich fest, dass es ihr egal war. Im Gegenteil. Sie fand den Gedanken fast schon anziehend. Ausruhen dürfen. Nicht mehr aufwachen müssen.

Ihre letzten Gedanken galten Miriam Wu.

Verzeih mir, Mimmi.

Sie hatte immer noch Sonny Nieminens entsicherte Pistole in der Hand, als sie die Augen schloss.

Mikael Blomkvist sah Ronald Niedermann schon von Weitem im Licht der Scheinwerfer und erkannte ihn sofort wieder. Man konnte sich ja auch schwerlich irren bei einem 2 Meter 5 großen blonden Riesen, der wie ein Panzerschrank gebaut war. Niedermann wedelte mit den Armen. Mikael blendete ab und bremste. Mit der Rechten griff er ins Außenfach seiner Laptoptasche und holte den Colt 1911 Government heraus, den er auf Lisbeths Schreibtisch gefunden hatte. Knapp fünf Meter von Niedermann entfernt blieb er stehen und stellte den Motor ab, bevor er die Autotür öffnete.

»Danke, dass Sie anhalten«, keuchte Niedermann atemlos. Er war gerannt. »Ich hatte einen ... einen Autounfall. Können Sie mich in die Stadt mitnehmen?«

Seine Stimme war eigenartig hell.

»Natürlich kann ich dafür sorgen, dass Sie in die Stadt kommen«, sagte Mikael Blomkvist. Er richtete die Waffe auf Niedermann. »Legen Sie sich auf den Boden.«

Die Prüfungen, die in dieser Nacht über Ronald Niedermann hereinbrachen, wollten einfach kein Ende nehmen. Er starrte Mikael ungläubig an.

Niedermann hatte nicht die geringste Angst vor der Pistole oder der Gestalt, die sie in der Hand hielt. Doch er hatte Respekt vor der Waffe. Sein ganzes Leben hatte er mit Waffen und Gewalt zu tun gehabt. Wenn jemand mit einer Pistole auf ihn zielte, dann ging er davon aus, dass diese Person verzweifelt war und sie auch benutzen würde. Er blinzelte und versuchte, den Mann hinter der Pistole einzuschätzen, doch mit den Scheinwerfern im Rücken war er nur ein dunkler Schatten. *Ein Polizist? Er klingt nicht wie ein Polizist. Polizisten geben sich zu erkennen. Zumindest in den Filmen machen sie das immer.*

Er schätzte seine Chancen ab. Wenn er ihn einfach überrannte, konnte er ihm die Waffe entreißen, das wusste er. Aber der Mann mit der Pistole wirkte kühl und stand geschützt hinter der Autotür. Er würde ihn mit mindestens ein, vielleicht sogar zwei Kugeln treffen. Wenn Niedermann schnell war, würde der Mann eventuell kein lebenswichtiges Organ treffen, aber auch wenn er überlebte, würden die Kugeln ihm die weitere Flucht erschweren oder sogar unmöglich machen. Es war also klüger, eine bessere Gelegenheit abzuwarten.

»LEGEN SIE SICH HIN!«, brüllte Mikael.

Er bewegte die Mündung ein Stückchen zur Seite und gab einen Schuss in den Straßengraben ab.

»Der nächste Schuss trifft Sie in die Kniekehle!«, verkündete Mikael mit lautem und deutlichem Befehlston.

Ronald Niedermann ging auf die Knie, geblendet von den Scheinwerfern.

»Wer sind Sie?«, fragte er.

Mikael holte die Taschenlampe heraus, die er an der Tankstelle gekauft hatte. Dann richtete er den Lichtkegel auf Niedermanns Gesicht.

»Hände auf den Rücken«, kommandierte er. »Und die Beine spreizen.«

Er wartete, bis Niedermann widerwillig seinen Befehlen gehorchte.

»Ich weiß, wer Sie sind. Wenn Sie Dummheiten machen, schieße ich ohne Vorwarnung. Ich ziele unter Ihr Schulterblatt auf die Lunge. Sie können mich kriegen, wenn Sie wollen ... aber dafür werden Sie den Preis bezahlen.«

Er legte die Taschenlampe auf den Boden, zog seinen Gürtel aus der Hose und machte eine Schlinge, wie er es vor zwanzig Jahren im Wehrdienst bei den Feldjägern in Kiruna gelernt hatte. Er stellte sich zwischen die Beine des blonden Riesen, zog ihm die Schlinge über die Arme und schnürte sie über den Ellbogen fest zusammen. Damit war der riesige Niedermann in jeder Hinsicht hilflos.

Und was jetzt? Mikael sah sich um. Sie waren absolut allein auf der dunklen Landstraße. Paolo Roberto hatte bei seiner

Beschreibung von Niedermann nicht übertrieben. Er war ein Riese. Fragte sich nur, warum ein solcher Riese mitten in der Nacht hier entlangrannte, als wäre der Teufel persönlich hinter ihm her.

»Ich suche Lisbeth Salander. Ich nehme an, Sie sind ihr begegnet.«

Niedermann gab keine Antwort.

»Wo ist Lisbeth Salander?«, wiederholte Mikael.

Niedermann bedachte ihn mit einem seltsamen Blick. Er begriff nicht, was in dieser bizarren Nacht eigentlich geschah, aber alles schien schiefzulaufen.

Mikael zuckte mit den Schultern. Er ging zurück zum Auto, öffnete den Kofferraum und nahm ein Abschleppseil heraus. Schließlich konnte er Niedermann nicht einfach gefesselt mitten auf der Straße liegen lassen. Er sah sich um. In dreißig Metern Entfernung leuchtete ein Straßenschild im Scheinwerferlicht. Vorsicht, Elche!

»Stehen Sie auf.«

Er drückte Niedermann die Pistolenmündung ins Genick und führte ihn bis zu dem Schild, wo er sich in den Straßengraben setzen musste. Mikael befahl ihm, sich mit dem Rücken gegen den Pfosten zu lehnen. Niedermann zögerte.

»Das Ganze ist sehr einfach«, erklärte Mikael. »Sie haben Dag Svensson und Mia Bergman umgebracht. Die beiden waren meine Freunde. Ich habe nicht vor, Sie hier frei auf der Straße herumstehen zu lassen, also setzen Sie sich jetzt entweder hier hin und lassen Sie sich fesseln oder ich schieße Sie in die Kniekehle. Ihre Entscheidung.«

Niedermann setzte sich. Mikael legte ihm das Abschleppseil um den Hals und fixierte damit seinen Kopf. Dann benutzte er das achtzehn Meter lange Seil, um den Oberkörper des Riesen festzubinden. Ein Stückchen sparte er sich auf, um die Unterarme an den Pfosten zu fesseln. Das Ganze sicherte er mit ein paar ordentlichen Seemannsknoten.

Als er fertig war, fragte Mikael noch einmal, wo sich Lisbeth Salander befand. Er bekam keine Antwort, zuckte die Achseln und ging davon. Erst als er wieder zu seinem Auto kam, spürte er das Adrenalin durch seinen Körper fluten und begriff, was er gerade getan hatte. Das Bild von Mia Bergmans Gesicht flimmerte vor seinen Augen.

Mikael steckte sich eine Zigarette an und trank Mineralwasser aus der Flasche. Dabei betrachtete er den Schatten, der im Dunkeln unter dem Elchschild saß. Dann setzte er sich hinters Steuer, warf noch einen Blick auf die Straßenkarte und stellte fest, dass es noch zwei Kilometer bis zur Abzweigung zu Karl Axel Bodins Hof waren. Er ließ den Motor an und fuhr an Niedermann vorbei.

Er parkte neben einer Scheune auf einem Waldweg, griff sich seine Pistole und schaltete die Taschenlampe ein. Im Lehm entdeckte er frische Reifenspuren und stellte fest, dass hier vor Kurzem ein anderes Auto geparkt haben musste. Doch er dachte nicht weiter über diese Beobachtung nach, sondern ging zurück zur Abzweigung nach Gosseberga und leuchtete den Briefkasten an. »PL192 – K.A. Bodin«. Er bog ein und ging den Weg hinunter.

Es war schon fast Mitternacht, als er die Lichter von Bodins Hof erblickte. Mikael blieb stehen und horchte, aber er konnte nichts anderes hören als die gewöhnlichen Geräusche des nächtlichen Waldes. Statt den direkten Weg zum Bauernhof einzuschlagen, ging er am Rand der Wiese entlang und näherte sich dem Haus vom Kuhstall her. Dreißig Meter vor dem Haus blieb er auf dem Hof stehen. Jede Faser in seinem Körper war gespannt. Niedermanns Eile auf der Straße legte den Schluss nahe, dass hier etwas passiert sein musste.

Als Mikael den Hof schon halb überquert hatte, hörte er ein Geräusch. Er fuhr herum und ließ sich mit erhobener Waffe auf ein Knie nieder. Erst nach ein paar Sekunden hatte er ausgemacht, dass das Geräusch von einem der Nebengebäude kam. Es klang, als würde jemand vor sich hin wimmern. Rasch lief er übers Gras und blieb vor dem Holzschuppen stehen. Als er um die Ecke spähte, konnte er sehen, dass in der Hütte Licht brannte.

Er horchte. Irgendjemand bewegte sich dort drinnen. Mikael hob den Querbalken hoch, drückte die Tür auf und begegnete einem erschrockenen Augenpaar in einem blutigen Gesicht. Dann fiel sein Blick auf die Axt am Boden.

»Um Gottes willen«, murmelte er.

Dann entdeckte er die Prothese.

Zalatschenko.

Lisbeth Salander war definitiv zu Besuch gewesen.

Er konnte sich nur schwer vorstellen, was passiert sein konnte. Schnell machte er die Tür wieder zu und schob den Riegel vor.

Zalatschenko lag hilflos im Holzschuppen, und Niedermann saß gefesselt an der Straße nach Sollebrunn. Mikael überquerte mit raschen Schritten den Hof zum Wohngebäude. Möglicherweise hielt sich noch ein unbekannter Dritter hier auf, der ihm gefährlich werden konnte, aber das Haus schien verlassen, fast unbewohnt. Er richtete seine Waffe auf den Boden und öffnete vorsichtig die Haustür. Als er den dunklen Flur betrat, sah er ein schwaches Licht aus der Küche dringen. Nur das Ticken einer Wanduhr war zu hören. In dem Moment, als er die Küchentür betrat, entdeckte er sofort Lisbeth Salander auf der Küchenbank.

Einen Augenblick lang blieb er wie versteinert stehen und betrachtete den geschundenen Körper. Die Pistole in ihrer Hand hing schlaff herunter. Langsam ging er auf sie zu und kniete sich neben sie. Ihm fiel wieder ein, wie er Dag und Mia gefunden hatte, und eine Sekunde lang dachte er, dass auch sie tot war. Doch dann nahm er die leichte Bewegung ihres Brustkorbs wahr und hörte einen schwachen, rasselnden Atemzug.

Vorsichtig wollte er ihr die Waffe aus der Hand nehmen. Doch plötzlich umklammerte sie den Kolben, schlug die Augen zu zwei kleinen Schlitzen auf und starrte ihn lange an. Dann hörte er, wie sie ganz leise, sodass er die Worte kaum verstand, zu murmeln begann:

»Kalle Fucking Blomkvist ...«

Sie schloss die Augen und ließ die Pistole los. Mikael legte die Waffe auf den Boden, zog sein Handy aus der Tasche und wählte die Nummer der Notrufzentrale.

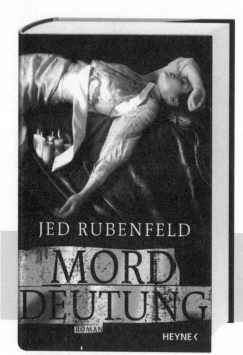